大學叢書

新亞論叢

第二十三期

《新亞論叢》編輯委員會
主編

稿　約

⑴本刊宗旨專重研究中國學術，以登載有關文學、歷史、哲學等研究論文為限，亦歡迎有關中、西學術比較的論文。
⑵來稿均由本刊編輯委員會送呈專家審查，以決定刊登與否，來稿者不得異議。
⑶本刊歡迎海內外學者賜稿，每篇論文以一萬五千字內為原則，中英文均接受；如字數過多，本刊會分兩期刊登。
⑷本刊每年出版一期，每年九月三十日截稿。
⑸本刊有文稿行文用字的刪改權，惟以不影響內容為原則。
⑹文責自負，有關版權亦由作者負責，編委會有權將已刊登論文轉載於其他學術刊物。
⑺若一稿二投，需先通知編輯委員會，刊登與否，由委員會決定。
⑻來稿請附約二百字中文提要及約一百字作者簡介，刊登時可能會刪去。
⑼來稿請用 word 檔案，電郵至：socses@yahoo.com.hk

編輯弁言

二〇二二年疫症的嚴重情況開始減弱，各地逐漸通關，期望全球運作盡快回復正常。本期的論文稿件超過五十多篇，來自世界不同的地方，包括印度。稿件的內容仍是以文學類為主，接近一半，其他是有關史學、哲學、思想史、社會史及語言考察等論文，水平很高，內容吸引。由於稿件特多，編委又不想將部份論文轉向下一期刊登，故今期審稿的時間較以往為長，甚至本來要修改後刊登的論文，都盡量趕及今期出版，以免作者守候一年才能看見自己的作品刊登。在此，編委會感謝評審專家學者花了不少時間的閱讀論文，給予意見，尤其是落選論文，報告甚為詳盡。相信論叢絕對是推動學術交流的搖籃，影響學界。

本刊再次強調，我們的宗旨是學術交流，刊登有一定水平的論文作品，對於有宣傳成份或屬創作性的作品，一般不會刊登。至於書評及學界概況等文章，編委會有意集結一定數目後，會以附錄形式刊登。當然，也要經過評審或查實內容。

二〇二二年，仍是傷感的一年，兩位新亞系統出身的學者猝逝，令我們十分難過。鄧立光教授（1959-2022），廣東三水人，出生於婆羅洲，香港大學中文系學士、碩士、博士，在香港新亞研究所師從牟宗三先生。鄧教授與本刊主編楊永漢教授差不多同期就讀於新亞研究所，鄧教授當年是學生會幹事，積極參與所內活動。畢業後，鄧、楊兩位同時回研究所任教，近數年因發展儒家教育，聯絡漸多。其後，新亞文商書院申辦副學士學位，鄧教授更義務出任學術顧問，並為文商舉行公開演講。鄧教授出身港大，因仰慕牟宗三老師，特進入研究所跟隨牟先生。他曾多次指出牟先生對他是有震憾性的影響，他出身香港大學，自然有點自傲也不自知，但往往與牟師傾談，總覺得自己好像處處都不足。所以日後，我們所見的鄧立光教授，是位謙虛有禮的仁德君子。他對《周易》的研究成就，在香港更是首屈一指的。他曾在某網站的訪問中即場起卦占有關疫症的情況，卦象的結果令他很擔心，說疫症短期內不會完結，其後果然。本期特別附錄了幾篇懷念學者的文章，其中一篇就是由鄧教授高棣能仁專上學院中文系系主任謝向榮教授編撰的紀念文章。

潘秀英博士（1959-2022），畢業於新亞文商書院及新亞研究所，曾任教於香港志蓮書院，對書院制度用力尤深。潘博士為研究所義務工作，尤其是管理圖書館。館藏舊籍非常珍貴，需要保養及重新整理，潘博士可謂花盡心思，推廣圖書館活動，短短一兩年間，令研究所圖書館的名聲雀起。文商書院院長邀請潘博士任教文商課程，潘博士一口應承，從不過問報酬。楊院長也特別撰寫了紀念文章，懷念胸懷廣闊的潘博士。

附錄同時刊登了紀念李璜教授（1895-1991）、廖伯源教授（1945-2021）及黎志剛教授（1955-2021）的紀念文章。李璜教授是民初政治家，思想家，中國青年黨創始人，國家主義者。居港期間，曾任教於珠海學院，影響一代香港年青人。據說李璜教授在珠海教授「西洋史」，曾有學生需要兼職，中途離開課室。李教授上前握著學生的手不准離開，並問是否他教學不佳？是不是教學內容有問題？要學生解釋離開課室的原因，好使自己改善。此事成為一時佳話，也從此事可知李教授對教育下一代的急切使命感。回台後，擔任臺灣中國青年黨中央委員會主席，直至逝世。

廖教授及黎教授的生平片段已於上一期作出簡介，此處不贅。讀者可從文章緬懷學者先賢一生貢獻學術，努力不懈，愛育後輩，承接文化傳統的熱情、理想及行為。

《新亞論叢》編輯委員會

二〇二二年

目次

附錄

普賢十大行願與念佛求生淨土的關係及意義探討

Dr. Skalzang Dolma
印度新那藍陀佛教大學
（Nava Nalanda Mahavihara- Deemed to be University）

前言

當我們提到「行願」，是修行的人欲求佛果所發的甚深而堅固的菩提大願。發菩提心也就是將利已之心轉為成就佛果、利益眾生的大願。所以，修行所要做的就是調整方向，將為自己謀福利的那份精神用之於服務眾生，像四弘誓願所說的那樣：「眾生無邊誓願度，煩惱無盡誓願斷，法門無量誓願學，佛道無上誓願成。」大乘佛教所有法門的修行都離不開菩提心，任何一位佛菩薩，也都是在因地發菩提心而成就。阿彌陀佛在因地發的是四十八大願；藥師琉璃光如來在因地發的是十二大願；地藏菩薩在因地發的是「地獄不空，誓不成佛，眾生度盡，方證菩提」之願。這些願力都是由菩提心而來，其共同特點則是利益一切眾生。[1]

省庵大師在《勸發菩提心文》中說：「嘗聞入道要門，發心為首，修行急務，立願居先。願立，則眾生可度；心發，則佛道堪成。苟不發廣大心，立堅固願，則縱經塵劫，依然還在輪回，雖有修行，總是徒勞辛苦。」所以要想圓滿成就佛果，就要發願，廣度有情眾生。然而在一切的行願當中，普賢菩薩的行願最為廣大。

此外，由於《普賢行願品》最後回向往生阿彌陀佛淨土，成為由華嚴宗轉入淨土宗的轉折。例如經中所云：「唯此願王，不相舍離。于一切時，引導其前，一刹那中，即得往生極樂世界。到已即見阿彌陀佛。文殊師利菩薩。普賢菩薩。觀自在菩薩。彌勒菩薩等。此諸菩薩，色相端嚴，功德具足，所共圍繞。其人自見生蓮華中，蒙佛授記。」[2]

因此《普賢行願品》也成了淨土宗的一部典籍，而且與《無量壽經》、《觀無量壽佛經》、《阿彌陀經》並稱為「淨土四經」。

1　濟群法師：《普賢行願品》觀修原理，取自濟群法師網站：〈http://www.jiqun.com/dispfile.php?id=4488〉。

2　（唐）般若譯，全名為《大方廣佛華嚴經入不思議解脫境界普賢行願品》，一卷。收在《大正藏》第十冊。原是般若所譯四十卷《華嚴經》的標題，《普賢行願品別行疏鈔》乃以為品名，專指《四十華嚴》的最後一卷。

一　普賢十大行願的經典出處與華嚴經的漢譯本

（一）普賢菩薩名稱的定義

普賢，梵名 Samantabhadra。音譯三曼多跋陀羅菩薩。又作遍吉菩薩，祂是中國佛教四大菩薩之一。與文殊菩薩為釋迦牟尼佛之脅士，文殊駕獅子侍佛陀之左側，普賢乘白象侍右側。文殊、普賢共為一切菩薩之上首，常助釋迦牟尼佛宣揚佛法，化導群生。以此菩薩之身相及功德遍一切處，純一妙善，故稱普賢。[3]

普賢之名開始出自於《三曼陀羅菩薩經》，後來廣見於諸經而成普遍之信仰。據《法華經・普賢勸發品》記載，普賢菩薩乘六牙白象，守護法華之行者。《華嚴經・普賢行願品》卷四十說普賢菩薩勸人修十種廣大之行願，即：禮敬諸佛、稱讚如來、廣修供養、懺悔業障、隨喜功德、請轉法輪、請佛住世、常隨佛學、恆順眾生、普皆回向。經中一一講述此十大願，明其功德無量，臨命終時，得此願王引導，往生阿彌陀佛極樂世界。此十大願為一切菩薩行願之標幟，故亦稱普賢之願海。以此菩薩之廣大行願，所以稱為大行普賢菩薩。[4]

在《八十華嚴經・十定品》中是這樣描述普賢菩薩的：

> 雖知法界，無有邊際，而知一切種種異相；起大悲心，度諸眾生，盡未來際，無有疲厭，是則說名普賢菩薩。這段經文的意思是說雖然他了知法界沒有邊際，也清楚了知種種差異相，但仍發起大悲心，度化一切眾生，窮盡未來際，沒有疲倦與厭煩，所以稱為普賢菩薩。[5]

這是給普賢菩薩名稱定義的一段經文之一。什麼是普賢菩薩？普賢菩薩就是一位既知現在，又知未來而無所不知的，有著普度一切眾生慈悲之心的，精進而不知疲倦的菩薩的代表。[6]

（二）關於普賢菩薩身相的描述

在《華嚴經・十定品》[7]經裡面是這樣描述普賢身相：

3　佛光山星雲大師監修、慈怡法師主編，《佛光大辭典》高雄：佛光出版社出版，1989年。

4　同上註。

5　于闐國三藏實叉難陀奉制譯，《大方廣佛華嚴經・十定品》第二十七之四・卷第四十三，《八十華嚴經》收於《大正新修大藏經》臺北：大藏經刊行會出版社出版，1978年，第十冊。

6　李富華：《華嚴經與普賢菩薩思想》北京：中國社會科學院出版社，1999年。

7　于闐國三藏實叉難陀奉制譯，《大方廣佛華嚴經卷第四十・十定品》，《八十華嚴經》收於《大正新修大藏經》臺北：大藏經刊行會出版社出版，1978年，第十冊。

世尊在摩竭提國阿蘭若法菩提道場中，還有十佛剎微塵數的菩薩摩訶薩在此法會。會中有一位菩薩名為普眼的菩薩就起身向佛發問：「世尊，普賢菩薩，今何所在？」佛告訴他，普賢菩薩今就在「此道場眾會，親近我住，初無動移」。但是普眼菩薩以及所有的菩薩又仔細觀察法會道場，「周遍求覓」還是見不著「普賢菩薩其身及座」，還是看不到普賢菩薩的身影以及他的寶座。這時佛告訴普眼等：「普賢菩薩住處甚深不可說故，普賢菩薩獲無邊智慧門，入師子奮迅定，得無上自在用，入清淨無礙際，生如來十種力，以法界藏為身，一切如來共所護念，於一念頃悉能證入三世諸佛無差別智，是故汝等不能見耳」。

以上這段經文意思就是：你們為什麼無法親眼看見呢？因為普賢菩薩安住的處所甚為深奧而不可說。普賢菩薩已經證得無邊的智慧法門，證入師子奮迅定的三昧境界，得證了無上自在的力用，又證入清淨無障礙的分際，生出如來的十種力用，以法界的寶藏作為身軀。因此一切如來都共同護持憶念，而且能夠在一念之間證入三世諸佛無所差別的智慧，所以你們根本無法親見普賢菩薩。

眾大菩薩聽了佛的這一番話，個個對普賢菩薩「心生渴仰，願得瞻覲」。於是「三稱」南無一切諸佛，南無普賢菩薩名號，「頭頂禮敬」。就是再以頭頂禮敬拜。那麼怎麼樣才能見到普賢菩薩呢？

《華嚴經・十定品》中云：

> 佛告普眼菩薩及諸眾會言：『諸佛子！汝等宜更禮敬普賢，殷勤求請，又應專至觀察十方，想普賢身現在其前。如是思惟，周遍法界，深心信解，厭離一切，誓與普賢同一行願：入於不二真實之法，其身普現一切世間，悉知眾生諸根差別，遍一切處集普賢道。若能發起如是大願，則當得見普賢菩薩。』是時，普眼聞佛此語，與諸菩薩俱時頂禮，求請得見普賢大士。

這段經文的白話文意思是，佛陀告訴普眼菩薩以及法會大眾：「諸佛子啊！你們應更加禮敬普賢菩薩，更加懇切請求，又應專心觀察十方世界，觀想普賢菩薩的身形示現面前。如此思惟，周遍法界，深心信解，厭離一切，發誓與普賢菩薩修習同一行願，也就是證入真實不二的法門，身形普遍示現世間，完全知曉眾生根器的差別，在任何地方都能積集普賢菩薩的道業。如果你們能夠發起這樣的大願，就可以見到普賢菩薩。」這時，普眼菩薩聽到佛陀所說的話，便與所有的菩薩同時頂禮，請求親見普賢大士。

最後，普賢菩薩為眾菩薩顯現「色身」，此經十定品原文：

> 普賢菩薩即以解脫神通之力，如其所應為現色身，令彼一切諸菩薩眾皆見普賢親近如來，于此一切菩薩眾中坐蓮華座；亦見於餘一切世界一切佛所，從彼次第相續而來；亦見在彼一切佛所，演說一切諸菩薩行，開示一切智智之道，闡明一切菩薩神通，分別一切菩薩威德，示現一切三世諸佛。

這段經文白話文意思是普賢菩薩即以解脫神通的力量，回應普眼菩薩以及所有菩薩的請願，為他們示現色身，使他們都能看到普賢菩薩出現如來身旁，在菩薩大眾中端坐蓮華寶座；也讓他們看到普賢菩薩相續出現在其他一切世界的所有佛所；也看到普賢菩薩在他方一切佛所，演說一切菩薩行願，開示一切智智之道，闡明一切菩薩神通，分別一切菩薩威德，示現一切三世諸佛。這幾段經文告訴我們，普賢菩薩是一位「境界甚深，不可思議」的大菩薩，「一切如來共所護念」，已證「三世諸佛無差別智」的大菩薩，是一位在大乘佛教中具有其他菩薩所無法相比的特殊地位的大菩薩。

在《華嚴經》經文中對普賢形象的描述比較具體的就是「普賢菩薩摩訶薩於如來前，坐蓮華藏師子之座」。在《華嚴經・如來出現品）》中又云：「普賢菩薩身及師子座，過於本時及諸菩薩身座百倍，唯除如來師子之座」。也就是說，普賢菩薩在佛前坐師子之座，而這種師子之座是其他諸菩薩之「身座」的百倍，只是不及如來的師子之座。這是《華嚴經》關於普賢形象的一種基本描述。[8]

中國佛教寺院中的普賢菩薩形象造型是乘六牙白象，白象上有用金銀及珠寶裝飾的寶臺，寶臺上有七寶蓮花寶座，普賢菩薩頭戴五佛冠，身著白玉色服飾，趺坐在寶座之中，右手持金剛杵，左手執金剛鈴，這種造像更多的是受《法華經》及後出的密教經典的影響，例如《佛說一切諸如來心光明加持普賢菩薩延命金剛最勝陀羅尼經》。[9]

（三）普賢十大願的經典出處與華嚴經的漢譯本

普賢十大願出自於《普賢行願品》，本品出自四十華嚴，四十華嚴是唐朝般若法師翻譯，共一卷，它的全名為《大方廣佛華嚴經入不思議解脫境界普賢行願品》，原是般若法師所翻譯的四十卷《華嚴經》的標題，《普賢行願品別行疏鈔》乃以為品名，專指《四十華嚴》的最後一卷。[10]

《華嚴經》傳入中國後有三種譯本：第一次翻譯是在東晉時期，有六十卷。

當時印度高僧佛陀跋陀羅帶來了《華嚴經》的梵文版本，翻譯成六十卷，收於《大正藏》第九冊。總成七處八會[11]，三十四品，又稱《晉譯華嚴》或《六十華嚴》，為了區別於後來的唐譯本，又稱為「舊譯《華嚴》」。

關於六十華嚴的翻譯，根據《出三藏記集》卷九、《華嚴經探玄記》卷一等所提到，

8 李富華：《華嚴經與普賢菩薩思想》，收在中國社會科學院主編：《佛學研究》第八期，北京：中國社會科學院出版社，1999年。

9 李富華：《華嚴經與普賢菩薩思想》，收在中國社會科學院主編：《佛學研究》第八期，北京：中國社會科學院出版社，1999年。

10 藍吉富主編：《中華佛教百科全書》臺南：中華佛教百科文獻基金會，1994年。

11 六十華嚴之結構組織，採用七處八會之說法，七處，即演說之場所為七處；八會，即演說之回數為八會。

華嚴經之梵本，原有十萬偈，由東晉支法領從于闐國攜入三萬六千偈，自東晉義熙十四年（西元418年）三月，由佛馱跋陀羅譯成六十卷，稱為六十華嚴，這是第一種漢譯本。然而六十華嚴當中《入法界品》還有缺文，直至唐永隆元年（西元680年）才補譯之。[12]

第二次翻譯的有八十卷，它的梵文原本有四萬五千頌，是在（唐）武則天時，武則天「以華嚴舊經處會未備，遠聞於闐有斯梵本」，於是遣使訪求，並請譯師實叉難陀與經本一同前來，於證聖元年（西元695年）三月十四日在洛陽大遍空寺開始翻譯。武后親臨譯場首題品名，菩提留志、義淨同宣梵本，他與菩提流志、義淨「同宣梵本」，沙門法藏、復禮等並參與筆受潤文，到聖曆二年（西元699年）十月十八日在佛授記寺譯畢（見《開元釋教錄》卷九），成八十卷，內分三十九品，總由七處（同舊譯）、九會（八會同舊譯，新增「普光法堂」一會）的說法而成。後法藏發現此經《入法界品》中尚有脫文，法藏還補入了提婆訶羅所譯《入法界品》的兩處脫文，但基本內容是一致的。[13]

第三次翻譯的有四十卷，它的梵文原本有一萬六千七百偈（見《貞元釋教錄》卷十七）是南天竺烏荼國王親手書寫遣使於貞元十一年（西元795年）十一月送贈來唐。[14]

第三種漢譯本，是在唐德宗貞元十二年（西元796年），罽賓三藏般若法師，依據南印度烏荼國王「所進」的手抄本《華嚴經》，譯成四十卷本的《大方廣佛華嚴經入不思議解脫境界普賢行願品》。此本相當於前譯《華嚴經》的《入法界品》，但經文增加了許多，其中引人注目的是普賢十大行願和普賢廣大願王清淨偈等。這就是一般所說的四十卷本《華嚴經》。[15]般若翻譯的《四十華嚴》中，最後一品就是《普賢行願品》。如果我們想從《華嚴經》裡找《普賢行願品》內容，也只能在《四十華嚴》裡才能找到。

不過這四十華嚴的最後一品《普賢行願品》，其實這品經並不是佛陀親口所說，是承《華嚴經》第三十九卷普賢菩薩贊佛功德偈而來，它是普賢菩薩為善財童子宣說的。

善財童子是古印度福城人，他出世後家裡不斷湧現各種各樣稀世珍寶，全部的庫房都盈滿資財，為此因緣，爸爸媽媽、家屬、相師都給他起名叫「善財」。善財童子曆參五十三善知識，最早參訪的一位老師是文殊師利菩薩，最後參訪的一位善知識是普賢菩薩，參訪之後普賢菩薩為其宣說「佛功德海一滴之相」，接著在本經開始，普賢菩薩就告諸菩薩及善財童子，要成就如來的殊勝功德應修十種廣大行願，即：（1）禮敬諸佛，（2）稱讚如來，（3）廣修供養，（4）懺除業障，（5）隨喜功德，（6）請轉法輪，（7）請佛住世，（8）常隨佛學，（9）恆順眾生，（10）普皆回向。長行有十大段，說明這十種行願的內容。

---

12 佛光山星雲大師監修、慈怡法師主編，《佛光大辭典》高雄：佛光出版社，1989年。

13 藍吉富主編：《中華佛教百科全書》臺南：中華佛教百科文獻基金會，1994年。

14 藍吉富主編：《中華佛教百科全書》臺南：中華佛教百科文獻基金會，1994年。

15 李富華：《華嚴經與普賢菩薩思想》，收在中國社會科學院主編《佛學研究》第八期，北京：中國社會科學院出版社，1999年。

對於這十種廣大行願，其實就是成就如來功德的法門，而普賢菩薩所以要提出這十大行願，是因為善財童子去參訪五十三位大善知識，他總是會問：我已發心學佛，而不知如何學菩薩行？如何修菩薩行？如何趣菩薩行？如何淨菩薩行？如何入菩薩行？如何成就菩薩行？如何隨順菩薩行？如何憶念菩薩行？如何增廣菩薩行？如何令普賢行速得圓滿？所以普賢菩薩就針對善財童子所問的這些問題而提出祂的十大行願，[16]同時也期望未來學佛的眾生，都能依教奉行。

二　十大行願與念佛求生淨土的關係

（一）十大願王與念佛法門的關係

古人說普賢十大願王導歸極樂，那麼這十大願王與念佛法門有什麼樣的關係呢？我們來看以下幾段經文，藉此瞭解兩者之間的關係。

《普賢行願品》云：

> 又復是人，臨命終時，最後剎那，一切諸根，悉皆散壞。一切親屬，悉皆舍離。一切威勢，悉皆退失。輔相大臣，宮城內外，象馬車乘，珍寶伏藏，如是一切，無複相隨。唯此願王，不相舍離！于一切時，引導其前；一剎那中，即得往生極樂世界！'到已即見阿彌陀佛，文殊師利菩薩，普賢菩薩，觀自在菩薩，彌勒菩薩等。此諸菩薩，色相端嚴，功德具足；所共圍繞。其人自見，生蓮華中，蒙佛授記。[17]

這一段經文是說：有人在臨命終的時候，在臨終最後的那剎那間，一切的諸根全部壞了，一切的親屬全都捨棄離開，一切的威勢全都退失。那些宰相大臣、宮城內外、象馬車輛、珍寶庫藏，像這一切的東西都不再跟隨自己而去。只有這十大願王，不會舍離自己，無論在任何時候，引導著自己前行，於一剎那之間，即刻往生極樂世界。

到了極樂世界後，即刻見到阿彌陀佛、以及文殊師利菩薩、普賢菩薩、觀自在菩薩、彌勒菩薩等。這些諸多菩薩都是很端正莊嚴，功德也都是圓滿具足的，大家都環繞在他們周圍。這個人自己看見從蓮花裡化生，承蒙佛親自為他授記。

這是從自利角度而言，臨終唯此願王，不相舍離！[18]

《普賢行願品》又云：

---

16 楊政河：〈華嚴經普賢行願思想之研究〉，《華崗佛學學報》第4期，頁97-131。

17 （唐）般若譯，《大方廣佛華嚴經入不思議解脫境界普賢行願品》，一卷，《大正藏》第十冊。

18 取自百度網：〈 https://baike.baidu.com/item/%E6%99%AE%E8%B4%A4%E5%8D%81%E5%A4%A7%E6%84%BF%E7%8E%8B 〉

> 得授記已，經於無數百千萬億那由他劫，普於十方不可說不可說世界，以智慧力，隨眾生心，而為利益。

這是說，授成佛記以後，以菩薩之智慧，神通，分身於十方世界，常時利益一切眾生。下面再說明究竟成佛，與成熟眾生：

《普賢行願品》又云：

> 不久當坐菩提道場，降伏魔軍，成等正覺。轉妙法輪，能令佛剎極微塵數世界眾生，發菩提心。隨其根性，教化成熟。乃至盡于未來劫海，廣能利益一切眾生。

這是說明發十大願，往生極樂世界的這位新大士，不久當成佛果。成佛之後，廣說妙法，成就一切眾生。十大願王，既有如是自利利他的廣大功能，所以要勸我們受持了。[19]那麼我們應該如何把十大願王與念佛求生淨土相結合一起實踐呢？

（二）菩薩的願行與念佛求生淨土

中國大安法師說普賢十大行願中，前七願是菩薩的願行，後三願是菩薩的回向行。中國另外一位法師：濟群法師認為在這十大願王裡邊，有兩個願是核心。這兩個願就是第八、第九兩願。兩個願中，「恆順眾生」願又是核心的核心！從第一願禮敬諸佛開始，到最後普皆回向第十願，整個內容是圍繞「常隨佛學」、「恆順眾生」這兩個大願服務的。

「常隨佛學」是上求，「恆順眾生」是下化。《普賢行願品》的思想精髓，就是「上求下化」。上求，是上求佛道：下化，是下化眾生，這是《普賢行願品》的重點所在。如果再精闢、再核心就剩下二個字——下化！下化是整個《普賢行願品》的核心所在！我們上求佛道，直到成佛的目的，是為了恆順眾生！一切修行的功德，都以眾生為核心。修學佛法主要還是為了救度眾生。[20]

我們要想學習普賢菩薩的十大願。首先我們要把自己的心量拓開，不要念念想著自己，想著自己的一個小家庭，念念想著自己的親朋好友。要將這種利己之心轉為像普賢菩薩那樣念念想著盡虛空、遍法界一切苦難的眾生。

這種廣大心可以說是漢傳佛教為代表的大乘很重要的觀念。因此，在華嚴的世界中他表現為一切菩薩的行願主。一切菩薩的大行。這一切的大行又收攝為普賢十大願。這普賢菩薩的十大願，最終淨土宗的大德們又把它會歸為一念佛乘，念佛往生作為它的最終的實踐法門。那麼念佛法門就不再是一個單一的，只是個人求往生了，他是帶著普賢十大願的概念而去念佛，這種念佛是念念都與十大願相應，念念包含著普賢菩薩行願。

---

19 道源長老講述，許寬成居士記，《念佛與十大願王》宜蘭：佳芳企業社，2005年。

20 濟群法師：《普賢行願品》講記，取自學佛網：〈http://www.xuefo.net/nr/article55/553603.html〉。

那麼這樣的念佛人他就是成為一個具有普賢菩薩大願大行、有大實踐力，而且這個實踐的內容是直了成佛的。這種念佛就意味著是真正名符其實的大乘法門，因為普賢十大願講的是菩薩的發心、願心跟願行。

只有發菩提心的人才能成佛，然而成佛的方法有千百種，你可以說我淨土法門是最直截了當，但是你發菩提心才來念佛。一切大乘的法門都以菩提心為根本，發所謂的上求佛道下化眾生的心為根本。那麼這個上求下化的心既然是一切法門的根本，那麼它的具體表現是怎麼表現法呢，那就是普賢十大願。

我們為了要行菩薩道，所以發這個十大願，因為要完成這十大願而去念佛。那麼念佛就直接貫穿了整個普賢十大願，更貫穿到最終我們成佛那裡。念佛為了完成十大願，而十大願為了完成菩提心，菩提心為了成就一切眾生皆成佛道。那這樣行這個普賢菩薩十大願地念佛法門就變成為一個極為廣大無邊的功德大利益。也變成是句句佛號中具有普賢十大願，也具足了成就無量無邊的菩提行，換句話說，句句的佛號就種下了我們最終與一切眾生皆共成佛道的不可思議的因緣。為什麼經中會說導歸極樂，就是這個意思。下面將分別探討如何帶著普賢十大願的概念而去念佛？

一者禮敬諸佛：《普賢行願品》中，又是如何進行禮敬的呢？經云：

> 所有盡法界虛空界，十方三世一切佛剎極微塵數諸佛世尊，我以普賢行願力故，深心信解，如對目前，悉以清淨身語意業，常修禮敬。一一佛所，皆現不可說不可說佛剎極微塵數身。一一身，遍禮不可說不可說佛剎極微塵數佛。虛空界盡，我禮乃盡。以虛空界不可盡故，我此禮敬無有窮盡。如是乃至眾生界盡，眾生業盡，眾生煩惱盡，我禮乃盡。而眾生界乃至煩惱無有盡故，我此禮敬無有窮盡。念念相續，無有間斷。身語意業，無有疲厭。

禮是身體上的禮拜，是身業，敬是發自內心的真誠恭敬，是意業，收攝妄念，專心一意。「禮敬」可以折服傲慢，學謙虛、學恭敬。諸佛是包含所有盡虛空、遍法界，剎剎塵塵、重重無盡的三世一切諸佛，也都要從內心裡生起恭敬。[21]為什麼要禮敬十方三世諸佛？因為諸佛是三覺圓滿、萬德具備的覺悟之聖人，是眾生的無上福田，應當禮敬。經云：「禮佛一拜，罪滅河沙；念佛一聲，福增無量。」何況能遍禮十方過去與現在諸佛，當然是尊重佛的智慧，景仰佛的德行，對諸佛的言教，歡喜信受奉行；自然可以淨化身心，增長福慧；如果我們能禮敬未來諸佛，那麼就是對自己及一切眾生人格的尊重，因為自己與眾生，都是未來之佛。我們對佛怎樣的恭敬，對一切眾生也要同等的恭敬，這才是禮敬諸佛。[22]

---

21 楊政河：〈華嚴經普賢行願思想之研究〉，《華崗佛學學報》第4期，頁97-131。

22 文珠法師講述：《大方廣佛華嚴經．普賢行願品講義》，取自網頁：〈https://www.dizang.org/jj/xyp/index2.htm〉

一個人怎麼拜得了那麼多所有盡法界虛空界，十方三世一切佛剎極微塵數諸佛呢？要借助觀想的力量，觀想宇宙中有微塵數的佛陀。我呢？也不是一個我，我是顯出微塵數的身。有多少個佛，就有多少個我。我有千百億個化身，想像著每一尊佛的面前都有一個我。例如在殿堂裡前後左右上下都裝有鏡子的話，就會出現每一個鏡子裡都有一尊佛，同時每一個鏡子裡也都有一個「我」。「我」在拜每一尊佛，同時每一尊佛前都有我在禮拜。這時候，我就不只一個身體，而是有無數的身體。以無數的身體去拜無數的佛，這樣就能拜得過來了。如果用這種觀想的方法和力量去拜佛的話，功德就無量無邊！這種功德就像虛空一樣大。

同時拜佛的時候，心裡不存絲毫的私心雜念，當我們沒有任何妄想的時候，心才能清淨。所以，要以清淨的身口意三業，常常修禮敬諸佛的大願。

在我們禮敬諸佛當中有一尊佛叫阿彌陀佛，我時時禮敬祂，時時稱念祂，時時仰賴祂，時時的憶念祂，這就是禮敬。心裡的禮敬諸佛，是要鮮活地有一個具體的功德，依於功德所現的法相。依於這個法相再展現出祂功德的加持，好像真的有一個人在那裡，我在叫祂的名字一樣，這叫做稱名，這些都是基於禮敬為本。心中敬佛，我們身心自然不敢妄動，有佛作主。不管我們學什麼法門，都可以這樣做，這就是行菩薩道的第一個大願，我們稱念佛的名號就是在禮敬諸佛，等一下會看到，十大願一一都跟稱念佛名號有關，它一方面又跟實踐菩薩道有關，跟我們修行的更加有關，一路貫穿起來我們的念佛就顯得非常的豐滿，一句佛號顯的那個功德非常的豐滿。[23]

二者稱讚如來：即是稱揚讚歎如來功德。如來有哪些功德值得我們稱讚呢？如來的功德，在佛經裡簡單地說有「三德二利」。三德是斷德、智德、恩德，二利是自利利他、自覺覺他。

什麼是斷德呢？如來已去除了所有貪嗔癡，祂已從內心的不淨雜染中完全解脫出來，非常的純淨，不再受生死輪回，祂的身口意完全純淨，已到達究竟真理的彼岸，過著解脫自在的生活。[24]

什麼是智德呢？如來透過正確的努力成就正等正覺，是一位徹底的覺悟者。他的智慧和行為都完美無缺。他經由親身體驗了知世間的實相，他是可教化眾生無與倫比的調教者，他是天人和人類的導師。[25]

什麼是恩德呢？佛陀對我們有極大的恩情，他把自己親身體驗了知世間的實相，了知所有痛苦的生起和熄滅，及滅苦的方法，毫不保留地傳給我們。讓我們按照他修行的

---

23 法藏法師主講：《普賢十大願王與念佛》，講於高雄悟光精舍，2015年。

24 葛印卡老師講：〈三寶的特質〉，Vipassana內觀禪修，原刊於《烏巴慶》期刊，取自網頁：〈http://www.360doc.com/content/13/0910/16/8771769_313531650.shtml〉

25 葛印卡老師講：〈三寶的特質〉，內觀禪修，取自網頁：〈http://www.360doc.com/content/13/0910/16/8771769_313531650.shtml〉

方法去實踐，讓我們也能證得涅盤，了脫生死，得大自在。

普賢菩薩教我們怎樣讚歎如來：「我當悉以甚深勝解，現前知見。各以出過辯才天女微妙舌根，一一舌根，出無盡音聲海：一一音聲，出一切言辭海：稱揚讚歎一切如來諸功德海。窮未來際，相續不斷：盡于法界，無不周遍。」這裡告訴我們要有「甚深勝解，現前知見」，深信不疑地接受，深信不疑地理解，十方世界中充滿著佛、菩薩。想像著這些佛、菩薩，都在我們的面前。在「稱讚如來」時，我們應該悉出無量辯才，出微妙舌根，出盡一切的音聲海，出盡一切的言辭海，稱揚讚歎一切如來諸功德海。

稱讚如來還有好多種方法。稱讚如來的功德，稱讚祂的本願，講說祂的教法，講說祂的行儀，講說祂的經典等等，都叫做稱讚如來，還有一個最直截了當的方法，就是稱佛名為稱讚如來，念佛就是稱讚如來。因為我們今天稱阿彌陀佛名號，句句佛號，都是在憶念佛的功德，憶念佛的本願，憶念我仰賴祂的本願接引。我內心完全放下自我的貪吝，自我的貪嗔癡，並且渴望於阿彌陀佛的接引。所以我句句稱名，借此憶念佛的功德，憶念我自身的輪回苦痛。那麼最主要的痛苦又是什麼呢？就是五陰熾盛苦，愛別離苦，怨憎會苦等等，基於這種苦我憶念佛的功德，所以稱讚如來就變成一方面是稱讚佛的功德，接引我往生的這個功德。

另方面，是憶念我內在的苦痛。同時也因為有佛的功德的加倍所以我就能放下這個苦痛。因為能放下這個苦痛不與一切眾生敵對。那麼傷害我的人，恰恰因為他的傷害，讓我知道苦，因為苦，讓我覺悟人世間的苦，我去憶念佛，由於憶念佛了，讓我能往生，這樣傷害我的人讓我能往生，他成就了我，而且我心裡突然覺得對他很感恩。要是沒有他，我怎麼會好好念佛。[26]

修持淨土的人隨時隨機廣說阿彌陀佛因行果報，大願功德，即是稱讚如來的殊勝體現。[27]

三者廣修供養：廣修供養這一願能幫助我們克服慳貪和吝嗇的心理。與前二願並修，能令我們三業清淨。一般人都比較貪執，將屬於自己的物品也視為自身的一部分，煩惱便因此而產生，患得患失，贈予他人更是萬般不舍。而廣修供養可以對治這種慳吝的心理。菩薩之所以能為眾生捨棄一切，是因為在他們的心目中，眾生和自己是平等無二的。所以所有修菩薩道的人都修供養，如釋尊因地於然燈佛前，得值八百四千萬億那由他諸佛，悉皆供養承事，無空過者：[28]阿彌陀佛因地，為圓滿成就大願，無量劫來積功累德，於諸佛所，尊重供養，未曾間斷。[29]

怎樣供養諸佛呢？「悉以上妙諸供養具」。普賢菩薩告訴我們對於十方諸佛，要用

---

26 法藏法師主講：《普賢十大願王與念佛》，講於臺灣高雄悟光精舍，2015年。

27 大安法師：《普賢菩薩十大行願》，取自學佛網：〈http://www.xuefo.net/nr/article32/321400.html〉

28 （後秦）鳩摩羅什所譯，《金剛般若波羅蜜經》，一卷，《大正藏》，第08冊，No.235。

29 大安法師：普賢菩薩十大行願，取自學佛網：〈http://www.xuefo.net/nr/article32/321400.html〉

最好的東西去供養。所謂的最好，不是一定要我們拿出金銀財寶、珍珠瑪瑙去供佛，而是在我們經濟能力可能的範圍內，用最好的東西去供佛。例如用衣服、鮮花、音樂、食品、塗香、各種油燈等等，這麼多的東西去供養十方三世諸佛、菩薩，以及世界上所有的一切眾生。看起來這功德很大。我們不要以為用那麼多、那麼好的東西去供養佛，就是對佛陀最好的供養了。不是的！對佛陀最好的供養，是對佛法的尊重和如法實踐。也就是說：「依教奉行」，或「依法修行」，才是對佛陀最好的供養。

如在經中普賢菩薩告訴我們：「諸供養中，法供養最。所謂如說修行供養，利益眾生供養，攝受眾生供養、代眾生苦供養、勤修善根供養、不舍菩薩業供養，不離菩提心供養。」[30]只要能依據這七種心去如法奉行，解行並重，求證菩提，就可以獲得不可思議的功德。能夠做到這一步，才是真正的法供養。

「如說修行供養」，就是按照佛所說的教法修行，並且利益一切眾生，才是無上的供養。

「利益眾生供養」，就是時刻心繫眾生，並盡自己所能利益一切眾生，這也是一種供養如來。

「攝受眾生供養」，以我們的善行善言，勸導別人。引導眾生皈依三寶、修學佛法，並以此作為對諸佛如來的供養。

「代眾生苦供養」，願代替一切眾生承受苦難，是慈悲心的極致。慈悲是佛菩薩悲智二德之一，以這種廣大悲心與眾生同甘共苦，正是對諸佛如來的真實供養。

「勤修善根供養」，勤，是精進、勤奮。佛所說的善行有著不同的內涵，如以五戒、十善為主的人天善行，以戒、定、慧、解脫、解脫知見五分法身為主的解脫道善行，以佈施、持戒、忍辱、精進、禪定、般若六度為主的菩薩道善行。勤修善根，能使出離心、菩提心的力量得到增強，最終證佛所證，是為究竟供養。

「不舍菩薩業供養，不離菩提心供養。」生生世世永不舍離菩薩道的事業，永不舍離菩提心的實踐，盡未來際走在菩提大道上，自利利他，自覺覺他，才是究竟圓滿的法供養。[31]

作為修淨土念佛的人，最好的供養就是念佛，念佛的功德，實踐佛的教法，自己做好了，別人看到了就會跟著學佛，講解佛法給人家聽，這是「如說修行供養」。心裡沒有雜念，妄想，只有一句阿彌陀佛在心裡，願離娑婆世界，願生西方極樂世界，親近彌陀，聆聽佛法，上求佛果，下化群生，讓眾生皈依三寶、修學佛法，從煩惱中解脫出來，這就是「利益眾生供養，攝受眾生供養、勤修善根供養、不舍菩薩業供養，不離菩提心供養。」

---

30 《華嚴經・入不思議解脫境界普賢行願品》卷四十，《大正藏》，第10冊，845a

31 濟群法師：《普賢行願品》觀修原理，取自濟群法師網站：〈http://www.jiqun.com/dispfile.php?id=4488〉

四者懺悔業障：《普賢行願品》中云：「言懺除業障者，菩薩自念，我於過去無始劫中，由貪瞋癡，發身口意，作諸惡業，無量無邊。若此惡業有體相者，盡虛空界不能容受。我今悉以清淨三業，遍於法界極微塵剎，一切諸佛菩薩眾前，誠心懺悔，後不復造，恆住淨戒一切功德。」這一行願能令過去、未來身口意三業清淨。

業障是指修行者在修行中所遇到的障礙，能障人天善法以及出世聖道。業障就是指我們無始劫以來所造的惡業，如地藏經所說：「業力甚大，能敵須彌，能深巨海，能障聖道，是故眾生，莫輕小惡，以為無罪，死後有報，纖毫受之。」

如今我們學佛修行，就要懺悔此身多業障。因為我們修學過程中要不就是修行不得利，要不就是為家庭所累，要不就是貪嗔癡具足，要麼就是煩惱結心，要麼就是放不下眷屬，要麼就是愛染深重，要麼就嗔恨心很重，要麼就是愚癡不了佛法，不能深信因果。有這麼多顛倒愚癡，貪嗔癡慢疑，尤其是那個疑，讓我們對三寶、對因果無法深信不疑，要知道這一切的法不相應可以說都是業障。因為業障重，能障聖道，才需要懺悔業障。所以一個人業障重不重，我們可以從這裡照見。

從菩薩道來說，我們為什麼要修，業障深重啊，因為眾生難度，自己無法度他們。要不就是德不足以服人，要不就是智慧不足以利益眾生，要不就是習氣過重，精進不得，要不就是愚癡，不了佛法，不能善巧，要不就是過去沒有善沒有隨喜他人。所以，今天處處障礙，做什麼事情人家都不隨喜，人家甚至也不幫助你。怪我們德不足以服人，因緣不足以利益眾生或讓眾生感動。修行利益眾生的事或者要度化眾生的事，我們有心要做，而做不來的，統統是業障重，所以我們要懺悔業障。這懺悔業障是大乘行人一切反求諸己的根本。一方面我們要對佛法僧，對三寶要無邊的恭敬供養、禮敬、稱讚，反過來對自己這一尊本具的佛，我們居然利益不了眾生，我們今天居然還為財色名食睡等等所藏蓋著，於一切法不能得大法益，這些都要反觀自省，然後懺悔業障。這就是修菩薩行一個很重要的一點。

所以說只要生煩惱就是自己的錯，沒有別人的錯。我們就要懺悔業障，那都是業障，不然怎麼會遇到這種人？他怎麼會對我們講這種話？他既然叫人，他一定過去有修五戒，也一定有他的基礎，他甚至能出家，我們今天也出家，你說你討厭他，你說你難以跟他相處，那就是自己的錯，我們還沒有看到他的功德。所以一定要修懺悔業障。所以前三寶在修供養、讚歎、禮敬，突然間馬上轉回來就是修我們自己，我們就是自己這一尊佛，我們會自己懺悔業障，我們的身口意種種行為都跟佛性相違。本來我們的自性功德裡都不會有這些相違的惡法，現在居然都有，要懺悔業障。也只有從懺悔業障開始，往後的修行才會真實，才會得利。

五者隨喜功德：真正懺悔業障完了，自己知道自己的不足，自己的我執真正放下來了，我們那個對抗的心真正的放下了，這個時候開始修讚歎法門了，從前面的讚歎諸佛觀察到自己的不足之後懺悔業障，這個時候隨喜功德的真隨喜心就出現了，看到別人有功德利益，哪怕是一絲一毫他都是我們學習的對象，都是我們希望他增長廣大的樣子，所以這個時候我們不會再嫉妒別人。[32]

任何人在做利益眾生的事情，我們都應該由衷地歡喜讚歎。以清淨心隨喜他人善行，也是在成就自己的善心。不僅如此，隨喜還能獲得與行善之人相同的功德，在某些情況下，甚至會超過對方。為什麼？因為所獲功德的多寡是取決於發心，而不是取決於我們出了多少錢或多大力成正比。我們的心，就像裝載功德的容器，若它本身極其狹隘且放有其它雜物，自然也就盛不下更多物品了。所以，如果以凡夫心、充滿我執的名利心行善，即使所做事情很大，但因為發心狹隘而不純淨，所獲的功德往往也是極其有限。反之，如果能以無限廣大的清淨心去隨喜，所獲的功德卻是盡虛空、遍法界的。[33]

那麼，最終的隨喜功德是隨什麼，是隨佛的功德。稱讚佛的功德，宣揚佛的功德，是為隨喜功德。我念一句佛號，懺悔過去稱念佛名不夠真實，稱念佛名信願不堅固，還在搖擺不定。那麼如今我憶念佛的功德，真實信仰不懷疑，因此我一句句佛號乃至一句即得往生，何況無量無邊句，我念念稱佛，我念念知道我臨終之時一切法不生一切法不念，我但念彌陀接引往生極樂的正願，我但念此願，只有阿彌陀佛極樂世界我要去，其他我們都不去。那麼我相信阿彌陀佛決定接引我往生，我讚歎這句佛號的不可思議功德。這就是隨喜。

六者請轉法輪：轉法輪，是比喻佛陀說法。請轉法輪就是由我們祈求諸佛菩薩來宣說微妙法音，令法輪常轉，讓一切眾生都能受到法益，使眾生皆能破迷覺悟，也為了我們自己能開顯智慧。華嚴經說：「佛法無人說，雖慧莫能了。」由此可知請轉法輪是多麼的重要。因為凡夫的心是常和五欲塵勞相應的，如果不是特別提起正念，通常就是沉溺在於財色名食睡當中。所以，要通過不斷請法使心融入佛法中，融入空性中。我們念佛，就和佛相應，就從這些紙醉金迷的五欲塵勞當中，醒悟過來。

佛在世時，可請佛轉法輪，如今佛已示現滅度，彌勒佛尚未降臨，弘揚佛法，利益群生，更為重要。因為弘揚正法，能指引眾生一心向善，讓家庭和樂，人心和善，社會和諧安定。從出世角度來說可以使眾生離苦得樂，斷惑證真。

轉法輪的「輪」有前進的意思，輾破的意思，轉入的意思，旋轉的意思。前進能夠讓本來不前進，你停留在你的認知，六道輪回當中，現在前進，往前進，他輪子能夠帶領你出輪回。講經說法就帶人家瞭解解脫法，瞭解一佛乘法，讓他出離生死，轉出生死。那麼我們念佛，一句佛號帶領我們從煩惱之中解脫出來，轉出生死，得生淨土。

第二個，輾破的意思，你本來具足邪見，顛倒見，貪嗔癡，覺得家庭最重要，覺得兒女最重要，哪個最重要，生死最重要。你兒女多孝順你，你躺在那裡不呼吸了，你兒

---

32 法藏法師主講：《普賢十大願王與念佛》，講於臺灣高雄悟光精舍，2015年。

33 濟群法師：《普賢行願品》觀修原理，取自濟群法師網站：〈http://www.jiqun.com/dispfile.php?id=4488〉

子只能拿更多的錢叫醫生拿電來電你，急救是不是電他？要死了，不能呼吸了，你看看你兒子趕快去插管，不要讓他這麼好死，那就是孝順的兒女，一輩子照顧他，你要死的時候他這樣折騰你，這叫做孝順的兒女，世間在家人就是這樣。除非佛來才有用。才能輾破這個假像。所以他就是顛倒見，這就是請轉法輪，要輾破那些邪見。

第三個意思就是旋轉，把相似見，如弟子規，還有那種人間道理拿來當佛法用，這種相似見要旋轉，把它旋轉成讓你看清那是錯的，這是一種。所以這是轉眾生的顛倒見，而且還要轉自己內在的分別見。這就是法輪的三個意思。有身轉，他做給你看，口轉，他講給你聽，意轉，他的用心，他生活點滴之間，待人處事的用心。我們要學，學轉法輪。

那麼請轉法輪，就是佛講法能輾破邪見，帶領眾生往解脫，往成佛之路上前行，能夠旋轉世間的相似見為真正的佛法，這就叫轉法輪。

那麼我們念佛呢，也是這樣，我們稱念佛號，憶念佛的功德，這就等於我們雖然沒見阿彌陀佛，沒見釋迦牟尼佛，釋迦佛的淨土法門一直在對我宣講，我念阿彌陀佛，我就是阿彌陀佛的信仰者，而這個信仰者，無非就是釋迦佛講淨土法門，我才能夠信仰，所以我正在隨順釋迦佛，聽聞，或者讓釋迦佛的法，淨土法轉入我的心。所以正念佛時，憶念佛德，憶念往生功德，憶念我的往生心願的信願之心。這個正好是讓釋迦佛的法轉入我的心。是不是請轉法輪？

七者請佛住世：這一行願除了請一切諸佛住世外，還要勸請各位菩薩、聲聞、緣覺、有學、無學乃至一切善知識們長久住世。如果他們入滅離世，眾生便將失去依怙。如果最後佛陀要示現入滅，我們不勸請佛長久住世，漠然置之，那麼這樣的話就真的沒緣。我們要發願雖然你勢必要離開，但我們願意將來因緣再結合，再修學。

由於世間的事情常常是無量劫的因緣，一剎那之間結上的因緣，我們就在世間的某時某處相見。某時某處這因緣過了，我們又相分離，我們與諸佛的因緣，如果不去用心那也是這樣。佛出世時我沉淪，佛入滅後我出世，懺悔此身業障重，不見如來金色身。你能見到如來現前的金色身，你內心的感動跟專注可以讓你當下開悟，但是我們就是沒有遇到這個殊勝因緣。

就像當年釋迦牟尼佛在世的時候，多少條街上個個都是阿羅漢。初果都不算，單單阿羅漢就那麼多，幾乎是佛陀一個讚歎或者一個加持，或者一個認可，你的身心就完全導歸，完全不動，祂在講法的時候，你就會專注到毫無疑念，毫無雜念，句句入心，祂講完你就開悟了。祂正在講，你正在轉，他正把他的法轉進你的心，你就動也不動讓它轉，轉完了你就開悟。所以太多證果的聖人，為什麼當年佛陀說完一部經，有幾萬幾千人得法眼淨，證初果，證二果，三果，證阿羅漢果，為什麼會有如此盛況？因為他請轉法輪，請佛住世，那你就當下能得利益。請問為什麼他能見到佛？能親自見到佛，聽佛轉法輪，因為他發願常隨佛學。所以我們今天沒機會親見佛住世，我們一定要發願將來常隨佛學，你若能常隨佛學，就像剛才說的，我們不是證初果、二果、三果、四果，我們是直接證無生法忍。[34]

對於念佛人而言，一心稱念佛號，不捨得把阿彌陀佛的佛號停住，我遇到境界外緣，好或者壞，我通通是一句阿彌陀佛，最吉祥、最安穩、最有依靠、念佛能念到這樣，我就是請佛住世了。我念阿彌陀佛名號，念念相續，無有間斷。身語意業，無有疲厭，也就是請佛住世。

（三）菩薩的回向行和念佛求生淨土

為什麼把最後三個願歸於回向行呢？道源長老認為「常隨佛學」與「恆順眾生」是別義，「普皆回向」是總義。也就是將常隨佛學的自利功德，及恆順眾生的利他功德，用來普皆回向的，願王雖然有三個，然而意義只是一種，所以將最後三個大願，合為回向。[35]

八者常隨佛學：那怎麼能常隨佛學，到極樂世界就常隨佛學了，所以請轉法輪、請佛住世、常隨佛學這三個是隨佛學願。現世我們要請轉法輪，年老的時候我們要請佛住世，接著我們就要常隨佛學，要發這個願。

釋尊從初發心，精進不退，難行能行，難忍能忍，不惜身命，至誠求法度生的種種菩薩行，都是我們學習的榜樣。

作為修念佛的人常隨阿彌陀佛學習，怎麼學習阿彌陀佛呢？《無量壽經》裡云：

> 法藏菩薩在不可思議曠大久遠的時劫中，積累培植菩薩無量的功德善行。心中不生起貪欲的覺受、瞋怒的覺受、傷害他人的覺受：甚至心中也不生起貪欲、瞋怒、害他的細微念頭。心不粘著於色、聲、香、味、觸、法六種塵境。成就忍辱之力，不計較一切痛苦。欲念薄少，知足常樂，沒有染欲、瞋恚、愚癡三毒煩惱。恆常安住於三昧寂靜中，觀照智慧自在無礙，沒有虛偽諂佞邪曲之心。容色和柔，言語親切。[36]

當以阿彌陀佛的願行為自己的願行。學文殊菩薩智慧，行普賢菩薩的大願行；學大

---

34 《大般若經．轉不轉品》卷四四九云：「如是不退轉菩薩摩訶薩，以自相空，觀一切法，已入菩薩正性離生，乃至不見少法可得。不可得故，無所造作。無所造作故，畢竟不生。畢竟不生故，名無生法忍。由得如是無生法忍故，名不退轉菩薩摩訶薩。此謂菩薩觀諸法空，入見道初地，始見一切法畢竟不生之理，名無生法忍。」（大正藏第7冊，264b）《華嚴經．十忍品》第二十九云：「佛子！云何為菩薩摩訶薩無生法忍？佛子！此菩薩摩訶薩不見有少法生，亦不見有少法滅。」

35 道源長老講述，許寬成居士記：《念佛與十大願王》宜蘭：佳芳企業社，2005年。

36 曹魏康僧鎧譯，《佛說無量壽經》共二卷，乾隆大藏經．大乘寶積部，第019冊。大正藏第十二冊，No．0360。

勢至都攝六根，淨念相繼：對阿彌陀佛及其四十八願深生信解，發菩提心，一心專念阿彌陀佛，期望今生成就，能夠往生淨土。如此修學，才符合釋迦牟尼佛與阿彌陀佛度生出世之本懷，方滿常隨佛學的願行。

九者恆順眾生：這是指對法界一切有情眾生，一定要順。在恆順當中觀察機緣，善巧方便的引導眾生斷惡修善，助他破迷開悟。這一定要知道時節因緣，什麼時候我該怎麼做，才能恰到好處，收到圓滿的效果。所以要有智慧、善巧、方便，才能夠恆順。

我們發菩提心要利益眾生，然而眾生為無明所迷惑，他們的內心常常伴隨著貪嗔癡煩惱。如果沒有智慧加以分辨，所謂的隨順很可能只是在滿足眾生的貪嗔癡，所以，恆順眾生應以智慧為前提，確定我們的行為是否真正能利益到眾生。

同時要平等饒益一切眾生，則能成就圓滿大悲。對於盡法界、虛空界，十方剎海所有眾生，種種根性的眾生，均以對待父母與如來那樣的恭敬心，稱性隨順供養承事，不生分別。對迷走生死險道的眾生，導向菩提正道：對無明黑暗中的眾生，說法施以光明：對客走他鄉的貧窮眾生，令學佛法，令知自心之佛性，獲致自性寶藏。

因此，對一切眾生具有平等而無限的悲心，就是圓滿的大慈大悲。在佛菩薩的心目中，一切眾生都是平等無差別的。如果還有好惡之分，那就說明我們的心境仍滯留於凡夫境界。哪怕還有一個眾生是他討厭、排斥的或不願救度的，就不是圓滿的慈悲。

《普賢行願品》云：「以大悲心隨眾生故，則能成就供養如來。」菩薩對於一切眾生生起大悲心，隨順眾生利益，是對諸佛最好的供養。

《普賢行願品》又云「諸佛如來以大悲心而為體故，因于眾生而起大悲，因於大悲生菩提心，因菩提心成等正覺。譬如曠野沙磧之中，有大樹王，若根得水，枝葉華果，悉皆繁茂。生死曠野，菩提樹王，亦複如是。一切眾生而為樹根，諸佛菩薩而為華果。以大悲水饒益眾生，則能成就諸佛菩薩智慧華果。何以故？若諸菩薩以大悲水饒益眾生，則能成就阿耨多羅三藐三菩提故。」

成等正覺是果，發菩提心是因；所以要想成就佛果，須發菩提心。然而菩提心由什麼而生起呢？乃由大悲心生起。所以大悲心是諸佛之本體。諸佛為什麼會生起大悲心呢？由於觀見眾生受苦之的緣故。於是由大悲心而發上求下化之菩提心。由菩提心之因而得成佛果。

在修學菩薩道的過程中，眾生和我們的關係就像沙漠中有棵參天大樹，如果它的根得到灌溉，才會枝繁葉茂，果實累累。

在生死曠野之中，我們想要成就無上菩提，也要像這棵大樹一樣，確保根部得到澆灌。一切眾生好比樹根，諸佛菩薩好比果實。不斷以大悲水饒益眾生，才能成就諸佛菩薩智慧華果。如果菩薩能對一切眾生充滿慈悲，才能成就無上佛果。

修學淨土念佛的人只有一心念佛，往生極樂世界，回入娑婆之後才能真正的「恆順眾生」。如果沒有智慧為前提，去恆順眾生，很容易被眾生所轉。比如有的人沒道理，我怎麼恆順，沒道理當中也是有道理，他會講出那個沒道理，就是他把道理弄錯了才沒道理。他道理弄錯而信服那個錯的道理，一定有原因，你要找出那個原因，你要順著他那個原因去找根源，再去轉他就好轉了。這需要智慧，所以才需要回向我自己有智慧，將來跟他有法緣，才能利益他。

十者普皆回向：《普賢行願品》云：

> 言普皆回向者，從初禮拜，乃至隨順，所有功德，皆悉回向盡法界虛空界一切眾生。願令眾生常得安樂，無諸病苦。欲行惡法，皆悉不成。所修善業，皆速成就。關閉一切諸惡趣門，開示人天涅槃正路。若諸眾生，因其積集諸惡業故，所感一切極重苦果，我皆代受。令彼眾生，悉得解脫，究竟成就無上菩提。

所謂回向，是將我們所做的功德指向一個目標。同樣，修行所得功德也需要有一個明確目標。或回向人天善果，或回嚮往生西方等等。而最高的回向，是將功德回向一切眾生。當我們發願將功德回向一切眾生時，並不因為回向眾生而變成一無所有。正好相反，由於我們的發心無限，所獲功德將百倍、千倍、億萬倍地增長，不是狹隘的發心所能比的。

我們從最初的「禮敬諸佛」到第九願的「恆順眾生」，每修完一願之後，都將修行功德回向給盡虛空、遍法界的所有眾生。回向的心有多大，最後成就的功德就有多大。如果我們只希望將功德回向於自己或親人身上，這樣狹隘的心又能裝得下多少功德呢？就像一個杯子，只能裝一杯水。同樣的道理，如果我們心胸狹隘，成就也必定狹隘。所以，必須徹底打破我執設定的界限。心本如虛空般浩瀚遼闊，無形無相。只因我執及我所執的系縛，才被局限於有限的家庭或事業中。修行，正是要去除一切人為設定的界限，使心回到清淨無染的本然狀態。

我們發願將一切功德回向眾生，怎麼回向呢？我們要祝願眾生永遠安祥、快樂，遠離身體上的病苦和精神上的痛苦。另外，我們祝所有準備作惡的眾生都無法如願以償；願所有準備行善的眾生都能成功。

希望關閉所有惡道之門，願所有眾生都能生於人、天善道，並通過修行斷除煩惱、證得涅槃、成就佛果。

第九和第十願如何跟念佛結合一起？我為了要順一切眾生，我要用回向的方法，讓我生命中所做的一切都讓眾生得利益，叫做恆順眾生。因為眾生所要的最大利益我已經給了，就是這句佛號，所以句句佛號就是眾生最大的利益，那我正句句念出，我正句句給他們無量無邊的利益。我給他們無量無邊的利益，正是恆順眾生內在最深刻的渴望，悉皆成佛，這是從理上來說的恆順眾生。

從事相上來說念一句佛號，為什麼能夠恆順眾生呢？因為我們以一句阿彌陀佛來跟他結善緣，以一句阿彌陀佛讓他種下阿彌陀佛來接引他往生的因緣。這不是恆順他嗎？

如果他對你惡，你不對他惡，你心中起分別要生氣了，你就念一句佛號，讓你念佛的功德，讓你憶念極樂世界，讓你憶念我的無知，讓你憶念你要懺悔業障，你要隨喜功德，你要這樣。你不要跟人家生氣。這句佛號起來，人家跟你對立，你不但不對立，你馬上藉由他跟你對立的因緣而思念佛法。請問他是不是得利益。他是不是這樣成就了你的修行，這是第一。

第二，雖然他用惡法對待你，你卻用最善的方法來回報他，你是不是恆順於他？當作幫我們消業障，這樣念佛叫做恆順眾生。正在對抗的時候，是心裡憶念阿彌陀佛，不是拿那句阿彌陀佛在那裡跟人家吵。跟人家吵架要不要回向？要回向，因為吵完架才知道原來我是一個假修行人，我根本就是一個業障重，我執重的人。為什麼跟他吵架，其實我就是不隨喜他，我很早就看不慣他了，原來我是一個我執的人，一吵架之後才發現自己原來這麼顛倒。

惡法為什麼也回向？惡法知道它是惡，有一個善心才知道它是惡。我們是憑著那一念知道它是惡的，那個知道的覺心去回向的。而一切善也回向，為什麼要回向，因為惡法、善法統統是不淨法，統統要回向究竟清淨法，究竟清淨法是普令一切眾生皆共成佛道。

回向之行，具有拓展自己心量，放大功德的作用。回向將自己所作諸多零散的功德彙集起來，如百川納海。並將所有功德回向菩提，回向眾生，這樣就能使所集功德迅猛倍增，一毫之善皆遍法界。

三　十大行願與念佛的實踐意義

總而言之，這十大願是一切菩薩行的根本願，菩薩一切願以普賢菩薩十大願為根本。一切諸佛的願，有千差萬別，但是根本願的本義，就是這十項。那是通途的，也不與什麼法門相特別，或不相應，或相對立。我是念佛人，以一句佛號來實踐菩薩十大願，以一句佛號來完成菩薩的無邊願，菩薩的無邊願剛好是成佛的根本願。

我能夠帶著大乘的心念去念這句佛號。臨命終時，這個念能夠支撐我正念往生，而不去貪愛眾生。

人們都關心臨終時是否會因一念之差而墮落惡道，關心阿彌陀佛是否會來接引？但如果我們修學普賢法門，就不必擔心這些問題。因為修學十大願王所發起的菩提心的力量，將在臨終時引導我們直接到極樂世界。到達之後，不僅諸佛菩薩都會前來接見，還將生於蓮花中，得到佛陀的授記。然後，立刻前往十方世界大行菩薩道。最後，像佛陀那樣成就無上佛道，降服魔軍，轉大法輪。使得無量無邊的眾生因聽聞普賢菩薩的殊勝教法而發起菩提心，並根據各自的根性得到度化，最終都能修行成就。

普賢菩薩告訴我們，一切有緣聽聞並深信普賢十大願王的眾生，只要能夠認真地受持、讀誦並向他人宣說，必將獲得無比殊勝的功德。其功德之大，除了十方諸佛，沒有人能夠真正瞭解。同時，普賢菩薩還告誡我們，切莫對此法門產生懷疑。雖然我們一時還無法真正理解普賢菩薩的甚深境界，但至少可以通過信仰來接受這一法門。只要真實修行，能夠讀誦、書寫、演說，終將成就普賢菩薩那樣的功德。不僅自己能於一念中成就無量的福德智慧，也能使眾生遠離生死輪回，最後往生極樂世界。

《普賢行願品》裡說：「於此大願受持讀誦，乃至書寫一四句偈，速能除滅五無間業。所有世間身心等病，種種苦惱，乃至佛剎極微塵數一切惡業，皆得消除。」

這是說受持讀誦十大願還能幫助我們滅除罪障。佛教中最重罪的業是五逆之罪，分別是殺父、殺母、殺阿羅漢、出佛身血、破和合僧。即使如此深重的罪業，也能通過讀誦、書寫此十大願進行懺悔，並因此滅除一切罪業及身心的痛苦煩惱。

只要我們一心讀誦十種大願，所有「一切魔軍、夜叉、羅剎，若鳩槃茶、若毗舍闍、若部多等，飲血啗肉」諸惡鬼神看到我們都會遠遠避開，甚至發心守護我們。

如果有人讀誦這十大願，不論他走到什麼地方，一定沒有任何阻礙，譬如空中的月，透出在雲翳的外邊；並且諸佛菩薩，還要稱讚他，一切天上的諸佛、世間的人，都應該禮敬他；一切的眾生，都應該來供養他。

這個讀誦十大願的善男子，他得了這個人身，修學圓滿了普賢十大願的所有功德，不久就可以像普賢菩薩一樣，很迅速地成就一個微妙的色身，具有了三十二種大丈夫的美好相貌。

修學普賢十大行願，從禮敬諸佛、稱讚如來、廣修供養，讓我們對一切生命生起恭敬心，稱讚如來的功德，稱讚一切眾生的善行與功德，說好話，不自贊毀他。任何人在做利益眾生的事情，我們都應該由衷地歡喜讚歎。以清淨心隨喜他人善行，也是在成就自己的善心。

由於廣修供養，能幫助我們克服慳吝的心理。菩薩之所以能為眾生捨棄一切，是因為在他們的心目中，眾生和自己是平等無二的。

在生活中還要懺悔自己今天居然還為財色名食睡等等所藏蓋著，於一切法不能得大法益，這些都要反觀自省，然後懺悔業障。學習普賢行願的境界和心量，徹底打破我執設定的界限。修行，正是要去除一切人為設定的界限，使心回到清淨無染的本然狀態。

學習普賢菩薩的十種大願。讓我們這種利己之心調整到一個新的層面，轉為像普賢菩薩那樣心包太虛，量周沙界，念念想著盡虛空、遍法界一切的眾生，想著如何真正饒益一切眾生。

四　結語

學習普賢十大行願之後，我們知道雖然眾生千姿百態，有種種根性的眾生，但在佛菩薩的心目中，一切眾生都是平等無二，都是佛菩薩慈悲和利益的對象。我們也要像佛菩薩一樣慈悲一切，捨己為人，不為自己求安樂，但願眾生得離苦。一般人以為供佛、念佛、令諸佛歡喜就是修行的全部。事實上，諸佛菩薩出現於世，正是為了度化眾生。如果我們利益眾生，就是在做諸佛菩薩所做的事，才能真正令諸佛歡喜。隨順眾生利益，是對諸佛最好的供養。

諸佛為什麼會生起大悲心呢？因為觀見眾生受苦的緣故。於是由大悲心而發上求下化之菩提心。由菩提心之因而得成佛果。

在修學菩薩道的過程中，眾生和我們的關係就像沙漠中有棵參天大樹，如果它的根得到灌溉，才會枝繁葉茂，果實累累。

在生死曠野之中，我們想要成就無上菩提，也要像這棵大樹一樣，確保根部得到澆灌。一切眾生好比樹根，諸佛菩薩好比果實。不斷以大悲水饒益眾生，才能成就諸佛菩薩智慧華果。如果我們能對一切眾生充滿慈悲，才能成就無上佛果。

如果我們每念一句佛號，句句佛號皆悉回向盡法界虛空界一切眾生。願令眾生常得安樂，無諸病苦。欲行惡法，皆悉不成。所修善業，皆速成就。關閉一切諸惡趣門，開示人天涅槃正路。願他們悉得解脫，究竟成就無上菩提。這樣才能拓展心量，成就普賢行。

闡述阿彌陀佛〈因地行願〉之研究

Dr. U KUNDALA
Head of Chinese and Japanese Studies
Nava Nalanda Mahavihara
Deemed to be University, India

前言

在大正藏記載阿彌陀佛成佛本願內容，有多種不同之譯本。如《無量清淨平等覺經》及《阿彌陀三耶三佛薩樓檀過度人道經》，談及廿四願，《大乘無量壽莊嚴經》揭示了卅六願，梵文的《無量壽經》記述卌六願，《無量壽經》、《大阿彌陀經》及《大寶積經》《無量壽如來會宣說》卌八願，西藏譯本的《大乘無量光莊嚴經》說明卌九願，《悲華經》演說五十三願。雖然諸經記載的願數有多不同，但是其中的意義卻是相同的。將〈阿彌陀佛成佛大願〉濃縮起來是廿四願，而將阿彌陀佛的〈度生本願〉開展開來便可形成卅六願或卌八願或五十二願。再將卌八願細分出來，又可以形成無數度生行願。

以八十華嚴所述修證成佛行願立場來看，阿彌陀佛在廣遠菩薩道上的行願，何止廿四願、卅六願、卌八願、五十二願……，而廿四願、卅六願、卌八願……的修證內涵，實含攝了阿彌陀佛因地無盡的成佛願行。如說以《無量壽經》的卌八願為代表，卌八願整體意義，既是廣義淨土成佛之道修證路線的詮釋。

首先將各經記載〈阿彌陀佛本願〉內容列舉出來，便能清楚的明白阿彌陀佛整體成佛行願的內容，實涵蓋廣義淨土成佛之道的修證路線，是可以成立的。這裡最主要的由六部經典作為參考，以下即是：

一　《悲華經》五十三願

《悲華經》，共十卷，（北涼）曇無讖譯。卷一分二品，第一轉法輪品介紹一淨土世界——蓮花淨土之依報莊嚴。第二陀羅尼品介紹蓮花世界中之菩薩如何修行及說明蓮花佛涅槃後淨土之情形。又記述彌勒菩薩授記因緣。卷二分二品，第一大施品以說明菩薩以本願故取淨妙國，亦以本願故取不淨土為重點及敘述在三昧中見十方世界之情形。卷四說明諸菩薩授記情形及阿閦佛淨土境界。卷五說明淨土世界轉變情形。卷六說明賢劫中諸菩薩成佛名號，卷七說明釋迦牟尼佛正法轉滅情形，卷八介紹多處淨土世界及首楞嚴三昧境界。卷九敘述菩薩如何修菩提法清淨之門。卷十說明釋迦牟尼佛本生行菩薩道事蹟。

其中卷三記述阿彌陀佛因地所發五十三願，即本章說明本願思想重點之一。如經文說：

一、我今發願，令我阿耨多羅三藐三菩提，時世界之中，無有地獄畜牲餓鬼——(〈國無惡道願〉)。

二、一切眾生命終之後，令不墮於三惡道中——(〈不墮惡道願〉)。

三、世界眾生，皆作金色——(〈身真金色願〉)。

四、人天無別，皆得六通。以宿命通乃至得知百千萬億那由他宿世之事——(〈宿命智通願〉)。

五、以清淨天眼悉見百千億那由他十方世界——(〈天眼智通願〉)。

六、亦見其中在在處處現在諸佛說微妙法，以清淨天耳悉聞百千億那由他十方世界現在諸佛說法之聲——(〈天耳智通願〉)。

七、以他心智故，知無量無邊億那由他十方世界眾生之心——(〈他心智通願〉)。

八、以如意通，於一念中遍於百千億那由他諸佛世界，周旋往返——(〈如意智通願〉)。

九、令是眾生悉解無我及無我所——(〈證無我智願〉)。

十、皆得不退轉于阿耨多羅三藐三菩提——(〈永不退轉願〉)。

十一、願我世界無有女人及其名字——(〈無有女人願〉)。

十二、一切眾生等一化生——(〈純一化生願〉)。

十三、壽命無量，除其誓願——(〈壽命自在願〉)。

十四、無有一切不善之名——(〈不聞惡名願〉)。

十五、世界清淨無有臭穢——(〈世界清淨願〉)。

十六、常有諸天微妙之香皆悉充滿——(〈妙香充滿願〉)。

十七、一切眾生皆悉成就卅二相而各瓔珞——(〈卅二相願〉)。

十八、所有菩薩皆是一生，除其誓願——(〈一生補處願〉)。

十九、願我世界所有眾生於一生頃，以佛力故，遍至無量無邊世界，見現在佛，禮拜圍繞，以其所得神足變化，供養於佛，即於食頃還至本土而常講說佛之法藏——(〈供養諸佛願〉)。

二十、身得大力如那羅延——(〈那羅延身願〉)。

廿一、世界所有莊嚴之事，乃至得天眼者不能盡說——(〈萬物嚴淨願〉)。

廿二、所有眾生皆得四辯——(〈得辯才智願〉)。

廿三、一一菩薩所坐之樹，枝葉遍滿一萬由旬——(〈寶樹高大願〉)。

廿四、世界常有淨妙光明，悉令他方無量佛土種種莊嚴而於中現——（〈徹見十方願〉）。

廿五、所有眾生乃至成阿耨多羅三藐三菩提——（〈必成佛道願〉）。

廿六、不行不淨，常為其餘一切諸天人及非人之所恭敬，供養尊重，乃至成阿耨多羅三藐三菩提——（〈人天禮敬願〉）。

廿七、而于其中，常得六根清淨——（〈六根清淨願〉）。

廿八、即於生時得無漏喜受於快樂——（〈無漏法樂願〉）。

廿九、自然成就一切善根——（〈善根成就願〉）。

三十、尋於生時，著新袈裟，便得三昧，其三昧名善分別——（〈生得三昧願〉）。

卅一、以三昧力遍至無量諸佛世界見現在佛，禮拜圍繞，恭敬供養，尊重讚歎，乃至成阿耨多羅三藐三菩提——（〈住定供佛願〉）。

卅二、於此三昧無有退失——（三昧不退願）。

卅三、所有菩薩如其所願，各自莊嚴，修淨妙土——（〈莊嚴淨土願〉）。

卅四、於七寶樹中，悉皆遙見諸佛世界一切眾生——（〈見諸佛土願〉）。

卅五、尋於生時，得遍至三昧。以三昧力故，常見十方無量無邊諸世界中現在諸佛，乃至成阿耨多羅三藐三菩提，終不退失——（〈定中見佛願〉）。

卅六、願令我世界所有眾生，皆得宮殿衣服瓔珞種種莊嚴，猶如第六他化自在天——（〈衣飾莊嚴願〉）。

卅七、世界無有山陵，阜大小鐵圍須彌山大海——（〈無山陵大海願〉）。

卅八、亦無陰蓋及諸障閡煩惱之聲——（〈無諸煩惱願〉）。

卅九、無三惡道八難之名——（不墮八難願）。

四十、無有受苦之名及不苦不樂名——（〈無三界苦願〉）。

卌一、我成就阿耨多羅三藐三菩提時，菩提樹縱廣正等一萬由旬，與此樹下坐道場時，於一念中成阿耨多羅三藐三菩提——（〈一念成佛願〉）。

卌二、成阿耨多羅三藐三菩提已，光明照於無量無邊百千億那由他諸佛世界——（〈光明無量願〉）。

卌三、令我壽命無量無邊百千億那由他劫無能知者，除一切智——（〈壽命無量願〉）。

卌四、令我世界無有聲聞辟支佛乘，所有大眾純諸菩薩，無量無邊，無能數者，除一切智——（〈菩薩無邊願〉）。

卌五、願我成阿耨多羅三藐三菩提已，令十方諸佛稱揚讚歎我之名字——（〈諸佛稱揚願〉）。

卌六、願我成阿耨多羅三藐三菩提已，無量無邊阿僧祇餘佛世界，所有眾生聞我名者，修善本欲生我界，願其捨命之後，必定得生，惟除五逆，誹謗聖人，廢壞正法——（〈念佛往生願〉）。

卌七、願我成阿耨多羅三藐三菩提已，其餘無量無邊阿僧祇諸佛世界所有眾生，若發阿耨多羅三藐三菩提，修諸菩提欲生我界者，臨終之時，我當與大眾圍繞現其人前，其人見我即於我所得心歡喜，以見我故離諸障閡，即便捨身來生我界——（〈植諸德本願〉）。

卌八、願我成阿耨多羅三藐三菩提已，諸菩薩摩訶薩所未聞法欲從我聞者，如其所願悉令得聞——（〈菩薩聞法願〉）。

卌九、願我成阿耨多羅三藐三菩提已，其餘無量無邊阿僧祇世界，在在處處諸菩薩等聞我名者，即得不退轉于阿耨多羅三藐三菩提，得第一忍第二第三忍——（〈得三法忍願〉）。

五十、有願欲得陀羅尼及諸三昧者，如其所願必定得之，乃至成阿耨多羅三藐三菩提，無有退失——（〈得陀羅尼願〉）。

五十一、我滅度後，過諸算數劫已，有無量無邊阿僧祇世界，其中菩薩聞我名字，心得淨信第一歡喜，悉禮拜我歎未曾有——（〈聞名禮敬願〉）。

五十二、彼諸菩薩得最第一信心歡喜已，必定當得第一初忍第二第三忍——（〈信心得忍願〉）。

五十三、得阿耨多羅三藐三菩提已，其餘無量無邊阿僧祇世界，有諸女人聞我名者，即得第一信心歡喜，發阿耨多羅三藐三菩提心，乃至成佛終不復受女人之身——（〈不受女身願〉）。[1]

此五十三願，實是所有諸經所記本願思想中，最為完整的。由此亦可推知本經是淨土經典中後起的。

二　《無量清淨平等覺經》廿四願

《無量清淨平等覺經》，共四卷，後漢支婁迦讖譯，本經是所有阿彌陀專屬經典中記述極樂淨土境界最詳盡的（第四章有說明〉）。其中關於本願思想之經文有廿四願，即：

一、我作佛時，令我國中無有地獄、禽獸、餓鬼、蜎飛蠕動之類，得是願乃作佛；不得從是願終不作佛。——（〈沒有惡道願〉）。

二、我作佛時，令我國中人民有來生我國者，從我國去，不復更地獄、餓鬼、禽獸蠕動；有生其中者，我不作佛。——（〈不更惡道願〉）。

1　《大正藏》第三冊一八三頁下、一八四頁上、中、下。

三、我作佛時，人民有來生我國者，不一色類金色者，我不作佛。——（〈金色身相願〉）。

四、我作佛時，人民有來生我國者，天人、世間人有異者，我不作佛。——（〈咸同一類願〉）。

五、我作佛時，人民有來生我國者，皆自推所從來生本末、所從來十億劫宿命；不悉知念所從來生，我不作佛。——（〈自知宿命願〉）。

六、我作佛時，人民有來生我國者，不悉徹視，我不作佛。——（〈天眼徹視願〉）。

七、我作佛時，人民有來生我國者，不悉知他人心中所念者，我不作佛。——（〈悉知他心願〉）。

八、我作佛時，我國中人民不悉飛者，我不作佛。——（〈飛身自在願〉）。

九、我作佛時，我國中人民不悉徹聽者，我不作佛。——（〈遍聽自在願〉）。

十、我作佛時，我國中人民有愛欲者，我不作佛。——（〈無有愛欲願〉）。

十一、我作佛時，我國中人民住止盡般泥洹；不爾者，我不作佛。——（〈證入涅槃願〉）。

十二、我作佛時，我國諸弟子，令八方上下各千億佛國中諸天、人民、蠕動之類作緣一覺大弟子，皆禪一心，共數我國中諸弟子，住至百億劫無能數者；不爾者，我不作佛。——（〈弟子無數願〉）。

十三、我作佛時，令我光明勝於日月、諸佛之明百億萬倍，炤無數天下窈冥之處皆常大明，諸天、人民、蠕動之類見我光明，莫不慈心作善來生我國；不爾者，我不作佛。——（〈光明超佛願〉）。

十四、我作佛時，令八方上下無數佛國諸天、人民、蠕動之類令得緣一覺果證弟子，坐禪一心，欲共計知我年壽幾千萬億劫，令無能知壽涯底者；不爾者，我不作佛。——（〈壽命無量願〉）。

十五、我作佛時，人民有來生我國者，除我國中人民所願，餘人民壽命無有能計者；不爾者，我不作佛。——（〈壽命長短自在願〉）。

十六、我作佛時，國中人民皆使莫有惡心；不爾者，我不作佛。——（〈無有噁心願〉）。

十七、我作佛時，令我名聞八方上下無數佛國，諸佛各於弟子眾中歎我功德國土之善，諸天、人民、蠕動之類聞我名字，皆悉踴躍來生我國；不爾者，我不作佛。——（〈諸佛讚頌願〉）。

十八、我作佛時，諸佛國人民有作菩薩道者，常念我淨潔心，壽終時，我與不可計比丘眾飛行迎之，共在前立，即還生我國作阿惟越致；不爾者，我不作佛。——（〈一生不退願〉）。

十九、我作佛時，他方佛國人民前世為惡，聞我名字及正為道欲來生我國，壽終皆令不復更三惡道，則生我國在心所願；不爾者，我不作佛。──（〈惡人往生願〉）。

二十、我作佛時，我國諸菩薩不一生等，置是餘願功德；不爾者，我不作佛。──（〈菩薩平等願〉）。

廿一、我作佛時，我國諸菩薩不悉卅二相者，我不作佛。──（〈卅二相願〉）。

廿二、我作佛時，我國諸菩薩欲共供養八方上下無數諸佛，皆令飛行，欲得萬種自然之物，則皆在前，持用供養諸佛悉遍已，後日未中則還我國；不爾者，我不作佛。──（〈供佛自在願〉）。

廿三、我作佛時，我國諸菩薩欲飯時，則七寶鉢中生自然百味飲食在前，食已，鉢皆自然去；不爾者，我不作佛。──（〈飯食自在願〉）。

廿四、我作佛時，我國諸菩薩說經行道不如佛者，我不作佛。──（〈說經行道願）[2]。

本經之〈光明超佛願〉是淨宗最重視之《無量壽經》卌八願所沒有的。因此光明超佛願，而使阿彌陀之光明，成為諸佛光明中最第一的，亦可視為阿彌陀未成佛前之本願思想。阿彌陀成就佛道，實與諸佛光明平等平等，無有大小之別。

三　《大乘無量壽莊嚴經》卅六願

《大乘無量壽莊嚴經》，三卷，宋法賢譯。本經所記淨土功德莊嚴，大體與《大阿彌陀經》一致，其中相同之文句亦不少，但該經中沒有阿羅漢入滅及阿彌陀佛入滅之記事。本願記錄之願文，亦比清淨平等覺經廿四願為多，成為卅六願。如經文說：

一、我得菩提成正覺時，願如世尊證得阿耨多羅三藐三菩提；所居佛剎，具足無量不可思議功德莊嚴。所有一切眾生，及焰摩羅界，三惡道中地獄、餓鬼、畜生，皆生我剎受我法化，不久悉成阿耨多羅三藐三菩提，一切皆得身真金色。──（〈一切眾生往生莊嚴佛國得金色之身願〉）。

二、我得菩提成正覺已，十方世界所有眾生，令生我剎如諸佛土。人天之眾，遠離分別諸根寂靜；悉皆令得阿耨多羅三藐三菩提。──（〈淨土眾生遠離分別，六根寂靜願〉）。

三、我得菩提成正覺已，十方世界所有眾生，令生我剎得大神通，經一念中，周遍巡歷百千俱胝那由他佛剎，供養諸佛深植善本；悉皆令得阿耨多羅三藐三

2　《大正藏》第十二冊，頁二八一，上、中、下。

菩提。──（〈以大神通一念中周遍佛剎，供養諸佛願〉）。

四、我得菩提成正覺已，所有眾生令生我剎，一切皆得宿命通，能善觀察百千俱胝那由他劫過去之事；悉皆令得阿耨多羅三藐三菩提。──（〈淨土眾生得宿命通願〉）。

五、我得菩提成正覺已，所有眾生令生我剎，一切皆得清淨天眼，能見百千俱胝那由他世界麁細色相；悉皆令得阿耨多羅三藐三菩提。──（〈佛國眾生得清淨天眼願〉）。

六、我得菩提成正覺已，所有眾生令生我剎，一切皆得他心通，善能了知百千俱胝那由他眾心心所法；悉皆令得阿耨多羅三藐三菩提。──（〈淨土眾生得他心通願〉）。

七、我得菩提成正覺已，所有眾生令生我剎，一切皆得住正信位，離顛倒想堅固修習；悉皆令得阿耨多羅三藐三菩提。──（〈淨土眾生離顛倒心想，道心堅固，入正信位願〉）。

八、我得菩提成正覺已，所有眾生令生我剎，所修正行善根無量，遍圓寂界而無間斷；悉皆令得阿耨多羅三藐三菩提。──（〈佛國眾生善根無量，遍滿法界願〉）。

九、我得菩提成正覺已，所有眾生令生我剎，雖住聲聞緣覺之位，往百千俱胝那由他寶剎之內，遍作佛事；悉皆令得阿耨多羅三藐三菩提。──（〈淨土聲聞緣覺行者遍往佛剎，廣作佛事願〉）。

十、我得菩提成正覺已，所有眾生令生我剎，一切皆得無邊光明，而能照曜百千俱胝那由他諸佛剎土；悉皆令得阿耨多羅三藐三菩提。──（〈佛國眾生得無邊智慧光明願〉）。

十一、我得菩提成正覺已，所有眾生令生我剎，命不中夭，壽百千俱胝那由他劫；悉皆令得阿耨多羅三藐三菩提。──（〈淨土眾生命不中夭，說明無量願〉）。

十二、我得菩提成正覺已，所有眾生令生我剎，無不善名，聞無量無數諸佛剎土，無名、無號、無相、無形，無所稱讚，而無疑謗身心不動；悉皆令得阿耨多羅三藐三菩提。──（佛國中無不善之名，縱聞有示現無名，無號，無相無形的諸佛，不稱讚彌陀，亦身心不動願）。

十三、我得菩提成正覺已，所有眾生求生我剎，念吾名號發志誠心堅固不退，彼命終時，我令無數苾芻現前圍繞來迎彼人，經須臾間得生我剎；悉皆令得阿耨多羅三藐三菩提。──（十方眾生稱念阿彌陀佛，終生堅固不退，必得往生願）。

十四、我得菩提成正覺已，所有十方無量無邊，無數世界一切眾生，聞吾名號發菩提心，種諸善根隨意求生，諸佛剎土無不得生；悉皆令得阿耨多羅三藐三菩提。——（〈發菩提心稱念阿彌陀佛，種諸善根，隨意求生，諸佛剎土，無不得勝願〉）。

十五、我得菩提成正覺已，所有眾生令生我剎，皆具卅二種大丈夫相；一生令得阿耨多羅三藐三菩提。——（〈淨土眾生皆具卅二相，一生成佛願〉）。

十六、我得菩提成正覺已，所有眾生令生我剎，若有大願未欲成佛為菩薩者，我以威力，令彼教化一切眾生，皆發信心，修菩提行、普賢行、寂滅行、淨梵行、最勝行，及一切善行；悉皆令得阿耨多羅三藐三菩提。——（〈淨土菩薩由修菩提行、普賢行、寂滅行、淨梵行而成佛願〉）。

十七、我得菩提成正覺已，所有眾生令生我剎，於一切處承事供養無量百千俱胝那由他諸佛，種諸善根，隨意所求無不滿願；悉皆令得阿耨多羅三藐三菩提。——（〈佛國眾生，遍至十方佛剎，供養諸佛，廣種善根，所求如意願〉）。

十八、我得菩提成正覺已，我剎土中所有菩薩，皆得成就一切智慧，善談諸法祕要之義；不久速成阿耨多羅三藐三菩提。——（〈淨土菩薩成就一切善談諸法秘要之願〉）。

十九、我得菩提成正覺已，我居寶剎所有菩薩，發勇猛心運大神通，往無量無邊無數世界諸佛剎中，以真珠、瓔珞、寶蓋、幢幡、衣服、臥具、飲食、湯藥、香華、伎樂，供養承事迴求菩提；速得成就阿耨多羅三藐三菩提。——（〈佛國菩薩遍往十方佛剎，以種種供具供養諸佛求成菩提蓮成佛道願〉）。

二十、我得菩提成正覺已，我居寶剎所有菩薩，發大道心，欲以真珠、瓔珞、寶蓋、幢幡、衣服、臥具、飲食、湯藥、香華、伎樂，承事供養他方世界無量無邊諸佛世尊，而不能往，我於爾時以宿願力，令彼他方諸佛世尊，各舒手臂至我剎中受是供養；令彼速成阿耨多羅三藐三菩提。——（〈淨土菩薩欲供、諸佛，彌陀成其本道心，令十方諸佛受是供養願〉）。

廿一、我得菩提成正覺已，我居寶剎所有菩薩，隨自意樂不離此界，欲以真珠、瓔珞、寶蓋、幢幡、衣服、臥具、飲食、湯藥、香華、伎樂，供養他方無量諸佛。又復思惟：「如佛展臂至此受供，劬勞諸佛令我無益。」作是念時，我以神力，令此供具自至他方諸佛面前，一一供養。爾時菩薩，不久悉成阿耨多羅三藐三菩提。——（〈佛國菩薩欲佛受供，彌陀以神力令其供具，遍至佛前，一一供養願〉）。

廿二、我得菩提成正覺已，我居寶剎所有菩薩，身長十六由旬，得那羅延力，身相端嚴光明照曜，善根具足；成就阿耨多羅三藐三菩提。——（〈淨土菩薩身材高大，得大力金剛之神，身相莊嚴，光明照耀，善根具足願〉）。

廿三、我得菩提成正覺已，我居寶剎所有菩薩，為諸眾生通達法藏，安立無邊一切智慧，斷盡諸結；悉得證成阿耨多羅三藐三菩提。──(〈佛國菩薩通達法藏，斷盡煩惱，悉皆成佛願〉)。

廿四、我得菩提成正覺已，我居寶剎所有菩薩，以百千俱胝那由他種種珍寶造作香爐，下從地際上至空界，常以無價栴檀之香，普薰供養十方諸佛；令得速成阿耨多羅三藐三菩提。──(〈佛國菩薩以香供養諸佛，速成佛道願〉)。

廿五、我得菩提成正覺已，所居佛剎廣博嚴淨光瑩如鏡，悉能照見無量無邊一切佛剎，眾生覩者生希有心；不久速成阿耨多羅三藐三菩提。──(〈淨土光瑩如鏡，照見一切佛剎願〉)。

廿六、我得菩提成正覺已，我居寶剎所有菩薩，晝、夜六時恆受快樂，過於諸天，入平等總持門，身光普照無邊世界；不久得成阿耨多羅三藐三菩提。──(〈佛國得中平等總持門，身光遍照無邊佛剎願〉)。

廿七、我得菩提成正覺已，所有十方無量無邊無數世界一切女人，若有厭離女身者，聞我名號發清淨心歸依頂禮，彼人命終即生我剎成男子身；悉皆令得阿耨多羅三藐三菩提。──(〈女人往生淨土轉身成男人願〉)。

廿八、我得菩提成正覺已，所有十方無量無邊無數佛剎聲聞、緣覺，聞我名號修持淨戒，堅固不退速坐道場；成就阿耨多羅三藐三菩提。──(〈二乘聞阿彌陀佛名修行不退，成就佛果願〉)。

廿九、我得菩提成正覺已，所有十方無量無邊不可思議無等佛剎一切菩薩，聞我名號五體投地禮拜歸命，復得天上人間一切有情，尊重恭敬親近侍奉增益功德；成就阿耨多羅三藐三菩提。──(〈十方眾生聞阿彌陀佛名號恭敬禮拜，尊重親近願〉)。

三十、我得菩提成正覺已，所有眾生發淨信心，為諸沙門、婆羅門，染衣、洗衣、裁衣、縫衣、修作僧服，或自手作或使人作，作已迴向；是人所感，八十一生得最上衣隨身豐足，於最後身來生我剎；成就阿耨多羅三藐三菩提。──(〈凡發心用衣服供養修道人之眾生，未來必發願求生淨土，成就佛國願〉)。

卅一、我得菩提成正覺已，所有一切眾生聞我名號，永離熱惱心得清涼，行正信行得生我剎，坐寶樹下證無生忍；成就阿耨多羅三藐三菩提。──(〈聞阿彌陀佛名，心離熱惱，依正信行，往生淨土，證無生法忍願〉)。

卅二、我得菩提成正覺已，所有十方一切佛剎諸菩薩眾，聞我名號，應時證得寂靜三摩地。住是定已，於一念中，得見無量無邊不可思議諸佛世尊，承事供養；成就阿耨多羅三藐三菩提。──(〈聞阿彌陀佛名，證入正定，於定中見無量諸佛，親近供養願〉)。

卅三、我得菩提成正覺已，所有十方一切佛剎聲聞、菩薩，聞我名號證無生忍，成就一切平等善根，住無功用離加行故；不久令得阿耨多羅三藐三菩提。——（三乘行者聞阿彌陀佛名，證無生忍，成就平等善根願）。

卅四、我得菩提成正覺已，所有十方一切佛剎諸菩薩眾，聞我名已生希有心，是人即得普遍菩薩三摩地。住此定已，於一念中，得至無量無數不可思議諸佛剎中，恭敬尊重供養諸佛；成就阿耨多羅三藐三菩提。——(〈菩薩聞阿彌陀佛名，得普等三昧，於定中供養願〉)。

卅五、我得菩提成正覺已，於我剎中所有菩薩，或樂說法、或樂聽法、或現神足、或往他方，隨意修習無不圓滿；皆令證得阿耨多羅三藐三菩提。——(〈淨土菩薩於十方諸佛前聞法，弘法，圓滿休習願〉)。

卅六、我得菩提成正覺已，所有十方一切佛剎聞我名者，應時即得初忍、二忍乃至無生法忍；成就阿耨多羅三藐三菩提。——(〈十方眾生聞阿彌陀佛名，應時得三法忍願）[3]。

由該經願文內容可知，願願皆是綜合體，不比《悲華經》之五十三願及《無量壽經》卌八願內容少，由此可判斷阿彌陀佛淨土觀頓然向前大大發展。

四　《大乘悲分陀利經》五十二願

《大乘悲分陀利經》，八卷，失譯。其實是與《悲華經》同一系列譯本。但全經組織比《悲華經》嚴密。卷一有三品分別為轉法輪品、入陀羅尼品、入一切種智行陀羅尼品。卷二有兩品，分別為勸施品、勸發品。卷三有四品，旨在闡述為離諍王授記、為三王子授記、為四王子授記、為第八王子授記。卷四有六品，旨在說明為十千人授記、為第九王子授記、為諸王子授記、為八十王子授記、為三億少童子授記、為千童子授記。卷五有三品，旨在記述大師發成佛大願及佛涅槃後舍利生神變利益眾生。卷六有三品，旨在敘述感應事蹟、大師授記及大師立誓之願文。卷七有六品，旨在說明無量莊嚴三昧及布施波羅蜜。卷八有三品，旨在記述十方菩薩雲集娑婆，釋迦佛現種種神變，囑累此經，令菩薩大眾及天龍八部受持。其中卷六敘述之阿彌陀佛因地之願文，正是本文說明之重點，如經文說：

一、於世界中無有地獄餓鬼畜生如是處，我成阿耨多羅三藐三菩提——(〈國無惡道願〉)。

二、願令其中有命終者，不墮惡趣——(〈不墮惡道願〉)。

3　《大正藏》第十二冊，頁三一九，中、下；頁三二〇，上、中、下。

三、令其一切普皆金色人天無異——（金色身相願）。

四、願其中眾生，皆自識過去億那由他百千劫宿命——（〈宿命通達願〉）。

五、願其中一切眾生，具足天眼，見億那由他百千餘世界中，現在住世說法諸佛——（〈天眼具足願〉）。

六、使其中一切眾生具是天耳，聞億那由他百千住世諸佛所說之法——（〈天耳聞法願〉）。

七、使其中一切眾生，善具他心智，如是知多億那由他百千佛土眾生心念所行——（〈善知他心願〉）。

八、使其中一切眾生善具神足，如是一念頃，過億那由他百千佛土——（〈神足無礙願〉）。

九、令其中眾生，無我所無所作，乃至己身——（〈不染身相願〉）。

十、願其中一切眾生，得不退轉阿耨多羅三藐三菩提——（〈得不退轉願〉）。

十一、願其中一切眾生悉皆化生——（〈純一化生願〉）。

十二、使其中無有女人——（〈無有女人願〉）。

十三、使其中眾生壽命無量，除隨願者——（〈壽命無量願〉）。

十四、令其中眾生無不善之名——（〈不聞惡名願〉）。

十五、其佛國中，令無臭穢，香氣遍滿過逾天香——（〈香氣遍滿願〉）。

十六、願其中一切眾生，具卅二大人之相——（〈卅二相願〉）。

十七、願其中一切眾生，得一生補處，除隨願者——（〈一生補處願〉）。

十八、使其中一切眾生，以小食頃，承佛威神，過無數佛土，親近住世無數諸佛——（〈佛力供佛願〉）。

十九、令得成就，隨其所欲——（〈隨欲成就願〉）。

二十、菩薩神變以供養諸佛，以是食頃還歸本國——（〈菩薩供佛願〉）。

廿一、使其中一切眾生，皆說佛藏——（〈佛法辯才願〉）。

廿二、令其一切眾生，具那羅延力——（〈金剛力用願〉）。

廿三、令無量眾生能盡知其佛土中莊嚴色像，亦非天眼之所能知——（〈淨土莊嚴願〉）。

廿四、願其中眾生，悉逮無礙阿僧祇辯——（〈辯才無礙願〉）。

廿五、願令一一菩提樹高千由旬——（〈寶樹高大願〉）。

廿六、願佛土明淨周匝過數莊嚴佛土於其中現——（〈得見十方願〉）。

廿七、願使眾生來生其中者，乃至菩提際常具梵行——（〈常修梵行願〉）。

廿八、令其中一切眾生為諸無難人之所禮敬——（〈人天禮敬願〉）。

廿九、乃至菩提際無有諸根不具足者——（〈諸根完具願〉）。

三十、令其中眾生，生已得聖喜樂過於諸天——（〈禪樂超天願〉）。

卅一、願其中一切諸善根集——（〈修集善根願〉）。

卅二、願其中一切眾生，生時自然袈裟著身而生——（〈生時著衣願〉）。

卅三、使其中眾生，生已得善分別諸三昧。以是三昧至過數佛土親近諸佛世尊，乃至菩提際未嘗不見——（〈自力見佛願〉）。

卅四、令其菩薩來生其中，隨其所欲，佛土莊嚴，輒如所念，佛土莊嚴寶樹中現——（〈樹現佛剎願〉）。

卅五、使其中眾生，生已得普至三昧。以是三昧，普見十方過數佛土現在諸佛。乃至菩提際未嘗不見——（〈菩薩三昧願〉）。

卅六、令來生者，得如是衣服宮殿莊嚴瓔珞，形色如他化自在天——（〈資具如天眼〉）。

卅七、令其國中無土石黑山，亦無鐵圍大鐵圍須彌大海——（〈國無須彌願〉）。

卅八、願其中無有障礙結使之聲——（〈無聞惡聲願〉）。

卅九、願其中普無地獄畜生餓鬼之聲，無諸難聲，無有苦聲，非樂非苦聲——（〈無諸苦難願〉）。

四十、願我菩提樹高十千由旬，我坐其下，發心念頃，證得阿耨多羅三藐三菩提——（〈樹下成佛願〉）。

卌一、使我光明無量照億那由他百千佛土——（〈光明遍照願〉）。

卌二、使我壽命無數億那由他百千劫無能數者，除薩婆若智——（〈無量壽命願〉）。

卌三、令我菩薩僧眾無數，聲聞緣覺無能數者，除薩婆若智——（〈菩薩無數願〉）。

卌四、令我得成佛時，餘無量阿僧祇佛土諸佛世尊稱譽讚歎——（〈諸佛稱名願〉）。

卌五、令我成菩提時，餘無數阿僧祇佛土中，有眾生聞我名者，所作善根回向我國，命終之後，得生我國，除無間罪，譭謗賢聖，非正法者——（〈罪人不生願〉）。

卌六、令我得菩提時，餘無數佛土中眾生，發菩提心，願生我國，善根回向，彼欲終時，我與無數眾圍繞而現其前。彼見我已，令於我所的大歡喜，除諸障礙，命終以後，得生我國——（〈發菩提心往生願〉）。

卌七、其中菩薩隨其所樂，所未聞法隨意得聞——（〈隨念聞法願〉）。

卌八、使我得菩提時，過數佛土中菩薩，聞我名者，得不退轉阿耨多羅三藐三菩提——（〈得不退轉願〉）。

卌九、得第一第二第三忍——（〈得三法忍願〉）。

五十、隨其所欲，三昧忍、陀羅尼隨意即得——（〈陀羅尼三昧成就願〉）。

五十一、令我般涅槃後，過數劫過數佛土中菩薩聞我名者得極歡喜，敬禮於我，得未曾有稱譽讚歎，彼為菩薩時，作佛事已，然後成阿耨多羅三藐三菩提——（〈聞名歡喜敬禮讚歎願〉）。

五十二、令我逮菩提時，於過數佛土中，有女人聞我名者，得極歡喜，發阿耨多羅三藐三菩提心，乃至菩提際不受女身——（〈不受女身願〉[4]。

由本經願文之詳盡，可以推知淨土思想在當時印度本土，已經相當發達。由此信仰阿彌陀佛因地所發成佛大願，經過無數劫修行而使佛願力圓滿成就淨土世界之思想，亦可確知已臻完備。

五　《大阿彌陀經》卌八願

《大阿彌陀經》二卷，（宋）王日休校輯。全經介紹極樂淨土之莊嚴，比《阿彌陀經》所敘述的，顯著增加（第三章有說明〉）。而且所記淨土之華池樓閣皆有擴大之勢。該經記述，諸佛必皆涅槃，阿彌陀佛亦然，就是在《阿閦佛國經》也有記述阿閦佛涅槃之事，佛涅槃後，必有等覺菩薩補處菩薩成佛。其中敘述〈阿彌陀佛本願〉之思想說：

第一願：我作佛時，我剎中無地獄、餓鬼、禽畜，以至蜎飛蠕動之類，不得是願，終不作佛。——（〈國無惡道願〉）。

第二願：我作佛時，我剎中無婦女，無央數世界諸天人民、以至蜎飛蠕動之類，來生我剎者，皆於七寶水池蓮華中化生，不得是願，終不作佛。——（〈蓮花化身願〉）。

第三願：我作佛時，我剎中人，欲食時，七寶鉢中，百味飲食，化現在前；食已，器用自然化去。不得是願，終不作佛。——（〈飲食化現願〉）。

第四願：我作佛時，我剎中人，所欲衣服，隨念即至，不假裁縫、擣染、浣濯。不得是願，終不作佛。——（〈衣服隨念願〉）。

第五願：我作佛時，我剎中自地以上，至於虛空，皆有宅宇、宮殿、樓閣，池流、花樹，悉以無量雜寶、百千種香，而共合成。嚴飾奇妙，殊勝超絕。其香普熏十方世界。眾生聞是香者，皆修佛行。不得是願，終不作佛。——（〈眾香普熏願〉）。

第六願：我作佛時，我剎中人，皆心相愛敬，無相憎嫉。不得是願，終不作佛。——（〈互相愛敬願〉）。

4　《大正藏》第三冊，頁二四九，中、下；頁二五〇，上、中。

第七願：我作佛時，我剎中人，盡無淫泆、瞋怒、愚癡之心。不得是願，終不作佛。——（〈無三毒心願〉）。

第八願：我作佛時，我剎中人，皆同一善心，無惑他念。其所欲言，皆預相知意。不得是願，終不作佛。——（〈悉知他心願〉）。

第九願：我作佛時，我剎中人，皆不聞不善之名，況有其實。不得是願，終不作佛。——（〈不聞不善願〉）。

第十願：我作佛時，我剎中人，知身如幻，無貪著心。不得是願，終不作佛。——（〈無貪幻身願〉）。

第十一願：我作佛時，我剎中雖有諸天與世人之異，而其形容，皆一類金色。面目端正淨好，無複醜異。不得是願，終不作佛。——（〈面貌金色端淨願〉）。

第十二願：我作佛時，假令十方無央數世界，諸天人民，以至蜎飛蠕動之類，皆得為人，皆作緣覺、聲聞，皆坐禪一心，共欲計數我年壽幾千億萬劫，無有能知者。不得是願，終不作佛。——（〈佛壽無量願〉）。

第十三願：我作佛時，假令十方各千億世界中，諸天人民，以至蜎飛蠕動之類，皆得為人，皆作緣覺、聲聞，皆坐禪一心，共欲計數我剎中人數，有幾千億萬，無有能知者。不得是願，終不作佛。——（〈眾生無數願〉）。

第十四願：我作佛時，我剎中人，壽命皆無央數劫，無有能計知其數者。不得是願，終不作佛。——（〈人壽無量願〉）。

第十五願：我作佛時，我剎中人，所受快樂，一如漏盡比丘。不得是願，終不作佛。——（〈樂如漏盡願〉）。

第十六願：我作佛時，我剎中人，住正信位，離顛倒想，遠離分別，諸根寂靜。所止盡般泥洹。不得是順，終不作佛。——（〈正定解脫願〉）。

第十七願：我作佛時，說經行道，十倍於諸佛。不得是願，終不作佛。——（〈精進超佛願〉）。

第十八願：我作佛時，我剎中人，盡通宿命，知百千億那由他劫事。不得是願，終不作佛。——（〈宿命盡知願〉）。

第十九願：我作佛時，我剎中人，盡得天眼，見百千億那由他世界。不得是願，終不作佛。——（〈盡得天眼願〉）。

第二十願：我作佛時，我剎中人，盡得天耳，聞百千億那由他諸佛說法，悉能受持。不得是願，終不作佛。——（〈天耳持法願〉）。

第廿一願：我作佛時，我剎中人，得他心智，知百千億那由他世界眾生心念。不得是願，終不作佛。——（〈知眾生心願〉）。

第廿二願：我作佛時，我刹中人，盡得神足，於一念頃，能超過百千億那由他世界。不得是願，終不作佛。──（〈神足飛行願〉）。

第廿三願：我作佛時，我名號聞於十方、無央數世界。諸佛各於大眾中，稱我功德、及國土之勝。諸天人民，以至蜎飛蠕動之類，聞我名號，乃慈心喜悅者，皆令來生我刹。不得是願，終不作佛。──（〈諸佛稱名，眾生聞者，發慈喜心，往生淨土願〉）。

第廿四願：我作佛時，我頂中光明絕妙，勝如日月之明，百千億萬倍。不得是願，終不作佛。──（〈佛光勝日月之明願〉）。

第廿五願：我作佛時，光明照諸無央數天下，幽冥之處，皆當大明；諸天人民，以至蜎飛蠕動之類，見我光明，莫不慈心作善，皆令來生我國。不得是願，終不作佛。──（〈眾生蒙光照身，發願往生願〉）。

第廿六願：我作佛時，十方無央數世界，諸天人民，以至蜎飛蠕動之類，蒙我光明，觸其身者，身心慈和，過諸天人，不得是願，終不作佛。──（〈佛光觸身，身心慈和願〉）。

第廿七願：我作佛時，十方無央數世界，諸天人民，有發菩提心，奉持齋戒，行六波羅蜜，修諸功德，至心發願，欲生我刹。臨壽終時，我與大眾現其人前，引至來生，作不退轉地菩薩。不得是願，終不作佛。──（〈上品往生願〉）。

第廿八願：我作佛時，十方無央數世界，諸天人民，聞我名號，燒香散華，然燈懸繒飯食沙門，起立塔寺，齋戒清淨，益作諸善，一心繫念於我，雖止於一晝夜不絕，亦必生我刹。不得是願，終不作佛。──（〈中品往生願〉）。

第廿九願：我作佛時，十方無央數世界，諸天人民，至心信樂，欲生我刹，十聲念我名號，必遂來生；惟除五逆，誹謗正法。不得是願，終不作佛。──（〈十念往生願〉）。

第三十願：我作佛時，十方無央數世界，諸天人民，以至蜎飛蠕動之類，前世作惡，聞我名號，即懺悔為善，奉持經戒，願生我刹。壽終皆不經三惡道，徑遂來生。一切所欲，無不如意。不得是願，終不作佛。──（〈作惡眾生往生願〉）。

第卅一願：我作佛時，十方無央數世界，諸天人民，聞我名號，五體投地，稽首作禮，喜悅信樂，修菩薩行，諸天世人，莫不致敬。不得是願，終不作佛。──（〈人天禮敬願〉）。

第卅二願：我作佛時，十方無央數世界，有女人聞我名號，喜悅信樂，發菩提心，厭惡女身，壽終之後，其身不復為女。不得是願，終不作佛。──（〈轉女成男願〉）。

第卅三願：我作佛時，凡生我刹者，一生遂補佛處；惟除本願，欲往他方設化眾生，修菩薩行，供養諸佛，即自在往生。我以威神之力，令彼教化一切眾生，皆發信心，修菩提行、普賢行、寂滅行、淨梵行、最勝行，及一切善行。不得是願，終不作佛。——（〈一生補處及往彼十方教化眾生願〉）。

第卅四願：我作佛時，我刹中人，欲生他方者，如其所願，不復墜於三惡道。不得是願，終不作佛。——（〈國無惡道願〉）。

第卅五願：我作佛時，刹中菩薩，以香華幡蓋，眞珠瓔珞，種種供具，欲往無量世界供養諸佛，一食之頃，即可遍至，不得是願，終不作佛。——（〈供養諸佛願〉）。

第卅六願：我作佛時，刹中菩薩，欲萬種之物，供養十方無央數佛，即自然在前；供養既徧，是日未午，即還我刹。不得是願，終不作佛。——（〈供具如意願〉）。

第卅七願：我作佛時，刹中菩薩受持經法，諷誦宣說，必得辯才智慧。不得是願，終不作佛。——（〈辯才智慧願〉）。

第卅八願：我作佛時，刹中菩薩能演說一切法。其智慧辯才，不可限量。不得是願，終不作佛。——（〈辯才無礙願〉）。

第卅九願：我作佛時，刹中菩薩，得金剛那羅延力，其身皆紫磨金色，具卅二相、八十種好，說經行道，無異於諸佛。不得是願，終不作佛。——（〈金剛身智慧願〉）。

第四十願：我作佛時，刹中清淨，照見十方無量世界。菩薩欲於寶樹中，見十方一切嚴淨佛刹，即時應現，猶如明鏡，覩其面相。不得是願，終不作佛。——（〈徹見十方願〉）。

第卌一願：我作佛時，刹中菩薩，雖少功德者，亦能知見我道場樹，高四千由旬。不得是願，終不作佛。——（〈知見寶樹高大願〉）。

第卌二願：我作佛時，刹中諸天世人、及一切萬物，皆嚴淨光麗，形色殊特，窮微極妙，無能稱量者。眾生雖得天眼，不能辨其名數。不得是願，終不作佛。——（〈淨土嚴淨願〉）。

第卌三願：我作佛時，我刹中人，隨其志願，所欲聞法，皆自然得聞。不得是願，終不作佛。——（〈隨願聞法願〉）。

第卌四願：我作佛時，我刹中菩薩、聲聞，皆智慧威神。頂中皆有光明，語音鴻暢。說經行道，無異於諸佛。不得是願，終不作佛。——（〈智光如佛願〉）。

第卌五願：我作佛時，他方世界諸菩薩聞我名號，歸依精進，皆逮得清淨解脫三昧，住是三昧，一發意頃，供養不可思議諸佛，而不失定意。不得是願，終不作佛。——(〈聞名精進得解脫三昧願〉)。

第卌六願：我作佛時，他方世界諸菩薩聞我名號，歸依精進，皆逮得普等三昧，住是三昧，至於成佛，常見無量不可思議一切諸佛。不得是願，終不作佛。——(〈聞名精進得普等三昧願〉)。

第卌七願：我作佛時，他方世界諸菩薩聞我名號，歸依精進，即得至不退轉地。不得是願，終不作佛。——(〈聞名精進得不退轉地願〉)。

第卌八願：我作佛時，他方世界諸菩薩，聞我名號，歸依精進，即得至第一忍、第二忍、第三法忍，於諸佛法，永不退轉。不得是願，終不作佛。——(〈聞名精進得三法忍願〉[5]。

本經雖是卌八願，但與《無量壽經》之卌八願，仍有出入。如本經除第一願與《無量壽經》〈第一國無惡道願〉相同外，其餘諸願排列法，皆與《無量壽經》不同。然而兩經願文合照下，卻是大同小異，可看做與《無量壽經》同一系列。由此證明該經是後期傳譯過來的淨土經典。亦可以瞭解人類對阿彌陀佛的信仰表現，不斷在增強。

六　《大寶積經》無量壽如來會卌八願

《大寶積經》無量壽如來會，二卷，大唐三藏菩提流支詔譯。從該經傳譯的年代，便知這是後期翻譯的淨土經典，亦是《大寶積經》中唯一記述〈阿彌陀佛本願〉思想及極樂國土境界之一段經文。雖是短短的一段，但已將極樂世界之景象記述得比《阿彌陀經》詳盡，其中本願思想，更是比其他淨土經典記述得完整，如願文說：

一、若我證得無上菩提，國中有地獄餓鬼畜生趣者，我終不取無上正覺。——(〈國無惡道願〉)。

二、若我成佛，國中眾生，有墮三惡趣者，我終不取正覺。——(〈不墮惡道願〉)。

三、若我成佛，國中有情，若不皆同真金色者，不取正覺。——(〈真金色身願〉)。

四、若我成佛，國中有情，形貌差別有好醜者，不取正覺。——(〈無有好醜願〉)。

五、若我成佛，國中有情，不得宿命，乃至不知億那由他百千劫事者，不取正覺。——(〈宿命自知願〉)。

5　《大正藏》第十二冊，頁三二八，下；頁三二九，上、中、下；頁三三〇，上、中。

六、若我成佛，國中有情，若無天眼，乃至不見億那由他百千佛國土者，不取正覺。——(〈天眼普見願〉)。

七、若我成佛，國中有情，不獲天耳，乃至不聞億那由他百千踰繕那外佛說法者，不取正覺。——(〈天耳遍聽願〉)。

八、若我成佛，國中有情，，無他心智，乃至不知億那由他百千佛國土中有情心行者，不取正覺。——(〈他心悉知願〉)。

九、若我成佛，國中有情，不獲神通自在波羅蜜多，於一念頃，不能超過億那由他百千佛剎者，不取正覺。——(〈神通自在願〉)。

十、若我成佛，國中有情，起於少分我我所想者，不取菩提。——(〈無我我想願〉)。

十一、若我成佛，國中有情，若不決定成等正覺，證大涅槃者，不取菩提。——(〈證大涅盤願〉)。

十二、若我成佛，光明有限，下至不照億那由他百千及算數佛剎者，不取菩提。——(〈光明無線願〉)。

十三、若我成佛，壽量有限，乃至俱胝那由他百千及算數劫者，不取菩提。——(〈壽量無限願〉)。

十四、若我成佛，國中聲聞，無有知其數者;假使三千大千世界，滿中有情，及諸緣覺，於百千歲盡其智算，亦不能知，若有知者，不取正覺。——(〈聲聞無數願〉)。

十五、若我成佛，國中有情，壽量有限齊者，不取菩提，唯除願力而受生者。——(〈壽命自在願〉)。

十六、若我成佛，國中眾生，若有不善名者，不取正覺。——(〈無聞惡名願〉)。

十七、若我成佛，彼無量剎中，無數諸佛，不共諮嗟稱歎我國者，不取正覺。——(〈諸佛稱名願〉)。

十八、若我證得無上覺時，餘佛剎中，諸有情類，聞我名已，所有善根，心心迴向，願生我國，乃至十念，若不生者，不取菩提。唯除造無間惡業，誹謗正法及諸聖人。——(〈十念往生願〉)。

十九、若我成佛，於他剎土，有諸眾生，發菩提心，及於我所，起清淨念，復以善根迴向，願生極樂，彼人臨命終時，我與諸比丘眾，現其人前，若不爾者，不取正覺。——(〈上品往生願〉)。

二十、若我成佛，無量國中，所有眾生，聞說我名，以己善根，迴向極樂，若不生者，不取菩提。——(〈修福往生願〉)。

廿一、若我成佛，國中菩薩，皆不成就卅二相者，不取菩提。——(〈卅二相願〉)。

廿二、若我成佛，於彼國中，所有菩薩，於大菩提，鹹悉位階一生補處。唯除大願諸菩薩等，為諸眾生，被精進甲，勤行利益，修大涅槃，遍諸佛國，行菩薩行，供養一切諸佛如來，安立恆沙眾生，住無上覺，所修諸行，復勝於前，行普賢道，而得出離，若不爾者，不取菩提。──（〈大願菩薩願〉）。

廿三、若我成佛，國中菩薩，每於晨朝，供養他方，乃至無量億那由他百千諸佛，以佛威力，即以食前，還到本國，若不爾者，不取菩提。──（〈供養者佛願〉）。

廿四、若我成佛，於彼剎中，諸菩薩眾，所須種種供具，於諸佛所，植諸善根，如是色類，不圓滿者，不取菩提。──（〈供具如意願〉）。

廿五、若我當成佛時，國中菩薩，說諸法要，不善順入一切智者，不取菩提。──（〈說一切智願〉）。

廿六、若我成佛，彼國所生，諸菩薩等，若無那羅延堅固力者，不取正覺。──（〈悲智堅固願〉）。

廿七、若我成佛，周遍國中，諸莊嚴具，無有眾生能總演說。乃至有天眼者，不能了知，所有雜類形色光相，若有能知及總宣說者，不取菩提。──（〈淨土莊嚴願〉）。

廿八、若我成佛，國中具有無量色樹，高百千由旬，諸菩薩中，有善根劣者，若不能了知，不取正覺。──（〈知見寶樹願〉）。

廿九、若我成佛，國中眾生，讀誦經典，教授敷演，若不獲得勝辯才者，不取菩提。──（〈智慧辯才願〉）。

三十、若我成佛，國中菩薩，有不成就無邊辯才者，不取菩提。──（〈無邊辯才願〉）。

卅一、若我成佛，國土光淨，遍無與等，徹照無量無數不可思議諸佛世界，如明鏡中，現其面像，若不爾者，不取菩提。──（〈普見十方願〉）。

卅二、若我成佛，國界之內，地及虛空，有無量種香，復有百千億那由他數眾寶香爐，香氣普熏遍虛空界，其香殊勝，超過人天，珍奉如來，及菩薩眾，若不爾者，不取菩提。──（〈眾香供佛願〉）。

卅三、若我成佛，周遍十方，無量無數，不可思議，無等界眾生之輩，蒙佛威光所照觸者，身心安樂，超過人天，若不爾者，不取正覺。──（〈佛光照身願〉）。

卅四、若我成佛，無量不可思議，無等界諸佛剎中，菩薩之輩，聞我名已，若不證得離生，獲陀羅尼者，不取正覺。──（〈諸法總持願〉）。

卅五、若我成佛，周遍無數，不可思議，無有等量，諸佛國中，所有女人，聞我名已，得清淨信，發菩提心，厭患女身，若於來世，不捨女人身者，不取菩提。──（〈轉女成男願〉）。

卅六、若我成佛，無量無數，不可思議，無等佛剎，菩薩之眾，聞我名已，得離生法，若不修行殊勝梵行，乃至到於大菩提者，不取正覺。——（〈梵行精進願〉）。

卅七、若我成佛，周遍十方，無有等量，諸佛剎中，所有菩薩，聞我名已，五體投地，以清淨心，修菩薩行，若諸天人不禮敬者，不取正覺。——（〈菩薩人天禮敬願〉）。

卅八、若我成佛，國中眾生，所須衣服，隨念即至，如佛命善來比丘，法服自然在體，若不爾者，不取菩提。——（〈衣服隨念願〉）。

卅九、若我成佛，諸眾生類，纔生我國中，若不皆獲資具，心淨安樂，如得漏盡諸比丘者，不取菩提。——（〈樂如漏盡願〉）。

四十、若我成佛，國中群生，隨心欲見諸佛淨國殊勝莊嚴，於寶樹間，悉皆出現，猶如明鏡，見其面像，若不爾者，不取菩提。——（〈樹中見剎願〉）。

卌一、若我成佛，餘佛剎中，所有眾生，聞我名已，乃至菩提，諸根有闕，德用非廣者，不取菩提。——（〈六根具德願〉）。

卌二、若我成佛，餘佛剎中，所有菩薩，聞我名已，若不皆善分別勝三摩地，名字語言，菩薩住彼三摩地中，於一剎那言說之頃，不能供養無量無數不可思議無等諸佛，又不現證六三摩地者，不取正覺。——（菩薩知各種禪定境界及住定中剎那供佛願）。

卌三、若我成佛，餘佛土中，有諸菩薩，聞我名已，壽終之後，若不得生豪貴家者，不取正覺。——（〈生富貴家願〉）。

卌四、若我成佛，餘佛剎中，所有菩薩，聞我名已，若不應時修菩薩行，清淨歡喜，得平等住，具諸善根者，不取正覺。——（〈聞名修菩薩行，善根具足願〉）。

卌五、若我成佛，他方菩薩，聞我名已，皆得平等三摩地門，住是定中，常供無量無等諸佛，乃至菩提，終不退轉，若不爾者，不取正覺。——（〈聞名得平等六定，定中供佛願〉）。

卌六、若我成佛，國中菩薩，隨其志願，所欲聞法，自然得聞，若不爾者，不取正覺。——（〈聞法自在願〉）。

卌七、若我證得無上菩提，餘佛剎中，所有菩薩，聞我名已，於阿耨多羅三藐三菩提，有退轉者，不取正覺。——（〈聞名得不退轉願〉）。

卌八、若我成佛，餘佛國中，所有菩薩，若聞我名，應時不獲一、二、三忍，於諸佛法，不能現證不退轉者，不取菩提。——（〈聞名得三法忍願）[6]。

6　《大正藏》第十一冊，頁九三，中、下；頁九四，上、中、下。

本經之願文，是與《無量壽經》卌八願同一系列，從第一願到廿一願兩經願文皆同。只有第廿二願本經是〈大願菩薩願〉，《無量壽經》則為一生補處願不同，其餘諸願，均是大同小異。尤以本願之聞名得忍，聞名總持，〈轉女城男等願〉，令本願利益眾生之事，延長至彼佛涅槃後，實為後期〈阿彌陀佛本願〉思想發達之最大特色，這是其他淨土願文之廿四，卌六願所沒有的。

七　結論

事實上，以淨土經典所載阿彌陀佛〈因地行願〉之多寡，而來區分出那一部經典是先成立的，不絕對正確的。如《大阿彌陀經》經文，只有廿四願，有依此而判定是最初成立的願文，依次是《無量壽莊嚴經》的卌六願，《無量壽經》之卌八願及《大寶積經》之卌八願以及《悲華經》之五十三願，此三經是判別為同系的，也就是說最後來成立的經典。又如十念往生願，〈聞名得不退轉等願文〉是前廿四願所沒有的，此亦說明當《無量壽經》卌八願完成後，正反應出阿彌陀信仰思想，已經相當發達。

其實並不盡然。我們看《無量清淨平等覺經》乃是諸經典的彙集本，是大家公認的，當然是後期的經典，但也只有廿四願，為何不把它判為是最先成立的願文呢？因此依願文之多寡來推定經典成立之先後，不是絕對可靠的。

前列經典所舉之各個願文，一看之下，確實有多寡不同而且願文的先後次序每一部經也不一樣，就是《悲華經》與《大悲分陀利經》雖然是同系譯本，但細分出來，也有五十三願與五十二願之別。大致來說，每一部經典的第一個願文皆是〈國無惡道願〉（只有《大乘無量壽莊嚴經》所說第一願不同）；有五部經典的第二願及第三願分別是〈不墮惡道願〉及〈金色身相願〉，其他三部經典阿彌陀三耶三佛經和無量莊嚴經及《大阿彌陀經》記述不同。

除此前三願外，後續諸願的意義及次序，便形成比較大的差距。雖然各種譯本願數前後有小量差距。但是在多數願文上確有而雷同之處。如〈宿命通〉、〈天眼通〉、〈天耳通〉、〈他心通〉、〈神足通〉等五種神通願，是前述八部經典都有記載的。又〈國無惡道願〉、〈不更惡道願〉、〈身真金色願〉、〈悉同一色願〉、〈卅二相願〉、〈諸佛稱名願〉、〈壽命無量願〉、〈光明無量願〉、〈供養諸佛願〉、〈不退轉願〉等十個願亦是八部經典均有記述的，也就是說有十五個願文是八部經典相同的。

其中光明無量願在《阿彌陀三耶經》及《無量清淨平等覺經》這二部經記載為佛光超越十方諸佛光明願與其他六部經所說不同，這亦是最受批判的願文。

〈證入涅槃願〉（共三乘涅槃），《清淨平等覺經》與《無量壽經》、《大阿彌陀經》三經同，但在《大寶積經》無量壽如來會卻記說為證入佛的大涅槃境界。〈轉女成男願〉雖然每部經願文所說不同，但只有《清淨平等覺經》沒有記述，而且在《悲華經》

《積《大乘悲分陀利經》分別於第十一願、第五十三願、第十二願、第五十二願說明了兩次（一次為〈轉女身成佛願〉〉）。

〈往生淨土願〉在八部經典內都有說明。其中《無量壽經》與《大寶積經》集中在十六、十九、二十願，《大阿彌陀經》更以廿七、廿八、廿九、卅願等四願來說明，《悲華經》與《大乘悲分陀利經》則以卌五及卌六兩願來說明。《大乘無量壽莊嚴經》更分別以十三、十四、十五、廿七、三十、卅一等六大願來說明。《清淨平等覺經》亦以十八、十九、兩願來說明，《阿彌陀三耶經》亦以四、五、六、七等四願來說明，可見淨土法門是如何重視現世求往生的重要性了。

在淨土中以定力到他方世界去供養諸佛及聽佛聞法，同樣為阿彌陀因地大願所重視，而且供佛問題，又區分出自力供佛及仗佛力供佛兩種。談到自住禪定飛行十方世界供佛的大願，每一部經都有提到。談到他力供佛的大願則是《清淨平等覺經》、《阿彌陀三耶經》這兩經所沒有。

淨土中有菩薩大眾及二乘行者為八部經典所共許，但是每一部經典願文中翻譯的意思都有出入。如《大寶積經》及《無量壽經》十四願同為聲聞無數願，而在《大阿彌陀經》十三願則為眾生無數願，沒有指明是菩薩無數還是聲聞無數，於分《陀利經》及《悲華經》更清楚的指明是菩薩無數（卌三），沒有提到聲聞問題。而在《阿彌陀三耶經》則於第二願及廿願同時提到淨土中的菩薩與聲聞數目同為無量無數。並且於《無量壽莊嚴經》有特別提出二乘供佛修福的問題（九願），及淨土中的而乘行者必成佛果的大願（第廿八願）。

淨土中眾生著衣服及飲食問題，在諸經願文所述不一，有的提到飲食問題，沒有提到衣著問題，有的提到衣飾問題，沒有提及飲食問題。提到衣著問題的有《大寶積經》卅八願、分《陀利經》的卅二願、《悲華經》的卅五願、《無量壽經》的卅八願。談到飲食問題的有《三耶經》的十四願、《清淨平等覺經》的廿三願。飲食及衣著問題同時談到的只有《大阿彌陀經》的三、四兩願，《無量壽莊嚴經》則完全沒有提及。

於淨土中照見十方佛剎的大願及介紹淨土莊嚴的大願，除了《三耶經》及《清淨平等覺經》沒有提到外，其他六部經典都有說明。

雖然八部經所述阿彌陀佛因行大願有多寡及增減之不同，但依修證佛法的觀點，卻是可將廿四願、卅六願、卌八願、五十二願……及無盡行願，依成佛行進的次第融合成一體的。如以卌八願中的第十二願光明無量願的意義來說，便可將所有阿彌陀〈因地行願〉融會於這個光明無量願中。因每一個大乘菩薩行者，無論選擇何種正途的方便修行法門做為初步學佛行持的下手途徑，其最後終極的修行成果，就是在於尋求無上佛性光明的圓滿開發，圓滿實現。而佛的無量光明，開演諸佛無盡的成佛行願。無盡的成佛行願，願願彙歸諸佛的無量法性光明中；阿彌陀佛無上法性光明的圓滿完成，就是十方無盡諸佛智慧之光明的總體實現；十方無盡諸佛覺性光明的總體實現，就是彌陀因地行持的大悲本願最後圓滿實踐之成果。阿彌陀佛的〈因地行願〉，願願開演無盡菩薩行願，願願開覺無盡修證佛法。這是從圓滿修證佛法之角度，來理解諸佛之智慧光明因行的產生，乃是源自於一個菩薩修行者，在多生累劫自覺、覺他，實行度化眾生深廣的大悲願行中最後必然產生修行的圓滿結果。

當阿彌陀佛每一個成佛大願圓滿實現之日，就是阿彌陀淨土利樂無邊有情影現之時。當阿彌陀佛智慧光明顯現無礙之際，就是宇宙中與阿彌陀有緣眾生普蒙佛光照觸之日。當阿彌陀佛法性光明究竟圓證之時，就是阿彌陀聖號具足無邊接引力量攝受廣大有情生西之時。十方眾生因為聽聞阿彌陀聖號，在〈阿彌陀佛本願〉力攝持之下，對佛的大悲願力產生堅定敬信之心，執持具足無量功德力用的阿彌陀聖號，蒙受阿彌陀佛的本願慈光加被；於受持阿彌陀佛名號的當下，宿慧啟發，時時發出厭離娑婆世界生死苦海的決心，時時生起欣慕極樂世界菩提解脫之樂的信願，一心念佛回歸阿彌陀佛的大悲本願加被中。因執持阿彌陀佛聖號者，有這樣的共同信念，唯有在日常念佛時，一心背離娑婆苦海，念念以必死之心念佛，當下投入阿彌陀佛的大悲光明接引誓願中，才能產生深心回向的功德，才能念念往極樂世界前進。念念成就念佛三昧，念念回入阿彌陀佛的慈光加持中，而與阿彌陀佛的光明無量願相應，在阿彌陀佛的無量慈光攝受之下，自力念佛心地之光，融入阿彌陀佛的本願光明接引中，往生西方極樂世界。

這是依圓滿修證佛法的觀點，來看阿彌陀佛的〈因地行願〉，而將阿彌陀佛所以因地願行歸納於無量壽所說的第十二光明無量願中的詮釋。依《無量壽經》說，阿彌陀佛在最初修學成佛法門時，於世自在王佛的面前，發下卌八個成就佛道的大悲誓願（以卌八願為代表），而將這卌八個成佛行願架構成一部圓滿的成佛之道，架構成一部完備的修證佛法。如何說呢？因為無論在廿四願、卅六願、卌八願、或五十二願中，都提到了淨土世界天人因果正報修證的問題，亦提及聲聞聖眾修行、解脫、獲得六種神通的問題，亦提到十方世界眾生往生淨土因行的修行問題，以及十方世界菩薩往生淨土的本願自在問題。而在卌八願中進而延申處諸佛稱揚佛名、十方世界眾生聞名利益的修行問題與十方世界菩薩聞名利益的修行問題及及他方世界菩薩聞香利益的問題，乃至淨土世界正報、依報相攝依的圓滿融通問題以及阿彌陀佛智慧光明、壽命無量、眾生蒙佛光照觸等修行問題。而使西方極樂世界在接引十方世界的人、天、聲聞、菩薩聖眾往生淨土修行的同時，形成具是三乘佛法的殊勝佛國，帶領淨土世界的眾生逐步走向修證圓滿佛道的一乘境地中。

研究阿彌陀因地的成佛行願，必須從八十華嚴整體修證的佛法的立場來探討才不至於對淨土諸經記載不同願文的長短多寡問題而產生疑問與矛盾。更能將願文的意義融通在一起，從一願中出生無量義，從無量願彙歸到一願中。阿彌陀的一一願行是互通無礙，願願互為因果，不離菩薩佈施、持戒、忍辱、精進、禪定、般若六度波羅蜜行的。

就拿《無量壽經》的卌八願來說，其第一、第二、第三、第四、第五、第六、第

七、第八、第九、第十、第十一、第十五、第十六、第廿一、第卅八、第卅九願，便談到淨土天人如何從聽聞正法到修行解脫、獲得五種神通的修持過程。二十願後願願不離六度波羅蜜的修持法，到最後阿彌陀願行圓滿成就，完成無上佛道時，卌八願的修行成果，便在阿彌陀大圓鏡智的圓滿成就下，影現西方淨土世界，接引十方無量與阿彌陀佛有緣的眾生，往生西方極樂世界，聽佛說法，朝向阿彌陀成佛的〈因地行願〉，繼續前進，而此與阿彌陀有緣眾生承續其〈因地行願〉的位子，才是阿彌陀開展無盡成佛大願的根本目的。由此而使阿彌陀因地成佛行願，在大乘修證的佛法中，建立起極其重要的地位。大乘淨土法門，因此而凸顯其在融合大、小乘佛法的修學過程中，成為最重要、最終極的修行結果，同時也是諸佛菩薩在實踐大悲願行的歷程中，完成度化眾生的工作，最重要最徹底的修行成果。一條研究的方向，建立起眾生對阿彌陀接引往生大願不退的信心。

《周易》結構略例

毛炳生

臺灣華梵大學東方人文思想研究所

一 前言

《周易》，是周朝王室的易法。這部易法的製作，從結構上來說，緜密細膩，無懈可擊；但三千年來學者並未發現。興趣於象數的，關心占驗結果，極盡預測、推步的能事；立志於義理的，望文臆解，各自發揮個人理念。能夠真正完全讀懂《周易》，貫通象與辭的人，古今可謂沒有一人。

程頤在北宋時代，以當時兩本主要的易學著作——（唐）孔穎達《周易正義》與李鼎祚《周易集解》，論述個人的觀點時，他感慨地說：「前儒失意以傳言，後學誦言而忘味；自秦而下，蓋無傳矣。」（《易傳序》）大意是：前代學者所傳的意都不是《周易》文本的原意，致令後人讀不出興味來；從秦代至今，《周易》文意失傳了。他繼續說：「予生千載之後，悼斯文之湮晦，將俾後人沿流而求源，此《傳》所以作也。」大意是：我在千年後的今天出生，嘆息《周易》文辭仍然隱晦不明，希望後人能夠從溪流溯源，所以我寫了這本《易傳》。

程頤的《易傳》，後人稱為《伊川易傳》或《易程傳》。這本《易傳》，是奠定了儒家易學基礎的鉅著，內容體大思精，可謂空前。但它不是學者入門的首選，因為程頤不是解《易》，而是借卦爻辭抒發他個人的政治理念。作者雖然自以為闡釋卦爻辭，而實際上他已架空了卦爻辭，自說自話。朱熹曾評論道：「程《易》不說《易》文字，只說道理。」又說：「伊川見得箇大道理，卻將經來合他這道理，不是解《易》。」（《朱子語類》）可謂知言。

程頤之後，至今亦已超過一千年了，仍然沒有人能夠解通《周易》文本。如果能解通的話，便會知道《周易》結構的精妙了。

二 王弼論述象與辭，前後矛盾

《周易》的內容，不外象和辭兩個部份。《周易》的結構，也不外由象和辭組成。

象是卦象，辭是卦辭和爻辭。王弼〈周易略例〉在「明象」一條下說：「夫象者，出意者也。言者，明象者也。」出意，即表示意念。一卦的卦象表示一個意念。言，相當於辭。明象，句意是：卦象下的言辭，是說明卦象意念的。由此可知，辭意是由卦象產生，辭與象一體。要明白象意，必需透過辭；要明白辭意，也必需透過象。兩者要互相印證，方可合理地解通文本；將象與辭分割開來，便無法讀通文本。但王弼後文卻說：「忘象以求其意，義斯見矣。」大意是：忘記卦象，觸類旁通，直接求意，便會得到真義了。這個論述，似乎是教人望文臆解即可，不要刻守卦象，不是自打嘴巴，前言不對後語嗎？

卦辭原稱「彖」，即判辭；如〈乾〉卦辭「元亨利貞」，〈坤〉卦辭「利牝馬之貞」等。兩卦意謂：起筮如遇到〈乾〉卦，判辭說：「十分亨通，利於所占問的事。」起筮如遇到〈坤〉卦，判辭說：「利於母馬負載的占問（即詢問遠行的事有利）。」

辭由象生，有此卦象，才有此卦辭。因此，象和辭便產生了一種結構性的關係。如斷了這種結構性的關係，象是象，辭是辭，學者便容易以個人的觀點，自說自話了。《周易》文辭古奧，已經難讀；再加上後人各說各話，讀者便有如在霧裡看花，又怎會看得清楚花容呢？坊間各家《周易》注本，似乎都是霧裡看花的作品，初學者實在無法取捨。

三　六十四卦的組成是經過演進的

《周易》有六十四卦，一卦有一卦的結構，六十四卦串連起來，也有它的內在結構。

一卦的組成，是由兩個八卦重疊起來的。八卦據說由伏羲氏所創。所謂八卦，是☰《乾》、☷《坤》、☳《震》、☴《巽》、☵《坎》、☲《離》、☶《艮》、☱《兌》八個符號。《史記・周本紀》載，西伯姬昌被商朝的帝紂幽禁在羑里時，他「蓋益《易》之八卦為六十四卦」（姬昌即後來的周文王）。文意是：《易》由八卦增加至六十四卦，大概是在文王被幽禁時的傑作。這是文王演《易》最早的歷史紀錄。演，是將八卦以兩卦為一組，交互重疊，共成六十四卦。

但這個說法曾引起學者的懷疑，因為〈繫辭傳〉有一段敘述《易》的演變過程，說在伏犧氏時代便有〈離〉卦；在神農氏時代又有〈益〉與〈噬嗑〉兩卦；在黃帝、堯、舜時代更多了，有〈乾〉、〈坤〉、〈渙〉、〈隨〉、〈豫〉、〈小過〉、〈睽〉、〈大壯〉、〈大過〉、〈夬〉等十卦。以上十三卦都是六十四卦的卦名。

個人認為，文化的成熟不是一步到位的，必需經過一段演進的過程。文王可能是個總其成的人，他在羑里讀書時，受到前人的啟發，將尚未重疊的八卦補足，於是完成六十四卦的組合。

文王完成六十四卦的組合後，便沒有再進一步的動作了。直至商亡周興，天下底定之後，周公統籌制禮作樂的工程，才命人重新檢視這些材料，為其餘各卦命名，並排定六十四卦的次序與撰寫卦爻辭，完成一部屬於周朝的易法，訂名為《易》。《易》本周朝王室的筮書，藏於秘府，不為外人所用；自周朝政權衰敗後，平王東遷，周王室有離開周地的成員，《易》由此外流，被諸侯所用，史家於是稱之為《周易》。案例第一次出現在《左傳》魯莊公二十二（西元前672年）年故事。

占卜，是古時祭禮的一部份；王室需要下重大決策的時候也需要它。周公負責制禮作樂，又怎會遺漏這個重要的項目呢？

四　卦象是立體的，不是平面的

朱熹說：「《易》本是卜筮之書。」易法的作用本來就是在於卜筮；而既然成「書」，便應有「書」的結構。

《周易》的內容是象與辭，則象有象的結構，辭有辭的結構。而辭在於說明象意，因此兩者之間也一定有結構上的聯繫。

先談象的結構。

六十四卦由八卦兩兩交互重疊組成，組成之後，便有上下兩卦，構成上下關係，稱上下結構。

下卦又稱內卦，上卦又稱外卦，由此又構成了內外關係，稱內外結構。

在疊卦時，先將一卦放入，再疊上一卦；上下兩卦有先後次序，這種順序的關係，也是一種結構，稱時序結構。

八卦各有卦象。根據〈說卦傳〉，《乾》象天，《坤》象地，《震》象雷，《巽》象風或木，《坎》象水，《離》象火，《艮》象山，《兌》象澤等。兩象重疊之後，再配合上下、內外、時序等結構，即〈繫辭傳〉所說：「八卦相盪。」由此，新的意象便產生了，稱意象結構。

組成六爻的卦象後，第一爻與第六爻不用，抽出二、三、四、五爻；再以二、三、四爻組成下卦，三、四、五爻組成上卦，兩卦重疊後，新卦便產生了。這個新卦稱互體或互卦，它跟本卦構成了表裡關係，是為表裡結構。除了〈乾〉〈坤〉兩卦無法產生互卦外，其餘六十二卦都可以利用上述方式產生互卦。

以〈屯〉卦為例。〈屯〉的卦象是下《震》☳上《坎》☵。《震》的卦象是陽⚊、陰⚋、陰⚋，《坎》的卦象是陰⚋、陽⚊、陰⚋。抽出《震》的兩根陰爻與《坎》的一陰一陽，依上述方式便可成立一個新卦。下為《坤》☷，上為《艮》☶，新卦是〈剝〉䷖。〈屯〉與〈剝〉兩卦構成表裡關係。

一卦六爻的卦象是由以上五大結構所構成的，每個卦象都是一個立體的圖像，不能用平面的概念來看待。如應用於占筮時，加入占問者所提出的事情，與起筮後所遇到的卦象與卦象的變化，互相牽動，卦象便是一個立體的有機圖像了。〈繫辭傳〉說：「《易》與天地準，故能彌綸天地之道。」八卦卦象模擬天地，如再配合所謂天、地、人「三才之道」的概念，交互重疊後事理包羅萬象，「彌綸天地之道」是沒有誇大其辭的。

五　卦序安排的結構性問題

六十四卦的次序安排，也具有結構性的原理。

首先提出卦序說的，是《易傳》裡的〈序卦傳〉。跳過作者問題不談，就內容來說，〈序卦傳〉所說的卦序理由，是採卦名的義理立說的。如〈乾〉〈坤〉兩卦代表天地，〈序卦傳〉第一句便說：「有天地然後萬物生焉。」古人認為宇宙生成的次序，是先天後地，再生萬物。接著是〈屯〉卦，作者說：「盈天地之間者唯萬物，故受之以〈屯〉;〈屯〉者盈也。」盈是盈滿。屯，是囤字的初文。囤，意為囤積。天地形成後，萬物繁衍，在大地上逐漸囤積，因此引伸有盈滿之意。〈屯〉卦之所以被安排在〈坤〉卦之後，就是這個緣故。這種以卦名作為排序的理由，東晉學者韓康伯認為「非《易》之蘊」，即不是《周易》的原意。

唐代孔穎達則另有解說。他認為卦序的安排，「非覆即變」。他說：「今驗六十四卦，二二相耦，非覆即變。覆者，表裡視之，遂成兩卦，〈屯〉〈蒙〉、〈需〉〈訟〉、〈師〉〈比〉之類是也。變者，反覆，唯成一卦，則變以對之，〈乾〉〈坤〉、〈坎〉〈離〉、〈乾〉〈坤〉、〈大過〉〈頤〉、〈中孚〉〈小過〉是也。」(《周易正義》)

六十四卦以兩卦為一組，共三十二組，即孔穎達所說的「二二相耦」。相耦，即配對。這是孔氏的創說，可謂卓見。

六　卦象與卦名在結構上都有意義

孔氏因韓康伯的啟發，不採卦名立說，而改採卦象立說。所謂「非覆即變」的「覆」，是卦象的覆；「變」，是爻象的變。

覆，反覆。將前一卦的卦象反轉，上下兩卦便顛倒過來，成一新卦。孔氏將這個動作說成「表裡視之」，不妥；因為卦象的反覆不是表裡結構的改變，而是上下結構的改變。如〈屯〉卦，下卦《震》，上卦《坎》，反轉後，下卦仍為《坎》，上卦則變為《艮》了，新卦為〈蒙〉䷃。又如〈需〉卦，下卦《乾》，上卦《坎》，反轉後，上下兩卦沒有變化，但《坎》改在下，《乾》改在上，新卦為〈訟〉䷅，如此類推。這類覆卦共有二十八組，占三十二組的絕大多數。

變，指爻的性質改變。將前一卦六爻的性質，原本是陽的改變為陰，原本是陰的改變為陽，成立一新卦。如〈乾〉卦，六爻的屬性都是陽，如都改變為陰，新卦為〈坤〉。孔氏稱這種改變為「反覆」，用辭也是欠妥的，容易跟「非覆即變」的「覆」混淆。反是相反，即變成相反的性質，宜將「反覆」改為「反對」，意為相反成對。這類變卦只有四組，是少數。

六十四卦卦象，以兩卦為一組，非覆即變；而在安排次序上，既有卦象的意義，也有卦名的意義，兩者是不能夠忽略的。〈序卦傳〉取卦名義，孔氏取卦象義，各取一邊，都有理據；但不能盡窺《周易》結構的妙思與妙理。

七　〈說卦傳〉與卦辭的關係

《易經》內的《易傳》，漢代學者稱為《十翼》，認為是「羽翼」《周易》之作。所謂羽翼，是發揚的意思。《十翼》是闡揚《周易》義理的作品，其中值得特別注意的是〈說卦傳〉，因為它保留了八卦原始材料的說明，跟卦爻辭的關係十分密切。王弼說「象者，出意者也」，意源於象，象與意原是一體的，不能分割。王弼的「得意忘象」論，飲水而不思源，可謂數典忘宗。

〈說卦傳〉分兩部份，前幾章類似前言性質，應是後人所作，編者所加，屬於〈傳〉的部份。根據帛書《易傳》內的資料，〈說卦傳〉前應有「子曰」二字，但被漢代學者在編輯《易經》時刪去了。後幾章則是〈說卦〉本文，說明八卦的各種卦象，屬於原始材料，是周初的文獻。《周易》的作者便是從這些資料啟發出靈感，編撰卦爻辭的。

如〈乾〉，卦辭說：「元亨，利貞。」「元亨」是〈乾〉卦的意象，意為十分亨通。為甚麼呢？因為根據〈說卦〉，〈乾〉代表天；天象運行不息，兩〈乾〉重疊成〈乾〉後，表示更加暢通了，因此〈乾〉的意象為「元亨」。

又如〈坤〉，卦辭說：「利牝馬之貞。」牝馬即母馬。母馬宜負載遠行，本卦意象，表示宜於遠行。這個意象是怎麼產生的呢？根據〈說卦〉，〈乾〉，於動物代表馬；〈坤〉，於動物代表牛。〈坤〉沒有代表牝馬之說，但可以推理而得。〈乾〉，於人倫代表父；〈坤〉，於人倫代表母。那麼，當〈乾〉代表馬時，一定是公馬；由公馬便可以推出〈坤〉為母馬了。母馬跟牛具有相似的特性，柔順，可供主人勞役，負載重物。但牛不宜遠行，馬則可以遠行。

由上述舉例可知，〈說卦〉的卦象說跟卦爻辭是密不可分的。

八　之卦跟爻辭的關係

卦辭，由卦象產生；爻辭，當然由爻象產生。

爻辭產生的過程比較複雜，因為爻的位置不同，會影響到卦象的變化。如卦象變了，本卦的意象也會隨之改變。

要瞭解卦變，還須要進一步知道甚麼是「之卦」，甚麼是「互卦」。

漢代以前，沒有初九、九二等爻題，古人以《周易》起筮成立一卦之後，還要求出該卦可變之爻，即鄭玄所說：「《易》以變者為占。」求到了該變之爻後，古人會說：「本卦之某卦」。之，是遇到的意思。如起筮成立〈乾〉卦後，計算爻值，找出〈乾〉

的六爻中哪一爻該變、能變。如算出第一爻該變而又能變時，古人便會說：「〈乾〉䷀之〈姤〉䷫。」爻辭是：「潛龍。勿用。」「潛龍」是爻象，「勿用」是斷語。

如〈乾〉的第一爻可變，會由陽爻變為陰爻，下卦的《乾》☰亦同時變為《巽》☴。下《巽》上《乾》，便是〈姤〉卦。根據〈說卦〉，《巽》可以代表木，即樹木。《巽》的三爻，由下而上，是陰⚋、陽⚊、陽⚊。想像一下樹身，陰柔順，像樹根；陽剛健，像樹幹。第一、二爻屬於地才，一爻是地下，二爻是地面。樹根盤據在地下，不就像潛藏的龍嗎？這是由爻變所產生的新意象。

再從之卦來說：爻變所遇到的〈姤〉，卦名從女部后聲，本義是王后。王后深居內宮，不能干預外朝政事，因此為「勿用」。之卦的卦名，對爻辭作者是有啟發作用的。漢代學者將之卦忽略，改以爻題，原意盡失，後人在理解爻辭時便不知道「沿流而求源」（程頤語）了。

九　互卦與爻辭的關係

本卦是靜態的，之卦是動態的。除了之卦外，互體也是很重要的，是一卦之內暗藏一卦，有如連體。在《左傳》的筮例中，魯莊公二十二年故事，周史曾替陳國厲公的兒子用《周易》起筮，他運用過互體的卦象推理，由此可知互體的重要性。

第一爻與第六爻不在互卦上，取之卦看卦象的變化。其餘四爻都是互卦的成分，關係密切，要表裡兩卦並參。

現再以〈屯〉卦為例說明互體跟爻辭的關係。

〈屯〉卦的互體是〈剝〉卦。〈屯〉的第二爻爻辭說：「屯如邅如，乘馬班如。」這兩句是描述一隊車馬行動困難的情景。

二爻已在互體〈剝〉的下卦〈坤〉內，根據〈說卦〉，〈坤〉為眾，為大輿。眾是眾多，大輿是載重物的車子；再配合〈坤〉卦辭的牝馬推想，「乘馬班如」，描述眾多車馬的意象便產生了。

「屯如邅如」，是描述行動困難的狀況。這個意象怎麼產生的呢？要看互體的上卦了。上卦為《艮》，根據〈說卦〉，卦象為山、為徑路、為小石。由此推想，這批負載重物的車馬是往山上跑的。在二爻，表示正要進入山徑中。山路小石多，崎嶇不平，這隊車馬依次逐級上山，行動不困難才怪！

〈屯・九二〉爻辭的內容由互體的卦象產生，可見除本卦外，暗藏的卦象是不能忽略的。

十 〈序卦傳〉說明卦序的理由，都是臆解

六十四卦的卦序，一卦接著一卦，次第必有道理；首先說明卦序安排的道理的是《十翼》裡的〈序卦傳〉。〈序卦傳〉作者所說的道理，有合理處，也有不合理處。而問題是，他所說的道理都是《周易》設計者的本意嗎？

好比說，〈序卦傳〉云：「有天地然後萬物生焉。盈天地之間者唯萬物，故受之以〈屯〉；屯者，盈也。」這些理由是符合大自然規律的，應無爭議。但作者繼續說：「屯者，物之始生也；物生必蒙，故受之以〈蒙〉。蒙者，蒙也，物之穉（稚）也。」這種說法便須再商榷。

作者既然以「盈」字訓解卦名，為甚麼不再用「盈」的意象連接下一卦，而改用另一個字義呢？箇中問題，後代學者卻從來沒有懷疑過？

個人的觀點是，作者既然用「盈」的意象銜接上一卦，也應用同樣的意象銜接下一卦。作者不這樣做，或無法這樣做，即表示他尚未看通卦序次第的道理，只是想辦法湊合而已。

《說文》：「屯，難也。象草木之初生，屯然而難。」許慎解釋屯的字義，是根據〈彖傳〉的。〈彖傳〉說：「剛柔始交而難生。」屯字有困難義；字形既然是「象草木之初生」，因此也有初生義。〈序卦傳〉即採用這個初生義來銜接〈蒙〉卦的；由於銜接得似乎很合理，因此從來沒有人懷疑過。我是第一個起疑的人。

我主張解釋卦爻辭時，要配合卦象與爻象通盤解釋；同理，要解讀卦序，也應要用相同的法則。一卦連著一卦，具有結構性的關係，必跟卦象與一卦的事理有關。堅持這個解讀《周易》的法則，在研讀卦序時，便會有新的發現了。

十一 〈屯〉卦是由〈乾〉〈坤〉所生

再以〈屯〉為例說明。

〈屯〉被安排在〈坤〉卦之後，〈序卦傳〉從自然的規律說明緣故，道理是成立的。而從卦象來說，〈屯〉的下卦為〈震〉，上卦為〈坎〉。根據〈說卦〉，有「〈乾〉〈坤〉生六子」之說。即以八卦中的〈乾〉、〈坤〉為父母，生出其餘六卦。《震》是由〈坤〉一索而得男的長男，〈坎〉是由〈坤〉再索而得男的中男。由此可知，〈坤〉的上下卦各生一男，是雙胞胎。這是〈屯〉被安排在〈坤〉卦之後的緣故。

古人重視男生，頭一胎即生了雙胞男嬰，能不高興嗎？由此即可合理地解釋〈屯〉卦辭的「元亨利貞」了。

〈彖傳〉不是也說「〈屯〉，剛柔始交而難生」嗎？剛，指陽爻；借代六爻皆陽的〈乾〉。柔，指陰爻；借代六爻皆陰的〈坤〉。所謂「剛柔始交」，意思是〈乾〉、〈坤〉

第一次交合。「難生」，難，諧音男。難生即男生。難字是個雙關語。《周易》卦爻辭的作者善用雙關語，〈彖傳〉的作者也深諳此道。〈彖傳〉這一句是說明〈屯〉由〈乾〉〈坤〉所生，後代學者少人看懂，直接從「難」字解讀為困難之意，只說對了一半。〈彖傳〉不是故意忽略前後卦象的關係，只是特別重視義理而已。

《周易》卦序的安排，孔穎達說「二二相耦，非覆即變」，是從卦象立說的，說得極對。但「覆」與「變」之間的卦象又怎麼銜接呢？他便不作說明了；因為他還沒有看透箇中原委。

十二　卦名的事理連結略例

《周易》的六十四卦，在結構上是一卦連著一卦的，彷如佛珠。這個銜接的工程，設計者除了運用〈說卦〉內的卦象資料外，還在卦名與爻辭上著墨，賦予連接的意義。

以卦名來說，〈乾〉、〈坤〉兩卦代表天地，〈序卦傳〉說「有天地然後萬物生焉」，這是大自然生成的過程。萬物出生後必然會繁衍後代，自〈屯〉開始，即是敘述繁衍的過程與事理。程頤說：「卦者，事也。」即一卦說明一事，程頤的見解極好！而六十四卦所說的「事」，都是人事。

〈乾〉、〈坤〉之後是〈屯〉卦。〈屯〉是敘述一段求婚的過程，暗示成家立室，創業維艱。卦名的屯字，既有難義，也有囤積義，更暗含初生義。

繼〈屯〉之後是〈蒙〉卦。這一卦是從一個人成家之後必繁衍後代的社會現象產生。〈蒙〉，即敘述一個男孩成長的過程。卦名「蒙」，有童蒙義與蒙昧義。

繼〈蒙〉之後是〈需〉卦。人類是群居動物，需要朋友，也是很自然的事。〈需〉，是敘述一段朋友遠道來訪的過程。需，有需要義與等待義。

繼〈需〉之後是〈訟〉卦。人類群居生活，彼此容易發生爭執；〈訟〉，卦名是興訟，敘述爭執事件，需要他人訟裁。

繼〈訟〉之後是〈師〉卦。爭執需要調解；調解不成，訟裁無效，戰事便起。〈師〉，是敘述戰爭的過程。師，師旅，表示兵戎相向。

繼〈師〉之後是〈比〉卦。成王敗寇，是政治定律。敗的一方從此要依附勝的一方。〈比〉，是論述親比的原則。

由以上六例簡單的說明，看倌大概已知道六十四卦在卦名上的銜接技巧了吧？

十三　爻辭的結構，有如作文

程頤說「卦者，事也」之後，還有一句話：「爻者，事之時也。」這句話是說明爻辭的作用的。一卦說明一事，卦下的六爻，則說明該事的發展。

作文有所謂起、承、轉、合的寫作方式，爻辭的寫作也不例外。大致來說，下卦第一爻是起，二爻是承，三爻是延續；第四爻發展至上卦，是轉，五爻是延續，第六爻是合，相當於結論。

以〈乾〉來說。〈乾〉的主旨在於論述剛健的事理。〈乾〉是純陽卦，代表男性，性格剛健。又根據〈說卦〉，〈乾〉為君、為父。

作者透過〈乾〉的六根爻辭，敘述君主成長的過程。

第一爻辭是「潛龍。勿用」。隱喻成長之初，尚在學習階段，有如潛龍，所以勿用。這一爻屬於起。

第二爻辭是「見龍在田。利見大人。」敘述學有所成，需要謀事，如龍在田間現身，要晉見大人希望獲得任用了。這一爻屬於承。

第三爻辭是「君子終日乾乾，夕惕若。厲，无咎。」敘述君之子在努力工作之餘，晚上仍然進修不懈。斷語說，這種嚴厲的生活是沒有害處的。這一爻屬於延續。

第四爻辭是「或躍在淵。无咎。」由於君之子被晉用後努力不懈，要更上層樓了。要升還是在原地就好？作者建議，兩者均可，由自己決定。這一爻是轉。

第五爻辭是「飛龍在天。利見大人。」敘述主人翁選擇升遷，最後到了天位，獨當一面，有如一條飛龍了。作者建議，在此時此刻不宜唯我獨尊，行事宜請教長輩，以免犯錯。這一爻是延續。

第六爻辭「亢龍。有悔。」說明剛健之事如做過了頭，不聽人勸，有如「亢龍」，是會犯錯的，因而導致「有悔」。這一爻是總結一卦事理，屬於合。

六爻事理漸進發展，起承轉合的手法具備，結構嚴謹，作者可謂深諳作文之道。

十四　爻辭連接事理，每卦都有因果關係

一卦說明一事，卦下六爻說明該事的發展。卦事與卦事之間，有事理上的聯繫；而前一卦的爻辭，跟後一卦的爻辭，在發展上也有聯繫。

好比說，〈乾・上九〉爻辭「亢龍。有悔」，由此而帶出下一卦〈坤・初六〉的「履霜，堅冰至」。一個人犯了錯，後悔莫及，正在等候發落；此時此刻的心情，惶恐不安，不是如履薄冰嗎？「有悔」之後的「履霜」，是有因果關係的。

又好比說，〈坤・上六〉爻辭「龍戰于野，其血玄黃」，這兩句是比喻陰陽交合，陽龍射出精血，化育萬物。正如〈乾・彖〉所說：「雲行雨施，品物流形。」陰龍承受陽龍的精血後，〈屯〉卦的雙胞胎便由此產生了。生產的時候，產婦胎動作痛，幾經折磨後才能生出兒子，這就是〈屯・初九〉爻辭的「磐桓」狀態。磐桓，徘徊不前的狀態。孕婦生第一胎時常處於膠著的煎熬，欲出不出，艱辛的過程當媽媽的最清楚了。產後需要休息，因此斷語說：「利居貞，利建侯。」

〈屯・上六〉爻辭：「乘馬班如，泣血漣如。」是敘述求親成功，在迎娶過門途中，新娘子在花轎上哭哭啼啼的樣子。由此而帶出下一卦〈蒙〉。蒙，童蒙。婚後產子，幼子便稱蒙。

〈乾〉、〈坤〉代表天地，陰陽交合而化育萬物，生〈屯〉，是大自然的順德。〈屯〉意為囤積，〈屯〉而生〈蒙〉，暗示繁衍後代，是人事上的順德。

順應天德才能繁衍，周人體悟到這個道理，大力宣揚，因此成為中華文化的核心價值。

十五　互相對待，不順則逆

但事理不會一直都是順利發展的，也有不順的時候。卦象兩卦一組，兩卦的安排，先後非覆即變。所謂覆，是卦象反轉倒置，也暗示反覆的道理。反覆就是不順，事理逆向發展。在爻辭內，也提示了這個人事順逆的道理。

如〈屯〉與〈蒙〉的卦象是覆。〈屯〉敘述一段婚姻過程，暗示文明，不搶婚了，依禮制迎娶。〈蒙〉是蒙昧，童蒙不知道文明為何物，故蒙昧無知。

如〈需〉與〈訟〉的卦象是覆。〈需〉，需要朋友，敘述有朋自遠方來與待客之道；〈訟〉敘述爭執，朋友鬧翻，對簿公堂。

如〈師〉與〈比〉的卦象是覆。〈師〉敘述訟裁不成的後果，興兵作對；〈比〉論述親比的原則，內外要以誠信互待。

如〈小畜〉與〈履〉的卦象是覆。〈小畜〉敘述夫妻恩愛，二人同行；〈履〉則敘述幽人獨行。

如〈泰〉與〈否〉的卦象是覆。〈泰〉敘述福祉之道，要富貴共享，否則會自招毀滅；〈否〉則論述創業維艱，需要珍惜成果，凡事先否後喜。

以上五組卦象都是覆的，作者都以相反的事作為題材編撰爻辭。《周易》最後一組卦為〈既濟〉與〈未濟〉，兩者的卦象也是覆的，卦名義理相反，明示得更清楚了。而〈未濟〉之後，事理又回到〈屯〉、〈蒙〉兩卦。

變是順，覆是逆。六十四卦共分三十二組，變有四組，覆有二十八組，逆的多，占百分之八十七點五；順的少，占百分之十二點五，這種現象似乎也在暗示人生的歷程。梁啟超先生曾說：「人生不如意的事十常八九。」難道這真的是天意的安排嗎？

十六　結語

《周易》，是周朝王室的易法。易法是一種筮術，作用於人神溝通。古人崇尚占卜，大事決疑必進行相關儀式，是歷史可考的。商人占，用龜卜；周人發明易法，改用六十四卦的筮術。

從《周易》這本「書」來看，綜觀卦象的組織與卦爻辭的寫作方法，結構可謂十分緜密，實在不宜用一般占筮之書看待。近代學者以為《周易》的卦爻辭有如廟籤一般，在理解上是很膚淺的。

在卦象的安排上，六十四卦以「非覆及變」為原則，既有它的邏輯性，也隱含著世間順逆的道理。上下、內外、時序、表裡、因果等結構關係，這些都會在時空的推移中發生變化，立體而有機；隨緣而來，亦隨緣而去，不正好可反映人間萬象嗎？

大自然以天地為對，演化後生成萬物。在人事上，人類與自然為對，亦以自我與他人為對，從彼此的磨合過程中，由原始的狀態發展至文明的社會，《周易》的象與辭都寫入書中了，它又豈止是一本卜筮之書而已。

《周易》的象，不只是卦象，也是人間事象。《周易》的辭，不只是卦辭、爻辭，也是人生說辭（說，音稅）。六十四卦象象相連，事事相通；卦爻辭說得頭頭是道，理理相依。細讀前例〈乾〉卦，讀者便可以一卦推其餘各卦了。人間事理，物極必反，不外循環。〈既濟〉與〈未濟〉殿後，結束《周易》全文，也是暗示這個道理。

古人說：「太陽底下無新事。」翻開一部中國歷史，五千年來朝代興亡，都可以在每個末代王朝中找到歷史重演的故事。商紂以為德不卒而亡，周人雖然重視道德，但最後還不是因為幽王的失德而亡國？四時循環，人事也在循環。

《周易》，既可用於占卜決疑，也可用於人間事理。它是一本政治學，也是一本人生哲學。

西周青銅器銘文「同銘反覆」考論

陳春保

江蘇南通大學文學院

一

隨著青銅器及其銘文的考古學、歷史學研究的不斷進展，關於青銅器銘文的文學與文化研究也逐漸得到重視。

郭預衡先生《中國散文史》第三章《史家記事和文章的發展》將「未經加工的鐘鼎彝器之銘」作為一個專題進行研究，指出：「商周的鐘鼎彝器銘文是較早的史家記事文字。這類文字，由簡到繁，反映了這個階段散文記事的發展。」[1]，商代青銅器銘文與甲骨刻辭在敘事水準上大致相當。裘燮君撰文對早期文體語氣詞使用做過探討，認為銘文文體有兩個主要特點，即，第一，語言因襲守舊，行文刻板化，用詞造句與口語脫節，這是宗法禮制對銘文的強烈影響；第二，先秦銘文中，多數為記事體和自名體，少數為記言體，而議論體罕見。[2]徐正英撰文討論了西周銅器銘文中的文學思想問題。從創作主體、接受主體及銘文對創作目的看，西周已有了相對獨立的文學活動和初步的文學功能觀。其文學功能觀表現為兩个方面，一是揭示了文學歌功頌德、記彰功烈、宣揚孝道的社會功能，二是認識到了文學的娛樂審美功能。[3]金信周博士論文《商周頌揚銘文及其文化研究》按呈現方式對銘文進行分類，考察各種呈現方式中的主要用語、篇式、內容；對頌揚詞句進行分類，揭示頌揚詞句的用法、句式及流行年代，單獨分析若干常用辭彙、句式的結構及流行年代；探析了頌揚銘文所反映的各階層之間的頌揚情況；還從探討了周人的價值觀和思維觀念等，其中不少內容與文體相關。[4]陳彥輝撰文認為「銘者自名」的思想是商周社會人們更加重視銘文價值的重要原因。青銅銘文的體制因銘文記載社會生活內容的不同而體現出不同的文體特徵，其歌功頌德的價值取向與文化內涵直接為秦以後銘文所繼承。後世銘文虛化、純文學轉向使得座右銘等次生文體

1 郭預衡著：《中國散文史》上海：上海古籍出版社，1999年，頁57。

2 裘燮君：〈先秦早期不同文體文獻在語氣詞運用上的差異〉，《徐州師範大學學報（哲學社會科學版）》，2000年第4期，頁62-66。

3 徐正英：〈西周銅器銘文中的文學功能觀〉，《甘肅社會科學》，2004年第2期，頁3-7。

4 金信周：《商周頌揚銘文及其文化研究》復旦大學博士論文，2006年。

的出現成為可能。[5]陳彥輝還撰文認為銘文中「拜手稽首」具有較為濃厚的禮樂文化內涵，從夏至戰國其使用場合和對象發生多次變化，對出土文獻與傳世文獻結合考察可以發現其發展變化的清晰軌跡。[6]寧登國論文《「序體」源於商周銘文考》[7]認為，商周銅器銘文旨在介紹銅器鑄刻的因由和展現器主身比先人、序列功名的內在意圖，這正構成了後世序體文章的根本特徵。因此，將商周銅器銘文視為最早的序體文章是合乎歷史與邏輯的統一的。這一點可以從《詩》、《書》等小序的創作事實中得到進一步驗證。查屏球撰文指出：「在現知的實物文本序列中，西周金文直承殷商甲骨文，是現今所能見到的較早的單獨成篇的文本，從其內容的完整性與豐富性上看，它們比殷商甲骨文更全面的保留了早期書面語言的面貌，也更多地保存了早期寫作活動的一些資訊。」「西周銘文是祭祀者與神對話的記錄，以誠心獲取神之佑助是銘文寫作的動機，向神展示誠心是其核心的內容，誠也是銘文行文的基本要求與行文風格，故借助西周銘文，可以為這一文論觀念作更具體的文化溯源」，對銘文的文體、修辭特徵多有分析與闡釋。[8]李義海博士論文《西周金文修辭研究》[9]，主要從字詞句篇修辭、簡明省約修辭、繁縟複沓修辭、錯綜律整修辭、情景再現修辭、敘事插說修辭、人物稱謂修辭，其中繁縟複沓修辭分為複稱、同義連文、字詞複疊、連類而及等四類。這些研究頗為細緻，不過所論主要從一般敘事文章的字詞句篇著手，未能注意到青銅器組合銘文系統敘事的複雜性，目前還沒有從器物組合構成角度進行的「銘文系統」研究。

二

本文認為，青銅器組合影響著青銅器上的銘文的文體形態，應從「銘文系統」角度來研究。

所謂「銘文系統」，即將處於同一器物組合中的銘文視為一個「自足的整體」，而不是將其割裂開來，不僅研究某一器物上的銘文，更要研究這些銘文構成的「系統」。在目前所見的青銅器銘文中（從表現形態來說，記名式或者單句式銘文都不具有考察價值，本文將其排除在外），「銘文系統」的構成有以下三種基本情況：（一）同組若干器物上的銘文片段連綴成文，此可謂「連銘成篇」；（二）若干獨立的單體器物的不同銘文處於某個用器制度規定的系統中，此可謂「銘文組合」；（三）同組器物同銘，包括同形

5 陳彥輝：〈商周青銅銘文文體論〉，《文學評論》2009年第4期，頁80-83。

6 陳彥輝：〈西周冊命銘文的禮儀內涵及其文體意義——以文體要素「拜手稽首」為例〉，《廣東外語外貿大學學報》2009年，頁5期，頁75-78。

7 寧登國：〈「序體」源於商周銘文考〉，《廣西社會科學》2009年第3期，頁106-109。

8 查屏球：〈西周金文與「修辭立其誠」的原始意義〉，《學術探索》2010年第3期，頁125-133。

9 李義海：《西周金文修辭研究》華東師範大學博士論文，2009年。

器物（大小可能不同）同銘，異形器物同銘，器身與器蓋同銘，也包括僅有個別字詞差異的「准同銘」（如魯司徒中齊盨，器蓋同銘，其中一器「孫」字下無重文符號；又如此鼎、此簋同銘，僅簋銘中「鼎」字改作「簋」字；又如函皇父簋與函皇父鼎（一）同銘，僅少一「鼎」字，等等），此可謂「同銘反覆」。「連銘成篇」實際上是單體銘文的一種，用銘文系統觀來考察，與單體器物的銘文無異。「銘文組合」作為若干單體器物的銘文的組合，與器物組合制度緊密相關，自然可以在不同的單體銘文的基礎上來認識其價值。「同銘反覆」與上述兩者的不同之處，在於它是同一篇銘文在某一器物組合中的重複出現，這是一種影響銘文系統形態的獨特的文學與文化現象。西周是青銅器銘文發展最重要的時期，考察這一時期的同銘反覆現象具有典型意義。

三

考察同銘反覆的基本情況是認識其價值的基礎，本文根據馬承源主編《商周青銅器銘文選》（北京：文物出版社，1988年）、張亞初編著《殷周金文集成引得》（北京：中華書局，2001年）、劉雨、盧岩編著《近出殷周金文集錄》（北京：中華書局，2002年）、劉雨、嚴志斌編著《近出殷周金文集錄二編》（北京：中華書局，2010年）、彭裕商著《西周青銅器年代綜合研究》（成都：巴蜀書社，2003年）、中國社會科學院編《殷周金文集成釋文》（香港：香港中文大學出版社，2005年）、中國社會科學院考古研究所編《殷周金文集成》（北京：中華書局，2007年修訂增補本），將目前可見全部西周銅器銘文中的同銘反覆的情況考察如下：

第一　同銘反覆出現的次數

1　相同器形而同銘出現次數

成王1，康王4，昭王4，西周早期18，穆王3，共王1，懿王1，孝王0，孝夷時期1，夷王8，西周中期45，夷厲時期4，厲王8，宣王31，宣幽時期1，西周晚期138；

小計：西周早期27，西周中期59，西周晚期182；

2　不同器形而同銘出現次數

成王5，康王0，昭王7，西周早期1，穆王2，共王1，懿王1，孝王1，孝夷時期0，夷王0，西周中期0，夷厲時期0，厲王0，宣王5，宣幽時期0，西周晚期0；

小計：西周早期13，西周中期5，西周晚期1；

3　同一器物器蓋同銘出現次數

成王6，康王1，昭王14，西周早期其他16，穆王11，共王1，懿王2，孝王0，孝夷時期1，夷王6，西周中期其他32，夷厲時期2，厲王6，宣王25，宣幽時期0，西周晚期其他68；

小計：西周早期37，西周中期53，西周晚期101；

第二　同銘反覆的青銅器數量

說明：時期名稱後的數字表示相同器形而同銘的器物數量，如成王：2，表示成王世二件相同器形的器物同銘，康王時期：4，2，2，3，表示康王時期分別有四件、二件、二件、三件相同器形的器物同銘，依此類推；連銘成篇的銅器只計一器；只存蓋而同銘的計為相同器形。

1　相同器形（大小可能不同）而同銘器物數量

成王時期：2；康王時期：4，2，2，3；昭王時期：2，2，2，2；西周早期其他：3，2，2，2，2，2，2，2，2，2，2，2，2，2，2，2；穆王時期：2，2；共王時期：無；懿王時期：2；孝王時期：無；孝夷時期：2；夷王時期：2，2，4，4，2，2，2，3；西周中期其他：2，2，3，2，2，8，4，10，7，2，2，2，2，2，2，2，2，2，2，2，2，2，2，2，3，8，2，2，2，2，2，2，2，2，2，2，2，2，2，2，2，2，2，2，2；夷王或厲王時期：4，2，4，3；厲王時期：2，2，8，4，3，2，2，2，4；宣王時期：2，3，5，2，2，2，4，2，2，2，4，2，4，4，6，2，2，7，2，3，3，4，4，4，3，5，3；宣幽時期：3；西周晚期其他：2，2，3，2，3，2，2，8，2，3，5，6，2，2，2，2，3，2，2，5，2，2，10，3，4，2，5，2，4，2，3，3，2，3，2，2，2，2，6，3，2，3，7，2，3，3，2，2，2，3，4，3，2，2，2，2，7，3，3，2，4，3，3，2，2，3，3，3，3，3，2，2，4，2，2，5，2，4，3，2，3，4，2，2，4，4，2，4，2，2，2，2，2，2，2，3，2，2，2，2，2，2，2，2，2，2，2，2，4，2，8，3，8，2，4，2，7，6，2，3，3，3，4，2，2，9，2，2，8，2，2，2，2，2，2；

由上可見，相同器形（大小可能不同）而同銘，西周早期、中期以二器同銘為主，而到了晚期，二器同銘現象仍然存在，而三器（含三器）以上同銘則顯著增多。

2　不同器形而同銘器物數量

同器形若干件各計一次，如頌鼎、頌簋、頌壺各出三、五、二件，計十器；又如此鼎、此簋各出三、八件，計十一器等。

成王時期：2，2，3，2，2；康王時期：無；昭王時期：2，2，2，3，2，3，2；西周早期其他：2；穆王時期：2，2，2；共王時期：2；懿王時期：2；孝王時期：2；孝夷時期：無；夷王時期：無；西周中期其他：無；夷王或厲王時期：無；厲王時期：無；宣王時期：10，13，11，5，9；宣幽時期：無；西周晚期其他：無。

由上可見不同器形而同銘的器物數量，西周早、中期較少，而晚期明顯增多。

3　同一器物蓋器同銘物數量

時期名稱後的數字表示蓋器同銘的器物數量，如懿王時期：1，2，表示此期分別有一件、二件器物蓋器同銘，依此類推。

成王時期：1，1，1，1，1，2；康王時期：1；昭王時期：1，1，1，1，1，2，2，2，1，1，1，1，1，1；西周早期其他：1，1，1，1，1，1，1，2，1，2，1，1，1，1，1，1；穆王時期：1，1，1，1，1，1，2，1，1，1，1；共王時期：1；懿王時期：1，2；孝王時期：無；孝夷時期：2；夷王時期：1，2，4，2，1，1，2，2；西周中期其他：1，2，1，1，2，1，1，1，1，2，1，2，8，1，1，1，2，1，1，2，1，1，1，1，1，1，1，2，2，1，1；夷王或厲王時期：1，2；厲王時期：1，2，8，1，1，3；宣王時期：3，4，2，2，1，2，1，4，1，5，6，6，1，1，1，2，1，3，1，3，1，2，1，1，2；宣幽時期：無；西周晚期其他：1，2，1，1，1，1，5，2，1，2，1，1，1，1，3，2，4，3，1，1，3，1，2，4，2，2，2，2，4，3，1，4，2，1，2，2，1，1，2，1，1，2，2，1，1，1，1，1，1，1，1，1，2，1，1，2，2，2。

同一器物蓋器同銘，西周早期以一至二器為主，而到了中期、晚期二器以上同銘則顯著增多。

姑且撇開各個時期青銅器數量差異，比較可見，除了不同器形而同銘的次數呈減少狀態外，其他各項數據都呈現增長狀態，表明重視同銘、更多地利用同銘是青銅器銘文寫作始終不變的大趨勢。

製作青銅器是一件大事，必須有一定的財力，也要花費相當的時間和精力。銘文製作同樣不易，需要一定的物質條件與技術手段，如此同銘反覆的「批量生產」，說明同銘反覆構成的銘文文獻整體是一種特殊的文體結構，這一結構形態以如此規模載錄、附著於西周時代的青銅禮器上，必定有其獨特的原因和功能。

四

現代修辭研究認為：「修辭是人與人的一種廣義對話」，「修辭是交際雙方的一種互動過程」[10]，這樣的對話、交際互動在語言本質上來說是「屬人的」。在人還匍匐在神

10　張春泉：《論接受心理與修辭表達》北京：中國社會科學出版社，2007年，頁56、57。

的腳下、完全沒有認識到對象為人的屬性時是不可能進行「對話」的，這正是殷商甲骨刻辭的典型表現。西周人已經開始認識到祖先本來是「人」而非神的特性，「修辭是一種以語言為媒介以生成或建構有效話語為旨歸的廣義對話。這裡所說的『以語言為媒介以生成或建構有效話語為旨歸』指的是使自己即將建構或者已經建構的話語有效的一種努力。『話語』指的是能夠為特定接受者所接受的語言。話語具有內容，話語和內容的對應關係就類似於語言和意義的對應關係。而『有效話語』簡單地說就是表達者所表達的能在特定接受者那裡激起一定為表達者所預期的心理反應的言語作品。」[11]在周人的心目中，祖先和神靈是他們需要認真予以對待的對象——話語接受者，為了祈求祖先和神靈福佑而講求修辭是很自然的。在寫作手段還不太豐富的時代，重複是一種相對方便有效的辦法。

在漢語中，作為修辭格的反覆，其內涵是指為了突出某個人物、事件和場景，強調某種觀點、思想和情感而有意重複某些詞語、句子甚至段落，此外一些相同或相似結構的運用，也可納入到反覆中。不過一般文學作品的反覆修辭或重複手法，往往用於字詞、語句或語句結構，在詩歌或小說中也能見到段落的重複，但相對較少，而如同銘反覆，這樣只由一段或一篇銘文的數次重複成文則相當罕見，以致至今還未引起應有的重視。

與那些由不同文字的銘文組合成一個系統銘文組合不同的是，同銘之文已不再具有敘事價值，因為它沒能提供不一樣的事實或更多事實資訊，也不能從邏輯角度來認識，因為同樣的語詞及事件不能改變關於事理的認識。同時還應注意，銘文附著的青銅器往往作為儀式器具使用，或者說銘文也有某種儀式價值，不過正如人類學對儀式的研究表明：「就儀式的性質特徵而言，它是表達性的但不僅限於表達性；它是形式化的但不限於形式化；它的效用發生於儀式場合但僅僅限於儀式性場合。」[12]頗值得思考的問題是，儀式展演都不可避免地有重複的場景和反覆的過程，銘文修辭中的反覆現象或許即從中受到啟示，這一點如日月的升騰與落下、先民日出而作日落而息一樣呈現有規律地反覆。所以作為鑄刻於青銅器上的銘文，一旦離開「現場」，其所具有的儀式現場效應就已經不復存在了。雖然如此，由於文字傳播超越時空的特性，正是離開儀式現場的銘文以它所具有的文本形態為我們反溯其在儀式場景的展演價值提供了線索，而這就必須發揮想像，從儀式情境與文本形態相結合的角度切入，而修辭正是這樣一個可靠的切入點。

從文體角度來認識此種反覆，功能文體學派的相關理論觀點或可借鑑。功能文體學有一種看法，認為由一定數量的語言結構造成的前景化是重要的文體特徵，「一種數量突出的語言結構只有在與整個文本的意義相關聯時，才會成為真正的突出。這是一種功

11 張春泉：《論接受心理與修辭表達》北京：中國社會科學出版社，2007年，頁59。

12 彭兆榮：《文學與儀式：文學人類學的一個文化視野——酒神及其祭祀儀式的發生學原理》北京：北京大學出版社，2004年，頁12。

能性質的關係：假如一種數量上突出的語言結構對表達作品的意義起作用，它憑藉的是它在語言系統中的價值，即產生其意義的語言功能。當該種語言功能與我們對文本的闡釋相關聯時，這種語言結構的突出看起來就是出於特定目的真正的突出。」[13]所謂「突出」大意等同於「前景化」，兩者對應同一個英文單詞「foregrounding」[14]，翻譯略異，句意相同。同銘反覆表現的正是一種「數量突出的語言結構」，其「突出」或「前景化」的程度相當高。在銘文的文體因素中，重複是為了達成某種功能和目的而進行的，列維斯特勞斯說：「為什麼神話以及更普遍的口頭文學，總是一次、二次或四次重複同樣的序列安排？如果我們的前提被接受，那麼答案便顯而易見：重複本身的作用是使神話的結構外顯出來。」[15]顯然，同銘反覆是為了將某種內涵「外顯」出來而採取的文體手段。西周人通過同銘反覆表現出的修辭化傾向是一種獨特的文體形態。

也就是說，同銘反覆是對銘文的行文效果予以增值的一種看似簡單、卻在實質上效果獨特的文體手段。早期文體或文本形態從根本上受制於行為方式和社會生活的變化，後者的演進程度影響了前者的基本價值追求。隨著祖先「去神化」的加速，一種關係更貼近的面對面交流的對話的需求，使得同銘反覆修辭在青銅禮器中得到極大的重視，西周時代的社會精神正是在這種獨特的文體形態中得到彰顯。

13 申丹：〈有關功能文體學的幾點思考〉，《外國語》(《上海外國語大學學報》)，1997年第5期，頁1-7。

14 張德祿：〈韓禮德功能文體學理論述評〉，《外語教學與研究》，1999年第1期，頁43-49、80。

15 （法）列維-斯特勞斯：《神話的結構分析》，載王逢振等編著：《最新西方文論選》桂林：灕江出版社，1991年，頁121。

《周禮》「豳詩」考

夏德靠

浙江湖州師範學院人文學院

《詩經》十五國風中有《豳風》，鄭玄在《豳譜》中說：「豳者，后稷之曾孫曰公劉者，自邰而出，所徙戎狄之地名，……成王之時，周公避流言之難，出居東都二年。後成王迎而反之，攝政，致大平。其出入也，一德不回，純似于公劉、太王之所為。大師大述其志，主意於豳公之事，故別其詩以為豳國變風焉。」[1]此後陸德明更指出：「周公遭流言之難，居東都，思公劉、大王為豳公，憂勞民事，以比敘己志而作《七月》、《鴟鴞》之詩。成王悟而迎之，以致太平，故大師述其詩為豳國之風焉。」[2]鄭玄在《豳譜》中談及周公與《豳風》間的聯繫，但對於這種聯繫的說明還是比較隱晦的。陸德明則明確說明《七月》、《鴟鴞》出自周公之手。鄭、陸二人也論及《豳風》的形成，但這種說明還比較簡略。孔穎達分析說：「《金縢》云：『惟朕小子其新逆。』是成王迎而反之，代成王治國政而致大平。其出居東都也，其入攝王政也，常守專一之德，不有回邪，純似公劉、大王之所為也。周公作詩之時，有自比二人之意。及其終得攝王政，其事又純似之。此詩用於樂官，當立題目，太師於是大述周公之志，以此《七月》詩主意於豳公之事，故別其詩，不合在周之風、雅，而以為豳國之變風焉。此乃遠論豳公為諸侯之政，周公陳之，欲以比序己志，不美王業之本，不得入周、召之正風也。又非刺美成王，不得入成王之正雅。周公，王朝卿士，不得專名一國。進退既無所系，因其上陳豳公，故為豳之變風。若所陳本非豳事，無由得系於豳。周公事若不似，於理亦不可系。此詩追述豳公，事又相似，故系之為宜也。《春官・籥章》云：『吹籥以歌《豳詩》。』則周制之前，已系豳矣。謂之變者，以其變風、變雅各述時之善惡，《七月》陳豳公之政，《東山》以下主述周公之德，正是變詩美者，故亦謂之變風。《公劉》亦陳豳事，不系豳者，召康公陳公劉以戒成王，猶召穆公陳文王以傷大壞，主者意為雅，不得列為風也。《鴟鴞》以下，不陳豳事，亦系豳者，以《七月》是周公之事，既為《豳風》，《鴟鴞》以下亦是周公之事，尊周公使專一國，故並為《豳風》。故《鄭志》張逸問：『《豳・七月》專詠周公之德，宜在雅，今在風，何？』答曰：『以周公專為一國，上冠先公之業，亦為優矣，所以在風下，次於雅前，在於雅分，周公不得專之。』逸言

1 （唐）孔穎達：《毛詩正義》北京：北京大學出版社，1999年，頁482-484。

2 （唐）孔穎達：《毛詩正義》，頁482。

『詠周公之德』者，據《鴟鴞》以下發問也。鄭言『上冠先公之業』，謂以《七月》冠諸篇也。以先公之業冠周公之詩，故周公之德系先公之業，於是周公為優矣。次之風後、雅前者，言周公德高於諸侯，事同于王政，處諸國之後，不與諸國為倫。次之小雅之前，言其近堪為雅，使周公專有此善也。此《豳詩》七篇，《七月》、《鴟鴞》是出居時作，其餘多在入攝政後。」[3]這就比較清晰地解釋了《豳風》的由來，以及周公與《豳風》之關係。然而，孔穎達在分析過程中提到《周禮》所記載的《豳詩》，那麼，《豳詩》與《豳風》乃至《詩經》之間有著怎樣的關聯，孔氏對此並沒有做出說明。就實際而言，「豳詩」在一定程度上涉及《詩經》詩篇的分布，因此，它對於理解《詩經》的生成是頗有助益的。

一　從《周禮．春官．籥章》說起

《周禮．籥章》篇載錄《豳詩》、《豳雅》與《豳頌》，其文云：

> 籥章掌土鼓豳籥。中春晝擊土鼓，歈《豳詩》以逆暑。中秋夜迎寒，亦如之。凡國祈年于田祖，歈《豳雅》，擊土鼓，以樂田畯。國祭蠟，則歈《豳頌》，擊土鼓，以息老物。[4]

按照《籥章》篇的記載，中春、中秋歈《豳詩》逆暑、迎寒，祈年歈《豳雅》，祭蠟歈《豳頌》。

所謂「豳詩」，鄭玄《注》謂：「《豳詩》，《豳風．七月》也。吹之者，以籥為之聲。《七月》言寒暑之事，迎氣歌其類也。此《風》也，而言《詩》，《詩》總名也。」[5]鄭玄認為《豳詩》是指《豳風．七月》。賈公彥《疏》分析說：

> 鄭知吹之者，以籥為之聲者，以發首云「掌土鼓豳籥」，故知《詩》與《雅》、《頌》，皆用籥吹之也。云「《七月》言寒暑之事」者，《七月》云「一之日觱發，二之日栗烈」，七月流火之詩，是寒暑之事。云「迎氣歌其類也」者，解經吹《豳詩》逆暑，及下迎寒，皆當歌此寒暑之詩也。云「此《風》也，而言《詩》，《詩》總名也」者，對下有《雅》、有《頌》，即此是《風》而言《詩》，《詩》總名，含《豳風》矣，故云「詩」不言「風」也。[6]

賈公彥具體分析《七月》一詩中所描繪的寒暑之事，不僅以此印證《籥章》篇「歈《豳

3　（唐）孔穎達：《毛詩正義》，頁484-485。
4　（唐）賈公彥：《周禮注疏》北京：北京大學出版社，1999年，頁630-632。
5　（唐）賈公彥：《周禮注疏》，頁631。
6　（唐）賈公彥：《周禮注疏》，頁631。

詩》以逆暑、迎寒」，而且也表明《豳詩》即是指《七月》。

所謂「豳雅」，鄭玄《注》云：「祈年，祈豐年也。田祖，始耕田者，謂神農也。《豳雅》，亦《七月》也。《七月》又有於耜舉趾，饁彼南畝之事，是亦歌其類。謂之雅者，以其言男女之正。」[7]賈《疏》指出：

> 此祈年于田祖，並上迎暑迎寒，並不言有祀事，既告神當有祀事可知。但以告祭非常，故不言之耳。若有禮物，不過如《祭法》埋少牢之類耳。此田祖與田畯，所祈當同日，但位別禮殊，樂則同，故連言之也。「祈年，祈豐年也」者，義取《小祝》求豐年，俱是求甘雨，使年豐，故引彼解此也。云「田祖，始耕田者，謂神農也」者，此即《郊特牲》云「先嗇」，一也，故《甫田》詩云：「琴瑟擊鼓，以禦田祖，以祈甘雨，以介我稷黍。」毛云：「田祖，先嗇者也。」「《七月》又有於耜舉趾，饁彼南畝之事，亦是歌其類」者，按彼《七月》云：「三之日於耜，四之日舉趾，同我婦子，饁彼南畝，田畯至喜。」並次在寒暑之下，彼為《風》，此為《雅》者也。云「謂之《雅》者，以其言男女之正」者，先王之業，以農為本，是男女之正，故名雅也。[8]

鄭玄以為《七月》也是《豳雅》，因為《七月》中記載「於耜舉趾、饁彼南畝」這些事件，它們恰好是「先王之業」、「以農為本」的體現，在這個意義上，《七月》也可稱之為「雅」。單純就這一點而言，說《七月》是《豳雅》似乎也可以。不過，《籥章》篇明確說「祈年龡《豳雅》」，那麼，《七月》即是《豳雅》，它與祈年之間又有什麼關聯呢？倘若說《七月》詩中寒暑之事與「龡《豳詩》以逆暑、迎寒」還有聯繫的話，那麼《七月》詩中的「於耜舉趾、饁彼南畝」與祈年之間，無論是鄭玄還是賈公彥，並沒有對此進行說明。

所謂「豳頌」，鄭《注》謂：「《豳頌》，亦《七月》也。《七月》又有『獲稻作酒，躋彼公堂，稱彼兕觥，萬壽無疆』之事，是亦歌其類也。謂之頌者，以其言歲終人功之成。」[9]鄭玄認為《豳頌》也是《七月》。在他看來，《七月》一詩提到「獲稻作酒，躋彼公堂，稱彼兕觥，萬壽無疆」，這些詩句顯然是頌詩本質的呈現。賈公彥也贊同鄭玄的看法，他在《疏》中指出：「云『《豳頌》，亦《七月》也。《七月》又有獲稻作酒等至之事，是亦歌其類也』者，其類，謂『獲稻』已下是也。云『謂之類者，以其言歲終人功之成』者，凡言頌者，頌美成功之事，故於《七月》風詩之中亦有《雅》、《頌》也。」[10]與討論「豳雅」一樣，他們在此也沒有分析《豳頌》與蠟祭之間的關係。

---

7 （唐）賈公彥：《周禮注疏》，頁631。

8 （唐）賈公彥：《周禮注疏》，頁631。

9 （唐）賈公彥：《周禮注疏》，頁632。

10 （唐）賈公彥：《周禮注疏》北京：北京大學出版社，1999年，頁632。

對於《周禮．籥章》篇中的《豳詩》、《豳雅》、《豳頌》，鄭玄認為它們都指《七月》。其實，鄭玄在箋釋《七月》時也堅持這一說法。《七月》「春日遲遲，采蘩祁祁。女心傷悲，殆及公子同歸」句鄭《箋》云：「春女感陽氣而思男，秋士感陰氣而思女，是其物化，所以悲也。悲則始有與公子同歸之志，欲嫁焉。女感事苦而生此志，是謂《豳風》。」[11]又「六月食鬱及薁，七月亨葵及菽，八月剝棗。十月獲稻，為此春酒，以介眉壽」句，鄭《箋》說：「既以鬱下及棗助男功，又獲稻而釀酒以助其養老之具，是謂豳雅。」[12]又「躋彼公堂，稱彼兕觥，萬壽無疆」句，鄭《箋》謂：「於饗而正齒位，故因時而誓焉。飲酒既樂，欲大壽無竟，是謂豳頌。」[13]鄭玄的這些認識與其在《周禮．籥章》注中的看法是比較一致的。對於鄭玄在《七月》中有關《豳詩》、《豳雅》、《豳頌》的討論，孔穎達《疏》分析說：

> 此章所言，是謂豳國之風詩也。此言「是謂『豳風』」，六章云「是謂『豳雅』」，卒章云「是謂『豳頌』」者，《春官．籥章》云：「仲春，晝擊土鼓，吹『豳詩』，以迎暑。仲秋，夜迎寒氣亦如之。凡國祈年于田祖，吹『豳雅』，擊土鼓，以樂田畯。國祭蠟，則吹『豳頌』，以息老物。」以《周禮》用為樂章，詩中必有其事。此詩題曰《豳風》，明此篇之中，當具有風、雅、頌也。別言豳雅、豳頌，則「豳詩」者是《豳風》可知。故《籥章》注云：「此風也，而言詩，詩，總名也。」是有《豳風》也。且《七月》為國風之詩，自然豳詩是風矣。既知此篇兼有雅、頌，則當以類辨之。風者，諸侯之政教，凡系水土之風氣，故謂之風。此章女心傷悲，乃是民之風俗，故知是謂豳風也。雅者，正也，王者設教以正民，作酒養老，是人君之美政，故知獲稻為酒，是豳雅也。頌者，美盛德之形，容成功之事，男女之功俱畢，無複饑寒之憂，置酒稱慶，是功成之事，故知「朋酒斯饗，萬壽無疆」，是謂豳頌也。《籥章》之注，與此小殊。彼注云：「豳詩，謂《七月》也。《七月》言寒暑之事，迎氣歌之，歌其類。」言寒暑之事，則首章流火、觱發之類是也。又云：「豳雅者，亦《七月》也。《七月》又有於耜、舉趾、饁彼南畝之事，是亦歌其類也。」則亦以首章為豳雅也。又云：「豳頌者，亦《七月》也。《七月》又有獲稻、釀酒、躋彼公堂、稱彼兕觥、萬壽無疆之事，是亦歌其類也。」兼以獲稻、釀酒，亦為豳頌。皆與此異者，彼又觀《籥章》之文而為說也。以其歌豳詩以迎寒迎暑，故取寒暑之事以當之。吹豳雅以樂田畯，故取耕田之事以當之。吹豳頌以息老物，故取養老之事以當之。就彼為說，故作兩解也。諸詩未有一篇之內備有風、雅、頌，而此篇獨有三體者，

11 （唐）孔穎達：《毛詩正義》北京：北京大學出版社，1999年，頁494。
12 （唐）孔穎達：《毛詩正義》北京：北京大學出版社，1999年，頁503。
13 （唐）孔穎達：《毛詩正義》北京：北京大學出版社，1999年，頁507。

> 《周》、《召》陳王化之基，未有雅、頌成功，故為風也。《鹿鳴》陳燕勞戍士之事，《文王》陳祖考天命之美，雖是天子之政，未得功成道洽，故為雅。天下太平，成功告神，然後謂之為頌。然則始為風，中為雅，成為頌，言其自始至成，別故為三體。周公陳豳公之教，亦自始至成。述其政教之始則為豳風，述其政教之中則為豳雅，述其政教之成則為豳頌，故今一篇之內備有風、雅、頌也。言此豳公之教，能使王業成功故也。[14]

在這段疏文中，孔穎達主要討論三個問題：其一，針對鄭玄在《七月》詩中第二章、第六章及最後一章相關語句下提出《豳詩》、《豳雅》、《豳頌》之說，孔穎達結合詩句內容，並借助《毛詩序》有關風、雅、頌的定義進行分析。其二，比較鄭玄《籥章》注與《七月》注的異同。孔穎達注意到二者的差異，這種差異又表現為兩點：一是《籥章》注將首章視為《豳詩》、《豳雅》，這與《七月》注將第二章視為《豳詩》、第六章視為《豳雅》不同；二是《籥章》注將「獲稻、釀酒、躋彼公堂、稱彼兕觥、萬壽無疆」視為《豳頌》，而《七月》注「獲稻、釀酒」視為《豳雅》、「躋彼公堂、稱彼兕觥、萬壽無疆」視為《豳頌》。對於這種差異，孔穎達認為主要是鄭玄依據《籥章》文本而造成的。其三，孔穎達不僅注意《七月》「一篇之內備有風、雅、頌」的現象，並對此做了分析。整體言之，孔穎達儘管看到鄭玄在《籥章》注與《七月》注中的差異，但還是維持鄭玄的這些看法。至於鄭玄在這些注解中所體現出來的矛盾，以及鄭玄割裂《籥章》文本的做法，孔穎達對此似乎沒有措意。

在這個問題上，孫詒讓在《周禮正義》中引述鄭玄、孔穎達之說後，又引述宋翔鳳、胡承珙的看法。宋、胡二人認為《籥章》篇所謂《豳詩》、《豳雅》、《豳頌》均指《七月》整首詩而言，孫詒讓贊同他們的理解，指出鄭玄本人其實也並不分章別體。至於孔穎達懷疑鄭玄《籥章》注與《七月》注之間存在差異，孫詒讓認為這是孔穎達誤會鄭玄的意思。[15]事實上，無論是孔穎達還是孫詒讓，他們都接受鄭玄的觀點。只不過孔穎達認為《七月》一部分篇章屬於《豳詩》，一部分屬於《豳雅》，一部分屬於《豳頌》；而孫詒讓則認為《七月》通篇既是《豳詩》，也是《豳雅》、《豳頌》。孫詒讓認為孔穎達誤解了鄭玄，就鄭玄《籥章》注與《七月》注而言，孫詒讓的推測未必是對的。至於孫詒讓說用豳之土音吹《豳詩》，王畿之正音吹《豳雅》，宮廟大樂之音吹《豳頌》者，顯然是偏離了《籥章》文本。並且，孫詒讓同樣未能從祈年、蠟祭角度去把握《豳雅》、《豳頌》。方玉潤分析指出：「唯《周禮．籥章》『豳雅豳頌』之說，一詩而分三體，無人能言。鄭氏乃三分此詩以當之，以其道情思者為風，正禮節者為雅，樂成功者為頌。自一章至二章，風也。自三章、四章、五章至六章之半，雅也。又自六章之半至

---

14 （唐）孔穎達：《毛詩正義》北京：北京大學出版社，1999年，頁495-496。

15 （清）孫詒讓：《周禮正義》北京：中華書局，1987年，頁1908-1909。

七章、八章，頌也。天下豈有此『籥章』？無文義則無音節，無音節則不成『籥章』，故王氏不取，朱子亦疑之，是矣。然又以為，或者但以《七月》全篇，隨事而變其音節，或以為風，或以為雅，或以為頌；如又不然，則《雅》、《頌》之中，凡為農事而作者，皆可冠以『豳』號。愈疑愈遠，愈辯愈支，愈無是處。總以誤讀《周禮》之過。《周禮》偽書，本不足信。諸儒又泥其辭而不敢辯，至謂本有是詩而亡之，則無中生有，滋人以疑謬孰甚焉？夫《詩》之分風、雅、頌，三體不相混，而《七月》一詩，實兼風、雅、頌三體而無或遺，但非截然判而為三之謂，仍渾然合而成一之謂也。何以言之？曰風者，諷也；上以風化下，下以風刺上，言者無罪，聞者足戒。今《七月》所述，皆豳俗，而陳于王前則足以知戒，非風體乎？曰雅者，正也。言王政之所由廢興也。今《七月》所陳，又農功之緩急，即王政之先務，非有近於雅乎？至於頌，則曰美盛德之形容，以其成功告於神明者也。今《七月》卒章，農功既畢，獻羔祭韭，躋堂稱觥，其頌禱君親，以致敬神明者，何如不又可以為頌乎？此一詩而兼三體之說，在《風》詩中實為變體，故又曰變風。」[16]《豳風．七月》反映周代早期農業生產之詩篇，確有道情思、正禮節、樂成功者。故以此詩兼風、雅、頌之特徵，似有合理之處。然而以《七月》一詩為《豳詩》、《豳雅》、《豳頌》，方氏以此詩「在《風》詩中為變體，曰之變風」釋之，照此說法，為何不可把該詩歸於《雅》或《頌》中，曰之變雅、變頌呢？整體觀之，方氏之說與孫詒讓之說是相通的。

其實，《詩經》中確有《豳雅》、《豳頌》之詩存在。朱熹在《詩集傳》中說：「籥章龡豳詩以逆暑迎寒，已見於七月之篇矣。又曰：祈年于田祖，則龡豳雅以樂田畯；祭蠟，則龡豳頌以息老物。則考之於詩，未見其篇章之所在，故鄭氏三分《七月》之詩以當之，其道情思者為風，正禮節者為雅，樂成功者為頌。然一篇之詩，首尾相應，乃剟取其一節而偏用之，恐無此理，故王氏不取，而但謂本有是詩而亡之，其說近是。或者又疑但以《七月》全篇，隨事而變其音節，或以為風，或以為雅，或以為頌，則於理為通而事亦可行。如又不然，則雅頌之中，凡為農事而作者，皆可冠以豳號。其說具於《大田》、《良耜》諸篇，讀者擇焉可也。」[17]朱熹在此提出三種看法：一是鄭玄「三分《七月》之詩以當之」，朱熹基本否定此說；二是《七月》全篇「隨事而變其音節」，或為風、為雅、為頌，即後來孫詒讓所倡之觀點，朱熹也認可此說；三是朱熹還提出一種新的看法，即《詩經》雅詩、頌詩中「凡為農事而作者，皆可冠以豳號」。在朱熹看來，「前篇有擊鼓以禦田祖之文，故或疑此《楚茨》、《信南山》、《甫田》、《大田》四篇，即為《豳雅》。」又說：「或疑《思文》、《臣工》、《噫嘻》、《豐年》、《載芟》、《良耜》等篇，即所謂《豳頌》者。」[18]朱熹認為《楚茨》、《信南山》、《甫田》、《大田》為

16 （清）方玉潤撰，李先耕點較：《詩經原始》北京：中華書局，1986年，頁305-306。

17 （宋）朱熹：《詩集傳》南京：鳳凰出版社，2007年，頁113-114。

18 （宋）朱熹：《詩集傳》南京：鳳凰出版社，2007年，頁184、274。

《豳雅》，而《思文》、《臣工》、《噫嘻》、《豐年》、《載芟》、《良耜》為《豳頌》。儘管朱熹對此並沒有展開具體論證，而更多地是出於一種推測，但這種推測無疑是很有啟發意義的。筆者以為，《思文》、《臣工》、《噫嘻》、《豐年》、《載芟》、《良耜》為《豳雅》，而《楚茨》、《信南山》、《甫田》、《大田》為《豳頌》。之所以作如此之推測，主要是根據《籥章》有關祈年與《豳雅》、蠟祭與《豳頌》的記載。

二 籍禮儀式與《豳雅》

《周禮》說「凡國祈年于田祖，龡《豳雅》」，祈年通常以籍禮體現出來。周代社會有著重農傳統，李山指出：「周人是一個農業人群，也是一個極其重農的人群，《詩經》中的農事詩篇，不僅記載著這個人群注重農事的諸多精神表現，也呈示這個人群建構在農耕經驗基礎之上的對人與自然關係的獨特認證。」又說：「周人是一個以農德自重的人群。在先秦典籍中，有一個普遍的現象，人們在追述周族發達的歷史時，總是鄭重其事地強調，周人祖先天才的農耕秉賦，是其最終崛起為一個主宰人群的天賜根基。」[19] 據楊向奎等學者研究，籍禮產生於原始農耕時代，祭祀物件為農神，目的是祈求農業豐收。丁山根據甲骨文有關「籍」的記載，認為商代存在籍田的典禮，其方式大概是王率小臣督率民眾，親耕二十單的附郭之田，並推測公侯大夫也該督率子弟率領奴僕親耕居邑附近的埰地。[20]《國語．周語上》「宣王不籍千畝」是迄今探討籍禮最為重要的史料，本文主要依據此記載來探討籍禮儀式。

「帝籍」的地望有兩說：一是東郊說，《白虎通．耕桑篇》云：「耕于東郊何？東方少陽，農事始起。……故《曾子問》曰：『天子耕東田而三反之』。」[21]又《公羊傳．桓公十四年》何《注》曰：「天子親耕，東田千畝。」[22]二是南郊說，《禮記．祭統》云：「是故天子親耕于南郊。」[23]多數學者持南郊說。郊有遠近之分，《周禮．地官．司徒》鄭《注》引杜子春云：「五十里為近郊，百里為遠郊。」[24]鄭玄認為「帝籍」在遠郊，「王籍田在遠郊，故甸師氏掌之。」[25]孫詒讓指出：「竊謂《國語》說耕籍之禮云：王即齋宮，王乃淳濯饗醴；及期，王祼鬯，饗醴乃行；及藉畢，宰夫陳饗，王歆大牢。然則由國以至籍田之地，必道塗不遠，故崇朝往返，可以逮事。孔晁謂在近郊，揆之事

19 李山：《詩經的文化精神》北京：東方出版社，1997年，頁32-33。

20 丁山：《甲骨文所見氏族及其制度》北京：中華書局，1988年，頁17。

21 （清）陳立：《白虎通疏證》北京：中華書局，1994年，頁276-277。

22 （唐）徐彥：《春秋公羊傳注疏》北京：北京大學出版社，1999年，第103。

23 （唐）孔穎達：《禮記正義》北京：北京大學出版社，1999年，第1347。

24 （清）孫詒讓：《周禮正義》北京：中華書局，1987年，頁938。

25 （唐）孔穎達：《禮記正義》，第1348。

理，實為允愜。」[26]《呂氏春秋・孟春紀》也記載籍禮儀式：「乃擇元辰，天子親載耒耜，措之參於保介之禦間，率三公九卿諸侯大夫，躬耕帝籍田。天子三推，三公五推，卿、諸侯、大夫九推。反，執爵於太寢，三公、九卿、諸侯、大夫皆御，命曰『勞酒』。」[27]此記載也見於《禮記・月令》，它們與《周語》有差異。籍禮之後「反，執爵於太寢」，可見籍田距國都不應太遠。

據《周語》記載，籍禮大致分為五個過程：[28]（一）準備過程，又包括兩個方面：其一，太史通過觀氣觀星，察知「土乃脈發」，在立春前九天報告大農官后稷，后稷稟告天子，「王乃使司徒咸戒公卿、百吏、庶民，司空除壇於籍，命農大夫咸戒農用。」[29]其二，耕前五天瞽史向王報告和風已至，天子「即齋宮」，「淳濯饗醴」，百官處理公務後，「各即其齋三日」。[30]（二）舉行饗禮。出發之前舉行饗禮儀式，「及期，鬱人薦鬯，犧人薦醴，王祼鬯，饗醴乃行」。此處的「祼」，韋昭釋為「灌」。[31]王國維說：「灌地之意，始見於《郊特牲》，曰：『周人尚臭，灌用鬯臭，鬱合鬯，臭陰達於淵泉。』鄭注始以灌地為說。然灌地之事不過祼中之一節，凡以酒醴獻者，亦無不然。」又說：「祼字形、聲、義三者皆不必與灌同，則不必釋為灌地降神之祭。」故「《周語》『王耕籍田，祼鬯饗醴乃行』。此非祀事，則祼鬯非灌地降神之謂也。」[32]按《大戴禮記・夏小正》云：「初歲祭耒，始用暘也。暘也者，終歲之用祭也。」王聘珍《解詁》說：「祭讀曰察。《尚書大傳》云：『祭之為言察也。』耒，田器。初歲察耒者，省視田器。《周禮》曰『正歲簡稼器』是也。《說文》云：『暘，不生也。』始用暘，謂用耒耕，反其萌芽，使草不生也。」[33]金履祥認為：「祭始為耒耜之人也。古者先立春王將耕籍，則鬱人薦鬯。鬯之為言暢也，祭耒而用鬯也。」[34]孔廣森也說：「暢，鬱鬯也。《國語》說籍田之禮：『鬱人薦鬯，犧人薦醴，王祼鬯，饗醴乃行。』祼鬯者，蓋以鬯灌地而祭耒與。」[35]可見祼鬯應理解為祭耒儀式，當應「灌地降神」。（三）王親耕之禮。饗禮之後，天子行親耕之禮，此儀式分兩個層次：其一，「陳籍禮」。由后稷監察，「膳夫、農正陳籍禮，太史贊王，王敬從之。」韋《注》云：「農正，主敷陳籍禮而祭其神，為農祈也。」[36]

26 （清）孫詒讓：《周禮正義》北京：中華書局，1987年，頁29。

27 陳奇猷：《呂氏春秋校釋》上海：學林出版社，1984年，頁1-2。

28 可參考楊寬：《籍禮新探》。

29 上海師大古籍整理研究所校點：《國語》上海：上海古籍出版社，1998年，頁17。

30 上海師大古籍整理研究所校點：《國語》上海：上海古籍出版社，1998年，頁18。

31 上海師大古籍整理研究所校點：《國語》上海：上海古籍出版社，1998年，頁18-19。

32 王國維：《觀堂集林》長沙：河北教育出版社，2003年，頁24-25。

33 （清）王聘珍：《大戴禮記解詁》北京：中華書局，1983年，頁26。

34 黃懷信：《大戴禮記匯校集注》西安：三秦出版社，2005年，頁162。

35 黃懷信：《大戴禮記匯校集注》西安：三秦出版社，2005年，頁162。

36 上海師大古籍整理研究所校點：《國語》上海：上海古籍出版社，1998年，頁18-19。

據《周禮・甸師》鄭注，此神為「籍田之神」。[37]《禮記・郊特牲》云：「蠟之祭也，主先嗇而祭司嗇也。」鄭《注》謂：「先嗇，若神農者。司嗇，后稷是也。」[38]后稷以「司嗇」的身分參與祭祀。《周禮・籥章》鄭《注》云：「田祖，始耕田者，謂神農也。」又引鄭司農曰：「田畯，古之先教田者。」[39]孫詒讓指出：「田祖即先嗇，毛、鄭說自不可易；……凡諸經所云田畯，有指田神者，此經是也。有指當時司田之官者，《詩・七月》及《甫田》、《大田》之田畯是也。田畯之神亦謂之司嗇，《郊特牲》云『蠟之祭也，主先嗇而祭司嗇也』。注云『先嗇，若神農者；司嗇，后稷是也』。又云『饗農及郵表畷禽獸』，注云『農，田畯也。』據彼經注義，則田神有三，一、先嗇為神農，二、司嗇為后稷，三、農及田畯。」[40]按《魯語上》載：「昔烈山氏之有天下也，其子曰柱，能殖百穀百蔬；夏之興也，周棄繼之，故祀以為稷。」韋《注》說：「棄能繼柱之功，自商以來祀也。」[41]可知「籍田之神」似即周人始祖后稷。其二，行親耕之禮。其操作過程為：王耕一墢，公三墢，卿九墢，大夫二十七墢，然後庶民耕完千畝籍田。（四）禮畢的宴會。庶民耕完籍田後，后稷檢查翻土完成情況，太史監察；大司徒清點籍禮人數，太師監察。然後，「宰夫陳饗，膳宰監之。膳夫贊王，王欲太牢，班嘗之，庶人終食。」[42]可知宴會在籍田舉行。（五）告誡所有的人必須努力農事，並佈置監督農作、生產任務。

據此可以看出籍禮主要包括兩個大的步驟，即準備過程和籍禮儀式過程，其中籍禮儀式是一個連續的過程。按照周代祭祀饗宴用樂舞來看，籍禮儀式應該有樂舞的成分。不過，籍禮之樂舞無法徵考，而作為其文本形式卻可以在《詩經》中尋求，《良耜》、《思文》、《載芟》、《噫嘻》、《豐年》、《臣工》六篇與籍禮儀式過程相關。

《良耜》毛序云：「秋報社稷也。」孔《疏》說：「《良耜》詩者，秋報社稷之樂歌也。謂周公、成王太平之時，年谷豐稔，以為由社稷之所祐，故於秋物既成，王者乃祭社稷之神。以報生長之功。詩人述其事而作此歌焉。」[43]此詩與《載芟》的用語、內容有很大的相似性，毛序云：「《載芟》，春籍田而祈社稷也。」[44]沈守正說：「《小序》曰：『《載芟》，春籍田而祈社稷也。《良耜》秋報社稷也。』……但言祈，則章中耕耘、收穫、祭祀、尊賢、養老諸事，皆預言之，冀望之；言報則直述其已然，以昭神貺耳。」[45]其實《良耜》用語、內容、結構多同於《載芟》，既然《載芟》為「春籍田而

37 （清）孫詒讓：《周禮正義》北京：中華書局，1987年，頁294。

38 （唐）孔穎達：《禮記正義》北京：北京大學出版社，1999年，第802。

39 （清）孫詒讓：《周禮正義》北京：中華書局，1987年，頁1911。

40 （清）孫詒讓：《周禮正義》北京：中華書局，1987年，頁1913-1914。

41 上海師大古籍整理研究所校點：《國語》上海：上海古籍出版社，1998年，頁166-167。

42 上海師大古籍整理研究所校點：《國語》上海：上海古籍出版社，1998年，頁18。

43 （唐）孔穎達：《毛詩正義》，頁1361。

44 （唐）孔穎達：《毛詩正義》，頁1353。

45 （清）方玉潤：《詩經原始》北京：中華書局，1986年，頁586。

祈社稷」之樂歌，而《良耜》前部分由讚美農具「耜」開端，多言春天耕耘之事，因此《良耜》一詩當用為「祭耒」儀式，即構成饗禮儀式的有機部分。詩的開頭點明「畟畟良耜」，通過讚美耜的鋒利，暗示對它的祭祀，由此展開對耕耘、收穫的冀望，對將來祭祀的諾言等。徐中舒說：「耒與耜為兩種不同的農具。耒下岐頭，耜下一刃，耒為仿效樹枝式的農具，耜為仿效木棒式的農具。」[46]「耒耜」除形制差異外，亦有使用地區之別，「耒為殷人慣用的農具，殷亡以後，即為東方諸國所承用。耜為西土慣用的農具，東遷以後，仍行於涇渭之間。」[47]故《詩經・周頌》中使用「耜」字，而《禮記・月令》「耒耜」連言，乃合東西方而言之。《周語》「王耕一墢」，韋注為「一墢，一耜之墢也」，[48]可見周王所用農具為耜，「祭耒」儀式實即「祭耜」儀式，《良耜》即為「祭耜」儀式之樂歌部分。

《思文》、《載芟》用於「陳籍禮」的儀式中。《思文》毛序云：「后稷配天也。」孔《疏》也認為周公「推后稷以配所感之帝，祭於南郊」。[49]毛序、孔《疏》均以《思文》為后稷配天之樂歌，然而《左傳・襄公七年》載孟獻子說：「夫郊祀后稷，以祈農事也。」[50]表明「郊稷」用於祈農事。學者多從毛、孔之說而否定「郊稷」祈穀的作用，如陳奐以為「祈后稷謂配天也，祈農事謂祈穀也。合報、祈為一祭，魯禮非周禮也」。按后稷為周族之始祖，《通典》引《大傳》說：「王者禘其祖之所自出，以其祖配之。」[51]《國語・魯語上》云：「周人禘嚳而郊稷。」[52]所以，周人郊稷以配天，此為第一義。其次，后稷善於農業，周人奉后稷為農神。《國語・魯語上》云：「夏之興也，周棄繼之，故祀以為稷。」[53]《通典》云：「殷湯以旱遷柱，而以周棄代之。」[54]周人「祈農事」自當「祭稷」，此為第二義。《禮記・祭義》孔《疏》說：「『大報天』者，謂于此郊時大報天之眾神，雖是春祈天，生養之功大，故稱大報天。」[55]「祈農事」含有「報」的意思，因此，周人「郊稷」應包括「報、祈」兩種含意。據《通典》，「郊稷」的地點有兩處，即配地之祭在北郊，「其壇，於北郊築土為壇，名曰大折，配亦以后稷。」[56]配天之祭在南郊，前引孔《疏》已論之。《通典》說：「《大傳》曰：『禮，不王

46 徐中舒：《耒耜考》，《歷史語言研究所集刊》二本一分，北京：中華書局，1987。

47 徐中舒：《耒耜考》，《歷史語言研究所集刊》二本一分，北京：中華書局，1987。

48 上海師大古籍整理研究所校點：《國語》上海：上海古籍出版社，1998年，頁19。

49 （唐）孔穎達：《毛詩正義》，頁1309。

50 楊伯峻：《春秋左傳注》北京：中華書局，1990年，頁950。

51 （唐）杜佑：《通典》長沙：嶽麓書社，1995年，頁599。

52 上海師大古籍整理研究所校點：《國語》上海：上海古籍出版社，1998年，頁166。

53 上海師大古籍整理研究所校點：《國語》上海：上海古籍出版社，1998年，頁166。

54 （唐）杜佑：《通典》長沙：嶽麓書社，1995年，頁654。

55 （唐）孔穎達：《禮記正義》，第1322。

56 （唐）杜佑：《通典》長沙：嶽麓書社，1995年，頁649。

不禘，王者禘其祖之所自出，以其祖配之。』因以祈穀。其壇名泰壇，在國南五十里。」[57]可知「郊稷」配天祈穀均在南郊。《通典》所言「郊稷」在泰壇、大折，當據《禮記．祭法》，[58]不過《祭法》不言二壇之所在，陳立說：「王肅之義，以郊丘為一祭，並在建子之月。……知郊則圜丘，圜丘則郊。所在言之則謂之郊，所祭言之則圜丘，於郊築泰壇，象圜丘之形。」[59]圜丘之所在古籍無明文記載，孔穎達說：「圓丘所在，雖無正文，應從陽位，當在國南，……然則周家亦在國南，但不知遠近者。」[60]《通典》明言泰壇在南郊五十里，其實泰壇當在籍田中。「籍禮」過程中「司空除壇於藉」，《說文》「土部」云：「壇，祭壇場也。」[61]《禮記．祭法》鄭注：「壇，封土為祭處也。」[62]又《白虎通．社稷篇》「太社為天下報功，王社為京師報功」，陳立《疏證》云：「《玉海》引《五經通義》云：『太社在中門之外，稷在西，王社在籍田中。……在籍田者為千畝報功也。』」[63]可知「王社」在「籍田」中，且具「報功」的職能。《周禮．考工記》鄭注：「司空掌營城郭，建都邑，立社稷宗廟。」[64]那麼，司空所除之「壇」當為「王社（泰壇）」。《史記．封禪書》云：「郊祀后稷以配天，宗祀文王於明堂以配上帝。自禹興而修社祀，后稷稼穡，故有稷祠，郊社所從來尚矣。」[65]《通典》說：「王自為立社曰王社，于籍田立之。……皆以勾龍配之，稷，周棄配之。」[66]杜佑指出：「王親籍田，所以供粢盛，故因立社以祈之。」[67]明言周王親籍田「王社」而祈，祈之對象當包括周棄。由此觀之，周代「郊稷」儀式可在北郊和南郊舉行，在南郊「王社」舉行的「郊稷」當為「陳籍禮」的一個儀式。通過這個儀式，一方面表達對后稷作為周族始祖的祭祀，另一方面通過祭祀后稷達到祈穀的目的。《載芟》毛序云「春籍田而祈社稷也」，[68]據前文所考，此「祈社稷」當在籍田「王社」進行。孔《疏》說：「《載芟》詩者，春籍田而祈社稷之樂歌也。謂周公、成王太平之時，王者于春時親耕籍田，以勸農業，又祈求社稷，使獲其年豐歲稔。詩人述其豐熟之事，而為此歌焉。」[69]這個說法是很準確的。前文所引韋注「陳籍禮而祭其神，為農祈也」，其中所

---

57 （唐）杜佑：《通典》長沙：嶽麓書社，1995年，頁599。

58 （唐）孔穎達：《禮記正義》，第1295。

59 （清）陳立：《白虎通疏證》北京：中華書局，1994年，頁562。

60 （唐）孔穎達：《禮記正義》，第768。

61 （清）段玉裁：《說文解字注》上海：上海古籍出版社，1988年，頁693。

62 （唐）孔穎達：《禮記正義》，第1295。

63 （清）陳立：《白虎通疏證》北京：中華書局，1994年，頁85-86。

64 （清）孫詒讓：《周禮正義》北京：中華書局，1987年，頁3105-3106。

65 （漢）司馬遷：《史記》北京：中華書局，1999年，頁1163。

66 （唐）杜佑：《通典》長沙：嶽麓書社，1995年，頁654-655。

67 （唐）杜佑：《通典》長沙：嶽麓書社，1995年，頁654。

68 （唐）孔穎達：《毛詩正義》，頁1353。

69 （唐）孔穎達：《毛詩正義》，頁1354。

祭之神為后稷，《思文》為其樂歌；「為農祈」者，《載芟》為其樂歌。因此，《思文》、《載芟》為天子在「王社」陳籍禮時之樂歌。

《噫嘻》毛序云：「春夏祈穀於上帝也。」[70]姚際恒認為春則祈穀，夏則雩祭。方玉潤則認為雩、祈穀兩者相同，可以合併。[71]黃山說：「蓋春夏祈穀，實一祈而非兩祈，其曰『春夏祈穀於上帝者』，《穀梁》論郊所謂『夏之始可以承春也。』」[72]其實此詩非用於祈穀儀式，而是用於耕田儀式，即王親耕儀式中所唱的樂歌。朱熹認為此詩「戒農官之辭」，甚得其旨，「蓋成王始置田官，而嘗戒命之也：『爾當率是農夫播其百穀，使之大發其私田，皆服其耕事。萬人為耦而並耕也。』」[73]「噫嘻成王」即《鄭箋》所謂「噫嘻乎能成周王之功」[74]之意。「私」，朱熹云：「私田也。」[75]郭沫若認為指各人所有的家私農具，而且可能是「耜」字的錯誤，[76]可供參考。「終三十里」，《鄭箋》云：「使民疾耕，發其私田，意三十里者，一部一吏主之，於是民大事耕其私田，萬耦同時舉也。」[77]丁山認為《周頌・噫嘻》中的「三十里」就是天子私有的附郭之田，亦即籍田。[78]《周語上》云：「王耕一墢，班三之，庶人終於千畝。」[79]顯然，《噫嘻》所詠乃「王耕籍田」之事，它當為周天子行親耕禮時之樂歌。

《豐年》毛序云：「秋冬報也。」《傳》云：「報者，謂嘗也，烝也。」[80]據《毛傳》，《豐年》為嘗、烝兩祭所歌。《禮記・月令》載季秋之月云：「大饗帝。嘗犧牲，告備于天子。」鄭《注》：「嘗者，謂嘗群神也。」[81]《月令》篇又載孟冬之月云：「大飲烝。天子乃祈來年于天宗，大割祠於公社及門閭，臘先祖五祀，勞農以休息之。」鄭《注》：「此周禮，所謂蠟祭也。」[82]《通典》云：「蠟之義，自伊耆之代，而有其禮。古之君子，使之必報之，是報田之祭也。」[83]如此，蠟祭可理解為報田之祭。因此，《豐年》一詩不但用於「秋冬報」，也用於籍禮儀式。考之《豐年》文本，「辭句多與《載芟》相同」。[84]《周語上》載：「畢，宰夫陳饗，膳宰監之。膳夫贊王，王歆大牢，

70 （唐）孔穎達：《毛詩正義》，頁1317。
71 （清）方玉潤：《詩經原始》北京：中華書局，1986年，頁546。
72 （清）王先謙：《詩三家義集疏》北京：中華書局，1987年，頁1021-1022。
73 （宋）朱熹：《詩集傳》南京：鳳凰出版社，2007年，頁266。
74 （唐）孔穎達：《毛詩正義》，頁1318。
75 （宋）朱熹：《詩集傳》南京：鳳凰出版社，2007年，頁266。
76 （清）郭沫若：《中國古代社會研究》（外二種）長沙：河北教育出版社，2004年，頁390。
77 （唐）孔穎達：《毛詩正義》，頁1319-1320。
78 丁山：《甲骨文所見氏族及其制度》北京：中華書局，1988年，頁46。
79 上海師大古籍整理研究所校點：《國語》上海：上海古籍出版社，1998年，頁18。
80 （唐）孔穎達：《毛詩正義》，頁1325。
81 （唐）孔穎達：《禮記正義》，第534-535。
82 （唐）孔穎達：《禮記正義》，第549。
83 （唐）杜佑：《通典》長沙：嶽麓書社，1995年，頁642。
84 郭沫若：《中國古代社會研究》（外二種）長沙：河北教育出版社，2004年，頁392。

班嘗之，庶人終食。」[85]千畝「帝籍」墾完後，周天子又在「王社」舉行祭祀儀式，並且舉行宴會，在此過程中，必伴隨著樂歌，而《豐年》一詩正暗示人們在耕畢籍田後對於豐收的期望。

《臣工》毛序云：「諸侯助祭遣於廟也。」[86]朱熹《詩集傳》卷八以為「此戒農官之詩」，[87]郭沫若說：「詩中的王親自來催耕，和卜辭中的王親去『觀黍』和『受禾』的情形相同。」[88]《臣工》確實為告誡農官之辭，它是籍禮儀式中最後一個階段所唱的樂歌，是周王告誡所有的人必須努力農事。全詩大約分三個層次：前四句，戒「臣工」，中八句戒「保介」，尾三句戒「眾人」，此詩若同《國語．周語上》相參證，內容非常相似：

> 嗟嗟臣工，敬爾在公。王釐爾成，來咨來茹。嗟嗟保介，維莫之春，亦又何求？如何新畬。于皇來牟，將受厥明。明昭上帝，迄用康年。命我眾人，庤乃錢鎛，奄觀銍艾。[89]
>
> 王乃使司徒咸戒公卿、百吏、庶民，司空除壇於籍，命農大夫咸戒農用。先時五日，瞽告有協風至，王即齋宮，百官御事，各即其齋三日。王乃淳濯饗醴，及期，鬱人薦鬯，犧人薦醴，王祼鬯，饗醴乃行，百吏、庶民畢從。及籍，后稷監之，膳夫、農正陳籍禮，太史贊王，王敬從之。王耕一墢，班三之，庶民終於千畝。其后稷省功，太史監之；司徒省民，太師監之，畢，宰夫陳饗，膳宰監之。膳夫贊王，王歆大牢，班嘗之，庶人終食。是日也，瞽帥、音官以風土。廩于籍東南，鍾而藏之，而時布之于農。稷則徧誡百姓，紀農協功，曰：「陰陽分布，震雷出滯。」土不備墾，辟在司寇。乃命其旅：「徇，農師一之，農正再之，后稷三之，司空四之，司徒五之，太保六之，太師七之，太史八之，宗伯九之，王則大徇，耨獲亦如之。」民用莫不震動，恪恭于農，修其疆畔，日服其鎛，不解于時，財用不乏，民用和同。[90]

以上對《周頌》中的《良耜》、《思文》、《載芟》、《噫嘻》、《豐年》、《臣工》與籍禮儀式的關係作了考釋，用《周語上》所載籍禮祀典與中此六詩互相參證，大致可以窺見二者內在關係。

85 上海師大古籍整理研究所校點：《國語》上海：上海古籍出版社，1998年，頁18。

86 （唐）孔穎達：《毛詩正義》，頁1312。

87 （宋）朱熹：《詩集傳》南京：鳳凰出版社，2007年，頁265。

88 郭沫若：《中國古代社會研究》（外二種）長沙：河北教育出版社，2004年，頁391。

89 （唐）孔穎達：《毛詩正義》，頁1312-1316。

90 上海師大古籍整理研究所校點：《國語》上海：上海古籍出版社，1998年，頁17-20。

三　蠟祭與《豳頌》

所謂《豳頌》者，即指《楚茨》、《信南山》、《甫田》、《大田》四詩，它們用於「蠟祭」。前引《周禮・春官・籥章》云：「國祭蠟，則歈《豳頌》，擊土鼓，以息老物。」[91] 對此記載，有兩點須注意者，其一為土鼓；其二，蠟之內涵。

就《籥章篇》來說，無論歈《豳詩》、《豳雅》或《豳頌》，均須「擊土鼓」，可知土鼓實為豳樂之特徵。何謂「土鼓」，鄭玄《注》引杜子春云：「土鼓，以瓦為匡，以革為兩面，可擊也。」[92]又《周禮・秋官・壺涿氏》云：「掌除水蟲，以炮土之鼓驅之。」鄭《注》：「炮土之鼓，瓦鼓也。」[93]可見土鼓即瓦鼓。徐中舒釋土鼓為瓦缶，[94]而擊缶本為秦樂之特徵。《史記・廉頗藺相如列傳》載藺相如請秦王擊缶，李斯以為「真秦之聲也」，故豳樂之有土鼓，當為雍州之舊樂。[95]《禮記・明堂位》云：「土鼓，蕢桴，葦籥，伊耆氏之樂也。」[96]伊耆氏即神農，而神農為農業之創始者，即所謂「先嗇」。由此可知「擊土鼓，以樂田峻」之由來。

《禮記・郊特牲》云：「天子大蠟八，伊耆氏始為蠟。蠟也者，索也，歲十二月，合聚萬物而索饗之也。蠟之祭也，主先嗇而祭司嗇也。祭百種，以報嗇也。」[97]所謂「蠟祭」，實為對先嗇、司嗇的報祭。又《禮記・月令》云：「是月也，大飲蒸。天子乃祈來年于天宗，大割祠於公社及門閭，臘先祖五祀。勞農以休息之。」鄭《注》：「此《周禮》所謂蠟祭也。天宗，謂日月星辰也。大割，大殺群牲割之也。臘，謂以田獵所得禽祭也。」孔《疏》解釋說：「『祈來年于天宗』者，謂祭日月星辰也。『大割祠於公社』者，謂大割牲以祠公社，以上公配祭，故云『公社』。『及門閭』者，非但祭社，又祭門閭，但先祭社，後祭門閭，故云及。『臘先祖五祀』者，臘，獵也。謂獵取禽獸，以祭先祖五祀也。此等之祭，總謂之蠟。若細別言之，天宗、公社、門閭謂之蠟，……臘先祖五祀，謂之息民之祭。」又云：「按《籥章》云『國祭蠟，吹《豳頌》，以息老物』，蠟而後息老。此經亦先祭眾神，乃後勞農休息，文與《籥章》相當，故經廣祭眾神，是《周禮・籥章》所謂蠟祭也。」[98]綜合《周禮・籥章》、《禮記・郊特牲》、《月令》的相關記載及鄭《注》、孔《疏》之解說，可推知「蠟祭」包括以下內容：

---

91 （唐）賈公彥：《周禮注疏》北京：北京大學出版社，1999年，頁632。

92 （唐）賈公彥：《周禮注疏》，頁630。

93 （唐）賈公彥：《周禮注疏》，頁988。

94 徐中舒：《豳風說》，《歷史語言研究所集刊》第六本第四分冊。

95 徐中舒：《豳風說》，《歷史語言研究所集刊》第六本第四分冊。

96 （唐）孔穎達：《禮記正義》，頁946。

97 （唐）孔穎達：《禮記正義》，頁802。

98 （唐）孔穎達：《禮記正義》，頁549-551。

（一）蠟祭所祭對象有先嗇、司嗇，日月星辰，先祖五祀等。

（二）蠟祭包含「報、祈」兩種性能，「報」主要指對「先嗇」、「司嗇」之報祭，而「祈」包括「祈年」及「祈福」、「祈壽」等。

（三）蠟祭包括天宗公社門閭之祭（即狹義的蠟）和臘先祖五祀（即息民之祭）兩種形式，蠟祭時須大割，並伴有盛大的饗宴。

（四）蠟祭之地點，《郊特性》、《月令》諸文及鄭《注》、孔《疏》未明確指出，但《甫田》、《大田》諸詩有「南畝」一詞，又《信南山》有「南東其畝」句，陳奐據程瑤田《阡陌考》立說云：「河東之川南流，豳、岐、豐、鎬在大河之西，其川與河東之川同是南流，其畝必南陳，故《七月》、《甫田》、《大田》、《載芟》、《良耜》等篇皆云『南畝』。」[99]陳氏解「南畝」頗為有理，但以上諸詩之「南畝」，實有其具體含義，即指帝籍。《小雅・甫田》「曾孫來止，以其婦子，饁彼南畝」，朱熹云：「曾孫之來，適見農夫之婦子來饁耘者，於是與之偕至其所。」[100]按，「其」應指「曾孫」，非指「農夫」。所謂「曾孫」，鄭《箋》云：「曾孫，謂成王也。」[101]朱熹指出：「曾孫，主祭者之稱。」[102]于省吾認為曾孫乃孫之通稱，是對先祖而言。[103]故此曾孫指周王。周王饁彼南畝，就《甫田》而言，指周王到南畝舉行蠟禮。又《毛傳》：「甫田，謂天下田也。」[104]黃山指出：「甫田為天下民田，則大田當為籍田。」[105]又《甫田》詩「倬彼甫田」與「今適南畝」對舉，南畝當與甫田同義，應指帝籍。帝籍之方位，據前文所考，當在國都南面近郊之地，並且帝籍立有王社，故蠟祭應在帝籍王社舉行。

《楚茨》四詩實與蠟祭有關，就整體而言，《楚茨》、《信南山》為一組，偏重於祭公社門閭；《甫田》、《大田》一組，偏重於息民之祭。

《楚茨》毛序說：「刺幽王也。政煩賦重，田萊多荒，饑饉降喪，民卒流亡，祭祀不饗，故君子思古焉。」[106]朱熹在《詩序辯說》中說：「自此篇至《車舝》凡十篇，似出於一手。詞氣和平，稱述詳雅，無諷刺之意，《序》以其在《變雅》中，故皆以為傷今思古之作，詩固有如此者。然不應十篇相屬，而絕無一言以見其為衰世之意也。竊恐《正雅》之篇有錯脫在此者耳。《序》皆失之。」故他以為：「此詩述公卿有田祿者，力於農事，以奉其守廟之祭。」[107]方玉潤說：「自此篇至《大田》四詩，辭氣典重，禮儀

99 （清）陳奐：《詩毛氏傳疏》南京：鳳凰出版社，2018年，頁704。

100 （宋）朱熹：《詩集傳》南京：鳳凰出版社，2007年，頁183。

101 （唐）孔穎達：《毛詩正義》，頁842。

102 （宋）朱熹：《詩集傳》南京：鳳凰出版社，2007年，頁183。

103 于省吾：《雙劍誃詩經新證》，上海：上海書店出版社，1999年，頁162。

104 （唐）孔穎達：《毛詩正義》，頁832。

105 （清）王先謙：《詩三家義集疏》北京：中華書局，1987年，頁768。

106 （唐）孔穎達：《毛詩正義》，頁809。

107 （宋）朱熹：《詩集傳》南京：鳳凰出版社，2007年，頁178。

明備，非盛世明王不足以語此。故《序》無辭以說之，不得不創為『傷今思古』之論。然詩實無一語傷今，顧安得謂之思古耶？朱晦翁辯之既詳，且疑為正雅之篇有錯脫在此者，而又指為『公卿』之詩也，何哉？此詩之非為公卿作也。」[108]又說：

> 姚氏云：「首章從『南山』『禹甸』言起，從疆理南東之制屬之曾孫，此豈為公卿詠者耶？謬矣!」愚謂不寧唯是，詩中灌酒迎牲，謂為天子諸侯之禮。且曰「獻之皇祖」，則更非諸侯之所宜言矣。姚氏又云：「此篇言曾孫與上篇言曾孫別：上篇曾孫指主祭者，此言『我疆我理』，則指成王也。蓋『我疆』二句，此初制為徹法也。」然則此詩乃正《雅》之錯脫在此，非幽王時詩，誠有如晦翁之疑矣。而何氏楷亦云：「《楚茨》、《信南山》同為一時之作。……則二曾孫均指成王也。」[109]

朱熹《詩序辨說》辨《楚茨》等詩無衰世之意，但以《楚茨》為公卿有田祿者奉宗廟之祭，則不免有失，故姚氏駁之。此詩實為「蠟祭」之樂歌，即《豳頌》之一篇。

該詩分六章：首章敘祭祀之由起，二、三章敘初祭，四、五章為既祭，六章敘祭畢。首章前八句敘力於農事，故黍稷既盛，倉庾既實。所可注意者，詩以「楚楚者茨」四句開篇，言自古之人除去茨棘，辟為良田，我樹黍稷於上，已啟報「先嗇」之意。又《信南山》開篇云：「信彼南山，維禹甸之。畇畇原隰，曾孫田之。」[110]按《尚書．益稷篇》云：「予決九川，距四海，浚畎澮距川。暨稷播，奏庶艱食鮮食。」[111]此言禹與后稷教民播種之事，可與《信南山》印證。且《楚茨》言「先嗇」（神農），此言「司嗇」（后稷），相互補充，與《禮祀．郊特性》之文相照應。後四句，鄭《箋》云：「以黍稷為酒食，獻之以祀先祖。既又迎尸，使處神坐而食之。為其嫌不飽，祝以主人辭勸之，所以助孝子受大福也。」[112]此章述祭祀之由。二章前五句，鄭《箋》云：「祭祀之禮，各有其事。有解剝其皮者，有煮熟之者，有肆其骨體於俎者，或奉持而進之者。」[113]由前可知，蠟祭須大割，此五句即述此。中四句，鄭《箋》云：「孝子不知神之所在，故使祝博求之平生門內之旁，待賓客之處，祀禮於是甚明。」又云：「先祖以孝子祀禮甚明之故，精氣歸往之，其鬼神又安而饗其祭祀。」[114]祊，毛《傳》云：「門內也。」[115]此四句言門閭之祭。後三句即所謂嘏辭，《禮記．禮運》云：「祝以孝告，嘏

108 （清）方玉潤撰，李先耕點較：《詩經原始》北京：中華書局，1986年，頁431。
109 （清）方玉潤撰，李先耕點較：《詩經原始》北京：中華書局，1986年，頁434-435。
110 （唐）孔穎達：《毛詩正義》，頁824。
111 （唐）孔穎達：《尚書正義》北京：北京大學出版社，1999年，頁113。
112 （唐）孔穎達：《毛詩正義》，頁810。
113 （唐）孔穎達：《毛詩正義》，頁812-813。
114 （唐）孔穎達：《毛詩正義》，頁813。
115 （唐）孔穎達：《毛詩正義》，頁813。

以慈告。」孫希旦《禮記集解》云:「祝，謂享神之祝辭也，嘏，謂尸嘏古人之辭也。祭初享神，祝辭以主人之孝告於鬼神；至主人本酳尸，而主人事尸之事畢，則祝傳神意以嘏主人，言『承致多福無疆于女孝孫』，而致其慈愛之意也。」[116]祝嘏析言有別，祝為主人致辭於神，嘏為尸命祝致富於主人；統言則指祝福之辭也。「孝孫有慶」三句當為神保（尸）命祝致福於主人之嘏辭。據徐中舒研究，金文言「萬年無疆」、「眉壽無疆」、「三年眉壽無疆」、「眉壽萬年無疆」，而《詩經》中稱引最多之「萬壽無疆」，在西周或東周的金文中均不見。「萬壽」連用者，如《康敘盨》「其萬壽永寶用」，但此為春秋時晚出之器，而「萬壽」即萬年眉壽之省稱，如《遣盨》「匄萬年壽」。故徐先生認為《詩經》中「萬壽無疆」如不是省稱，就為誤讀。[117]《豳風·七月》「萬壽無疆」，《禮記·月令》鄭注引作「受福無疆」，但《周禮·籥章》鄭注又作「萬壽無疆」。金文中有「受大福無疆」者，如《曾伯陭壺》「子孫用受大福無疆」；又有「受福無疆」者，如《虢姜簋》「虢姜其萬年眉壽，受福無疆」。要之，《詩經》中之「萬壽無疆」或當為「受福無疆」，或為「萬年眉壽無疆」之省稱，雖不能確定何者為是，但為嘏辭當無疑義。三章與前章同旨，言蠟祭時周王及助祭者酢尸，尸複以嘏辭報之。四章前四句，鄭《箋》:「孝孫甚敬矣，于禮法無過者。祝以此故致神意告主人使受嘏。既而以嘏之物往予主人。」[118]以下八句即為尸命工祝嘏於主人之辭。五章云言神醉尸起，送尸歸神，與四章一起構成既祭。六章言祭畢燕族之情形，以諸父兄弟相互祝願結束。其祝語近乎《儀禮·少牢饋食禮》嘏辭:「皇尸命工祝，承致多福無疆于女孝孫。來女孝孫，使女受祿于天，宜稼于田，眉壽萬年，勿替引之。」[119]

《信南山》六章，解詩者多以《楚茨》、《信南山》並提，以為二者略同。朱熹說:「此詩大指與《楚茨》略同。」[120]何楷云:「《楚茨》、《信南山》同為一時之作。《楚茨》詳於後而略於前；自祭祊以前，但以『祀事孔明』一語該之。《信南山》詳於前而略於後；自薦熟以後，但以『祀事孔明』一語該之。」[121]何氏以《楚茨》、《信南山》為一時之作，其分析頗為精審。問題在於，兩詩結構為何會如此，惜其未深考。《楚茨》與《信南山》同為「祭公社門閭」之樂歌，《楚茨》敘初祭、既祭及祭畢甚詳，故此詩簡省之；而敘祭祀緣由則略，故此詩詳之。二詩結構具互補性，《大田》、《甫田》二詩也可作如是觀。《信南山》雖有六章，從其結構上來看，卻只有兩層，前四章敘祭祀之由，與《楚茨》意同而較詳。所可注意者，其一，《信南山》雖亦有六章，每章卻

116 （清）孫希旦:《禮記集解》北京：中華書局，1989年，頁594。

117 徐中舒:《金文嘏辭釋例》,《歷史語言研究所集刊》第六本第一分冊。

118 （唐）孔穎達:《毛詩正義》，頁818。

119 （唐）賈公彥:《儀禮注疏》北京：北京大學出版社，1999年，頁924。

120 （宋）朱熹:《詩集傳》南京：鳳凰出版社，2007年，頁180。

121 （清）方玉潤撰，李先耕點較:《詩經原始》北京：中華書局，1986年，頁434-435。

只六句，而《楚茨》則章十二句，故《信南山》之一、三章合於《楚茨》首章，文章一律，故不論。其二，三、四兩章則為新增之內容，三章，鄭《箋》云：「成王之時，陰陽和，風雨時，冬有積雪，春而益之以小雨，潤澤則饒洽。」[122]據此，本章實為對天宗之讚美。四章言獻瓜菹於先祖，實亦補足《楚茨》文意。五、六兩章言祭事，第六章與《楚茨》文意同。第五章「祭以清酒」三句。「騂」，《詩集傳》云：「騂，赤色，周所尚也。」[123]由此可知周時蠟祭帶有周民族之特色。又鄭《箋》云：「清，謂玄酒也。酒，郁鬯五齊三酒也。祭之禮，先以鬱鬯降神，然後迎牲。」[124]《國語．周語上》云：「王乃淳濯饗醴，及期，鬱人薦鬯，犧人薦醴，王祼鬯，饗醴乃行，百吏、庶民畢從。」[125]此論籍禮饗禮儀式，據鄭《箋》，蠟禮或許具類似之儀式。「執其鸞刀」三句，毛《傳》：「言割中節也。」鄭《箋》：「血以告殺，膋以升臭，合之黍稷，實之為蕭，合馨香也。」[126]《禮記．月令》謂「大割祠於公社及門閭」，准此，此三句言大割牲於公社。此章可補《楚茨》之不足。

《甫田》四章，分四個層次，其祭祀過程同於《楚茨》篇，首章言祭祀之由，二章言主祭，三章言從祭，四章言祭畢情形。具體論之，首章泛論農政，可與《大田》前三章參證。二章言祭事，其詩云：「以我齊明，與我犧羊，以社以方。我田既臧，農夫之慶。琴瑟擊鼓，以御田祖，以祈甘雨，以介我稷黍，以穀我士女。」鄭《箋》：「以潔齊豐盛，與我純色之羊，秋祭社與四方。為五穀成熟，報其功也。」又云：「我田事已善，則慶賜農夫。謂大蠟之時，勞農以休息之也。」又云：「設樂以迎祭先嗇，謂郊後始耕也。以求甘雨，佑助我禾稼，我當以養士女也。」[127]鄭《箋》對此章的解讀存在一些問題。按《大雅．雲漢》云「祈年孔夙，方社不莫」，[128]祈年與方社並連，可證此「以社以方」當為祈年。據《禮記．月令》文，祈年有「孟春祈穀於上帝」和「孟冬祈來年于天宗」之分。據「我田既臧，農夫之慶」語，應以後者為是，即蠟祭中之「祈來年」。「琴瑟擊鼓」兩句，解詩者多據《周禮．籥章》立說，似為有據，但「擊土鼓，以樂田畯」，不僅指始耕之時設樂以迎祭先嗇，亦可用於「蠟祭」。據《禮記．郊特牲》、《月令》及《周禮．籥章》，「蠟祭」亦須「擊土鼓」，當然有「以樂田畯」之意，且「蠟祭」有「報」與「祈」兩種性能，「祈」之內容寬泛，如「介福」、「壽考」，見《楚茨》、《信南山》，本詩及《大田》亦有。故本章「以祈甘雨」三句為蠟祭時之「祈語」，只不過其指向在來年，與孟春祈穀在本年異。綜上所述，本章所言為「蠟祭」。三章解

---

122 （唐）孔穎達：《毛詩正義》，頁827。

123 （宋）朱熹：《詩集傳》南京：鳳凰出版社，2007年，頁181。

124 （唐）孔穎達：《毛詩正義》，頁829。

125 上海師大古籍整理研究所校點：《國語》上海：上海古籍出版社，1998年，頁18。

126 （唐）孔穎達：《毛詩正義》，頁829。

127 （唐）孔穎達：《毛詩正義》，頁838。

128 （唐）孔穎達：《毛詩正義》，頁1201。

說頗有紛岐，按此章與二章結構類似，亦為蠟祭。「曾孫來止」三句，前文「蠟祭方位」條已辨，言周王與後、世子到帝籍舉行饁禮（即為蠟禮）。「田畯至喜」三句，「田畯」指后稷。「田畯」有時與「田祖」同義，如《周禮・籥章》：「凡國祈年于田社，歈《豳雅》，擊土鼓，以樂田畯。」有時有別，如本詩。二章「以御田祖」，《毛傳》云：「田祖，先嗇也。」[129]本章「田畯至喜」，鄭《箋》：「田畯，司嗇，今之嗇夫也。」[130]《禮記・郊特性》云：「蠟之祭也，主先嗇而祭司嗇也。」鄭《注》謂：「先嗇，若神農者。司嗇，后稷是也。」」[131]故本章「田祖」指神農，而「田畯」指后稷。由此可知，本詩二章主祭先嗇（神農），三章從祭司嗇（后稷）。喜，鄭《箋》云：「喜讀為饎。饎，酒食也。」攘，鄭《箋》云：「讀當為饟。」[132]陳奐云：「《說文》：『饁，餉田也。』周人謂餉曰饟。餉，饋也。饋，餉也。『饁』、『餉』、『饟』、『饋』四字同義。」[133]故「田畯至喜」三句言司嗇（后稷）享祀情形。「禾易長畝」兩句，《毛傳》：「長畝，竟畝也。」[134]陳奐說：「『易』有『蕩平』之義，故傳詁『易』為『治』。治者，謂除草雝本也。《生民》傳：『方，極畝也。』『竟畝』與『極畝』同義。終猶既也。有，讀『歲其有』之有。」[135]據此，「禾易」兩句言「莊稼生長滿畝，既好且年成大有」，實為「祈來年」之祝語。「曾孫不怒」兩句，解詩者或把「禾易長畝」四句連在一起解釋，如鄭《箋》：「禾治而竟畝，成王則無所責怒，謂此農夫能且敏也。」[136]或把整章聯繫起來解之，黃山說：「言王來田間，見婦子饋饟，卻左右而試嘗其食之旨否，亦示親暱爾，故曰『曾孫不怒』，謂不怒婦子之無知，正喜農夫之克敏也。」[137]就《甫田》全詩來看，如「烝我髦士」、「農夫之慶」、「琴瑟擊鼓」、「報以介福，萬壽無疆」等，充滿的是歡快積極的情調，不應插入「曾孫不怒」（鄭玄釋「怒」為責備）這種中性而略帶消極的語調，因此，「曾孫不怒」應有別解。「怒」應解為「努」。《說文》「怒」條段注：「按古無努字，只用怒。」[138]努，《方言》云：「勉也。」故「曾孫不怒」即「曾孫不努」之意。「不」當解為「丕」，段玉裁說：「丕與不音同，故古多用不為丕。」《說文》：「丕，大也。」[139]據此，「曾孫不怒」意為「曾孫很勤勉」，同「農夫很能幹」一律。所以，就此章而言，先敘祭祀，次敘享祀，次敘祝語，結以曾孫、農夫祭畢進取心態，

---

129 （唐）孔穎達：《毛詩正義》，頁838。
130 （唐）孔穎達：《毛詩正義》，頁842。
131 （唐）孔穎達：《禮記正義》，頁802。
132 （唐）孔穎達：《毛詩正義》，頁842。
133 （清）陳奐：《詩毛氏傳疏》南京：鳳凰出版社，2018年，頁440。
134 （唐）孔穎達：《毛詩正義》，頁842。
135 （清）陳奐：《詩毛氏傳疏》南京：鳳凰出版社，2018年，頁714。
136 （唐）孔穎達：《毛詩正義》，頁843。
137 （清）王先謙：《詩三家義集疏》北京：中華書局，1987年，頁764。
138 （清）段玉裁：《說文解字注》上海：上海古籍出版社，1988年，頁511。
139 （清）段玉裁：《說文解字注》上海：上海古籍出版社，1988年，頁1。

語意一貫。第四章敘祭畢，鄭《箋》云：「年豐則勞賜，農夫益厚，既有黍稷，加以稻粱。報者為之求福，助於八蠟之神，萬壽無疆竟也。」[140]甚是。

至於《大田》四章，可分兩個層次，前三章敘祭祀之由，言春時耕種，夏時耘草除蟲，秋時豐收，此實賴之「興雨祁祁」、「田祖有神」，可補足《甫田》首章之意，第四章言祭祀祈福，與《甫田》二、三章相當。

以上從籍禮、蠟祭層面分析《豳雅》、《豳頌》的詩篇構成，得出與朱熹不同的看法，即認為《思文》、《臣工》、《噫嘻》、《豐年》、《載芟》、《良耜》屬於《豳雅》，而《楚茨》、《信南山》、《甫田》、《大田》屬於《豳頌》。在今本《詩經》中，《思文》、《臣工》、《噫嘻》、《豐年》、《載芟》、《良耜》屬於頌詩，《楚茨》、《信南山》、《甫田》、《大田》則屬於雅詩。為何會出現這種情況，這裡試做補充說明。顧炎武《日知錄》卷三「豳」條云：

> 自周南至豳，統謂之國風。此先儒之誤，程泰之辯之詳矣。豳詩不屬於國風，周世之國無豳。此非大師所采，周公追王業之始，作為《七月》之詩，兼雅頌之聲，而用之祈報之事。《周禮・籥章》：「逆暑迎寒，則歈豳詩；祈年于田祖，則歈豳雅；祭蠟則歈豳頌。」雪山王氏曰：「此一詩而三用也。」（原注：謂《籥章》之豳詩，以鼓、鐘、琴、瑟四器之聲合籥也。《笙師》：歈竽、笙、塤、籥、簫、篪、笛、管、舂牘、應、雅，凡十二器，以雅器之聲合籥也。《眡瞭》：播鞀、擊頌磬、笙磬，凡四器，以頌器之聲合籥也。凡為樂器，以十有二律為之數度，以十有二聲為之齊量，凡和樂亦如之。此用《七月》一詩，特以其器和聲有不同爾。）《鴟鴞》以下或周公之作，或為周公而作，則皆附於豳焉。雖不以合樂，然與二南同為有周盛時之詩，非東周以後列國之風也，故他無可附。[141]

此處有關《七月》的看法，可結合上面的論述進行辨析。需注意者，顧炎武在此提出「豳詩不屬於國風」之說。顧氏有此想法，與其對「豳詩」的特定認識有關。同書卷三「四詩」條謂：

> 周南、召南，南也，非風也。豳謂之豳詩，亦謂之雅，亦謂之頌，（原注：據《周禮・籥章》。）而非風也。南、豳、雅、頌為四詩，而列國之風附焉，此詩之本序也。（原注：〔宋〕程大昌《詩論》謂無國風之目，然《禮記・王制》言「命太師陳詩，以觀民風」，即謂自邶至曹十二國為風無害。）[142]

---

140 （唐）孔穎達：《毛詩正義》，頁845。

141 （清）黃汝成：《日知錄集釋》長沙：嶽麓書社，1996年，頁91。

142 （清）黃汝成：《日知錄集釋》長沙：嶽麓書社，1996年，頁81。

顧炎武指出，原本《詩經》並非是風、雅、頌三詩，而是南、豳、雅、頌為四詩。也就是說，原本《詩經》是沒有風詩的，這樣，豳詩自然也就可以說不是國風。至於《詩經》中有風詩，十五國風中有豳風，那是以後才發生的事情。很清楚，顧炎武南、豳、雅、頌四詩說的提出，一個重要的依據就是《周禮・籥章》的記載。在顧炎武看來，《周禮・籥章》所記載的《豳詩》、《豳雅》、《豳頌》很可能代表早期《詩經》文本形態。對於顧炎武提出的《詩經》的這種早期文本形態，姚蘇傑指出：

> 周民族在先周時期就擁有豐富的詩樂，不過尚未形成穩定的文本與文獻，姑且可稱其為「先周詩樂群」。這一詩樂群可能採用了「詩」「雅」「頌」的大致分類，這也是「豳詩」「豳雅」「豳頌」的來源。而據《周禮》記載，豳詩用於迎寒暑祭祀，豳雅用於祭祀田祖、田畯，而豳頌用於蠟祭，其禮樂功用與今本風、雅、頌明顯不同，應該不屬於同一體系。如果說《詩經》早期形態中保有「豳」的位置，應是周人對民族傳統文化的一種繼承或追憶。[143]

姚蘇傑順承顧炎武的說法，揭示《周禮・籥章》「詩、雅、頌」分類的淵源。並進一步分析說，西周初年為配合禮樂制度而產生的「詩經」，當由南、豳、雅、頌四部分組成。它們分別代表了構成新的周文化的四種子文化：體現周民族傳統文化的「豳」，體現周母族有莘氏文化的「南」，體現周人所建構的夏文化的「雅」，體現周人所繼承的殷商文化的「頌」。周初禮樂制度建設，就是為了調和這幾種文化或政治勢力，於是吸納這四種詩樂文化，建立並維持一種新的社會秩序。[144]當然，隨著周代禮制的變化，為適應新的禮樂需求，《詩經》也隨之發生擴充、調整或刪汰，並最終形成風雅頌三詩格局。

四　結語

當然，在這一轉化過程中，《籥章》「詩、雅、頌」的格局自然也受到影響。整體觀之，在《籥章》中，「詩、雅、頌」序列反映的主要是豳地農事儀式的先後順序，由逆暑（迎寒）而祈年而蠟祭。「詩、雅、頌」對應這一序列，可見《籥章》中「詩、雅、頌」的含義與後來是有所區別的。西周社會建立之後，逆暑（迎寒）、祈年、蠟祭這些儀式仍然延續，不過它們的地位卻發生一些改變，其中籍禮（祈年）儀式由於當時的重農風尚而得到空前重視，而逆暑（迎寒）與蠟祭則淪為一般性儀式。這種改變也影響到人們對匹配其儀式的相應詩篇性質的看法。於是，隨著風雅頌三詩格局的形成，與籍禮對應的相關詩篇，在《籥章》中屬於《豳雅》，但後來則隸屬於頌詩；與蠟祭對應的相

143 姚蘇傑：〈《詩經》的早期形態與「四詩」〉，《智慧中國》，2020年第12期，頁63。

144 姚蘇傑：〈《詩經》的早期形態與「四詩」〉，《智慧中國》，2020年第12期，頁64。

關詩篇，原本屬於《豳頌》，但後來則隸屬於雅詩。至於《豳詩》之《七月》，後來連同周公其他一些作品，一起編入《豳風》。這樣，《周禮》中《豳詩》、《豳雅》、《豳頌》的相關詩篇，當《詩經》生成之後，相繼匯入《豳風》、頌詩及雅詩中。這種改變，在很大程度上導致它們疏離其原初的儀式範疇。伴隨儀式功能的消失，人們在理解這些詩篇時也容易產生誤解，而這種誤解又進一步加深了對《周禮》「豳詩」詩篇認識的誤會。不過，借助《周禮》的記載，通過還原「豳詩」的儀式背景，恢復《豳詩》、《豳雅》、《豳頌》的相關詩篇，從而也就澄清了「豳詩」的詩篇問題。

周代「天命」說的興起及其話語解構*

羅新慧　李明陽

北京師範大學歷史學院，《中國社會科學》雜誌社

武王征商是中國信史的標誌性事件，關於周人滅商取得政權的依據，即所謂「文王受命」說，與漢代出現的「五德終始」說一併成為後世改朝換代時標舉自身政權合法性地位時交替使用的兩種理論，這在歷代史籍和出土文獻中留下了豐富記載。[1]

周代以前，商人有自己信仰的天神，即上帝。商人將自己描述為上帝之子，上帝此時是一家一姓的保護神；「武王克商之後，把商人的正統接過來」，利用對天神上帝的信仰「解釋武王的行為」[2]，將夏、商聯繫起來，成為華夏歷史的開端。儘管戰國秦漢間「五德終始」說興起並逐漸代替「天命說」是多種因素共同作用的結果，但梳理周人在追述自身政權合法性過程中的話語嬗變，可以為天命說的發展演進與自我解構勾勒出一條清晰的歷史線索。

一

一九七七年山西鳳雛村南出土了甲骨一萬七千餘片，其中有字者二百九十二片，其中編號為「鳳雛 H11.84」的甲骨記載：「貞：王其𠦪又大甲，冊周方伯，□叀足，丕左于受有佑。」王祭祀太甲，李學勤、王宇信先生認為，太甲應為商王帝辛，王則是文王，而周方伯不只一人。[3]這一解釋與《呂氏春秋・順民》「文王處岐事紂，冤侮雅遜，朝夕必時，上貢必適，祭祀必敬，紂喜，命文王稱西伯」[4]記載相互參證，可知滅商之前的政治格局是商與諸邦國形成穩定的政治聯盟。文王作為西伯，聚攏一些依附於周的小方國，形成了穩固的政治力量。周人對自己取得天下權力的解釋即從西伯「受命」開始。

---

* 本文為國家社科基金重大項目「中國古代都城文化與古代文學及相關文獻研究」（18ZDZ237）、國家社科基金一般項目「祖先崇拜與商周社會研究」（18BZS035）階段性成果。

1 相關研究參見祝中熹：〈文王受命說新探〉，《人文雜誌》，1988年第3期；王和：〈文王「受命」傳說與周初的年代〉，《史林》，1990年第2期；王暉：〈周文王受命稱王考〉，《陝西師範大學學報》，2002年第4期；晁福林：〈從上博簡〈程寤〉篇看「文王受命」問題〉，《北京師範大學學報》，2016年第6期；等等。

2 許倬雲：《西周史》北京：三聯書店，2012年，頁114。

3 李學勤、王宇信：〈周原卜辭選釋〉，《古文字研究》，第4輯，北京：中華書局，1980年。

4 許維遹：《呂氏春秋集釋》北京：中華書局，2009年，頁201-202。

「文王受命」的「受命」二字是個很模糊的概念。一九七六年，陝西臨潼出土了西周早期青銅器利簋（《銘文選》22）[5]，銘文中「武王征商」四字明確記載了武王是周革殷命的開始。周武王在位的第十年，武王帶領依附於周的方國和諸侯軍隊起兵征伐殷商，奠基了周的國祚。

《尚書．大誥》是最早涉及文王受命的傳世文獻。它記載了武王死後，武庚及三監叛亂，周公動員附屬於周的諸侯和方伯討伐殷商、平復叛亂等歷史事件。周公說：「已！予惟小子，不敢替上帝命。天休于寧王，興我小邦周，寧王惟卜用，克綏受茲命。今天其相民，矧亦惟卜用？」[6]這句話意味著，周公代武王首先溯源武王討伐殷商的動機：自己不敢冒充上帝的旨意替其下達命令，天稱讚文王，要使周興盛，在占卜中得知周人獲得了天命。

「天命」即《尚書．召誥》所謂：「皇天上帝改厥元子，茲大國殷之命」、「有王雖小，元子哉」[7]。「元子」之「元」，楊筠如先生釋為「長」[8]，「元子」即「長子」。長幼順序無法更改，因此釋為「改其長子」是說不通的。馬承源先生釋「元子」為「嫡子」[9]，但商代未必有嫡庶之別[10]，所以「嫡子」之說也不合適。因此，我們只能回到鄭玄的解釋：「元」為「首」，「言首子者，凡人皆天之子，天子為之首爾」，[11]「元子」也就是「群子之首」。

「文王受命」是周人針對殷商部族制定的宣傳策略，因此「群子之首」一定符合殷商的宗族觀念。陳夢家先生認為「凡一世之中有兄弟數人及王位者，其中只有一王為直系，餘者為旁系；凡一世一王者，無旁系」，[12]謝維揚先生從邏輯和實例對此提出質疑，證明了王位與直系、旁系無關[13]。但陳先生對王位的重視為「元子」的解釋提供了思路：商代的「王」是宗嗣中主持占卜和祭祀的人，即「群子之首」。總之，「皇天上帝改厥元子」是指上帝更換了祭祀上帝和主持占卜的首領。〈召誥〉「有王雖小，元子哉」中的「有王」指周王，周的功業來自上帝；相應地，對殷商稱「天降喪于殷，罔愛于殷」[14]，殷商失去了天的寵愛。

---

5 本文引銘文，依據馬承源：《商周青銅器銘文選》北京：文物出版社，1988年，第3冊，簡稱《銘文選》。

6 （東晉）孔安國傳，（唐）孔穎達正義：《尚書正義》上海：上海古籍出版社，2007年，頁513。

7 周秉鈞：《尚書易解》，第191。

8 楊筠如：《尚書覈詁》西安：陝西人民出版社，2005年，頁305。

9 馬承源：《商周青銅器銘文選》，第3冊，頁224。

10 錢杭：《周代宗法制度史研究》上海：學林出版社，1991年，頁30。

11 （東晉）孔安國傳，（唐）孔穎達正義：《尚書正義》，第580。

12 陳夢家：《殷墟卜辭綜述》北京：中華書局，1988年，頁372。

13 謝維揚：〈卜辭中的「直、旁系」問題正議〉，《史林》，1989年第3期。

14 周秉鈞：《尚書易解》，第178。

殷商與周人對上帝和天神的敬仰方式有所不同。郭沫若先生指出，商代認為自己與上帝有血緣關係，但在商代的卜辭中找不到祭祀上帝的記載，因此在商代的天神信仰中，上帝地位雖高，卻經常受不到祭祀。[15]商代和周原卜辭記載了對各種事件的占問，在時人觀念中，管理天下即占卜並按其結果行事，所以「皇天上帝改厥元子」即周人擁有了對上帝的祭祀權。

文王如何知曉「天命」，也呈現出層累過程。《逸周書・程寤》是一篇早已散佚的文獻，盧文弨據《藝文類聚》卷八十九引〈程寤〉輯出：「文王在翟，夢南庭生棘，小子發取周庭之梓于闕間，化松柏棫柞。驚以告文王，文王召發於明堂。拜吉夢，受商大命，秋朝士。」又從《太平御覽》中輯出「文王去商在程，正月既生魄，太姒夢見商之庭產棘」[16]，兩則佚文都提及夢到南庭生棘，然《藝文類聚》所引做夢者為文王，而《太平御覽》所引做夢者為文王之妃太姒。排除轉述失誤，我們猜測，〈程寤〉篇傳到唐宋以前即可能有兩個版本。

新近公布的清華簡〈程寤〉篇提供了疑似《太平御覽》徵引的版本，其中說：

> 隹王元祀，正月，既生魄，大姒夢見商庭惟棘，乃小子發取周廷梓樹於間，化為松柏棫柞。寤，驚，告王。王弗敢占，詔太子發，俾靈名凶，祓。祝祓王，巫祓大姒，宗丁祓太子發。幣告宗祊杜稷，祈於六末山川，攻于商神。望，烝，占於明堂。王及太子發並拜吉夢，受商命於皇上帝。[17]

清華簡〈程寤〉不晚於戰國時代。我們看到，〈程寤〉諸本與西周早期的「文王受命」傳說有兩點不同，其一是側重點放在了商庭荊棘在周庭長為松柏的災異現象，其二是雖然解釋了文王何以想起占卜天命，但事件主體已經不再是「文王占卜得知上帝祭祀權轉移」的故事了。綜合郭店簡、上博簡、清華簡所呈現的戰國時期流傳於世的文獻來看，〈程寤〉文獻性質應與《尚書》諸誥性質差別很大，並不能當作「文王受命」的史源，而更應理解作「文王受命」故事的演繹作品。

周人得到天命的另一面是殷商失去天命。《尚書・召誥》記載了周公與召公的對話，將殷商稱作「大國殷」，符合滅商不久的思想觀念。文中兩次提及商王失去天命：

> 天既遐終大邦殷之命，茲殷多先哲王在天，越厥後王、後民，茲服厥命。
> 今相有殷，天迪格保，面稽天若，今時既墜厥命。[18]

又稱：

---

15 參見郭沫若：〈先秦天道觀之進展〉，《青銅時代》臺北：群益出版社，1947年。

16 黃懷信：《逸周書校補注譯》西安：三秦出版社，2006年，頁81。

17 李學勤主編：《清華大學藏戰國竹簡（壹）》上海：中西書局，2010年，頁136。

18 （東晉）孔安國傳，（唐）孔穎達正義：《尚書正義》，第580-581。

> 我不可不監于有夏，亦不可不監于有殷，我不敢知曰有夏服天命，惟有歷年；我不敢知曰不其延。惟不敬厥德，乃早墜厥命。我不敢知曰有殷受天命，惟有歷年；我不敢知曰不其延，惟不敬厥德，乃早墜厥命。今王嗣受厥命，我亦惟茲二國命，嗣若功。王乃初服。嗚呼！若生子，罔不在厥初生，自貽哲命。今天其命哲、命吉凶、命歷年，知今我初服。[19]

文中以否定詞連用的「不敢不」表示謙遜，這種語法現象還出現在《尚書・大誥》「予不敢不極卒寧王圖事」[20]、〈洛誥〉「公不敢不敬天之休」[21]、沈子也簋銘文「不敢不祼」（《銘文選》81）、效尊銘文「效不敢不萬年夙夜奔走揚公休」（《銘文選》224），可知〈召誥〉不僅事件內容較早，寫定時間也較早。

西周早期「德」與「性」是連接在一起的，「德」很大程度上並非後世談論的美德，而是一種「性」，是生來就有的稟賦。[22]何尊銘文所謂「復爯武王禮福自天」（《銘文選》32）和德方鼎銘文所謂「延武（王）福」（《銘文選》40）都將武王克商成功而統治天下稱為「福」[23]，而且此「福」來自天，說明在武王和成王早期，人們對文王受命的原因並沒有理性的反省，只認為是得之於天的命運。在〈召誥〉中，周公追溯了夏曾有天命，但因不敬上天而錯失了天命；後來殷商得到天命，也因為不敬上天失去天命。周初將失去天命的原因歸結為「不敬」，而「不敬」是沒有道理可講的宗教禁忌，也說明周初並沒有對文王受命的原因深加考慮。西周和春秋時期關於紂王的劣跡，演繹出很多傳說，然而成王初期並沒有對紂王做具體的批判。最初關於周革殷命動機的傳說並不涉及理性考慮，「文王受命」只是周室坐大，達到了推翻殷商統治的實力，武王藉故討伐紂王，並沒有顯示出周人宣揚紂王劣跡及討伐「失德」含義。

二

「文王受命」傳說推動了周部族的崛起，因此祭祀文王時不能不提及周革殷命，也不能不表彰其對周代崛起所做的貢獻。有趣的是，西周早期銘文中關於征商意義的言論也是逐漸穩定的。例如，武王時期著名的利簋銘文提及商周革命，稱為「武王征商」

---

19 同上註，頁586-587。

20 同上註，頁549。

21 同上註，頁514。

22 早期的「德」觀念近似於中國古代的「性」（生）或美拉尼西亞人超自然的「馬那」（mana），參見斯維至：〈說德〉，《人文雜誌》，1982年第6期；李宗侗：《中國古代社會新研》北京：中華書局，2010年；等等。

23 參見羅新慧：〈說先秦時期的福〉，北京師範大學文學院編：《勵耘語言學刊》，2020年第2輯，北京：中華書局，2021年。

（《銘文選》22），天亡簋銘文稱為「丕克乞殷王祀」（《銘文選》23），「丕」即「大」，「克」即「戰勝」，「乞」通「訖」、表示終止，直譯為「全勝，終止了商的祭祀」，儘管立武庚繼承殷祀，但這種說法畢竟可謂非常低調；周公、成王平定叛亂，䰜方簋銘文稱「唯周公于征東夷」（《銘文選》26），小臣單觶銘文中稱「王後聖克商，在成阜」（《銘文選》25）。其中「征」、「克」都表示攻打和戰勝，只具有記錄事實的含義，沒有可以彰顯道德正義。再看武庚和三監叛亂平定以後，成王掃平三個小國，運用的語彙就截然不同。例如大保簋銘文稱「王伐彔子聖」（《銘文選》36），禽簋和剛劫尊銘文稱「王伐奄侯」（《銘文選》27、29），渣司徒逘簋銘文稱「王剌伐商邑」（《銘文選》31），「伐」字明顯體現出「討不庭」的含義。這未必是有意識地對戰爭意義的直接評價，但顯然在叛亂基本平定後，周人更樂於慶祝和歌頌對殷和東方部族的戰爭。

正如保卣所記載的，成王召集諸侯助祭、盟誓，「遘于四方會王大祭，佑于周」（《銘文選》33），是慶祝建國的開始，也是歌頌文王受命的開始。

何尊銘文是洛邑告成典禮後所作的器物。銘文記載：「克弼文王，肆文王受茲大命。唯武王既克大邑商，則廷告於天，曰：余其宅茲中國，自茲辥民。」成王用追述的口吻提及了文王受命、武王克商的歷史，指出武王克商成功後即「庭告於天」，宣佈在中間的土地立國。

夏商周是同時存在三個族群，又在不同的時期成為中原的「霸主」，李零先生認為，「三代，不僅是時間概念，也是空間概念。夏在中，商在東，周在西，誰得夏地，誰就是中國」[24]，就成為霸主統治天下。李先生曾撰有〈讀清華簡〈保訓〉釋文〉[25]，其對「中國」的理解恐怕是受了清華簡〈保訓〉篇的啟發。〈保訓〉篇第二段言：「昔微假中於河，以復有易，有易服厥罪。微無害，乃歸中於河。微志弗忘，傳貽子孫，至於湯，祗備不懈，用受大命。嗚呼！發，敬哉！」[26]明顯有「執中成王」的意味，然而清華簡是戰國時期抄寫的，從內容來判斷，也符合春秋戰國思想活躍的特徵，因此西周早期是否「執中稱王」，還不敢肯定。

但李先生的看法隱含著這樣一層事實：夏、商、西周時代並沒有後世意義的王朝觀念，而只是正當鬆散部落聯盟的盟主，因此商周之間的界限是相對模糊的。武王征商後，立王子祿父繼承殷祀；成王時期平定叛亂，銘文稱二次翦商，銘文中仍稱為「商」，《尚書．大誥》所記事件為成王時期，周公向諸邦國發布訓令說「有大艱於西

24 李零：〈西周的後院與鄰居〉，朱鳳瀚主編：《青銅器與金文》，第1輯，上海：上海古籍出版社，2017年，頁47。

25 李零：〈讀清華簡〈保訓〉釋文〉，《中國文物報》，2008年8月21日。

26 李學勤主編：《清華大學藏戰國竹簡（壹）》，第55-62。簡文排序和釋讀參考了艾蘭教授之說（蔡雨錢譯：《湮沒的思想——出土竹簡中的禪讓傳說與理想政制》北京：商務印書館，2016年，頁300-311）。

土，西土之人亦不靜越茲蠢。殷小腆，誕敢紀其續」[27]，這說明，成王時以商為名的方國仍舊存在。成王時期的何尊銘文明確了西周立國的標準，即所謂「宅茲中國」，無論是武王托言「文王受命」，還是成王將開國之功授予武王，典型地體現了西周早期「將功勳和榮耀追贈先王」的觀念。

《詩經．大雅．文王》所謂：「文王陟降，在帝左右」[28]，典型地表達了周人的祖先神信仰：先王死後將在上帝身邊佐事，並保佑子孫和國祚。近似地，天亡簋銘文云：「文王儷在上，丕顯王作省；丕肆王作庸」，「丕」、「顯」表示「光明」「偉大」。學界普遍接受「丕顯王」指文王，「丕肆王」指武王的說法，同時，馬承源先生提到，這句話與大盂鼎「在武王祀文作邦」同義。值得注意的是，天亡簋是成王祭祀武王的銅器，而歌頌的重點不在文王，而是武王。也就是說，周人對於「文王受命」的紀念，大概與慶祝「建國」同時。

宜侯夨簋一九五四年出土於江蘇鎮江，是康王時期的重器，銘文提到「王省武王、成王伐商圖，誕省東國圖」(《銘文選》57)。這篇銘文提供的關鍵信息在於，康王時期省視祖先的功績成為祭祀和紀念活動的一部分，這意味著當時已經有意識地追溯「周革殷命」的歷史，並開始建構周族群自己的「革命文化」。史官將成王對商的戰爭與武王並稱，這一方面是延續和遵循了成王時期對「武王征商」之「征」字與「王後聖克商」的「克」字之先例，另一方面也是因為新祚不久、先王未多，言說並不繁瑣，因此先王在西周立國方面的功績可以形成疊加效應。

在西周初年看來，文王與武王對國祚興盛作出的貢獻是不一樣的：文王側向受命，但成王初期並沒有追溯文王在克商方面實際的功勳，只強調他在信仰層面在帝左右、輔佐上帝，為周人立國奠定了可能性。在早期的觀念中，做出實質努力的是武王，他繼承了文王的事業和心願，實力征商，確立了周的國祚。總之，西周初年文王與武王的形象是有區別的，前者被塑造成能夠溝通鬼神、帶有神性的先王，後者則體現為具有勇武的英雄色彩的聖王。

三

出於對君權神授觀念的真誠信仰和「文王受命」在凝聚族群信念方面起到的良好效用，自成王起，每臨祭祀、慶典等儀式場合，歷代周王都會提及「文王受命」這一「旗幟」，乃至「文王受命」成為周代政治文化中最重要的組成部分，然而，在言說中話語逐漸發生變化，體現了「天命」信仰的嬗變和人們對周初史事的生疏。

---

27 （東晉）孔安國傳，（唐）孔穎達正義：《尚書正義》，第508。

28 毛亨傳，鄭玄箋，陸德明音義：《毛詩傳箋》北京：中華書局，2018年，頁353。

康王時期的邢侯簋銘文記載了對邢侯的冊命和封賞，歷來受到學界重視，其中記載邢侯回應康王賞賜時說：「魯天子寵厥瀕福，克奔走上下，帝無終命于有周。」（《銘文選》66）「帝無終命于有周」意味著邢侯相信周人能夠「敷佑四方」[29]是因為享有天命的觀念得到了普遍的認同，同時上帝未來也可能終命於周人，其中隱含這樣的邏輯：只有文王或周王才能知曉天命，其他人並不能知曉天命。可見當時人在認可天命觀念的同時，也認為天命縹緲善變。

西周中期開始，冊命銘文逐漸形成了固定的書寫模式。書寫者著重記載王所追憶的受冊命者祖輩的功勳以及冊命的內容、賞賜物品和告誡，因此很少出現周王直接談論國祚的記載。

恭王時期乖伯簋記載：「朕丕顯祖文、武，膺受大命。乃祖克弼先王，翼自它邦，有共於大命，我亦弗深享邦。」（《銘文選》206）在乖伯簋中我們看到，成王、康王時代常見的「文王受命、武王討伐」提法發生了改變，變成了「丕顯祖文、武，膺受大命」，將武王征伐殷商視作受命。與此同時，「翼」當作「輔助」解，如馬承源先生之說，「共」為「符合」意，也就是稱讚乖伯的祖先輔助先王（武王或成王）輔助征伐殷商的活動，乖伯祖先的努力符合天命。「符合天命」的觀念，是對「受命」觀念的進一步拓展，但同時也將「天命」祛魅，從某一神性意旨轉化為正義的原則，降低了「天命」的神性。「我亦弗深享邦」是對大盂鼎銘文「敷佑四方，畯正厥民」意涵的拓展。如果說「敷佑四方，畯正厥民」是從職事角度談論周王的權力，則「享邦」之「享」字所代表的「擁有」之意，更突出了周王室一家一姓的權利。進一步說，我們看到經歷了西周早期四代周王一百年的征戰、西周中期昭王近五十年的和平，穆王時期社會安定，早期深畏天命、「如臨深淵、如履薄冰」的「憂患意識」逐漸淡忘，「天命」從人們深信、畏懼的鐵律，淡化為政治旗幟，而不再特意強調其實際的威懾意味。

史牆盤（《銘文選》225）的器主是恭王時代殷遺民家族的史官。他的祖輩輔佐自文王以來的歷代周王，這篇銘文記載了文王至恭王七代周王的功勳和他祖先輔佐幾代周王的事蹟：

> 曰古文王，初盭龢於政，上帝降懿德大屏，撫有上下，合受萬邦；訊圉武王，遹征四方，撻殷畯民，永不鞏，逖虘微，伐夷、童；憲聖成王，左右綬糕剛鯀，用肇徹周邦；淵哲康王，分尹億疆；宏魯昭王，廣笞楚荊，唯貫南行；祇覭穆王，型帥吁謀；申寧天子，天子固纘文武長烈，天子釁無害，褰倂上下，亟獄宣謨，昊㹜亡斁，上帝、后稷亢保，授天子綰命，厚福、豐年，方蠻亡不㚖視。

29 豐田久先生認為成王、康王時期「敷佑四方」一詞的產生標誌著西周王室對外政治勢力的拓展，參見其〈周王朝の君主権の構造について——「天命の膺受」者な中心に〉，松丸道雄編：《西周青銅器とその國家》東京：東京大學出版會，1980年，頁391。

這篇銘文所遵循的內容與體裁並非周王室的傳統，而是史牆家族特有的傳統，所表現出的風格儘管不脫離於其時代，但也體現了史牆家族內部的認識，或者說是經由殷遺民史官接受、認同和轉述出來的對於周初史事看法。

關於史牆盤的考釋很多，最近晁福林先生的補釋[30]後出轉精，並勾勒了史牆盤銘文中文王和武王的形象，認為文王形象主題是膺受天命和最為顯赫的周人先祖，武王形象的主題則是威武剛強，晁福林先生的考證翔實，見解非常正確。我們要補充的是，史牆盤銘文中提到「上帝降懿德大屏，撫有上下」是文王受命的最經典表述，西周早期伐商、征東夷和南方，自不可成為「合受萬邦」，西周晚期王室衰微，在威權和氣勢方面也不敢稱「合受萬邦」，因此所謂「合受萬邦」，是西周中期政權達到全勝時期的獨特表述。晁先生認為史牆盤銘文「代表了周王朝的正統理念」，就文王與武王各自的功績而言，其所謂「正統」相當於「傳統」，即符合成王、康王時代的傳統看法，對比同一時期的乖伯簋、詢簋銘文，和稍晚一些的師詢簋銘文可知，當時不少史官已經不再嚴格區分文王受命與武王征商的形象主題差異了。

此外，恭王時期的詢簋銘文云：「丕顯文武受命，則乃祖奠周邦」（《銘文選》230）；懿王時期的師詢簋銘文云：「丕顯文武，膺受天命，亦則於汝乃聖祖考克股肱先王，作厥爪牙，用夾紹厥辟，奠大命，盭龢於政，肆皇帝亡斁，臨保我有周，雩四方民亡不康靖。」（《銘文選》245）兩段引文均稱「文武受命」，並稱頌詢的祖輩輔弼征伐殷商的事業，尤其是師詢簋中所謂「用夾紹厥辟，奠大命」文義更為明顯。詢簋和師詢簋銘文中的表述在孝王時期的師克盨和宣王時期的逨盤得到了延續。師克盨銘文說：「丕顯文武，膺受大命，敷佑四方」（《銘文選》307），尤其是逨盤銘文「文王武王撻殷，膺受天魯命，敷有四方，並宅厥勤疆土，用配上帝。」[31]不僅將「受天命」同時歸功於文王和武王，連撻殷也不做具體區分了。

在這裡我們可以看到，西周早期何尊銘文中所謂「肆文王受茲大令，隹武王既克大邑商」，「大令」即「天命」，可見文王與武王在「受命」與「克商」的分工是何其明確。但西周晚期銘文中「文武受命」只是儀式場合表示國祚來源的一種固定表述，而不具有實際意義了。

總之上述討論意在說明，為了解釋革命和執政的合法性，周人提出了「文王受命」說，強調「皇天上帝改厥元子」，並提出「文王陟降，在帝左右」，營造了文王光明正義、佐侍上帝的形象。隨後的銘文書寫中，武王繼文王之後「陟降」，輔佐上帝，並在從「文王受命」到「文武受命」的表述轉變中模糊了「受命」的對象，以近似的思路開啟了對西周創業之主形象的追溯。

---

30 晁福林：〈〈牆盤〉銘文補釋——兼論周代彝銘的文王武王形象〉，《中國文化研究》，2020年第1期。

31 劉懷君、劉軍社：〈陝西縣楊家村西周青銅器窖藏〉，《考古與文物》，2003年第3期。

四

從「文王受命」到「文武受命」，只是受命對象泛化的一個開始。而且西周王室的銅器銘文始終沒出現其他周王「受命」的言辭，因此可以解釋為西周中晚期王室成員和史官對早期史實的疏離。然而西周晚期至春秋時代，在諸侯和貴族為自己祖先製作的銅器銘文中則出現了帶有自己祖先「受命」意味的話語，不僅是對「受命」概念的濫用，更是周王室權威衰落、諸侯國坐大、僭越禮制的實際表現。我們看春秋中期的晉公盆銘文[32]片段：

> 晉公曰：「我皇祖唐公〔膺〕受大命，左右武王，教威百蠻，廣辟四方，至於丕廷，莫不□□，〔王〕命唐公，建宅京師，□□晉邦，我烈考憲〔公〕□□，□□□疆，□□□□，□□□□，赫赫在上，□□□□，□□台業，□□□□，□□晉邦。」

器物破損嚴重，不少內容無法釋讀，[33]但仍不妨礙我們對「我皇祖唐公〔膺〕受大命」的理解。

晉公應是春秋時期晉國的國君。春秋初期晉國曾協助平王東遷，可謂對王室有功。晉公先祖唐公與周初武王同一時代，銘文稱其佐佑武王，協助創立了基業。銘文中，「大命」即「天命」，從「〔膺〕受大命」來看，史官有意採用文獻和銘文中常見的「丕顯文武，膺受大命，敷有四方」的表述，給人以唐公也曾像文王一樣「受命」的印象。然而文王受命是周革殷命的藉口和旗幟，晉國早期並沒有「革命」的舉動，因此這裡的「膺受大命」必須另做解釋。顯然，從下文的「王命唐公，建宅京師」可以看出，晉公所言「大命」，只是西周初年周王對唐公的冊命，令其在京師建宅。這裡的「受命」已近似於「冊命」。

同樣情況在西周晚期已初見端倪。例如，單伯昊生鐘銘文中有「單伯昊生曰：丕顯皇祖、烈考，逑匹先王，恭勤大命，余小子肇帥型朕皇祖考懿德，永寶奠」（《銘文選》235）之語，「匹」即「配」，昊生雖未言「膺受天命」，但稱自己先祖「匹先王」、勤於天命，也是將周王對自己先祖的冊命「升格」為天命的表述。

青銅銘文是祭祀和典禮儀式的產物，代表一個時代的主流意識形態。「受命」一詞

---

32 馬承源：《商周青銅器銘文選》北京：文物出版社，1990年，第4冊，編號887。

33 吳振鋒先生主編的《商周青銅器銘文暨圖像集成續編》（上海：上海古籍出版社，2016年，編號30952）中收錄了一件晉公盤，時代與晉公盆相同，內容也近似，且殘泐並不嚴重。上面引文部分釋讀為：「我皇祖唐公膺受大命，左右武王，教威百蠻，廣辟四方，至於丕廷，莫〔不〕秉敬。王命唐公，建宅京師，君百世作邦。我烈考憲公，克□亢猷，強武魯宿，令名不□，赫赫才〔上〕，嚴夤恭天命，以乂朕身，孔靜晉邦。」

進一步泛化，體現為從帶有宗教性質的「文王受命」轉變為諸侯或貴族的「先王受命」，所受之命從被上帝授予對天的祭祀權，到被西周先王冊命封賞，在王命「升格」的同時，自身祖先的地位也得到了提升。然而，當「受命」一詞泛化到這樣的情形時，就不再具有其原初的神聖含義了，可以說，到春秋中期時，雖然「文王受命」仍作為祭祀和典禮儀式的常用語，並表達貴族階層對周代正統的認可和崇敬，但「受命」一詞已經在言說中自我解構了。

結語

「天命說」和「五德終始說」是中國古代解釋自身政權合法來源時交替使用的兩種理論。前人對二者作了深入研究，但就二者交替的原因尚缺乏深入的討論。本文詳細溯源了西周「天命說」的原初故事及其嬗變路徑，展現了「文王受命」傳說的興盛及其話語的自我解構過程，希望為認識「天命說」和「五德終始說」演變的思想路徑解開冰山一角。

「文王受命」是周武王借助時人對天命的信仰講述的一個君權神授故事，以此為旗幟，凝聚附庸於周的方國和諸侯軍事力量，起兵推翻殷部族統治。起初，文王與武王的歷史形象有分工，文王的歷史貢獻在於受命，而武王則側重赫赫戰功。成王的歷史形象與武王近似，在平判和二次伐商中，成王徹底奠定了周人對天下毋庸置疑的統治地位，因此成王與文王、武王一樣成為周人始終祭祀的對象。西周中期，關於文王、武王功績的言說，形象分工逐漸模糊，表現了後嗣對周初史實和信仰觀念的生疏。此後「文王受命」傳說有所增益，據清華簡〈程寤〉記載，文王之妻太姒夢見商庭長滿荊棘而周庭則長出松柏，武王讓太子發占卜由此獲悉天命，這與周初天命說的內容和側重點有明顯不同。春秋中期，青銅器銘文中「受命」的含義發生泛化，演化出「周初曾接受冊命」的義項。儘管「文王受命」仍然存在，但只是典禮中使用的套語，而不具有周初般的現實號召力。

「天命說」話語的自我解構給了「德性論」、「五德終始說」肇興和發展的機會，在戰國一系列思潮的共同作用下，「五德終始說」替代「天命說」成為漢魏六朝標舉自身政權合法地位主導理論。

《左傳》夢境載錄中的命運觀與理性話語建構

楊一泓*

北京中國人民大學文學院

中國古代不乏對於夢境以及占夢、釋夢的記載，如《詩經・小雅・斯干》中有：「下莞上簟，乃安斯寢。乃寢乃興，乃占我夢。吉夢維何！維熊維羆，維虺維蛇。大人占之：『維熊維羆，男子之祥；維虺維蛇，女子之祥。』」[1]《周禮・春官・占夢》中有：「占夢：掌其歲時，觀天地之會，辨陰陽之氣，以日月星辰占六夢之吉凶。一曰正夢，二曰噩夢，三曰思夢，四曰寤夢，五曰喜夢，六曰懼夢。」[2]可見，在中國古代先秦時期就已經有了占夢、釋夢的傳統。春秋時期，社會正處於宗教思維向理性思維脫胎轉化的過程，夢境在很大程度上依然被認為是一種神秘力量的象徵，與鬼神溝通的紐帶，傳達上天旨意的橋樑。在《左傳》中大量夢境的相關載錄體現出其特定時代下所承載的文化觀念。

據統計，《左傳》共有二十八處涉及夢境，時間分布於魯僖公四年（西元前656年）至魯哀公二十六年（西元前467年）。現整理列表如下，以呈現《左傳》夢境載錄文本的整體面貌：

紀年	國家	夢境
僖公四年	晉	姬謂大子曰：「君夢齊姜，必速祭之。」
僖公二十八年	晉	晉侯夢與楚子搏，楚子伏己而盬其腦。
僖公二十八年	楚	（子玉）夢河神謂己曰：「畀余，余賜女孟諸之麋。」
僖公三十一年	衛	衛成公夢康叔曰：「相奪予享。」
宣公三年	鄭	鄭文公有賤妾曰燕姞，夢天使與己蘭，曰：「余為伯鯈。余，而祖也，以是為而子。以蘭有國香，人服媚之如是。」
宣公十五年	晉	（魏顆）夜夢之曰：「余，而所嫁婦人之父也。爾用先人之治命，余是以報。」

* 項目基金：國家社科基金重大項目「中國古代都城文化與古代文學及相關文獻研究」（18ZDA237）。

1 〔清〕阮元校刻《十三經注疏》北京：中華書局，1979年，頁437。

2 同上註，頁807。

紀年	國家	夢境
成公二年	晉	韓厥夢子輿謂己曰：「旦辟左右。」
成公五年	晉	嬰夢天使謂己：「祭余，余福女。」
成公十年	晉	晉侯夢大厲，被發及地，搏膺而踴，曰：「殺余孫，不義。余得請於帝矣！」壞大門及寢門而入。公懼，入於室。又壞戶。
成公十年	晉	公夢疾為二豎子，曰：「彼，良醫也。懼傷我，焉逃之？」其一曰：「居肓之上，膏之下，若我何？」
成公十年	晉	小臣有晨夢負公以登天。
成公十六年	晉	呂琦夢射月，中之，退入於泥。
成公十七年	魯	聲伯夢涉洹，或與己瓊瑰，食之，泣而為瓊瑰，盈其懷。從而歌之曰：「濟洹之水，贈我以瓊瑰。歸乎！歸乎！瓊瑰盈吾懷乎！」
襄公十八年	晉	中行獻子將伐齊，夢與厲公訟，弗勝，公以戈擊之，首隊於前，跪而戴之，奉之以走，見梗陽之巫皋。
昭西元年	周	當武王邑姜方震大叔，夢帝謂己：「余命而子曰虞，將與之唐，屬諸參，其蕃育其子孫。」
昭公四年	魯	（穆子）夢天壓己，弗勝。顧而見人，黑而上僂，深目而豭喙。號之曰：「牛！助余！」乃勝之。
昭公七年	魯	（昭）公將往（楚），夢襄公祖。
昭公七年	晉	（晉侯）今夢黃熊入於寢門。
昭公七年	鄭	或夢伯有介而行，曰：「壬子，余將殺帶也。明年壬寅，余又將殺段也。」
昭公七年	衛	孔成子夢康叔謂己：「立元，余使羈之孫圉與史苟相之。」史朝亦夢康叔謂己：「余將命而子苟與孔烝鉏之曾孫圉相元。」
昭公十一年	魯	泉丘人有女夢以其帷幕孟氏之廟。
昭公十七年	晉	宣子夢文公攜荀吳而授之陸渾。
昭公二十五年	宋	宋元公將為公故如晉。夢大子欒即位於廟，已與平公服而相之。
昭公三十一年	晉	趙簡子夢童子臝而轉以歌。
哀公七年	曹	曹人或夢眾君子立于社宮，而謀亡曹，曹叔振鐸請待公孫強，許之。
哀公十六年	衛	衛侯占夢。
哀公十七年	衛	衛侯夢于北宮，見人登昆吾之觀，被髮北面而譟曰：「登此昆吾之虛，綿綿生之瓜。余為渾良夫，叫天無辜。」
哀公二十六年	宋	得夢啟北首而寢于盧門之外，己為鳥而集於其上，咮加于南門，尾加於桐門。

從表格中可初步看出，書中夢境載錄的時間分布多集中在僖公、成公、昭公和哀公紀年，國家以晉國居多，內容則涉及戰爭、祭祀、生死禍福、復仇報恩等諸多主題。目前，學者對《左傳》中夢境的分類不一[3]，而其中不可忽視的是夢境在當時的時代語境下所主要承載的帶有天命性質的文化功能。從這一角度，《左傳》所載錄的夢驗故事實際都與當事人的命運相關。因此，按照夢境載錄中有無現實因果聯繫這一角度可將夢境分為兩類，一類夢境承載著史官對天命的信仰，認為夢境是天命的一種傳達方式，可以昭示、預言，甚至引領和改變個人、氏族和國家的命運；一類隱含著史官對人的命運由天命主宰這一命題的否定，試圖以因果關係解釋的努力。本文將結合具體夢例進行分類論述，展開文本細讀。

一　天命信仰下的昭示之夢

這一類夢境載錄表現出史官對於天命的信仰，認為夢境是傳達天命的工具，充滿神秘色彩，以預言的形式對人類的命運進行昭示，人類無法解釋其應驗的原因，只能如實地記錄夢驗的現象與結果，這一類史官載錄仍是屬於古代巫的傳統思想。而這種夢例文本又可進一步細緻畫分為兩類：有關個人禍福生死、國家興衰存亡命運的預言；有關改變個人命運的一種指引。

首先，有關個人命運預言性質的夢境載錄觀念主要意在傳達人的命運由天註定，從夢驗的效果看，其命運具有不可躲避、不可違抗的性質。如《左傳・成公十七年》中記載：

> 初，聲伯夢涉洹，或與己瓊瑰食之，泣而為瓊瑰盈其懷。從而歌之曰：「濟洹之水，贈我以瓊瑰。歸乎歸乎，瓊瑰盈吾懷乎！」懼不敢占也。還自鄭，壬申，至於狸脤而占之，曰：「余恐死，故不敢占也。今眾繁而從余三年矣，無傷也。」言之，之莫而卒。[4]

聲伯夢見在涉洹水時吞食了一塊美玉，而後哭泣之淚均化為美玉盈滿其懷。古人的禮儀是死後口含瓊玉，所以聲伯以此為凶夢，而未敢占卜。自鄭返回後，聲伯以為「無傷」了，自己推測「瓊瑰盈懷」可能意味著「眾繁而從余」，不是凶夢而是吉夢。結果聲伯

3　如按照夢象分類：傅正穀《中國夢文學史》一書分之為政治類、軍事類、鬼神類、祭祀類、疾病類、死生類。過常寶《〈左傳〉夢驗故事中的血緣宗族觀念》分之為:關於祖先關係和干涉子嗣的夢、反映復仇和報恩主題的夢、關於自己死亡的夢。劉瑛《〈左傳〉、〈國語〉方術研究》分之為先祖、鬼怪、其他夢象三大類。按照夢因分類：楊健民《中國夢文化史》一書將其分之為願望之夢、焦慮之夢、病態之夢、象徵之夢、報應之夢。按照夢驗分類：劉瑛《《左傳》、《國語》方術研究》（北京：人民文學出版社，2006年）又有直夢和反夢的區分。

4　楊伯峻：《春秋左傳注》北京：中華書局，2009年，頁899。

在占卜後卻立即死去，夢境依然發生了神秘效力。這裡的夢境沒有任何前因後果，夢境直接決定了聲伯的生死，昭示出聲伯個人不可違抗的命運。從這一夢例的可見，史官的載錄立場是相信夢境對個人命運的昭示準確清晰且應驗不爽。

《左傳》中還有與國家興衰命運相聯繫的夢境，往往通過戰爭的勝負或子嗣繼承君位的事件進行昭示。如哀公七年（西元前488年）時候，曹國人偶得一夢：「眾君子立于社宮，而謀亡曹，曹叔振鐸請待公孫強，許之。」於是他告誡他的孩子說：「我死，爾聞公孫強為政，必去之。」後來果然有公孫強執政，並「言霸說于曹伯，曹伯從之，乃背晉而奸宋。」後來「宋人伐之，晉人不救。」[5]最終導致滅國的命運。這裡的夢境具體地預示出未來將導致曹國滅國之災的人，而曹國人在當時並未找到「公孫強」該人的情況下，他對於看似毫無依據的夢境依然堅信不二。最終夢境也果然昭示不爽，註定著國家的命運。昭公元年（西元前541年）時候，武王邑姜方夢見先祖謂己曰：「余命而子曰虞，將與之唐，屬諸參，其蕃育其子孫。」[6]夢境昭示了祖先對子孫後代的傳承安排，昭示著國家的未來。昭公二十五年（西元前517年）的記載中，十一月，宋元公因為魯昭公的緣故前往晉國。臨行前夢見太子欒在宗廟中即位，自己與宋平公穿著朝服輔佐他。這也是關於君位繼承的夢境，子嗣即位的場景預示著宋元公此次出行之吉凶，即個人的生死命運亦同時昭示著國家的君主更替，與國家的命運又息息相關。史官的載錄立場仍是上天的旨意通過夢境傳達，不可違抗，後宋元公果「己亥，卒于曲棘」[7]。

《左傳》中的夢境載錄除了昭示個人或國家的註定命運以外，有時還以指引的方式，引導該命運的發生。這種情況之所以能得以發生，是因為當時社會信仰這種神秘意志，將其視為未來應驗之事，並人為地遵循夢中的指引對現實做出改變，從而對自己或國家的命運產生影響。在成公二年（西元前589年）齊晉鞌之戰時，晉國大臣韓厥夢見父親子輿告誡自己：「旦辟左右。」[8]，即作戰時要站在車的中間。韓厥是車禦，常規應居車左，但韓厥聽從了夢中父親的叮囑，後來果然倖免於難。韓厥個人的生死命運由於遵循了夢境的指引而變化。還有例如昭公十一年（西元前531年）時，有一泉丘之女夢見自己「以其帷幕孟氏之廟」[9]，於是她便相信自己與孟氏家族應有婚姻關係，遂私奔至孟僖子。而孟僖子也接納了泉丘之女，並與其生子，盟誓。夢境與當下的現實並無聯繫，不一定明確昭示著未來，但丘泉之女卻將其視作一種對現實人生的指引，以自己信仰的解釋去追求，最終迎來了所昭示的命運。再有，夢境也會指引子嗣繼位之事，而君王的更替和國家的命運息息相關，也體現出天人合一的神秘意志。如昭公七年（西元前

5 同上註，頁1644、1645。

6 楊伯峻：《春秋左傳注》，頁1218。

7 同上註，頁1467。

8 同上註，頁793。

9 同上註，頁1324。

535年）：

> 孔成子夢康叔謂己：「立元，余使羈之孫圉與史苟相之。」史朝亦夢康叔謂己：「余將命而子苟與孔烝鉏之曾孫圉相元。」[10]

祖先以夢境的形式為自己的宗族選擇繼承人，引領著自己宗族的禍福興衰。顯然，以上夢例都體現出史官對於夢境傳達天命的信仰。

二　神秘與理性：夢境載錄中的矛盾狀態

隨著春秋時代理性的萌芽與起步，史官在天命不違的信仰之下，也產生了對於人類命運的理性思索。夢境原本所代表的神秘意志逐步被理性思維淡化，這一過渡過程則鮮明體現在《左傳》的夢境載錄中，其夢例的書寫呈現出一種矛盾的中間狀態。比如在《左傳．僖公四年》中有關於晉獻公的夫人驪姬的故事：

> 姬謂大子曰：「君夢齊姜，必速祭之！」大子祭于曲沃，歸胙於公。公田，姬置諸宮六日。公至，毒而獻之。公祭之地，地墳。與犬，犬斃。與小臣，小臣亦斃。姬泣曰：「賊由大子。」大子奔新城。[11]

驪姬欺騙當時的太子申生，說國君夢見了申生的母親齊姜，要立即去祭祀她。太子聽命於此，由此被設計陷害。此夢並非真正意義的夢境，虛假的夢雖然仍與申生乃至晉國的命運相聯繫，但夢原本所代表的神聖意義已經被消解，以謊言的形式成為政治鬥爭中用以奪權的途徑。再如哀公十六年（西元前479年）時候，衛侯占夢，並未提及夢的具體內容，而是因為「嬖人求酒于大叔僖子，不得」於是「與卜人比，而告公曰：『君有大臣在西南隅，弗去，懼害。』」[12]這樣編造的一個夢釋導致太叔遺驅逐。同樣的，這裡的夢釋雖然也改變了被害人太叔遺的命運，但因為已經與夢境真正的內涵無關而不再具有神秘意義，是人事作用下所產生的結果。再如成公十年（西元前581年）時候，《左傳》記載了三個組合在一起的夢境，載錄例子原文如下：

> 晉侯夢大厲，被髮及地，搏膺而踴，曰：「殺余孫，不義。余得請於帝矣！」壞大門及寢門而入。公懼，入於室。又壞戶。公覺，召桑田巫。巫言如夢。公曰：「何如？」曰：「不食新矣。」公疾病，求醫于秦。秦伯使醫緩為之。未至，公夢疾為二豎子，曰：「彼，良醫也。懼傷我，焉逃之？」其一曰：「居肓之上，膏

10 楊伯峻：《春秋左傳注》，頁1297。

11 同上註，頁297。

12 楊伯峻：《春秋左傳注》，頁1705。

之下，若我何？」醫至，曰：「疾不可為也，在肓之上，膏之下，攻之不可，達之不及，藥不至焉，不可為也。」公曰：「良醫也。」厚為之禮而歸之。六月丙午，晉侯欲麥，使甸人獻麥，饋人為之。召桑田巫，示而殺之。將食，張，如廁，陷而卒。小臣有晨夢負公以登天，及日中，負晉侯出諸廁，遂以為殉。[13]

從內容上看，這是一個涉及復仇的夢境。楊伯峻注云：「殺余孫，當指八年晉侯殺趙同、趙括事。晉景公所夢見之惡鬼，應是趙氏祖先之幻影。」[14]所以，當是趙同、趙括的祖先因為失去子嗣祭祀香火而向上帝請命復仇，索要晉侯性命。釋夢云其不能活至吃新麥的時間，晉侯起初以為事有轉機，殺了占夢巫師，後又陰差陽錯陷廁而卒，死亡時間終究一分不爽，不差毫釐。其戲劇性的情節描寫正彰顯了其夢境所預言之命運的必然性，仍然蘊含著天命不可違抗的神秘色彩。而晉侯最終死亡的這一命運，又恰恰是因為其滅絕趙氏家族這一不義、不禮的舉動所招致，從而說明雖然其命運的結果確實符合夢驗，但其導致的原因又並不一定純粹因為夢境的昭示，還有人事的作用於其中，顯示出一定的因果聯繫以及理性思維萌芽之端倪。這裡的夢境載錄正體現出史官兩種不同的觀念混合在一起所呈現出的一種矛盾的思維狀態。

此外需要補充的是，《左傳》的夢境載錄中有一個比較特殊的夢例，其中既沒有神秘意志的昭示功能，也沒有與現實中因果關係相聯繫的傾向。昭公七年（西元前535年），魯昭公將往楚國，夢見魯襄公為他的出行祭祀道神。梓慎釋夢曰：「君不果行。襄公之適楚也，夢周公祖而行。今襄公實祖，君其不行。」子服惠伯釋夢曰：「行！先君未嘗適楚，故周公祖以道之。襄公適楚矣，而祖以道君。不行，何之？」[15]最後，昭公去了楚國：「三月，公如楚，鄭伯勞于師之梁。孟僖子為介，不能相儀。及楚，不能答郊勞。」[16]同一夢境卻有著相互矛盾的闡釋，從夢驗的結果看此次出行確實沒有非常順利，不過也沒有發生扭轉命運般的重大事件。從而值得注意的是，這裡的夢境載錄雖然沒有承擔明顯的文化功能，但卻也可以看出夢的闡釋並沒有對命運產生很明顯的影響，史官如實載錄的書寫本身亦證明夢境的神秘與昭示力量正在削減，社會的理性思維正在形成。史官筆下的天人之間的信仰關係開始出現明顯的游離空間，所以這也可以理解為夢境載錄中傳統巫文化與時代理性思索之間的過渡狀態。

13 同上註，頁849、850。

14 同上註，頁849。

15 楊伯峻：《春秋左傳注》，頁1286、1287。

16 同上註，頁1287。

三　因果作用：夢境載錄中命運觀的變化

《左傳》的夢境載錄中出現的另一種情況是，夢境雖然與命運相聯繫，但其所昭示的命運不再是天命色彩下不可違抗的神秘意志，而明確顯示出的是人事與因果關係作用下的結果。這類夢境載錄隱含著史官對傳統天命觀的反思，對人和國家的命運由天命主宰這一命題的否定，以及試圖以理性的追溯與判斷來解釋命運、建構話語的努力。比如成公五年，趙同、趙括放逐趙嬰至齊國，後趙嬰有一夢：

> 嬰夢天使謂己：「祭余，余福女。」使問諸士貞伯，貞伯曰：「不識也。」既而告其人曰：「神福仁而禍淫，淫而無罰，福也。祭，其得亡乎？」祭之，之明日而亡。[17]

該夢屬於《左傳》中少有的未應驗夢境。趙嬰夢見祖先對讓自己祭祀，並許諾說會施降福祉於他。趙嬰按照夢境的指引祭祀，但是第二天卻仍被放逐。而夢境未應驗的原因，在貞伯的夢釋中得到體現：「神福仁而禍淫，淫而無罰，福也。祭，其得亡乎？」因為《左傳・成公四年》中有「晉趙嬰通于趙莊姬」[18]的記載，說明趙嬰與侄媳亂倫，不符合人倫常理，所以貞伯的夢釋為淫亂之人無禍即是福，流亡已是最大的寬限，更不應該奢求神靈庇佑了。該夢境沒有應驗的結果表明事情的結局已經蘊含於人為的過程中，因此人事的凶吉可以通過觀察得出預測，祖先神靈也無法改變其命運，至此人事作用力的影響顯然超過了夢境的幫助，其命運與天命再無關聯。因此，從其中道德審判和懲惡揚善的意味可以看出史官通過夢境載錄的書寫對禮制的維護立場，以及建立蘊含理性的話語體系的努力。再如宣公十五年（西元前594年），秦晉輔氏之役中有這樣的夢事：

> 初，魏武子有嬖妾，無子。武子疾，命顆曰：「必嫁是。」疾病，則曰：「必以為殉！」及卒，顆嫁之，曰：「疾病則亂，吾從其治也。」及輔氏之役，顆見老人結草以亢杜回，杜回躓而顛，故獲之。夜夢之曰：「余，而所嫁婦人之父也。爾用先人之治命，余是以報。」[19]

一位老人結草將秦國的大力士杜回絆倒，魏顆因此俘獲杜回，取得勝利。當夜，魏顆夢見這位老人對他解釋報恩的緣故。因為魏顆曾經自作主張聽憑父親魏武子最初的安排嫁了小妾，而沒有遵循遺命將她殉葬。想必是認為病重的父親已經不能足夠清醒地做出判斷，所以選擇違背遺命。夢境解釋出其勝利俘獲杜回的原因，昭示出是由於魏顆的主觀

17 楊伯峻：《春秋左傳注》，頁821、822。

18 同上註，頁819。

19 楊伯峻：《春秋左傳注》，頁764。

行為使他得到鬼神的幫助。可見天命色彩在該夢境中微乎其微，魏顆命運軌跡的改變正是由於他自己的選擇所致。這一夢境載錄揭示出命運的軌跡並非只能被動地遵從天命的昭示與指引，人類憑藉自身的主觀力量與理性判斷亦可建構自己未來命運的路徑。

還有夢境與國家命運相聯繫的例子，如在僖公二十八年（西元前632年）晉楚城濮之戰前，楚國子玉夢見河神對自己說：「畀余！余賜女孟諸之麋。」[20]即要求子玉把自己的瓊弁和玉纓獻給河神，但子玉沒有聽從夢境的指示。榮季對此評論云：「死而利國，猶或為之，況瓊玉乎？是糞土也。而可以濟師，將何愛焉？」；「非神敗令尹，令尹其不勤民，實自敗也。」[21]這一夢例的書寫表明，史官顯然認為子玉的行為已經預示出戰爭的失敗，並且即將失敗的原因不在於得罪河神，而是子玉不肯犧牲物質利益，不以民事為重，不肯盡心為國效力。可見，史官已經在其中建立因果的邏輯聯繫，認為一場關乎國家命運大戰的勝負結果一定由多方面因素綜合作用決定，而並非完全出於天命的註定。在戰爭結束、楚國失敗以後的回顧與反思中，子玉的無禮行為和對國家利益的輕視行為，可能也是導致這一結果的原因，因此史官作如此書寫，試圖將人事的行為與結果體現出因果的關聯，建構出人事作用下的理性話語。再如哀公十七年（西元前478年）時候的渾良夫一事也是如此：

> 衛侯夢于北宮，見人登昆吾之觀，被髮北面而譟曰：「登此昆吾之墟，綿綿生之瓜。余為渾良夫，叫天無辜。」公親筮之，胥彌赦占之，曰：「不害。」與之邑，置之而逃，奔宋。衛侯貞卜，其繇曰：「如魚赬尾，衡流而方羊。裔焉大國，滅之，將亡。闔門塞竇，乃自後逾。」[22]

衛國大臣渾良夫曾助衛莊公回國即位，後卻被枉殺，所以衛候夢中出現了不祥的昭示，第一次胥彌赦釋夢由於害怕未敢真言，所以無法顯示衛侯的真實命運，第二次占卜應驗，衛候的命運便正如繇辭所言一樣，滅之將亡。這一例子表明，衛侯的命運主要還是由於自己的行為所招致，因果仍然在命運中發揮著作用，夢驗並非是改變其命運的原因，夢境只是更加清楚地揭示這一因果關係。

以上從《左傳》夢境載錄內容有無現實因果聯繫這一角度分類下的文本展開、細讀可見，春秋時期，夢境最初在揭示命運、預言命運、指引命運上承擔了重要的文化功能，而隨著人們理性思維的發展，夢境所代表的神秘意志被逐步消解，人們對於命運的理解亦產生了新的變化。這一過程體現在《左傳》的夢境載錄中即是史官試圖以因果關係解釋、辨析夢境，開始在記錄筆下融入自己對命運的認知與思考。夢境的功能由起初的神秘昭示漸漸轉變為對人事作用下所導致命運的揭示，以夢驗的書寫彰顯因果關係的

---

20 同上註，頁467。

21 楊伯峻：《春秋左傳注》，頁467、468。

22 同上註，頁1709、1710。

合理與必然，從而建構出以其新的命運觀為核心的理性話語體系。從史官對夢境載錄的視角變化可以清楚地感受到，信仰與理性在這個時代處於此消彼長、駁雜融合的博弈狀態，這種對立和矛盾的夢境載錄體現出春秋時期史官對於人類命運主宰力量、人與社會關係的深切思考，以及春秋時代社會對生命課題的不斷探索與理性觀照。

山嶽信仰與《山海經》的文本生成

馮　媛

浙江湖州師範學院人文學院

山嶽信仰是先民早期信仰中不可忽視的存在。結合傳世文獻、考古資料和某些少數民族或原始部落殘存的原始宗教、生活習俗，探究山嶽信仰的起源、發展，以及《山海經》文本中的山嶽觀念形態、山嶽信仰與《山海經》神話體系的構建。山嶽信仰源於山嶽獨特的自然、社會和神異屬性；山嶽信仰經歷由原始山體崇拜到山神崇拜，以及政治、社會功能不斷加強的發展過程；《山海經》中的山嶽觀念具有宗教性、社會性，並且從《山海經》中可見當時人們的地理認知；山嶽信仰與「帝」觀念、玉石信仰等共築《山海經》的神話體系，影響其中的山神神話和山嶽神話群的生成。

一　原始山嶽信仰的起源

山嶽信仰是一種原始信仰，是先民早期自然崇拜的一部分。由於第一手資料稀少，對原始山嶽信仰的產生機制和動因進行分析缺少了最可靠的研究路徑，受這種情況的限制，我們對山嶽信仰的形成研究就必須借助於一些民族學、人類學等學科的研究方法。[1]

本文在此擬從兩方面分析山嶽信仰的產生。

（一）先民與山嶽的關係

山嶽信仰產生的首要原因是上古先民的居住環境與山嶽密切相關。《周易・繫辭》

1　民族學與人類學學者研究遠古史或原始藝術主要有四種途徑：一、依靠出土文物和文獻；二、鉤沉索隱後世文獻中的相關記載；三、依據近現代某些少數民族或原始部落殘存的原始的宗教、生活習俗還原古人類的生存形態；四、依據兒童思維與早期人類思維的相似性類推遠古人類的思維、行為方式。這四種方法的科學性依次降低，出於合理性和嚴密性的考慮，我們主要採用前三種方法。第一種方法可信度最高，符合實證原則。第二種方法由於上古時的情況多是口述而可能存在偏差，並且後世文獻中的上古世界充滿了神異色彩，也證實了這種由於時代久遠和情感隔膜而導致的結果，所以我們在採用後世文獻中的記載時要保持懷疑審慎的態度。但本課題研究的是其體現的信仰而非史實，這種偏差對研究影響有限，第二種方法由於材料豐富、可研究性強，仍有較高的使用價值。第三種方法最為直接，也有一定的使用價值。

中有「上古穴居而野處」[2]的說法，《墨子・節用》中言：「古者人之始生，未有宮室之時，因陵卬堀穴而處焉。」[3]中華文明發源於黃河流域，但原始群落並不出現在幹流沿岸，人們通常聚居於支流、丘陵山麓等處。[4]

洞穴、臺地是自然為上古人類提供的最便捷、安全的棲息地，歷代學者對此多有考證，章太炎在《官制索隱》中提出了「神權時代天子居山說」，認為「天子居山，三公居麓。麓在山外，所以衛山也」[5]；胡厚宣的《卜辭地名與古人居丘說》通過對甲骨卜辭的研究，得出古人聚居在山丘，帝王只有「據丘墟」才可以「稱氏」，其「生興都葬」和「有所舉作」都與丘陵有密切關係[6]。錢穆先生《中國古代山居考》謂「因山居而及穴居」，[7]參考許慎的《說文解字》，從對漢字的考證入手，證實並非只有帝王山居，一般民眾都是山居、穴居情況。

從考古發現來看也是如此。中國至今最早的遠古人——元謀人化石就被發現在雲南元謀縣上那蚌村西北小山崗上，藍田人化石發現於陝西藍田縣陳家窩子和公王嶺，北京人頭蓋骨化石發現在北京周口店龍骨山上。一系列的考古發現證明早期人類的生活範圍與山嶽密不可分。

（二）山嶽本身所具有的特性

1 山嶽的自然屬性

先民們觸目所及都是自然產物，在觀察這些未知的山嶽河川、風雨雷電的過程中必然會引起思維尚為原始的人類的思考。同時，自然產物又對先民的生活造成了巨大的影響：風雨雷電、高山大川、虎狼蛇蠍，這些自然現象和自然物大都是人類無法預料、無法掌握的。《淮南子・覽冥訓》中記載：「猛獸食顓民，鷙鳥攫老弱。」[8]先民的力量還沒有強大到能夠戰勝它們，在自然給人類帶來損失與傷害時，人們只能接受而無法反抗，從而對外部世界的威脅產生恐懼。[9]

---

2 （唐）孔穎達：《周易正義》北京：北京大學出版社，1999年，頁302。

3 （清）畢沅校注：《墨子》北京：中華書局，1985年，頁61。

4 （日）伊藤清司：《中國的神獸與惡鬼：《山海經》的世界（增補修訂版）》北京：商務印書館，2019年，頁1。

5 章太炎：〈官制索隱〉，徐複點校：《章太炎全集・太炎文錄初編》上海：上海人民出版社，2014年，頁85。

6 胡厚宣：《甲骨學商史論叢初集》石家莊：河北教育出版社，2002年，頁491-505。

7 錢穆：〈中國古代山居考〉，錢穆：《中國學術思想史論叢1》北京：生活・讀書・新知三聯書店，2009年，頁36。

8 （漢）劉安等著，高誘注：《淮南子》上海：上海古籍出版社，1989年，頁65。

9 （日）伊藤清司：《中國的神獸與惡鬼：《山海經》的世界（增補修訂版）》北京：商務印書館，2019年，頁2。

山嶽的自然屬性包括它的外在形象和內部空間。地之上，天之下，山嶽就是最高者，當先民仰望山嶽時，形成了山嶽威嚴磅礴、高不可攀的印象。《詩經．大雅．嵩高》有言：「嵩高維嶽，峻極於天」[10]，讚美了嵩山高大聳入雲霄的外形，面對高峻的山嶽自然就會產生敬畏之情。「居山拉大了神人與俗世的距離，而同時峻極於天的山嶽又縮短了神人與天的距離，使其可以據山與天神相交通，加之山中所產靈異之物，這些種種因素的疊加，使神話人物的神性得以凸顯，而山嶽神話本身的魅力也通過山嶽得到了強化。」[11]關於這點在山嶽的神異屬性中再進行展開。

同時山中的動植物種類繁多，有相當一部分在當時人們的認知水準之外，人們在接觸的過程中會因為山嶽中未知的動植物而受傷甚至失去生命，山嶽的自然屬性就這樣使先民對它保持了敬畏之心，人對山體和山中的動植物形成了一種原始的自然崇拜。

2　山嶽的社會屬性

山嶽為人們的生活生產提供了必要的物資，使人們對它產生了社會崇拜。《釋名》中在對山的名源探究時談到：「山，產也。產萬物者也。」[12]山嶽中有豐富的物資，可以「產萬物」以滿足人類的生存、生產需求，人們的衣食住行都依賴於山嶽。《山海經》中就有對山中物產的重點介紹，對鳥獸蟲魚、玉石礦產的記載中還寫明了物產有何用處，山嶽的社會價值使人們願意主動地認識、瞭解山嶽。又是在這種原因的影響下，部分先民就會選擇將活動場所依山而建，從而又獲得了山嶽地形優勢上的益處。

除了提供物資，山嶽信仰還能夠促進經濟發展，維護政治穩定。《管子》中就曾指出：使民馴服的辦法，在於尊崇鬼神，祭祀山川，敬奉宗廟和恭敬宗親故舊。[13]其本質是以鼓勵鬼神信仰來推行政令教化，以山川祭祀來推動政策實施，也體現了山嶽信仰的社會實際功用目的。

3　山嶽的神異屬性

山嶽的神異色彩是先民在無法對自然現象做出科學解釋時產生的，山嶽的神秘促使了山神、鬼怪的產生，由此，與山嶽和其中的鬼神有關的神話也開始產生。同時高大的外在表現形式使山嶽成為了天與地的連接通道，在《山海經》、《尚書》、《國語》、《史記》等著作中都有重黎絕地天通的內容。如《山海經》中記載：「帝令重獻上天，令黎

10 崔富章主編，周明初注釋：《詩經》杭州：浙江古籍出版社，1998年，頁231。

11 賈海建：《神怪小說與山嶽信仰關係研究》，中央民族大學博士學位論文，2011年。

12 劉熙：《釋名》北京：商務印書館，1939年，頁11。

13 「順民之經，在明鬼神，祗山川，敬宗廟，恭祖舊。」（〔唐〕房玄齡注，〔明〕劉績補注，劉曉藝校點：《管子》上海：上海古籍出版社，2015年，頁1。）

邛下地。下地是生噎，處於西極，以行日月星辰之行次。」[14]《國語・楚語》中也有類似的記載，由於天地不分導致災禍頻發，顓頊為了平息亂事命令南正重主管天來會合神，命令火正黎主管地來會合民，以恢復原來的秩序，不再互相侵犯輕慢，這就是所說的斷絕地上的民和天上的神相通。[15]

天地通路在某一時期被隔絕，那就說明在人們的觀念中，天地在更早之前是能夠相通的。從和此時期距離遙遠的清朝可以看到相關的記錄，龔自珍《定庵續集・癸壬之際胎觀》指出：在一開始的時候，天地是相通的，人神可以自由往來。[16]所以在人們的觀念中遠古的天地是相連的，而通天的道路在《山海經》中記載有二：一是山，例如昆侖山、登葆山、靈山等；二是樹，都廣之野的建木。[17]袁珂提出「山之天梯，首曰昆侖」[18]，《山海經・海內西經》記載：

> 海內昆侖之虛在西北，帝之下都。昆侖之虛，方八百里，高萬仞；上有木喬，長五尋，大五圍；面有九井，以玉為檻；面有九門，門有開明獸守之，百神之所在。在八隅之岩，赤水之際，非夷羿莫能上岡之岩。[19]

《山海經・海內經》記載：

> 華山、青水之東，有山名曰肇山。有人，名曰柏高。柏高上下於此，至於天。[20]

昆侖是帝在人間的都城，又有許多神異的事物，所以被視為通天之處。柏高由肇山來往於天地之間，可見這座山也是通天之處。

《禮記・祭法》有言：「山林川谷丘陵，能出雲為風雨，見怪物，皆曰神。」[21]在先民的認知中，風雨雷電皆是神之所為，而作為天神與人間溝通仲介的山慢慢的也就具有了產生風雨的作用。山嶽高聳入雲，又是一片人們還沒有完全探明的神秘之地，其中的事物無法解釋，又能出日月，[22]能產風雨，便給先民留下了不可侵犯的印象，人們對

---

14 （西晉）郭璞注，（清）郝懿行箋疏，沈海波校點：《山海經》上海：上海古籍出版社，2015年，頁362。

15 「顓頊受之，乃命南正重司天以屬神，命火正黎司地以屬民，使復舊常，無相侵瀆，是謂絕地天通。」（鄔國義、胡果文、李曉路撰：《國語譯注》上海：上海古籍出版社，2017年，頁526。）

16 「人之初，天下通，旦上天，夕下天，天與人，旦有語，昔有語。」（曹志敏注說：《龔自珍集》開封：河南大學出版社，2016年，頁97。）

17 袁珂：《中國神話史》北京：北京聯合出版公司，2015年，頁36.

18 袁珂校注：《山海經校注》上海：上海古籍出版社，1980年，頁450。

19 郭（西晉）郭璞注，（清）郝懿行箋疏，沈海波校點：《山海經》上海：上海古籍出版社，2015年，頁293。

20 同上註，389。

21 王文錦：《禮記譯解》北京：中華書局，2001年，頁670。

22 李丹丹：〈《山海經》山崇拜信仰初探〉，《隴東學院學報》，2014年第4期。

於通天的山嶽便生出了崇敬。

通過以上三方面的分析，可以初步探知山嶽信仰的起源。結合考古資料，我們也能窺到一些山嶽信仰存在的史實。良渚文化是五千年前中國最有代表性的區域文明，瑤山祭壇與墓葬的複合遺址就是其中具有代表性的出土發現，修築於瑤山山頂，另外還有匯觀山祭壇也建於山頂。除此之外，還有建於人工土山高臺上的早期祭壇趙陵山祭壇、中期祭壇反山祭壇、晚期祭壇福泉山祭壇。從先民祭祀、墓葬選址於山或人造高臺，可以看出先民對山與天關係的認知，對山嶽的信仰。

二　山嶽信仰的發展

人們與山嶽的聯結可以追溯至遠古時期，對遠古時期山嶽信仰情況進行研究不可避免的問題就是資料的缺失。從有限的資料中，我們可以大致提取各歷史階段山嶽信仰發展的特點。本課題只研究《山海經》中所反映的山嶽信仰，所以在探討山嶽信仰發展時，其下限也以春秋戰國時期為限。

（一）遠古時期的原始山嶽崇拜

遠古時期，人們依賴於山川所提供的物質條件而得以生存。由於社會生產力還未能發展，先民只能從自然饋贈中獲得一些直接、簡單的生活生產資料，當時的人們采食野果、獵獸捕魚、飲用山泉、用獸皮做衣服保暖、用樹木製造生活工具、將山洞作為住所。關於先民「穴居而野處」的內容，在上文已有詳述，這樣的生存歷史刻入了子孫後代的基因中，世世代代自然地將山嶽作為祖先的誕生地，將它與先祖相聯繫，從而對它產生親切之情。同時，山洪、山火又威脅著先民的生命安全，人們對自然的威力毫無還手之力，將其視為一種非自然的異己力量，在依賴山林的同時也因為無助而對它抱有恐懼之情。就是這樣複雜交織的情感，使得人們以尊崇和敬畏的心理對待山川，一種原始的崇山思想開始產生。

這時的社會思維處於活物論時期，即前萬物有靈論時期，這樣的時期斷代可在袁柯先生的《中國神話史》找到依據。[23]人們的思維原始而簡單，將看到的或是感知到的生物、非生物、自然力、自然現象，都看作是和自己一樣的生命體，雖然將靈魂賦予了萬物，但並沒有把靈魂看作是永生不滅的東西，而只是作為一種物質，由此形成了原始的山嶽信仰。從文獻資料中能看到一些原始山嶽信仰的遺跡，如《述異記》中記有「桀時泰山山走石泣」[24]，帶有原始活物論神話的色彩。段成式的《酉陽雜俎》記載：古萊子

23 袁珂：《中國神話史》北京：北京聯合出版公司，2015年，頁6-15。

24 （南朝梁）任昉撰：《述異記》武漢：湖北崇文書局，1875年，頁5。

國海畔駐有石人，高一丈五尺，徑圓十圍。曾經秦始皇曾派此石人追嶗山，沒追上，所以就站在這裡了。[25]這是石人追山的神話。另外民間還有秦始皇趕山的傳說，他拿著趕山鞭一抽，山就被他趕到了別的地方。

生產力的逐步發展，使社會進入了萬物有靈時期。人們對科學還沒有清楚認識，而夢境使他們產生了這樣一種觀念：「他們的思維和感覺不是他們身體的活動，而是一種獨特的、寓於這個身體之中而在人死亡時就離開身體的靈魂的活動。」[26]先民開始思考夢境與靈魂，以及人死後靈魂歸宿問題，他們覺得靈魂是如影隨形的，並且在肉體死亡後靈魂不死。推己及物，那麼世間萬物包括山嶽也是擁有靈魂的，動物、植物、日月、山嶽，其背後都具有靈魂，最早期的精怪思想由此誕生。這是一種原始的山精觀念，山嶽高大、神秘，是強於人類的存在，同時其中密布的危險又會危害人類的生命安全，所以山中的山精在產生時是帶有惡意的精靈。這種觀念既是之後逐漸形成的山嶽信仰的雛形，又為山神觀念的發展奠定了基礎。在雲南的傈僳族仍信奉「萬物有靈」的觀念，其信仰體系中仍存在較為原始的山鬼，[27]是早期山嶽信仰的遺存。

在原始社會的後期，部落聯盟之間的衝突頻發，其統治者需要借助有巨大威懾力的神靈鞏固自己的權威，於是為了震懾外部政權和凝聚部落向心力，宗教觀念迅速發展。統治者開始對山嶽進行祭祀以祈庇佑，山嶽信仰開始帶有政治功利目的，不再單純的是自然崇拜。如《尚書・舜典》中的描寫：

> 肆類於上帝，禋於六宗，望於山川，遍於群神。輯五瑞。既月，乃日覲四嶽群牧，班瑞於群后。
>
> 歲二月，東巡守，至於岱宗，柴，望秩於山川，肆覲東后。……五月南巡守，至於南嶽……八月西巡守，至於西嶽……十有一月朔巡守，至於北嶽……五載一巡守，群后四朝。
>
> 肇十有二州，封十有二山，濬川。[28]

這些都是關於山嶽祭祀情況的記載，「肇十有二州，封十有二山」孔安國疏：「每州之名山殊大者，以為其州之鎮。」[29]鄭玄又對「鎮」注：「鎮，名山安地德者也。」[30]對一個

25 「萊子國海上有石人，長一丈五尺，大十圍。昔秦始皇遣此石人，追勞山不得，遂立於此。」（段成式：《酉陽雜俎》北京：團結出版社，2018:210。）

26 （德）恩格斯：〈路德維希・費爾巴哈和德國古典哲學的終結〉，中共中央馬克思恩格斯列寧史達林著作編譯局：《馬克思恩格斯文集（第四卷）》北京：人民出版社，2009年，頁277。

27 余德芬：〈傈僳族傳統信仰與禁忌探析〉，《中南民族大學學報（人文社會科學版）》，2010年第2期。

28 李學勤編：《十三經注疏（二）・尚書正義》北京：北京大學出版社，1999年，頁54-55，頁59-60，頁65。

29 李學勤編：《十三經注疏（二）・尚書正義》北京：北京大學出版社，1999年，頁65。

30 李學勤編：《十三經注疏（四）・周禮注疏》北京：北京大學出版社，1999年，頁870。

地區山嶽的祭祀具有統治該地區的政治意義，人們對山嶽的重視和敬仰又得到了加深，這樣的祭祀也是山嶽信仰由自然崇拜而開始政治化、功利化的開端。

（二）早期山嶽崇拜的政治功能

對夏商周時期的山嶽信仰發展研究，我們首先進行範圍的限定。中華文明是包括定居於黃河、長江流域的華夏文明和其他少數民族文明的囊括多種文明的文化概念，由於地域廣大，不同族群之間的文化差異較大，但其都是中華文明的一部分。受限於實際情況，我們主要以華夏文明作為研究主體。夏商周是不同部族所建立的具有延續性的三個朝代，關於夏朝山嶽信仰的記載並不多見，但可以從一些後世的典籍中略窺一二。《國語・周語上》有言：「昔夏之興也，融降於崇山；其亡也，回祿信於聆隧。」[31]祝融降於崇山，於是夏朝開始建立興起。據說歷史上曾出現三部《易經》文獻：《連山》《歸藏》《周易》，其中《連山》與夏朝相關，從其書名和其他典籍中對它的描述可以看出這時的山嶽信仰。《周禮・春官》中賈公彥疏：「其卦以純艮為首，艮為山，山上山下，是名連山」[32]，不僅名為「連山」，而且以艮即山為首卦，可見山嶽在夏朝已經具有一定地位，山嶽信仰在夏朝時仍在延續前代而發展。

「殷人尊神，率民以事神，先鬼而後禮」[33]，陳夢家在《殷墟卜辭綜述》中詳列了十四處與山神有關的卜辭，[34]說明了山嶽神靈是占卜的重要內容。[35]在殷商時期，巫覡之風盛行，人們由於對山嶽的崇拜而頻繁地向山川神靈祭祀。從卜辭的內容看，其祭祀的目的都是為了祈雨或祈晴，不同於殷人將山嶽當作與上天溝通的媒介，隨著觀念的發展，山嶽在周人的觀念中已經成為控制雨多寡的主體。[36]

另外，商朝將祖先的靈魂與一些政治意義加之於山嶽，形成了一種更為豐富、複雜的超出原始自然崇拜的山嶽信仰。山嶽的神異屬性中除了自然的山精、山神外，還出現了死後人的靈魂歸山的祖先崇拜。除了祈求風調雨順等自然崇拜外，山嶽信仰在這時還兼具祈求政權穩定、人民安居樂業、戰爭勝利等社會政治目的。

周代的山嶽信仰趨於成熟穩定，周代比之前代有更加詳細的文獻資料，周朝在山嶽

31 （春秋）左丘明著，韋昭注，胡文波校點：《國語》上海：上海古籍出版社，2015年，頁21。

32 （東漢）鄭玄注，（唐）賈公彥疏，黃侃經文句讀：《周禮注疏》上海：上海古籍出版社，1990年，頁369。

33 陳澔注，金曉東校點：《禮記》上海：上海古籍出版社，2016年，頁608。

34 十四種山神：山、[illegible]、[illegible]、[illegible]、[illegible]、[illegible]、[illegible]、目、[illegible]、兇、二山、五山、十山、羊。

35 陳夢家：《殷墟卜辭綜述》北京：中華書局，1988年，頁594-596。

36 陳志東：〈殷代自然災害與殷人的山川崇拜〉，遊琪、劉錫誠：《山嶽與象徵》北京：商務印書館，2004年，頁66。

信仰上形成了制度化、常態化的山嶽祭祀活動。清朝道光年間出土的西周青銅器天亡簋上刻有「王祀於天室，降，天亡右（佑）王」[37]的銘文，被認為是迄今最早的封禪記錄，記錄武王封禪嵩山的事件。[38]只有受命於天的君王才能名正言順地獲得統治地位，並且在上天的庇佑下獲得昌隆的國運，所以君王們常常在名山上進行祭祀天地、宗祖的宗教和政治活動，以獲得自己權利的正當性，鞏固政權。由於禮制在社會生活中的巨大影響，山嶽祭祀也開始形成了制度和體系，天子與諸侯、諸侯與諸侯的等級不同，王畿、諸侯國、番邦都有自己的祭祀制度。[39]由此可見山川祭祀除了之前的自然屬性，其社會屬性大大增強，政治功用目的不斷凸顯。

（三）春秋戰國時期山川崇拜的社會功能

在春秋時期，人民開始普遍信仰山嶽與山神，山嶽信仰中的先祖崇拜的成分開始消減，山嶽信仰具有了普遍性。作為一種在人類社會中不斷發展的信仰體系，其自然屬性必然不斷減弱，而社會屬性、政治屬性增強。隨著社會生產力的進步，農業耕作技術較之前代更加成熟，新的生產工具也不斷出現、改進，使人們對生產環境的依賴性減小，不再需要通過向神靈祈求風調雨順、消除災害以期獲得豐收，因此以往的自然屬性就開始消退。同時春秋時期各國爭霸、戰事頻繁，出於提升士氣與武力、宣揚國威威懾敵人的需要，山嶽信仰的政治屬性得到加強。社會屬性也得以加強的一個重要原因是其作為一種全民普遍信仰，懲惡揚善、判斷是非曲直的正道功能在社會中不斷發生作用。

到了戰國時期，山神與一開始的山精形象拉開了距離，以其神性向人性的靠近而成為了人格化的山神。山嶽神靈不再是原始的半人半獸形態，而轉變為具有人的形態。[40]同時，一些山的形象開始突出。

《山海經》中有一座眾神所集之山昆侖山，有關昆侖山的神話就是從戰國開始發展的。《尚書・禹貢》已有記載：「織皮昆侖、析支、渠搜，西戎即敘。」[41]其中只提及了昆侖山名，而沒有具體的說明。在《穆天子傳》中，出現了穆天子登上昆侖山，進行祭祀，又封珠澤人守護昆侖山上的黃帝宮室的描述，並且下文又出現了後世常見的昆侖神話元素——懸圃、西王母、瑤池。[42]這些初期的有關昆侖山的記敘並沒有太多的神異色

37 王輝：《商周金文》北京：文物出版社，2006年，頁35。

38 林沄：〈天亡簋「王祀於天室」新解〉，林沄：《林沄文集（古史卷）》上海：上海古籍出版社，2019年，頁136-146。

39 王希：《中國山川崇拜文化研究》，西北農林科技大學研究生院碩士學位論文，2010年。

40 同上註。

41 李民、王健撰：《尚書譯注》上海：上海古籍出版社，2004年，頁72-73。

42 王天海譯注：《穆天子傳譯注 燕丹子譯注》上海：上海古籍出版社，2018年，頁52-78。

彩，偏於紀實。而《山海經》最早系統收錄了關於昆侖山的神話，誇父逐日、共工觸不周山、禹殺相柳布土、黃帝食玉投玉[43]等數十個神話都與昆侖有關。昆侖山信仰的產生，推動後期仙山信仰的產生，蓬萊、方丈、瀛洲三仙山作為人們求仙問道的通道開始受到推崇。

同時，從戰國開始，泰山由於百姓崇拜、帝王告祭而趨於神聖。在文獻典籍中，泰山最初的地位並不高，不是人們普遍的信仰。《詩經・魯頌・閟宮》中記載：「泰山岩岩，魯邦所詹。」[44]在這裡泰山還只是在魯國一國範圍內才有的山嶽信仰，不具有普遍性。《山海經・東山經》記載：「又南三百里，曰泰山。其上多玉，其下多金。有獸焉，其狀如豚而有珠，名曰狪狪，其名自訆。環水出焉，東流注於江。其中多水玉。」[45]相比於《山海經》中的其他名山，泰山上並沒有神怪出沒，也並非帝之下都，是一座沒有地位的普通山嶽。

泰山地位的崛起應該在戰國的中期或晚期。泰山所在的魯國、齊國在春秋戰國時期出現了管子、孔子、孟子等大思想家，齊魯文化的影響開始遠及其他國家，這時的齊魯文化中就有泰山封禪的內容：

> 古者封泰山，禪梁父者，七十二家，而夷吾所記者，十有二焉。昔無懷氏，封泰山，禪云云。虙羲封泰山，禪云云。神農封泰山，禪云云。炎帝封泰山，禪云云。黃帝封泰山，禪亭亭。顓頊封泰山，禪云云。帝嚳封泰山，禪云云。堯封泰山，禪云云。舜封泰山，禪云云。禹封泰山，禪會稽。湯封泰山，禪云云。周成王封泰山，禪社首。皆受命，然後得封禪。[46]
>
> ——《管子・封禪》

其中提出七十二家曾在泰山封禪的說法，雖存疑不可考，但可以看出泰山封禪的說法當時已經存在，並且隨著齊魯文化影響力的外擴，泰山封禪被當時的人們所相信和接受。上文所提到的天亡簋銘文中有周室在天室山（嵩山）封禪的記載，而隨著周代的結束，天室山（嵩山）的封禪儀式也隨之結束，而在戰爭中獲得權力的統治者仍需要通過封禪來取得政權的合法性，於是嵩山的權力就過渡到了泰山。

從戰國開始，泰山「五嶽獨尊」的地位開始發展，秦漢時期泰山封禪成為帝王的固定儀式，證明帝王受命於天，有利於鞏固政權。

43 顧頡剛〈《莊子》和《楚辭》中昆侖和蓬萊兩個神話系統的融合〉，朱東潤、李俊民、羅竹鳳主編：《中華文史論叢（第二輯）》上海：上海古籍出版社，1979年，頁31-58。

44 崔富章主編，周明初注釋：《詩經》杭州：浙江古籍出版社，1998年，頁266。

45 （西晉）郭璞注，（清）郝懿行箋疏，沈海波校點：《山海經》上海：上海古籍出版社，2015年，頁133。

46 房玄齡注，劉績補注《管子》上海：上海古籍出版社，2015年，頁336。

山嶽信仰作為一種自然信仰在形成時就帶有原始性，先民通過原始的神話思維將自己對未知自然的敬畏寄託於山嶽和其中的動植物、神靈，通過祭祀以期山嶽對人們生產、生活的庇護。《山海經》記載的就是先秦早期的山嶽信仰相關內容，其中記載的四百多位山神多是半人半獸的外形，所表現的是將山嶽神靈與自身群居部落密切聯繫，認為是由於山嶽庇佑部落才得以延續的早期山嶽信仰。在周代及更後面的秦漢時期，山嶽信仰與政治的關聯不斷加深，其中具有代表性的祭祀就是泰山封禪。

三　《山海經》文本中的山嶽觀念及其形態

山嶽本來是自然界中具有物質屬性的具體存在，但在傳統文化中，山嶽總是被賦予除物質屬性之外的精神價值，成為具有人文內涵的標誌，甚至成為圖騰。中國人對山的重視，在漫長的歲月中不斷加深，崇山觀念由此成為了中華文化的人文精神基因。人們對於山嶽從一開始的茫然無知到崇拜神秘，使山嶽漸漸染上了靈的色彩。這種神靈化的特殊發展，就是《山海經》中的山嶽觀念。

（一）山嶽信仰的宗教性

《山海經》由《五臧山經》和《海經》組成，《五臧山經》文本共五卷（南、西、北、東、中經各一卷），《海經》共十三卷（《海外經》四卷包括南、西、北、東經各一卷，《海內經》四卷包括南、西、北、東經各一卷，《大荒經》五卷包括大荒東、南、西、北經各一卷及《海內經》一卷）。《五臧山經》比《海經》的篇幅更長，記載的內容主要是「山嶽道里、河川源流、礦產、草木、鳥獸蟲魚、鬼怪禁忌、祭祀習俗等」[47]。其中關於山嶽信仰的內容也更加詳細完備，對山嶽祭祀的大量描寫體現了特定時期的原始性宗教信仰。在《五臧山經》中共記錄了二十六個山系，其中二十五個山系都在文本末尾有山神形貌和祭祀制度的詳細描寫。[48]列表如下：

47 郭（西晉）郭璞注，（清）郝懿行箋疏，沈海波校點：《山海經》上海：上海古籍出版社，2015年，頁2。

48 《東次四經》文末並未記述山神的形貌以及祭祀情況，在《山海經校注》中珂案：「疑文有闕脫」（袁珂校注：《山海經校注》上海：上海古籍出版社，1980年，頁116。）

表一　《五臧山經》中各山系的山神形貌及祭祀儀禮

<table>
<tr><th>山系（包含山嶽數目）</th><th>山神形貌</th><th colspan="2">祭祀儀禮</th></tr>
<tr><td>南山經：
䧿山山系（10山）</td><td>鳥身而龍首</td><td colspan="2">毛用一璋玉瘞，糈用稌米，一璧，稻米、白菅為席</td></tr>
<tr><td>南次二經：
南方第二列山系（17山）</td><td>龍身而鳥首</td><td colspan="2">毛用一璧瘞，糈用稌</td></tr>
<tr><td>南次三經：
南方第三列山系（14山）</td><td>龍身而人面</td><td colspan="2">皆一白狗祈，糈用稌</td></tr>
<tr><td rowspan="3">西山經：
華山山系（19山）</td><td rowspan="3"></td><td colspan="2">華山，冢也：太牢</td></tr>
<tr><td colspan="2">羭山，神也：用燭，齋百日以百犧，瘞用百瑜，湯其酒百樽，嬰以百珪百璧</td></tr>
<tr><td colspan="2">其餘十七山：毛牷用一羊祠之，燭者百草之未灰，白蓆采等純之</td></tr>
<tr><td rowspan="2">西次二經：
西方第二列山系（17山）</td><td>十位山神：人面而馬身</td><td colspan="2">毛用一雄雞，鈐而不糈，毛采</td></tr>
<tr><td>七位山神：人面牛身，四足而一臂，操杖以行，是為飛獸之神</td><td colspan="2">毛用少牢，白菅為席</td></tr>
<tr><td>西次三經：
西方第三列山系（23山）</td><td>羊身人面</td><td colspan="2">用一吉玉瘞，糈用稷米</td></tr>
<tr><td>西次四經：
西方第四列山系（19山）</td><td></td><td colspan="2">皆用一白雞祈，糈以稻米，白菅為席</td></tr>
<tr><td>北山經：
太行山系（25山）</td><td>人面蛇身</td><td colspan="2">毛用一雄雞、彘瘞，吉玉用一珪，瘞而不糈。其山北人皆生食不火之物</td></tr>
<tr><td>北次二經：
北方第二列山系（17山）</td><td>蛇身人面</td><td colspan="2">毛用一雄雞、彘，瘞用一璧一珪，投而不糈</td></tr>
<tr><td rowspan="3">北次三經：
北方第三列山系（46山）</td><td>二十位山神：馬身而人面</td><td>皆用一藻茝，瘞之</td><td rowspan="3">皆用稌糈米祠之，此皆不火食</td></tr>
<tr><td>十四位山神：彘身而載玉</td><td>皆玉，不瘞</td></tr>
<tr><td>十位山神：彘身而八足蛇尾</td><td>皆用一璧，瘞之</td></tr>
<tr><td>東山經：
東方第一列山系（12山）</td><td>人身龍首</td><td colspan="2">毛用一犬祈，聃用魚</td></tr>
<tr><td>東次二經：
東方第二列山系（17山）</td><td>獸身人面，載觡</td><td colspan="2">毛用一雞祈、嬰用一彘璧瘞</td></tr>
</table>

<table>
<tr><th>山系（包含山嶽數目）</th><th>山神形貌</th><th colspan="2">祭祀儀禮</th></tr>
<tr><td>東次三經：
東方第三列山系（9山）</td><td>人身而羊角</td><td colspan="2">用一牡羊，米用黍</td></tr>
<tr><td>東次四經：
東方第四列山系（8山）</td><td></td><td colspan="2"></td></tr>
<tr><td rowspan="2">中山經：
薄山山系（15山）</td><td rowspan="2"></td><td colspan="2">曆兒，冢也：毛，太牢之具，縣以吉玉</td></tr>
<tr><td colspan="2">其餘十三山：毛用一羊，縣嬰用桑封，瘞而不糈</td></tr>
<tr><td>中次二經：
濟山山系（9山）</td><td>人面而鳥身</td><td colspan="2">用毛，用一吉玉，投而不糈</td></tr>
<tr><td rowspan="4">中次三經：
萯山山系（5山）</td><td>敖岸山神熏池：無形貌</td><td colspan="2" rowspan="3">一牡羊副，嬰用吉玉</td></tr>
<tr><td>青要山魋武羅：人面而豹文，小要而白齒，而穿耳以鐻，其鳴如鳴玉</td></tr>
<tr><td>和山山神泰逢：如人而虎尾</td></tr>
<tr><td>其餘二山（未寫神貌）</td><td colspan="2">用一雄雞瘞之，糈用稌</td></tr>
<tr><td>中次四經：
釐山山系（9山）</td><td>人面獸身</td><td colspan="2">毛用一白雞，祈而不糈，以采衣之</td></tr>
<tr><td rowspan="3">中次五經：
薄山山系（16山）</td><td rowspan="3"></td><td colspan="2">升山，冢也：太牢，嬰用吉玉</td></tr>
<tr><td colspan="2">首山，魋也：用稌、黑犧、太牢之具、蘗釀，幹儛置鼓，嬰用一璧</td></tr>
<tr><td colspan="2">屍水，合天也（出於尸山，郭璞注「天神之所憑也」）：肥牲祠之，用一黑犬於上，用一雄雞於下，刉一牝羊，獻血；嬰用吉玉，采之，饗之</td></tr>
<tr><td rowspan="2">中次六經：
縞羝山山系（14山）</td><td>平逢山神驕蟲：如人而二首</td><td>用一雄雞，禳而勿殺</td><td rowspan="2">嶽在其中，以六月祭之，如諸嶽之祠法</td></tr>
<tr><td>其餘十三山（未寫神貌）</td><td></td></tr>
<tr><td rowspan="2">中次七經：
苦山山系（19山）</td><td>人面而三首</td><td colspan="2">苦山、少室、太室皆冢也：太牢之具，嬰以吉玉</td></tr>
<tr><td>其餘十六山：豕身而人面</td><td colspan="2">毛牷用一羊羞，嬰用一藻玉瘞</td></tr>
</table>

山系（包含山嶽數目）	山神形貌	祭祀儀禮
中次八經： 荊山山系（23山）	鳥身而人面	用一雄雞祈瘞，用一藻圭，糈用稌
		驕山，塚也：用羞酒少牢祈瘞，嬰毛一璧
中次九經： 岷山山系（16山）	馬身而龍首	毛用一雄雞瘞，糈用稌
		文山、勾檷、風雨、騩之山，是皆塚也：羞酒，少牢具，嬰毛一吉玉
		熊山，席也：羞酒，太牢具，嬰毛一璧；幹儛，用兵以禳，祈璆冕舞
中次十經： 首陽山山系（9山）	龍身而人面	毛用一雄雞瘞，糈用五種之糈
		堵山，塚也：少牢具，羞酒祠，嬰毛一璧瘞
		騩山，帝也：羞酒，太牢其，合巫祝二人儛，嬰一璧
中次一十一經： 荊山山系（48山）	彘身人首	毛用一雄雞祈，瘞用一珪，糈用五種之精
		禾山，帝也：太牢之具，羞瘞倒毛，用一璧，牛無常
		堵山、玉山，塚也：皆倒祠，羞毛少牢，嬰毛吉玉
中次一十二經： 洞庭山山系（15山）	鳥身而龍首	毛用一雄雞、一牡豚刉，糈用稌
		凡夫夫之山、即公之山、堯山、陽帝之山，皆塚也：皆肆瘞，祈用酒，毛用少牢，嬰毛一吉玉
		洞庭、榮余山，神也：皆肆瘞，祈酒太牢祠，嬰用圭璧十五，五采惠之

從上表中可以看出，人們的山嶽信仰正從山體崇拜發展到山神崇拜的過程中。《西山經》、《西次四經》、《中山經》、《中次五經》中都僅有祭祀儀禮而無山神形貌，說明人們還在向山體本身祭祀而還沒有發展出山神形象。這時的人們應還處於前萬物有靈時期，將山當作了與人一樣的生命體，同時不同於更早的山走石泣、石人追山神話，在這時人們生產等活動的發展使其對山嶽的依賴加強，從而產生對山嶽的崇敬之情並開始祭祀，山的地位高於普通民眾，原始宗教得以發展。

1 山體的等級差異性

從不同的祭祀儀禮可以看出山體之間存在著一定的等級差異，據上統計《五臧山經》中共有十八座山為「冢」、三座山為「神」、三座山為「帝」、一座山為「魅」。

冢山是其中出現記錄最多的山，《五臧山經》記錄的有十八座。郭璞對《西山經》中注：「冢者，神鬼之所舍也。」[49]郝懿行《疏》:「此皆山也，言神與冢者，冢大於神。《爾雅・釋詁》云：『冢，大也。』《釋山》云：『山頂，冢。』是其義也。郭以冢為墳墓，蓋失之。」[50]郭璞認為「冢」就是鬼神居住的地方，而郝懿行認為郭把「冢」當作墳墓的說法望文生訓，有失偏頗，他更贊成以前典籍中對「冢」的字解。但將「冢」解為「大」，文意就變成了「華山大」，與文意不符，他的說法也並不合理，解為「山頂」亦然。應盡可能全面地考慮冢山在先民時期的地位，由於在當時還沒有像後世泰山一樣的全民信仰的山嶽，那冢山就應是地方信仰的一部分。先民群居於山，在人死後將其埋葬在山中，祖先崇拜中就有靈魂歸山的內容，而萬物有靈思想又使山中出現了神怪，冢山可能是各地區埋葬祖先的墳墓，之後又演變為了神鬼居山之所。

另外關於等級問題，郝《疏》以為「冢大於神」，從文本上分析，《五臧山經》中對冢山的祭祀有六座用太牢之具，十二座用少牢之具，郭《注》「牛羊豕為太牢」[51]，「羊、豬為少牢也」[52]，由此可見太牢比少牢的祭祀規格更高。當同一山系中除冢山外又出現了神山或帝山，冢山會擁有少牢規格，而神山或帝山用太牢，可以推斷冢山的地位低於其他二者。有關山的記錄只有一條，難以全面地瞭解它較之於其他山的地位，但與冢山處於一個山系時，魅山在文本中的祭祀複雜程度也明顯大於冢山，可以推斷其地位也高於冢山。

魅山只有《中次五經》中的首山，「魅」在文本中最早出現當為《中次三經》青要之山的魅羅武，郭《注》:「魅即神字」，袁珂先生在注解《山海經》時持同樣觀點，認為這是依據《說文》中的說法。[53]段玉裁云：「當作神，鬼也，神鬼者，鬼之神者也。」[54]他將魅看作是「鬼之神者」，認為是比神低級，比鬼高級的存在。在《中次五經》中，升山為冢山，首山為魅山，不同於其他山系出現神山時冢山祭祀用少牢的情況，在薄山山系升山和首山同用太牢，由此可以推測山並不等同於神山，地位高於冢

49 郭（西晉）郭璞注，（清）郝懿行箋疏，沈海波校點：《山海經》上海：上海古籍出版社，2015年，頁40。

50 同上註。

51（西晉）郭璞注，（清）郝懿行箋疏，沈海波校點：《山海經》上海：上海古籍出版社，2015年，頁40。

52 同上註，頁48。

53 袁珂校注：《山海經校注》上海：上海古籍出版社，1980年，頁126。

54 同上註。

山，低於神山，段玉裁的說法較為合理。

神山則是先民認為的神靈居所，前文提到學者們提出的古人居丘、居山的說法，[55]推己及人，他們認為神靈也居於山丘。地位最高的神靈一直是屬於上天的，應當也居於天，這時出現的居住地從天到山的變化，在有關昆侖山的神話中就有體現。《西次三經》中寫到昆侖山作為帝在凡間的居所，由神陸吾為其看守，[56]並且在《海內西經》中提到昆侖是百神之所在，這在前文「山嶽的神異屬性」中已提及。[57]

帝山僅存在於中部地區，有熊山、騩山、禾山三座。熊山原文中為「席也」，郝《疏》:「『席』當為『帝』，字形之訛也。」[58]兩字在字形上相近，文意上也說得通。帝在《山海經》中的地位高於神，《西次三經》中在鼓與欽䲹殺葆江後由帝對他們進行裁決，[59]帝之平圃由神英招看守，[60]帝之下都由神陸吾看守。[61]文本中的以上記載可以看出帝有高於神的權力和地位。

2　山神的原始性

在《山海經》中，除了早期的山體信仰，有關山神信仰發展的記載也有很多。山嶽的神力對先民的生活會產生巨大的影響，為先民的生活帶來福禍，所以山嶽在先民的觀念中是有生命的，這種山嶽信仰進一步發展，就形成了代表山嶽的一種形象符號——山神。但其山神信仰還沒有發展出人格神，山神的職能也較弱。脫胎於樸素的原始山體信仰，山神信仰尚處於起步階段，人們對於具體的能夠活動的生命體的認識只有自己和動物。在《山海經》有祀禮記載的二十五個山系中，有二十一個山系在文末都有山神記載，他們的形象多是人獸、獸獸的簡單拼組，而並非成熟的人格神，缺乏具體的名稱、性格、事蹟。

這裡的山神還沒有發展形成後來的多種職能，他們的作用只是單純地作為符號形象接受人們的祭祀，除此之外《山海經》中還有一些經過了後續發展的山神形象。《中次三經》中的山神出現了具體的名稱，敖岸山山神熏池、青要山山神武羅、和山山神泰逢，山神泰逢甚至出現了具體的事蹟：泰逢神喜歡住在萯山南面向陽的地方，出入時都

55 章太炎的《官制索隱》提出「神權時代天子居山說」，錢穆的《中國古代山居考》提出「古人居丘說」。

56 「西南四百里，曰昆侖之丘。是實惟帝之下都，神陸吾司之，其神狀虎身而九尾，人面而虎爪。」（郭（西晉）郭璞注，（清）郝懿行箋疏，沈海波校點：《山海經》上海：上海古籍出版社，2015年，頁58。）

57 同上註，頁293。

58 同上註，頁211。

59 同上註，頁53。

60 同上註，頁55-56。

61 同上註，頁58。

有亮光，並且能夠興雲吐霧。[62]

（二）山嶽信仰的功利性

《山海經》中的山嶽信仰不僅體現在其宗教祭祀內容上，人們利用山嶽進行生產生活的情況在書中也有體現。《五臧山經》實際記錄了四百三十六座山，其對山嶽的記載內容不外乎山的方位、山中物產（包括礦產、動植物）、山中神怪、山中河川，這反映了人們認識山嶽的功利性目的。

動植物崇拜在其中的占比很大。描寫這些神異的動植物有兩個固定的句式，一是「見／動則……」，二是「食／服／佩／席之……」或是與這兩句相似的句式。這體現了人們記載這些動植物的功利性目的。第一種句式以動物為主，主要是賦予了它們預示福禍的功能，如鳳皇、鸞鳥「見則天下安寧」，鱄魚、肥遺「見則天下大旱」，䍶徯「見則有兵」，朱厭「見則大兵」，這些異獸的出現帶來了安寧祥瑞、災害戰爭等。第二種句式動植物皆有，植物中萆荔「食之已心痛」，黃雚「浴之已疥，又可以已胕」，薰草「佩之可以已癘」；動物有肥遺「食之已癘」，櫟「食之已痔」，鮆鮆之魚「食之殺人」。許多動植物有藥用價值，甚至有神奇的不死作用，同時如果誤食的有害的動植物有可能危及生命，對他們進行記載有利於更好地利用這些動植物的功效。

出於實際的生產需要，《山海經》對礦產進行了詳細的記錄。《五臧山經》結尾部分記載出銅之山有四百六十七座，出鐵之山有三千六百九十座，在實際記載中出現的最多的是玉（164處）、金（106處）、鐵（48處）。對於礦產的大量記錄暗示了它們在當時有著巨大的需求量，利用石材，人們製成了生產、生活所需的石器，如《山海經》中出現的石磬、砥、礪、博；利用玉材，人們製成了祭祀所需的玉器，如圭、璧、璋、勝、吉玉、藻、瑜；利用金屬，人們製成了征戈所需的兵器，如幹、戈、戚、劍、矛。[63]不管是日常的生活還是宗教祭祀、戰爭，人們都需要從山中獲取礦產來製作工具。

當時的社會發展水準還不足以使人們能夠抵禦猛獸、疾病、自然災害的侵襲，人們無法阻止自然災害的發生，於是當他們發現一些動物出現異常行為後往往伴隨著災害後，他們就給予了這些動物預警災害的功能。《山海經》通過記載，使人們瞭解這些能夠預示災害的動物，當出現這些書中記載的情況時，人們就能夠提前預知災害，做好準備，減少損失。對其他動植物的記載，也是為了能夠正確地利用它們達到愈疾、長生、獲得非凡能力等功效。同樣，對礦產的記載是為了人們能夠利用礦產，為生產生活提供便利條件。山嶽信仰在本質上是以人為中心的功利思想的體現，包括對山嶽的宗教信仰也是為了獲得山神的庇護，為了使人類獲利而產生的。

---

62 「是好居於萯山之陽，出入有光，泰逢神動天地氣也。」（同上註，頁162。）

63 李鄂榮：〈《山海經》中的地質礦產知識〉，《中國地質》，1986年第2輯。

（三）地理認知中的山嶽信仰

《山海經》中還保存了當時人們地理空間認知的內容。山嶽信仰影響到了先民的地理空間構建思維，使人們對地理空間的認識「往往以山嶽為綱，以山為主導，以山為經緯，以山為標誌」[64]。《五臧山經》以山嶽為主幹，不同的山系根據地理位置分列為不同的五個區域，每個區域中的山系又分不同的篇目，每篇末尾有結語，記述山數、山系道里、山神和祭祀制度等，全經末尾再總結。並且在描寫某一座山時往往採用「『又』+方向+距離，『曰』+山名」的句式，以這座山與前一座山的相對位置和距離來表達這座山的位置，這種句式在文本中為固定句式，顯然是當時人們在地理方面的一貫思維。

人們在進行地理認知時，將高大的山嶽作為認知的中心點，以山嶽之間的位置關係構建地理網路，並在這片網路中以山嶽為支點，延伸為以某一座山的特徵、景色、河流及其流向、動植物、礦產、山中神怪、祭祀儀禮等多種內容為一體的敘述結構，這種進行地理認知的方式不難看出原始的崇山觀念以及山嶽信仰的影響。

四　山嶽信仰與《山海經》神話體系的構建

關於神話的記錄是《山海經》中的重要內容之一，中國上古時期的神話有大部分都記載其中，所以袁珂稱其為「神話之淵府」[65]，其中《海經》中記錄的神話內容多於《五臧山經》。

（一）山嶽信仰與「帝」觀念結合產生的神話

《山海經》有大量有關五帝的傳說，帝葬於山的神話在書中多次出現，《海外南經》中：唐堯葬在狄山的南面，帝嚳葬在山的北面[66]，《海外北經》中：顓頊帝葬在務隅山的南面，他的九個嬪妃（另一說認為這裡有熊、羆、文虎、離朱鳥、〔丘鳥〕久、視肉獸）葬在山的北面[67]，《海內南經》中：帝舜葬在蒼梧山南面，帝堯的兒子帝丹葬在山的北面[68]，《大荒南經》中：帝堯、帝嚳、帝舜都葬在嶽山[69]。山嶽崇拜和古人居於

---

64 何平立：《崇山理念與中國文化》濟南：齊魯書社，2001年，頁58。

65 袁珂校注：《山海經校注・序》上海：上海古籍出版社，1980年，頁1。

66 「狄山，帝堯葬於陽，帝嚳葬於陰」（〔西晉〕郭璞注，〔清〕郝懿行箋疏，沈海波校點：《山海經》上海：上海古籍出版社，2015年，頁248。）

67 「務隅之山，帝顓頊葬於陽，九嬪葬於陰」（同上註，頁267。）

68 「蒼梧之山，帝舜葬於陽，帝丹朱葬於陰」（同上註，頁284。）

69 「帝堯、帝嚳、帝舜葬於嶽山」（同上註，頁352。）

山、葬於山的傳統影響到了當時的神話創作，使先民將早期的山嶽信仰、「帝」觀念[70]融入到了五帝神話中。

《山海經》中一批「帝」神系列的山神神話，也是山嶽信仰與「帝」觀念相結合的產物。其中一部分神話中的山神所屬山嶽與「帝」有所關聯，如神英招所司的槐江山是「帝之平圃」[71]；神陸吾所司的昆侖山是「帝之下都」[72]，山上除了有陸吾掌管天上九域的領地和昆侖山苑圃的時節外，還有掌管天下的災害、刑殺的西王母；䰠武羅所司的青要山是「帝之密都」[73]。這些神話除了山嶽和與之對應的山神這樣簡單的單層神話系統之外，還有「帝」神話疊加於其上。神話中的山嶽不僅有專屬的對應山神，山上可能還會有別的神靈，另外，山嶽本身還是「帝」的居所，是高位「帝」神與人間產生聯繫的場所。「帝」觀念也伴隨著山嶽信仰進入了神話體系。

（二）山嶽信仰與玉石信仰結合產生的神話

《山海經》中有一百四十二座產玉之山，可見在先民眼中，玉與山有不可分割的密切聯繫。首先分析玉之於華夏民族的重要性：

以創世神話女媧補天為例，《淮南子》中記載了女媧煉石補天的故事，女媧用五色石補上了天空裂開的大縫，用大龜的四腳作天的四根柱子，殺水怪救冀州，用蘆灰堵洪水。[74]蒼天的裂縫在先民的觀念中只有用五色石才可以補上，五色石象徵的是有吉祥含意的玉石，不難想像，那破裂的蒼天也應該與玉石有著同源關係，或者蒼天之體就是玉石。

二十世紀後期，紅山文化、大汶口文化、河姆渡文化、良渚文化等遺址中出土了一大批史前文化玉器，由此可見《山海經》中著重詳寫山中的玉石礦藏並不是無目的的，「在北起黑龍江，南至廣東和越南，東起黃海和東海之濱，西至河西走廊的廣大地域，華夏先民崇玉愛玉的心理情結，發生在八千年前的新石器時代早期，成熟於中晚期，並伴隨著玉器琢磨加工的技術不斷發展，始終如一地延續下來，一直帶入夏商周三代文明社會」[75]。「美玉是本土文化中神人關係的現實紐帶和『天人合一』的仲介聖物」[76]，而

---

70 晁福林：〈《山海經》與上古時代的「帝」觀念〉，《中國史研究》，2016年第2期。

71 （西晉）郭璞注，（清）郝懿行箋疏，沈海波校點：《山海經》上海：上海古籍出版社，2015年，頁55。

72 同上註，頁58。

73 同上註，頁158。

74 「女媧煉五色石以補蒼天，斷鼇足以立四極，殺黑龍以濟冀州，積蘆灰以止淫水。」（劉安著，許慎注，陳廣忠校點：《淮南子》上海：上海古籍出版社，2016年，頁145。）

75 葉舒憲：〈從文學中探尋歷史資訊——《山海經》與失落的文化大傳統〉，《文藝理論研究》，2012年第2期。

山嶽是玉之產地，同時也是通天之地，所以《山海經》中出現了與山和玉有關的神話敘事，如白玉膏生玄玉、皇帝播種玉榮、西王母所在昆侖玉山（群玉之山）有瑤池。

在《山海經》的一百四十二座產玉之山中，《西次三經》的峚山玉石資源描寫極為詳細，其神話性也最為突出。峚山是十六座產白玉之山中的第七座，和昆侖山的相關神話同收於《西次三經》，這段文字突出的神話性有四。一是記載的玉為特殊的白玉，《抱樸子・君道》記載：「靈禽貢於彤庭，瑤環獻自西極。」[77]政權確立的正統性往往通過祥瑞的徵兆來表現，武王伐紂時越裳氏獻上白雉，舜帝時西王母獻上白玉環。由此可見，白玉是當時最美的玉，且出於最西端的邊極，與昆侖山、西王母相聯繫，這樣的聯繫造成了白玉的神話化，使之成為華夏文明中至高無上的寶物。二是白玉的神奇變化，白玉能夠變化為玉膏，白玉膏又能生玄玉，體現了天地玄妙陰陽變化。三是玉膏的神話性作用，它是黃帝的飲食之物，與神靈的聯繫使之具有能使神性生命不死，使人得道成仙的意蘊。四是白玉能播種繁殖的特性，黃帝取峚山的玉榮，將它投到鍾山之陽，就生出了玉中的良種——瑾瑜。

（三）山神神話

山嶽信仰由早期的山體信仰發展為山神信仰，反映在神話創作中就是山神或與山關係密切的神靈的相關神話不斷增多，如《海外北經》、《西次三經》出現的兩則與鍾山有關的神話。受山嶽信仰的影響，這兩則神話也以山嶽為底，將神話發生背景定為鍾山，進而突出地塑造了鍾山神話群的神靈形象。鍾山山神燭陰人面蛇身，能控制晝夜更替、季節輪轉以及創造風；燭陰的兒子聯合欽䲹在昆侖山殺葆江後，帝將他們殺於鍾山。

在《中次三經》中，和山的山神泰逢是一位善神，人形虎尾，能夠興雲雨。不同於前文與「帝」觀念相關的神話，《中山經》中記載的山神皆為土生土長、掌管一方水土的山神，而非替帝掌管某一事務。另外還有堵山神天愚「多怪風雨」（《中次七經》）、騩山神鼉圍「出入有光」（《中次八經》）、光山神計蒙「出入必有飄風暴雨」（《中次八經》）、岐山神涉鼉「其狀人身而方面三足」（《中次八經》）、豐山神耕父「見則其國為敗」（《中次十一經》）、夫夫之山神於兒「出入有光」（《中次十二經》）。

這些土生土長的山神神話產生的原因是先民觀念中，神的存在與自然地理環境——山嶽密不可分。受複雜的山形的影響，陰晴、晦明、風雨的無常變化令人捉摸不透，加之早期交通不便，山中野獸橫行、道路不通，無法探索到真相的人們便想像在神秘的山

76 葉舒憲：《中國文學人類學理論與方法研究系列叢書　玉石神話信仰與華夏精神》上海：復旦大學出版社，2019年，頁19。

77 葛洪撰：《抱樸子》上海：上海古籍出版社，1990年，頁184。

嶽背後是有神靈的，他們在山中興妖作怪，使之飄風驟雨。真實的地理環境滋生了人們對山神神話的想像。

（四）以某山為中心形成的山嶽神話群

《山海經》中的神話大部分都與山嶽有關，昆侖山和西王母的有關神話在《山海經》中出現於《西次三經》、《海內西經》共六處，是影響最大的神話體系。昆侖山向來是《山海經》中最令人費解的神秘山嶽之一，它是上天的第一通路，由於人們對高大山嶽的崇拜，它獲得了天柱的地位，神性十足。從文本中可以看出，昆侖山是居於天的帝在人間的下都，是百神居住的地方，有預示天下安寧的鳳皇、鸞鳥以及其他神獸，不死樹、醴泉、聖木等。昆侖既是通天之路，又是百神所在，另外還有許多神獸靈木，尤其是不死樹和不死藥，這些使昆侖山的神話熠熠閃光。

沿著昆侖山神話所構建的神話體系，又延伸出了《山海經》中很重要的一部分神話——西王母神話，《西次三經》、《海內北經》、《大荒西經》中都有記載。西王母是《山海經》中形象極為突出的女性神靈，並且她的形象有一個明顯的逐漸演化的過程。在一開始她是《山海經》中常見的原始山神的形象，「其狀如人，豹尾虎齒而善嘯」說明她是由豹、虎拼接而成的一個獸類形象，本質並非人，「蓬髮戴勝」是其女性化的特徵。在這時她掌管的是天下的災害、刑殺，是一位凶神。而此後對她的描寫轉為了「有人，戴勝虎齒，有豹尾」，她變成了一個主體是人，同時擁有獸類特徵的形象，她的職能也發生了變化，從主災害、生死轉變為掌握不死藥，由凶神轉變為了吉神。同時，昆侖山的其他神靈被淡化，西王母成了昆侖山的主要神靈，地位極高。

昆侖山神話體系以昆侖山和西王母神話為中心，由不死藥和其他神話元素不斷擴展，形成了一個內涵豐富的神話體系。

神話中的神靈、神獸都以山嶽為活動空間，山嶽信仰使人們把山嶽當作是比起人間更接近於上天的地方，在山嶽上更有利於神人溝通上天，加上山中本就有許多先民無法正確認識的神異之物，從而使以山嶽為背景的神話成為主流，神話和神話中的人物也因為有山嶽的存在而更加地位超然。山嶽信仰使神話在產生之初就會圍繞某一山嶽或以某一山嶽為底，某一山嶽的神話不斷增加，就形成了具有一定規模的山嶽神話體系，這樣的聚集增加了神話的神性，同時也推高了山嶽的地位，助推山嶽信仰的發展。

性善惡論的反思

楊永漢
香港新亞文商書院

一　前言

性善、性惡的問題，困擾學者很久。當年岑溢成老師說：「性善是人類獨有，性惡是與禽獸共有」，此解釋就長久存放在心裡。步入社會，所遇的人事與環境，使我經常重新思考。青年時憤世嫉俗，性格有點嫉惡如仇；到中年時，發覺立場與道德觀念的不同，每人都能解釋並原諒自己的性惡行為；到了負責行政，發現人性很難測度，自私自利幾乎是普遍現象。究竟人如何才能積善去惡？

文獻上紀錄，最初提出「性」的是孔子。他說「性相近，習相遠也」（《論語．陽貨》）[1]。從文句去理解，孔子在「性」方面，沒有加以詮釋。即此「性」可以含有「惡」，也可帶有「善」，但根據《論語》的內容，孔子認為人有向善的傾向，例如「仁者，愛人」。而此「性」字，亦顯示出孔子偉大之處。徐復觀先生認為：

> 由孔子而確實發現了普遍地人間，亦即是打破了一切人與人的不合理的封域，而承認只要是人，便是同類，便是平等的理念。此一理念，實已妊育於周初天命與民命並稱之思想原型中；但此一思想原型，究係發自統治者的上層份子，所以尚未能進一步使其明朗化。此種理念之所以偉大，不僅在古代希臘文化中，乃至在其他許多古代文明中，除了釋迦、耶穌，提供了普遍而平等的人間理念以外，都是以自己所屬的階級、種族來決定人的差等……孔子在二千五百多年以前，很明顯地發現了，並實踐了普遍地人間的理念，是一件驚天動地的事。[2]

簡單一句「性相近，習相遠」，已明顯表達人類的天性是接近的，沒有特別高貴，特別卑微。孔子的「為仁由己」，是將道德的自主權回歸於人類。到《中庸》的「天命之謂性」，直接表達人是性善。至孟子及荀子時代，才提出「性善」、「性惡」論，此命題亦成為後世諸賢所討論的核心問題之一。

熊公哲簡略地解說過性善、性惡的各家學說的發展：

1　謝冰瑩等：《新譯四書讀本．論語》臺北：三民書局，民90年，頁274。

2　徐復觀：《中國人性論史．先秦篇》臺北：商務印書館，年缺，頁64-65。

> 先儒論性，考之王充《論衡・本性篇》約有七家。以為人性有善有惡，在所養之者，周人世碩也，作〈養書〉一篇。宓子賤、漆雕開、公孫尼子之徒，亦論情性，與世碩相出入。以人性皆善，及其不善，物亂之者，孟子也。以為性無善無惡之分……告子也。以為人之性惡，其善者偽也，作〈性惡〉之篇，因以非難孟子者，荀子也。以為天生人以禮義為之性，人能察己所以受命則順，順之謂道者，陸賈也。以為性生於陽，情生於陰，陰性鄙，陽氣仁，曰性善者，是其陽氣，謂其性惡者，是其陰氣，而謂孟子、荀子二家各見其一端者，董仲舒也。以為性生而然，在於身而不發，情接於物而然，出形於外，形外則謂之陽，不發則謂之陰。又若反董仲舒之說者，劉子政也。……至於仲任（王充字）則頗以世碩、公孫尼子之徒得其正。別有〈率性〉一篇，自暢其說。外此諸儒，如楊子雲則曰：「人之性善惡混氣也者，其所由以適於善惡之焉也歟？」韓退之則本申鑒「上下不移，中則人事存焉」（荀悅作）之說，而演為三品之論。迨及有宋諸子，又揭舉「理」「氣」二字，謂性無不善，氣有清濁。[3]

據《論衡・本性》載：「周人世碩以為人性有善有惡，舉人之善性，養而致之則善長；性惡，養而致之則惡長。如此，則性各有陰陽，善惡在所養焉。故世子作《養書》一篇」[4]應是最早提出性善惡的問題。內文認為人有善惡，長養善則善，長養惡則惡。其後各朝代均有儒者論及之，各有己見，但所討論的，始終離不開孟子的性善論及荀子的性惡論。所以本文就以孟、荀二家作出討論中心，旁及宋、明諸儒。

本文內容先論性善惡的理據，再討論本善、本惡，此數節是集不同學者的見解而成，徐復觀先生在《中國人性論史・先秦篇》已有較詳細的分析；末章則是筆者的感悟，並論及近代諸學者如牟宗三先生、唐君毅先生、傅佩榮等的研究成果。

二　孟子性善的理據

孔子並沒有明確說出人是性善或性惡。孔子認為人類本性是接近的，可以這樣理解，人類原始的性是善，因不同的環境發展而有差距。孟子受業於子思的門人，是孔門嫡系。子思在《中庸》開宗明義說「天命之謂性；率性之謂道；修道之謂教。」[5]這陳述句激起人類思考「人、天」的關係，人為甚麼是「人」？人的特質及內涵應該如何？「天命之謂性」已明確說出人類的「性」來自天命，上節已提到，天命自然是善。故孟子常常提及「人、禽」之別。徐復觀先生曾用「驚天動地」去形容《中庸》此三句，可知其重要性。

3　熊公哲：《荀子今註今譯》臺北：商務印書館，2010年，頁540-541。

4　（東漢）王充：《論衡・本性》，網址：〈https://ctext.org/lunheng/zh〉，瀏覽日期：2022年10月15日。

5　謝冰瑩等：《新譯四書讀本・中庸》臺北：三民書局，民90年，頁26。

人，為甚麼是人？帶出不少思考的地方：第一，孔子說出性相近，有向善的傾向，但此向善的傾向的原動力，和這善性的「體」，究竟應如何理解？成為一個疑問。第二，天地萬物，只有人類能思考生命。花草樹木、礦物石塊，都是「無情」，即天地、日月、草木、山河等等，都應該是沒有感覺，說白一點，是沒有神經反應；而禽獸則是受制於生理，一切的活動均沒有自我意識，純粹是自然反應，例如沒有不忠心的狗，沒有不反哺的烏鴉，大象動情時的暴橫等，都是不自主。然而，人類卻有出賣親人、朋友的人，有不孝，也有孝順的人，有個人的自由意志。倘若天地萬物，沒有人類的感情去表達，沒有人類的讚歎，則宇宙萬物的美善，如同無物。只有透過人類的讚歎，宇宙就存在著美善。故老子說：「故道大，天大，地大，人亦大」，所謂「人亦大」是透過人類呈現宇宙的美善。

孟子是子思的再傳弟子，是孔子的信徒，他提出「四端」是與生俱來的本性，不須假求於外而自有，是切合了「天命之謂性」的天命。即人類的至善本性是上天付與人類的天然自性，只要你是人，你就自然具足「仁、義、禮、智」（四端）的本性。這理論同時亦填補了孔子解釋人類有向善傾向的決口，是性善論的主要依據。如何確定四端是本有，不假外求？孟子說：

> 人皆有不忍人之心。先王有不忍人之心，斯有不忍人之政矣。以不忍人之心，行不忍人之政，治天下可運之掌上。所以謂人皆有不忍人之心者，今人乍見孺子將入於井，皆有怵惕惻隱之心，非所以內交於孺子之父母也，非所以要譽於鄉黨朋友也，非惡其聲而然也。由是觀之，無惻隱之心，非人也；無羞惡之心，非人也；無辭讓之心，非人也；無是非之心，非人也。惻隱之心，仁之端也；羞惡之心，義之端也；辭讓之心，禮之端也；是非之心，智之端也。人之有是四端也，猶其有四體也。有是四端而自謂不能者，自賊者也；謂其君不能者，賊其君者也。凡有四端於我者，知皆擴而充之矣。若火之始然，泉之始達。苟能充之，足以保四海；苟不充之，不足以事父母。（〈公孫丑上〉）[6]

孟子並以人「見孺子將入於井」的心理反應，證明人是性善，其理據是人皆有挽救將陷阱孺子的心，因而產生「怵惕惻隱」，並非討厭孺子之聲，並非要結交其父母，並非要在鄉黨爭取名聲。此行為，純粹出於自然的反應，而此「怵惕惻隱」反應，就是惻隱之心，自然而然，足以證明人是性善。

基於人是性善，孟子所提出仁政、王道、王政等概念，都本著性善論。〈公孫丑上〉：「人皆有不忍人之心；先王有不忍人之心，斯有不忍人之政矣。」[7]不忍人之政就

6 謝冰瑩等：《新譯四書讀本．孟子》〈公孫丑上〉臺北：三民書局，民90年，頁381。

7 同上註。

是仁政，不忍人之心是源於性善。在〈梁惠王上〉中，孟子因齊宣王放生一用作釁鐘的牛，而指出宣王的不忍其「觳觫而就死地」就是仁者之心，具備仁者之心必定能推行仁政。孟子並解釋由個體的關懷及愛，而能推演至對整個民族國家的關懷及愛，此稱為「推恩」，能推恩，治國就可「運於掌上」。此理論來自「親親民」的概念，人從環繞「我」的親人開始，擴而充之，而愛家族、愛社會、愛國家、愛天下。故說：「老吾老以及人之老，幼吾幼以及人之幼，天下可運於掌……。故推恩，足以保四海；不推恩，無以保妻子。」(〈梁惠王上〉)[8]齊宣王的好貨好色，孟子亦不加以批評，指出「與百姓同之，於王何有？」〈梁惠王下〉，要與百姓同所好。孟子認為能「舉斯心加諸彼」，則所推行的必是仁政。

孔子的忠恕是「內聖」，而孟子的「仁政」是外王。能內聖就能外王，孟子的性善論就是說人人皆能內聖外王，因為人人皆性善。

人無異於禽獸者飲食情慾，而人之所以異於禽獸者乃人具有四端。人倘若放縱慾望，過分著重感官的享受，就會「陷溺其心」〈告子上〉，故說「富歲子弟多賴，凶歲子弟多暴，非天之降才爾殊也，其所以陷溺其心者然也。」(告子上) 使與生俱來的善性受到蒙蔽，人性皆平等，孟子認為人因為環境發展不同，而有不同的成就。若擴而充之，善性自然流露。

三　荀子性惡的理據

《荀子・正名篇》:「生之所以然者謂之性，性之和所生，精合感應，不事而自然者，謂之性。」[9]及《性惡篇》:「凡性者，天之就也，不可學，不可事。……不可學不可事而在人者，謂之性。」[10]荀子先解釋何謂「性」？性者，天之就也，生之所以然者為性，也就是不學而能者。性有傾向惡的可能，但這並不是絕對的惡。〈正名〉篇所說的「精合感應」是指人對外界一切的刺激（筆者稱之「外緣」）的自然反應。這與「不事而然」「不可學不可事」同是與生俱來不必學習，不必教育，自然而然的。

不可學，又如何證明是「性惡」？《荀子・性惡論》:

> 今人之性，生而好利焉，順是，故爭奪生，而辭讓亡焉；生而有惡疾焉，順是，故殘賊生，而忠信亡焉；生而有耳目之欲，順是，故淫亂生，而禮義文理亡焉，然則從人之性，順人之情，必出於爭奪，合於犯分亂理，而歸於暴，……用此觀之，然則人之性惡明矣。[11]

---

8 同上註，頁326。

9 熊公哲：《荀子今註今譯》〈正名篇〉，頁510。

10 熊公哲：《荀子今註今譯》〈性惡篇〉，頁543。

11 同上註，頁541。

上列一節是荀子性惡論的重要論證，他認為從自然之性而帶出性惡，是普遍性，甚至是必然性。荀子解釋若從人的本性而行，則殘賊、淫亂、爭奪、暴亂者必然出現。

荀子的論證人是「性惡」：一，人生而好利、二，生而有惡疾（此惡疾是指嫉恨厭惡）、三，是耳目之欲，都是人的自然之性。若人順著此成惡性（順是），則衍成各種惡行。所謂「順是」即順自然情性之發展而不加節制之意。人與生俱來就有各種欲望，這是人的共通性。韋政通認為：

> 荀子性論從性之自然義出發，若僅抽象地說其為自然，則其與天之為自然義並無不同。但性之為自然義是一個具體的人所具有的自然之性...則性即生物生理之本能，此所言性，亦即人之所以同於禽獸者。[12]

指出荀子的性，是自然義，即本有的一切欲望及生存的基本要求。如果順著人性自然發展，則一生一世不斷的追求能填滿欲望的回報，可是，人類的欲望似乎是沒有底線。人與人之間就永遠處於爭奪中，就是為了滿足個人欲望，而人性為惡就成了必然的結果。從歷史諸暴君可見，人類欲望的恐怖，隋煬帝的五萬後宮，宋高宗、慈禧太后，一餐超過一百款菜式，都使人覺得像是染有精神病的欲望。

荀子認為，如要導化人的惡性，則必須依靠由人創定的禮義（偽）。因為荀子深信人的惡性可以經由禮義之教化而變為善性，即「化性起偽」，是將原本的「惡性」，即性，經過禮義的教化，逐漸歸於善，即偽。這裡又產生另一個問題，即人本身是──原本具有善的元素或本質的個體，故能透過「偽」而呈現出來。這「偽」不是虛偽，而是「人為」的意思，所有善是經過教化而出現。

荀子說：「人之性惡，其善者偽也」。「性」與「偽」都是一個概念，荀子認為人的行為可以被改變（被治的性）和能改變惡的行為的禮義（能治的偽），這樣就顯示出「化性起偽」兩者的因果關係。在性上加上禮義行為，謂之偽，偽者，文理隆盛也。偽是經過教育及學習而得來的，人人皆可有成就。禮義就是「偽」，人為的。這些人為的行為，使性出現善行，這亦稱為「反性」，即違反本來的惡性，亦即是「化性起偽」。

荀子引伸禮義的出現，是經過聖王的經驗而得出來的，有禮義的內涵，「人」更要自我教育、內心修養及節制情欲。當環境適當，就可以「化性起偽」。聖人與凡人的不同，是在於「積偽」和「不積偽」。人性不會改變，但積偽則可改變行為。「積偽」就是積思慮，是心的問題，心要明白道，道為善，知善而行善成習慣，就可成為聖人。小人反是，不能積偽，順性而行。在性的本質上，聖人與小人無異，其分別在於能否積偽。這表示積偽與性並無本質上的關係。（以上理論見於〈性惡〉篇）。因上述的因果關係，故荀子提出：

---

12 韋政通：〈荀子「天生人成」—原則之構造〉，收在項維新、劉福增主編：《中國哲學思想論集・生秦篇》臺北：牧童出版社，民66年（1977），頁196。

故必將有師法之化，禮義之道，然後出於辭讓，合於文理而歸於治。用此觀之，然則人之性惡明矣，其善者僞也。……今人之性惡，必將待師法然後正，得禮義然後治。今人無師法，則偏險而不正；無禮義，則悖亂而不治。古者聖王以人之性惡，以為偏險而不正，悖亂而不治，是以為之起禮義，制法度，以矯飾人之情性而正之，以擾化人之情性而導之也，始皆出於治，合於道者也。13

「化性起僞」的重點就是「師法」，無師法則偏險而不正，無禮義則悖亂而不治。這亦是荀子提出通過禮義改變人的性惡的理論。人性本惡，積禮義則是後天的，化其本性，使之合乎禮義。

四　性本善與性本惡的涵義

有關「性」的理解，勞思光有如下的詮釋[14]：

（一）「性」字之用法，在「性善論」中屬於孟子之特殊語言，與古代日常語言用法不同。古代哲人當發現一新問題時，不能另造新語言以表達其意義，只能取已有之詞語予以新意義，遂形成特殊語言。特殊語言斷不能化歸日常語言以解釋，否則即將所加之新意義消去，全失立說者原意。

（二）「性」字在古代日常語言中原指生而具有之能力，但孟子欲強調人與其他動物之不同（即所謂「人之異於禽獸者」），故以「性」字指人生而具有又不為其他動物所有之能力，以此顯示人之文化之基礎可能性所在。不只指生而具有之能力。

（三）「性善」指人以求「善」之價值意識為其本有而又獨有之能力；換言之，人有理性意志或道德意志，即是人之「性」。

（四）人之「性」須自覺求擴張，方能成道德生活及文化，非謂不作努力，自然得「善」。

勞思光的意思是孟子特別採用「性」去形容人性，與原先性字的本義解釋有不同，將之特別指人的性與禽獸有異，帶有善的性，而且可以擴而充之，對其他人，社會、國家產生善意。此善意是包括「仁、義、禮、智」，故人有理性、意志、能力去達至性善。陳大齊也有同樣的見解：

孟子所用的性字，似乎專指「人之所以異於禽獸者幾希」那一點幾希而言。耳目

13 熊公哲：《荀子今註今譯》〈性惡篇〉，頁541。

14 勞思光先生存稿整編．性善論》，取自網址：〈http://phil.arts.cuhk.edu.hk/project/LSK_mss/?p=1550〉，瀏覽日期：2022年10月19日。

的知覺與嗜好，是人類與禽獸所共有，不屬於那點幾希。唯有仁義禮智，為人所獨有而不為禽獸所共有，纔屬於那點幾希。孟子既稱耳目的知覺與嗜好為命而不稱之為性，故孟子所用的性字，若代作定義，可云：性是人所獨得於天而非禽獸所與共的。[15]

陳大齊與勞思光均認為孟子對「性」附以特別的意義，並不是與禽獸共有的性。孟子特別將這些口味、目色、安佚的身體感官享受稱為「命」：

孟子曰：「口之於味也，目之於色也，耳之於聲也，鼻之於臭也，四肢之於安佚也；性也，有命焉，君子不謂性也。仁之於父子也，義之於君臣也，禮之於賓主也，知之於賢者也，聖人之於天道也；命也，有性焉，君子不謂命也。」16

孟子認為這些感覺雖然是與生俱來，但是否得到滿足，每個人的際遇境況都不同，故稱之為「命」，不稱為「性」。至於「性本善」與「性本惡」，孟子原文沒有「本善」一辭。性本善的「本」字可以有三種可能的涵義：

（一）「本」為本質：性本善指人性的本質（essence）是善的。人性的本質是善，即說人性中不可或缺的，使人與他物有所區分的性質是「善」。

（二）「本」為本原：性本善指人性原本是善的。人性原本是善的，即是說人天生的，未受環境學或學習改變之前，本來是善的。

（三）「本」為本體：性本善指人性之本體為善。本體指終極實在，萬物中永恆的，根本的真實存在。人性之本體為善，即是說人性具本體意義，此本體是善的。或說，人性中具本體意義的部分是善的。[17]

後世論及「本善」，往往是環繞上列三種涵義。那甚麼是「善」？傅佩榮給了一個解釋：

善是行為（包括言語在內），這種行為必須落在「一人與別人之間的關係」上。若一人獨處（如沉思、閱讀、聽音樂），則無善惡問題。《大學》談到「慎獨」時，指出一人獨處時仍須謹慎，有如「十目所視，十手所指」，……是準備隨時與人相處時可以恰當實踐「我與別人的適當關係」。[18]

傅氏給「善」下了一個精簡的解釋，就是「一人與別人之間的關係」。「善」就呈現在生

15 陳大齊：〈孟子與告子的辯難〉，收在項維新、劉福增主編：《中國哲學思想論集・生秦篇》臺北：牧童出版社，民66年（1977），頁120。

16 謝冰瑩等：《新譯四書讀本・孟子》〈盡心下〉，頁643。

17 「本」字的三種涵意，見網頁〈維基百科〉：〈https://zh.wikipedia.org/wiki/性本善論〉，瀏覽日期：2022年10月11日。

18 傅佩榮等：《人性向善論發微》新北市：立緒文化事業，民101（2022）年，頁92。

活上與別人交際的過程中，對父母要孝、對兄弟要悌、對朋友要信等等，這些態度及行為就是善。傅氏認為行仁的要求來自人性，人性與善有直接的關連，做為人，就是應該行善；為善而有所犧牲，正是完成人性的要求。[19]

「本善」論應始於唐代李翱，他的《復性書》[20]就是要人回復本性，回復本性則成為聖人，他說「人之所以為聖人者，性也。」又說「百姓之性，與聖人之性弗差也。雖然，情之所昏，交相攻伐，未始有窮，故雖終身而不自睹其性焉。」李翱指出人之所以不能復性，就好像清水受到泥淖所污染，「水之性清澈，其渾之者沙泥也；……久而不動，沙泥自沉。……人之性，亦猶水之性也」。久而久之，經過沉澱，必會回復水性。意思是說人性呈現惡，是受世間的惡行、惡念蒙蔽了本性，如泥染污水；當惡念惡行漸漸消失，則「性」自呈現，而此「性」必然是善的。故李翱的主張是「性」其本質是「善」。聖人與凡人都同屬善，差別是在於有沒有將惡性逐漸消除。至朱熹以後，「性本善」幾乎成為普遍認受的儒家觀點。

如果人是性善，又為何作惡？宋代朱熹先將性分為「天地之性」及「氣質之性」。所謂「天地之性」就是與天道合一，屬至善；而「氣質之性」是由情欲而來，故理學家尋求變化氣質。「天地之性」是普遍性，人人共有；而「氣質之性」則因人而異。

至〔明〕王陽明，否定心外有理，主張心就是性，就是理，就是天。他在《傳習錄》說「天之所以命於我者，心也，性也」[21]、「心之體，性也，性即理也。」[22]「夫心之體，性也；性之原，天也。能盡其心，是能盡其性也。」[23]「知是心之本體。心自然會知。見父自然知孝，見兄自然知弟，見孺子入井，自然知惻隱。此便是良知，不假外求。若良知之發，更無私意障礙，即所謂『充其惻隱之心，而仁不可勝用矣』。然在常人不能無私意障礙，所以須用致知格物之功，勝私復理。即心之良知更無障礙，得以充塞流行，便是致其知。知致則意誠。」[24]、「心即理也。天下又有心外之事，心外之理乎？」[25]他提出「心即性，性即理」，認為人自是善，自有良知，自知善惡，天命之性是至善，所以提出「心即理」、「致良知」，而在實踐方面則是「知行合一」。

他對弟子解釋有人不孝，有不悌的出現與「知行合一」的關係：

> 此已被私欲隔斷，不是知行的本體了。未有知而不行者；知而不行，只是未知。

---

19 同上註，頁93。

20 （唐）李翱《復性書》，下引內文均取自網頁百度網：〈https://baike.baidu.hk/item/復性書〉，瀏覽日期：2022年10月11日。

21 （明）王陽明著、李生龍注譯：《新譯傳習錄．答顧東橋書》臺北：三民書局，2021年，頁204。

22 同上註，頁200。

23 同上註，頁203。

24 （明）王陽明著、李生龍注譯：《新譯傳習錄上．徐愛錄》，頁27。

25 （明）王陽明著、李生龍注譯：《新譯傳習錄上．徐愛錄》，頁8-9。

> 聖賢教人知行，正是安復那本體，不是著你只恁的便罷。故《大學》指個真知行與人看，說「如好好色，如惡惡臭」。見好色屬知，好好色屬行。只見那好色時已自好了，不是見了後又立個心去好。聞惡臭屬知，惡惡臭屬行。只聞那惡臭時已自惡了，不是聞了後別立個心去惡。如鼻塞人雖見惡臭在前，鼻中不曾聞得，便亦不甚惡，亦只是不曾知臭。就如稱某人知孝、某人知弟，必是其人已曾行孝、行弟，方可稱他知孝、知弟；不成只是曉得說些孝、弟的話，便可稱為知孝、弟？又如知痛，必已自痛了方知痛；知寒，必已自寒了；知飢，必已自飢了。知行如何分得開？此便是知行的本體，不曾有私意隔斷的。聖人教人必要是如此，方可謂之知；不然，只是不曾知。此卻是何等緊切著實的工夫。如今苦苦定要說知行做兩個，是甚麼意？某要說做一個，是什麼意？若不知立言宗旨，只管說一個、兩個，亦有甚用？[26]

又解釋：

> 某嘗說知是行的主意，行是知的功夫；知是行之始，行是知之成。若會得時，只說一個知，已自有行在；只說一個行，已自有知在。古人所以既說一個知，又說一個行者，只為世間有一種人，懵懵懂懂地任意去做，全不解思惟省察，也只是個冥行妄作，所以必說個知，方纔行得是。又有一種人，茫茫蕩蕩懸空去思索，全不肯著實躬行，也只是個揣摸影響，所以必說一個行，方纔知得真。此是古人不得已補偏救弊的說話，若見得這個意時，即一言而足。今人卻就將知行分作兩件去做，以為必先知了，然後能行，我如今且去講習討論做知的工夫，待知得真了，方去做行的工夫；故遂終身不行，亦遂終身不知。此不是小病痛，其來已非一日矣。某今說個知行合一，正是對病的藥；又不是某鑿空杜撰，知行本體原是如此。今若知得宗旨時，即說兩個亦不妨，亦只是一個；若不會宗旨，便說一個，亦濟得甚事？只是閑說話。[27]

知而行，才是真知，二者並立。王陽明又認為世間一切，無非是主觀意識的作用，故認為所謂「天下無性外之理，無性外之物。」即表示是非自我分明，不行善則未知，真知必行善。至陽明晚年，留下四句教給後人：「無善無惡是心之體，有善有惡是意之動，知善知惡是良知，為善去惡是格物」。

至於「惡」的涵義，大體各家沒有太大異議，荀子指出的「好利」、「疾惡」、「耳目之欲」而產生種種惡的行為：爭奪、殘賊、淫亂、暴亂等。為何產生惡？傅佩榮歸納了

---

26 同上註，頁15-16。

27 同上註，頁16-17。

五點原因：（一）經濟差；（二）教育偏；（三）形勢強；（四）人心放；（五）邪說出。[28] 首三項是社會經濟狀況而影響，末兩項屬思想層面。

我們可以用孟子的四端來考量何謂「惡」！仁、義、禮、智四端呈現出四種心態：惻隱、羞惡、辭讓、是非；如是，則沒有惻隱心、羞惡心、辭讓心、是非心，就是惡。相對於荀子的惡，是爭奪、殘賊、淫亂、暴亂等的行為，似乎無法對比。一方是心靈上道德行為，是形而上的概念，是超越性；一方是能見的行惡行為，屬現實行為。這裡又產生另一問題，如何衡量惻隱心和其他三心？是不是有「怵惕」的心，就是仁者的心？

朱熹將之分為「天性」與「氣質」，是指惡行可以改善，氣質也可變化。如是，朱熹的理論似乎較接近荀子，荀子說：

> 故枸木必將待檃栝、烝矯然後直；鈍金必將待礱厲然後利；今人之性惡，必將待師法然後正，得禮義然後治……。[29]

枸木需要烝矯才能成直，鈍金需要礱厲才能成利，即是經過時間的歷練而變化。正如朱氏所說變化氣質，當然，其中又涉及為何能變化的問題，這裡不在討論之列。因此，王陽明認為心是善，是不假外求。故有謂王陽明是直承孟子心學，亦是合理。

筆者另一困擾的問題是孟子從沒說過「人欲」是惡，故面對齊宣王的好勇、好貨、好色，孟子隱約表達只要合理、不過份、不傷害其他人就可接受，《孟子．梁惠王下》：

> 王曰：「寡人有疾，寡人好貨。」對曰：「昔者公劉好貨，《詩》云：『乃積乃倉，乃裹餱糧，於橐於囊。思戢用光。弓矢斯張，干戈戚揚，爰方啟行。』故居者有積倉，行者有裹糧也，然後可以爰方啟行。王如好貨，與百姓同之，於王何有？」[30]

宣王好貨，百姓好貨，如各得其所，能與百姓共同富足，好貨不是缺點。又說：

> 王曰：「寡人有疾，寡人好色。」對曰：「昔者大王好色，愛厥妃。詩云：『古公亶甫，來朝走馬，率西水滸，至於岐下。爰及姜女，聿來胥宇。』當是時也，內無怨女，外無曠夫。王如好色，與百姓同之，於王何有？」[31]

孟子指出太王也好色，如此舉例，是說好色是自然的事，只要推己及人，達至「內無怨女，外無曠夫」。所說是指人人皆可好色，如果人人能有正常的婚姻生活，則好色也不是缺點。這樣的解說，即人類欲望不是「性惡」，而後世儒者的「去人欲，存天理」就

28 傅佩榮等：《人性向善論發微》，頁109。

29 熊公哲：《荀子今註今譯》〈性惡篇〉，頁541。

30 謝冰瑩等：《新譯四書讀本．孟子》〈梁惠王下〉，頁345。

31 同上註，頁345-346。

產生問題了。宋明理學家，多以「好色、好名、好利」為惡，欲望越少，則天理越明。理學家所說的是在修行方面發展，無疑欲望少，引誘自然少，行為越能正確。但筆者認為這不是孟子對惡詮釋的本意，孟子是接受合理的欲望，而且不是惡。王陽明宗此論見，說「心即理」，可惜王學末流，出現縱欲無行的士人，束書不觀，而日言心性。（明）李贄亦贊同合理的欲，對人是正面的。

我們可以概括「善」與「惡」的涵義，善是與生俱來對萬物人事所產生的憐憫愛護之心，當中包含惻隱，對弱者或受傷害者，或受痛苦者的同情感；羞惡，對作出自己的錯誤，對別人產生的傷害，感到羞恥與厭惡，是內心對負面行為的自我反省；辭讓，對不應得的東西不取，別人需要的就辭讓，對其他人必然有恭敬心；是非，人事行為與世事變化，是正確或不正確，均有判斷力。仁、義、禮、智呈現在這四種能力心態上，是與生俱，是「善」的表現，呈現於人與人之間的關係中。

荀子的「惡」，無疑是經過觀察而得出的結果。順著人類的欲望而行，必然產生爭奪、淫亂等事。告子說「食、色，性也」，是將人類的生理基本要求說成是人性。這些生理需求，與禽獸無異，所謂「人性」，當應是人類獨有的天性。故人之所以異於禽獸，是因為有仁、義、禮、智。單說「食、色，性也」，未免將「人」看得太低。

孟子與告子的爭辯，可謂精彩。告子先以水喻性：

> 告子曰：「性猶湍水也，決諸東方則東流，決諸西方則西流。人性之無分於善不善也，猶水之無分於東西也。」孟子曰：「水信無分於東西。無分於上下乎？人性之善也，猶水之就下也。人無有不善，水無有不下。今夫水，搏而躍之，可使過顙；激而行之，可使在山。是豈水之性哉？其勢則然也。人之可使為不善，其性亦猶是也。」[32]

告子認為人性如水，決於東則東，決於西則西，因環境而變，故性無所謂善與不善。孟子辯之以水無分於東西，但卻分於上下，水永遠向下，表示人性永遠是善。告子又以「白」喻性：

> 告子曰：「生之謂性。」孟子曰：「生之謂性也，猶白之謂白與？」曰：「然。」「白羽之白也，猶白雪之白；白雪之白，猶白玉之白與？」曰：「然。」「然則犬之性，猶牛之性；牛之性，猶人之性與？」[33]

這次以白喻性，給孟子追問得告子不知如何回答。如果告子所說成立，則犬性、牛性、人性是相同。當然，後世有為告子作辯的，如（清）翟灝《四書考異》引司馬公說「告

32 謝冰瑩等：《新譯四書讀本．孟子》〈告子上〉，頁556。

33 同上註，頁557。

子當應之曰色則同也，性則殊矣。羽性輕，雪性弱，玉性堅。」[34]

告子又概括「食、色，性也」，而引伸至仁內外義的命題上。孟子與告子爭論人類是善是惡的命題上，極力維持人類的尊嚴，與禽獸有別，亦不應將人類與禽獸共有的生理需求視為惡。退一步解釋，就是不過份、不傷害別人，或能人人共有，這些欲望並不是「惡」。

五　性善惡的反思

我們可以在《荀子》、《韓非子》各篇章中找到不少的事例、比喻、歷史故事等證明人是性惡。我們也可從中國歷史上權力鬥爭中的慘無人道的殘殺屠盡中，亦可看到掌權者為一己之淫慾享受，造出滅絕人性，貪殘無道的非人類行為。真如荀子所說，順是，則人漸變為禽獸。

驗證於現實，似乎性惡有其普遍性。姑勿論荀子如何證明人是性惡，但荀子無法解釋第一位訂立道德標準的聖人，其理據從何而來？何者是性惡行為？譬如爭奪是惡，但據理力爭，或為應得的利益而爭，是不是惡？如何才是傷害仁義？如何才是淫亂？都難有一定的標準，畢竟判斷善惡是有主觀的意向在內，如歷代帝王，少則數十妃嬪，多則以千計、萬計！這不是淫亂是甚麼？可是，歷代名臣，理學家，少有以此責難帝王。

雖然荀子指出是聖王憑經驗與思考定立禮義，但問題是「聖人的道德標準是如何的出現？」能定這道德標準的人，必然是有道德心，這個道德心是否與生俱來？即為甚麼孝是道德行為？為甚麼信是道德行為？為甚麼禮是道德行為？即判斷這些行為的聖王，他們早已有一標準在心，而以此標準是普遍的真理。亦即是大家心底裡都會認同某些行為是道德行為，即是此類性善行為普遍存在人的思想裡。荀子始終說服不了道德的行為標準是如何訂立。如果說聖人經過觀察就知哪些是惡？哪些是善？即聖人心中早有一衡量的標準，譬如獅子捕殺獵物，必先一番戲弄，滿足其心的殺念才殺死獵物。獅子會反醒這行為嗎？而人，卻會反省自己的行為，是否過份，不合人性？故唐君毅先生認為荀子是「對心言性」，荀子之言「性惡」是與人之「偽」或慮積能習，勉於禮義相對照比較而說，而「心」是一能向道之心。（《中國哲學原論．原性篇》）如此解說，即心是有向善的傾向，經過「積偽」逐漸成為善。

徐復觀先生則認為荀子所持乃一經驗主義的人性論，並指出荀子的「性」的內容有三：即一、官能的欲望、二、官能的能力，以及三、性的可塑性。（《中國人性論史．先秦篇》）進一步解釋：一、「性」受官能刺激而有反應，對外緣會尋求更高的官能享受；二、官能有增強及完善道德的能力；三、性可以透過教育、學習而改善。

34　同上註，頁558，註釋3。

人類最大的身體欲望，是食與色。孔子也不否認，他說「飲食男女，人之大欲存焉」(《禮記・禮運》)。食慾與情慾是人類是大的欲望，亦是人類得以在地球延續下去的兩大因素。「食慾」是指進食的機制是由人空腹時開始的，空的胃壁互相摩擦，產生一種稱為「飢餓痛」(hunger pangs）的感覺。人類因為飢餓而引起食慾，但從心理學解釋，人類可以因為食物的色、香、味、口感而引起食慾，不一定是飢餓，不因飢餓而食，則不是自然反應，是欲望。因此筆者又產生另一個問題：「追求享受是不是惡？」孔子的「食不厭精，膾不厭細」又是否「惡」？另外，「食」是可減除部份身體壓力，更可使身體有愉快感。

至於「性慾」的同義詞有性衝動、性吸引、情慾。學者對性慾的解釋：

> 性慾是一種主觀感受，其可指向內外部線索。人們可能會，但不一定會因性慾而從事性行為。想像和幻想能使人產生性慾。具性吸引力者同樣亦能使其他人產生之。性慾也可以因性緊張而起或加深。當性慾未能夠得到滿足時，就會產生性緊張。[35]

人類又為何容易溺陷於色慾？人類為繁衍後代，會自然地產生交配行為，即性交。上天為此，又給與人類繁衍後代的回報，就是身體官能的高度刺激。交配過程中會產生高潮：

> 出現的一種逐漸升高的興奮、緊張狀態，當這種狀態積累到頂點時會出現爆發，這種爆發伴隨著極度愉悅的感受。男性和女性都能產生性高潮。性高潮由神經系統和內分泌系統共同作用產生，在神經系統中與骨盆神經、下腹神經、會陰神經和迷走神經有關，在內分泌系統中則與雄激素、雌激素和孕激素等有關。[36]

「食」能有愉快感，而「性」會產生高潮，使身體高度興奮。人類就容易「陷溺」其中，以至放肆情欲、愛欲而達於亂，暴亂、淫亂以至於違反常理人情。這些情況屢見於歷史及現代人事中，不可謂不恐怖。宋明諸賢就以限制欲望，導入正常生活中，儒者需檢視自我行為。諸儒認為，人欲越少，天理越明。可是，用另一角度來看，如果食欲與性欲是維持人類生存最基本的因素，以此判斷，又怎會是惡？故筆者認為透過不正常的行為去滿足自己的欲望，才是惡。孔孟所反對的不是正常的欲望，而是由邪念所產生的縱欲。

---

35 引文概念來自右列三書：Spector, I. P.; Carey, M. P.; Steinberg, L. *The sexual desire inventory: Development, factor structure, and evidence of reliability.* Journal of Sex & Marital Therapy. 1996, 22 (3): 175-90.; Beck, J.G.; Bozman, A.W.; Qualtrough, T. *The Experience of Sexual Desire: Psychological Correlates in a College Sample.* The Journal of Sex Research. 1991, 28 (3): 443-456.; Toates, F. *An Integrative Theoretical Framework for Understanding Sexual Motivation, Arousal, and Behavior*. Journal of Sex Research. 2009, 46 (2-3): 168-193. 取自網頁：〈https://zh.wikipedia.org/wiki/性欲〉，瀏覽日期：2022年10月20日。

36 取自百度網址：〈https://baike.baidu.com/item/性高潮〉，瀏覽日期：2022年10月20日。

荀子認為，「情者，性之質也」，是「性」之本質，而「欲者，情之應也」，有欲就自然有情，如是「性」、「情」、「欲」互相關連，故荀子是「以欲說性」在欲望的層面解釋「性」，自然是「性惡」。然而，荀子卻贊成人是具有認識能力的心，能夠判斷善，透過判斷，使「惡」改進為「善」。「虛、壹、靜」就是心的作用，以此明「道」，臻「善」。所謂「虛」，不要以過往所學，妨礙新的知識與認知，「不以所已藏害所將受」；「壹」是思想專一，別無他念，「不以夫一害此一謂之壹」；「靜」是思想寧靜，不受干擾不「不以夢劇亂知謂之靜」。這樣，「心」就能知「道」。以此而達至「大清明」境界，明瞭宇宙真理。

「虛、壹、靜」是修持方法，荀子在這理論當中，顯示出矛盾。這是透過修持而明白「道」，但能判斷「善」的能力或認識心是從何而來？能判斷善的心當然是善，那「性本惡」就不成立。荀子又認為人有辨知心，「凡以知，人之性也；可以知，物之理也。」（解蔽）、「所以知之在人者，謂之知，知有所合，謂之智。」（正名）由於辨知的能力，可以退卻邪說。那又出現另一問題，既然這心有辨知及退卻邪說的能力，這個不是「是非心」，是甚麼？

勞思光認為傳統的中國士人偏重人性本善的理論，少了制衡式的約制，著重個人的自我反醒。在整個中國政治及社會上忽略了有形的監察系統，較重視社會上的道德約制，如明清時期的儒商，大都是自我的約制。勞氏對中國社會的道德發展作了客觀的描述，就如商業交易常說「說了算」，沒有文件或法制上的規則限制，例如早期香港的南北乾貨米糧交易，大多是口頭承諾，從電台的紀實片看見老一輩的行內人，仍然緬懷這種互信行為。樂觀的去看，是見到人性善的一面，悲觀的去看，隨時被騙。就算人的性善成立，但惡的行為仍然容易產生，畢竟是與生俱來的動物性。

至於性善，中外不少學者都是傾向相信人是性善的，如阿當・史密斯（Adam Smith）在其《道德情操論》指出人類的「同情感」是人類的根本傾向。他認為：

> 無論人們會認為某人怎樣自私，這個人的天賦中總是明顯地存在著這樣一些本性，這些本性使他關心別人的命運，把別人的幸福看成是自己的事情，雖然他除了看到別人幸福而感到高興以外，一無所得。這種本性就是憐憫或同情，就是當我們看到或逼真地想像到他人的不幸遭遇時所產生的感情。我們常為他人的悲哀而感傷，這是顯而易見的事實，不需要用什麼實例來證明。這種情感同人性中所有其它的原始感情一樣，決不只是品行高尚的人才具備，雖然他們在這方面的感受可能最敏銳。最大的惡棍，極其嚴重地違犯社會法律的人，也不會全然喪失同情心。[37]

---

37 亞當・史密斯：《道德情操論》，取自網址：〈https://zh.wikipedia.org/zh-tw/性善論〉

進一步闡釋正義、仁慈、克己等一切道德情操產生的根源，是源於出自天性的「同情」。除同情外，同書論及其他的重點包括「公正的旁觀者」、「良心」及「美德」。整本論著，就是指出人有道德的自覺性，與儒家思很吻合。

法國盧梭（Jean-Jacques Rousseau）在《愛彌兒》提出的教育理念，其前提是人性是善。他提出的自然人，即不受社會任何感染，具有自然天生的本性自然人。盧梭指出「遵從良心者即是遵從自然」，是自然教育思想，由於自然人未受污染，因此其行為必然是善，明顯主張性善論。盧梳認為一個有道德的人，同時是可以自愛，即尋求更美好的生活。若超越界線，就會變成自私，要避免對別人的痛苦和不幸而無動於衷。

我們看著小朋友長大，除了荀子所說的「飢而欲飽，寒而欲暖」的自然生理反應外，都看見他們是天真無邪，傾向善性。近代很多心理學家、哲學家，研究人性都相信「人」須先滿足基本生理需要，才能提升道德領域，如馬思勞（Abraham Harold Maslow）的〈需求層次理論〉，最底層就是飲食、性欲。筆者絕對相信每個個體均有「善」的元素，而飲食、性欲從自然需要方面去理解，不能算是惡。享受覺受，只要合乎自然，以「善」培養自己的道德，「人」終必達至道德完滿的境界，即孔子所說「從心所欲」。

牟宗三先生說「道德的善就在性之中，或者說性就是道德的善本身」[38]就超越面而言，性就是善，善就是性，就是創生不已的天道實體。仁者必善，而且仁有創生義，仁體為一種精神實體，能「覺潤創生萬物」。「仁是理、是道、也是心」[39]。也就是說，主體及此心之性，與客觀的天道、理體，是同一件事，可謂之本心性體。這個心或性，是超越的，要從心靈體現此實在的天道，不能單從經驗得到。牟先生說：

> 唯吾人平常只知經驗的，心理學的心念之起伏生滅為心，而不承認有一超越的心體……凡決定人生之方向而理想地發展其人格者，皆需有此類超越真心之肯定，而且是本有，是真實，是呈現。[40]

他的的結論「性」就是「善」。這在同一文中討論佛教的「性宗」及儒道佛互相影響的關係時，牟先生說「象山陽明固是孟子靈魂的再現，即竺道生慧能亦是孟子靈魂之再現于佛家」[41]，即超越性的性，無論是任何宗派，其必為善。

---

38 牟宗三：《中國哲學的特質》〈第九講 對於性之規定〉，收在《牟宗三全集》臺北：聯經出版社，2003年，第28冊。

39 牟宗三：《中國哲學十九講》〈第四講 儒家系統之性格〉，頁79。收在《牟宗三全集》臺北：聯經出版社，2003年，第29冊。

40 牟宗三：《心體與性體（一）》臺北：正中書局，民78年（1989），頁586〈附錄〉：〈佛家體用義之衡定〉。

41 同上註，頁579。

傅佩榮於一九八五年提出「人性向善論」，他以血氣層次的飢餓開始，解釋人類與動物無異的本能，漸次提升至選擇、思考、真誠、利他、以行「仁道」。述明人類有向善的傾向性，他解釋「向」字幾個意義[42]：

（一）「向」字肯定了人性是動力論的而不是本質論的。

（二）「向」字顯示於人心之不安。

（三）「向」字連繫了一個人的內與外，知與行，自我與別人，自我與天命。

他指出人性向善的焦點在於人心，因此亦可說「人心向善」，心是動態的，有自覺能力而未必一定會自覺。如果人只活在血氣層面，即飲食、性欲等，就永遠沒法獲得自由。上天付與人類的就是選擇能力、向善的能力。孟子的四端是對心之「存、養、充、擴」，即是具體實踐了「仁、義、禮、智」，這四者才是我們一般人所理解的「善」。孔子亦高度自覺要求自己的心要處於「安仁」的境界[43]，求道而忘身。傅氏這理論，調和了性善、性惡的爭論。他不否定血氣層次的欲望，但作為人，必然有提升自我道德之能力及心態。

最後，筆者對性善惡有如下的看法：荀子對性惡的立論始終有矛盾及不足之處，他是一代大儒，已有周詳的分析，其缺憾就是沒法解釋這個「客觀的善」從何而來，而不是早存在人性之內？若果說人「能善」，即有行善的能力，那善就是本有的，而且善是超越性的體驗，是個人的自我感悟。傅佩榮的向善論，將孟子的「擴而充之」解釋為向善力，其立論應承認人的原始本性是善。當然，無論是贊成性善或性惡，大都認為人類是有向善的能力。

42 傅佩榮等：《人性向善論發微》新北市：立緒文化事業，民101（2022）年，頁69。

43 傅佩榮等：《人性向善論發微》，頁75。

「形于內而顯於外」
——荀子「誠論」新解

馬欣欣
北京師範大學哲學學院

一　問題的提出

由於「誠」是中國哲學中的一個重要概念，所以〈不苟〉「誠論」備受學者關注。也因如此，對於此段的詮釋，學界百家百說、爭論不斷。[1]在筆者看來，這種爭論——在很大程度上——來自於學者對「誠論」中「形」字的誤讀。易言之，對於〈不苟〉「誠論」，學者多用力於「誠」、「獨」等概念，罕有人注意到「形」字的重要性。對於後者，學者多採信楊倞「形見於外」[2]的注解。然而，楊氏注解的合理性尚待商榷！

《荀子．不苟》云：

> 君子養心莫善於誠，致誠則無它事矣。唯仁之為守，唯義之為行。誠心守仁則形，形則神，神則能化矣。

對於「誠心守仁則形」，楊倞說：「誠心守于仁愛，則必形見於外，則下尊之如神，能化育之矣。」此即以「形見於外」解「形」字，後之學者，多採信此說。[3]但是，這種注解首先就與「誠論」文本內容扞格。「誠論」下文云：「不形則雖作於心，見於色，出於言，民猶若未從也。」毋庸置疑，「作於心」與「見於色」、「出於言」並舉，其意均指一種「發顯於外」的行為。假如我們從楊氏之說，將「形」理解為「形見於外」，那麼「不形則雖作於心」的大意就是「不形（不形見於外）而作於心（形見於外）」，這很明顯前後矛盾。[4]更重要的是，楊倞「形於外」的注解與荀子人性論思想相違。

1　關於學者們對「誠論」作出的不同詮釋，鄧小虎先生有很詳細的總結。參見氏著：《荀子的為己之學》北京：北京大學出版社，2015年11月第1版，頁124-125。

2　王先謙：《荀子集解》北京：中華書局，2013年4月第2版，頁54。

3　楊柳橋先生注解「誠心守仁則形」時說：「誠心執守仁愛，仁愛就表現於外」。參見氏著：《荀子詁譯》濟南：齊魯書社，1985年，頁58。鐘泰先生也說：「形之為言顯也」，轉引自王天海：《荀子校釋》上海：上海古籍出版社，2005年12月，頁103。

4　此點受常森教授啟發，特此指出。參見氏著：〈《五行》學說與《荀子》〉，北京大學學報（哲學社會科學版），2013年1月第1期。

依照楊氏之解，「形見於外」是指「仁愛」由「內（心）」發顯於「外」，這意味著人性生而有仁、義等德性。然而，對於荀子人性論，學界雖有爭議，但無論哪種觀點均不會認為荀子所言之性生而有（innately）仁義等德性。事實上，〈不苟〉「守仁」和「行義」的表述就已經暗示了這一點。對此，我們可以借助孟子對「由仁義行」和「行仁義」的區分來進行理解。《孟子・離婁下》云：「舜明於庶物，察於人倫，由仁義行，非行仁義也。」朱熹注云：「由仁義行，非行仁義，則仁義已根於心，而所行皆從此出。非以仁義為美，而後勉強行之，所謂安而行之也。」[5]誠如朱子所言，「由仁義行」意味著仁義已經根於心，故所行皆從仁義之心出。與之相反，「行仁義」——在孟子看來——則意味著個體尚未省察到仁義之性，故而勉強行之。孟子之所以認可「由仁義行」，在於「性善說」。在孟子看來，人人均有四端之心，因而他提倡「擴而充之」(《孟子・公孫丑上》）的修養方法，此即「由仁義行」背後的人性論基礎。正因如此，趙歧在注解「由仁義行」時才說：「故道性善，言必稱堯、舜。」[6]

與孟子不同，由於持性惡說，荀子所提倡的道德修養就不能是孟子所講的「擴而充之」。因為後者代表一種「由內而外」的道德修養路徑，「外發」以「內有」為前提。但在荀子看來，人生而無仁義之性，故「外發」就無從談起。因此，倘若將「形」字理解為「形見於外」，那麼這將與荀子的人性論矛盾。事實上，在牟宗三先生詮釋〈不苟〉「誠論」的文字中，我們就可以清晰地見到這種「矛盾」。牟先生說：

> 荀子言：「君子至德，嘿然而喻，未施而親，不怒而威。夫此順命，以慎其獨者也。……不誠則不獨，不獨則不形。」此言善矣，若由此能如孟子所說：「反身而誠，樂莫大焉。」則本原之天德即呈露于本心，何至斥孟子之性善哉？至誠中見天德，即見仁見義也，……孟子即由此而言仁義內在，因而言性善。[7]

如果將「形」理解為「形見於外」，隨之而來的問題便是為何講「性惡」的荀子會有「（仁義）形見於外」的觀點？從另一方面說，倘若荀子有「（仁義）形見於外」的觀點，那麼他為何要「斥孟子之性善」？因此，牟先生認為此段言誠頗類《中庸》、《孟子》，與《荀子》其他部分不相類。[8]

對於牟先生的理解，學者或有不同的看法，其中最關鍵的點在於「誠論」所講之「誠」可能非如牟先生所講的那樣是指「本原之天德」，而是即「工夫」所言。[9]然而，

5　朱熹：《四書章句集注》北京：中華書局，2012年2月，頁299。

6　焦循：《孟子正義》北京：中華書局，2015年10月，頁612。

7　牟宗三：《名家與荀子》臺灣：學生書局，1973年，頁70。

8　同上註，頁169。

9　參見鄧小虎：《荀子的為己之學》北京：北京大學出版社，2015年11月，頁119-125。在該節中，鄧小虎教授總結了馮友蘭、唐君毅、韋政通、趙士林、王楷等學者的觀點。對於「誠」的理解，學者雖用詞各異，但其義近似——「誠」是就「行」／「工夫」而言。

即便這種理解是可取的，「矛盾」依然不會消失、甚至會更加明顯。因為儘管牟先生有分割《荀子》與「誠論」的意圖，但「本原之天德」與「（仁義）形見於外」之間至少有一順暢的理論邏輯──前者恰為後者提供了本原依據。而當我們以「行」或「工夫」理解「誠」時，「形見於外」就失去的本原依據。對此，我們仍然可以追問：講「性惡」的荀子為何會有「（仁義）形見於外」的觀點？既然「性惡」乃荀子明倡[10]，那麼問題的關鍵就在於「形見於外」的理解。就此而言，楊氏的理解有待商榷。

倘若楊倞「形見於外」的注解尚待商榷，那麼我們應該如何理解「形」字的真實內涵？更進一步，若「形」的內涵非是楊倞所注解的「形見於外」，那麼我們該如何從整體上把握「誠論」的內涵？

二　形：形成於內

事實上，對於楊倞「形見於外」之解，注家並非沒有異議。清儒郝懿行就說：「形非形於外也，形即形此獨也」，他已經意識到「作於心」、「見於色」、「出於言」均是「見於外之事」。[11]郝氏將「獨」理解為個體，個體通過「精專沈默」所達至的「口不能言，亦不能傳」的高深境界。順此，他認為倘若心不能達到這種高深境界（即「不獨」），那麼見於外的色、言就不會被民眾信從。[12]可以看出，郝氏認為「見於外之事」須有內在依據，故他要突出「獨」的重要性。但，「形此獨」之說不僅於古籍中罕見，而且難以理解。就此而言，郝氏之說仍有不足。

若單從文字上考慮，在《荀子》、乃至其他先秦古籍中，「形」多用作「顯露」、「發顯」。《荀子．樂論》云：「樂則必發於聲音，形於動靜」，又〈堯問〉：「忠誠盛於內，賁於外，形于四海」，這裡的「形」皆為「發顯」。在其他先秦古籍中，這種例證數不勝數，茲不贅述。正因如此，陳來先生認為「從古文字的用法來看，『形』一般是指向外發顯的動向。」[13]但我們需要特別注意「一般是指」這一表述，這說明「形」在先秦古籍中的含義並非皆指「向外發顯」，因為「形」還有「形成」義，而此義則不表示任何動向。郭店簡〈五行〉云：「仁形於內謂之德之行，不形於內謂之行」，此「形」即作「形成」。[14]此外，《淮南子．要略》也說：「故德形於內，治之大本」，此「形」亦作

10 如前所述，對於荀子人性論，學界爭議不斷。但，無論哪種觀點均不會認為荀子所言之性生而有（have innately）仁義。

11 王先謙：《荀子集解》北京：中華書局，2013年4月，頁54。

12 郝懿行說：「『不形則雖作於心，見於色，出於言』，三句皆由獨中推出，此方是見於外之事」。同上註，頁54。

13 陳來：《竹帛〈五行〉與簡帛研究》北京：三聯書店，2009年4月，頁120。

14 梁濤說：「現在學者一般認為『形於內』、『不形於內』的『內』特指『心』，『形於內』指『仁義禮智聖』形成、表現於內心。」參見氏著《郭店竹簡與思孟學派》北京：中國人民大學出版社，2008年5

「形成」解。由此可見，「形」，當它作為動詞時，自身並無必然的指向。這意味著我們不能僅憑文字訓詁就將「誠心守仁則形」中的「形」字理解為「形見於外」。有鑑於此，我們有必要結合荀子哲學思想來理解「形」字。

毋庸置疑，〈不苟〉「誠論」的主題是「養心」，用今天的術語講，即屬於修養論。[15]就一種哲學體系而言，道德修養實踐展開的進路是建立在相應的人性論基礎之上。荀子持「性惡說」，認為人生而無仁義之性，因而道德修養進路就不能是孟子式「由內而外」。但這並不意味著荀子不重視「內」，他也認為外在的行為需要有內在德性依據。在〈堯問〉篇中，荀子說：「忠誠盛於內，賁於外，形於四海，天下其在一隅邪！」「盛」通成。「內」，心也。「賁」即發舒於外之義。[16]准此，荀子也強調「發舒於外」要以「盛（成）於內（心）」為前提，但對荀子而言，問題的關鍵在於如何「成於內」？

荀子說：「執一無失，行微無怠，而天下自來。執一如天地，行微如日月，忠誠盛於內，賁於外，形於四海。」依此說，達至「忠誠盛於內」的方法是「執一無失，行微無怠」。王天海注云：「執一，守一也。守一，猶守一定之道也，故下文云『執一如天地』。」[17]「執一如天地」則是指君子「執一」要「如天地無變易時也」[18]。簡言之，君子要專心守道，如此方能無失，其結果即是「忠誠盛於內」。通過「守道」這一道德實踐，外在的道德規範可以內化於心，而此心之發顯足以形於四海。在此，荀子的理論邏輯可以簡化為「外—內—外」，「由外至內」則是荀子關注的重點，因為「由內而外」在荀子看來是自發、必然的。所以「忠誠盛於內」與「賁於外」之間不需要任何人為干預。

與「執一無失」一致，「誠心守仁」也強調個體要真誠地進行道德實踐。既然「執一無失」可以「忠誠盛於內」，那麼「誠心守仁」也可以「形於內」。問題或許在於：「形」固然可以作「形成」，但「內」由何而出？趙士林教授在論及「誠從論」時曾說：「『君子養心，莫善於誠』足以表明，荀子亦在主體精神、道德人格的培育上主張『誠』，因此與『內聖』一線相通。」[19]誠如此言，在「誠論」中，「心」即指「內」。就此而言，將「誠心守仁則形」之「形」理解為「形於內」在義理上是講得通的。

事實上，考之《荀子》全書，我們會發現「形於內」是荀子哲學的重要部分。《荀

月，頁185。又，陳來先生說：「仁形於內，是指『仁』內化為德性，仁不形於內是指『仁』尚未內化為德性，僅僅作為仁的行為，義禮智亦然。」參見氏著：〈早期儒家的德行論——以郭店楚簡《六德》《五行》為中心〉，北京大學學報（哲學社會科學版），2018年第2期，頁42。

15 在鄧小虎教授對各家詮釋「誠論」的終結中，我們可以清楚地見到這一點。參見氏著：《荀子的為己之學》，頁123。

16 參見王天海：《荀子校釋》上海：上海古籍出版社，2005年12月，頁1166。又可參見梁啟雄：《荀子簡釋》北京：中華書局，1983年，頁406。

17 王天海：《荀子校釋》，頁1166。

18 王先謙：《荀子集解》，頁646。

19 趙士林：《荀子》臺北：東大圖書公司，1999年，頁78。

子・勸學》中有「積善成德，而神明自得」的表述。在荀子哲學中，「神明」是一個較為複雜的概念，隻言片語難以釐清。不過，我們在此也無須對其進行詳細考察，因為一方面我們大概知道「神明」是荀子用來形容極高道德修養境界的概念，另一方面是因為這句話的重點在「積善成德」。何謂「積」？《荀子・儒效》云：「人無師法，則隆性矣；有師法，則隆積矣。」楊倞注云：「積，習也。」[20]「積善」之「善」即「行」而言，指符合道德原則的行為，因而「積善」可以理解為「為善」。因此，緊跟著「積善成德」，荀子就有「為善不積」的表述。與「善」相對，「德」是就「道德原則」來說。「成」即是一個道德規範不斷內化的過程。

在「積善成德」過程中，「心」起著主導作用。對此，陳昭瑛解釋：「荀子主張積善積德積學，其目的並非聞見之知的積累，……荀子相信積累至厚會產生深刻的轉化，……在轉化的過程中，心的作用極大。」[21]荀子所講之心是一具有道德理性的心。一方面，它是神明之主，出令而無所受，它自禁、自使、自奪、自取；另一方面，它有所可、有所不可，可以在自我反思的基礎上自由地作出決斷。[22]有鑒於此，我們也不能將「積善成德」簡單地理解為一種道德規範「由外而內」的單向度過程。所以，與其說「積善成德」是指外在的道德規範內化於心，毋寧說是「心」在長期的修養實踐中理解並把握了道德原則。

但此「心」非恆自明，它有「蔽塞之患」，而〈不苟〉「誠論」正以「養心」為主題。〈不苟〉說：「君子養心莫善於誠」，此「誠」即工夫而言。[23]荀子認為，只有在真誠的狀態下，「心」之「守仁」、「行義」才能見效，其結果就是仁義內化於心。進一步，「形則神，神則能化矣」，「神」即指君子經修養所達至之極高境界，「化」則指化萬民。[24]值得注意的是，此「化」乃「自化」。在下文中，〈不苟〉說：「天不言而人推高焉，地不言而人推厚焉，四時不言而百姓期焉」，天地有常道，故不言而人推高、推厚焉。與之相應，君子有「神明」之德，不言而百姓自化，這也再次說明在荀子那裡「由內而外」是一必然、自發的行為。而「由外而內」則需要「形於內」的功夫，「誠心守仁則形」之「形」當在這一理論背景下進行理解。

---

20 王先謙：《荀子集解》，頁169。

21 陳昭瑛：《荀子的美學》臺北：國立臺灣大學出版中心，2016年，頁84。

22 關於此點，學者多有論述，可參見林宏星：《合理性之尋求》上海：上海人民出版社，2017年，第頁154-177。

23 王楷：〈荀子誠論發微〉，見於《中國哲學史》，2009年第4期，頁66。

24 根據下文「天地為大矣，不誠則不能化萬物；聖人為知矣，不誠則不能化萬民」的表述，將「化」理解為「化萬民」更合文意。

三　「誠論」簡釋：形內以顯外

在對「形」字進行理解之後，我們便可以嘗試性地從整體上分析「誠論」內涵。為了論述上便利，先將相關段落摘錄於下：

> 君子養心莫善於誠，致誠則無它事矣。唯仁之為守，唯義之為行。誠心守仁則形，形則神，神則能化矣。誠心行義則理，理則明，明則能變矣。變化代興，謂之天德。天不言而人推高焉，地不言而人推厚焉，四時不言而百姓期焉。夫此有常，以至其誠者也。君子至德，嘿然而喻，未施而親，不怒而威。夫此順命，以慎其獨者也。善之為道者，不誠則不獨，不獨則不形，不形則雖作於心，見於色，出於言，民猶若未從也，雖從必疑。天地為大矣，不誠則不能化萬物；聖人為知矣，不誠則不能化萬民；父子為親矣，不誠則疏；君上為尊矣，不誠則卑。夫誠者，君子之所守也，而政事之本也。唯所居以其類至，操之則得之，舍之則失之。操而得之則輕，輕則獨行，獨行而不舍則濟矣。濟而材盡，長遷而不反其初則化矣。

對於「君子養心莫善於誠」，劉台拱解釋：「誠者，君子所以成始成終也。以成始，則《大學》之『誠其意』是也；以成終，則《中庸》之『至誠無息』是也。」按此，「誠」是就「工夫」而言，此說平實。「誠論」所講之「誠」不是指「性」，而是指健行不息地守仁行義。「君子養心莫善於誠」強調君子養心的關鍵在於真誠地、專注地守仁行義，「唯仁之為守，唯義之為行」即順此而出。由於荀子持「性惡說」，「仁」與「義」就不能理解為內在的道德原則，而應理解為道德規範。郭店楚簡〈五行〉以「形於內與否」為標準區別了「德之行」與「行」。「不形於內」即是指「仁義禮智聖」「五行」沒有形成於內心，是一種外在規範。[25]「誠論」中的「仁義」亦即一種外在的道德規範。「守仁」和「行義」就是指君子遵循這些道德規範而行。一旦積力甚久，道德規範便會內化於心，此即「誠心守仁則形」。以此為前提，「不形則雖作於心，見於色，出於言，民猶若未從也」就可以理解為「倘若心對仁義等道德規範無切實的把握，那麼個體雖以巧言令色作狀於外，百姓也不會信從。」

如此一來，「形則神，神則能化矣」就容易理解。既然「形」是指仁義等道德規範內化於心，那麼「神」即是指仁義內化於心的君子所達至的神妙境界。類似的表述也見於《荀子》其他篇章，如〈勸學〉「積善成德，而神明自得」、〈性惡〉「積善而不息，則通於神明，參於天地矣」，等等。面對「神明自得」的君子，百姓自然自化，此即「君子至德，嘿然而喻」。對於後者，楊倞注解道：「君子有至德，所以嘿然不言而人自喻其

25　梁濤：《郭店竹簡與思孟學派》北京：中國人民大學出版社，2008年5月，頁186。

志。」[26]在此，荀子試圖以「天道」證「人道」，故而文中有「天不言而人推高焉，地不言而人推厚焉，四時不言而百姓期焉」。這段話有兩個重點：第一，天行有常，不滅不亡，此即謂「有常」；第二，天地生萬物，雖不言而百姓推高、推厚，此即謂「至其誠」。荀子認為君子修德亦當取法於此。因此，下文「未施而親，不怒而威」正是荀子對君子自修而百姓自化的描述。

以此觀之，「誠心行義則理」之「理」也可義解為一種由心主導的、向內的動向。楊倞注「理」為「有條理」[27]，此說尚待商榷。「理」與「形」對舉，既然楊倞將「形」理解為「形於外」，那麼「理」也應該理解為一種有指向動作。正因如此，王天海注「理」為「順」，意為「順物理民心也」。他又說：「明，明其事理」[28]，此說稍有不妥。首先，「行義」已有「順物理民心」的意涵，「理」當有他解。更為重要的是，「明」，作為與「神」對舉的概念，應指君子由工夫所至的境界，而非指「明其事理」的工夫。需要指出的是，「理」是荀子哲學中的重要概念。唐君毅先生曾將《荀子》中「理」的內涵歸納為五義：「一，治理，如『君子理天地』；二，人心意志行為所遵之當然之理，如『義者循理』；三，人由修養所成之內心之精神狀態及外表之生活態度，如「『誠心行義則理』；四，禮文之理，如『文理情用相為內外表裡』；五，物理，如『持之有故，言之成理』。」[29]誠如唐先生所言，「誠心行義則理」之「理」可指「人由修養所成之內心之精神狀態」。在此，與「神則能化矣」一致，「明則能變矣」一句中的邏輯主語也發生了改變。簡言之，「行」、「明」、「理」的主語是「君子」，而「變」的主語是「百姓」。「明則能變矣」即「君子明而百姓變」，這無非是「君子至德，嘿然而喻」的另一種說法。君子有神明之容則百姓自變自化，順此，荀子才得以從「養心」講到下文之「政事」。

在「養心」與「政事」之間，荀子以「夫此順命，以慎其獨者也」一句來溝通兩者。「命」非神秘之天命，而是指一種君子自修而百姓自化的必然性。因此，「順命」實即「慎其獨者也」。關於「慎其獨」，我們需要結合「善之為道者」句來進行理解，因為後者正是對前者的進一步詮釋。〈不苟〉云：「善之為道者，不誠則不獨，不獨則不形，不形則雖作於心，見於色，出於言，民猶若未從也。」「為道」即前述之「誠心守仁」、「誠心行義」。相比於「誠心守仁則形」，該句中「誠」與「形」之間多了「獨」這一概念。「獨」，當以「心」解之。首先，就文本上看，此解於先秦古籍中多見，如簡帛〈五行〉之「慎其獨」。[30]進一步，「心」在荀子思想中乃「神明之主」，它主宰形體而無所

26 王先謙：《荀子集解》北京：中華書局，2013年4月，頁54。

27 王先謙：《荀子集解》北京：中華書局，2013年4月，頁54。

28 王天海：《荀子校釋》上海：上海古籍出版社，2005年12月，頁104。

29 唐君毅：《中國哲學原論‧導論篇》北京：中國社會科學出版社，2005年，頁9-10。

30 具體可參見陳來：《竹帛〈五行〉與簡帛研究》北京：三聯書店，2009年4月，頁113。

對，故可以「獨」稱之。最後，「慎其心」之說能與「養心莫善於誠」呼應。如前所述，「順命」之「命」是指一種於君子自修而百姓自化中體現出的必然性。君子自修實即「養心」，亦即「慎其獨」。

或有人問：倘若以「心」釋「獨」，那麼下文之「不獨」該如何理解？獨，心也、一也。「不獨」實即「心不能專一」。清儒俞樾解釋「不誠則不獨」說：「言不能誠實則不能專一於內」[31]，他敏銳地指出「獨」是一種「專一於內」的狀態。心不真誠，則不能專一，不能專一就無法領悟和把握仁義。「不形則雖作於心」就是講心若不能徹底領悟和把握仁義，即便有花言巧語，百姓也不會聽從。「民猶若未從也」則說明荀子此段所講的「化」是指「化民」，而非「化性」。就此而言，「善之為道者「句所論以「養心」始，以「化民」終，體現著「內聖外王」之道。

荀子在下文說：「夫誠者，君子之所守也，而政事之本也。」在荀子看來，守誠之君子乃政事之本。《荀子・君道》云：「『請問為國？』曰：『聞修身，未嘗聞為國也。』君者儀也，民者景也，儀正而景正。」可以說，荀子的這一思想與孔、孟無大差別，均是強調君主修身而百姓自正。國家政事的根本在於守誠之君子，此亦即〈君道〉所講的「有治人，無治法」。荀子在〈不苟〉中強調的「未施而親，不怒而威」——在本質上——與「儀正而景正」是一致的，均是在強調「內聖」的重要性。就此而言，荀子談「養心」必然要論及「化民」或「政事」。「濟而材盡，長遷而不反其初，則化矣」隨「政事之本」而來，此「化」是指「化民」，而非「化性」。

綜上所述，〈不苟〉論「誠」以「養心」為始，以「化民」為終，背後蘊含著「內聖外王」之道。荀子並不是不重視「內聖」，而是對如何達至「內聖」有自己的見解。他認為個體若能用心真誠地施行仁義，那麼後者就會內化於心。「神」、「明」即標識著仁義內化於心的君子所達至的境界，此實即「內聖」。面對達至「神明」境界的君子，百姓自然自化，這一現象即是〈不苟〉所講的「君子至德，嘿然而喻」。以此觀之，荀子論「誠」實與《大學》更近。

四　「誠論」與《大學》

對於「誠論」與《大學》的思想聯繫，學者多有論述。清儒劉台拱即引《大學》「誠其意」解釋〈不苟〉所講之「誠」。[32]馮友蘭先生不僅認為《大學》所講的「誠於中，形於外」及「慎獨」等語均見於《荀子》，而且還指出《大學》所說的「大學之

31 王先謙：《荀子集解》北京：中華書局，2013年4月，頁55。

32 王先謙：《荀子集解》北京：中華書局，2013年4月第2版，頁54。

道」應該用荀學的觀點解釋。[33]一言以蔽之，〈不苟〉「誠論」影響了《大學》。對於馮先生的見解，後之學者有不同的看法。通過對《大學》內容的分析，徐複觀先生則指出「《大學》主要的立足點，當在孟學而不在荀學。所以對《大學》的解釋，主要也應當以孟學為背景。」[34]針對學者在該問題上的爭論，梁濤則認為這些爭論均忽視了《大學》思想的複雜性和特殊性，有失之簡單化的嫌疑。梁氏認為《大學》思想有二元傾向，對以後的孟學、荀學均有所影響，不過他也承認「就《大學》思想的主要性格而言，似與思孟一派關係更近」。[35]那麼，「更近」何解？他講：「《大學》強調『以修身為本』，主張由修身達到天下的治平，這種由『內聖』而『外王』的實踐方法顯然直接影響到孟子，而與荀子關係不大。……荀子雖然也講修身，但他的修身主要是通過實踐外在的禮儀來完成，是『立外王而成就內聖』，與《大學》思路並不相同。」[36]可以說，梁濤教授的理解頗具代表性。[37]但這種理解仍有可商榷之處，因為一方面荀子也主張「由『內聖』而『外王』」，另一方面「由『內聖』而『外王』」並不能完全概括《大學》思路。

如前所述，荀子也認為外在的行為需要有內在德性依據，這一點可以從「箸乎心」、「忠誠盛于內」、「聞修身，未嘗聞為國也」等相關論述中看出。荀子雖然也認可「由『內聖』而『外王』」的實踐方法，但他的關注點並不在於如何由「內聖」到「外王」，而在於如何達到「內聖」，因為前者是一個自然的過程（「君子至德，嘿然而喻」），而後者則需要修養。正是在「修養」這一主題中，我們可以見到「誠論」與《大學》的共通之處。

《大學》載：「自天子以至於庶人，壹是皆以修身為本」，如何「修身」？復曰：「欲修其身者，先正其心。欲正其心者，先誠其意。欲誠其意者，先致其知。致知在格物。」按此，《大學》立言次序，要在先格物、次致知、次誠意、次正心。換言之，「修身」的邏輯起點是「格物」。對於「格物」之意涵，學者百家百說、爭論不斷，其中最重要者為朱子與陽明之說。兩人皆訓「物」為「事」，所不同者在於朱子重在「即物而窮其理」，陽明意在「以物為意之所在」。[38]兩人之說均不可視為《大學》本文之注釋，

---

33 馮友蘭：〈《大學》為荀學說〉，載於顧頡剛：《古史辨・四》上海：上海古籍出版社，1982年，頁175-188。又可參見馮友蘭：《中國哲學史・上》上海：華東師範大學出版社，2011年，頁206-210。

34 徐複觀：《中國人性論史・先秦篇》北京：九州出版社，2014年，頁251。

35 梁濤：《郭店竹簡與思孟學派》北京：中國人民大學出版社，2008年，頁134。

36 同上註，頁133。

37 勞思光先生即認為「《大學》乃分取孟、荀兩家之說，其糅合較為成功也」，又說「孟子重內在自覺之擴充，荀子重外在師法之範鑄。」參見氏著：《新編中國哲學史・卷二》廣西：廣西師範大學出版社，2005年，頁35。蔣年豐先生亦認為「思孟學派主張『由內聖而外王』的模式，荀子則主『立外王以成內聖』」。參見氏著：〈從思孟學派與荀子對「內聖外王」的詮釋論形氣的角色與義涵〉，載於楊儒賓主編：《中國古代思想中的氣論與身體觀》臺北：巨流圖書公司，1993年，頁381。

38 參見唐君毅：《中國哲學原論・導論篇》北京：中國社會科學出版社，2005年，頁190。

而毋寧說是「六經注我」之理解。一方面，《大學》文本既未見「理」字，又未嘗有「良知」之說，另一方面訓「物」為「事」則使「物」字落空。[39]兩人之說若視為《大學》原義之解析，則皆非；而若轉而視之《大學》思想之隱義之引出，或進一步之儒學思想發展，則皆是。[40]行文至此，問題或許在於《大學》是否存在「原義」或「真正的意義」？若按詮釋學的觀點，任何理解都絕不是一種複製性的原樣理解，而是理解者根據自己的當前語境和現實問題對一直傳承到自己的傳承文本的把握。[41]就「格物」而言，其自身經歷著眾多效果歷史的前理解，因此，即便《大學》存在「原義」，我們可能也無法「理解」。不過，我們雖然無法判定《大學》「原義」，但我們可以判斷哪些理解不是《大學》「原義」，一如前文所舉之朱子與陽明「格物說」。

就本節主題而言，我們只需要注意「（格）物」與「（致）知」之間的理論距離即可。根據《大學》文本，「知」乃「心」之「知」，「物」是「心知」的對象。「心知」自然屬「內」，那麼「物」——作為「心知」的對象——則屬「外」。准此，「知」與「物」有「內」、「外」之別，「格物」與「致知」之間存在一個「由外而內」的過程。梁濤教授就認為，「正是『致知』呈現的『由外而內』的思路啟發了荀子。」[42]就此而言，「由『內聖』而『外王』」不足以完整概括《大學》的思路。如前所述，在「內聖」之前，《大學》理論上還存在一個「由外而內」的過程，這一點正與〈不苟〉「誠論」所強調的「誠心守仁則形」近似。一言以蔽之，《大學》「內聖」的邏輯起點不是「擴而充之」，而是「由外而內」。

事實上，「由『內聖』而『外王』」乃孟、荀共識，只不過兩人在如何達至「內聖」上存在分歧。若按孟子，「擴而充之」已有的良心是達至「內聖」的方法。而在荀子，達至「內聖」的工夫則是「誠心守仁則形」，這與《大學》所講的「致知在格物」近似，均體現著一種「由外而內」的思路。若按孟學，「格物」與「致知」實無存在之必要。王陽明在答羅欽順有關「致知」的問題時說：「若語其要，則修身二字足矣，何必又言誠意？誠意二字足矣，何必又言致知？又言格物？」（《陽明全書．答羅整庵少宰書》）陽明此說最可體現孟學思路。既然人人皆備「良心」，「擴而充之」即可。與之相比，《大學》所講之「格物、致知、誠意、正心」何其枝蔓！因此，當後學試圖用孟學

39 《大學》說「物有本末，事有終始」，在「物」與「事」並舉的前提下訓「物」為「事」必然會導致「物」字落空。《大學》原文有「國之本」、「家之本」等表述，此「本」即「本末」之「本」。准此，「物」必有其專屬意涵而不必訓為「事」。

40 此乃唐君毅先生之評語，切實可從。參見氏著：《中國哲學原論．導論篇》北京：中國社會科學出版社，2005年，頁184。

41 洪漢鼎：《詮釋學：它的歷史和當代發展》北京：中國人民大學出版社，2018年，頁4。

42 對此，梁濤教授即說：「『致知』如前面所說，主要是對禮的知，它由外而內，以外在的『知』（禮）使心得到充實、安頓。後者（筆者按：即『致知』）啟發了荀子。」參見氏著：《郭店竹簡與思孟學派》北京：中國人民大學出版社，2008年5月，頁134。

解釋《大學》時，他們會自覺或不自覺地「忽視」「格物、致知」等內容。而事實上，《大學》固然強調「修身為本」，但「修身」之前尚存在「格物」、「致知」等內容。如前所述，「致知在格物」背後的理論邏輯實與〈不苟〉「誠心守仁則形」近似，此即「由外而內」。

綜上所述，「誠論」與《大學》在思想上的一致之處首先即體現在「修身」工夫上。與「誠論」近似，《大學》所講之「修身」的邏輯起點是「由外而內」，這顯然不同於孟子所講的「擴而充之」。更進一步，如同《大學》由「修身」推至「天下平」，「誠論」也強調「神則化」，主張君子自修而百姓自化。以此觀之，〈不苟〉論「誠」——在整體思路上——實與《大學》更近。需要指出的是，《大學》意涵深遠，注家詮釋無數。本文在此無意對《大學》內容作詳細詮釋，只是嘗試性地指出它在整體思路上與〈不苟〉「誠論」的近似之處，其得失利病，有待高明之君子。

五　小結

自孔子始，儒者一直努力向內發掘秩序根源。在孟、荀這裡，此種「努力」終於有了標誌性的成果。概言之，孟子點出「良心」，提出「性善」，「擴而充之」的修養工夫由此而出；荀子雖講「性惡」，但其「心」足以承擔起「積善成德」之重任。因此，與孟子的修養工夫不同，荀子主張「形於內而顯於外」，此即〈不苟〉「誠論」的主要內容。此外，通過簡要對比，我們會發現〈不苟〉「誠論」在整體思路上與《大學》、而非《中庸》更近。就此而言，我們可能需要注意《荀子》與《大學》的理論聯繫。

歷史話語的建構與闡釋*
——以「楚子圍宋」的文本分析為例

尚　潔
北京師範大學文學院

對同一歷史事件，不同史書往往因某些複雜而曖昧的原因，存在不同的記載方式和價值判斷。這提示我們，歷史一旦作為文本被記錄，被不同時代的價值觀建構和解釋便成其宿命。對此命題，路易士·蒙特羅斯（Louis A. Montrose）將之概括為「文本的歷史性和歷史的文本性」[1]，即文本是社會歷史情境的產物，歷史通過文本得以再現並經此為人所闡釋。然而這種經由述、鈔、編撰所建構的「歷史」，很大程度上是「選擇了概念性策略來解釋或表現他的史料」[2]，雖不至於完全扭曲失真，但不能簡單地視作全然的歷史真實。

歷史記述和歷史真實間存在的可能差異，其成因是相對複雜的。一方面來自於文本外部，即史料的不同來源、作者的知識結構差異和價值判斷立場有別，另一方面也來自文本內部，例如不同的文體規範、語言結構、編纂邏輯等。時代愈是久遠，文獻愈不足徵之時，對相關文獻互證的考察便愈發仰賴於此二方面。對此，我們不妨以不同史書所載「楚子圍宋」之事為例，略作申說，通過考察不同史書對同一歷史事件相關話語建構的差異化表述，一窺上述兩方面原因在其中的作用機制，不當之處，尚祈方家指正。

一　各書的文本歧異

「楚子圍宋」是楚臣申舟途經宋國被殺而引發的戰爭事件。對此事件的記載，見於《左傳》、《公羊傳》、《韓詩外傳》、《史記》、《呂氏春秋》等傳世文獻，又見於近出清華簡《繫年》，各書雖詳略不一，但主題皆較集中。杜曉曾指出《呂氏春秋》的記載較之他處，歧異最甚，反而在情節架構上與《左傳》宣公十二年（西元前597年）「楚子圍

* 本文係二〇二二年度教育部人文社會科學青年基金項目：《逸周書》文本生成與纂集研究（項目批號：尚未公布）階段性成果。

1 張進：〈新歷史主義文藝思潮的思想內涵和基本特徵〉，《文史哲》，2001年第5期。

2 （美）海登·懷特（White, H.），陳新譯：《元史學：19世紀歐洲的歷史想像》序言，南京：譯林出版社，2013年，頁2。

鄭」高度相似，存在將鄭國之事移置此處的可能性。[3]此外，《公羊傳》僅記載求和過程，失之簡略，《韓詩外傳》又采《公羊傳》之說，故以上三書的記載，自成體系，本文暫不采為核心史料分析。除去以上三者，本文關切的核心史料主要是紀傳體的《史記》、編年體的《左傳》以及具有很強「紀事本末」傾向的清華簡《繫年》[4]對「楚子圍宋」事件記述的異同，並在此基礎上試圖歸納作者的不同價值判斷、史書的不同體裁形式對同一史事記載歧異的可能影響。

清華簡《繫年》對此事的記載見於簡55-60。《繫年》悉述此事前因後果，將此戰發端歸因於申舟「抶宋公之禦」的舊怨，且省略宋人求和的具體過程，直述其結果。

> 楚穆王立八年，王會諸侯于厥貉，將以伐宋。宋右師華孫元欲勞楚師，乃行，穆王使驅孟諸之麋，徙之徒林。宋公為左盂，鄭伯為右盂。申公叔侯知之，宋公之車暮駕，用抶宋公之禦。穆王即世，莊王即位，使申伯無畏聘于齊，假路于宋，宋人是故殺申伯無畏，奪其玉帛。莊王率師圍宋九月，宋人焉為成，以女子與兵車百乘，以華孫元為質。[5]

而在《左傳》中，此事則散見於文公十年（西元前617年）、宣公十四～十五年（西元前595-594年）。其中，文公十年記「申舟抶宋公之僕」，此為戰爭背景，宣公十四年記「申舟過宋而不假道」，此為戰爭導火索，宣公十五年則詳述了華元與子反的議和過程。

> 陳侯，鄭伯，會楚子於息。冬，遂及蔡侯，次於厥貉，將以伐宋，宋華御事曰：「楚欲弱我也，先為之弱乎，何必使誘我，我實不能，民何罪？」乃逆楚子，勞且聽命遂，道以田孟諸。宋公為右盂，鄭伯為左盂，期思公複遂，為右司馬，子朱及文之無畏，為左司馬，命夙駕載燧。宋公違命，無畏抶其僕以徇。或謂子舟曰：「國君不可戮也！」子舟曰：「當官而行，何強之有？」《詩》曰：「剛亦不吐，柔亦不茹，毋縱詭隨，以謹罔極」，是亦非辟強也，敢愛死以亂官乎。
>
> ——《左傳．文公十年》[6]

> 楚子使申舟聘于齊，曰：「無假道于宋。」亦使公子馮聘于晉，不假道于鄭。申舟以孟諸之役惡宋，曰：「鄭昭，宋聾，晉使不害，我則必死。」王曰：「殺女，我伐之。」見犀而行。及宋，宋人止之。華元曰：「過我而不假道，鄙我也。鄙

3　杜曉：〈《呂氏春秋》「文無畏過宋」文本形成試探〉，《西安財經學院學報》，2016年第4期。

4　《繫年》紀事本末體說為廖名春首倡，參見廖名春：〈清華簡《繫年》管窺〉，《深圳大學學報》（人文社會科學版），2012年第3期。許兆昌、齊丹丹與廖名春觀點略同，指出其「因事成篇」的紀事本末特點，參見許兆昌、齊丹丹：〈試論清華簡《繫年》的編纂特點〉，《古代文明》，2012年第2期。

5　李學勤主編：《清華大學藏戰國竹簡》（貳）上海：中西書局，2011年，頁160。

6　（晉）杜預注，（唐）孔穎達正義：《春秋左傳正義》，阮元校刻《十三經註疏》北京：中華書局，2009年，頁4011-4012。

> 我，亡也。殺其使者，必伐我。伐我，亦亡也。亡一也。」乃殺之。楚子聞之，投袂而起。屨及於窒皇，劍及於寢門之外，車及于蒲胥之市。秋九月，楚子圍宋。
>
> ——《左傳・宣公十四年》[7]
>
> 夏五月，楚師將去宋，申犀稽首于王之馬前曰：「毋畏知死而不敢廢王命，王棄言焉。」王不能答。申叔時僕，曰：「築室，反耕者，宋必聽命。」從之。宋人懼，使華元夜入楚師，登子反之床，起之，曰：「寡君使元以病告，曰：『敝邑易子而食，析骸以爨。雖然，城下之盟，有以國斃，不能從也。去我三十里，唯命是聽。』」子反懼，與之盟，而告王。退三十里。宋及楚平。華元為質盟約：「我無爾詐，爾無我虞。」
>
> ——《左傳・宣公十五年》[8]

《史記》對此事的記載分見於《宋微子世家》和《楚世家》，可合而觀之：

> 十六年，楚使過宋，宋有前仇，執楚使。九月，楚莊王圍宋。十七年，楚以圍宋五月不解，宋城中急，無食，華元乃夜私見楚將子反。子反告莊王。王問：「城中何如？」曰：「析骨而炊，易子而食。」莊王曰：「誠哉言！我軍亦有二日糧。」以信故，遂罷兵去。
>
> ——《史記・宋微子世家》[9]
>
> 二十年[10]，圍宋，以殺楚使也。圍宋五月，城中食盡，易子而食，析骨而炊。宋華元出告以情。莊王曰：「君子哉！」遂罷兵去。
>
> ——《史記・楚世家》[11]

上述三組文本共同構成了一個首尾完整，內容相對封閉的文本群。該文本群既體現了記載層面的「歷史共識」，如其敘事脈絡皆大體遵從「申舟辱宋—申舟過宋—楚子圍宋—宋與楚平」這一基本的事件邏輯架構；也充分反映了基於這一基本事件邏輯架構的不同記載側重和價值判斷，分別表現在「假道」、「求和」、「退兵」等各主因果的三方面。

就「假道」一事而言，清華簡《繫年》明確記載楚國「假路于宋」，《左傳》則記載楚子令申舟「無假道于宋」，而《史記》則似是忽略了「假道」這一戰爭爆發的直接原因，將楚宋之戰歸因於「宋有前仇」，即《左傳》所言「申舟抶宋公之僕」之事。

7　同上註，頁4094。

8　同上註，頁4097。

9　（漢）司馬遷：《史記》北京：中華書局，2014年，頁1967。

10　《左傳》記載楚子圍宋一事開始於魯宣公十四年，即楚莊王十九年。《史記・十二諸侯年表》也記載楚莊王十九年「圍宋，為殺使者」。蓋此處記為「二十年」應是記載戰爭結束的時間。

11　（漢）司馬遷：《史記》，頁2054。

就「求和」一節而說，清華簡《繫年》僅記載了議和的結果及人質、禮物之事，對其過程之曲折及楚莊王在其中的作為並無一語涉及。《左傳》則著重記錄了華元夜會子反的細節，將議和的原因歸因為「子反懼」，同時，對最終同意議和的楚莊王，僅有「而告王」三字提及。《史記》則對華元、子反之會一句帶過，乃至於並未提及與華元盟這一直接結果，將記述重點轉移到楚莊王身上，並將退兵之事直接歸於楚莊王。

就「退兵」一舉而觀，清華簡《繫年》只記載了退兵的結果，並不提及其原因，《左傳》則傾向於認為楚國退軍的原因是子反懼怕宋國與之魚死網破，《史記》給出了兩條退兵的原因，客觀而言楚國本身軍糧不足，持續圍城未必能克，而主觀上則以莊王信守承諾以及有感於華元的君子之風，作為退兵的表面託辭。

總體而言，三處記載基於「申舟辱宋—申舟過宋—楚子圍宋—宋與楚平」這一共同的事件邏輯架構，對戰爭起因、是否假道以及楚國退兵的真正原因等具體問題，闡釋各殊，歸因有別。而對歷史文本差異化表述的分析，很大程度上是以「歷史事實」為基準，由於文獻闕如，大量史料來源晦暗不明，這裡所談的「歷史事實」，在先秦時期這一特殊的歷史時段，其實指向的更多是「歷史共識」，即各處史料的最大公約數以及編纂中共通的邏輯脈絡。而要概括出這一史事的「歷史共識」，則必須對這些闡釋和歸因上的出入給予合理的解釋。

二　可能的歷史共識

上節指出三處記載的事件邏輯架構相同，歧異點主要在於「假道」、「求和」以及「退兵」三個方面，故下文對「歷史共識」的解釋，本應也按照上述三個方面展開，但由於兩國議和的具體過程和楚國退兵的直接原因緊密聯繫，難以分割，為免內容重復，茲將相關解釋以「申舟過宋時是否假道」與「楚國退兵的真實原因」兩題統攝。

（一）申舟過宋時是否假道

春秋時人在外交聘問時，往往將「假道」視作相當重要的儀節，並認為是被假道之國尊嚴和地位的某種象徵。例如《儀禮．聘禮》言：「若過邦，至於竟，使次介假道，束帛將命於朝，曰：『請帥。』奠幣。」鄭注云：「至竟而假道，諸侯以國為家，不敢直徑也。」[12]因此，申舟是否假道，是宋國當時在楚國眼中地位的指示劑，並不是一件可以忽略不談的小事。三處記載中，一處忽略了相關事件，一處言「假路于宋」，一處引

12 （漢）鄭玄注，（唐）賈公彥疏：《儀禮注疏》卷十九《聘禮》，阮元校刻《十三經註疏》北京：中華書局，2009年，頁2265。

楚莊王之語言「無假道于宋」，有學者就假道一事指出「二書所反映的申舟被殺的真實原因並不相同，值得玩味」[13]但是並未就此給出任何解釋，筆者認為事實看似頗多齟齬，然而細審之下，二者並非互相矛盾，只是《繫年》指向「假路」之事，而《左傳》指向「假道」之禮。

從事實層面而言，《史記》言「楚使過宋」，申舟由楚至齊聘問，自宋國經過，乃事所必然，既然至齊而經宋，且在宋國被殺，則清華簡《繫年》稱「假路于宋」，顯然是基於其現實行為的客觀敘述。而從名義層面而言，假路之事和假道之禮並不能等同而觀，楚子命申舟「無假道于宋」，顯然是就不行假道之禮而言，而非就不途徑宋國而言，甚至正是因為知道申舟此行必經宋國，才令其「無假道」。因此，關於申舟假道之事，可以概括為「無假道之禮，而行假道之實」，如此，則三處記載得以調和。

解釋了「是否假道」，我們便能更進一步地探討楚莊王令申舟聘齊，且令其無假道於宋的深層次動機。申舟過宋及公子馮過鄭均不行假道之禮，顯然意在挑起鄭、宋二國的不滿，從而為楚國進一步向北擴張提供出兵的口實。然「無假道」畢竟是春秋時期的外交儀節所貶斥的行為，並不足以支撐出兵的正當性，因此，楚莊王故意派遣與宋有舊隙的申舟經宋聘齊，且不行假道之禮，顯然意在利用這一宿怨，令宋人殺之，楚國便能以「斬使」這一相對正當的理由興師問罪。這在當時整體春秋爭霸的背景之下，顯然不是一種陰謀論層面的猜測。

宣公十二年邲之戰後，晉楚攻守易勢，楚國開始主導中原霸權，陳、鄭等國紛紛依附於楚，然宋國先於宣公十二年援救被楚圍攻的蕭，後又與晉國為清丘之盟，並奉此盟約而征伐「貳于楚」的陳，這兩個舉動顯然在宣示其對楚國掌握中原霸權的不合作態度。因此，楚莊王於宣公十四年利用申舟與宋國的宿怨，以「不假道」為手段謀劃對宋國的征伐行動。而同時遣公子馮不行假道之禮經鄭而往晉國，也具有某種「服從性測試」的意味。兩件事一方面試探了晉國對中原諸國的控制力，另一方面也為楚國進一步向北進取製造藉口。

楚國此番之所以鄭、宋並舉，一方面是二國在攝乎晉楚之間的諸侯國中，具有較強的國力和號召力，獲得兩國的依附，即意味著對中原霸權的穩定支配，另一方面也因為二國地當中原要衝，如顧棟高所言「陳、鄭、許皆在河南為要樞，鄭處其西，宋處其東，陳其介乎鄭、宋之間。得鄭則可以致西諸侯，得宋則可以致東諸侯」[14]，故，楚國欲制霸中原，則必得宋、鄭。然而與鄭國「敬共幣帛，以待來者」的順從態度不同，宋國對楚國一直頗為抵觸。顧棟高在《春秋于齊晉外尤加意于宋論》中指出「晉、楚爭宋、鄭，而鄭及楚平，《春秋》不志。至宣十五年宋人及楚人平，大書特書。蓋宋為中

13 代生：〈史料、文本與史實——楚申舟被殺事件的書寫與解讀〉，《東嶽論叢》，2022年第7期。

14 顧棟高：《春秋大事表》北京：中華書局，1993年，頁1997。

國門戶，常偪強不背即楚，以為東諸侯之衛。至宋即楚，而天下之事去矣。楚順之猾夏也，於僖二十六年圍宋楚莊之爭伯也，于宣十四年又圍宋至向戌為弭兵之策，合天下諸侯盟于宋，而伯統絕而蠻夷橫矣。」[15]因此，宋國服於楚是楚莊王掌握中原霸權的充分且必要條件，由此，楚莊王令申舟無假道於宋，實則是在充分的利益計算之下所做出的決策，並非是全然莽撞的挑釁行為。

（二）楚國退兵的真實原因

《左傳》記載「子反懼，與之盟，而告王」，以「懼」作為楚人撤軍的歸因，似是將楚軍撤圍理解為懼怕宋傾國之力，行魚死網破之事。而《史記》相較而言，則更詳細地從主客觀兩方面申述了撤兵的理由。

客觀層面，各條史料皆指向楚國存在的軍糧問題。除《史記・宋微子世家》「我軍亦有二日糧」外，《公羊傳》亦言「莊王圍宋，軍有七日之糧爾，盡此不勝，將去而歸爾」[16]。《史記》與《公羊傳》的記載雖有「二日」和「七日」的程度之別，但是都記載了「缺糧」一事。至於《左傳》，對缺糧問題雖無直接說明，但行文中亦微存蛛絲馬跡。首先，在實現壓服宋國的目的之前，楚人便已萌生退兵之意。《左傳》言「夏五月，楚師將去宋」便是明證，對此，杜預解釋為「在宋積九月，不能服宋故」[17]，即《孫子兵法・作戰》所言「攻城則力屈，久暴師則國用不足」[18]。其次，申叔時建議楚王「築室，反耕」，即「築室于宋，分兵歸田」[19]。此「因糧於敵」之行雖是對宋示久戰決心的詐術，也客觀上反映了楚人積糧不足的情況，由此觀之，楚人啟釁之時，似是更傾向於挾邲之戰餘威，迅速壓服宋國，並未做好持久戰的準備，故造成了進退兩難之局。

而《史記》將楚人退兵的主要原因表述為感慨於宋人請和之誠，故信諾而退兵。《宋微子世家》增加莊王之語「誠哉言」，並言「以信故，遂罷兵去」。《楚世家》記載楚莊王言「君子哉！」事實上，這些較之《左傳》和清華簡《繫年》所增羨的部分意在反映《史記》對「楚子圍宋」的某種價值判斷，並不全然指向事件本身。這兩句話的最終歸因在於形而上的「誠」、「信」等價值標準與「君子」這一道德身分。這一方面固然是楚人對華元的讚賞，另一方面，也強調楚莊王也服膺於這套價值觀念，換言之，是認可了「誠」、「信」這套價值觀念和「君子」這一道德身分，從而取得圍宋一事的勝利，

15 同上註，頁1980。

16 （漢）何休注，（唐）徐彥疏：《春秋公羊傳注疏》，阮元校刻：《十三經注疏》北京：中華書局，2009年，頁4963。

17 （晉）杜預注，（唐）孔穎達正義：《春秋左傳正義》，頁4097。

18 李零譯注：《孫子譯注》北京：中華書局，2009年，頁16。

19 （晉）杜預注，（唐）孔穎達正義：《春秋左傳正義》，頁4097。

進而掌握中原霸權。這一記載雖與《左傳》所載之「子反懼」有所齟齬，但未必是司馬遷有意粉飾史實。

三　迴異的話語策略

清華簡《繫年》、《左傳》、《史記》通過對「假道」、「求和」、「退兵」三個要素的不同塑造，體現了三者採取的話語策略存在差異，傳遞的核心價值觀念亦有所區別：清華簡《繫年》以「力」為主，《左傳》以「禮」為樞，《史記》以「義」為要。

之所以說清華簡《繫年》以「力」為主，是因為其自第六章始，便主要圍繞晉楚爭霸這一主軸敘事，著力體現兩國勢力的彼此消長。胡寧認為《繫年》在編排上採用「二元對立」結構，「晉國與楚國是最基本的二元對立，以此為核心，有晉、楚兩大陣營的對立，有晉國『背後』的楚陣營國家（秦）與晉陣營國家（吳、越）的對立，有姬姓封國與異姓封國之間的對立」。[20]《繫年》第十一章記載「楚子圍宋」即反映了楚國與歸屬晉陣營的宋國之間的對立。

這一對立反映在敘述之中，是二元對立結構下省略其餘枝節的強因果關係。清華簡《繫年》記此事時，著重強調「楚強宋弱」的二元對立關係。例如第十一章記載楚國兩次伐宋，一次為楚穆王時申舟與宋人結怨之事，即《左傳》文公十四年（西元前613年）所言者。另一次則是此「率師圍宋九月」。此章之中，宋人兩蹶於楚，前則國君受辱，後則遣臣為質。這在一定程度上反映了在清華簡《繫年》的敘述中，強弱消長、攻守形勢是優於價值判斷和道德身分的，其不強調「禮」、「誠」、「信」，也無感於「君子」之風，全然以「力」作為話語策略的核心。

而《左傳》的話語策略，與清華簡《繫年》則存在較大的差異，體現為對「禮」的著重表彰和對「力」的不以為然。正如趙輝、崔顯豔所言，《左傳》作者「自覺地將『禮』作為記述歷史的中心視點，以事明禮，使《左傳》始終參照禮來記事；而『禮』以過程和細節表現其意義，要求記錄者對事情的本末和細節特別關注」[21]。具體到「楚子圍宋」這一個案而言，其強調莊王吩咐「無假道于宋」，即隱含指向楚國的違禮行為引發了此次圍宋之役。

因此，《左傳》的相關記載也隱含著一個二元對立的結構，即「楚人無禮而戰—宋人據禮力爭」。楚宋之戰由楚國不假道這一無禮之舉而起，而宋國即使陷入「易子而食，析骸以爨」的悲慘境況，也未輕易投降，「雖然，城下之盟，有以國斃，不能從

---

20 胡寧：〈也談清華簡《繫年》的體例和史學價值〉，復旦大學出土文獻與古文字研究中心，復旦大學歷史學系編：《出土文獻與中國古代史》第一輯，上海：中西書局，2021年，頁186-187。

21 趙輝、崔顯豔：〈《左傳》敘事體式與「禮」之關係考〉，《中州學刊》，2008年第6期。

也」。這一對照組包含著對楚國無禮行為的貶斥，它違背了《左傳》一向的價值判斷標準，如沈玉成所說，「貫穿於整部《左傳》中的思想是重禮和重民」[22]。已有學者指出《繫年》敘事採取「以力統禮」結構，而《左傳》則更傾向於「以禮統力」，[23]揭示出《繫年》與《左傳》在價值判斷取向上的不同，而這也影響了對史料的取捨原則和編排方式。

與清華簡《繫年》、《左傳》這類可能成於眾手的文獻相區別的是，《史記》存在具體作者和較為明確的編纂目的。從文學性層面而言，《史記》這類紀傳體史書大多著眼於塑造鮮明的典型人物形象。如李志慧談及司馬遷塑造人物形象的做法時言其大多「選擇事件既選擇那些可信的、重大的、有助於揭示人物本質特徵的事件，又選擇那些有助於刻畫人物鮮明獨特性格特點的事件」[24]。因此，司馬遷總是自覺地依據自身所認可的價值判斷標準來提煉敘事主題，剪裁相關史料，從而歸納和臧否傳主的典型性格特徵。故從相關紀傳的文本生成上看，司馬遷大多是事先擬定一個所要傳達的主題，根據自身價值觀念確定臧否人物的標準，從而對史料進行針對性的剪裁取捨，例如《李斯列傳》以羨慕倉中碩鼠始，以羨慕黃犬逐兔終來刻畫李斯的人物形象，就是典型例證。牛運震評價道：「紀事之法，貴識大法，得要領，律覽者了然，知其主意所存，不欲旁及他端，以滋煩雜也。」[25]即強調了司馬遷圍繞主題剪裁史事，削去無關枝蔓的做法。

具體到「楚子圍宋」這一個案，司馬遷在《太史公自序》中著重強調了「莊王之賢，乃復國陳；既赦鄭伯，班師華元」，並將其歸結為「嘉莊王之義」。[26]可見在司馬遷看來，「義」正是楚莊王的人物內核，為了體現對楚莊王之「義」的嘉許，《楚世家》著重刻畫了楚莊王在復陳國、赦鄭伯、班師還三事上，面對義與利的抉擇，從而由表及裡地深化其重義的人物形象。因此，在《史記》中，前文所見的二元對立結構則可以表示為「宋之堅忍—楚之重義」。宋之堅忍體現在「析骨而炊，易子而食」，始終將宋國置於弱者的地位，為此，司馬遷有意略去了華元暗含威脅之語。對這一堅忍，楚莊王報以「誠哉言」、「君子哉」、「以信故」等認可和積極的回應，從而以宋國之堅忍來襯托楚莊王對其君子之風的嘉許，從而體現出楚莊王重信守義的人物形象。

由於上文三處的核心的價值觀念及判斷標準不同，主要的二元對立結構存在差異，塑造了各書不同的話語策略。而話語策略的選擇和史料的具體狀況則存在明確的互動關係，概括而言，即話語策略的選擇影響對史料的取捨剪裁，而史料的不同來源又極大塑

---

22 沈玉成、劉寧：《春秋左傳學史稿》南京：江蘇古籍出版社，1992年，頁84-85。

23 侯文學，李明麗：《清華簡《繫年》與《左傳》敘事比較研究》上海：中西書局，2015年，頁67-92。

24 李志慧：〈論《史記》創造典型的特點——《史記》論稿之一〉，《西北大學學報》（哲學社會科學版），1985年第4期。

25 楊燕起等主編：《歷代名家評史記》北京：北京師範大學出版社，1986年，頁12。

26 （漢）司馬遷：《史記》，頁4016。

造了話語策略的整體立場。因此，這必然牽涉到三者的不同史料來源。

陳民鎮指出《繫年》素材來源是複雜的[27]，尤銳贊同其說法並推測「《繫年》的主要原始資料是楚、晉等國的敘事體歷史作品」[28]，並進一步指出「單章的紀年方式及其敘事焦點的不同可能反映了其原始資料的來源亦不同」，而第十一章採用楚國紀年，亦以楚為敘事焦點，其史料來源於楚。[29]由此便可解釋為何唯獨《繫年》記載「假道」之事，其立場或即是通過言說其假路之實，來掩蓋其未行假道之禮的行為。

而《左傳》之史料來源更是駁雜，王和認為《左傳》材料取自「春秋時期各國史官的私人記事筆記」和「流行於戰國前期的、關於春秋史事的各種傳聞傳說」[30]，他指出「《左傳》記楚事時間大都模糊不清」，故而他推測「左氏並未直接見到過楚國的第一手史書文字，《左傳》中凡是記載楚事的材料，大半應是取自其他各國史書，小半則是取自戰國傳聞」，「其中取自鄭國史書的材料尤多」。[31]其在《左傳探源》中亦認定《左傳》宣公十四年、十五年所記楚事取自鄭國史官材料。[32]

至於《史記》，雖然《左傳》是《史記》的重要材料來源，但《史記》選擇性忽略了是否假道這一關鍵細節。司馬遷並無太多有意貶低或回護楚國的立場問題，之所以忽略「無假道于宋」一事，更多的是出於塑造楚莊王重義的人物形象的需要。其於《太史公自序》中明言作《楚世家》的目的是「嘉莊王之義」，而令申舟無假道於宋背後的譎詐算計，顯然與此「重義」的人物設定相齟齬，因此或許出於這一動機，司馬遷選擇了「為賢者諱」的做法。

從史料來源的角度看，清華簡《繫年》第十一章應采自楚國史料，《左傳》此文本則源自鄭國史料，《史記》博采眾家又有所取捨，這決定著三者文本編纂立場的差異，分別是勝利者的立場、旁觀者的立場以及後世大一統國家史官的立場。這三個不同的立場，塑造了三處記載不同的歷史記憶文本產生情境，如王明珂所言「歷史事實造成某種政治、社會情境；在這樣的情境中，掌握權力者（個人或群體）也掌握『歷史』建構，於是他們以『歷史』來強化有利於己的社會現實情境」。[33]由此可知，《繫年》所著力傳達的情境是經晉楚邲之戰之後，楚國一躍成為中原霸主，通過圍困宋國的方式來確立其

27 陳民鎮：〈《繫年》「故志」說——清華簡《繫年》性質及撰作背景芻議〉，《邯鄲學院學報》，2012年第2期。

28 尤銳：〈從《繫年》虛詞的用法重審其文本的可靠性——兼初探《繫年》原始資料的來源〉，李守奎主編：《清華簡《繫年》與古史新探》上海：中西書局，2016年，頁249。

29 尤銳：〈從《繫年》虛詞的用法重審其文本的可靠性——兼初探《繫年》原始資料的來源〉，李守奎主編：《清華簡《繫年》與古史新探》，頁240-241。

30 王和：〈《左傳》材料來源考〉，《中國史研究》1993年第2期。

31 王和：〈《左傳》的成書年代與編纂過程〉，《中國史研究》，2003年第4期。

32 王和：《左傳探源》（全二冊）北京：社會科學文獻出版社，2019年，頁384、386。

33 王明珂：《反思史學與史學反思》上海：上海人民出版社，2016年，頁16-17。

對霸權的實際掌控；《左傳》傳達的情境則是楚國以不假道啟釁於宋，圍宋是楚國精心設計下的謀劃，藉以挾制晉國，震懾宋、鄭。而司馬遷有選擇性地塑造典型性形象，其自我設置的書寫情境乃是完成「對人的命運的關懷」，具體體現在其追尋個人的意志、個性、品質等。[34]

不同文本在對歷史進行建構時均形成了一套自洽的話語體系，就「楚子圍宋」一事，三組文本均能視為邏輯完整、脈絡清晰的獨立文本。然而比而論之，則能捕捉到它們立體截面的差異化表達。它們基於各自的價值判斷，選取了不同的史料細節，採用了迥異的話語策略，繼而建構出了迥然不同的書寫情境，從而在歷史共識的基礎之上，呈現為互文又互斥的歷史文本。

34 過常寶：《原史文化及文獻研究》（修訂本）北京：中國社會科學出版社，2016年，頁427。

漢代羊裘述要

官德祥
香港新亞研究所

引言

漢代傳世史料可考之動物裘皮種類最少有以下九種：熊裘、狐裘、貉裘、羊裘、鹿裘、貂裘、豽裘、鼲子裘及狗裘等。當中以羊裘產量最豐，此應與漢代牧羊產業日漸發達有關。羊的飼養為漢代牧業的其中重要一環。羊的品種繁多，適應環境的能力強，廣泛分布於各種緯度的游牧類型中。[1]用羊皮做成的羊裘衣，對保護草原上的牧民至為重要。至於其他如熊、狐、貉及貂等裘皮，只能靠狩獵不定期而獲取；所謂「物以罕為貴」。以狐皮為例，《漢書》卷八十一〈匡衡傳〉〈顏注〉曰：「狐白，謂狐腋下之皮，其毛純白，集以為裘，輕柔難得，故貴也。」[2]這絕對是有錢人有地位者的恩物；反之，一般羊裘價錢則比較大眾化，擁有者羊裘的人口較多，值得大家注意。

本文以漢代羊裘作為主要研究對象，焦點放在一、牧羊業；二、羊皮何價；三、羊裘主人的身分地位及四、附記：「羊裘」衍生流行話語一則，作為對兩漢冬天常服——羊裘作初步探索。

一　牧羊業

距今三千五百年前北方經歷過一次變冷變乾的過程，隨著氣候變冷、變乾，溫性森林減少，那些原本在草原與農區邊緣地帶生長的農作物，漸漸失去生存條件，面對環境變化，牛、羊等牲畜卻具有較強的適應能力。[3]中國草原畜牧業主要集中於內蒙古、新疆、青海、西藏、甘肅、四川等西部及北部的天然草原分布面積較大的省份；農耕畜牧業則廣泛分布於東部、南部。西及西北草原畜牧業和東面農耕畜牧。[4]

---

1 王紹東：《農牧交輝——多維視角下的戰國秦漢時期北方長城》北京：中華書局，2021年，頁41。

2 見《漢書》卷81〈匡張孔馬傳〉〈顏注〉北京：中華書局，1962年，頁3332。

3 韓茂莉：〈論中國北方畜牧業產生與環境的互動關係〉，《地理研究》，2003年第1期。

4 李孝聰：《中國區域歷史地理》北京：北京大學出版社，2004年，頁13-15、464。另，胥剛、任繼周、韓建民、汪壟：〈中國畜牧業文化遺產的區域劃分及其簡要特徵〉，載《中國農史》，2015年第2期，頁134-135。

《史記》卷一二九〈貨殖列傳〉載曰：

龍門、碣石北多馬、牛、羊、旃裘、筋角；銅、鐵……。[5]

史念海先生認為「除碣石龍門一線以北是畜牧地區外，司馬遷還提到列於山西地區中的天水、北地、上郡諸郡的畜牧為天下饒。這個地區能夠成為畜牧地區是有它的自然條件和歷史淵源的。」[6]

另有學者認為「西漢武帝轄領河套之後，當地出現了新的社會經濟格局。……漢人與匈奴人同在；畜牧業與農業雙重並舉。……元狩二年（西元前121年），朝廷於河套地區的上郡、西河、朔方、五原等郡分別設立『屬國』，以安置前來投降的匈奴人，由屬國都尉負責管理。屬國制度規定，允許匈奴降眾依舊按照他們自己的傳統習慣，從事狩獵和畜牧業。」[7]

《史記》卷二十七〈天官書〉曰：

及秦并吞三晉、燕、代，自河山以南者中國。中國於四海內則在東南，……其西北則胡、貉、月氏諸衣旃裘引弓之民，……。[8]

西北胡、貉及月氏外族所穿的裘衣，就是當地外族牧業興盛下重要產物。班固《漢書》卷二十八上〈地理志〉載：「黑水、西河惟雍州。……織皮昆崘、析支、渠叟，西戎即敘。」[9]師古注曰：「昆崘、析支、渠叟三國名也。言此諸國皆織皮毛，各得其業。」[10]鄭玄以為衣皮之人居昆崙、析支、渠叟，三山皆在西戎。至於衣的是甚麼皮？筆者估計羊皮應佔一定數量。

至於漢代東北大牧場的主要分布地則在萊夷。

《漢書》卷二十八上〈地理志〉曰：

……萊夷作牧。[11]

師古曰：「萊山之夷，地宜畜牧。」[12]顏師古：萊夷，萊山之夷狄也。《漢志》：「東萊郡

5 《史記》卷129〈貨殖列傳〉，1982年2版，頁3254。

6 史念海：〈戰國秦漢時期黃河流域及其附近各地經濟的變遷和發展〉，載《河山集》北京：人民出版社，1988年，第3集，頁131。

7 張蘇、李三謀：〈漢唐之間曲折行進的河套畜牧業〉載《中國農史》2009年3期，頁5。

8 《史記》卷27〈天官書〉，1982年2版，頁1347。

9 《漢書》卷28上〈地理志〉北京：中華書局，1962年，頁1532。

10 《漢書》卷28上〈地理志〉〈注十三〉北京：中華書局，1962年，頁1532。

11 《漢書》卷28上〈地理志〉北京：中華書局，1962年，頁1526。

12 《漢書》卷28上〈地理志〉〈注七〉北京：中華書局，1962年，頁1527。

（郡治今掖縣）」[13]下云：「古萊國也。」「黃縣」下云：「有萊山、松林、萊君祠。」「不夜」下云：「萊子立此城。」是萊夷地在漢東萊郡境各縣。總之萊夷是古代山東半島的主人，至今山東省內留下蓬萊、萊陽、萊西、萊蕪、萊河、萊山等地名。[14]「萊夷作牧」是說萊族向中央王朝貢獻它的畜牧所得。[15]「萊夷作牧」四字雖言焉未詳，有一點可肯定就是「羊」是當中重要的牧養對象之一。

除上述外，西南地區也有牧羊產業的記載。常璩《華陽國志》卷四《南中志》曰：

> 漢武帝元封元年初開晉寧郡，司馬相如、韓說初開得牛馬羊屬三十萬。

按此條史料所記雖然不純是羊的數量，還有加上牛馬數量總和，但可估計若羊數目即使只占總數之六份之一，亦有五萬，絕非少數。儘管仍有學者對三十萬數字多少有所懷疑，但滇人牧羊業有一定規模的結論則應無疑議。[16]

上述是對漢代牧羊業分布作一鳥瞰式介紹，以下則就牧羊業的個案作更進一步的論證。

根據《漢書》卷五十八〈路溫舒傳〉載曰：

> 路溫舒字長君，鉅鹿東里人也。父為里監門。使溫書牧羊，溫舒取澤中蒲……。[17]

又，《漢書》卷七十六〈王尊傳〉曰：

> 王尊字子贛，涿郡高陽人也，少孤，歸諸父，使牧羊澤中……。[18]

鉅鹿及涿郡兩地皆在今日河北省地。王尊叔伯使他「牧羊澤中」；張澤咸先生視此為河北畜牧業盛行的例證。[19]漢代東北地區牧羊產業盛行，羊產品中裘衣的貨源充足，應與此不無關係。

又，《漢書》卷二十八上〈地理志〉載：「……河南曰豫州：其山曰華……民二男三女，畜宜六擾……。」[20]河南地區「畜宜六擾」，造就漢代牧業家的興起。以下所提到

13 周振鶴、張莉等：《漢書地理志彙釋》（增訂本）南京：鳳凰出版社，2021年，頁569。又，掖縣《漢志》屬東萊郡，出土有「夜丞之印」，參見周振鶴、李曉傑、張莉著：《中國行政區劃通史》〈秦漢卷（下）〉，2017年，頁1064。

14 顧頡剛、劉起釪：《尚書校釋譯論》北京：中華書局，2005年，頁588。

15 顧頡剛、劉起釪：《尚書校釋譯論》北京：中華書局，2005年，頁589。

16 劉小兵認為「常璩於《華陽國志。南中志》中所載牛馬羊數字，在《史記》、《漢書》中不載，對常璩說法依據有懷疑。」參見《滇文化史》昆明：雲南人民出版社，頁38，注1和注2。

17 《漢書》卷51〈路溫舒傳〉，中華書局，1962年，頁2367。

18 《漢書》卷76〈王尊傳〉，中華書局，1962年，頁3226。

19 張澤咸：〈秦漢時期海河平原農牧業生產〉，載《張澤咸集》北京：中國社會科學出版社，2007年，頁109。

20 《漢書》卷28上〈地理志〉，第1538。

的卜式，便是憑藉牧羊發達的佼佼者。

《漢書》卷五十八〈公孫弘卜式兒寬傳〉載曰：

> 卜式，河南人，以田畜為事。……式入山牧，十餘年，羊致千餘頭，買田宅。[21]

卜式在短短十餘年間以牧羊業發大財，並憑牧羊利潤到處「買田宅」，卜式的例子是漢代牧羊產業興旺的縮影。

除卜式例子外，班固《漢書》載記衛青大將軍年少時曾受父命作過牧羊活動。《漢書》載衛青道：「少時歸其父，父使牧羊……。」[22]其父鄭季，河東平陽人，以縣吏給事侯家，估計衛青都是在平陽附近從事牧羊業，至於牧場規模大小則不得而知。

除了牧羊業能保障羊的穩定供應外，羊的來源還有來自非定期戰爭中的虜獲和略奪。《漢書》卷五十五〈衛青霍去病傳〉中便有所記述：

> 今車騎將軍（衛）青度西河至高闕，獲首二千三百級，車輜畜產畢收為鹵，已封為列侯，遂西定河南地，案榆谿舊塞，絕梓領，梁北河，討蒲泥，破符離，斬輕銳之卒，捕伏聽者三千一十七級。執訊獲醜，敺馬牛羊百有餘萬，……。[23]

同傳另載道：

> 元朔五年春，……漢輕騎校尉郭成等追數百里，弗得，得右賢裨王十餘人，眾男女萬五千餘人，畜數十百萬……。[24]

這裡所記「馬牛羊百有餘萬」及「畜數十百萬」等，應屬事實；當中包括畜牲當不止羊，還有其他；但亦不難估計羊的數目應占一定比例。

又，《後漢書》〈馬援傳〉曰：

> （馬）援年十二而孤，少有大志……欲就邊郡田牧。……後為郡督郵，送囚至司命府，囚有重罪，援哀而妠縱之，遂亡命北地。遇赦，因留牧畜，賓客夕歸附者，遂役屬數百家。……因處田牧，至有牛馬羊數千頭，穀數萬斛。既而歎曰：『凡殖貨財產，貴其能施賑也，否則守錢虜耳。』乃盡散以班昆弟故舊，身衣羊裘皮絝。[25]

---

21 《漢書》卷58〈公孫弘卜式兒寬傳〉北京：中華書局，1962年，頁2624。

22 《漢書》卷55〈衛青霍去病傳〉北京：中華書局，1962年，頁2471。

23 《漢書》卷55〈衛青霍去病傳〉北京：中華書局，1962年，頁2473。

24 《漢書》卷55〈衛青霍去病傳〉北京：中華書局，1962年，頁2475。

25 《後漢書》卷24〈馬援列傳〉，頁828。高維剛認為「漢政府「令民得畜牧邊縣」政策的鼓勵下，烏氏倮『畜至用谷量馬牛』；橋姚『致馬千匹，牛倍之，羊萬頭，粟以萬種計』；班壹『致馬牛羊數千群』；馬援『至有牛馬羊數千頭，谷數萬斛』，他們牧養出的牲畜主要是作為商品拿到市場上去銷此事同見（東漢）劉珍《東觀漢記》，雖然字眼略有出入，但內容意思類同。[26]馬援把錢盡散昆弟故舊，這除了反映馬氏愛戴下屬和具有慷慨善良的一面外；另一方面，他「留下羊裘皮絝」給自己，或多或少反映羊裘乃漢代邊民最基本的禦寒物。[27]

最後，有一點值得補充和需要垂注的是雄圖偉略的漢武帝，他曾勞師動眾出擊匈奴，通西南道，並興築朔方，結果導致府庫空虛，遂有提出「乃募民能入奴婢得以終身復，為郎增秩，及入羊為郎，始於此」的挽救經濟手段。[28]漢武帝「入羊為郎」的政策，加上河套「屬國」成立，兩大政策下牧羊業得到長足發展；對於與羊相關的商品如羊皮裘的生產量，肯定起著直接刺激作用。

二　羊裘何價

漢代牧羊業發達，羊的數目增多，大量羊皮用以製羊裘。一般較富有的老百姓或下級官員在寒冬都會買一「領」羊裘以禦寒冷天氣。[29]究竟羊裘的價錢如何？《史記》《貨殖列傳》載：「羔羊裘千石」，文中以「石」為單位，反映羊產業在漢初時的規模。羊裘生產量高，供應多，價格自然趨向大眾化。[30]

其內文曰：

> 荅布皮革千石，……狐鼦裘千皮，羔羊裘千石，……亦比千乘之家，此其大率也。[31]

狐鼦裘的單位為「皮」，羔羊裘的單位為「石」，明顯說明狐鼦裘的價值比羔羊裘為高。顧炎武《日知錄》〈漢祿言石〉解釋道：「變皮言石，亦互文也。凡細而輕者則以皮計，

售，如，『畜牧，及眾，斥賣』，這些畜牧產品成為秦漢市場畜牧商品的一個重要來源。」見高維剛：《秦漢市場研究》成都：四川大學出版社，2008年，頁47。

26 《東觀漢記》卷十二〈馬援傳〉：「馬援歎曰：『凡殖產，貴其能諍施民也，否則守錢奴耳。』乃盡散以班昆弟故舊，身衣羊裘皮袴。」（東漢）劉珍等撰、吳樹平校注：《東觀漢記校注》鄭州：中州古籍出版社，1987年，上冊，頁419。另見（宋）李昉等：《太平御覽》卷694〈服章部11〉北京：中華書局，1960年，第3冊，頁3097。

27 《史記》卷99〈劉敬叔孫通列傳〉載：「劉敬者，齊人也。漢五年，戍隴西，過洛陽，高帝在焉。婁敬脫輓輅，衣其羊裘，見齊人虞將軍曰：『臣願見上言便事。』虞將軍欲與之鮮衣，婁敬曰：『臣衣帛，衣帛見；衣褐，衣褐見：終不敢易衣。』於是虞將軍入言上。上召人見，賜食。」從劉敬的「衣其羊裘」見高帝，則進一步反映羊裘的普遍性。《史記》卷99〈劉敬叔孫通列傳〉北京：中華書局，點校本二十四史修訂本，2013年，頁3271。

28 《漢書》卷24下《食貨志》北京：中華書局，1962年，頁1158。

29 據出土漢簡多採用「領」字以形容上身服裝的搭配量詞。此用「領」來計量衣服的用法早在先秦就已出現，是由衣領意思發展而來的，主要是計量有衣領的服飾，相當於現在使用的「件」。

30 參見（漢）張蒼等輯、曾海龍譯解：《九章算術》重慶：重慶大學出版社，2006年，頁195。

31 《史記》卷129〈貨殖列傳〉，1982年，頁3274。

粗而重者則以石計。」[32]師古曰：「狐貂貴，故計其數；羔羊賤，故稱其量也。」[33]《漢書》考證曰：「顧炎武按顏注其說甚確蓋非互文。」[34]由上可知，漢代羊裘相對狐貂裘皮較為低賤。〈貨殖列傳〉記商人一年販賣「狐貂裘千皮，羔羊裘千石，旃席千具」可獲利廿萬錢，則每販賣一張狐貂裘皮可獲利二百錢，販賣一石羔羊裘皮可獲利二百錢，販賣一具旃席也可獲利二百錢。即是說販賣一張狐貂裘皮的利潤同販賣一具旃席相同，也與販賣一石羔羊皮相同，足見羔羊皮要比狐貂裘、旃席要低廉得多。丁邦友按照陳連慶先生推算，認為一張狐貂裘皮、一具旃席的價格均為一千二百錢，而一石羔羊皮的價格也值一千二百錢。[35]丁氏之計算應與事實相符合。

另，班固《漢書》〈貨殖列傳〉曰：

> 通邑大都，一家商人每年有皮革一千石（一石一百二十斤），有狐貂皮一千張，有羔羊皮一千石，都算是大富商。[36]

又，《漢書》卷九十一〈貨殖列傳〉載：

> ……屠牛羊彘千皮，穀糴千鍾。……荅布皮革千石，……狐貂裘千皮，羔羊裘千石，旃席千具……。[37]

由上可知，漢代商人若能擁有羔羊裘千石，則被視為「大富商」。他們在「通邑大都」中進行羊皮交易。順便一提，關於裘市場除有在通邑大都外，還有分布在邊疆地區。居延漢簡載邊郡候官貰買貰賣的物品中「裘」是其中之一，並會簽下交易證書；即其證明。[38]反映商人對裘皮的買賣是十分重視，尤其屬高價的裘衣，需依法證明，提防有詐。至於進行羊裘買賣是否也同樣有交易證書，在漢簡中卻語焉不詳。

三　羊裘主人的身分地位

有關漢代裘衣的資料本來已很少，想找羊裘資料委實有限；加上考古鋤頭下根本找

32 顧炎武著、黃汝成集釋、欒保群、呂宗力校點：《日知錄集釋》上海：上海古籍出版社，2014年，上冊，頁249。

33 《漢書》卷91〈貨殖列傳〉〈注22〉北京：中華書局，1962年，頁3689。

34 《漢書》卷91〈貨殖列傳〉北京：中華書局，1962年，頁3685。

35 丁邦友：《漢代物價新探》北京：中國社會科學出版社，2009年，頁158。

36 《漢書》卷91〈貨殖傳〉北京：中華書局，1962年，頁3687。另參考（清）桂馥：《札樸》卷3〈貂〉條，北京：中華書局，1992年，頁111-112。

37 《漢書》卷91〈貨殖列傳〉，北京：中華書局，1962年，頁3687。

38 「裘，二六・一」，見永田英正：《居延漢簡研究》（下），注1，桂林：廣西師範大學出版社，2007年，頁413。

不到裘衣實物，故難免有些地方需要一點想像力和略作推敲。據筆者所考之傳世史料，漢代羊裘主人身分至少有以下四類：「夜績女工」、「皇帝閨密」、「邊郡居民」及「宗室劉向」。由於一般羊裘非貴重物，能進入學者史家之法眼，留下隻言片語，殊非簡單。

漢代紡織業以陳留郡襄邑及齊郡臨淄為全國兩大重心。〈為焦仲卿妻作〉記曰：「……雞鳴入機織，夜夜不得息……」。[39]其反映當時漢朝人士是多麼熱情地投入紡織的生產事業。據《太平御覽》記《白虎通》曰：「裘所以佐女工助溫也。」[40]為何要為女工佐溫？這應與女工「日入而不息」的夜織工作相關聯。

女工需要在冬天進行夜織，便要利用裘衣保暖她們，確保她們能正常地進行紡織活動。[41]雖然沒有說清楚夜織女工所穿的裘皮取自何種動物，但猜測不會是名貴貂裘，而是普通貨色的羊裘。若果一般女工能擁有一領狐貂，她根本不需從事「夜織」生產。據《漢書》〈食貨志〉載：「冬，民既入，婦人同巷，相從夜績，女工一月得四十五日」。[42]婦人能在室外抵擋風雪；這時候只得依靠穿羊裘來「佐女工助溫」。漢代羊裘在紡織業發展的貢獻，於此足見一斑。

至於穿羊裘的其他例子，還可在《後漢書》卷八十三〈逸民列傳〉中見到一則特別的史例。

其文載曰：

> 及光武即位，（嚴光）乃變名姓，隱身不見。帝思其賢，乃令以物色訪之。後齊國上言：「有一男子，披羊裘釣澤中。」帝疑其光，乃備安車玄纁，遣使聘之。三反而後至。舍於北軍，給牀褥，太官朝夕進膳。[43]

由此得知男子名嚴光，帝賞其賢能，後來地方發現「有一男子，披羊裘釣澤中」。此男子為何深得光武賞識，那要追溯到少年嚴光曾與「光武同遊學」；彼此密切的關係深植於是時。及後「因共偃臥，光以足加帝腹上……帝笑曰：『朕故人嚴子陵共臥耳』」；光武帝與嚴光之關係不言而喻。[44]嚴光身上的羊裘應該是一般貨色，其既然已「變名姓，隱身不見」，理論上絕不會穿名貴裘衣高調現身。

關於邊民穿裘的情況，《鹽鐵論》亦有一則資料可反映一二。據《鹽鐵論》卷三

---

39 沈德潛選：《古詩源》卷四〈為焦仲卿妻作〉，北京：中華書局，1963年，頁82。

40 （宋）李昉等：《太平御覽》，卷694〈服章部11〉，北京：中華書局，1960年，第3冊，頁3097。另見（唐）徐堅：《初學記》卷26〈裘第8〉，北京：中華書局，1962年，頁630。《毛詩傳箋》卷第7〈國風〉〈檜羔裘詁訓傳第13〉〈羔裘〉條，北京：中華書局，2018年，頁193。

41 參見拙著：〈漢代紡織業——以四川紡織業『夜作』現象作個案研究〉，載氏著：《中古社會經濟生活史稿》臺北：萬卷樓圖書公司，2020年，頁227-264。

42 《漢書》卷24上《食貨志》，北京：中華書局，1962年，頁1121。

43 《後漢書》卷83〈逸民列傳〉，頁2763。

44 《後漢書》卷83〈逸民列傳〉，頁2763-2764。

〈輕重第14〉載道：

> 中國困於繇賦，邊民苦於戍禦。力耕不便種糴，無桑麻之利，仰中國絲絮而後衣之，裘衣蒙毛，曾不足蓋形……。[45]

據此反映西漢晚期邊疆地區生活艱困，邊地居民即使很努力耕種，其所收獲的還抵不上買進的種子，又沒有養蠶種麻收益，須仰賴內地絲絮然後才有衣服穿。至於本地獸皮連身體也遮蓋不住。[46]另一方面，卻說明邊民多以「裘衣蒙毛」作為日常便服，然而「不足蓋形」反映邊地物資匱乏的景象。

西漢晚期邊地居民生活貧困景況，在《漢書》卷七十四〈魏相丙吉傳〉再得到進一步的反映，其文曰：

> 今邊郡困乏，父子共犬羊之裘……。[47]

「犬羊之裘不裼」庶人無文飾。犬羊之裘不裼，注犬羊之裘庶人所服裘與人俱賤，故不裼以為飾。[48]再一次說明羊裘是最次等，乃庶人之服。[49]

另外，羊裘衣在出土的居延漢簡及居延新簡中例子有以下幾支漢簡材料，反映邊郡居民的需「裘」實況：

> 居延新簡 E.P. T58:115：「戍卒，陳留郡平丘□□里趙野。裘絨橐。封以陳留太守斗4。羊裘衣一領，受。犬絨□二兩。枲履一兩。革緹二兩。」
>
> 馬圈灣烽隧遺址出土漢簡：「羊裘衣，二領。」[50]
>
> 敦煌漢簡573：「皂布袍，一領。白練裘襲，一領。白布襪，一兩。□」又，敦煌漢簡1146：「相私從者，敦煌始昌里陽□，年十五。羊裘衣，二領。羊皮絝，二兩。革履二兩。」
>
> 相私從者，敦煌始昌里陰鳳，年十五。羊裘衣，二領。羊皮絝，二兩。革履，二兩。[51]

---

45 王利器校注：《鹽鐵論校注》北京：中華書局，1996年，頁181。又《史記》〈晉世家〉：「孤裘蒙茸。」《集解》：「服虔曰：『蒙茸，以言亂貌。』《正義》：『蒙茸，言狼藉也』。」

46 參見盧烈紅校譯：《新譯鹽鐵論》臺北：三民書局印行，1995年，頁197。

47 《漢書》卷74〈魏相丙吉傳〉，北京：中華書局，1962年，頁3136。

48 見（唐）徐堅：《初學記》卷26〈裘第8〉，北京：中華書局，1962年，頁630。另見古今圖書集成》〈博物彙編〉〈禽蟲典〉第118卷〈犬部〉，見蔣廷錫等編纂：《禽蟲典》上海：上海文藝出版社，1998年，第524冊，頁43。

49 參考尚秉和：《歷代社會風俗事物攷》臺北：臺灣商務印書館，1985年，卷五，頁50。

50 白軍鵬：《敦煌漢簡校釋》上海：上海古籍出版社，2018年，頁309。

51 白軍鵬：《敦煌漢簡校釋》上海：上海古籍出版社，2018年，頁309。

上述的斷簡殘文記錄了一些「羊裘」資料，這是與邊地牧羊業有著密不可割的關係。至於邊地，冬天氣候寒冷，冰天雪地，能有羊裘作禦寒之用，對邊民來說應是一件難能可貴的事情。

最後一例是宗室劉向的羊裘。裘主人身分是上述中地位最高；羊裘中應屬較高檔次的例子。據《西京雜記》卷五十一〈彈棋代蹴〉載曰：

> 成帝好蹴鞠，群臣以蹴鞠為勞體，非至尊所宜。帝曰：『朕好之，可擇似而不勞者奏之。』家君作彈棋以獻，帝大悅，賜青羔裘、紫絲履，服以朝覲」

青羔裘，乃黑色羊羔皮衣，是上乘羊裘。曹海東認為「家君作彈棋以獻」，此家君指劉歆之父劉向。劉向是西漢宗室，漢高祖之弟楚元王劉交的玄孫。[52]「青羔裘」是皇帝賜物，本身原主人是屬皇帝。現在賜青羔裘給劉向，蓋因劉氏能巧用「彈棋替代蹴鞠」免傷聖體，其功不可沒。

四　附記：「羊裘」衍生流行話語一則

衣裘非單是冬天流行服，還會衍生漢代一些關於裘衣的流行話語，如「反裘負薪」及「旃裘」等。[53]至於直接涉及羊裘的流行話語，則有以下一則；含政治諷刺性的用語——「羊質而虎皮」來源自西漢大文豪楊雄的著名作品《法言》。

其文曰：

> 「有人焉，自云姓孔，而字仲尼。入其門，升其堂，伏其几，襲其裳，則可謂仲尼乎？」曰：「其文是也，其質非也。」「敢問質。」曰：「羊質而虎皮，見草而說，見豺而戰，忘其皮之虎矣。」〔疏〕「此刺新室之辭也。」[54]

漢代人用羊皮做裘是普遍現象，在羊皮外披上虎文，確有收虛張聲勢之效。楊雄引用春秋時代的「羊質而虎皮」一語，並用之於諷刺政治上。此語與狐假虎威之義類近，不同處是「狐」竟忘我，視己為真「虎」。「羊質而虎皮」一語還流行至三國時期，《法言義疏》引魏文帝〈與吳質書〉記曰：「以犬羊之質，服虎豹之文」。[55]雖字眼略為不同，但「羊質而虎皮」的話語背後意思前後基本一樣。

---

52 成林、程章燦、晉葛雄：《西京雜記全譯》貴陽：貴州人民出版社，1993年，頁74。另見曹海東注譯載：「家君指劉歆之父劉向。本則當是抄錄劉歆《七略》中之文字，故仍以『家君』稱劉向」，見曹氏：《新譯西京雜記》臺北：三民書局，1995年，頁85及《毛詩傳箋》卷第7〈國風〉〈檜羔裘詁訓傳第13〉〈羔裘〉條，北京：中華書局，2018年，頁181-182。

53 拙作：《漢代裘皮散論》，未刊稿。

54 詳見汪榮寶撰、陳仲夫點教：《法言義疏》北京：中華書局，1987年，上冊，頁71。

55 詳見汪榮寶撰、陳仲夫點校：《法言義疏》北京：中華書局，1987年，上冊，頁71。

五　結語

漢代牧羊業的興盛為羊裘生產提供有利條件；加上漢武帝政府「入羊為郎」及「屬國」政策，對激發人民投入養羊產業具深遠作用。[56]羊在各地草原區的被大量繁殖牧養，造就出各地羊裘市場的繁榮景況。漢代人在市場購買羊裘，為的是其實用保暖功能。一般較富有的老百姓或住在邊地的居民會擁有一或兩領羊裘備用，儘管羊裘在眾裘中價格較下賤，與狗皮相若；但在天寒地凍環境下能擁有一領羊裘，實天賜寶物。再者，羊裘本身可分成不同檔次，如皇帝所賜青羔裘應是羊裘中質素較佳者。至於檔次最低的羊裘是與狗裘價值相類，故史書常見有「父子共犬羊之裘」之語。[57]「犬羊」連稱，可知兩者在裘中的價值同屬低賤的表示。

西漢自文、景以降，皇室財富累世積聚後，奢靡風氣隨之刮起。裘皮再不純粹為禦寒用，而進一步講求觀賞性。裘衣市場的興旺、裘皮商品的暢銷及商人賣裘的盈利等問題，史家皆用其活靈活現史筆作出具體的描述，這正好反映出裘衣在貨殖上的重要角色。漢代名貴裘皮價格連城，製作趨向精緻化。漢人衣名裘之風尚不單在國內興起，連外族夷人皆同時感受到漢皇室對此高貴裘衣的迷戀，裘皮遂成為外交上新進媒介之一。漢皇室衣裘以「炫富」為目的與穿犬羊之裘純為「保溫」的初衷大相徑庭。關於漢代羊裘以外其他裘衣所涉的種種問題，筆者擬撰另一長文續論之。

56 「時又通西南夷道悉巴蜀租賦不足更之，乃募豪民田南夷，入粟縣官，而內受錢於都內。東置滄海郡，人徒之費疑於南夷。又興十餘萬人築衛朔方，轉漕甚遠，自山東咸被其勞，費數十百鉅萬，府庫並虛。乃募民能入奴婢得以終身復，為郎增秩，及入羊為郎，始於此。見《漢書．食貨志》卷24下，頁1158。

57 《漢書》卷74〈魏相丙吉傳〉，北京：中華書局，1962年，頁3136。

皆拓學術之區宇，各具自家之面目

——梁啟超、陳寅恪、錢鍾書三家研陶之綜論

翟　樂

北京中國人民大學國學院

陶淵明為中國文學史及文化史上之重要人物，歷代讀陶研陶者甚多，相關探討亦夥。民國以降，學術丕變，梁啟超、陳寅恪、錢鍾書三位著名學者於陶淵明均有論述，三家皆能開風氣之先，且各具自身特色。本文嘗試綜而觀之，管窺其治學方法、旨趣之不同，並探析其原因。約言之，梁以政治家之眼觀陶，愛其人格，欲借之以新民；陳以史家之眼視陶，以陶集為史料，而借之以論史；錢以文學家之眼品陶，特賞其辭章，著重其文學價值之闡發。

一　引言

陶淵明為我國文學史乃至文化史上之重要人物，自古及今，慕者無數。有稱道其人者，如顏延之贊其「寬樂令終之美，好廉克己之操」而諡曰「靖節」；有極推其文者，如歐陽永叔稱「晉無文章，唯陶淵明《歸去來兮辭》一篇而已」；有愛賞其詩者，如蘇東坡之遍和。凡此種種，例不暇舉。

對於陶淵明其人其詩之研究，亦代不乏人。舉其著者，則宋元有湯漢《陶靖節詩註》、李公煥《箋註陶淵明集》；入清有黃文煥、吳瞻泰、蔣薰諸人之註；其後更有陶澍參核考訂、存精去蕪而成《靖節先生集集註》；均可謂之陶氏功臣。

民國以降，學術丕變，陶淵明之研究，亦蔚為大觀。不守前人故轍，而能開風氣之先者，鄙見所及則有梁任公、陳義寧、錢默存三家。三家研陶各自之得失，前人已多有論述。取三家研陶之文合觀，而比較其所論之內容、所用之方法，以至其人之學術旨趣之異同者，則淺陋寡聞如鄙，尚未之見，故草擬此文，或可略補前人之未備歟？

二　三家研陶成果略述

任公為清末民初之風雲人物，早年從政，得名甚巨。護法運動失敗後，逐漸退出政壇而轉入學林。其陶淵明相關研究，主要見於其《陶淵明》一書，全書由體裁各異，彼

此獨立之三部分組成。第一部分為《陶淵明之文藝及其品格》（以下簡稱《品格》），大抵以陶淵明詩文為據，論其人格之卓絕。第二部分《陶淵明年譜》、第三部分《陶集考證》皆為考證之文，於陶譜、陶集若干具體問題雖有創獲，然整體並未出前人學術之軌轍。其能開風氣之先而別具面目，且於後世之研陶最有影響者，乃在其《陶淵明之文藝及其品格》一文，本文討論即以此為主。

此文共六部分，第一部分開宗明義「批評文藝有兩個著眼點，一是時代心理，二是作者個性。古代作家能夠在作品中把他的個性活現出來的，屈原以後，我便數陶淵明。」[1]第二部分作者分別論陶淵明之家世、時代、鄉土、時代思潮，先「論世」而為「知人」作鋪墊。第三部分作者謂慾認識陶淵明之人格，有三點應先行注意：「第一，須知他是一位熱烈而有豪氣的人……第二須知他是一位纏綿悱惻最多情的人……第三須知他是一位極嚴正——道德責任心極重的人。」[2]第四部分，作者指出陶淵明之耕田生活與安貧樂道乃其經過精神生活的大奮鬥而得來，並著重讚美了其人格與作品之真。

既經極大之物質匱乏，則陶淵明生活算不算苦呢？作者在第五部分指出，陶淵明的生活非但不苦，反而很快樂，因其能領略自然之美與人生的趣味。最後一部分，作者指出陶淵明之所以能有如此高尚之品格與文藝，在與其「自然」之人生觀，愛自然之結果，即愛自由，故其一生皆為精神生活之自由而與物質生活鬥爭。梁氏引《形影神》等詩為證，並謂「就佛家眼光看來，這種論調，全屬斷見，自然不算健全的人生觀。但淵明卻已夠自己受用了，他靠這種人生觀，一生能夠『酣飲賦詩，以樂其志』，『忘懷得失，以此自終』。」[3]

陳寅恪為史學名家，論魏晉隋唐，近世不作第二人想。其於陶淵明有專文兩篇，分別為《桃花源記旁證》（1936年，下簡稱《旁證》）及《魏晉清談與陶淵明思想之關係》（1943年，下簡稱《思想》）。

《旁證》一文取當時史籍、小說等材料與《桃花源記》對讀，以為《桃花源記》是寓意之文，亦是紀實之文。篇內要點，陳氏總結為：

（甲）真實之桃花源在北方之弘農，或上洛，而不在南方之武陵。

（乙）真實之桃花源居人先世所避之秦乃苻秦，而非嬴秦。

（丙）《桃花源記》紀實之部分乃依據義熙十三年春夏間劉裕率師入關時戴延之等所聞見之材料而作成。

（丁）桃花源記寓意之部分乃牽連混合劉驎之入衡山采藥故事，並點綴以「不知有漢，無論魏晉」等語所作成。

---

1 梁啟超：《梁啟超論中國文學》北京：商務印書館，2012年，頁276。

2 同上註，頁280-284。

3 同上註，頁298。

（戊）淵明擬古詩之第二首可與桃花源記互相印證發明。[4]

《思想》一文先論清談之作用之演變：「當魏末西晉時代即清談之前期，其清談乃當日政治上之實際問題，與其時士大夫之出處進退至有關系，蓋藉此以表示本人態度及辯護自身立場者，非若東晉一朝即清談後期，清談只為口中或紙上之玄言，已失去政治上之實際性質，僅作名士身分之裝飾品者也。[5]

在此基礎上，又論陶淵明之思想，在對《形影神》等詩文分析的基礎上，作者指出：

> 淵明之思想為承襲魏晉清談演變之結果及依據其家世信仰道教之自然說而創改之新自然說。惟其為主自然說者，故非名教說，並以自然與名教不相同。但其非名教之意僅限於不與當時政治勢力合作，而不似阮籍、劉伶輩之佯狂任誕。蓋主新自然說者不須如主舊自然說之積極抵觸名教也。又新自然說不似舊自然說之養此有形之生命，或別學神仙，惟求融合精神於運化之中，即與大自然為一體。因其如此，既無舊自然說形骸物質之滯累，自不致與周孔入世之名教說有所觸礙。故淵明之為人實外儒而內道，捨釋迦而宗天師者也。推其造詣所極，殆與千年後之道教採取禪宗學說以改進其教義者，頗有近似之處。然則就其舊義革新，「孤明先」而論，實為吾國中古時代之大思想家，豈僅文學作品節居古今之第一流，為世所共知者而已哉！[6]

二文皆屬單篇論文，篇幅不大，然均能以小見大，咫尺千里，可謂選點小而開掘深，一如武林高手之摘葉飛花，均可傷人。其所論雖為文學史上重要人物陶淵明，然其所用材料以當時之正史、雜記為主，頗見其史家風範，亦可窺見其獨步學林之「詩史互證」功夫。

錢鍾書以博學聞名，一生著述以《談藝錄》、《管錐編》最稱精粹，二書一為詩話，一為劄記，前書大抵於一九三九～一九四二年間撰就；後書大抵成於文革其間。《談藝錄．二四陶淵明詩顯晦》一條，從接受史角度，專論陶詩從南北朝至宋代之接受過程，另有若干相關論述散見於他條；《管錐編》論《全上古秦漢三國六朝文》一四五、一四六兩條，主論淵明諸文，大抵為闡發其詩文之妙處，其他條亦有若干零散論述。

詩話、劄記已屬於較為隨意之體裁，錢氏讀書之多，興趣之廣，更為這一體裁增添了許多隨意，「一地散錢」之謂，良有以也。姑先略述其論題較為集中之「陶淵明詩顯晦條」[7]，其他則見於之後論述。

---

4 陳寅恪：〈桃花源記旁證〉，收入《金明館叢稿初編》北京：三聯書店，2009年，頁199。

5 陳寅恪：〈陶淵明之思想與清談之關係〉，收入《金明館叢稿初編》，頁201。

6 同上註，頁228-229。

7 錢鍾書：《談藝錄》北京：三聯書店，2015年，頁217-223。

文章開篇，錢鍾書指出「淵明文名，至宋而極。」然後重點討論宋以前，對淵明逐步推重之過程。錢先生以「余泛覽有唐一代詩家」起筆，取唐人之詩為論據，梳理唐人對陶詩之逐步深化，從但言陶淵明但未言其詩者，到雖「紹陶」卻未明言者，以及題材類似而「未屑斤斤以陶為師範者」，最後「至白香山明詔大號，……作詩亦屢心摹手追」，勾勒出陶詩在唐代一步步被推重到過程。

在此基礎上，作者上溯南朝時陶淵明被接受到過程：六朝論文，有決口不提淵明者，如《文心雕龍》；有雖提其名，然未特彰其文采，如《詩品》等；有雖解推重其文，但仍為充分認識其價值者，如昭明太子，更兼其自作詩文，都沿時體，而未胎息淵明，《文選》選陶之詩文亦甚少。最後得出結論，「可見淵明在六代三唐，正以知稀為貴。」與開篇「淵明文名，至宋而極」呼應。

在梳理淵明漸受推尊之歷程中，錢氏特別注意區分對陶淵明人格之推重與對其詩文推重之不同；以及推重陶淵明詩文者其自作詩文是否借鑑學習陶作，充分顯示了其讀書之細與識力之銳；其中令人目不暇接之詩文及詩文評等材料真「如錢塘潮夜澎湃」，展示了其對集部材料熟悉與運用功夫之出神入化。

三　三家研陶異同比較

三家論陶之成果既明，茲進而比較其異同。

從文章語言而言，梁文為白話，似預作演講稿之用，（與其《情聖杜甫》等演講稿文風一致），感染力極強，筆鋒常帶感情，憤世嫉俗之意，每見於字裡行間，讀其文，如讀陶詩之「雄發指危冠，猛氣沖長纓」；陳文則為文言寫就之嚴謹論文，語言冷峻、準確，如陶詩之「露凝無遊氛，天高肅景澈」；錢氏之文亦為文言，其體裁則為詩話、劄記，行文瀟灑，悠遊自得，讀其文，每令人想淵明之「採菊東籬下，悠然見南山」。

材料運用上，梁氏單純以陶淵明之詩文為根據論證其人品之超絕；因其人品超絕，故能有偉大之作品。陳氏則陶集以外，廣徵正史如《晉書》、筆記如《世說新語》、小說如《搜神後記》、地理類著作如《水經注》等材料。各種材料皆可作史料，可為「四部皆史」。至於錢鍾書，則以集部為主，兼及四部，不分文體，亦不拘古今中外，然其著眼所在，多在辭章方面，可謂「四部皆集」，直若明人視《史記》作《太史公文集》讀。[8]

從內容上看，梁氏推尊陶淵明為偉大文學家，「偉大」二字更著眼於其人格而非其文學；陳寅恪則取史以闡發其詩文，又以其詩文證史，論其所處社會之文化政治與其思想；錢氏則專論其詩文之妙及後人對其藝術水準之體認。若淵明之詩文為雞蛋，則錢鍾

8　錢鍾書：《管錐編》，北京：三聯書店，2016年，頁422。

書為品嘗雞蛋之美味者，渾不管母雞如何；陳寅恪則詳細探討該雞品種如何、所食為何、生存環境如何；梁啟超則雖品雞蛋，而表彰其雞品格之高尚、精神之特出等。若淵明之詩為酒，梁氏則尚友造酒之人、欲借酒澆愁、助興、延客，總之醉翁之意不在酒；陳寅老則欲問釀酒人之身世思想，其釀酒之原料過程；錢氏則但品酒之味道耳。

就研究方法而言，梁氏大抵認為文如其人，進而以意逆志，探淵明之心志、人格。陳氏則詩史互證，於古人作同情之瞭解，見陶淵明之思想以及其時社會之思潮與政治；錢氏則細讀文本，而後進行修辭比較，鑒賞其詩文之妙處；同時亦反思已有之文學批評，闡明陶於文學史上地位之升遷過程。

文風、材料運用、內容之差別，到眼即辨，不煩贅述。至於其所用方法之差異，則尚須稍作闡釋。且先看陳《思想》一文對梁氏之攻：

> 近日梁啟超氏於其所撰《陶淵明之文藝及其品格》一文中謂：……「若說所爭在什麼姓司馬的，未免把他看小了。」及「宋以後批評陶詩的人最恭維他恥事二姓，這種論調我們是最不贊成的。」斯則任公先生取己身之思想經歷，以解釋古人之志尚行動，故按諸淵明所生之時代，所出之家世，所遺傳之舊教，所發明之新說，皆所難通，自不足據之以疑沈休文之實錄也。[9]

若就陶論陶，陳之批評較令人信服，「斯則任公先生取己身之思想經歷，以解釋古人之志尚行動」更是誅心之論。此亦對文學作品進行以意逆志批評時，極易掉入之陷阱，即以古人之意，逆自己之志。故陳寅恪強調要對古人作「瞭解之同情」：

> 凡著中國古代哲學史者，其對於古人之學說，應具瞭解之同情，方可下筆。蓋古人著書立說，皆有所為而發。故其所處之環境，所受之背景，非完全明瞭，則其學說不易評論，……但此種同情之態度，最易流於穿鑿傅會之惡習。因今日所得見之古代材料，或散佚而僅存，或晦澀而難解，非經過解釋及排比之程式，絕無哲學史之可言。然若加以聯貫綜合之搜集及統系條理之整理，則著者有意無意之間，往往依其自身所遭際之時代，所居處之環境，所薰染之學說，以推測解釋古人之意志。[10]

至於錢鍾書，對「文如其人」頗有非議。其《談藝錄・四八》「文如其人」條即謂：

> 「心畫心聲」，本為成事之說，實匙先見之明。然所言之物，可以飾偽:巨奸為憂國語，熱中人作冰雪文，是也。……言固不足以定人，行亦未可以盡人也。神奸

9 陳寅恪：〈陶淵明之思想與清談之關係〉，收入《金明館叢稿初編》，頁228。

10 陳寅恪：〈馮友蘭中國哲學史上冊審查報告〉，收入《金明館叢稿二編》北京：三聯書店，2009年，頁279-280。

> 元惡，文過飾非，以言彌縫其行，自屬不鮮。區區之見，竊欲存疑。自非「知言」若孟子，亦姑且就事論事，斷其行之利害善惡，不必關合言行，追索意向，於是非之外，別求真偽，反多誅心、原心等種種葛藤也。[11]

文不足以知人，故淵明有白璧微瑕之《閑情賦》，不足以定其為浪蕩子；同理，亦不能據高情千古之《歸去來兮辭》，謂其人品高潔。欲因文知人，反多葛藤，不如就事論事。故錢氏就詩論詩，目光多在其詩文妙處。此觀點與歐美新批評派所謂「作者已死」頗有相通之處，即錢氏所謂何必見下蛋之雞也。

又對於《桃花源》一文，梁氏謂：

> 這篇記可以說是唐以前第一篇小說。……至於這篇文的內容，我想起他一個名叫做東方的 Utopia（烏托邦），所描寫的是一個極自由極平等之愛的社會……後人或拿來附會神仙，或討論他的地方年代，真是癡人前說不得夢。[12]

此語似預為陳氏而發。取陳氏《旁證》與梁氏之語合觀，梁氏恰如「不知有漢，無論魏晉」之桃源中人，而陳氏則「一一為具言所聞」也。梁氏讀《桃花源記》見陶淵明理想之社會，陳氏則欲探其原型，此又二人之差異也。

梁氏所謂「癡人面前不得說夢」之說法，錢氏《談藝錄》中亦有類似之論述

> 將涉世未深、刻意為詩之長吉，說成寄意於詩之屈平……皆由腹笥中有《唐書》兩部，已撐腸成痞，探喉欲吐，無處安放。於是並長吉之詩，亦說成史論，雲愁海思，化而為冷嘲熱諷。……姚氏生千載之後，逞其臆見，強為索隱，夢中說夢之譏，適堪夫子自道耳。[13]

這裡，錢、梁二人在反對把詩文坐實上達成了共識。陳氏求真之心過切，被譏為「癡人說夢」，此不正「詩史互證」之法易陷入之誤區？

反觀錢氏，則就文論文，其《管錐編》對《桃花源記》所作評論僅謂：

> 陶潛《桃花源記》：「南陽劉子驥，高尚士也，聞之欣然，親往未果，尋病終。」按陶澍註《陶靖節集》卷六作「規往」，註：「焦本云：一作『親』，非」；是也。「欲往」可曰「未果」，「親往」則身既往，不得言「未果」矣。「規」字六朝常用，如……皆謂意圖也。《全唐文》卷五二九顧況《仙遊記》刻意擬仿潛此篇，有云：「曰：『願求就居得否?』云:『此間地窄，不足以容』」，較潛記：「此中人

11　錢鍾書：《談藝錄》，頁426-430。

12　梁啟超：《梁啟超論中國文學》，頁295-296。

13　錢鍾書：《談藝錄》，頁115。

語云：『不足為外人道也』」，風致遠遜。[14]

著眼點與梁、陳迥乎不同。至於梁引之以見其性格、陳引之以明其思想之陶詩，在錢文中出現的形態則是：

唐則李杜以前，陳子昂、張九齡使助詞較夥。然亦人不數篇，篇不數句，多搖曳以添姿致，非頓勒以增氣力。唐以前惟陶淵明通文於詩，稍引厥緒，樸茂流轉，別開風格。如「結廬在人境，而無車馬喧」；「倒裳往自開，問子為誰歟」；……其以「之」作代名詞用者亦極妙，如「微雨從東來，好風與之俱」；「過門更相呼，有酒斟酌之。」[15]

錢氏敏銳地注意到陶詩中助詞之使用情況，並指出其在詩歌發展中之地位。似此等無實意之詞，梁、陳恐斷難借之以知人論世，此類虛字對其研究或真如宋太祖所云「之乎者也，助得甚事」。

又如《五柳先生傳》一文，錢氏謂：

「不」字為一篇眼目。「不知何許人也，亦不詳其姓氏」，「不慕榮利」，「不求甚解」，「家貧不能恆得」，「曾不吝情去留」，「不蔽風日」，「不戚戚於貧賤，不汲汲於富貴」；重言積字，即示狷者之「有所不為」。酒之「不能恆得」，宅之「不蔽風日」，端由於「不慕榮利」而「家貧」，是亦「不屑不潔」所致也。「不」之言，若無得而稱，而其意，則有為而發；老子所謂「當其無，有有之用」，王夫之所謂「言『無』者，激於言『有』者而破除之也」(《船山遺書》第六三冊《思問錄》內篇)。如「不知何許人，亦不詳其姓氏」，豈作自傳而並不曉己之姓名籍貫哉？正激於世之賣聲名、誇門地者而破除之爾。[16]

陳氏則謂：

為淵明自傳之文。文字雖甚短，而述性嗜酒一節最長。嗜酒非僅實錄，如見於詩中飲酒止酒述酒及其關涉酒之文字，乃遠承阮、劉之遺風，實一種與當時政權不合作態度之表示，其是自然非名教之意顯然可知，故淵明之主張自然，無論其為前人舊說或己身新解，俱與當日實際政治有關，不僅是抽象玄理無疑也。[17]

錢氏由一篇之「眼目」出發，味其言外之意。陳氏則於此文中「述性嗜酒一節最長」，

14 錢鍾書：《管錐編》，頁1932-1933。

15 錢鍾書：《談藝錄》，頁177。

16 錢鍾書：《管錐編》，頁1934。

17 陳寅恪：〈陶淵明之思想與清談之關係〉，收入《金明館叢稿初編》，頁227。

進而分析其觀念及與政治之關係。

又梁氏謂：

> 他一生品格立腳點，大略近於孟子所說，「有所不為」、「不屑不潔」的狷者，到後來操養純熟，便從這裡頭發現出人生真趣味來，若把他當作何晏、王衍那一派放達名士看待，又大錯了。」又謂「他雖生長在玄學、佛學氛圍中，他一生得力處和用力處，卻都在儒學。[18]

此似與錢鍾書所論相近，而二人得出結論之方式則迥乎不同。而對於淵明之思想，陳文則謂：

> 淵明之思想為承襲魏晉清談演變之結果及依據其家世信仰道教之自然說而創改之新自然說。惟其為主自然說者，故非名教說，並以自然與名教不相同。但其非名教之意僅限於不與當時政治勢力合作，而不似阮籍、劉伶輩之佯狂任誕。……故淵明之為人實外儒而內道，捨釋迦而宗天師者也。[19]

在此，梁、陳二人皆認為陶淵明非放達名士，然梁氏認為其與曠達名士之差別在於陶淵明受儒家影響，尤其在人品與放達名士有上下床之別；而陳寅恪則謂其與曠達名士之不同背後，隱含著其時清談之演變結果、其「新自然說」之觀念，以及其政治態度。

而對於時代思潮，錢鍾書則指出並不可一味奉為準則：

> 學者每東面而望，不覩西牆，南向而視，不見北方，反三舉一，執偏概全。將「時代精神」、「地域影響」等語，念念有詞，如同禁呪。夫《淮南子・氾論訓》所謂一哈之水，固可以揣知海味；然李文饒品水，則揚子一江，而上下有別矣。知同時之異世、並在之歧出，於孔子一貫之理、莊生大小同異之旨，悉心體會，明其矛盾，而復通以騎驛，庶可語於文史通義乎。[20]

凡此數例，均可見三人之從方法到結論之具體差異。

四　三人研陶差異探因

三人之研陶之差異既明，便不可不問其故。欲探其故，則當對三人作知人論世之分析。

18 梁啟超：《梁啟超論中國文學》，頁286。

19 陳寅恪：〈陶淵明之思想與清談之關係〉，收入《金明館叢稿初編》，頁228-229。

20 錢鍾書：《談藝錄》，頁734。

梁啟超《陶淵明》一書之序言其「客冬養痾家居，誦陶集自娛」[21]，《陶淵明年譜》序言「秋冬間講學白下，積劬嬰疾，醫者力戒靜攝，寧家後便屏百慮，讀《陶集》自娛。」[22]儼然如鍾記室所謂「使窮賤易安，幽居靡悶，莫尚於詩矣。」待讀其文對陶淵明人格之讚美，對當時「狂馳子」之貶斥，則讓人思及《詩大序》之「故正得失，動天地，感鬼神，莫近於詩。先王以是經夫婦，成孝敬，厚人倫，美教化，移風俗。」梁氏作為啟蒙思想家，其觀念固非詩大序所能籠罩者，然其有政教詩學之觀念，或無疑義。

再看其《情聖杜甫》結尾：

> 這篇講演，不能充分發揮「情聖」作品的價值，但我希望這位情聖的精神，和我們的語言文字同其壽命，尤盼望這種精神有一部分注入現代青年文學家的腦裡頭。[23]

可謂「圖窮匕見」，令人遙想其名作《小說與群治之關係》。小說在梁氏眼裡，早已為資治之工具；其所言小說之「熏浸提刺」，不正通詩歌之「興觀群怨」乎？若再讀其流亡日本時所作《飲冰室詩話》，則知其對屈原、陶淵明、杜甫等詩歌之提倡，恐亦帶強烈「政教詩學」意味，則晚年雖退出政壇，又欲借學術以「新民」耶？

陳寅恪謂「況先生（梁啟超）少為儒家之學，本董生國身通一之旨，慕伊尹天民先覺之任，其不能與當時腐惡之政治絕緣，勢不得不然。」[24]張君毅也曾指出：「退則為學術，進則負天下家國之責任，應當是中國學人之理想。……任公嘗說他是介乎學術與政治之間……所謂介乎學術與政治之間，就是孔子與孟子對精神，這是中國儒家的真正精神。」[25]二氏之論，皆為有識之言。由是觀之，則梁氏之學術乃政治家之學術也，正與其詩「新義鑿沌竅，大聲振聾俗」想通。

嘗見戴燕女史，以「文史殊途」來解釋梁、陳二人在研陶上之差異，以為二人所採取之立場一為文學的，一為歷史的。[26]陳寅恪先生歷史的立場自無疑義，然於任公醉翁之意，恐尚有一間未達，不若鄙人拈出「政治家之學術」為探本之論也。

陳寅恪之文雖皆精嚴之史學論文，然其人非僅為歷史學者，更為偉大史學家。或問歷史學者與史學家之別，竊謂：就史論史入乎其內而不能出乎其外之則歷史學者；入乎其內又能出乎其外者，則史學家。陳寅恪先生之史學理念，可見於其〈馮友蘭中國哲學史上冊審查報告〉：

---

21 梁啟超：《梁啟超論中國文學》，頁275。

22 梁啟超：《梁啟超論中國文學》，頁300。

23 梁啟超：《梁啟超論中國文學》，頁362。

24 陳寅恪：〈讀吳其昌撰梁啟超傳書後〉，收入《寒柳堂集》北京：三聯書店，2009年，頁166。

25 胡文輝：《現代學林點將錄》廣州：廣東人民出版社，2010年，頁326。

26 戴燕：〈文史殊途——從梁啟超、陳寅恪的陶淵明論談起〉，收入《中華文史論叢》總第86輯，頁204。

> 若推此意而及於中國之史學，則史論者，治史者皆認為無關史學，而且有害者也。然史論之作者，或有意，或無意，其發為言論之時，即已印入作者及其時代之環境背景，實無異於今日新聞紙之社論時評。若善用之，皆有助於考史。故蘇子瞻之史論，北宋之政論也。胡致堂之史論，南宋之政論也。王船山之史論，明末之政論也。今日取諸人論史之文，與舊史互證，當日政治社會情勢，益可借此增加瞭解。[27]

其一九六四年所作《贈蔣秉南序》亦謂：

> 歐陽永叔少學韓昌黎之文，晚撰五代史記，作義兒馮道諸傳，貶斥勢利，尊崇氣節，遂一匡五代之澆漓，返之淳正。故天水一朝之文化，竟為我民族遺留之環寶，孰謂空文於治道學術無裨益耶？[28]

於此，均可見陳寅恪史學理念，其既謂前人之史論可作政論看，則其論文亦可作如是觀，如陳氏《論李懷光之叛》一文，余英時即指出當受西安事變刺激而作。[29]俞大維曾謂：「陳先生治中國史的主要目的是『在歷史中尋求歷史的教訓』。因此陳先生常強調『在史中求史識』的重要性。」[30]

余英時謂：

> 陳先生的史學觀點與方法從早年到晚年都是一以貫之的，只有具體的研究對象先後不同：他要通過最嚴格最精緻的考據工作來研究中國史上的一些關鍵性的大問題，並儘量企圖從其中獲得關於當前處境的啟示。這正是司馬遷以來所謂「通古今之變」的中國史學傳統。……但是另一方面，陳先生卻並不因為要「在歷史中尋求歷史的教訓」，便歪曲歷史的真相以達到所謂「古為今用」的目的。如果這樣，那麼他的工作便和中國大陸上三十年來──特別是所謂「文革」時代的「影射史學」沒有分別了。相反地，他堅持史學家必須盡力保存歷史的客觀真相，不能稍有「穿鑿附會」。[31]

其《旁證》與《思想》二文，正是「從歷史中尋求歷史教訓」、「在史中求史識」之絕佳範例。「其周孔老莊並崇，自然名教兩是之徒，則前日退隱為高士，晚節急仕至達官，名利兼收，實最無恥之巧宦也。」[32]此或有激於當時毫無立場之文人政客。「凡兩種不

---

27 陳寅恪：《金明館叢稿二編》，頁280-281。

28 陳寅恪：〈贈蔣秉南序〉，收入《寒柳堂集》，頁182。

29 余英時：《陳寅恪晚年詩文釋證》臺北：東大圖書公司，中華民國八十七年，頁24。

30 同上註，頁16。

31 同上註，頁17-18。

32 陳寅恪：〈陶淵明之思想與清談之關係〉，收入《金明館叢稿初編》，頁220。

同之教徒往往不能相容，其有捐棄舊日之信仰，而皈依他教者，必為對於其夙宗之教義無創辟勝解之人也。……夫淵明既有如是創辟之勝解，自可以安身立命，無須乞靈於西土遠來之學說。」[33]此語自有關當時中西文化交匯之際，吾國固有文化當如何發展之實際問題。陳寅恪先生之史學理念借其詩以概括，大抵可謂「讀史早知天下事」也！

至於錢鍾書之學術理念，則可見於其《談藝錄》所自言其學詩歷程：

> 「擇總別集有名家箋釋者討索之……欲從而體察屬詞比事之慘澹經營，資吾操觚自運之助。漸悟宗派判分，體裁別異，甚且言語懸殊，封疆阻絕，而詩眼文心，往往莫逆闇契。至於作者之身世交遊，相形抑末，余力旁及而已。」[34]

從中可見，錢鍾書研讀詩歌之初，實抱有「資吾操觚自運之助」之意，「作者之身世交遊」乃「余力旁及」也。此觀念對其學術研究及詩歌創作之影響亦至為深遠。

又錢氏人如其名「鍾書」二字，本相乃讀書人，學問乃其讀書之副產品。《談藝錄》序謂：「憂天將壓，避地無之，雖欲出門西向笑而不敢也。銷愁舒憤，述往思來。托無能之詞，遣有涯之日。以匡鼎之說詩解頤，為趙岐之亂思繫志。」[35]其書創作於抗戰期間，國勢誠緊張矣，然其內容則為純粹學術之探討，與時事相關者極少，故蔣寅謂其《談藝錄》「它確是憂患的產物，同時又是超越憂患、遠避塵累的憑藉。」[36]胡文輝又評其《管錐編》「藉治學為避世，可謂『學遁』」[37]，均為有識之言，此與梁啟超之《飲冰室詩話》借評詩以宣揚詩界革命、陳寅恪之論史而隱關時事適成對照。錢氏學術之「超越」或「遁世」之特質，引其詩以自評，殆「難覓安身法，聊憑遮眼書」歟？

要之，梁氏為政治家型學者，其啟蒙民眾之理想，歷種種挫折而未得實現，故晚年論學偶借題發揮，讀其文，每讓人思陶詩之「精衛銜微木，將以填滄海。刑天舞幹戚，猛志固常在。」陳寅恪則為「通古今之變」之史學家，其文借陶詩以評則「我欲因此鳥，具向王母言」，其論文或有關時事，隱作政論，似為高層而發；或揭示學術之方法及原則，為林作一典範，絕非躲進小樓而就史論文者。至於錢氏則為才子型學人，其學術風格借陶詩以評，差近「奇文共欣賞，疑義相與析」，就文學層面而論，不搔隔靴之癢，而能中肯綮之刀，最為本色當行，然少對現實之關懷。

明乎以上所論三人學術理念之別，則三人研陶成果之異殆可得一較合理之解釋。就文風而言，梁氏欲「新民」，則用白話演講稿更事半功倍；陳氏史家之文，自然乾淨明瞭，不得任意敷衍；錢鍾書才之之文，故宜乎其鋪陳錦繡。其他差異自可以此類推。

---

33 同上註，頁219-221。

34 錢鍾書：《談藝錄》，頁168。

35 錢鍾書：《談藝錄》，頁1。

36 蔣寅：〈《談藝錄》的啟示——錢鍾書先生的學術品格〉，《文學遺產》，1990年第4期。

37 胡文輝：《現代學林點將錄》，頁80。

五　結語

梁啟超、陳寅恪、錢鍾書三家研陶，大體分別指向作家之人格、作家所處之社會、作品之藝術成就。梁氏之文，帶有明顯政教詩學意味；陳寅恪則以史家之眼，於「史中求史識」；錢氏則就詩論詩，本色當行。三家皆能拓學術之區宇，而各具自家之面目，其成果、方法、理念之差異，自當辨明，故不揣淺陋，略加疏鑿，聊別涇渭之清渾，非欲強分軒輊之高下也。

王水照曾謂朱東潤先生：

> 開創了對一位古代作家進行全方位、多角度個案研究的格局：全面系統的傳記敘論，專題性的學術研討，文本的細讀和整理，三種著作體裁，三種言說筆墨，從不同方面和角度去逼近研究對象的整體面目，富有立體感和深廣度。[38]

以此言對參三家研陶之文，可見其研究合起來恰好構成一全方位、多角度之文學家研究。三家研陶實有其似相反而實相成，若相攻而實相救之一面，兼收其長則為美，各執一端則必傷。此即筆者綜觀梁、陳、錢三家論陶之文後，所得關於古代文學家研究之啟示。《談藝錄》謂「學者每東面而望，不覩西牆，南向而視，不見北方，反三舉一，執偏概全。」[39]是兼收二字，雖老生常談，又豈易談哉？雖不能至，心嚮往之而已。

又三家研究各有側重亦各有差異。對此，若只見樹木不見森林，斤斤於孰是孰非，孰高孰低，而不視其背後潛在學術方法、學術理念之異，則於前賢終有一間未達。吾國之文學批評固有知人論世之傳統，所謂「頌其詩，讀其書，不知其人，可乎？」同理，於學者，亦當作「知人論世」之分析，唯其如此，方能更準確、深刻地認識其學術研究。此即筆者綜觀三人研陶文章所得關於治學術史之啟示。

38 王水照：《麟爪文輯》西安：陝西人民出版社，2008年，頁81。

39 錢鍾書：《談藝錄》，頁734。

委運任化真自然　聖心融會儒釋道
——以《形影神》詩為例探析陶淵明生死觀的思想淵源*

王　楚
北京師範大學哲學學院

陶淵明是中國古代偉大的詩人和著名的隱士，他以其高尚的人格和卓爾不群的藝術成就深刻地影響了後世的士人，也時常成為後世士大夫們的精神歸宿，所以探析其思想是有意義也是有必要的。陶淵明有很多值得探討的思想，之所以選擇生死觀這一角度，是因為生死觀是最根本的人生觀，誠如孟子所說：「如使人之所欲莫勝于生，則凡可以得生者何不用邪？」(《孟子・告子上》) 只有在生死這一命題上有明晰的認識，才可能對貧富、貴賤、賢愚、夭壽等做出發自內心的價值取捨和深刻認識。蒙田也說：「對死亡的熟思也是對自由的熟思。誰學會了死亡，誰就不再有被奴役的心靈，就能無視一切束縛和強制。誰真正懂得了失去生命不是件壞事，誰就能泰然對待生活中的任何事。」[1]這句話是對陶淵明厭惡官場、憎恨社會黑暗、熱愛田園、嚮往自由、安貧樂道的一生一個很好的注腳。下文我們就以《形影神》詩為例，從該詩體現的生死觀探析陶淵明的思想淵源。

一　《形影神》全詩解析

最能體現陶淵明生死觀和思想的是《形影神》詩，清人鐘秀說：「陶靖節居一世之中，未嘗勞于憂畏，役于人間，與大塊而榮枯，隨中和而任放。所作《形影神》三詩，本趣略見。」(《陶靖節記事詩品》卷一) 陳寅恪說：「淵明著作文傳于世者不多，就中可窺見其宗旨者，莫如形影神答釋詩」，「此三首詩實代表自曹魏末至東晉時士大夫政治思想人生觀念演變之歷程及淵明已身創獲之結論，即依據此結論以安身立命者也」。[2]為方便探討，茲錄《形影神》全詩并序於下：

* 北京市習近平新時代中國特色社會主義思想研究中心重大項目「以人民為中心研究」(18ZDL14)。

1 蒙田《蒙田隨筆全集》江蘇：譯林出版社，1996年，上冊，頁95。

2 陳寅恪：《金明館叢稿初編》上海：上海古籍出版社，1980年，頁202。

形影神并序

貴賤賢愚，莫不營營以惜生，斯甚惑焉；故極陳形影之苦言。神辨自然以釋之。好事君子，共取其心焉。

序言的意思是說世人無論貴賤賢愚，無不勞心費神、營營碌碌，為吝惜生命而奔波，這種行為是很糊塗的。故先代言形影汲汲於追求養生、名利之苦，然後神以順應自然之理為之解脫。希望好事君子可以同意采納《神釋》的觀點。

形贈影

天地長不沒，山川無改時。
草木得常理，霜露榮悴之。
謂人最靈智，獨複不如茲。
適見在世中，奄去靡歸期。
奚覺無一人，親識豈相思？
但余平生物，舉目情凄洏。
我無騰化術，必爾不復疑。
願君取吾言，得酒莫苟辭。

形對影說天地長久，山川無移，草木雖然不像天地山川亘古不變，然而經霜打擊而雕枯，承受雨露滋潤又復蘇繁榮，周而復始，亦可謂得到恆久之道。人為萬物之靈長，卻反不如草木，不能榮悴周而復始，時光逝去不再，人生短促。適才尚見在人世，忽而就逝去永不復返，人生是這樣的無常與無法預測呵！（魏晉南北朝時詩人慣用「不歸」、「無還」等詞語代指死而不可複生。）世上失去了一個凡人並不引人注意，但他的親朋好友是否會相思呢？這句正是「向來相送人，各自還其家。親戚或余悲，他人亦已歌。死去何所道，托體同山阿」之意。親識見了生前之物，物是人非，也會凄然吧。「我」（形）沒有騰化成仙之術，逝世是必定無疑的。希望您（影）能聽取「我」（形）的話，有酒就不要推辭，開懷暢飲吧。

《形贈影》極寫形對人生短促、世事無常深沉的慨嘆，形認為人生只有寄托於借酒澆愁、及時行樂，看起來是如此的消極與無奈，其實這種觀點在當時很具有普遍性與代表性。東晉末年，戰爭頻仍，社會政治黑暗，人們過著朝不保夕的生活，在這種情況下，隨著人們生命意識的覺醒，對人生、死亡的感慨也多了起來。在這樣動蕩和世事難料的時代下，人們該何去何從，該怎樣度過自己的一生成為了一個嚴峻而不容回避的問題。其實這種憂生之嗟由來已久，從齊景公的牛山之悲、莊子的逆旅之感，到曹丕、羊祜、王羲之等的宇宙永恆，人生無常的嗟嘆，人生的短暫和無常時常引起人們的悲哀和感嘆。那麼面對有限的人生，到底應抱什麼態度？及時行樂就成為了一種具有代表性的答案。這在古詩十九首中有鮮明的體現，如《驅車上東門》：「人生忽如寄，壽無金石固。服食求神仙，多為藥所誤。不如飲美酒，被服紈與素。」又如《生年不滿百》：「生年不滿百，常懷千歲憂。晝短苦夜長，何不秉燭游？為樂當及時，何能待來茲。愚者愛惜費，但為後世嗤。仙人王子喬，難可與等期。」所以《形贈影》這首詩是有深刻的歷史背景和思想淵源的。

影答形

存生不可言，衛生每苦拙。誠願游昆華，邈然茲道絕。與子相遇來，未嘗異悲悅。憩蔭若暫乖，止日終不別。此同既難常，黯爾俱時滅。身沒名亦盡，念之五情熱。立善有遺愛，胡可不自竭？酒云能消憂，方此詎不劣！

影回答形說：保存生命、長生不死是不可靠的、荒謬的，衛護其生以保全性命也是又辛苦又拙劣的事情。（衛生一詞最早見於《莊子・達生》：「世之人以為養形足以存生，而養形果不足以存生，則世奚足焉哉！」）並非不願學仙以求長生，但此道邈遠不通。和你（形）相遇以來，同悲同喜，未嘗有異。休息於樹蔭之下，形影好像是暫時乖離，而停於太陽之下，則形影終不分別。形影不離很難長久，形既不能長存，影也必隨形滅而黯然消逝。影所關心者在名，名之隨身就如影之隨形，形滅影亦滅，故身沒名也盡，想到這裡，怎能不念之五情迸發、中心如焚呢。正如《論語》所云：「君子疾沒世而名不稱也。」《左傳》云：「太上有立德，其次有立功，其次有立言，雖久不廢。此之謂不朽。」故下言立善以求不朽。立善可以見愛於後世，怎能不盡力而為之呢？飲酒雖然能消憂，可與立善相比，難道不是很拙劣麼？

《影答形》先否決了養生的辛苦與拙劣，又批判了道教的神仙思想，認為煉丹求仙、修道以期長生不老是不可能的。此段用儒家立善的思想立論，認為人生短促，形體迅速消亡，但總可以做一些事情，以求立德立功立言，成就另一種不朽，不能混沌虛度此生。要麼像伯夷、叔齊一樣成為古之善人，千載傳頌，要麼出將入相，成就一番功名，要麼留下千古文章，流芳百世。其實我們千百年後頌讀陶淵明詩文，想見其為人，感受著他的悲歡，深受他人格魅力和藝術造詣的感染，難道不是立善之不朽麼？

神釋

大鈞無私力，萬理自森著。人為三才中，豈不以我故？與君雖異物，生而相依附。結托既喜同，安得不相語。三皇大聖人，今複在何處？彭祖壽永年，欲留不得住。老少同一死，賢愚無複數。日醉或能忘，將非促齡具？立善常所欣，誰當為汝譽？甚念傷吾生，正宜委運去。縱浪大化中，不喜亦不懼。應盡便須盡，無復獨多慮。

神說造化普惠於萬物，不偏不私，萬物自然生長，有條不紊，生機盎然。（顏師古注《漢書》「大鈞」云：「今造瓦者謂所轉者為鈞，言造化為人，亦猶陶之造瓦耳。」）人之所以得屬三才之中，是因為我（神）的緣故。《易．繫辭下》：「《易》之為書也，廣大悉備。有天道焉，有人道焉，有地道焉，兼三材而兩用之。」神到底是怎樣神通廣大，可以使得「寄蜉蝣于天地，渺滄海之一粟」的人和天地相提並論呢？此處的神指的即是人的心、人的精神、人的靈魂。孟子曰：「盡其心者，知其性也。知其性，則知天矣。存其心，養其性，所以事天也。夭壽不二，修身以俟之，所以立命也。」(《孟子．盡心上》）盡心知性知天，是修身的根本，是安身立命的方法，是成聖之正途，朱熹的理學、王陽明的心學莫不出於此。正因為如此，神才能說出「人為三才中，豈不以我故？」的豪言壯語。我（神）與你們（形影）雖然不一樣，但是我們生來就互相依附，休戚與共，精神與肉體不可分離，怎能不與你們言說釋惑呢。三皇是古之大聖人，仍不免一死。彭祖壽七百餘年，也不能與世長存。正如《莊子．齊物論》所云：「莫壽于殤子，而彭祖為夭。」老少賢愚都不免一死，《列子．楊朱》云：「生則有賢愚貴賤，是所異也；死則有臭腐消滅，是所同也。」又云：「十年亦死，百年亦死，仁聖亦死，凶愚亦死。」日日沉湎於醉酒中，或許能忘掉憂愁，可酒難道不是令人短壽的饌飲麼？此句是針對形「願君取吾言，得酒莫苟辭」及時行樂、貪杯享受而言的。留得生前身後名也是人人所渴望的，可是誰還會贊譽你的高尚品節呢？王叔岷《疏證稿》曰：「『古之遺愛』，乃孔子贊子產之辭。如今立善，安得有如孔子者之贊譽邪？然立善固不必有人譽，陶公蓋有所慨而言耳。」這句話深得「誰當為汝譽？」的真諦，這裡有兩層意思：首先，還有如孔子那般的聖人贊譽你嗎？如果只是凡夫俗子逢迎誇獎，那這樣的贊譽還有意義嗎？第二點，立善本來也不是為了沽名釣譽，如果為了求名求譽去立善，境界也不夠高。這也就委婉地批評了影「立善有遺愛，胡可不自竭？」的沽名求善。陶淵明在《感士不遇賦》序中說道：「自真風告逝，大偽斯興，閭閻懈廉退之節，市朝驅易進之心。懷正志道之士，或潛玉于當年；潔己清操之人，或沒世以徒勤。故夷皓有『安歸』之嘆，三閭發『已矣』之哀。悲夫！寓形百年，而瞬息已盡；立行之難，而一城莫賞，此古人所以染翰慷慨，屢伸而不能已者也。」陶淵明慨嘆生逢「閭閻懈廉退之節，市朝驅易進之心」之世，知道及時行樂和立善求名並不能真正解脫人們的痛苦，因為當一個人立身不成，很可能就轉而及時行樂，但行樂時又往往不能完全忘懷功名不就的痛苦，於是陷入痛苦的循環之中無以自拔，所以用神的口吻，勸解形影，從營營碌碌惜生的狀態出解脫出來，委運任化，順其自然。想到此處「我」（神）很是悲痛，還是順從天運，順從自然變化之理吧。放浪於自然、宇宙之中，生死也就無喜無懼了。就像《莊子．大宗師》裡的真人，「不知說生，不知惡死」。大限已至就這樣吧，不用再多憂慮。

《神釋》有濃厚的老莊思想，委運任化、順其自然本身就是道家的核心命題，而「大鈞無私力，萬理自森著」之意，即「天地不仁，以萬物為芻狗」[3]，即「生而不

3有關《老子》的引文均見陳鼓應注譯：《老子今注譯注》北京：商務印書館，2009年。

有，為而不恃，功成而弗居」。還有關鍵句「誰當為汝譽」的深意即「上德不德，是以有德」，即「太上，不知有之；其次，親之譽之」，即「自見者不明，自是者不彰；自伐者無功，自矜者不長」。對立善的追求看似是儒家和道家的分歧處，其實不然。真正儒者的追求絕非立善以求名，如孔子云：「泰伯，其可謂至德也已矣。三以天下讓，民無得而稱焉。」（《論語・泰伯》）泰伯是「至德」之人，民卻「無得而稱焉」，可見立善並非追求名聲。顏回也說：「無伐善，無施勞。」（《論語・公冶長》）表達的是同樣的思想。可見儒道的分歧並非如此機械，在人生的根本命題上，它們有圓融貫通之處，這樣的貫通處被陶淵明很好地體會和把握住，雜糅各家，融會儒釋道，形成自己獨特的思想和人生觀，這正是陶淵明的偉大之處。

二　歷代各家對《形影神》詩的評析及其思想

《形影神》詩向來就引起人們的注意，該詩在陶淵明的文集中也被列為五言詩之首，足見後人對它的重視。詩中代為形影神三者言說，其實也是陶淵明己身不同矛盾思想的自白。「得酒莫苟辭」，像是「篇篇有酒」（蕭統《陶淵明集序》語）的陶淵明的熱情邀請，「立善有遺愛，胡為不自竭」，像是「脂我名車，策我名驥，千里雖遙，孰敢不至」（《榮木》）[4]的陶淵明的豪情萬丈，而「應盡便須盡，無復獨多慮」，像是「聊乘化以歸盡，樂夫天命複奚疑」（《歸去來兮辭》）的陶淵明的優游自得。而這三者圓融地混合在一起，不得不令人擊節稱贊，正如朱光潛在《陶淵明》中說道：「淵明是一位絕頂聰明的人，卻不是一個拘守系統的思想家或宗教信徒。他讀各家的書，和各人物接觸，在於無形中受他們的影響，像蜂兒采花釀蜜把所吸收來的不同的東西融會成他的整個心靈。在這整個心靈中我們可以發見儒家的成分，也可以發見道家的成分，不見得有所謂內外之分，尤其不見得淵明有意要做儒家或道家。」[5]正因為該詩體現了陶淵明豐富的思想內涵，提出了人生短促，該如何面對生死的永恆的話題，並給出己身一個圓融高超的答案，故後代士人在面對該詩時無不引起共鳴，或掩卷長嘆，或心生欽佩。據載，宋代葉夢得在《玉澗雜書》中最早對該詩作出評價：

> 陶淵明作形影相贈與神釋之詩，自謂世俗惑于惜生，故極陳形影苦，而釋以神之自然。《形贈影》曰：「願君取吾言，得酒莫苟辭。」《影贈形》曰：「立善有遺愛，胡為不自竭？」形累于養而欲飲，影役于名而求善，皆惜生之弊也，故神釋之曰：「曰醉或能忘，將非促齡具？」所以辨養之累。曰「立善常所欣，誰當為

4　袁行霈《陶淵明集箋注》北京：中華書局，2003年。本文引用陶淵明的詩文均出於此書，別處不再注明。

5　朱光潛：《朱光潛美學文集（二）》上海：上海文藝出版社，1982年，頁212。

> 汝譽？」所以解名之役。雖得之矣，然所致意者，僅在促齡與無譽。不知飲酒而得壽、為善而皆見知，則神亦將汲汲而從之乎？似未能盡了也。是以極其知，不過「縱浪大化中，不喜亦不懼，應盡便須盡，無復獨多慮」，謂之神之自然爾。此釋氏所謂斷常見也。此公天資超邁，真能達生而遺世，不但詩人之辭，使其聞道而達一關，則其言豈止如斯而已乎？

葉夢得對於文句內容與結構分析得很精准，這裡提出有關釋氏的看法也值得探討。葉夢得認為陶淵明「縱浪大化中，不喜亦不懼，應盡便須盡，無復獨多慮」也只是做到了達觀、順其自然而已，如果醉酒可以長壽，立善就可以得譽，難道就要去孜孜以求麼？佛家講苦集滅道，只有真正看透，認識到人生本質的夢幻泡影，才能真正解脫，此處葉夢得對於陶淵明並沒有參透釋道而感到惋惜。而我們反而可以從另一個角度體察出陶淵明的思想感受，他並非超然於物外，於世俗也時常掛心，雖然他是一個隱士，但卻並非不食人間烟火，仿佛就在我們身邊，親切自然，他是從人生體驗出發，以開闊的心胸和達觀自然的態度去面對生活，而不是超脫於塵世之外，從遙遠的距離憐憫在水深火熱中的世人。他不是一個宗教領袖或神仙似的人物，而是一個身在田野與鄉村老農為鄰為友的淡泊名利的士人。

以上是葉夢得的看法，而按照陳寅恪《陶淵明之思想與清談之關係》[6]的觀點，則認為陶淵明的思想是與佛教無關的，更無由苛求陶淵明未能了悟釋道了：

> 凡研究陶淵明作品之人莫不首先遇一至難之問題，即何以絕不發現其受佛教影響是也。以淵明之與蓮社諸賢，生既同時，居複相接，除有人事交際之記載而外，其他若《蓮社高賢傳》所記聞鐘悟道等説皆不可信之物語也。陶集中詩文實未見贊同或反對能仁教義之單詞只句，是果何故耶？蓋其平生保持陶氏世傳之天師道信仰，雖服膺儒術，而不歸命釋迦也。

並舉《形影神》三詩為例解説其思想為：

> 魏末晉初名士如嵇康、阮籍叔侄之流是自然而非名教者也，何曾之流是名教而非自然者也，山濤、王戎兄弟則老、莊與周、孔並尚，以自然、名教為兩是者也。其尚老、莊是自然者，或避世，或祿仕，對于當時政權持反抗或消極不合作之態度，其崇周、孔是名教者，則幹世求進，對于當時政權持積極贊助之態度，故此二派之人往往互相非詆，其周、孔、老、莊並崇，自然、名教兩是之徒則前日退隱為高士，晚節急仕至達官，名利兼收，實最無恥之巧宦也。時移世易，又成來複之象，東晉之末葉宛如曹魏之季年，淵明生值其時，既不盡同嵇康之自然，更

6　陳寅恪：《金明館叢稿初編》上海：上海古籍出版社，1980年，頁202。

有異何曾之名教，且不主名教自然相同之說如山、王輩之所為。蓋其己身之創解乃一種新自然說，與嵇、阮之舊自然說殊異，惟其仍是自然，故消極不與新朝合作，雖篇篇有酒，（昭明太子《陶淵明集序》語）而無沉湎任誕之行及服食求長生之志。夫淵明既有如是創辟之勝解，自可以安身立命，無需乞靈于西土遠來之學說，而後世佛徒妄造物語，以為附會，亦何可笑之甚耶？

針對陳寅恪的觀點，朱光潛提出質疑：「至于淵明是否受佛家的影響呢？寅恪先生說他絕對沒有，我頗懷疑。淵明聽到蓮社的議論，明明說過它『發人深省』，我們不敢說『深省』究竟是什麼，『深省』卻大概是事實。寅恪先生引《形影神》詩中『甚念傷吾生，正宜委運去，縱浪大化中，不喜亦不懼，應盡便須盡，無復獨多慮』幾句話，證明淵明是天師教信徒。我覺得這幾句話確可表現淵明的思想，但是在一個佛教徒看，這幾句話未必不是大乘精義。此外淵明的詩裡不但提到『冥報』而且談到『空無』（『人生似幻化，終當歸空無』）。我並不敢因此就斷定淵明有意地援引佛說，我只是說明他的意識或下意識中有一點佛家學說的種子，而這一點種子，可能像是熔鑄成就他的心靈的許多金屬物中的寸金片鐵；在他的心靈煥發中，這一點小因素也可能偶爾流露出來。」[7]雖然二位先生觀點有所不同，但從這裡我們也可以看出，無論陳寅恪的新自然說，還是朱光潛的熔鑄說，都肯定了陶淵明思想的雜糅性、融合性還有其獨創性。

儒家作為中國士人的正統思想，隨著陶淵明在後世地位的不斷提高，士人們也把陶淵明這位先賢歸於儒家，繼承道統，所以站在儒家立場上對該詩做出的評論有很多。他們認為該詩的核心在於「立善」，是繼承孔子「君子疾沒世而名不稱也」（《論語・衛靈公》）的遺訓，是「孔子朝聞道夕死、孟子修身俟命之意」（〔宋〕陳仁子輯《文選補遺》卷三十六），認為「『立善常所欣，誰當為汝譽』，破除留名之私，非謂不必立善也」（〔清〕方宗誠《陶詩真詮》），是「為聖為賢本領，成仁成義根源」（〔清〕溫汝能纂集《陶詩匯評》卷二），是「真知六籍之蘊者」（〔清〕潘德輿《說詩牙慧》卷五）。其實只要我們研讀一下序言「貴賤賢愚，莫不營營以惜生，斯甚惑焉。故極陳形影之苦言，神辨自然以釋之。好事君子，共取其心焉。」就可知陶淵明對於及時行樂和以善沽名是持兩非的態度，真正想表達的意思是「神辨自然以釋之」，核心在於「自然」，亦即「甚念傷吾生，正宜委運去。縱浪大化中，不喜亦不懼。應盡便須盡，無復獨多慮。」說三首詩以「立善」為核心肯定失之偏頗、斷章取義了。當然，陶淵明也深受儒家的影響，本詩中體現的安貧樂道、樂天知命的思想便與聖人同心，「立善常所欣，誰當為汝譽？」正是對孔聖人不再，自己生不逢時的慨嘆。他自己也說「少年罕人事，游好在六經」，「先師有遺訓，憂道不憂貧」，「談諧無俗調，所說聖人篇」，「奉上天之成命，師聖人之遺書」，而且也同儒家一樣嚮往三皇堯舜之世。陶淵明生在「習尚老莊」風氣向崇尚儒

7 朱光潛：《朱光潛美學文集（二）》上海：上海文藝出版社，1982年，頁212。

術轉變的時代，處在文化中心江州一代，加之家學傳統，「總角聞道」，因此深受儒家浸染是不足為奇的。以陶淵明和莊子比，莊子對人生自然看得更透徹、更瀟灑，而陶淵明是忍耐又忍耐，在仕與隱的道路上猶豫過、彷徨過、鬥爭過，最終才把不妥協的精神拿出來，退到自己的堡壘裡，這分野也正是因為陶淵明比莊子有了更多儒家的教養。

三　陶淵明的生死觀與《列子》的關係

從上文歷代各家的不同評價看，筆者傾向於陶淵明的思想集各家之所長，但核心仍是道家，尤其是在對生死的看法上，基本是采取老莊委運任化、隨順自然的生死觀，更多的是受了同時代《列子》的影響。比如《列子》中有這樣一段話：

> 力謂命曰：「若之功奚若我哉！」命曰：「汝奚功于物，而欲比朕！」力曰：「壽夭窮達、貴賤貧富，我力之所能也。」命曰：「彭祖之壽不出堯舜之上，而壽八百；顏淵之才不出眾人之下，而壽十八；仲尼之德不出諸侯之下，而困于陳蔡；殷封之行不出三仁之上，而居君位；季札無爵于吳；田桓專有齊國，夷齊餓于首陽，季氏富比展禽；若是汝力之所能，奈何壽彼而夭此、窮聖而達逆、賤賢而貴愚、貧善而富惡邪？」力曰：「若如若言，我固無功于物而物若此邪？此則若之所制邪？」命曰：「既謂之命，奈何有制之者邪！朕直而推之，曲而任之，自壽自夭、自窮自達、自貴自賤、自富自貧，朕豈能識之哉，朕豈能識之哉！」

從這段話中，我們可以找到《形影神》詩的直接思想來源，而且在《列子・楊朱》中，我們還可以找到和《形影神》詩表達相同意義的句子：「生則有賢愚貴賤，是所異也；死則有臭腐消滅，是所同也。」（「老少同一死，賢愚無複數」），還有「理無不死。理無久生。」（「我無騰化術，必爾不復疑」），從中我們可以看出《列子》對陶淵明的深刻影響。

陶淵明一生崇尚自然，從不矯揉造作，對於生死，他也看作是自然現象，委運任化，自然而然，並不汲汲於養生求名或追求長生不死之道。故他對於死，常提出「化」這一概念：

> 形骸久已化，心在複何言。（《連雨獨飲》）
> 窮通靡攸慮，憔悴由化遷。（《歲暮和張常侍》）
> 翳然乘化去，終天不復形。（《悲從弟仲德》）
> 聊且憑化遷，終返班生廬。（《始作鎮軍參軍》）
> 家養千金軀，臨化消其寶。（《飲酒》）
> 聊乘化以歸盡，樂夫天命複奚疑。（《歸去來兮辭》）

余今斯化，可以無恨。(《自祭文》)

常恐大化盡，氣力不及衰。(《還舊居》)

人生似幻化，終當歸空無。(《歸園田居》)

流幻百年中，寒暑日相推。(《還舊居》)

「大化」、「幻化」也是《列子》中的概念，《列子・天瑞》:「人自生至終，大化有四：嬰孩也，少壯也，老耄也，死亡也。」又《列子・周穆》云:「有生之氣，有形之狀，盡幻也。造化之所始，陰陽之所變者謂之生，謂之死。窮數達變，因形物易者謂之化，謂之幻。」陶淵明的基本教育雖然來自於儒家，但他的生死觀卻深受同時代《列子》的影響，究其原因，一方面崇尚老莊是當時社會風氣使得陶淵明受道家的影響更大一些，另一方面《列子》較老莊泛神論的色彩較淡，它的自然觀並不那麼沉湎任誕，更符合陶淵明的性格和思想。

四　委運任化的生死觀所體現的陶淵明思想的融合性與獨創性

陶淵明固然受到道家尤其是《列子》的深刻影響，但並不是說他生死觀的思想只是沿襲道家，毫無創見。道家悲觀厭世、視人生為一片荒漠，「百年猶厭其多，況久生之苦也乎？」(《列子・楊朱》)，這正是陶淵明所不取的。魯迅先生說:「陶潛總不能超于塵世，而且，于朝政還是留心，也不能忘掉『死』。這是他詩文中時時提起的。」[8]比起莊子對世事的荒涼冷漠，陶淵明對生活抱有極大的熱情，他熱愛自然，他說:「平疇交遠風，良苗亦懷新」，他熱愛田園生活，他說:「晨興理荒穢，帶月荷鋤歸」，他熱愛自由，他說:「久在樊籠裡，復得返自然」，他也享受生活，他說:「倚南窗以寄傲，審容膝之易安」，他享受天倫之樂，他說:「弱子戲我側，學語未成音」。比起莊子面對死亡的鼓盆而歌，陶淵明對生死乖離的體驗極其刻骨，對親人亡故的傷悼也極其沉痛。如在《祭程氏妹文》中，他「感惟崩號，興言泣血」，在《祭從弟敬遠文》中，他「感平生之游處，悲一往之不返，情惻惻以摧心，淚涽涽而盈眼」。所以（明）黃文煥評價陶淵明說:「『不喜亦不懼』，說出大本領，無可如何。縱浪大化，原非可喜之事，但終無由懼耳！若說懼是凡夫，若說喜是異端，兩路雙遣，方成正宗。」(《陶詩析義》卷二）而陶淵明與莊子的相通之處在於面對死亡時那種從容，那種委運任化，把死亡看作是四季運行、晝夜更替一樣的自然現象。莊子不讓弟子厚葬他，說:「吾以天地為棺槨，以日月為連璧，星辰為珠璣，萬物為賫送。吾葬具豈不備邪？何以加此！」(《列禦寇》）陶淵明在《自祭文》中也交代親人處理自己的後事一切從簡，「不封不樹」，顏延之《陶徵士誄》也說他「省訃卻賻」。故陳寅恪說:「新自然說之要旨在委運任化。夫運化亦自然

8　魯迅:《而已集》北京：人民文學出版社，1981年，頁112。

也，既隨順自然，與自然混同，則人己身亦自然之一部，而不須更別求騰化之術。」[9]正因為有委運任化的生死觀，陶淵明才做到了不惜生畏死，不追求神仙之道，也不迷信輪回轉世。而也正是因為陶淵明秉持的是「新自然說」，所以不似舊自然說那麼放誕、虛無，而是更合情理，更符合人性，如《六朝美學》中所說：「陶淵明既繼承了嵇康等人的倫理觀和審美觀，又去掉了他們的放誕色彩。他以躬耕農野、從事勞作的生活實踐，來開掘、品嚼自然樸素的人生樂趣，熔鑄自己的人格理想。」[10]故委運任化的生死觀是陶淵明身處的時代、陶淵明自身的性格、陶淵明所融會的思想、陶淵明一生身體力行的人生感悟。

故歸結起來：儒家思想給陶淵明一種操守，給他的躬耕生活、安生立命提供一種安貧樂道的堅強支持；道家思想使他複其性命之本真，對生死有了明晰的看法，讓生命重歸於圓滿，重歸於清淨透明的境地；而在儒道間游走游刃有餘之時，他的聰明才智、明澈曠達，又時常令他的言行充滿著禪機。所以，陶淵明委運任化的生死觀的思想來源並非是那麼單一的，他融合各家思想之精華，調和成一種令後世仰慕的典型，不容模仿、不容超越、不受任何思想家派的限制。他的生死觀和思想也深刻地影響了後人，一生傾慕陶淵明的蘇軾評價說：「孔子不取微生高，孟子不取於陵仲子，惡其不情也。陶淵明欲仕則仕，不以求之為嫌；欲隱則隱，不以去之為高；饑則扣門而乞食，飽則鷄黍以延客。古今賢之，貴其真也。」（《津逮秘書》本，卷三）陶淵明將個體生命融入自然的運化中，消解了生死的衝突，來於自然，歸於自然，用了悟的大智慧充實地體驗生活，藝術地享受人生，成為後人心中一座永遠令人仰慕的心靈上的高峰。

9陳寅恪：《金明館叢稿初編》上海：上海古籍出版社，1980年，頁212。

10 袁濟喜：《六朝美學》北京：北京大學出版社，1999年，頁189。

中古自然經濟節略*

溫如嘉
澳門大學

一 緒論

自然經濟一詞，創始於德國歷史學派權威 Bruno Hildebrand。他以交換為標準來作經濟史的分期，主張人類經濟的歷史分為三個相續的階段：（一）自然經濟（Natural Economy）階段──這是物與物相交換的時代。（二）貨幣經濟（Money Economy）時代──這時金屬貨幣用作交易媒介。（三）信用經濟（Economy）時代──這時最後以同一物或等價物清算，而先由信用進行貨物的交換。這個主張在德國學術界中影響甚大，但在德國以外其他國家的學者看來，卻是一種很受攻擊的學說。如比利時經濟史學者 Henri Pirenne 和英國劍橋大學經濟史學者 J. H. Clapham 等均對此學說加以攻擊。今以英國經濟學者 Norman Angell 的批評來加以說明。他認為「（Hildebrand）的敘述，頗能助人之理解，唯以敘述過於明析簡單，故於事實上未免不甚相符。蓋歷史進行之程序，並不若是之整齊。換言之，貨幣之為物，遠在歷史以前即有之，而信用要素之發生，為時亦甚早；第以人類發見貨幣之後，未必即行採用；或則雖經採用之後，重復予以廢棄；而廢棄之後，亦並無大害於社會之生活；故貨幣之出現，為時未必晚，特其發揮功能則在於後世耳。總之，自物物交換以進於貨幣經濟時代，決非一時代完了之後，另一時代即繼之而起，此種斬釘截鐵之明晰發展，歷史上實無其例。」[1]

但是，如果我們從相對的觀點出發，話可不是這樣說了。在某一社會裡，同時雖有物物交換、貨幣及信用三者的存在，但它們絕不會勢均力敵，在同一期間內較占優勢的往往只有一個。因此，我們可以從這三者比重的大小來判別某種時期的社會應屬那一階段。這可以說是對 Hildebrand 學說的修正。從這個觀點出發，作者認為自漢以後，至安史之亂前後，即約由公元二世紀末至八世紀中葉，自然經濟在中國社會裡較占優勢──雖然南朝錢幣力量相當雄厚，但仍不能取自然經濟的地位而代之。

---

* 本文是全漢昇老師在民國三十年十一月川西李莊板栗坳撰寫的長文，初刊於《史語所集刊》第十本，文長愈十萬言，在中國經濟史領域屬於開拓性鉅著。今年是全老師的一百一十周年誕辰，門第子委託上海財經大學出版社出版十二卷的《全漢昇全集》紀念以作紀念。筆者有見及此，遂仿二十五年前編述〈唐宋帝國與運河節略〉之例編成此文，以資紀念，並藉此向年青學子推介此經典著作。

1 何子恆譯：《貨幣的故事》北京：商務印書館，1936年，頁19-20。

二　漢末以後貨幣經濟的逆轉

自周景王二十一年（西元前525年）鑄大錢後，錢幣在中國社會內已漸漸流通。到了漢代，錢幣的使用更為發達。除買賣時用作交易媒介外，當日官吏俸祿的一部份，以錢支付。在賦稅方面，幼年人年出二十三文的口錢，成年人則出百二十文的算賦，亦均以錢繳納。漢桓帝對於郡國的田地，課以每畝十錢的租稅。至於徭役的提供，也可用錢來代替。可是，我們對於周景王鑄大錢的錢幣流通情形，不能過於誇大。因為自此以後，錢幣雖然流通，在好些地方，人民仍舊用實物作交易工具來買賣。《孟子》記載楚人許行以粟易褐布、素冠、釜、甑及鐵器，可見戰國時代楚國還有物物交換的事實。到了漢代，貨幣經濟雖然已經抬頭，但牠的發展程度究景有限。所以「王莽亂後，貨幣雜用布帛金粟」；直至後漢光武帝建武十六年（西元40年）始行五銖錢。官俸的一半，雖用錢支付，但其餘一半，還須以穀發放。至於田租，除上述每畝十錢的租稅外，亦均以穀繳納。

漢代貨幣經濟的發展，自漢末以後，大受打擊。從此以後，自然經濟漸漸占有勢力，貨幣經濟則一天比一天衰落下去。我們要問：從漢末以後，中國社會為什麼會由貨幣經濟逆轉為自然經濟？

漢末以後自然經濟代貨幣經濟而起的第一個原因是戰爭。中國自漢末以後，社會上發生很大的騷動。如三國時各地軍事領袖的混戰，和西晉八王之亂，都足以擾亂當日社會的安寧。不過規模最大，影響最烈的戰爭，當然要推漢末的黃巾暴動，與董卓之亂，和西晉末葉的五胡亂華。戰亂的區域非常廣大，以黃河流域作中心，江、淮、荊、蜀都曾波及。其中，漢末以後的戰爭，給漢代相當繁榮的商業以很嚴重的打擊。商業中心的城市，經過大規模的戰亂後，破壞得非常利害。

戰爭除了對商業中心的城市作直接的毀壞外，又產生三種現象，影響到商業的衰落。第一是人口的銳減。戰時的人口，一方面直接受兵災的蹂躪，他方面又飽嘗戰爭引起的饑荒與疾疫，數量當然要大為減少。其次是土地的荒蕪。在戰亂中，原來從事生產的人口，多半加入流亡隊伍中到處轉動，土地的荒蕪是不能避免的。第三是交通的困難。當日戰後人口銳減，其消費量自然跟著減少，從而對市場上商品的需要自亦大減，再加上交通困難的因素，情形便日趨嚴重。市場上一般商品的供給與需要既然全都大為減少，交易量自然跟著激劇的減少。這樣一來，商業能夠避免衰落的命運嗎？

漢末以後商業既因屢受戰爭的影響而大為衰落，貨幣的使用自然亦要跟著退步了。因此，錢幣的使用在漢代雖然已經相當發達，從漢末以後卻宣告停滯。晉安帝元興（西元402-404年）中孔琳之說：「錢之不用，由於兵亂，積久自至於廢，有由而然，漢末是也。」錢幣的廢棄，給實物貨幣以流通的機會。這樣一來，自然經濟遂代貨幣經濟而起。

漢末以後，貨幣經濟逆轉為自然經濟的第二個原因，是鑄造錢幣所用的銅的減少。

當日銅的供給所以減少，一方面是由於銅鑛產量的銳減，他方面由於佛寺之大量的用銅鑄像。在漢代，銅鑛的產量想當的大；吳王濞對於豫章郡的銅山，鄧通對於四川嚴道的銅山，都曾作過大規模的開採。但這些銅鑛的產額，自漢末以後，即作激劇的減少。因此，吳孫權的鑄錢，不如吳王濞那樣採銅於豫章銅山，只收羅民間的銅來鑄。（蜀）劉備也不學鄧通那樣採銅於嚴道銅山，而只是「取帳鈎銅鑄錢」。往後到了劉宋元嘉二年（西元425年）四月，沈演之還說錢少由於「採鑄久廢」。再往後，到了南齊武帝永明八年（西元490年），政府雖曾開換蒙山（四川雅安）的銅礦，但鑄錢千餘萬文以後，卒因「功費多，乃止」。

復次，自佛教輸入中國後，在各地普遍設立的佛寺，多以大量的銅來製造佛像。這種風氣在漢末三國初已經相當盛行。其後，由於佛教大師佛圖澄、鳩摩羅什凉的來華，二石（勒、虎）、姚興等統治者的信佛，佛教勢力遂日益雄厚，從而佛寺用銅鑄像的事亦大大增多。佛寺的數量，在北朝的洛陽便有一千餘所，全國則有三萬餘所；在南朝梁武帝時，就是建業一城，也有五百餘所。佛寺中銅像的數量，如徐州城中五級寺，多至一百軀。至於鑄造每一佛像所用的銅，數量也很驚人。較小的用銅三千斤，大者竟至十萬斤。這許多佛寺的銅像既消耗了大量的銅，無怪當日能夠用來鑄錢的銅要大為減少了。這樣一來，當日錢幣的鑄造額自然會激烈的減少。因此，自後漢初平元年（西元190年）六月董卓壞五銖錢改鑄小錢以後，中間除卻（吳）孫權於嘉禾五年（西元236年）春鑄當五百大錢，赤烏元年（西元238年）春鑄當千大錢，及（蜀）劉備於建安二十三年（西元218年）左右鑄直百錢外，直到元嘉七年（西元430年）十月，及北魏太和十九年（西元495年），始再有鑄錢的史實。錢幣的鑄造額既少，其流通量自然不多。這樣一來，遂給實物貨幣以流通的機會，故自然經濟遂代貨幣經濟而起。

三　中古實物經濟

（一）漢末三國時代的實物貨幣

漢獻帝初平元年（西元190年）六月，董卓壞五銖錢，改鑄小錢，自此以後，錢幣因質量極惡劣而不行用。故民間只能改用穀帛來交易。到了魏文帝黃初二年（西元221年）三月，政府曾一度恢復五銖錢的行使。但行使的時間不過半年多點，到同年十月，又明令停止五銖錢的行用。錢幣既被廢棄不用，穀帛等實物遂以貨幣的資格流通於市場上。其時，除曹魏外，孫吳境內的買賣也多以穀帛作貨幣。孫權曾於嘉禾元年（西元236年）春鑄當五百大錢，赤烏元年（西元238年）春鑄當千大錢。但當日銅的供給既少，錢的成色一定很低；反之，錢的面值卻大到當五百文及當千文。這種成色與面值相差太遠的大錢，當在市場上流通的時候，並沒有得到人民的歡迎。因此，大錢行用不久，政府便於赤烏九年（西元246年）下令收回，把它們改鑄為器物。當日孫吳境內錢幣的流通額既然很少，人們在買賣時遂多以穀帛作貨幣。此外，當日南方各地，尤以閩廣一帶，一般都以穀米作交易媒介的。特別是南方文化較低的俚人，在買賣時尚保持著純粹的物物交換的狀態。除魏及吳外，三國時代的蜀也有以實物作貨幣來交易的事情，見於常璩的《華陽國志》（卷11）。

（二）晉代的實物貨幣

三國以後，便是晉代。三國時代錢幣流通稀少的情形，到晉代並沒有多大的改變。因此在國內市場上買賣時，人們仍多使用實物貨幣來交易。復次，西北邊地的河西，即後來前涼的轄境，從晉武帝泰始年間（西元265-275年）起，直至愍帝初年（西元313年），更是完全廢棄錢幣，而以縑布作貨幣來交易。同時，布帛又是當日價值的單位，即物品的價值多以布帛的匹數來表示。

西晉末葉，五胡入侵，商業因受戰亂影響而更加衰落。結果，錢幣的使用更少，布帛在流通界中更有勢力。因此，當石勒「令公私行錢，而人情不樂。乃出公絹市錢……而錢終不行。」（《晉書》卷105〈石勒載記〉）又，當日財產的價值多以布帛匹數表示，反映五胡亂華後北方市場上把布帛當作貨幣來使用的真實情況。至於當日的南方，在晉室衣冠南渡，元帝偏安江左（西元317年）的時候，仍舊是孫吳以來錢幣流通稀少的狀態。由於東晉境內錢幣的流通不甚普遍，一時之間要使錢幣普遍流通於各地，自然是一件很繁難的事。桓玄看到了這一點，故在東晉安帝元興（西元402-405年）中輔政的時候，索性提議完全廢棄錢幣，而以穀帛代替來進行交易。這件事後來雖然因為孔琳之等的抗議而沒有實行，但由此亦可以看出當日錢幣勢力的微弱，和實物貨幣在流通界的優勢了。

當日的布帛，除用作交易媒介外，同時又具有價值單位的機能。如官幔、山宅、奴隸、牛隻、穀物等的價值均以布、綵的匹數表示（《晉書》卷75、《流沙墜簡》卷2）。以上都是晉人在買賣時把布帛當作貨幣來使用的情形，具體例子非常多，不便一一引述了。到了東晉，有些地方固然有錢幣的流通。有些地方卻仍舊把穀帛當作貨幣來使用。除此以外，也有以粟作交易媒介的。如敦煌寫本《沙州圖經殘卷》記載：「涼時刺史楊宣以家粟萬斛買石修理（北府渠）。」又《漢晉西陲木簡彙編》第二編〈買布簡〉說買布、履等物所付的代價以升計算，指的當然是穀粟等農產品。

（三）北朝的實物貨幣

關於北朝（西元386-581年）近二百年使用實物貨幣的情況，約可分為兩個階段，而以北魏孝文帝太和十九年（西元495年）為界。前者上溯至北魏開國（西元386年），約一百一十年年，是錢幣完全停止行用的時期。太和十九年政府開始鑄錢，名曰太和五銖，錢幣纔開始流通。所以前期從事買賣時全以實物作貨幣，占絕對地位。在被用作貨幣的實物中，布帛尤其重要。當日的布帛在社會上廣泛使用，包括購買糧食、牛隻、農具、贖身、建造佛寺、支付喪葬費及運費等。此外，當日的布帛又是價值計算的標準，一切物價都以布帛的匹數或長短來表示。至於當日司法界對於一切贓物的價值，更是完全以布帛的匹數或長短來計算。

北魏自太和十九年以後，錢幣漸漸流通，實物貨幣占絕對地位便有所動搖。可是，關於當日錢幣流通的情況，不能過於誇張。因為由於鑄造錢幣而漸漸流通，但因有下列三種情況，它的勢力非常有限，並不能驅逐布帛於流通界之外：一是錢幣流通的稀少；二是錢幣的地方割據；三是錢幣品質的惡劣。當日流通的錢幣既有這三種的缺點，便給布帛以仍舊用作貨幣的機會。因為：一、錢幣數量既然稀少，不足以滿足流通界的需要，布帛便被用作貨幣，以補此缺點；二、錢幣既然帶有地方割據的性質，此地與彼地貿易時，因為欠缺兩地共同接受的錢幣，布帛便起而承擔此任務；三、錢幣愈濫惡，其價值愈低，買賣時須接受的錢幣則愈多，同時它的耐久性也不如布帛。這樣一來，錢幣之用作交易工具，實在沒有比布帛便利多少，故布帛在市場上仍舊具有貨幣的機能，不因錢幣的流通而失卻它原來在流通界的地位。

我們要進一步探討，當日布帛怎麼樣發揮它的貨幣的機能？就地點上說，太和以後河北諸州鎮始終沒有錢幣的流通，布帛之貨幣的機能絲毫不受影響；此外，洛陽以西及以北各州鎮，直至孝明帝初年（西元516年），錢幣還沒有其流通，布帛當然也被用作交易的媒介。同時，就用途上說，太和以後的布帛，有用來支付糧食、禾價、酒肉、田地、造船材料、塼塊、贖身、買官、喪費、役費及雇車等不同用途，即用作交易媒介的功能。其次，當日的布帛又可以用來表示物價，即具有價值單位的功能。例如，如以往一樣，當日是以布帛匹數來計算贓物的價值。

以上都是在太和十九年後一般人把布帛當作貨幣的實例。其後北魏分裂為東、西魏，不久復為高氏及宇文氏所篡，改國號為北齊（西元550-577年）及北周（西元555-581年）。這時政權雖有改變，布帛卻仍然一樣的被用作貨幣來交易。在北齊方面，「冀州之北，錢皆不行，交易者皆絹布」（《隋書食貨志》）。可見這時候的河北，還是北魏以來廢錢幣、用布帛的狀態。至於北齊其他地方，錢幣雖然流通，布帛仍被用作交易的媒介，與之前的情況其實沒有差異。

南朝（西元420-589年）的情況與北方是有所不同的。因為南朝的商業比較發展，故錢幣的流通日漸重要，大有取實物貨幣的地位而代之的趨勢。不過，南朝錢幣的流通量雖然較北朝為多，勢力雖較北朝為大，但因有下列兩種情形，故仍予實物貨幣以流通機會：第一是錢幣數量的稀少。這在南朝初年尤為嚴重。當日的錢幣，承繼著前代戰亂頻仍，有毀無鑄的狀態，數量非常稀少。為著補救錢幣的缺乏，政府曾經設法增鑄。但當日鑄造錢幣所用的銅，並不是大規模的採自銅鑛，而是零零星星的取給於民間的銅器。原料既少，鑄出的錢幣自不會多。所以，到了南齊永明八年（西元490年），政府看見鎔銷銅器鑄錢不是辦法，乃開採四川蒙山銅來鑄錢；但鑄造千餘萬文之後，卒因「功費多，乃止」(《南齊書》卷37〈劉悛傳〉)。第二種情況是錢幣品質的惡劣。在鑄錢原料（以銅為主）缺乏的情況下，鑄出的錢幣不是數量稀少，便是品質惡劣，二者必有其一。在南朝初年，政府的鑄錢政策偏向前者。不過這種政策維持不了多久，因為錢幣品質雖好，但數量太少，實不足以供應當日市場的需求。因此自宋孝武帝（西元454-464年）即位以後，政府便開始採取傾向後者的鑄錢政策，即不管成色的好壞，但求數量的增加。錢的成色既然低下，鑄造成本自可減輕，但錢的面值卻仍舊一樣。這樣一來，因鑄錢成本與錢值相差而生的超額利潤，便給私鑄者以一個很大的鼓勵，從而劣錢的數量便多起來。到了南齊，錢的成色仍很低下。因此，到了梁武帝普通年間（西元520-527年），政府乾脆把錢幣中的銅剝削淨盡，改以鐵鑄錢。結果，錢幣品質更為惡劣，價值更為低下，以致「物價騰貴，交易者以車載，不復計數，而唯論貫。」(《隋書》卷24〈食貨志〉）因此，實物貨幣遂仍被使用，以補救交易籌碼的不足。

其後，錢幣數量雖較前增多，但成色則日趨惡劣，竟至「入水不沉，隨手破碎」的情狀。這種劣錢實在並不比布帛便利，故南朝錢幣流通雖較北朝為盛，但布帛仍可以當貨幣在市場上流通。此外，如漢中一帶較偏遠地區，交易時完全以絹作為媒介。至於用途上，布帛可用來支付梨價、馬價，或營造佛寺或喪葬費用等，都是當日以布帛作為交易的媒介。此外，它還是價值計算的標準。上述情況，偏於南朝上半期。其後，到了梁初（西元502年），錢幣流通仍局限於長江流域各大都市及其附近，其餘州郡仍以穀帛交易。到了陳代（西元557-588年），由於錢幣的惡劣與紊亂，人民在市場上買賣時還是「兼以粟帛為貨」；至於嶺南諸州，則「多以鹽米布帛交易，俱不用錢。」(《隋書》卷24〈食貨志〉）

（四）隋唐的實物貨幣

隋代（西元581-618年）的錢幣，由於私鑄盛行，品質也很惡劣。加上過去長期使用實物作貨幣的習慣，故布帛等仍保有貨幣的機能，在日常買賣中用作交易媒介。例如，買書、魚、乳藥、佛經佛像等都用布帛支付。同時，物價也多以布帛或粟來表示。這種情況，唐初仍繼續不止，直至百餘年後安史之亂（西元755-763年）的前夕，才有所改變。當時人們把布帛拿到市場上可以買到各種商品，如糧食、柴薪、書籍、紙張、藥品、魚類、土地、船價、馬匹、牛隻、猿猴等，或支付雇賃車輛，而役費則每天以絹三尺為代價。自然地，布帛也是當時價值的標準，如家畜價、馬價、驢價、奴價、租金等。此外，我們也可根據敦煌文獻來探討當日西北人士把實物當作貨幣的情形。如以麥粟等農產品或布帛作貨幣的資料很多，如用作支付房價、牛隻、償還借貸、租金、役務、喪費、租賃費等。而且它們也是用作價值的標準的機能。

（五）小結

總括而言，中國貨幣的流通，從漢末到安史之亂前後，錢幣的使用明顯減少，而實物貨幣的流通則日盛一日。特別是在北魏上半期以前，錢幣流通量非常稀少，甚或沒有。至於其他時段，雖有錢幣的流通，但實物貨幣在市場上還是占相當的優勢。南朝中期表面上錢幣流通稍有改善，但流通的地區實際相當有限，故整體而言，實物貨幣仍是主要的交易媒介。所以，就大體上說，自漢末以後，至安史之亂的前夕，一共五百多年之久，實物貨幣在中國各地市場上都占主要的勢力。由於上述情況，作為當時政府的主要收入，即賦役、地稅和鹽稅等，以及私人方面把土地租給人家耕種，或各種各樣的工資（如官員的俸祿、自由職業者的收入和一般的傭工），由於當時錢幣的嚴重稀缺，一般有言，也只能以米穀粟麥和布帛為主要支付手段。即使有些以錢幣支付的記錄，也可視為罕見的例子。

四　安史之亂前後實物經濟的衰落與貨幣經濟的重新興起

自漢末五百多年的中國經濟，可以稱為自然經濟占絕對優勢的時代。到了安史之亂前後，卻漸漸衰微，而讓位於貨幣經濟。這種重大的轉變，主要原因約有兩種。第一種原因是商業的發展。中古時代奄奄一息的商業，到了此時，有了明顯的轉機。商業之所以能一反過去幾百年衰落的狀況而作大規模的發展，約有三大因素：（一）社會秩序的安全；（二）水陸交通的進步；（三）生產事業的發展。由於以上三種因素，中國商業便一反以往五百年的衰落的狀況，而作空前的發展。

首先，在唐玄宗即位前數年，崔融曾說：「且如天下諸津，舟航所聚，旁通巴漢，前指閩越，七澤十藪，三江五湖，控引河洛，兼包淮海，弘舸巨艦，千舳萬艘，交貿往還，昧旦永日。」（《舊唐書》卷94〈崔融傳〉）這種以江淮為中心的水道貿易，在安史亂後，更向前發展。同時，當日的國際貿易，在陸路和海路兩方面均有長促的發展。陸路以長安為起點的陸上絲綢之路，「興販往來不絕」，海路則以廣州為中心。《唐大和上東征傳》說僧鑑真於天寶九載（西元750年）抵廣州，見「江中有婆羅門、波斯、崑崙等船，不知其數。並載香藥珍寶，積載如山。其舶深六七丈。師子國、大石國、骨唐國、白蠻、赤蠻等往來居住，種類極多。」這種急劇發展的國內外貿易，除給予漢末以來氣息奄奄的各商業都市以新鮮氣象外，更造成中唐以後揚州的高度的繁榮，當是有

「揚一益二」的諺語，謂天下之盛，揚為一，而蜀次之。

其次，當日商業既然那麼發達，人們在市場上買賣自然感覺以實物貨幣來交易的不便。為了適應新的需要，錢幣鑄造便逐步增加。當日鑄錢數量所以增加，原因是銅的供給增加和鑄錢技術的進步。前者是政府因應需要，更改法令，銅山「任百姓開採，一依時價官為收市。」政府又在多處產地設鑪鑄錢。錢幣的供應因而大增。此外，鑄錢技術亦日益改進，原先多以不諳鑄錢的農民，現在「厚價募工」，以專業的熟練工人來生產，效果自然理想。另外，在蔚州飛狐縣利用水力及機械來鑄錢，結果人政大為減省。由於這兩個原因，安史之亂前後錢幣的數量便急劇增加，「京師庫藏皆滿」（《新唐書》卷58〈食貨志〉）、「天下歲鑄三十二萬七千緡」（《新唐書》卷54〈食貨志〉）。此外，劉晏也曾把江（南）、嶺（南）諸州貢輸長安的土產換取鑄錢原料，以便在江淮一帶鑄造大量的錢幣。到了會昌五年（西元845年）七月，唐武宗開始毀滅佛法，政府遂乘機把過去幾百年寺院及士庶之家因使用佛像鐘磬而占有大量的銅銷鑄為錢，以增加錢幣的流通量。這樣一來，錢幣的流通額自然更有大量的增加。

由於以上兩種狀況，即商業的急劇發展及政府的設法增鑄，錢幣流通量也逐漸配合社會經濟的需要，便成功地取代穀帛等實物貨幣來作種種的用途，例如賦稅方面由徵收實物的租庸調制，在楊炎的倡議下，在唐德宗建中元年（西元780年）改為以徵收錢幣為主的兩稅制。在市場上，人們在交易時賣主多向顧客索取錢幣作為代價，而拒絕收受布帛等實物。政府和百姓既然都樂於使用錢幣，其流通自然要頻繁起來。因此，財政專家劉晏「自言如見錢流地上。」（《新唐書》卷149〈劉晏傳〉）可見當日市場上錢幣流通的盛況。由於市場上突然大量使用錢幣，而長久以來社會上錢幣流通的總數有限，當日市場上曾發生短暫的籌碼不足現象，政府曾因此下令「錢物兼用」。不過，當日社會經濟既已經發展到非用錢交易不可的程度，政府這種開倒車的法令，也只能收效於一時，不能長期實行。待錢幣的供應逐漸增加，這個現象便逐漸得到改善，而實物貨幣遂全面被淘汰。

此外，我們也可從錢幣流通地點的擴張來加以考察。根據戶部尚書楊於陵的說法，山東、河北、山西、嶺南一帶，本來是使用實物貨幣的，到了大曆年間，卻完全改用錢幣了。而邊疆一帶，楊於陵曾說：「王者制錢以權百貨，貿通有無……昔行之於中原，今洩之於邊裔」。（《新唐書》卷52〈食貨志〉）我們也可從吐魯蕃出土文書中，發現大量的借錢契，反映當地以錢幣為主要流通貨幣的具體情況。

由此可知，在安史之亂前後，各地市場上流通的錢幣一天比一天增加，實物貨幣則一天比一天減少。這種由自然經濟轉向貨幣經濟的激烈變動，是顯而易見的。固然，也不能否定當日某些交通不便、經濟落後的窮鄉僻壤，如川、陝間及川、黔、兩湖間，因為還沒有受到以各大商業都市為中心而發展起來的貨幣經濟影響，人們仍舊把各種實物當作貨幣來交易。但整體而言，實物貨幣的勢力，已經江河日下，遠不及錢幣那麼雄厚了。同樣的，當日政府徵收的兩稅和商稅，佃農向地主繳納的地租，官員、自由職業者及一般僱工的工資，絕大部分也是錢幣支付。

五　總結

總而言之，我們可知中國自漢末以後盛行了五百多年的自然經濟，實物貨幣幾乎完全取代了金屬貨幣。但到了安史之亂前後，一方面由於商業的空前發展，他方面由於錢幣的大量增加，勢力日漸衰落，貨幣經濟遂取之而起。從此以後，金屬貨幣（錢）代替了以前的實物貨幣，貨幣租稅代替了實物租稅，貨幣工資代替了實物工資；此外地租方面也漸漸由農產品改為錢幣，徭役方面也由差役制改為雇役制。總之，由於當日貨幣經濟大潮流的冲蕩，錢幣遂普遍而深刻的侵入一般人的日常生活中。如果和過去五百多年錢幣流通稀少，無論交易、租稅、地租或工資方面均須求助於穀帛等實物的情形比較一下，簡直是兩個完全不同的世界！這時錢幣使用之多，多到劉晏「自言如見錢流地上」！當日錢幣既然無論在那方面都和人民經濟生活發生密切的關係，一般人的日常生活自然要普遍而深刻的感受到它的影響。這和過去幾百年，錢幣勢力微弱到連交易也可以完全不用它作媒介的情形比較起來，其變化是顯而易見的。因此，安史之亂前後實在是自然經濟和貨幣經濟勢力盛衰消長的一大關鍵。

唐玄宗時期貨幣非國家化的辯論

趙善軒

英國皇家歷史學會會員

一 引言

著名貨幣史學者林滿紅在她的經典著作 *China Upside Down*（2006）一書中[1]，把傳統中國的兩派經濟思想分類，一為放任派，一為干預派，她認為前者類近於西方以海耶克為首的奧地利學派（Austrian School），後者則近似於早期的凱因斯主義者（Keynesians），在十九世紀中葉前，兩派學者曾對中國貨幣改革有過許多精彩的討論。在貨幣政策上，放任派主張由民間鑄錢，政府則負責監管，利用法律來維持貨幣中立化，並指出貨幣由市場發行，才能增加供應，解決中國長久以來貨幣數量不足的問題；干預派則認為貨幣是人主之權，不能讓民間鑄造，否則會削弱國家的權力和影響力，他們認為鑄錢是屬於國家的專利，不能與百姓分享。筆者注意這種對比，不但在林氏研究的清代嘉、道年間獨有，早於漢代已見明顯，著名的鹽鐵會議就這議題作了激烈討論，民間學者傾向開放市場，當權者則強調貨幣在國家財政手段有著重要地位，絕不能輕言放棄。放任與干預是為中國兩大傳統，除了漢代與清代，身處中古自然經濟後期的唐代社會也不能例外，本文以林氏的框架來處理唐玄宗時期的經濟政策大辯論，到底應該開放貨幣市場，還是維持統一的貨幣制度？最終干預派大勝，使唐代並未有走上貨幣非國家化之路。本文以此為題，試圖探究唐代的社會經濟與經濟思想。

《舊唐書．玄宗本紀》云：「二十二年春正月癸亥朔，制古聖帝明皇、嶽瀆海鎮用牲牢……三月，沒京兆商人任令方資財六十餘萬貫。壬午，欲令不禁私鑄錢，遣公卿百僚詳議可否。眾以為不可，遂止。」[2]唐玄宗李隆基（西元685-762年）開元二十二年（西元735年），朝廷上有一場對貨幣政策的大辯論，分別是主張效法漢文帝（西元前203-157年）任民放鑄的中書令張九齡（西元678-740年）和稍後加入的開府儀同三司的信安郡王李禕（西元664-743年）二人。[3]另一方面，反對任民放鑄，堅持由國家壟斷的

1 Lin, Man-houng (2006) *China Upside Down: Currency, Society, and Ideologies, 1808-1856*. M.A Cambridge: Harvard University Press

2 （後晉）劉昫：《舊唐書．玄宗本紀》臺北：鼎文書局，1981年，頁200。

3 「信安郡王禕復言國用不足，請縱私鑄，議者皆畏禕帝弟之貴，莫敢與抗，獨倉部郎中韋伯陽以為不可，禕議亦格。」（宋）歐陽修：《新唐書．食貨志》臺北：鼎文書局，1981年，頁1389，案：信

宰相裴耀卿（西元681-743年）、黃門侍郎李林甫（西元683-753年）、河南少尹蕭炅（生卒不詳）、祕書監崔沔（西元673-739年）等干預主義者，結果是張九齡的建議遭到一面倒的反對。《舊唐書．食貨志》載：「黃門侍郎裴耀卿李林甫、河南少尹蕭炅等皆曰：『錢者通貨，有國之權，是以歷代禁之，以絕姦濫。今若一啟此門，但恐小人棄農逐利，而濫惡更甚，於事不便。』」玄宗也沒有堅持下去，政策討論也就此擱置。[4]不久之後，張九齡也因政治事件而失勢，被免去宰相之職，而在政府干預下導致貨幣大亂，經濟受到嚴重打擊，唐代陷入了嚴重的貨幣危機，大大影響了社會的穩定。

二　理論基礎

欲了解唐代的反對者的理由是否充分，必須先對漢文帝（西元前203-157年）貨幣政策有所掌握，因為雙方曾就漢文帝貨幣政策是否值得當朝政府效法，作過深入的討論。西元前一七五年，漢政府推行任放的貨幣政策。一直以來，世人多根據賈誼（西元前200-168年）的描述，而對政策產生了不良的印象。近年，陳彥良（2008）根據大量的考古報告，推翻漢文帝時代貨幣混亂的歷史印象。從出土文物分析看來，放鑄時代的銅錢一般比起國家壟斷後為佳，此證明了國家壟斷後，銅錢品質與重量不斷下降的事實。[5]賴建誠（2011）從經濟學原理解釋漢文帝成功的經驗，他指：「政府把原本由國家賺取的鑄幣利潤，轉讓給民間。放鑄的目的是希望：（1）透過民間的競爭，錢幣的品質會愈來愈好，國家的幣制可以更快統一。（2）減少政府的負擔，不必支付鑄幣成本與發行費用。」[6]管漢暉、陳凱博（2015）借助經濟學模型，證明漢文帝的放鑄政策合乎海耶克的貨幣非國家化的理論，成就了漢代的文景盛世。[7]在此條件下，因競爭而導致貨幣質素保持了三十一年的穩定，反而在漢武帝干預下，國家把貨幣發行權收回，從此以後，貨幣的質量與重量每況愈下，嚴重破壞了貨幣經濟的發展。根據趙善軒（2016）的分析，由於放鑄時代的私鑄者是為多次博弈，而國家壟斷下的私鑄為非法，則屬於單次博弈，二者性質不同，前者為了利益最大化，會確保銅錢的品質，後者反而會導致機會

安郡王之議在張九齡之後，非在同時提出，而他提出建議，並沒有作出任何推理，只是指出了國用不足的處境。

4 《舊唐書．食貨志》，頁2094；彭威信：《中國貨幣史》上海：上海人民出版社，1965年，頁367。

5 陳彥良：〈江陵鳳凰山稱錢衡與格雷欣法則：論何以漢文帝放任私人鑄幣竟能成功〉，《人文及社會科學集刊》，第20卷第2期，2008年，頁205-241；陳彥良：〈四銖錢制與西漢文帝的鑄幣改革：以出土錢幣實物實測資料為中心的考察〉，《清華學報》，第37卷第2期，2007年，頁321-360。

6 賴建誠：〈良幣驅逐劣幣：漢文帝的放鑄政策〉，《經濟史的趣味》杭州：浙江大學出版社，2011年，頁273。

7 管漢暉、陳博凱：〈貨幣的非國家化：漢代中國的經歷〉，《經濟學季刊》，第14卷第4期（總第58期），2015年7月，頁1497-1519。

主義行為（Opportunistic Behavior）盛行，增加了品質惡劣的私鑄銅錢，而漢文帝時則較少出現，故漢文帝時期貨幣質量比後者為優。[8]新近的研究，有助我們重新評價漢文帝貨幣政策，既然傳統的印象不為真，那麼唐玄宗時期，干預主義者否定放任貨幣政策，也是基於不準確的歷史知識來反對張九齡的建議，如此，其前提、理據、結論也值得商榷，有重新探討之必要。

相對而言，唐玄宗時期貨幣史的研究，成果並不算十分充實。潘鏞（1989）認為，唐玄宗沒有採用放鑄政策，確保了中央財政的穩定，是奠定開元之治的重要因素。[9]唐任伍（1996）批評張九齡的放任政策，並指：「劉秩儘管沒有從貨幣制統一是經濟發展的需要這一正確前提出發來反對任民私鑄，但他的國家壟斷造說，對於鞏固中央政權及促進當時的商品貨幣經濟的發展是有利的。」[10]兩位學者都視統一貨幣權為金科定律，視私鑄為洪水猛獸，忽視了經濟學不同學派的觀點和貨幣理論的多元性，而得出上述的結論。彭威信（1965）較客觀地分析在實物經濟時代，認為張九齡提出廢除實物貨幣，只許金屬貨幣流動乃是高明的洞見，此合乎貨幣史趨向金屬主義的傾向。潘氏並未有提出推論來支持他的結論，而唐氏則明言恩格斯指國家壟斷為重要，故也認為重要，彭氏也未有詳細說明他的理據。顯然，這些學者皆受時空限制，忽略了奧地利學派代表人物，諾貝爾經濟學獎得主海耶克（Friedrich Hayek, 1899-1992）在一九七五年提出的貨幣非國家化學說（Denationalization of money），海耶克認為私人市場的競爭比起政府行為更有效率，更痛批政府比起私鑄者更經常地供應縮水的貨幣，政府為了權力，而操控貨幣，損害人民的利益，由此論證國家壟斷是更差的制度，故其主張貨幣應完全由私人市場發行，否定政府在貨幣上當主導的角色。[11]海耶克是奧地利學派的代表性人物，而奧國學派是少數繼承古典學派擁抱自由市場的觀點，海耶克所觀察是西方的經驗，本文認為，從中國歷史中發見不少例證可補充海耶克的理論，唐玄宗的貨幣政策便是一例。然而，由於前人學者單純依靠傳統史料的簡單解讀，加上對各種經濟理論工具掌握不足，以至論述貨幣史時常有偏頗，故未能對此題目作出公允的評價。

本文結合史料、新近研究與貨幣學原理，重新分析這場辯論雙方的理據，以及探討政策的可行性，並試圖補充海耶克之學說及發現其在中國史上的經驗。

8 趙善軒：〈漢文帝貨幣政策的經濟影響，兼論賈誼的貨幣思想〉，《中國經濟思想史年會論文集》深圳大學經濟學院，2016年。

9 潘鏞：《舊唐書食貨志箋證》陝西：三秦出版社，1989年，頁94。

10 唐任伍：《唐代經濟思想研究》北京：北京師範大學出版社，1996年，頁184。

11 F. A Hayek (1974), *Denationalization of money: the argument refined.* The institute if economic affair, 1990 reprint, p24.

三　放任貨幣政策的背景

歷史學者 D.C Twichett（1970）認為，唐中葉以前，由於政府對鑄錢鼓勵太少，導致銅錢不足，造成了社會經濟的困境。[12]其實，銅錢不足的問題，是中古時代的常態，而早在唐代初年，就一直困擾著政府，久久未能解決。劉儷燕（1990）指出：「唐代前期的貨幣問題，表面是惡錢盜鑄的猖獗，然究其實際，似乎隱含著銅錢供應不足的深一層事態。」[13]根據葛劍雄（1991）的推算，唐初年的人口約為二千二百萬，至唐玄宗時已超過五千二百萬，一百三十一年間的年增長率為前八十年的百分之二十和後五十一年的百分八。[14]隨著人口的持續增長，再加上農業的商品化和手工業的發展，也意味著市場對貨幣的需求也在上升，若貨幣供應追不上需求的增長，就會窒礙經濟的發展。事實上，貨幣供應邊際增長已追不上需求，出現了相對性的通貨緊縮。著名經濟史學者全漢昇（1943）早在上世紀已注意到這場辯論的背景，他指出：「當日貨幣流通的數量到底一共有多少，史書無明文記載，我們不必妄加臆說。不過，當日貨幣的流通量，並沒有按照社會經濟的發展而作正比例的增加，以至交易上感到籌碼的不足，卻是我們可以斷言的。中書侍郎平章事張九齡看到此點，遂提議解放錢禁，除政府鑄造外，准許私人鑄錢，以便錢數增加，適應商業上的需要……由於此事，我們可以知道當日貨幣的流通額，實在太小，不足以適應交易上的需要。這麼一來，物價遂因貨幣的緊縮而低落。」[15]

上述便是張九齡提出建議之背景。

張九齡，字子壽，韶州曲江人，開元二十一年（西元733年）任中書侍郎同中書門下平章事，次年遷中書令，從此掌管唐政府的輔政大權。張九齡身處於唐前期人口最高峰的時代，他就任宰相後，即意圖進行貨幣改革，欲以推行放任主義政策，籍此增加貨幣供應，來解決開元年間通貨緊縮的問題。同時，他建議廢除屬於物物交換性質的實物貨幣（布帛菽粟）之法律地位，此後只容許銅錢作為交易媒介。從漢末三國以來，實物漸漸取代金屬貨幣，成為主要的支付工具，一反西漢以來的貨幣經濟發展，成為主要的交易媒介，包括政府發放的工資也是以實物為主，三國時，出土吳簡有奉鮭錢的記載，但其實是補貼，貨幣的比例很少，官吏主要收入仍是實物。[16]後來，北方長期陷入戰亂，金屬貨幣幾近退出歷史舞台，而南朝的經濟雖有所發展，商品交易較為發達，也一

---

12 D.C Twichett (1970), *Financial administration under the Tang dynasty. Cambridge* London, p78.

13 劉儷燕：《唐朝後期的銅錢不足問題——從供需面的探討》國立臺灣大學歷史學研究所碩士論文，1990年，頁9。

14 葛劍雄：《中國人口發展史》福州：福建人民出版社，1991年，頁160。

15 全漢昇：〈唐代物價的變動〉《中央研究院歷史語言研究所集刊》，1944年11月，頁101-148。

16 莊小霞：〈走馬樓吳簡所見「奉鮭錢」試解——兼論走馬樓吳簡所反映的孫吳官俸制度〉，《簡帛研究二〇〇八》桂林：廣西師範大學出版社，2010年，頁268-273。

度向官吏支付貨幣，但實物仍是俸祿的基礎，可見其有濃厚的自然經濟色彩。[17]然而，經過了數百年變化，再加上唐代前期穩定的社會發展，使人們不再滿足於中古自然經濟的格局。[18]如上所述，實物、金屬貨幣並用，是自東漢以來便已存在的雙軌制度，唐政府既要取消實物貨幣，那麼必須要大幅增加金屬貨幣的供應，補足需求，才能維持並擴大交易量，張九齡的放任主義的貨幣政策便應運而生。

四　張九齡的貨幣非國化主張

面對上述處境，身居宰相大位的張九齡便提出要效法漢文帝的放鑄政策，以求增加貨幣供應。他指出推行此政策後，雖然受到賈誼的非議，仍無損後世對於漢文帝賢明的評價，以此說服唐玄宗敢於推行改革。漢文帝與唐玄宗相距一千年，千年以來，文景之治素來為後人所嚮往，張九齡便以此來說服唐玄宗，也籍此加強政策的說服力。此時，張九齡以唐玄宗的名義寫下《敕議放私鑄錢》，並交由群臣在朝廷上討論：

> 敕：布帛不可以尺寸為交易，菽粟不可以杪勺貿有無：故古之為錢。將以通貨幣，蓋人所作，非天寶生。頃者耕織為資，迺稍賤而傷本；磨鑄之物，卻以少而貴。頃雖官鑄，所亡無幾，約工計本，勞費又多，公私之間，給用不贍，永言其弊，豈無變通？往者漢文之時，已有放鑄之令，雖見非於賈誼，亦無費於賢君。況古往今來，時異事變，反經之事，安有定耶？終然固拘，必無足用，且欲不禁私鑄，其理如何？公卿百僚，詳議可否，朕將親覽。擇善而從。[19]

其主要理據如下：

> 布帛不可以尺寸為交易，菽粟不可以秒（貨）[20]
> 故古之為錢，以通貨幣，蓋人所作，非天實生；
> 頃雖官鑄，所入無幾，約工計本，勞費又多；
> 公私之間，給用不贍。

第一點而言，張九齡指出實物貨幣不可以分割，以此作為貨幣，實不利於找換，又指菽粟不可以當貨幣，前者非常合理，而後者則值得商榷。事實上，自東漢至唐代，菽、粟等實物一直充當貨幣，況且就實物貨幣不可分割這一點，在漢代早有論之，《漢書・食

17 黃惠賢、陳鋒：《中國俸祿制度史》武漢：武漢大學出版社，1996年，頁73-74。

18 全漢昇：〈中古自然經濟〉，《中央研究院歷史語言研究所集刊》，1941年10月，頁73-173。

19 張九齡著，熊飛校注：《張九齡集校注》北京：中華書局，2008年，卷七，頁499-500。

20 見潘鏞，頁94。

貨志》云：「宣、元、成、哀、平五世，亡所變改。元帝時嘗罷鹽鐵官，三年而復之。貢禹言：『鑄錢采銅，一歲十萬人不耕，民坐盜鑄陷刑者多。富人臧錢滿室，猶無厭足。民心動搖，棄本逐末，耕者不能半，姦邪不可禁，原起於錢。疾其末者絕其本，宜罷采珠玉金銀鑄錢之官，毋復以為幣，除其販賣租銖之律，租稅祿賜皆以布帛及穀，使百姓壹意農桑。』議者以為交易待錢，布帛不可尺寸分裂。禹議亦寢。」[21]

張九齡其身處的時代也是普遍現象，身兼歷史學家的張九齡不會不知此事，可以推想，其意為是菽粟等實物充當貨幣頗有不便，而非指菽粟不能為貨幣，他的意思是不應該，而非不可能。簡單來說，實物貨幣如布、帛、菽、粟等實物均極受重量限制，使用上多有不方便，也增加了買賣時的交易費用（Transaction Cost），包括要僱用輸送工人的成本，以及長途運輸的風險成本，而金屬貨幣則頗能解決此問題，尤其便利於大額或遠程貿易，兌換時也更方便。從理論而言，當市場的買賣增加，也會推動消費，提高農民收入，而農民也會改善技術，以提升生產力，應付需求的增長。隨著對商品需求增加，交易額愈大，對貴金屬的需求量也愈大。反之，若以國家力量來維持實物貨幣，會嚴重局限商業發展，也不利於農民把作物賣出以改善生計，表面上是維持了小農經濟，保障農業、農民，實際上卻是造成反效果。

其次，張九齡強調貨幣不是天然生成的，而是由人所作，此一反《管子》以來，貨幣由君王所作的國家主義論述。干預主義者一向認為貨幣是人主之權，不可輕易任民鑄錢，否則會損害中央集權的穩定，[22]而張九齡的言論，是更傾向貨幣乃由市場而生的觀點，認為它非是一國一君可以為之，既然一開始也不是由國家發明，現在開放市場，也沒有什麼大不了，不過是還原基本而已，應當聽任市場自由發展。從漢代的賈誼到鹽鐵會議，貨幣國家化被視為君主的權柄，認為下放權力會損害國家的穩定性，張九齡要打破數百年的傳統，就必須對固有成見作出有力的反擊，此實是為了取消國家壟斷，建立貨幣非國家化而建立的理論。

其三，他指出在國家壟斷的制度安排下，鑄錢的成本太高，導致國庫的收入無幾，張九齡的觀察頗合當代經濟學的分析。本文認為，在完全或寡頭壟斷下，很容易會出現官吏的權力租尋行為（Power rent seeking），[23]尤其在貪污日盛的古代，政府監督貪污的交易費用極高，也沒有民間的監察力量，官吏的權力租尋行為根本防不勝防，即使政府

---

21 《漢書．食貨志》臺北：鼎文書局，1979年（24/1176）

22 葉世昌、李寶金、鍾祥財：《中國貨幣理論史》廈門：廈門大學出版社，2003年，頁64。

23 Johann Graf Lambsdorff (2002) point out “The rent-seeking theory was one of the first economic instruments developed to model corruption in the public sector. Comparing corruption with lobbying, it proposes that the former is the lesser of two evils, since lobbying entails the wastage of resources in the competition for preferential treatment”, See “Corruption and Rent-Seeking”, *Pubic Choice*, Volume 113, Issue 1, p 97-125.

大力干預，限於交易費用太高，也難以持續打擊腐敗問題。[24]而官吏在貨幣發行上權力尋租，最常見是把銅錢的重量減值，使其實際價值低於名義價值。由官府鑄造開元通寶，明明是完全壟斷，價格可以操控，理應有豐厚的利潤，但從唐玄宗時期的大辯論中可見，唐前期卻常出現收支困難的局面，究其原因，就是下至工匠，上至財政大臣競相權力尋租的結果。從理論而言，除非利用合約來約制交易費用，否則無可避免會出現此中情況。

其四，張九齡認為若不開放私鑄，根本無法應付貨幣需求，否則就要維持物物交易的自然經濟模式。稍後的安信郡王，也提出同樣的見解。張九齡雖然未有詳言其理據，但道理卻不難想像。在官府完全壟斷下，官員積極開發銅礦的誘因，不如私鑄者大，私鑄者會因豐厚的收入而激勵他們提升技術，相反，政府直接聘用人員的成本大，效益少，官員欠誘因提升生產水平，加上監督費用高昂，官吏侵漁，終不能長久。本文認為，壟斷的效率必不如合法的私鑄。由民間鑄造，政府既可收取山林池澤之稅，又可省去大宗的行政費用，實在一舉兩得。漢代的成功經驗，足以引證張九齡之見非是空中樓閣。

漢文帝時代並未留下支持者對於貨幣非國家化的文字，我們不知當時放任主義者的理據，相反，反對者如干預主義者賈誼、反貨幣主義者晁錯（西元前200-154年）等人的文字卻流傳千古，影響了許多代學者對漢代歷史的印象。直到南朝時劉宋王朝的沈慶之（西元前386-465年）提出效法漢文帝，其指出放鑄能使到漢初達到「天下殷富」的狀態，[25]留下史書上第一位公開支持此政策的紀錄，並提出一些具體操作的方法。[26]不過，劉宋的放任貨幣政策只推行了一年，因皇帝易位，政治變動而廢止，[27]故難以論其成效，也未能成為貨幣非國家化的典範，故張九齡只能借鑑一千年前漢文帝的貨幣政策。

五　干預主義者的反擊

張九齡提出建議後，群臣馬上大力反駁，儼如海耶克（1974）的分析，國家壟斷貨幣，不但以給政府帶來豐厚的收入，更可長期作為政府的重要財源，由於經濟中的各種交易都只能也必須使用政府發行的貨幣，能成為政府大權在握的象徵。此不但在海耶克研究的西方經濟史中發見，古代中國的干預主義者也有相類的主張，不同的是，海耶克關注的是現代信用貨幣國家才有這種傾向，可是本文發現傳統中國的金屬主義貨幣時代，也有相似的情況。如《舊唐書・食貨志》[28]（頁2096）載干預主義者云：「錢者通

24 A. Krueger, *The Political Economy of the Rent-Seeking Society*, The American Economic Review, 64 (3) 1973, pp. 291-303.

25 （梁）沈約：《宋書・顏竣傳》臺北：鼎文書局，1980年，頁1961。

26 陳彥良：《魏晉南北朝貨幣史論》新竹：國立清華大學出版社，2012年，頁129。

27 陳彥良（2012），頁141。

28 （後晉）劉昫：《舊唐書》臺北：鼎文書局，1981年。

貨，有國之權，是以歷代禁之，以絕姦濫。今若一啟此門，但恐小人棄農逐利，而濫惡更甚，於事不便。」又《新唐書・食貨志》[29]（頁1385）又載：「嚴斷惡錢則人知禁，稅銅折役則官冶可成，計估度庸則私錢以利薄而自息。若許私鑄，則下皆棄農而競利矣。」事實上，群臣的反擊，在經濟理論上並無新意，不過是重彈漢代士人的舊調，沒幾多創新發明，在經濟思想史層面來說，他們沒有比一千年前的賈誼等人長進多少，從這些觀點看來，都離不開海耶克所擔憂的政府非把經濟作為優先的考慮，而損害人民的利益。

針對張九齡認為貨幣是市場衍生而成，群臣反指貨幣是國家權力的象徵，故歷代都禁絕私鑄。事實上，歷代禁之確實是中國歷史的常態，干預主義一直占據上風，不過是反映國家往往把貨幣政策充當財政手段而已，正如古典經濟學者亞當史密（Adam Smith, 1724-1790）所言：「世界各國的君主，都是貪婪不公，他們都是欺騙百姓，把貨幣最初的真實分量，次第削減。」[30]這位經濟學之父認為政府壟斷的本質，就是以貨幣發行來掠奪百姓的財產，尤其在前現代貨幣理論工具的時期，貨幣政策不是刺激經濟的手段，只不過是增加政府收入的工具。也如新貨幣主義學派代表人物佛利民（Milton Friedman, 1912-2006）的分析：「自遠古以來，當權者都試圖用增加貨幣數量的辦法作為進行戰爭所需資源的手段，或是作為建立不朽功績或達到其他目的的手段。」[31]壟斷貨幣的吸引力實在太大，故漢末以來的中古時代，歷代政權屢次鑄造劣質貨幣，不斷把貨幣減重，軍閥董卓以及後來的蜀國、吳國，多次發行大錢、小錢，以損害百姓生計的方式來支付國家開支。[32]國家壟斷貨幣既然對政府而言有諸多好處，對於不理民間疾苦的在位者而言，又何樂而不為?

上引文的另一要點是「歷代禁之，以絕姦濫」一語。問題是，歷來在國家壟斷下，劣質的私鑄根本從沒解決，私鑄長期存在。就以唐前期而言，史書載高祖時「敕以惡錢轉多」；太宗時「既而私鑄更多，錢復濫惡」；高宗時「比為州縣不存檢校，私鑄過多。」又「私鑄過多……所在追納惡錢，一二年間使盡」；武則天時「議者以為鑄錢漸多，所以錢賤而物貴」；又《舊唐書・食貨志上》云：

> 開元五年，車駕往東都，宋璟知政事，奏請一切禁斷惡錢。六年正月，又切斷天下惡錢，行二銖四絫錢。不堪行用者，並銷破覆鑄。至二月又敕曰：「古者聚萬方之貨，設九府之法，以通天下，以便生人。若輕重得中，則利可知矣；若真偽相雜，則官失其守。頃者用錢，不論此道。深恐貧窶日困，姦豪歲滋。所以申明

29 （宋）歐陽修：《新唐書》臺北：鼎文書局，1981年。

30 Adam Smith, *The wealth of nations*, oxford press. 1976 reprint, p.43.

31 費里曼德：《貨幣的禍害》北京：商務印書館，2006年，頁201-203。

32 參見陳彥良：〈東漢長期通貨膨脹——兼論「中古自然經濟」的形成〉一文，載《清華學報》，第41卷第4期，2011年，頁669-714。

> 舊章，懸設諸樣，欲其人安俗阜，禁止令行。」時江淮錢尤濫惡，有官鑪、偏鑪、稜錢、時錢等數色。璟乃遣監察御史蕭隱之江淮使。隱之乃令率戶出錢，務加督責。百姓乃以上青錢充惡錢納之，其小惡者或沉之於江湖，以免罪戾。於是市井不通，物價騰起，流聞京師。隱之貶官，璟因之罷相，乃以張嘉貞知政事。嘉貞乃弛其禁，人乃安之。[33]

唐玄宗開元五年（西元717年）時，私鑄橫行，劣幣充斥市場，貨幣改革而導致市場更為混亂，最終罷去主事者宋璟（西元663-737年）、蕭隱之（身分不確定，或與蕭炅是同一人）之職。（《舊唐書．食貨志上》，頁2095-6）由是觀之，反對者不過是一廂情願地相信政府有能力處理問題，實際上，國家壟斷時期並不能有效遏止私鑄的問題，非不為也，是不能也。值得注意，非法私鑄所造既是單次博弈，鑄者不會多考慮長遠發展，故生產的多數是劣幣，劣幣充斥會造成貨幣貶值，形成物價上升的壓力，不利於百姓生計。

干預主義者強調國家的能力，他們認為可以從法律禁私鑄，而官府又可以鑄錢，故無須開放市場以解決通貨不足的問題。從上所見，本文認為無論政府如何努力，受制於監督費用、執行費用，成效從來也不顯著，時效也極之短。至於官方鑄造貨幣，除了租尋行為，更重要是沒有競爭下，技術往往難以突破，就會很快出現邊際報酬遞減。相對於農業，由於人口增長，在農業社會裡，也代表農業人口也在增長，他們既是消費者，也是生產者，而政府與市場不得不開拓更多的土地，優先應付需求。相反，金屬貨幣屬於奢侈品，在當時社會的「功用」（utility）的序列中[34]，必然排於糧食之後，所以投入礦業的人口、資金、技術必不如農業，如此，則會出現相對性的通貨緊縮，令貨幣經濟難以猛進，商品經濟發展也受到大大的局限。干預主義者不明所以，竟以為未掌握現代科技以減低交易成本的古代政府，有能力處理此問題，顯然是不及張九齡能切中問題的核心。

干預主義者之中，史書上記述最詳細者，便是著名史學家劉知幾（西元661-721年）之子，時任左監門衛錄事參軍事，也是《政典》、《政典》的作者劉秩，其云：

> 今之錢，古之下幣也。若捨之任人，則上無以御下，下無以事上，不可一也。物賤傷農，錢輕傷賈，物重則錢輕，錢輕由乎物多，多則作法收之使少，物少則作法布之使輕，奈何假人？不可二也。鑄錢不雜鉛鐵則無利，雜則錢惡。今塞私鑄之路，人猶冒死，況設陷穽誘之？不可三也。鑄錢無利則人不鑄，有利則去南畝

33 《舊唐書．食貨志上》，頁2097。

34 「一七八九及一八〇二年，英國經濟哲學大師邊沁（J. Bentham, 1748-1832）提出了功用（Utility）的概念，對後人影響甚廣。邊沁的原意是有三方面的。其一是功用代表快樂或享受的指數；其二是每個人都爭取這指數愈高愈好。其三是一個人的收入增加，其收入在邊際上的功用就減少。」參見張五常：《經濟解釋．卷一》香港：花千樹出版公司，2002年，頁112。

者眾，不可四也。人富則不可以賞勸，貧則不可以威禁。法不行，人不理，繇貧富不齊。若得鑄錢，貧者服役於富室，富室乘而益恣，不可五也。夫錢重繇人日滋於前，而鑪不加舊。公錢與銅價頗等，故破重錢為輕錢，銅之不贍，在採用者眾也。銅之為兵不如鐵，為器不如漆。禁銅則人無所用，盜鑄者少，公錢不破，人不犯死，錢又日增，是一舉而四美兼也。[35]

第一點與其他官員的主張沒有太大分野，也是從國家權力的觀點考慮。第二點，是一般的貨幣常識，漢代以來已有不少討論，也非新見。第四點完全是從賈誼的舊觀點援引而來。只有第三點值得考究，他指「今塞私鑄之路，人猶冒死，況設陷穽誘之」。其理據是由於私鑄為非法，且為死刑，但人們也以身試法，如果合法化，則更多人從事私鑄。其假設有二，一是私鑄的貨幣多劣幣；二是在私鑄合法化後，合吸引更多人鑄造違法的劣幣。

對於第一項假設，從出土文物可見，漢文帝時，政府為貨幣訂下標準，合則列為法幣；不合者也是違法，為減低機會主義行為，政府立法強制交易時使用「稱錢衡」（天平），如此杜絕了大部分欺騙行為，最後成功維持流通貨幣的品質，不論是官鑄或是私鑄，分別也不大，一反常人以為私鑄必劣的印象。[36]既然現實世界中，交易費用不可能為零，那法律的制訂，則大大有利於減低買賣雙方的成本，天平與錢律使漢前期的貨幣保持了高質量的水平，此情況正符合法律經濟學中，科斯定理（Coase Theorem）的意義，經濟學者科斯（R. H. Coase）指出當產權受到明確界定，則令市場變得更完善，相反，愈不明確，交易愈困難，天平的使用及其相關法律可以大大減低買賣雙方的交易費用，而天平的廣泛使用，加上錢律的保障，令到使用貨幣的交易費用得以下降，促成漢文帝時期的經濟繁榮。其實，在放任下，只要把產權明確界定，加上嚴守執法，私鑄帶不會把帶干預主義所擔心的弊病，至少不會很嚴重。劉秩等干預主義者，受到史書對漢文帝貨幣政策的偏見影響，以至前提為錯誤，也導致其結論也錯誤。當然，受制於史料不詳，我們也不能知悉張九齡是否掌推此點，以降低劣幣在市場流動，若否，放鑄政策也難以成功。

---

35 《新唐書・食貨志》，頁1385。

36 陳彥良根據歷來出土的文物，綜合貨幣的標準重量、平均實重、重量符合率、平均含銅率，得出放任鑄幣的四銖錢的綜合品質指數竟然達到二〇五的結論，秦為一〇〇，武帝為一八四，昭帝以後為一七四，指數愈高，品質愈好，可見放鑄時代四銖錢的指數遠高於秦代，也高於西漢兩百年間其他所有貨幣，比之漢武帝時代的指數鑄錢高出二〇～三五，並以武帝以後國家鑄造的五銖錢為例，其法定重量應為三點二五五公克。但是，從出土的錢幣所見，武帝時重約三點三五公克，本來就足分量，到了昭帝時只剩下三點二六公克，再減至宣帝時的三點〇七公克。見氏著：〈江陵鳳凰山稱錢衡與格雷欣法則：論何以漢文帝放任私人鑄幣竟能成功〉，《人文及社會科學集刊》，第20卷第2期，2008年，頁205-41。

至於第二假設，是預設了私鑄者中都是混水摸魚的人。經濟學是假定人類都會追求利益最大化（maximization），若鑄造高品質銅錢的利益大於鑄造低品質的話，那麼劉秩的擔心則是杞人憂天。本文認為，在合法私鑄下，鑄錢是多次的博弈行為，鑄幣商如漢代的鄧通、吳王要考慮信譽，在長期經營下，私鑄者要打敗其他錢幣，在市場上廣泛流通，就必須在競爭下提升品質，「故吳、鄧氏錢布天下」（《史記・平準書》，頁1419）。[37]相反，在國家壟斷下，私鑄是非法行為，鑄錢者不能公開營運，也不能長期經營，對他們來說，短期獲利是最大化行為，混水摸魚地鑄造劣幣是最有利的短期行為，故壟斷下反而劣幣更多。史書就記載漢武帝建元以來私鑄劣幣嚴重，而出土文物也證明漢文帝時官、私鑄大都屬於良幣，反而西漢中期統一貨幣權以後，貨幣不斷劣質化，更反證漢文帝時代的制度比起後來更為優勝。[38]由此可知，劉氏以及其他干預主義者對貨幣史的認識，遠不如張九齡。他的前提既為不對確，也必然影響到結論的準確性以及參考價值，可是，一如歷史上大多數王朝，唐玄宗並沒有採用張九齡的建議，而是接受了干預派的路線，堅守了國家壟斷貨幣的權力。

六　國家壟斷貨幣的經濟後果

張九齡的建議既不見用，但朝廷也要針對當前的貨幣問題作相應的措施，「（開元）二十六年（西元738年），宣、潤等州初置錢監，兩京用錢稍善，米粟價益下。」政府在兩處設官吏專門監管貨幣的品質，稍稍改善了銅錢重量不足的問題，也抑止了貨幣貶值，一度使物價回落。可是，不久之後「其後錢又漸惡，詔出銅所在置監，鑄開元通寶錢，京師庫藏皆滿。天下盜鑄益起……江淮偏鑪錢數十種，雜以鐵錫，輕漫無復錢形。」他們總是不明白干預主義的執行成本極高，實在難以長期處於高效狀態，尤其是在古代資訊不發達的社會。更可怕的是，政府要在官鑄的情況下增加貨幣供應，就必須擴張編制，但政府行為比起市場效率低，一時又難以專業化，下級官吏為了達到上層要求，結果應付了事，聘請非專業的農民來鑄錢，故效果必壞，即史上稱的「是時增調農人鑄錢，既非所習，皆不聊生。」[39]唐玄宗的國家壟斷和干預主義不但不能解決原有問題，更製造了更嚴重的社會問題，為了解決問題，最後終回歸經濟常識，《新唐書・食貨志》載：「內作判官韋倫請厚價募工，繇是役用減而鼓鑄多。」政府不得不以高薪聘請熟手技工，人手減少而產量上升，情況才得以舒緩。[40]

---

37 （漢）司馬遷（撰）《史記》臺北：鼎文書局，1980年。

38 參見管漢暉、陳博凱：〈貨幣的非國家化：漢代中國的經歷〉，《經濟學季刊》，第14卷第4期（總第58期），2015年7月，頁1497-1519。

39 《新唐書・食貨志》，頁1386。

40 《新唐書・食貨志》，頁1386。

干預主預者認為一旦開放貨幣市場，會使到私鑄者生產劣幣，破壞經濟穩定，但事實上，唐玄宗力圖維持國家壟斷，卻在短時間內，使劣幣充斥市場，物價更加混亂，此情況卻非特例，而是在官鑄下屢見不鮮的常態，由漢代至唐代的數百年就是在此中情況下不斷重演。凡此種種，足可反證，干預主義者的見解並不正確，而他們反對張九齡之建言，並非出自社會經濟之利益，而是國家的權威，以及壟斷以便於尋租行為。此突顯了貨幣非國家化的必要性，尤其是在法治社會建立以前，難以抑止尋租行為，而官吏尋租行為往往會使貨幣市場更加混亂，致使幣值失重，物價急升，影響萬民生計。

由此可見，政府利用行政力量監管貨幣市場，終不能長久，皆因監督費用本來昂貴，勉強以國家力量對抗市場，要麼使成本大幅提高而令政府破產；要麼法令的效力消散而導致監督無力，唐玄宗朝就是屬於後者。

值得一提，經濟學上有劣幣驅逐良幣之定律[41]，經濟思想史學者賴建誠（2011）指：「劣幣驅逐良幣（格雷欣法則），要有一項前提才會成立：在金屬貨幣的時代，如果政府規定劣幣與良幣的購力相同（或有固定的交換比例），劣幣就會驅逐良幣。但如果（1）良劣幣之間沒有固定的交換比例，（2）政府鼓勵民間自由鑄幣（放鑄），那就有可能發生相反的情況：良幣會驅逐劣幣……（1）如果政府不強制規定劣幣與良幣的交換比例；（2）如果民間對錢幣的品質，訊息對稱透明的話；就有可能出現「反格雷欣法則」（良幣驅逐劣幣）。」[42]又《舊唐書・食貨志》（頁2099）曰：「數載之後，漸又濫惡，府縣不許好者加價迴博，好惡通用。」當劣幣大量出現，只要資訊流通足夠，市場是理性的，交易者明知劣幣不足重，自然會打折計算，相反良幣珍貴，它會因劣幣太濫而升值，但官府竟然不許，結果導政京師一帶大規模地出現劣幣驅逐良幣。更嚴重是，京師一帶，政府的執行能力強，而市場人士利用遠方地區執行費用較高，易於規避法令的原理，「富商姦人，漸收好錢，潛將往江淮之南，每錢貨得私鑄惡者五文，假託官錢，將入京私用。」商人把良幣運往江南，兌換劣幣，再把劣幣轉入京師，京師一帶政府能力強，可以強行逼使良幣劣幣同價，在外地，政府的執行能力相對不足，又存在資訊差異問題，市場未必能即時掌握良劣之別，並不符合劣幣驅逐良幣的條件，故出現「反格雷欣法則」。在短時間內，從京師收藏的良幣，可在外地換到比法定比價更多的

---

41 所謂劣幣驅逐良幣，又名格雷欣法則（Gresham's Law），是四百年前，由英國學者提出的經濟學理論。傳說古時在金屬貨幣年代，市場上有兩種不同質素，但名義價值相同的貨幣同時流通，一般人見到質素較優的銅幣，印製精美，印在幣上的頭像完好無缺，人們一旦手持良幣，覺得奇貨可居，有收藏價值，便把良幣好好保管，漸漸市場上不易見到良幣流通，而質素較差的劣幣，反成了廣泛使用的交易媒介，最後把良幣驅逐出市場。經濟學家麥克勞德（MacLeod）在《政治經濟學基礎》一書中，把這種「劣幣驅逐良幣」（Bad money drives good money out of circulation）歸納為貨幣定律，是為近代以來的經濟學常識。Mundell, Robert. (1998): "Uses and abuses of Gresham's law in the history of money", *Zagreb Journal of Economics*, 2(2): 3-38.

42 賴建誠：〈良幣驅逐劣幣：漢文帝的放鑄政策〉，《經濟史的趣味》，頁272-4。

劣幣，如此一來，商人籍差價牟利，而京師的良幣被收藏並運往外地，導致當地劣幣泛濫。即是說，京師一帶是劣幣驅逐良幣；外地則是良幣驅逐劣幣。不難設想，京師的貨幣市場混亂，商人自然不願把貨物賣出而換來劣幣，可能會導致以下情況：

（一）商品不流入京師；
（二）京師的商人商品流往外地；
（三）京師居民生活質素下降；
（四）京師的失業率上升；
（五）市場有可能出現兩種價格，官方監督下的價格，劣貨換劣幣，以及黑市價格，好貨換良幣，如此，一貨多價，則物價大亂。
（六）江淮之南，劣錢充斥，而良幣流走。

原理上，以海耶克為首的奧地利學派認為，干預主義一旦主導了經濟大權，當權者往往變得任意妄為，此絕非個別例子，而是權力的本質，當權力愈集中，愈是自覺無所不能，結果犯下許多愚蠢的錯誤，而且更多會是重覆犯錯。本文發現，唐玄宗的干預貨幣政策導致市場大亂，其實也非他獨創，在唐前期早有先例，《舊唐書・食貨志上》（頁2095）載：

> 顯慶五年（西元660年）九月，敕以惡錢轉多，令所在官私為市取，以五惡錢酬一好錢。百姓以惡錢價賤，私自藏之，以候官禁之弛。高宗又令以好錢一文買惡錢兩文，弊仍不息。

唐高宗李治（西元628-683年）曾強行下令五惡錢（劣幣）強訂兌換一好錢（良幣），本來良幣劣幣是按照貨幣的實際價值來衡量，比價也應該浮動，但高宗竟然強制訂價，而此時五惡錢在市場上的價值，應高於一好錢，所以百姓都不願把惡錢兌換好錢，反而把惡錢收藏，善價而沽，良幣與劣幣馬上易位，原來的惡錢，反而因干預政策而成了良幣，因為五惡錢的市場價格高於一好錢，而原來的好錢，卻成了劣幣，因其實際價值低於官方要求的名義價值。結果是，市場把實際價值高於官方訂價的惡錢驅逐到家中收藏。如此一來，干預主義者的舉動令唐前期的市場大亂，幸而當時貨幣經濟尚未完全恢復過來，物物交易的中古自然經濟仍占主導，社會對貨幣需求有限，故破壞並不算極之嚴重。由此可見，政府妄想其能力足以左右市場，把良好的願望造成了災難。可是，唐玄宗沒有汲取教訓，最後也沒有接納張九齡的建議，反而相信政府力量足以控制市場，強行為貨幣訂價，再一次犯下唐高宗時的錯誤，使貨幣制度遭受嚴重打擊，勢必影響百姓生計，或令人心思變，或多或少對天寶後期的社會動蕩造成一定程度的影響。

七　總結

唐玄宗朝的貨幣政策大辯論，提供了分析中國經濟史、經濟思想史的重要素材。從中我們可以得到以下的啟示：

（一）雖然凱恩斯主義與傳統中國的干預派均強調政府行為對經濟發展的重要性，可是唐玄宗時的干預派，並不具有擴大政府開支來刺激經濟的想法，他們是從權力的角度，認為絕不能開放貨幣市場，否則會影響中央的權威，在他們心目中，權力控制的「功用」，遠比經濟繁榮為高，中央集權與政治穩定是最高的考慮，可見干預派與凱恩斯主義有本質上的差異，是否應把他們作簡單的類比，實在值得反思。

（二）唐玄朝時期的干預派無視了歷史上一次又一次的失敗，總是高估了政府的力量，認為由政府整頓，會比市場化的效果更佳，他們也對漢文漢成功的放任政策加以醜化，若非大量的考古文物出土，我們仍受到漢唐史家文人的言論影響，以為放任的貨幣政策必然導致失敗的印象。結果是，唐玄宗犯上了僅數十年前高宗的錯誤，又一次由政府促成劣幣驅逐良幣現象，此反映了當權者對權力迷戀的本質，害怕失去權力多於經濟不景氣，更漠視任意妄為的干預政策往往是造成經濟混亂的真相。

（三）在政府的干預下，唐前期至少出現了兩次劣幣驅逐良幣現象。經濟學家張五常（1985）指出：「這個定律說，假若一個社會有兩種貨幣，而這兩種貨幣又有優劣之分，那麼劣幣（價值較低的）就會將優幣（價值較高的）驅逐出市場，以至無人使用。這個定律是基於兩種貨幣有著公價兌換率（兌換率不是由市場決定），使兩種貨幣的價值失去了平衡點。」他認為「在有優、劣兩種貨幣的制度下，買物者當然是要用劣貨幣，但至於賣物者肯不肯收劣貨幣，葛氏是沒有考慮到的。當然，賣家是要爭取優貨幣的，但若買家不肯付，怎麼辦呢？一個解決的辦法，就是同樣的貨品分開以優劣二幣定出不同的價格，達到了市場的平衡點，那麼買賣雙方對任何一種貨幣都沒有異議。但這是間接地將兩種貨幣自由兌換，公價有等於無，貨幣也就沒有優劣之分了。」[43]他對於劣幣驅逐良幣的理論作出了質疑，廿多年後，他又認為：「劣幣驅逐良幣的神話在邏輯上的錯誤是顯而易見的，它只考慮到支付貨幣一方（買方）的精明（劣幣付出去，良幣收起來），卻完全忽視了收取貨幣一方（賣方）也不是笨蛋（劣幣不肯收，除非加價；良幣樂於收，甚至願意減價）。除非資訊不對稱能長期地存在，而且沒有什麼行之有效的解決之道，所謂劣幣驅逐良幣最多只能是曇花一現。而市場上的資訊不對稱，往往是『買的不如賣的精』，這可不僅僅是針對出售的產品，即使是對貨幣的識別能力也往往

43 張五常（1985）：〈葛氏定律與價格分歧──評一國二幣〉，後收入《中國的前途》香港：花千樹出版公司，2002年，頁87-95。

是如此。否則不要說劣幣，假幣豈不早就大行其道，把真幣都淘汰出局了。」[44]張氏在後來的論述修正了他的觀點，認為劣幣驅逐良劣會在短時期出現，長期而言，隨著資訊成本下降，卻不會長久地存在。然而，從唐代的個案看來，劣幣與良幣的身分並非固定，是可以身分對調，在唐政府干預下，劣幣和良幣的地位兩次易位，唐高宗時期，原來的良幣會因官方訂價太低，反而變成劣幣，舊的劣幣被低估，因此成為良幣而被收藏；同樣，唐玄宗時，京師一帶的良幣也被市場收藏，轉運往外地，投機者利用外地的資訊差異獲利，雖然良幣不至於完全被排除在市場之外，但至少在一定程度上會在京師一帶被排斥，而市場也預計政府朝令夕改，把良幣囤積居奇，此在唐高宗與唐玄宗時期均可得見。由此可見，政府的干預行為，往往是導致錢文大亂的主因。

（四）海耶克的貨幣非國家化理論是針對現代信用貨幣而發，他認為金屬主位時代國家濫用貨幣政策的情況並不嚴重，他尤其擔心在沒有本位制度下，政府會胡亂發鈔導致通貨泛濫，變相搶奪百姓的財產，他認為凡是在政府發行的貨幣，最終都掉進貶值的宿命。然而，我們從中國歷史可見，在金屬主義貨幣的年代，政府也是無所不用其極地透過貨幣政策來浸漁百姓財富，古今政府的本質並沒有太大分別；又或者是出於良好願望，卻因迷信政府能力，也不時製訂荒謬的貨幣政策使市場大亂，唐代兩次強制劣幣與良幣的比價，即是典型的例子。然而，中國古代的放任派與當代的海耶克主義一樣，長時間不受當權者重視，實由於官吏一旦放權，其自身的價值也因此下降，變得無事可做，基於實際利益和最大化的考慮，干預主義比起放任主義更符合為官者的上策考慮。所以，中國歷史上除了漢文帝的成功例子外，只有劉宋短暫的嘗試，其餘時間多是干預主義主導了國家政治，多元的貨幣思想，要到千年後的清代中葉才得以大放異彩。

44 張五常（2011）：〈「劣幣驅逐良幣」的神話——從唐肅宗的「乾元重寶」史實說起〉，網絡文章，收於氏著「新浪博客」。

李白詩歌「月」意象的集大成書寫與經典化表達

劉林雲

北京中國人民大學國學院

作為一位清逸、浪漫的即興詩人，李白與中國文學中的自然意象「月」有著不解之緣，而「月」的經典化書寫也正是在其詩歌中實現的。在大量的相關詩作中，李白對「月」的書寫不僅在文本結構上有著個性化的處理，而且在「月」之地域性、季節性方面有著獨特的偏好，賦予了「月」充分的主體性意識。借助「月」這一出口，深懷客寓意識的李白也在功名與隱退、痛苦與逍遙之間不斷作著思想掙扎。在以「月」為代表的自然世界中，李白也獲得了精神的慰藉與平衡，並以一種超然的審美姿態塑造著自己的詩與人生。

毫無疑問，在中國文化和文學的眾多意象中，「月」的經典性——不論是其生命力還是影響力——絕對是首屈一指的，對於「月」意象的徵引與表達，在中國文學史中也有著一條極為鮮明而漫長的發展脈絡，並在李唐一朝煥發出了空前的光彩。

對於中國古代中的詠月詩，有研究者化繁為簡地以唐代為分期，認為「唐以前的詠月詩還主要是對審美客體的刻畫和描繪」，而自唐以降，文人們的詠月詩則更多地融入了賞月者的情思與幻想，「描寫的重點逐漸由審美的客體向審美的主體偏移」。[1]這顯然是已經點明了「月」意象在中國文學中的書寫狀況於唐代發生了巨大的轉向。而傅紹良也曾指出：「在中國古代文學中，月亮大致經歷了由背景渲染到情感寄託、再到哲理升發的逐步完善、深化的過程。背景渲染主要出現在《詩經》時代，情感寄託主要出現在魏晉時代，哲理升發大量出現於唐及以後歷代。」[2]對於「月」意象使用和表達的歷時性梳理，這種直截了當的分類雖有所偏頗，但仍有其合理性，故而基本可以採用這種審視觀點。

值得注意的是，這裡的「背景渲染」、「情感寄託」和「哲理升發」三個階段並不是彼此斷裂、分期而立的，而是存在一種累積型的融合和深化關係。也即是說，後一個階

1　葛景春：《李白與唐代文化》（增訂版）合肥：安徽大學出版社，2009年，頁218。

2　傅紹良：〈論李白詩中的月亮意象與哲人風範〉，《陝西師範大學學報（哲學社會科學版）》，1996年第3期，頁43。

段必然包含著前面階段的處理方式，所以「月」意象的「哲理升發」階段同樣包含著「背景渲染」和「情感寄託」的處理方式。因此，立足於上述兩點，我們大概可以得出這樣的結論：在中國古代文學作品處理「月」意象的三大階段中，唐前的「月」意象書寫和表達的確更多是處在一個「背景渲染」和「情感寄託」的層面上，且「人」與「月」之間的關係往往是較為表面的，也即對「月」意象的客觀化、外在性書寫。

而在對唐以前寫「月」詩（賦）的承繼基礎上，後來居上的唐代詩人李白，較全面完整地挖掘、融合了「月」意象的涵義，並基本上奠定了此後「月」意象在中國文學領域（乃至文化領域）的整體發展路徑。

一　李白對「月」意象的集大成書寫

事實上，對於「月」在何時、何人的作品中才作為真正獨立的意象而被使用，似乎並不能給出一個確切的答案，因為對於「月」意象的體認和使用處在一個變動不居的過程。但基本可以確認，不論是出現頻率的密集性，還是主題意義的豐富性，抑或獨立靈動的主體性等，「月」意象都是在李白這裡才獲得一種令人矚目的地位。在「月」意象獲得一種內化、平等、自在的主體性之前，其在詩文中出現的位置及作用也都未曾令人矚目。而李白的重要性，也體現在其對於這種現狀的轉向式改變上。

「據統計，在李白現存的千首詩中，涉及詠月的詩共三百八十二首，占其詩總數的百分之三十八。」[3]而李白筆下的「月」又往往多有同義詞（如圓光、飛鏡和白玉盤等），且不論是在形狀與色彩，還是和其他景物、地點的組合變形上，李白對於「月」的偏好都能給讀者以最直觀的印象。更進一步，「在某些情況下，李白對某一主題的處理之生動集所有前代詩人之大成，而在另一些情況下，他的處理又帶出一個前所未有的全新視角。」[4]在「月」意象關涉故鄉離思、親友牽念、女子閨怨、孤寂愁苦、品格理想等眾多主題的呈現中，無論是李白，還是其之前的無數文人，都有著大同小異的書寫，但真正熔鑄一爐的經典化，當是在李白處完美實現的。

為了對李白筆下的「月」意象有一個整體性的把握，姑且按照傅紹良所提「背景渲染」、「情感寄託」和「哲理升發」的三分法，進行簡單的梳理和歸納。但需要注意的前提是，李白筆下的「月」意象已經能夠充分地混融以上三個層面的意義，在李白的同一首詩作，乃至同一行詩句內，我們或許能同時體察出「月」意象的某兩層意義或者全部意義，所以試圖涇渭分明地進行畫分必將是徒勞無效的。接下來的簡單分類也只是依據其某個側重層面的意義，以求在最具代表性的詩歌和詩句中獲得一種統一。

3　葛景春：《李白與唐代文化》（增訂版）合肥：安徽大學出版社，2009年，頁221。

4　（美）梅維恒主編，馬小悟等譯：《哥倫比亞中國文學史》北京：新星出版社，2016年，上卷，頁323。

第一，關於「月」意象側重「背景渲染」層面的意義，相關的李詩數量相對是三者中最少的，其中也並無更多的創造性。試舉例如下：

> 明月出天山，蒼茫雲海間。（〈關山月〉）[5]
> 畫角悲海月，征衣卷天霜。（〈出自薊北門行〉）
> 天秋木葉下，月冷莎雞悲。（〈秋思〉）
> 荒城虛照碧山月，古木盡入蒼梧雲。（〈梁園吟〉）
> 盤白石兮坐素月，琴松風兮寂萬壑。（〈鳴臯歌送岑征君〉）

儘管在「又聞子規啼夜月，愁空山」和「月明關山苦，水劇隴頭悲」等詩行裡，同樣有著「情感寄託」層面的表現痕跡，但作為「月」意象三大表達意義中最原始的層面，李白在「背景渲染」層面的書寫與表達與前賢們的處理並無二異，因而不再贅述。

「情感寄託」層面的意義是李白詩歌書寫「月」的重頭部分，不僅因其相關詩作、詩句的數量之多，還在於其中思想情感之豐富性。而李白在此方面的偏重也是其之前時代的延續，同時也契合中國文學中「月」意象書寫史的主流。

> 風催寒梭響，月入霜閨悲。（〈獨不見〉）
> 誰憐明月夜，腸斷聽秋砧。（〈贈崔侍御〉）
> 登舟望秋月，空憶謝將軍。（〈夜泊牛渚懷古〉）
> 若到天涯思故人，浣紗石上窺明月。（〈送祝八之江東，賦得浣紗石〉）
> 人生得意須盡歡，莫使金樽空對月。（〈將進酒〉）

在「情感寄託」這一層面上，如中國詩歌史上的其他優秀詩人一樣，李白有著關於思念、別離、孤獨、憂慮、歷史和記憶等許多主題的表達和思考。而在個人作品中如此高頻率、大範圍、多樣化地書寫「月」，李白絕對是無出其右的；在李白俯拾皆是的這類詩句中，我們能看到很多詩人的影子，如至少兩次寫下「明月照高樓，流光正徘徊」（〈七哀詩〉與〈怨詩行〉）的曹植，繾綣於「相思自有處，春風明月樓」（〈酬聞人侍郎別詩三首．其一〉）的吳均，嚮往「且申獨往意，乘月弄潺湲」（〈入華子岡是麻源第三谷詩〉）的謝靈運，沉吟「憑楹玩夜月，迥眺出谷雲」（〈紹古辭七首．其五〉）的鮑照和呢喃著「無因侍清夜，同此月徘徊」（〈聘齊秋晚館中飲酒詩〉）的庾信……不可否認，在李白的大量寫月詩中，貫穿於前代文人思想情感脈絡中的方方面面幾乎都能找到。作為一個感情充沛、極關注自我的詩人，李白把種種抽象的情思都借由具體的「月」坦露出來，並一遍遍地重復言及，使這些情思在明月中得到強化和升華。

5　（唐）李白著，（清）王琦注：《李太白全集》北京：中華書局，2011年，頁193。按：本文所引李白詩作皆依此本，後不再注明。

側重於「哲理升發」方面的意義，是李白詩歌中「月」意象最具思想性、創造性的表達。儘管這類作品數量不多，卻或許是最值得關注和解讀的，因為李白思想的主要集中地即在於此。在其中，我們能夠看到這些混融多元的思想，寓含著一位不太「純粹」的道教徒詩人對於道法、佛心、時空和個體價值的多重思考。如：

> 舉杯邀明月，對影成三人。(〈月下獨酌四首・其一〉)
> 觀心同水月，解領得明珠。(〈贈宣州靈源寺仲濬公〉)
> 了見水中月，青蓮出塵埃。(〈陪族叔當塗宰遊化城寺升公清風亭〉)
> 戒得長天秋月明，心到世上青蓮色。(〈僧伽歌〉)
> 今人不見古時月，今月曾經照古人。(〈把酒問月　故人賈淳令予問之〉)

這一部分是值得關注的重點。不過因為關涉道法、佛心的詩句解讀旁系雜多，也並非本文重點，故並不過多探討，只在對李白思想的相關思考中稍有涉及。真正值得細究的，乃是同時強烈凸顯李白個體現實情感和思想傾向二者的一些詩歌，典型如〈春日醉起言志〉、〈月下獨酌四首・其一〉、〈峨眉山月歌送蜀僧晏入中京〉和〈把酒問月　故人賈淳令予問之〉。

可以說，在對「月」的書寫、表達中，李白無疑是將「背景渲染」、「情感寄託」和「哲理升發」三者都有著淋漓盡致的彰顯。更關鍵的是，不似張若虛那般在一個宏大遼闊的宇宙中對「月」興歎、抒情，李白是將遙不可及的「月」納入了一個相對親近、狹小的私人空間裡。一如六朝時期的文人在園林中構建「微型山水」一般，李白直接將「月」納入了自我構建的微型宇宙：在這個空間裡，李白直接與「月」相對，能夠賞月、玩月，能夠邀其飲酒、起舞，能夠就宇宙、歷史和個體價值等諸多問題向其發問，而「月」也因此獲得了充分的主體性，像個有意識的存在者，毫無滯礙與距離感地引導、排解著李白的歡樂和悲愁。

所以，可以說李白開創性地賦予了「月」充分的主體性身分：「月」不再僅僅是一種純粹的自然意象、次要的修飾物或者背景渲染與情感寄託的附著體，它頻頻成為一種能夠對作者與讀者的情感流露、哲思凝結和精神漫遊進行主動召喚和引導的「使者」。借用艾布拉姆斯《鏡與燈——浪漫主義文論及批評傳統》一書中討論西方浪漫主義文學時所運用的經典比喻來說，在李白之前，中國文學書寫體系中的「月」更多的只是充當了「鏡子」的作用；而自從其落筆生花後，「月」意象得到了一種能量的釋放，這種一發不可收的力量標誌著「月」成為了中國詩歌長河中的一盞「明燈」。它的直接性、主動性，首次在一位偉大的詩人身上得以覺醒；通過對「月」意象的獨特處理，李白第一次全面而多樣地彰顯出「我」與「月」、人與自然、內在世界與外部世界之間的平等、映照和融合；在他對「月」的流連忘返中，我們甚至可以發現一種高強度的「詞場」與

「三元」（我—影—月）結構[6]，而深深烙在中國文化內的「天人關係」也在這個縮影中被創造性地詮釋出來。

而且，需要注意的是，無論是寄友、贈內，還是思鄉、懷古，抑或是自慰、享樂，在由此引發或傳達出來的諸多情感、哲思中，我們大概都能從李白的「月」裡感受到他的「憂」：既有對於過去的憂思，又有對於現在的憂愁，也又對於緲不可期的未來的憂慮——他常常表現出的對於未來習慣化的期許其實更添一層「隱憂」。可以說，這種憂情伴隨著李白的一生，尤其是當其處於醉與醒、悲與歡、生與死、出世與入世的矛盾思想境地之時，這種憂心表現得最為明顯。

二　時空話語：李白「月」意象之地域性與季節性

作為自然意象的「月」本身就包含著「宇宙」——空間、時間的雙重意味。一方面，其高懸太空、普照大地，而無論身處何地，只要昂首仰望，人間的遊子都能夠在明月萬里相隨中獲得心靈的慰藉；另一方面，儘管經歷著東升西落、陰晴圓缺，明月畢竟是如太陽般永恆存在的，無數文人墨客對此興歎不已，或生發遊仙長生之傾慕，或沉吟浮生若夢之悲慨。而就李白筆下的「月」而言，其關涉時空兩方面的「地域性書寫」與「季節性書寫」同樣有著與眾不同的興寄，坦露著孤獨靈魂深處的呢喃。

（一）「月」之地域性書寫

中國自古即有遊歷之風，從原始的部落遷徙，到春秋戰國之際日益興盛的遊學和遊宦——典型如諸子百家的生存狀態，無一不是此傳統的表現。降及李唐，空前的民族融合、地域往來和對外交流，再加上讀書人和統治者大為重視的科舉選拔制度的興盛，使唐代文人的遊歷面貌大放光彩，同時印證著這個朝代在中國文化中舉足輕重的地位。

值得指出的是，這種遊歷之風有其雙重性：一方面是「身遊」，即身體、行蹤的現實性變化；另一方面是「神遊」（或「心遊」），即獨立個人（通常就是作者）在精神世界的漫遊。此二者可分別稱為「方內之遊」與「方外之遊」，二者之典型思想路徑就分別是「儒家」與「道家」[7]。「身遊」與「神遊」之間也並非單純的平行關係，而是處在一種互為回應、彼此糾纏的複雜框架之內……但是無法否認，「身遊」在整體上是處於主要層面的，也是最為明顯而易於解讀的。因此，接下來將主要著眼於「身遊」，來進而探討李白筆下「月」之地域性，而將「神遊」這一層面暫作懸置性處理。

6　參見拙著：〈李白涉月詩的「詞場」特徵與「三元」結構分析〉，《許昌學院學報》，2022年第1期。

7　朱像囡：《李白「遊」研究》廣西師範大學碩士學位論文，2013年，頁5-9。

為了對李白的主要遊歷地域有整體性的概覽，王運熙對其一生的畫分可作為一種參考。從李白五歲起，直至他逝世為止，他將李白的生涯分成了五段時期：蜀中時期（西元705-726年），以安陸為中心的第一次漫遊時期（西元726-742年），長安時期（西元742-744年），以東魯、梁園為中心的第二次漫遊時期（西元744-755年），安史之亂時期（西元755-762年）。[8]

李白曾自白說：「以為士生則桑弧蓬矢，射乎四方，故知大丈夫必有四方之志，乃仗劍去國，辭親遠遊。南窮蒼梧，東涉溟海。」[9]年紀輕輕的他就已如眾多先賢、時人一樣實現了「壯遊」，飽覽盛世山河。而且，其「一生好入名山遊」(〈廬山謠寄盧侍御虛舟〉)，因此他筆下的意象絕大部分都是較為清新的自然意象，「月」意象亦屬其中，不像差不多同一時代的高適、杜甫等人筆下的那般富有社會、生活氣息。即使寫到某一城市具體地點的「月」，他也習慣從較大的層面直接以地名修飾「月」，佐以其他清新的自然意象，並不刻意摻雜過多的世俗事物或情感。因此，從空間層面而言，我們明顯可從地域性來解讀李白筆下的「月」，並藉以挖掘其本人的生活、精神狀態。而李詩中的「月」有著大量的地域性和地點性指向，恰恰為這種空間性的探討提供了可能性。

用地名來修飾「月」這種表現技巧，李白所慣於使用的。例如「浦陽月」、「西江月」、「秋浦月」、「金陵月」、「西城月」、「巴月」、「峨眉月」、「蘆洲月」、「長安月」和「竹溪月」等，李詩中有著大量的類似表述，直接表明了自己遊歷或寓居的具體地點。這使得上述「月」成為他私人化的「自然」，並且提示了他一生的遊歷線路和重點地區。

縱觀李白一生，其足跡遍及大江南北，巴山蜀水、荊楚雲夢、都城長安、齊魯大地和江浙地區等，都給李白的生活留下了深刻的現實烙印。而在其畢生的漫遊之中，李白用自己的翰墨留下了無數關涉「月」意象的名篇佳作，且這些「月」無疑有著因地而異的變幻特徵。這也恰恰印證了，是在異域他鄉和孤獨中，李白觸摸山川、懷念故鄉、追憶歷史和結交知己，並在不斷變更的空間裡對自己進行定位。他不一味地奢望進入宮廷、貴族圈層，而是追求在仕途不順、心志不獲之時通過地理位置的變換來實現自我心境的更新。他並未被當時的仕途體制所桎梏，而是主動把外在的世界納入自我心靈內部，同時借助地域的轉換重新完善對於自我的認知。

在這個過程中，「月」並非是永恆不變的，而與其認為李詩中的「月」是寫實的，弗如將它們都視為超現實主義的意象。在眾多可作選擇的意象中，李白偏偏選擇了高懸太空的「月」，恰恰是對這一意象作了有意識的強化和放大處理。而這種一開始就有意識的處理，卻越來越為李白無意識地接受了。以致於同「酒」類似，「月」也成了李白信手拈來、即興賦詩的關鍵性意象。這些「月」不再如六朝時期一樣成為宮廷、貴族的

8　王運熙等著：《李白精講》上海：復旦大學出版社，2008年，頁3。

9　（唐）李白著，（清）王琦注：〈上安州裴長史書〉，《李太白全集》北京：中華書局，2011年，頁1059。

「玩物」，也不再是千篇一律的描寫對象。在不斷更替的地名修飾下，李白筆下的「月」帶上了明顯的地域性色彩，成了他自身地理位置和精神處境的指認。借助地域性來消除空間、時間上的距離感，乃是李白對月書寫過程中的自我「宇宙學」建構的重要前提。這無疑是對傳統的一種遠離或突破，表徵著「人」與「月」之間距離感的彌合，使公共性的「月」同樣可以極具私人性，而它冷峻、渺遠的永恆性也因為地域、心境的變更而不再可能。

再者，有研究者認為李白骨子裡有著濃重的「客寓意識」：作為「異民族移民」之子的李白，天生就對「人生如旅」有著深深的印證，而自我與社會都日漸認同的「謫仙人」稱呼，更是對他放浪形骸、客寓一生起著促進作用。[10]身為「謫仙人」，李白一生都處在漂泊中，在作為「逆旅」的人世間不斷進行著一種目的性較為單薄的漫遊。正是在這種充滿未知、挑戰和期待的時空旅行中，李白創作了大量優秀的詩歌作品。「永遠在路上」——這成了李白主動選擇的一種日常生活方式，並促使李白形成、強化自我詩思的基調。松浦友久極為關注這一點對於李白詩歌創作和生活方式的決定性作用：

> 要而言之，李白作為詩人，作為人，他選擇了比「具有日常性、主體性、負責任的定居者」更好、更充實、更滿足的「具有非日常性、客體性、免責任性的行旅＝客寓者」的生活方式。[11]

這種解釋頗有新意與合理性。或許，確實可以將李白視為一位追求身心自由的「人間客寓者」，這對他「飄逸」、「奔放」、「客體化」的詩風[12]有著良好的塑造作用。深刻的「客寓意識」使他主動漂泊於大江南北，即使散盡千金、遠離家庭也不構成明顯的障礙。本就繼承了傳統的遊歷風氣，自我選擇的客寓生活又的確對於李白的謫仙氣質、詩仙才氣有著彰顯和深化的意義，一如葛景春所總結的那樣：對於李白而言，巴蜀、荊楚、江左文化，分別在奠定浪漫縱放基調、壯闊奇特想像空間和增添清新俊逸之氣方面，有著不容替代的滋養。[13]

姿態萬千的地域文化對於李白的生活方式、詩思營造和情感表達等都有著促進效果，而且彼此之間的作用也是相互的。一方面，客寓意識引導下的漂泊生活使得李白的寫作視野和詩歌氣象得到了巨大的提升；另一方面，詩歌創作中的情思變換又反過來促

10 （日）松浦友久著，劉維治、尚永亮、劉崇德譯：《李白的客寓意識及其詩思：李白評傳》北京：中華書局，2001年，頁13。

11 （日）松浦友久著，劉維治、尚永亮、劉崇德譯：《李白的客寓意識及其詩思：李白評傳》北京：中華書局，2001年，頁2882。

12 （日）松浦友久著，劉維治、尚永亮、劉崇德譯：《李白的客寓意識及其詩思：李白評傳》北京：中華書局，2001年，頁13。

13 葛景春：《李白與唐代文化》（增訂版）合肥：安徽大學出版社，2009年，頁74-82。

使李白繼續著全新的遊歷和客寓。因此，由「月」意象書寫過程中所彰顯出來的地域性，無論是對李白的個人生活方式，還是詩歌情志、氣象的創造都是不可或缺的。

而在不斷變換的地域下，李白對於「月」的關注，仍然具有某些方面的穩定性，典型如「峨眉月」。正如王運熙的上述畫分，李白最關鍵的青少年成長期乃是在巴蜀之地度過的。儘管目前學界對於李白準確的故鄉和出生地莫衷一是，但仍承認李白對於巴蜀地區有著濃烈的故鄉情愫，他極為著名和典型的「峨眉月」就是不二證明。其中關於「峨眉月」最為人津津樂道的，就是〈峨眉山月歌〉和〈峨眉山月歌送蜀僧晏入中京〉這兩首詩歌了。

〈峨眉山月歌〉乃是李白離開蜀地而遠遊他鄉之時的作品，而〈峨眉山月歌送蜀僧晏入中京〉則為其送別故鄉友人時有感而作。同樣是離別，一者為己，一者對人，深厚的情感卻都借著故鄉的「峨眉月」來傳達。前者所摹寫的是具有現實意味的「月」意象，其詩末尾也以「思君不見下渝州」來表達詩人在個體現實生活中的情愫。而後者卻不同，其中的「月」乃具有超現實的意味；借助於回憶、敘事和期待，李白在過去、現在和將來三個不同的時間維度中寫「峨眉月」，使得「峨眉月」不僅是巴蜀地區的借喻，而且「與人萬里長相隨」正印證了李白那種客寓天下、與月為伴的心態；但是最後，詩人期望與蜀僧一同「弄月」，可以說是以「月」象徵了某種功成身退的理想歸宿，這無疑也是李白一生的處世準則。

但實際上，自離蜀以後，李白就再也未曾回到蜀地了，與其說是沒有機會，弗如說是他宿命如此。作為「謫仙」的他，根本上想要的歸宿乃是謝朓所在的「青山」——他長期漫遊於長江中下游地區也是佐證。時代稍晚於太白的范傳正說，李白暮年是「悅謝家青山，有終焉之志」，而他也如願長眠於此，成了「其生也，聖朝之高士。其往也，當塗之旅人」[14]。或許，這就可以反向說明，李白的「峨眉月」並非實指巴蜀為其理想歸宿，儘管「峨眉月」無疑有著李白對於故鄉的情思寄託，但在本質上，「峨眉月」與「金陵月」、「竹溪月」和「秋浦月」一樣，一方面為李白的人生軌跡作出了形象的勾勒，另一方面卻更內在地共同象徵著李白的精神歸宿——這些「月」都不能被簡單地視為現實性的「月」，其超現實主義的精神象徵意味才是具有本質性的。

（二）「月」之季節性書寫

毋庸置疑，和「月」本身就和宇宙空間渾融一體相似，「月」同樣有著明顯的時間性。與「日」代表的白晝相對的，「月」是夜晚的典型象徵物，這是「月」在一日之內

14 （唐）范傳正：〈唐左拾遺翰林學士李公新墓碑・並序〉，（唐）李白著，（清）王琦注：《李太白全集》北京：中華書局，2011年，附錄一，頁1249。

的時間性。而放眼於一月之內，「月」又有著陰晴圓缺的循環式變化；最後，在「年」這一更大週期內，「月」同樣呈現出各具風采的季節性特徵。另一方面，如果以寫作者的時間維度為脈絡來考察的話，同一寫作者在不同時代、生命歷程的不同分期內所描摹的「月」，也很可能是趣味殊異的。李白筆下的「月」意象同樣可作如此審視，不過鑒於其筆下「月」的季節性書寫最為直接和突出，因此本節的關注點也是眾多時間性層面中的這一環節。

有研究者曾著眼於李白描寫四季的詩歌，指出過他這方面的顯著特點是：「在四季詩的傳統中，李白的特殊性最醒目地表現在那些背離了傷春與悲秋內涵的作品。」[15]事實上，縱觀李白筆下關涉「月」意象書寫、表達的作品，可以發現，幾乎所有的「月」都出現於兩個季節——春和秋，其中又以秋季為甚。而且，其中也的確「最醒目地」呈現出李白詩思別具一格的風貌。試分別舉例如下：

春月：

溪傍饒名花，石上有好月。（〈春陪商州裴使君遊石娥溪〉）
浩歌待明月，曲盡已忘情。（〈春日醉起言志〉）
手舞石上月，膝橫花間琴。（〈獨酌〉）
醉起步溪月，鳥還人亦稀。（〈自遣〉）
遷客此時徒極目，長洲孤月向誰明。（〈鸚鵡洲〉）

秋月：

竹影掃秋月，荷衣落古池。（〈贈閭丘處士〉）
登舟望秋月，空憶謝將軍。（〈夜泊牛渚懷古〉）
秋山綠蘿月，今夕為誰明？（〈秋夜獨坐懷故山〉）
三杯拂劍舞秋月，忽然高詠涕泗漣。（〈玉壺吟〉）
苦竹寒聲動秋月，獨宿空簾歸夢長。（〈勞勞亭歌〉）

傷春悲秋，乃是中國古代文人及其作品中經久不衰的抒情話題。粗以觀之，李白也未曾突破這一情感「魔咒」；但是，李白的獨特之處或許就在於其屢試不爽的高強度表達，以及某些別出匠心的逆向處理。

對於中國文人作品及思想中的傷春悲秋主題，《毛詩故訓傳》早就指出：「傷悲，感事苦也。春女悲，秋士悲，感其物化也。」[16]而鄭玄為其作箋曰：「春女感陽氣而思

15 藍旭：〈李白詩中的四季〉，中國李白研究會編：《中國李白研究：2006-2007》合肥：黃山書社，2007年，頁320。

16 《十三經注疏》整理委員會整理：《十三經注疏．毛詩正義》北京：北京大學出版社，2000年，頁578-579。

男，秋士感陰氣而思女，是其物化，所以悲也。」[17]二者立足於古代社會的傳統風氣與現實狀況，並結合五行之道與性別之分，鮮明地指出了中國古人的「傷春悲秋」情愫。而到了西晉，作為當時文人的典型代表，陸機在〈文賦〉中發出了這樣的吟歎：「遵四時以歎逝，瞻萬物而思紛。悲落葉於勁秋，喜柔條於芳春。」[18]這同樣是對「傷春悲秋」的強烈體認。而後世無數文人墨客也基本上延續著這種思想遺緒，尤其是其中的「悲秋」意識成為了中國文學中極具內涵的典型特質。

相對而言，儘管稍縱即逝的春日時光往往令人傷懷於人生苦短，但其畢竟是萬物復蘇的時節，自然景象（包括「春月」）還是能夠以其嶄新、興盛的氣象給人安逸的享受和美好的期許。然而，秋季卻籠罩著一種吊詭的氛圍，一方面是因為大豐收的秋季本應令人載歌載舞，另一方面卻因凋零肅殺的景致而使人哀傷——甚至於文人們感受頗深的貶謫、行役和殺戮也往往發生在秋季，這就無怪乎他們往往興歎於「自古逢秋悲寂寥」（劉禹錫〈秋詞二首・其一〉）了。

在這種整體氛圍的縈繞下，浪漫積極的李白也不可避免地會受到一定的影響。如上引詩句，其中不少都或隱或現地透露出了李白面對「春月」與「秋月」之時的哀傷。所以，李白筆下「月」意象的書寫內涵中，也或多或少流露出這種傾向，包括「春月」與「秋月」在表達情感方面的細微差別，也屬情理之中。

然而，李白的反向創造力恰恰就體現在其能夠在春愁、秋悲之境中，生發出一種積極樂觀、昂揚向上的姿態。典型如〈春日獨酌二首・其一〉，詩人最初難免傷悲於「彼物皆有托，吾生獨無依」，緊接著卻能夠自我開解，希望把握眼前的美好事物與時光，「對此石上月，長歌醉芳菲」，流露出一種苦中為樂、不卑不亢的心跡。而在面對容易引人生發淒悲之情的「秋」及「秋月」時，儘管李白依舊難免會有「獨宿空簾歸夢長」、「空憶謝將軍」和「心斷明月暉」的消極情緒，他卻並非一味耽溺於迷惘的憂傷，而是內含「我覺秋興逸，誰雲秋興悲」（〈秋日魯郡堯祠亭上宴別杜補闕、范侍御〉）的反向性態度，對於蕭瑟秋景竟投射出一種「清逸」的審美性眼光。因此，就如前賢時彥一樣，李白在面對分別作為春景、秋景中的「春月」與「秋月」時，難免生發傷悲、憂愁的情愫，但其獨特之處正在於能夠及時自我開脫出來，反而以一種輕快、灑脫的清逸姿態直面一切。

不論是春月還是秋月，李白都分別借其表達過憂與樂、悲與歡，而在「對月」、「玩月」、「望月」、「舞月」、「夢月」和「醉月」等方面的書寫也都有所涉及。然而，李白對於「春月」與「秋月」的具體處理態度卻是有所差異的，而且二者在情思寄託的側重點

---

17 《十三經注疏》整理委員會整理：《十三經注疏・毛詩正義》北京：北京大學出版社，2000年，頁579。

18 （晉）陸機著，楊明校箋：《陸機集校箋》上海：上海古籍出版社，2016年，頁5。

上也大為不同。在李白的大多數「春月」和「秋月」中，相較而言，大概是「春月」更使李白情感熱烈，偏重於歡喜；「秋月」更引李白生髮憂思，情感也相對冷靜。「春月」不僅有著李白濃烈的情感寄託，而且頻頻引發或觸及李白的哲思，如典型的〈月下獨酌四首〉〈春日醉起言志〉即是如此；而李白在「秋月」中則更側重情感寄託，而少有哲思追問。

三　由「月」看李白之自然觀及審美觀

我們有理由去認同這樣一句話：「風景首先是文化，其次才是自然；它是投射於木、水、石之上的想像建構。」[19]李白所津津樂道的自然意象「月」，既是風景的一部分，也是盛唐文化及之前歷史傳統文化的一部分。更重要的是，對於李白這樣一位特立獨行、張揚個性與自我價值的詩人來說，他念茲在茲的「月」融匯了他一生中關鍵性的理念——對於自然萬物的態度，對於自我記憶的珍視，以及對於個體情感的體認……總之，他的審美理念正可以借助「月」這個窗口為我們所感知。

作為審美性極強的詩人，李白雖然似乎一直都處於「醉」的狀態，但他對於自己的詩歌，對於筆下的「月」意象絕對沒有隨意敷衍之態。即使是在最困苦潦倒的窘境中，他眼中的「月」始終是如影隨形陪伴著他的，讓他慨歎、羨慕，甚至讓他更添憂傷，但更多地卻是給予他美好的期待和溫婉的慰藉。毫無疑問，他把自然中的「月」視為一個自在的主體，看作是自己的伴友。以一種相互平等、彼此無差的態度，李白賦予了「月」充足的主體性，並試圖在這種充分自足性的構想中建立一個自我的內心世界，以表明他追求不受外界的引誘和禁錮的姿態。

（一）內在化的自然與風景

作為自然物，「月」沉澱了太多的文化和歷史價值，在文學思想史中也見證著中國文人整體自然意識和觀念的不斷發展與轉變。而在李白這裡，「月」之所以獲得了最經典化的表達，關鍵是因其深刻地將「月」向內心轉化。這種內在化的「月」既緊緊關聯著詩人的主觀意識，卻又往往是能夠自由獨立存在的，它日漸主動化身成詩人情思的引發體，也成為了詩人抒情言志最自然、最優先和最頻繁的選擇。當然，李白的這種選擇絕非憑空產生的，最具決定性的因素應當還是時代。在思想文化高度發達的唐代——尤其是李白所處的盛唐時期，中國文人的自然觀有著全面的轉變：外在客觀的自然，實現了向文人內在心靈和主觀世界的轉化。

---

19 （英）西蒙・沙瑪著，胡淑陳、馮樨譯：《風景與記憶》南京：譯林出版社，2013年，頁67。

對此，德國漢學家顧彬的相關言論頗具解釋意義：

> 這種構成唐代自然觀主要觀點的「向內心世界轉化」，可分三個發展階段（即所謂「三個世界理論」）……第三階段（第三世界）表現為受佛教禪宗影響的對主觀與客觀的揚棄，外在世界同自我世界相互交錯，幾無區別，二者是平等的，並沒有畫分為本質與現象（景=情=景=情）。景物中的平等一致成為精神的寧靜點，脫離開現象偶然性的所有存在都還只是其本質。[20]

顧彬甚至認為，唐代文學中這種「自然向內心世界的轉化」具有某種標誌性的終結意義，即表示了「到西元一九一一年為止的中國傳統文學中自然觀發展的終結」。在他看來，唐代之後的幾百年間，中國文學中的自然觀基本上沒有新的異質性發展；包括思想文化興盛程度常被拿來與唐代相提並論的宋代，文人們也只不過是在唐人的基礎上進行細化、強化的完善工作，而「在細部及通俗化過程中，『唐代傾向』表現得更加明朗、更加強烈罷了。」[21]

按照顧彬的這種觀念，人與自然的平等、互通，乃是唐代文學中不可忽視的重要特徵。無論其解釋為受佛教、禪宗觀念影響的合理性有多少，僅在唐代重要的詩人作品中，我們的確能夠看到這種「自然向內心世界的轉化」的明顯特點。很重要的一個參考便是，詩歌中的自然意象在變得越來越私人化、個性化的過程中，卻能夠神奇地引起不同時代、不同讀者無比強烈的共鳴；而進入個體內心世界的「自然」，同時豐富了公共的精神審美世界，以致於其本質性的感染力也得到了創造性的強化。

僅就以「月」意象為例，王維、李白、杜甫、白居易、杜牧和李商隱等詩人對其都有著大量的個性化書寫，其中也普遍地出現了「長安月」、「關山月」、「石上月」、「山月」、「江月」、「海月」、「春月」、「秋月」、「明月」、「新月」、「曉月」、「殘月」、「落月」、「涼月」和「清月」等姿態萬千的具體化形象。具體化的地點和時間修飾，使得不同詩人的「月」有著極具內在化和私人化的色彩，但它們在不斷的書寫過程中，又進入了公共的思想情感領域，能夠在獨一無二的特質中散發出普世同感的魅力，甚至於對整個唐代文學中的自然意識和寫「月」理念都作出了一種敞開式的映照。

楊義認為，李白的名山之遊，是對南朝文人審美文化傳統的接續，而他的遠遊姿態則又是「胡化習氣、道教追求和山水詩人審美體驗的結合」[22]。無論是習氣使然，還是求仙問道的宗教性追求，抑或審美精神的發展趨勢，「心愛名山遊，身隨名山遠」（〈金陵江上遇蓬池隱者〉）的李白，其實一直企望能夠在遊歷名山的過程中獲得「心」與

---

20 （德）顧彬著，馬樹德譯：《中國文人的自然觀》上海：上海人民出版社，1990年，頁210-211。

21 （德）顧彬著，馬樹德譯：《中國文人的自然觀》上海：上海人民出版社，1990年，頁227。

22 楊義：〈李白詩的生命體驗和文化分析〉，《文學遺產》，2005年第6期，頁10。

「身」的融合統一，也即是其「三元」思想中「我」與「影」的渾融。深懷老莊哲學中自然無為之宇宙觀的李白，對於內蘊於天地的「道」也有著獨特的體悟。而在形形色色的名山之遊與不斷變換自然風景中，李白將心思放到了夜夜相隨、舉首可望的「月」上，並寄希望於能夠在對「月」的賞玩和沉思中獲得物我合一、心與物遊的「逍遙」。

(二)「明月」情懷

稍加體察，我們還能夠發現李白對於「明月」情有獨鍾。縱觀李白詩歌中的「月」，幾乎無一例外地是無所阻滯、直觀可視的，除了修飾語（如上所述的地名）有所區別外，李白的「月」往往給人一種明亮、圓滿、親切和澄淨之感，傳遞出來的是一種大氣、自由、靈動和完美無瑕的韻味。

這種特質在整體上自然是時代氣象的賦予，是盛唐文學思想在詩歌寫作中的反映，故而其主要特點便是「崇尚風骨、追求興象玲瓏的詩境和追求自然的美」[23]。在同樣愛好寫「月」的六朝時代，「月」通常是陰柔、溫婉的，正如那時的文人關於借「月」寫女子、閨情一樣，往往給人一種嬌小、精緻而脆弱的感覺。那時的文人寫「月」也多寫玉鉤、彎月，或者寫半遮半掩、朦朧隱約之「月」，而少及浩大之「明月」。相反，到了唐代，尤其是氣象磅礴的盛唐，文人們的思想格局和情感氣場有著本質性的提升，有一種明顯的「以大為美」的傾向，對於世界也有了一種更自信、直接的把握，個體想像力和神話、傳說的作用也得到了高調彰顯；重要的自然意象「月」同樣被唐代文人們如此審視著。另一方面，正如前文所言及的，唐代的文人加快並最後實現了中國文學（尤其是詩歌）中「自然向內心世界轉化」的轉變。也就是說，唐代文人們對於自然的審視態度發生了根本性的改變，縮小了人與自然、內心世界與外部世界的距離感，借助擬人、比喻和誇張等修辭手法的技巧性處理，唐代文人筆下的「月」自然也有著明顯的直視性、完整度和親切感了。可以說，李白自身的思想、氣質主要就稟受著這兩方面時代土壤的滋養，而他鮮明的「明月」情懷在很大程度上也是根植於此。

周勳初甚至相信，李白有著少數民族文化中「萬物有靈」的思想，並且這種思想也對李白的自然觀和審美態度有著重要的影響。他援引學界考證成果，追溯到李白九世祖李暠所建西涼王朝，推衍而下，認為：「李白祖上所居的河西地區，即與神仙思想濃郁的羌族混居，而自李白之父攜之入蜀，居住在蜀之西北部綿州昌隆縣時，又與羌族地區密邇。」[24]並結合李白自青年時期就熱衷的道教思想，指出李白在羌族等少數民族的原始信仰和道教觀念的雙重影響下，思想中打下了萬物有靈論的烙印。故而在〈獨坐敬亭

23 羅宗強：《隋唐五代文學思想史》〈引言〉北京：中華書局，2003年，頁3。

24 周勳初：《李白評傳》南京：南京大學出版社，2004年，頁189。

山〉〈月下獨酌・其一〉〈勞勞亭〉和〈對酒〉等作品中，李白之所以將敬亭山、月、春風、楊柳和桃李人格化，儘管不排除用擬人化的修辭手法來解釋，還是有著深刻的萬物有靈思想，「李白確是把山山水水視作具有生命之靈物，因此他的山水景物才能具有如此鮮活的感情」[25]。作者還特別審視、考究了李白所作的〈峨眉山月歌〉一詩，認為該詩中「思君不見下渝州」之「君」正是「月」——李白生命中具有主體價值的夥伴；並以沈德潛「月在清溪、三峽之間，半輪亦不復見矣。『君』字即指月」[26]之語為證。可以說，就這一層面來講，說李白可能受「萬物有靈」思想影響也是頗有道理的。

楊義曾在〈李白詩的生命體驗和文化分析〉一文中指出，明月情懷和醉態思維、遠遊姿態，一起構成了李白對盛唐氣象進行表達的獨特美學方式；而李白談到月亮時往往可以用「得月」二字來概括，「得到月亮，月得吾心，人與月相得」，李白正是以此來表達其與「月」的精神聯繫：

> 神話思維的介入產生的超越性本身，包涵著親切感。人和月相得，這個「得」字有雙重性，既是獲得，又是得宜；既是人借明月意象向外探求宇宙的奧秘，又是人借明月意象向內反觀心靈的隱曲。[27]

這種「神話思維」自然與上述唐代自由、開放而博大的氣象密切相關。不過，楊義慧眼如炬地關注到李白的「得月」情思，這是精到而富有啟發性的：一個「得」字，既指向給予與獲取，更表示著溝通和平衡。不論是「人生得意須盡歡，莫使金樽空對月」(〈將進酒〉)、「暫就東山賒月色，酣歌一夜送泉明」(〈送韓侍御之廣德〉)，還是「撫酒惜此月，流光畏蹉跎」(〈五松山送殷淑〉)、「暮從碧山下，山月隨人歸」(〈下終南山過斛斯山人宿置酒〉)，抑或是「戒得長天秋月明，心到世上青蓮色」(〈僧伽歌〉)、「了見水中月，青蓮出塵埃」(〈陪族叔當塗宰遊化城寺升公清風亭〉)，我們都可以體味出李白對於與「月」相互融通的內在追求，也能夠在與「月」的親密交流中，獲得對於更大的自然世界的合一，實現心靈的得宜與平衡。

可以說，在李白情感炙熱的「明月」裡，李白不僅有著對於自然的體驗與嚮往，更凝聚著他的理想抱負和現實掙扎。「月」是李白心中的美好事物，也時常寄託著李白對於個人修為和社會理想的關念與期許。在個人修為方面，他往往把夜空中的「明月」與美好的詩文、容貌、品德和功業相提並論。如：「詩成傲雲月，佳趣滿吳洲」(〈與從侄杭州刺史良遊天竺寺〉)、「含光混世貴無名，何用孤高比雲月」(〈行路難三首・其三〉)和「登舟望秋月，空憶謝將軍」(〈夜泊牛渚懷古〉)。在這方面，大致上可以認為李白仍

---

25 周勳初：《李白評傳》南京：南京大學出版社，2004年，頁200。

26 （清）沈德潛選注：《唐詩別裁》北京：中華書局，1964年，第三冊，頁118。

27 楊義：〈李白詩的生命體驗和文化分析〉，《文學遺產》，2005年第6期，頁13。

然心系立德、立功、立言的「三不朽」事業，他在「大鵬一日同風起，扶搖直上九萬里」(〈上李邕〉)、「但用東山謝安石，為君談笑靜胡沙」(〈永王東巡歌十一首・其二〉)和「余亦草間人，頗懷拯物情」(〈讀諸葛武侯傳書懷贈長安崔少府叔封昆季〉)等詩句中，更為明顯地表達著建功立業的抱負。可是，對於純淨無瑕的自然意象「月」，李白反而更多是流露出一種安逸、自由、平靜的情愫，或涉乎佛法道心，或關於行樂忘憂，或牽出思歸懷隱。如：「溪傍饒名花，石上有好月」(〈春陪商州裴使君遊石娥溪〉)、「盤白石兮坐素月，琴松風兮寂萬壑」(〈鳴皋歌送岑征君〉)和「暫就東山賒月色，酣歌一夜送泉明」(〈送韓侍御之廣德〉)。

明代王世貞曾對李白作出如此評論，「太白以氣為主，以自然為宗，以俊逸高暢為貴」[28]，「以自然為宗」可謂是一語中的，指出了李白對於自然的態度和審美觀念。也正是在宗尚自然——尤其是明月——的心路歷程中，李白不僅希望能夠在詩藝上實現「清水出芙蓉，天然去雕飾」(〈經亂離後天恩流夜郎憶舊遊書懷贈江夏韋太守良宰〉)的理想，而且追求在精神境界與審美領域完成對於自我同「自然」的和諧共融。

四　結語

無論是在「經典化」還是「個性化」的書寫中，李白與「月」的結緣都充滿著無盡的言說魅力。這位客寓一生的遊子，既因難以割捨的復古情懷而不斷追憶魏晉南北朝之際的文化人格和審美體驗，又在盛唐氣象的濡染下縱情揮毫，在引人入勝的「月」意象書寫、表達中不斷錘鍊自己的詩藝，塑造自己的思想品格。他以對待知己的態度來親近「月」，而高懸宇宙的那輪金黃也將澄澈無比的月光披灑在這位天才詩人身上。在中國文學史（詩歌史）上，詩人李白與照耀他一生的月光都是永恆的。

就連李白的離逝都有著與「月」相關的經典傳說，亦可見這種永恆力量的獨特意義了。大概是唐末五代的王定保在《唐摭言》中留下了關於李白捉月而死傳說的最早記錄：「李白著宮錦袍，遊採石江中，傲然自得，旁若無人，因醉入水中捉月而死。」[29]雖如（南宋）嚴羽等後人經過考證，認為此傳說不足為信，但人們既然樂意將李白的歸宿放在「月」上，也算是契合了李白自身的理想。

李長之深慨於李白「超人的」、「永久的」痛苦，認為他既無法像陶淵明一樣「否定一切」，也不能像屈原一般以死亡來迎接「現世界理想的幻滅」[30]。所以即使心頭常常縈繞著「棄世」的苦澀情調，對於現世生活，李白在骨子裡仍然秉持著肯定的態度。可

28 （明）王世貞著，陸潔棟、周明初批註：《藝苑卮言》南京：鳳凰出版社，2009年，卷四，頁54。

29 （唐）李白著，（清）王琦注：〈李太白年譜〉，《李太白全集》北京：中華書局，2011年，頁1380。

30 李長之：《道教徒的詩人李白及其痛苦》天津：天津人民出版社，2008年，頁138。

他卻又始終未能實現自己的抱負，也就無法真正灑脫地功成身退、歸隱山林。略帶悲情意味的也就是，心繫「扶搖直上九萬里」（〈上李邕〉）的李白最後不得不於「大鵬飛兮振八裔，中天摧兮力不濟」（〈臨終歌〉）的臨終私語中魂歸蓬萊了。所以，李白需要人間釀造的「酒」，也需要超越凡塵的「月」，二者共同構成了李白的精神補償來源——這也是他的詩作中有著大量的「酒」與「月」的內在根由。他無數次地獨自面對著明月縱酒、舞劍，就是試圖在這種恣意的遊戲之中更加趨近莊子所宣揚的「逍遙」之遊。

安史之亂前後的天象變化與天命之爭[*]

王　聰

北京中華女子學院文化傳播學院

在初盛唐一百多時間裡，先後經歷了武后逆亂陰陽以女性身分登上帝位的思想危機，玄宗復歸李唐正統重新頒布五德之運的秩序重建。肅宗在安史之亂期間倉皇登基，他亟需證明自身的正統性與合法性，一方面，與安史政權相抗衡；另一方面，取代玄宗立命革新。[1]

一　四星彙聚的天象危機與化解之道

玄宗在位的天寶年間，出現了一次影響當朝統治[2]的異常天象，玄宗採取處士崔昌的建議以「土德」承漢統，即與此次天象的發生有關。

> 初崔昌上封事，推五行之運，以皇家土德，合承漢行。自魏晉至隋，皆非正統，是閏位。書奏，詔公卿議，是非相半。時上方希古慕道，得昌疏，甚與意愜。宰相林甫亦以昌言為是，會集賢院學士衛包抗疏奏曰：「昨夜雲開，四星聚於尾宿。又都堂會議之際，陰霧四塞，緒言之後，晴空萬里，此蓋天意明國家承漢之象也。」上以為然，遂行之。[3]

* 【基金項目】國家社會科學基金重大項目「中國古代都城文化與古代文學及相關文獻研究」（18ZDA237）；校級科研課題「唐代都城的禮儀空間與文學演進研究」（KY2022-0317）。

1 「五德終始說實質上是一種歷史正統觀，其主要目的是為王朝更迭提供合法依據」。參見蔣重躍：《五德終始說與歷史正統觀》，《南京大學學報》（哲學社會科學版），2004年第2期，第55-64頁。劉浦江《五德終始說之終結——兼論宋代以降傳統政治文化的嬗變》，將五德終始理論的興廢與唐宋傳統政治文化的變革相關聯，藉以探討宋元明清在對五運說、讖緯、封禪、傳國璽等傳統政治文化的清算中，思想史的基本走向。參見劉浦江：《五德終始說之終結——兼論宋代以降傳統政治文化的嬗變》，《中國社會科學》，2006年第2期，頁177-190。胡克森《從德政思想興衰看「五德終始」說的流變》從德政的角度切入，探討了相勝說和相生說中對道德理性的不同態度。參見胡克森：《從德政思想興衰看「五德終始」說的流變》，《歷史研究》，2015年第2期，頁34-50。安史叛亂前後亦出現天象輿論，本文試對當時基於「五德終始」說的天命之爭進行討論。

2 五星聚或四星聚，通常被視為出天子的星象，但是新天子出，對於當朝天子而言，絕非祥瑞。

3 《冊府元龜·帝王部》卷四《運曆》，頁46。

崔昌提議的以唐承漢的做法，在當時有兩點好處：

一是化解了一場天象危機。《新唐書・天文志》記載，「天寶九載八月，五星聚於尾、箕，熒惑先至而又先去。尾、箕，燕分也。占曰：『有德則慶，無德則殃。』」[4]《開元占經》引《海中占》亦言：「五星若合，是謂易行，有德受慶，改立天子，乃奄有四方，子孫蕃昌。無德受罰，離其國家，滅其宗廟，百姓離去滿四方。」而歷史上，四星聚或五星聚，通常成為王朝革命的重要徵兆，如，周將伐殷，五星聚房。齊桓將霸，五星聚箕。漢高入秦，五星聚東井。所以，出現此天象，玄宗自是甚為戒懼，而當崔昌的建議被採納後，出現了「晴空萬里」的天象，這對正憂愁「革命」之說的玄宗來說，絕對是一種極大的心理安慰。

二是能夠突出顯示李唐的一統性以及滿足國祚千年的政治心理宿求。雖然在得到崔昌的提議後，玄宗「詔公卿議，是非相半」，但玄宗自身是傾向於這一提議的，史書言「時上方希古慕道」，所以「得昌疏，甚與意愜」，實際上，玄宗登基後，秉承貞觀遺風，勵精圖治，一直參照的一條政治標準就是漢代，希望能夠建立一個四海來歸、天下昌平的大一統盛世。而魏、晉以來南北分割的短暫朝廷，只是李唐有為之主唯恐步之後塵的反面教材，故如若在「五德終始」的序列中上承漢代，則恰暗合了玄宗一統盛世的期許。而且《大唐千歲曆》中，王勃曾談過「言唐德靈長千年，不合承周、隋短祚」，此語往極端了說就是，只有李唐承漢，方能承國祚千年之德，否則，如若承周、隋，是自選了一條短祚的道路。「千年」和「短祚」相比，玄宗自是首選前者。

但是這背後又有兩對矛盾的鬥爭，一是李林甫與楊國忠的相權之爭，李主李唐承漢，楊主李唐承隋，二者的爭議與去取與當時哪位宰相得勢似乎存在直接的原因[5]。二是武則天建立武周政權，提出「二王三恪」說，這一主張的出發點即是以武周承漢，降周、隋為列國。所以天寶年間的這場改運，似乎很容易讓人誤解，認為與武周革命存在某種意義上的聯繫。而玄宗不可能考慮不到此點，但對於唐承漢統的決議還是「以為然，遂行之」，其中一個很主要的原因，即是決議過程中天象的改變，在決議之前是「昨夜雲開，四星聚於尾宿」，「都堂會議之際」也是「陰霧四塞」，但在「集議之後」，「晴空萬里」，這在時人的觀念中，說明天象印證了決議的正確性，即採用以唐承漢的

4 「所記與四星聚尾顯係一事，唯繫時於八月，在具體星象上亦有四星聚與五星聚的不同。但據江曉原、鈕衛星推算：此次天象當發生於天寶九載八月庚申，結束於九月乙未，約持續三十五天時間。另外，在古人觀念中，災異之徵往往具有含混性，所指向也意在人事，所以五星聚或四星聚在當時似乎區別不大，皆可視為天下大亂、易代革命之兆。」參見仇鹿鳴：《五星會聚與安史起兵的政治宣傳——新發現燕〈嚴復墓誌〉考釋》，《復旦學報》（社會科學版），2011年第2期，頁116-118。

5 「李林甫是朝廷重臣中改承周、漢一說的主要支持者，此議通過後，支持此說的崔昌、衛包等人也隨之加官受賞。但天寶十二載（西元753年）李林甫去世之後，楊國忠取而代之，隨即羅織李林甫案，興起大獄，貶斥李林甫之黨。此時，所謂改承周、漢正統一事便成為楊國忠攻訐李林甫的一大罪狀。」參見仇鹿鳴：《五星會聚與安史起兵的政治宣傳——新發現燕《嚴復墓誌》考釋》，頁116。

決議，可以避免「四星聚尾」的災禍發生。[6]

二　玄宗迷信「金雞壓勝」之術

陰陽五行的思想原理及一些由此衍生出的數術、方技，一方面，被統治者利用加強鞏固其統治，另一方面，身處這樣的思想潮流之中，幾乎沒有哪個統治者能完全超越其上。那麼，問題就在於，如果適當地加以利用，進行思想引導和輿論控制，對治國而言，可能具有事半功倍，甚至四兩撥千斤的效果。可是，如果自己亦沉浸於其間，甚至以此作為解決方案來處理重大的現實問題，必然造成難以挽回的嚴峻後果。古人極為重視天子之氣，甚至有些時候，判斷一個人是否謀逆，不是憑藉其是否有謀逆之心和謀逆之舉，而是找陰陽術數之人，望其是否有天子之氣，並藉以陰陽術數之法破之[7]。而玄宗對安祿山的一味寵信和一再姑息，與玄宗當時對於陰陽壓勝之法的深信與依賴或存在一定的關聯。

《舊唐書・安祿山傳》：

> 上御勤政樓，於御座東為設一大金雞障，前置一榻坐之，卷去其簾。[8]

《新唐書・安祿山傳》：

> 帝登勤政樓，幄坐之左張金雞大障，前置特榻，詔祿山坐，褰其幄，以示尊寵。太子諫曰：「自古幄坐非人臣當得，陛下寵祿山過甚，必驕。」帝曰：「胡有異象，吾欲壓之。」[9]

新舊《唐書》的安祿山傳都寫到了玄宗專門為安祿山設金雞障的事情，表面的格外恩寵背後是玄宗「胡有異象，吾欲壓之」的真實意圖。其依據來自於傳統的「壓弭」之法，即司馬遷《史記・天官書》談到的：「中國於四海內則在東南，為陽；陽則日、歲星、

6　玄宗在改承漢統之後另兩項相關的政治舉措亦從側面印證了這一判斷，「後是歲，禮部試天下造秀，作《土德惟新賦》，則其事也」，是年禮部選舉以「土德惟新」為題，所謂土德惟新，無疑是用「周雖舊邦，其命維新」之意，強調玄宗再承天命的正當性。在天寶十載（西元751年）五月，玄宗又下詔「改諸衛旗幡隊仗，先用緋色，並用赤黃色，以符土德」，進一步加強土德的正統地位。另外，天寶十三載熒惑守心這一天象異動也值得關注，「天寶十三載五月，熒惑守心五旬餘。占曰：『主去其宮』」。見《新唐書》卷三十三《天文志》，頁856。

7　唐剛卯言：「這種在政治上所採取的『特殊』鬥爭方式固然可笑，但卻是當時人們普遍接受的鬥爭方式。此類記載一方面確為史實；另一方面對當時社會、政治、歷史趨勢產生影響，因此不能因其荒唐而忽視。」見唐剛卯：〈唐玄宗鬥雞與開天朝政治——〈東城老父傳〉讀後之一〉，《唐研究》第六卷，2000年，頁217。

8　《舊唐書》卷二百上《安祿山傳》，頁5368。

9　《新唐書》卷二百二十五上《逆臣傳下》，頁6413-6414。

熒惑、填星；占于街南，畢主之。其西北則胡、貉、月氏諸衣旃裘引弓之民，為陰；陰則月、太白、辰星；占於街北，昴主之。」[10]即在地域、天象上，亦存在陰陽之分，以及陽對陰的壓制，而雞與日聯繫密切，按照古人以類相感的思維方式，雞為「積陽」之物。[11]故玄宗設金雞障，是以「東南」壓「西北」，以「積陽」克胡人。而玄宗如此相信「金雞障」之功，除了金雞以「積陽」克西北胡人之「陰」之外，似乎與北朝的政治傳統亦存在一定的關聯。如《封氏聞見記》卷四有「金雞」條：

> 國有大赦，則命衛尉樹金雞於闕下，武庫令掌其事。雞以黃金為首，建之于高橦之上，宣赦畢則除之。凡建金雞，則先置鼓於宮城門之左，視大理及府縣徒囚至，則槌其鼓。
>
> 按，金雞魏、晉已前無聞焉。或云「始自後魏」，亦云「起自呂光」。《隋書・百官志》云：「北齊尚書省有三公曹，赦則掌建金雞。」蓋自隋朝廢此官而衛尉掌之。北齊每有赦宥，則於閶闔門前樹金雞，三日而止。萬人競就金雞柱下取少土，云「佩之日利」，數日間遂成坑，所司亦不禁約。
>
> 武成帝即位，大赦天下，其日設金雞。宋孝王不識其義，問于光祿大夫司馬膺之曰：「赦建金雞，其義何也？」答曰：「按《海中星占》『天雞星動，必當有赦』，由是赦以雞為候。」
>
> 其後河間王孝琬為尚書令，先是有謠言，「河南種穀河北生，白楊樹頭金雞鳴」；祖孝徵與和士開譖孝琬曰：「河南河北，河間也；金雞，言孝琬為天子建金雞也。」齊王信之而殺孝琬。
>
> 則天封嵩嶽，大赦，改元萬歲登封。壇南有大槲樹，杪置金雞，因名樹為金雞樹。[12]

「金雞魏、晉已前無聞焉。或云『始自後魏』，亦云『起自呂光』」，說明金雞是北方的政治傳統，所舉材料亦出自北魏、北齊、北周，則天封禪時仍有所沿襲，而玄宗喜好金雞，一方面似乎與北方的這一傳統有關，另一方面，與他本命為雞似亦存在一定的關聯。《唐會要》記述開元十三年唐玄宗封泰山事云：「有雄野雞飛入齋宮，馴而不去，久之，飛入仗衛，忽不見。邠王守禮等賀曰：『臣謹案舊典，雌來者伯，雄來者王；又聖誕酉年，雞主於酉。斯蓋王道遐被，天命休禎，臣請宣付史官，以彰靈貺。』」[13]羅香

10 《史記》卷二十七《天官書》，頁1347。

11 《周易・乾卦》九五：「龍飛於天，無咎。」《文言傳》曰：「雲從龍，風從虎，水流濕，火就燥」，即強調以類相感，可見，類思想由來已久。《初學記》、《藝文類聚》引用《春秋說題辭》曰：「雞為積陽，南方之象，火陽精，物炎上，故陽出雞鳴，以類感也。」

12 《封氏聞見記》卷四《金雞》，頁29-30。

13 （宋）王溥撰：《唐會要》卷八《郊議》，北京：中華書局，1955年，頁119。

林言道：「酉之禽為雞，酉年為雞年，凡雞年生人，往往自視與雞有特殊關係。」[14]玄宗生於垂拱元年（西元685年），其年干支為乙酉，則玄宗的本命生肖為雞，故李守禮之賀，除舊典依據外，顯然是以玄宗的本命為基礎的。在唐代，本命信仰頗為流行，隋唐墓葬多出土十二辰陶俑，玄宗對此亦頗為迷戀，初即位不久，即於「先天二年七月正位，八月癸醜，封華岳神為金天王」，華山是玄宗朝最先封王的一座山，這或與玄宗本命雞與五行中西方的對應關係存在一定的聯繫。因為在干支與五行的配屬中，酉屬金，金在方位上屬西方，故封西嶽華山為金天王。而唐代多位皇帝好鬥雞，以玄宗尤甚，《五行志》中將玄宗生肖與鬥雞風俗聯繫起來，認為這是玄宗的災異之徵。[15]

另外，對於設立金雞障之事，當時的一些筆記小說和詩歌[16]中亦有相關記載，還有安祿山化作豬龍事，「又嘗與夜燕，祿山醉臥，化為一豬而龍首，左右遽告帝。帝曰：『此豬龍，無能為。』」言安祿山醉臥，「化為一豬而龍首」，猶似小說家言，但是如果設金雞障事為真，由此大致能推測中玄宗的心理，玄宗深信，只有自己才是真龍天子，畢竟早已有潞州別駕時黃龍白日升天，和「龍池」的祥瑞徵兆在前[17]，安祿山不過是成不了氣候的「豬龍」而已，為此，「安祿山入覲，肅宗屢言其不臣之狀，玄宗無言。一日，召太子諸王擊球，太子潛欲以鞍馬傷之。密謂太子曰：『吾非不疑，但此胡無尾，汝姑置之。』」可見，玄宗認為「金雞障」足以起到「壓弭」的作用。

玄宗對於「金雞壓弭」術的過度依賴與沉溺，導致其閉塞視聽，不能及時清醒地作出正確的政治判斷，從而在某種程度上對歷史進程產生了影響，最終使安祿山勢力膨脹，造成了使唐王朝走向衰落的安史之亂。雖然還不能說此事是安史之亂的成因，但對安史之亂的發生與發展進程產生了影響[18]。

---

14 羅香林：《唐人鬥雞戲考》，見《唐代文化研究史》，上海：上海文藝出版，1992年，頁127。

15 《新唐書．五行志》：「玄宗好鬥雞，貴臣外戚皆尚之。識者以為雞酉屬，帝王之歲也。鬥者，兵象，近雞禍也。」類似的表述，《東城老父傳》寫道：「上生於乙酉雞辰，使人朝服鬥雞，兆亂于太平矣，上心不悟。」

16 筆記小說如《次柳氏舊聞》、《開元天寶遺事》，《楊太真外傳》等皆寫及此事，詩歌如白居易《胡旋女》詩後幾句言：「梨花園中冊作妃，金雞障下養為兒。祿山胡旋迷君眼，兵過黃河疑未反。貴妃胡旋惑君心，死棄馬嵬念更深。從茲地軸天維轉，五十年來制不禁。胡旋女，莫空舞，數唱此歌悟明主。」見《文苑英華》卷三三五。

17 對於一些祥瑞徵兆，有些或為帝王有意製造，但相當一部分存在偶然性的因素，和輿論闡發的引導作用。如「龍池」的成因，早在未被賜為玄宗宅邸的時候，即已有泉水湧出，後來只不過在玄宗兄弟居住後，漸漸匯泉成池，所以，「龍池」非為玄宗自我虛構出來的祥瑞，但是作為受命於天的外在依據，其神聖性也是被不斷追加和闡釋出來的。參見包曉悅：《興慶池：一座政治景觀的誕生與變遷》，《唐研究》第二十一卷，2015年，頁147-162。

18 唐剛卯：《唐玄宗鬥雞與開天朝政治——〈東城老父傳〉讀後之一》，《唐研究》第六卷，2000年，頁218。

三　安史政權金土相代之說

在古人觀念中，天象的任何變動最終都是指向人事的，「初唐易學與史學的溝通及其政治化、簡易化的傾向，促使初唐文人對天人之際的思考，很少著眼於探索天下自身的奧秘，而是處處落實到歷史和人生的變化規律上」[19]。而「中國古代的天文曆法星占之術，往往與現實的政治鬥爭有著密切的關聯，其天象記載往往也因現實政治的需要而被刪改、附會。與其認為古人關心天象變化本身，還不如說其更在意天人感應模式下投射在世間的政治紛爭，因此天象記載本身的精確性並不是最重要的，關鍵在於時人如何理解、詮釋、應對天象的變化。」[20]而玄宗朝出現的任何天象上的不祥，都是叛逆者藉以撼動其王朝正統性的漏洞，試看宣義郎守中書舍人襄陵縣開國男趙驊撰的《大燕贈魏州都督嚴府君墓誌銘並述》的一段：

> 天寶中，公（嚴復）見四星聚尾，乃陰誡其子今御史大夫、馮翊郡王莊曰：「此帝王易姓」之符，漢祖入關之應，尾為燕分，其下必有王者，天事恆象，爾其志之。」既而「太上皇（安祿山）蓄初九潛龍之姿，啟有二事殷之業，為國藩輔，鎮於北垂，功紀華戎，望傾海」內，收攬英儁，而馮翊在焉，目以人傑，謂之天授。及十四年，義旗南指，奄有東周，鞭笞群凶，遂帝天下。金土相代，果如公言，殷馗之識，無以過也。
>
> ……
>
> 銘曰：「楚莊霸世，祚及後裔。蜀嚴沈冥，實曰炳靈。我公是似，亦不降志。師孔六經，鄙齊千駟。」棲遲衡泌，戴仁報義。昊穹有命，命燕革唐。公之令子，預識興王。翼佐龍戰，時惟鷹揚。[21]

墓誌中提到，「四星聚尾」，「此帝王易姓之符，漢祖入關之應，尾為燕分，其下必有王者」，強調安祿山造反是天象有徵，應時而起，且銘中再次陳說「昊穹有命，命燕革唐」，認為安史政權是完全符合天命適時改易的正統之論的。對此，仇鹿鳴懷疑，安史政權之所以選擇「燕」為國號，除了地域因素之外，「尾為燕分，其下必有王者」之讖也是一個重要的因素[22]。另外，十分重要的是，墓誌中提到了「金土相代」之說，因為土生金，所以安史政權欲圖以「金德」代替唐朝的「土德」。高祖建唐之初，即定為

19 葛曉音：《江左文學傳統在初盛唐的沿革》，見《詩國高潮與盛唐文化》，北京：北京大學出版社，1998年，頁269。

20 仇鹿鳴：《五星會聚與安史起兵的政治宣傳——新發現燕〈嚴復墓誌〉考釋》，頁117。

21 仇鹿鳴：《五星會聚與安史起兵的政治宣傳——新發現燕〈嚴復墓誌〉考釋》文中所引，為徐俊提供的未刊墓誌拓片，頁115。

22 仇鹿鳴：《五星會聚與安史起兵的政治宣傳——新發現燕〈嚴復墓誌〉考釋》，頁119。

「土德」，中間經歷了武后革唐建周，對五行運次也發生了更改，據杜佑《通典》所記，「武太后永昌元年十一月一日依周制以建子之月為正，改元為載初元年，改十一月為正月，十二月為臘月，來年正月為一月，十月建亥為年終。載初元年九月九日改元天授稱周，改皇帝為皇嗣。二年正月，旗幟尚赤。」雖然，經歷了中宗、睿宗的短暫治理，二人繼位或當政期間，亦不乏各種祥瑞出現，佐證其天命，但在接連的宮廷之爭與二人的逶迤退讓[23]下，李唐王室的正統性和神聖性並未得到真正意義上的修復，直到玄宗登上帝位，在四十幾年的穩定政局中，從宣揚個人天命到樹立國家威信，一步步重新樹立起李唐的「土德」政治。在五德的序次上，安祿山在某種程度上借鑑了武后的王權更迭之道，採用東漢以後頗為普遍的「帝王受命，應曆禪代」的方式，突出「以金代土」在思想與輿論方面擅長從漢人的思維習慣出發，極力為安史政權的合法性和正統性宣傳造勢。

四　肅宗以人法天的制度革新

安史政權極力宣揚自身的合法性和正統性，而對於在靈武自立的肅宗而言，自然要把天命牢牢鎖住在李唐這邊，攥在自己手中。因為安史叛軍攻訐李唐易代，主要是從天象上，所以乾元元年（西元758年），即在收復兩京後的第二年，肅宗為了能夠及時監察、應對各種不利天象，加強朝廷對天文機構的監管，著手天文機構的改革。

自高祖建唐以來，即設立了專門的天文機構──太史監，進行天象觀測、曆法修訂、漏刻計時等相關工作[24]。且不斷對其更名改制，在肅宗之前，已先後使用太史監、太史局、秘書閣局、渾天監、渾儀監作為機構的名稱，可見統治者對天文機構建設的重視。但是從高祖至玄宗朝，或是因為文獻整理的某些需要，除了景龍二年（西元708年）和天寶元年（西元742年）兩次改制不隸屬於秘書省之外，在初盛唐階段大部分的時間裡，太史監都是作為秘書省的附屬而存在，在機制上缺乏獨立運作的地位與能力。為此，肅宗在天寶元年改制的基礎上，進一步提高太史監的地位，將其從秘書省中徹底獨立出來，並進行了一系列的改革。對此，《新唐書》有載：

---

23 如唐中宗繼位後，儘管「復國號，依舊為唐，社稷、宗廟、陵寢、郊祀、行軍旗幟、服色、天地、日月、寺宇、臺閣、官名，並依永淳以前故事」，但是依舊沿用「神龍」的年號，直到第三年才改元「景龍」。而年號象徵正朔，故中宗的做法從某種程度上講，是對武則天政權的一種退讓與接受，甚至是對「周、唐一統，符歸同命」的一種認同。

24 「『觀察天文』即天象的觀測、記錄與占候，在太史局中主要由靈台郎、監侯以及天文觀生來完成。『稽定歷數』是司曆、保章正和曆生的基本職責，他們負責曆法的推演、修訂以及曆日的修造和編纂。此外，太史局中還有挈壺正、司辰、漏刻博士、漏刻生等官員，他們主持『掌知漏刻』的晝夜計時工作。」參見趙貞：《乾元元年（758）肅宗的天文機構改革》，《人文雜誌》，2007年第6期，頁156。

> 天寶元年，太史局複為監，自是不隸秘書省。乾元元年，曰司天臺。藝術人韓穎、劉烜建議改令為監，置通玄院及主簿，置五官監候及五官禮生十五人，掌布諸壇神位，五官楷書手五人，掌寫御書。有令史五人，天文觀生九十人，天文生五十人，曆生五十五人。初，有天文博士二人，正八品下；曆博士一人，從八品上；司辰師五人，正九品下；裝書曆生。掌候天文，掌教習天文氣色，掌寫御曆，後皆省。[25]

從材料可見，改革主要分三個方面：司天臺的更名改制，通玄院的創辦及五官正的設置等。而這些改革的共同指向，即是肅宗對天象輿論的重視與把控。

從名稱上看，太史監或太史局的叫法，主要體現史官的職責與功能。肅宗改為司天臺，有意強化天文機構「察天觀象」的作用。這一變動，既體現出肅宗對天象人事的重視，又滲透出肅宗想要及時發現掌控天象的迫切需求。從地點的選擇上看，由秘書省南側遷至永甯坊張守珪故宅[26]，將玄宗居住的興慶坊與星官體系的太微桓對應起來，將自身居住的大明宮與天上的紫微宮對應起來，在方位上滿足「天文正位，在太微西南」，凸顯自身所居為「天子之所」[27]。從官員的品階來看，玄宗朝的太史令為從五品下，但肅宗將之官升兩級，司天監提至正三品上[28]，其他從屬人員的官階亦得到不同程度的提升，但對於沒有品級的人員，肅宗進行了大幅削減。這樣一來，肅宗大大提升了司天監在朝廷的地位。從吸納民間力量來看，肅宗於司天臺內設立通玄院[29]，專門安置民間精通天象的「術藝之士」。可見，肅宗一方面有意吸納民間力量，擴充司天臺的規模；另一方面，以一種中央集權的方式，對方術之士加以管控和束縛，使朝野上下的「術藝之士」都能為維護其皇權正統性服務。從功能的提升來看，增加了禳星救災的祭祀職責。

---

25 《新唐書》卷四十七《百官志二》，頁1216。

26 敕令寫道：「建邦設都，必稽玄象；分列曹局，皆應物宜。靈台三星，主觀察雲物；天文正位，在太微西南。今興慶宮，上帝廷也，考符之所，合置靈臺。宜令所司量事修理。」《舊唐書》卷三十六《天文志下》，頁1335。

27 「太微，天子庭也，五帝之坐也，亦十二諸侯府也。其外蕃，九卿也。西南角外三星曰明堂，天子布政之宮也。明堂西三星曰靈臺，觀臺也。主觀雲物，察符瑞，候災變也。」見《隋書》卷十九《天文志上》，頁532-533。趙貞對此解釋道：「中古時期的星官體系，由紫微垣、太微垣、天市垣和二十八宿組成。太微，『天子庭也』，正是帝王朝政和宮廷的象徵。明堂三星，『天子布政之宮』，即天子宣明政教的地方，位於太微垣的西南方。至於靈臺三星，『察符瑞，候災變』，實際上描述的就是人間帝國中太史局『觀察天文』的主要職責。肅宗對天文正位的調整，表面上重在強調太上皇（玄宗）天經地義的『上帝』地位，但其實質恐怕還是為自己在安史之亂中登位及深居大明宮的合理性尋找天文依據。」見趙貞：《乾元元年（758）肅宗的天文機構改革》，頁157-158。

28 「監一人，正三品；少監二人，正四品上；丞一人，正六品上；主簿二人，正七品上；主事一人，正八品下。監掌察天文，稽歷數。凡日月星辰、風雲氣色之異，率其屬而占。」

29 「司天臺內別置一院，曰通玄院。應有術藝之士，征辟至京，于崇玄院安置。」參見《舊唐書》卷三十六《天文志下》，頁1335。

肅宗在原有官職的基礎上，又增設了五官禮生「掌布諸壇神位」，專門負責天文災變的「禳星」之禮。可見，肅宗對司天臺的改革，很主要的一點在於能夠對災異天象作出及時回饋與化解。

乾元天文改革的核心內容之一是設立「司天五官」，這是肅宗依託五行理論，以人法天，進行制度革新的重要舉措。《新唐書・百官志》載：「春官、夏官、秋官、冬官、中官正，各一人，正五品上；副正各一人，正六品上。掌司四時，各司其方之變異。冠加一星珠，以應五緯；衣從其方色。元日、冬至、朔望朝會及大禮，各奏方事，而服以朝見。」即，五官正分別與五星（木、火、金、水、土）、五時（春、夏、秋、冬、紀夏）、五方（東、南、西、北、中）、五色（青、赤、白、黑、黃）存在著明確的對應關係，並藉此畫分職責範疇。春夏秋冬中五官的設置與命名，依據傳統的五行理論從時間和空間兩個層面對『司天』二字作了側面解釋，不僅確立了唐代定期的天文奏報制度，而且還對天文官員的職責和許可權作了具體規範和區分，使得司天臺在『觀察天文』上具有更為靈活的操作性，藉此來提高唐代天象觀測、記錄與占候的準確性，從而更好地為唐王朝的統治提供服務。[30]

除天文機構的改革外，肅宗朝在頗具象徵意義的年號問題上[31]，也大費思量。對此，孫英剛指出了兩點用心獨特之處，一是選用了高宗曾經使用過的「上元」年號[32]，在不到一百年的時間裡，同一朝代帝王前後使用同一年號的情形在歷史上並不多見，而肅宗此舉可視為革故鼎新之舉，或有其更為深層的意旨[33]；二是改元上元後第二年，肅宗又

30 趙貞：《乾元元年（西元758年）肅宗的天文機構改革》，頁161。

31 「紀年方法與上古的政治傳統和遺產相聯，與上天賦予的政治合法性（天命）相關，不論是強調自己取代前朝的合法性，還是強化自己對同時期其他政權的正統性，還是凸顯君主本人肩負革故鼎新的開創（或中興）使命，都不可避免地面臨著，從各種理論來解釋自己在時間長河中的角色和地位。從根本意義上說，曆法之所以成為中古時代重要的意識形態宣傳工具，乃是其與時間的密切關係。一個政權或者君主，必須說明自己在時間（歷史、現實、未來）裡的角色（必然性、神性、異相、自然）。在中國中古時期，這種說法是：曆法應該合陰陽之數、讖緯之言、經典之說。然而以古今中外的歷史和現實衡量，人類在維護暴力政權的合法性方面，似乎並未有顯著的區別。」參見孫英剛：《無年號與改正朔：安史之亂中肅宗重塑正統的努力——兼論曆法與中古政治的關係》，《人文雜誌》，2013年第2期，頁76。

32 「己卯，以星文變異，上禦明鳳門，大赦天下，改乾元為上元。追封周太公望為武成王，依文宣王例置廟。」見《舊唐書》卷十《肅宗本紀》，頁259。《改元上元赦文》：「自古哲王，恭承景命，莫不執象以禦宇，歷時以建元，必當上稽乾符，下立人極者也。朕承累聖之鴻業，紹大中之寶位。胡孽干紀，王師尚勞。乾乾之心，豈忘鑒寐。一物失所，每軫納隍之憂；萬邦未寧，深懷馭朽之懼。賴上元垂福，宗廟降靈，百辟卿士，同心戮力。方冀干戈載戢，區宇乂安。每勵躬帝圖，常取則于天道。屬天人葉紀，景象垂文，爰遵革故之典，將契惟新之命。義存更始，庶有應於天心；澤被無私，宜載覃於率土。可大赦天下，改乾元三年為上元元年。」

33 參見孫英剛：《無年號與改正朔：安史之亂中肅宗重塑正統的努力——兼論曆法與中古政治的關係》，《人文雜誌》，2013年第2期。

下令去年號，改正朔，使用王號紀年[34]，王號紀年的出現，都發生在諸雄逐鹿中原之際，天下未定。自己則肩負統一天下、革故鼎新的開創或中興偉業。而對於肅宗而言，或許更為重要的，「王號紀年與歷史上理想的周朝聯繫在一起，採用王號紀年，乃是存復古的企圖，恢復周朝文物制度，以周朝的裝飾之具，證明自身統治的合法性。」[35]肅宗靈武繼位後，身處於複雜的內外政治環境，其中，與唐朝以往帝王很顯要的一點不同在於，在安史叛軍猖獗恣肆的打擊下，他亟需重塑李唐政權。因此，肅宗在年號問題上的異於尋常之舉，一方面相對於玄宗，強調立命革新之意[36]，另一方面，相對於安史叛軍，強調自身政權的正統性和唯一性。[37]

總的看來，安史之亂時期，雙方力量充分利用天象因素，對於祥瑞災異現象的關注與引導、甚至是製造假的祥瑞現象，都是基於最大程度地發揮它的政治作用，最大程度地證實自身執政的合法性，以及最大程度地安穩政治秩序。所謂之祥瑞，從來不是淩駕於政治之上的，而是君主基於自身的統治立場而作出的政治選擇。因此，統治者對於祥瑞既有信仰，也有利用，既心存敬畏，同時又要為政治謀，克服內心的畏懼去改造祥瑞。而其中一個重要的關捩點在於，統治者是否扮演歷史的主體，或者說在意識中是否欲圖扮演歷史的主體，由此才能從天下出發，對於祥瑞，經歷一個追隨、信仰、盲從，再到左右它、主導它的過程。無論是玄宗肅宗，還是安史叛軍首領，都對祥瑞存有信仰甚至迷戀，但多數最後都成為了祥瑞的創造者和引導者，而對於祥瑞的複雜態度以及認知的過程又在某種程度上激發了統治者走向歷史的自覺，到最後陰陽五行思想被撼動、祥瑞讖緯也被改造。或許，中古政治就是在這樣一種犬牙交錯、互寄互生的關係中，由「神治」向著「人治」邁進。

---

34 上元二年（西元761年）「九月壬寅，大赦，去『乾元大聖光天文武孝感』號，去『上元』號，稱元年，以十一月為歲首，月以鬥所建辰為名。賜文武官階、勳、爵，版授侍老官，先授者敘進之。停四京號。」見《新唐書》卷六《肅宗本紀》，頁164。另，上元二年九月肅宗《去上元年號大赦文》雲：「欲垂範而自我，亦去華而就實。其乾元大聖光天文武孝感等尊崇之稱，何德以當之？欽若昊天，定時成歲，春秋五始，義在體元。惟以紀年，更無潤色。至於漢武，飾以浮華，非昔王之茂典，豈永代而為則。三代受命，正朔皆殊，宗周之王，實得天統。陽生元氣之本，律首黃鐘之尊，制度可行，葉用斯在。自今已後，朕號唯稱皇帝，其年但號元年，去上元之號，其以今年十一月為天正歲首，使建醜建寅，每月以所建為數。」

35 孫英剛：《無年號與改正朔：安史之亂中肅宗重塑正統的努力——兼論曆法與中古政治的關係》，頁73。

36 包括中央政體改革、人事變更、廢棄年號、曆法改易等。

37 但同時，問題的另一面則是，肅宗對於天命之說過於沉浸其中。所以，在人員的運用、政策的制定上，往往受其限制或影響，甚至宰相中有類似於王璵之流，「以祭祀妖妄致位將相」者。參見《舊唐書》卷一百三十《王璵傳》，頁3618。

略談韓愈「以文為戲」的戲謔文

歐陽嘉明　張偉保

南京大學，澳門大學

一　引言

韓愈（西元768-824年），字退之，河陽（今河南孟縣）人。其父韓仲卿做過縣令，雖官卑職微，但聲名甚佳。叔父韓雲卿、兄韓會，都曾受李華、蕭穎士影響，傾向於古文寫作，並負有盛名。因此，韓愈一方面渴望透過科舉考試躋身於上流社會；另外在文學寫作方面，則「非三代兩漢之書不敢觀，非聖人之志不敢存」[1]。韓愈成年後赴京趕考，四舉於禮部才中進士，惜三試於吏部卒無成，二十九歲始以幕僚身分登仕途。[2]韓愈貞元十八年授四門博士，後兩度因上書言事而被貶，其中因諫迎佛骨而差點被憲宗所殺；穆宗時歷任國子監祭酒、吏部侍郎等要職。直到晚年，他的仕途才稍為順達，但身體情況卻大不如前了，卒於五十七歲，謚號「文」，故又稱韓文公。

年輕時，韓愈便堅持以古文進行創作。他勇於創新，不受題材的限制，萬事皆可入文。他於散文各體皆擅，文章往往集議論、抒情、記敘一身，情感豐富厚重，氣勢磅礴，邏輯嚴密。韓愈的散文作品可簡單分為五類：議論文、贈序文、寓言小品、祭文、戲謔文。現以韓愈的戲謔文進行賞析，探討其散文背後所蘊含的情感與意義，讓大家認識當時社會的問題。

二　「以文為戲」的淵源與發展

「以文為戲」的內涵，即文章以幽默抒情的方式來言志。戲謔文在韓愈之前已有，最早可追溯到先秦諸子的散文當中，其中以《莊子》尤為突出。《莊子》的寓言多用俳諧的手法來諷刺一些社會不得當的現象，同時，莊子也借助這種方式，來抒發自己的情志，達到放言無忌的效果。[3]戲謔文的誕生對於後世散文的多樣性發展和文學自覺發展都有著巨大的影響，但由於受到儒家文學思想的影響，戲謔文一直都得不到重視。直到

1　韓愈：《韓昌黎文集校注》上海：上海古籍出版社，1986年，頁190。

2　譚家健：《中國古代散文史稿》重慶：重慶出版社，2006年1月，頁313-314。

3　王婧文：〈略論韓愈散文中的「以文為戲」〉，《遼寧教育行政學院學報》，2013年，頁105-107。

六朝，文學界的氛圍開始發生變化，戲謔文才開始獲得較大的發展，出現了袁淑《雞九錫文》、沈約《修竹彈甘蕉文》、韋琳《䱉表》（均見李兆洛《駢體文鈔》卷三十一）等一系列作品。到了唐代，「以文為戲」的作品大大增加，韓愈、柳宗元的作品尤多，而韓愈則是起到了承上啟下的作用，將戲謔文的內容範圍與深度都大大擴展，使得戲謔文逐漸走進大眾的視線裡，也有了更多的戲謔文作品出現。到了宋代，這種俳諧傳統更是得到進一步的弘揚，有學者統計宋代的戲謔文多大一百五十餘篇。

戲謔文的作品五花八門，類型眾多，但總的來說，大致分為兩大類，即擬體與假傳。從時間的角度來看，擬體出現的時間較早，前面所提的袁淑、沈約的作品已是較為成熟的擬體文；而假傳的誕生則遲至韓愈的《毛穎傳》的完成。從二者關係來看，韓愈的假傳之作，是受到了擬體文的影響，並加以創新、擴展而得出的，就如葉夢得所言：「韓退之作《毛穎傳》，此本南朝俳諧文《驢九錫》《雞九錫》之類而小變之耳。」但擬體與假傳又有本質上的區別。擬體僅將事物擬人化，再加以奏表封賜或彈劾繳駁，以擬人的形象化為有意所指的官場片斷，從嬉笑中諷刺現實；而假傳則沿襲了《史記》的特點，以人物傳記的形式進行書寫，交代描寫物件的重要人生軌跡，從身型大小、籍貫、家族世系一直到官職升降、立朝大節，件件入文，亦莊亦諧。[4]

三　「以文為戲」在韓愈散文中的體現

在韓愈之前，戲謔文並不被重視，因為文學作家受傳統儒家文學思想的影響，認為這樣的戲謔文難以承載嚴肅沉重的內在情感，只能夠用以遊戲人生，博眾人一笑而已。但到了韓愈手裡，戲謔文卻被改頭換面。其戲謔文往往「醉翁之意不在酒」，意在言外，寓莊於諧，讓人在捧腹大笑的同時又不自覺地陷入沉思。韓愈是借用幽默的形式來表達諷刺的意味。也正是從一篇篇的戲謔文中，世人才瞭解到韓愈個性活潑和富有想像力的一面，也充分體會到韓文的新奇特性，甚至逐漸揭開社會繁榮面具下的腐爛面孔。

這類文章除了有《毛穎傳》、《送窮文》、《祭鱷魚文》、《試評大理評事王君墓誌銘》、《進學解》，還有《貓相乳》、《賀徐州張僕射白兔書》、《雜說三》、《原鬼》、《獲麟解》、《訟風伯》、《應科目時與人書》、《送李愿歸盤谷序》、《石鼎聯句詩序》、《潮州祭神文》、《袁州祭神文》、《祭竹林神文》、《祭湘君夫人文》、《衢州徐偃王廟碑》、《南海神廟碑》、《柳州羅池廟碑》、《論佛骨表》、《賀慶雲表》、《奏汴州得嘉禾嘉瓜狀》、《賀太陽不虧妝》、《為宰相賀白龜狀》等二十幾篇。[5]這些文章的優劣高下大抵取決於作者人生感受、生活情感投入的深淺。這一類「以文為戲」的散文無論使從思想內容上還是在表現

4　侯體健：〈複調的戲謔：《文房四友除授集》的形式創造與文學史意義〉，《學術月刊》，2018年。

5　市川勘：《韓愈研究新論：思想與文章創作》臺北：文津出版社，2004年，頁158。

技巧上，都達到了新的文學高度。但這類帶有詼諧性或遊戲色彩的散文，卻被裴度指責為「持其絕足，往往奔放，不以文立制，而以文為戲」(《寄李翺書》)，甚至他的門人張籍也說是「戲謔之言」「有累於聖德」。[6]而這種反對之聲的出現，卻是韓愈提倡「文以明道」所帶來的負面作用。實際上，文學並不單單是用來明道的，其自身的藝術審美價值和愉悅身心的娛樂價值，都是不容忽視的。這些價值一方面可以給予作者抒發內心真情實感的空間，另一方面也讓讀者在樂與悲的情緒中得到對生活、人生的啟發。

下文將通過分析《毛穎傳》、《送窮文》、《祭鱷魚文》、《試評大理評事王君墓誌銘》、《進學解》五篇較具代表性的文章，並結合其作品的創作背景，來賞析韓愈戲謔文的思想感情以及藝術手法。

《毛穎傳》的構思新穎奇特，表面上是傳記體裁，實則採用了寓言文體，將毛筆擬人化。此文章故意仿效《史記》傳記筆法和口吻，將物件的客觀事實說明化作為對人物身世的生動描述，看似寫人，實則寫筆，讓讀者在嘻笑與新奇感中悟出其中的寓意。文章分為三部分，第一、二段為第一部分，重點敘寫毛穎的家世。第一段，以「毛穎者，中山人也」[7]為開頭，敘述毛穎先世由賜封於卯地的順境轉化為被敵人殘害的逆境，暗扣筆毛源於兔。第二段借秦將蒙恬圍獵獻俘一事，暗寓蒙恬造筆，文中的「遂獵，圍毛氏之族，拔其豪，載穎而歸，獻俘于章臺宮，聚其族而加束縛焉。秦始皇使恬賜湯沐，而封諸管城，號曰管城子，日見親寵任事。」更是處處雙關毛筆，以秦始皇用沾墨的毛筆指點江山化成。文中的第三、四段為第二部分，重點敘寫毛穎被皇帝重用與拋棄。第三段寫毛穎善書記，得到了國人的推崇與皇帝的重用，暗指毛筆的用處，而其中的「穎與絳人陳玄（墨）、弘農陶泓（硯），及會稽褚先生（紙）友善，相推致，其出處必偕」，則向讀者給出提示，暗示毛穎是筆不是人。第四段寫毛穎因「上見其髮禿，又所摹畫不能稱上意」而落得「因不復召，歸封邑，終於管城」的下場，意謂毛筆禿而不能寫。第三、四段通過對比毛穎被拋棄前後的親疏，深刻地揭露出統治階級對人才用完即棄的醜惡嘴臉，表現出皇帝的薄情寡義。第五段是文章的第三部分，也是總括全文主旨的段落。第五段的總結刻意模仿《史記》中「太史公曰」，表面上是在評價毛穎的歷史功績，但更主要的是對自身遭到疏遠抒發感歎。「穎始以俘見，卒見任使，秦之滅諸侯，穎與有功，賞不酬勞，以老見疏，秦真少恩哉」，是對毛穎功成後被冷落的遭遇表示同情，更是嘲諷統治者利用和冷落知識份子的歷史現象。意在言外，作者有意抒發自己忠心不被理解的鬱悶情緒，因為《毛穎傳》寫於貞元十九年後，在此之前，他經歷了政治生涯中的第一次被貶南去。當時，他因關中大火，憂心百姓的生活，而上疏《御史臺上論天旱人饑狀》，結果被德宗貶謫陽山，這讓他感到憤慨難抑，感覺一片真心錯付，而這種情緒也表露在《毛穎傳》中。

6　駱玉明：《簡明中國文學史》上海：復旦大學出版社，2004年11月，頁187。

7　韓愈：《韓昌黎文集校注》上海：上海古籍出版社，1986年，頁631-635。

此文在結構上也頗具特色，對毛穎身世、遭遇的安排，都是曲折離奇的，引起讀者的好奇心而帶出文章主旨，有著小說的某些特性。文章巧妙地集議論、抒情、敘事、說明於一身，使得文章安排得長短有致，富有變化，且不失章法，變中有序。韓愈的《毛穎傳》是繼承並發展了南朝袁淑以來的諷刺手法。袁淑會把驢、豬、雞等動物擬人化，再借用加九錫文的形式，歌頌這些卑賤之物的所謂「功德」，來影射當時官場上的黑暗與醜態。而韓愈就借用毛筆從被重用到被拋棄的過程，喻為知識份子鞠躬盡瘁後慘遭冷落的現象，其藝術含量、美學效應和對後世的影響程度都遠遠超越了袁淑。[8]此文如此優秀，自然招來了批評與攻擊，但柳宗元卻在這種情況下為韓愈辯護，其在《讀韓愈所著〈毛穎傳〉後敘》說：「世人笑之者，不以其俳（戲謔）乎？而俳又非聖人所棄者。詩曰：善戲謔兮，不為虐兮。太史公書有滑稽列傳，皆取乎有益於世者也。」柳宗元這一段話不但說明了韓柳之間惺惺相惜的友情，而且肯定了戲謔文的文學價值和美學效應，一定程度上提高了世人對戲謔文這種題材的關注和嘗試，促使戲謔文的發展以及擴展了散文表達的範圍。

《送窮文》寫於元和六年（西元811年），為韓愈在河南令任上所作。韓愈自貞元八年（西元792年）中進士以來，政治生涯一直都是坎坷不順，甚至被貶陽山；生活上則是病痛與飢餓纏身，親人陸續離世，這與其光大門第、改善家境的理想出入太大，內心的鬱悶不忿日益聚積。《送窮文》更多是借與「五窮」的對話，引出身上的五種「禍患」，揭示了當時士人生存的窘境──道義才華上之「富有」與經濟機遇上之「窮乏」之間的衝突，表達了自己不被賞識的無奈。

傳說「高陽氏子好衣弊食糜。正月晦日巷死。世作糜棄破衣，是日祀於巷曰：送家鬼」，而唐時的確有送窮之風，「萬戶千門看，無人不送窮」，可見一時之盛。韓愈的《送窮文》就是在送窮之日寫下的，但此文章的內在含義卻富有新意，是從儒家的「君子固窮」觀念出發，表達出「自身物質上貧困，但精神上富有」的主旨。

《送窮文》的構思和寫法借鑑了楊雄《逐貧賦》、班固《答客戲》等文章，只不過楊所逐為經濟上的貧窮之鬼，而韓所逐為仕途窮困失意之鬼。[9]韓愈在文章虛設一「主人」具柳車草船送窮鬼離開，反遭五鬼嘲諷其行為是「小黠大癡」這一主要情節，借責罵「智窮」、「學窮」、「文窮」、「命窮」、「交窮」五鬼的迷惑，使其變得「矯矯亢亢」、「傲數與名」、「不專一能」、「影與形殊」、「磨肌戛骨」，不合世俗潮流，大吐生活貧困潦倒的苦水，抒發內心的鬱悶與不平。[10]五鬼聽罷卻哄堂大笑，以滑稽的方式道出一番堂而皇之的大道理，「人生一世，其久幾何，吾立子名，百世不磨。小人君子，其心不

8　譚家健：《中國古代散文史稿》重慶：重慶出版社，2006年1月，頁319-320。

9　譚家健：《中國古代散文史稿》重慶：重慶出版社，2006年1月，頁316。

10　韓愈：《韓昌黎文集校注》上海：上海古籍出版社，1986年，頁635-638。

同，惟乖於時，乃與天通。攜持琬琰，易一羊皮，飫于肥甘，慕彼糠糜。天下知子，誰過於予。雖遭斥逐，不忍於疏，謂予不信，請質詩書。」人生短暫，若只將有限的時間精力投放在腐朽心靈的榮華富貴上，而放棄了可以百世流傳的名聲，那就是做了一個「撿了芝麻丟了西瓜」的愚蠢決定。五鬼不因「主人」被貶斥而疏遠他，那「主人」也不該因為窮而拋棄五鬼。最終，「主人」若有感悟，不但不送五鬼走，還以貴賓之禮相待，「延之上座」。

《送窮文》名為「送窮」，實則是「留窮」，字裡行間流露的都是以「窮」為豪。文章仍用正語反說手法，寓莊於諧，遊戲語調與凝重情節形成反差，諷刺效果呼之欲出，抨擊了庸俗的人情世態，表達了自己不當窮而窮的憤懣，最後以幽默的態度得出孔子「君子固窮、小人窮斯濫矣」的教訓，以求得心裡壓力的釋放。語言上，本文用語生動有趣、形神兼備，頻出新詞，如「面目可憎，語言無味」、「蠅營狗苟」、「垂頭喪氣」。結構上，情節波瀾起伏，讓人意想不到，似賦而非賦，是體現韓愈奇崛風格的代表作品之一。

《祭鱷魚文》是一篇特別的祭文，因為其寫作對像是動物鱷魚。在當時，韓愈因《諫迎佛骨表》而幾乎被憲宗賜死，幸得裴度救援才被貶為潮州刺史。韓愈雖然對再次被貶南方的遭遇感到悲憤，但到任後仍會積極解決民生問題，而除鱷魚之患便是其到潮州後的第一件大事。因嶺南淫祀的風俗，韓愈須要先「祭」一下鱷魚，才可開展驅除鱷魚行動，於是寫了這一篇《祭鱷魚文》。

《祭鱷魚文》一文共有四段。第一段是從歷史發展角度說明帝王的功德厚薄與鱷魚長期肆虐的情況有關。韓愈表明如果帝王有功德威名，那他管治國家就會易如反掌，因為人民會愛戴他，鄰邊國家會敬重他，所以國家繁榮昌盛，邊境並無襲擾；反之，若帝王功德薄，得不到民心的支持，那就算他有無邊的疆域，最終也會被敵人輕而易舉地攻佔。簡而言之，先王有德威而能除「惡物」，後王德薄而惡物「涵淹卵育」。韓愈這一番議論似乎是喻指唐王朝在安史之亂前後勢力變化的原因，諷刺含蓄，也為下文作下了鋪墊。第二段一開頭則陡然折筆回鋒，展開堂堂之陣，說明社會狀況已今非昔比，天子有著「神聖威武」，鱷魚已完全喪失了在潮州肆虐的依據。而後，以「禹跡所揜」點名潮州的地理位置重要性，再表明刺史有按時繳納貢賦的責任，因此鱷魚應該離開潮州，不得侵擾潮州百姓的生活，吞食百姓的畜牲和莊稼。字字躍動，文章氣勢隨著詞語節奏、語調不斷加強，顯得依據雄辯有力，句句在理。第三段韓愈則以刺史的身分，歷數其「睅然不安溪潭，據處食民、畜、熊、豕、鹿、獐，以肥其身，以種其子孫；與刺史抗拒，爭為長雄」的罪狀，最後表明立場，「刺史雖駑弱，亦安肯為鱷魚低首下心」、「固其勢不得不與鱷魚辨」，鮮明地表示了其除鱷魚的決心。[11]在這一段文字中，韓愈反覆

11 韓愈：《韓昌黎文集校注》上海：上海古籍出版社，1986年，頁640。

表示對抗惡勢力的堅定立場，意在諷刺那些屈服在惡勢力的膽小懦弱之人。經過前兩段的待之以禮、曉之以理後，第四段便開始淩之以威、繩之以法。韓愈以「鱷魚有知，其聽刺史言」開始，對鱷魚鄭重而嚴肅地下最後通牒，正式宣佈驅逐鱷魚的的命令。先是勸其離開，「潮之州，大海在其南。鯨、鵬之大，蝦、蟹之細，無不容歸，以生以食，鱷魚朝發而夕至也」，再給出寬容的期限，否則「刺史則選材技吏民，操強弓毒矢，以與鱷魚從事，必盡殺乃止」。[12]此段落在行文上總括全文之意，其中的「殺」字表現出作者驅逐鱷魚的果斷與堅定，大大增強了文章主旨中的正義意蘊。另外，結尾的「其無悔」三個字猶如在字面上有著盪氣迴腸之感，同時作者無畏無懼的刺史形象躍然紙上。單單三個字就將全文的氣勢提高到另一個境界，隨即結束全文，戛然而止，讓讀者對文章後續留有幻想。

此文的文章體裁、描寫對象都一反既往，讓人耳目一新，而用語義正詞嚴，氣勢淩厲，是體現韓愈「氣盛宜言」文學理論的實踐。韓愈寫《祭鱷魚文》，一方面是出於對嶺南淫祀風俗的考慮，另一方面則是借題發揮，反映現實中的陰暗面。現實生活中，比鱷魚更兇殘、醜惡的事物多得是，而韓愈在文章有意所指的便是安史之亂以來的藩鎮首領以及貪官污吏。這些官僚以權謀私，魚肉百姓，挑戰正統天子的權威，陷國家於無盡的戰亂動盪之中。因此，這篇所謂的「遊戲之文」，顯然有著鮮明而深刻的主題貫徹全文，以小見大，既能含蓄地表達出作者內心的想法，又能避免遭到朝廷中人的報復、詆毀。

然而，世人還是對此文頗有微詞。在《舊唐書》中，除了節錄了《祭鱷魚文》，還記載了韓愈宣讀《祭鱷魚文》後的效果，「咒之夕，有暴風雷起於湫中，數日，湫水盡涸，徙於舊湫西六十里，自是潮人無鱷患」，這就使得韓愈的《祭鱷魚文》帶有了詭異色彩，讓世人認為韓愈的文章在妖言惑眾，如王安石就曾經批評韓愈「詭怪以疑民」，這樣的批評至今不絕。[13]實際上，韓愈當然並不指望憑一紙文書來驅逐鱷魚，他在文章就提及到會以「選材技吏民，操強弓毒矢，以與鱷魚從事」來驅逐鱷魚，另外還有一個實施措施就是築堤，而「湫水盡涸，徙於舊湫西六十里」，或許指的就是堤成後水源斷絕。至於詭怪色彩，開始只是民間傳說，後來被記錄在書面上，便被人誤會了。

《試評大理評事王君墓誌銘》，則完全打破了傳統墓誌銘格式和寫作，莊諧並陳，將戲謔色彩融入嚴肅莊重的文章當中，並通過點滴瑣事構建出墓主的人物形象，詳略得當，成為了傳記文學中的一流作品。墓主王適一生中無論是政治生涯上，還是文學成就上，並無非說不可的成就。但韓愈的撰寫墓誌銘特點之一就是能夠在墓主的一生中找出閃光點，並進行側重式寫作，而韓愈在《試評大理評事王君墓誌銘》就是單單抓住了王

12 韓愈：《韓昌黎文集校注》上海：上海古籍出版社，1986年，頁641-642。

13 閻琦，周敏：《韓昌黎文學傳論》西安：三秦出版社，2003年1月，頁177-178。

適的「懷奇負氣」這一特徵來突出其一生的成就。作者通過記敘王適「緣道歌吟，趨直言試」、登門拜見李將軍並自稱「天下奇男子」、「載妻子入閿鄉南山不顧」三件事，突出王適的「奇」和落拓不羈的性情特點。在拒絕強藩的「鉤致」的這一情節，則表明王適是一個是非分明、注重名節的人。作者還通過他任鳳翔觀察推官後「民獲蘇醒」的情節，營造出王適盡忠職守、專幹實事的人物形象。若只是從正面的角度表現王適的「奇」，寫到死於某年某日就可以結束全文了，但文章後半段竟還附錄了王適青年時騙婚的故事。侯公之女，必嫁官人，王適和媒嫗合謀，作假文書銜於袖中，侯公深信不疑，王適得女為妻。這一段有關王適私生活的軼事記敘，突破了以往墓誌銘只敘死者「嘉言善狀」、文字典雅莊重的傳統，雖似乎有損墓主的光輝形象，但這種亦莊亦諧的「出格」筆墨，更為王適的人物形象添上譎狂豪俠的色彩，也算是全文的點睛之筆了。[14]該墓誌銘是以「銘曰」為結尾的總結，而「佩玉長裾，不利走趨。只繫其逢，不繫巧愚。不諧其須，有銜不祛」，一方面肯定王適身上有著美好的品德與才華，另一方面也表達出作者對王適懷才不遇的慨歎與不平，同時也在影射自己一生的遭遇，自我寬慰。這一段議論讓人聯想到司馬遷《史記》人物傳記結尾的「太史公曰」，表明了韓愈在人物寫作方面有意繼承與發展《史記》的寫作手法。

《試評大理評事王君墓誌銘》是寫於元和九年（西元814年），而韓愈正值事業的上升期，短短三年之間，他由國子博士而比部郎中、史館修撰，而考功郎中、知制誥，受到了憲宗的重視和提拔。正處於仕途順逐的韓愈，在其文章創作中開始回顧自己前半生的坎坷遭遇，感慨人生，同時暗中批評當時選拔人才制度的不足，而此文結尾的議論也印證了這一觀點。聲名大噪的韓愈在這一階段應人之請而寫了很多墓誌銘，甚至皇帝也命他為功臣撰碑，見《魏博節度觀察使沂國公先廟碑銘》。[15]當然，其中也有不少的「諛墓」之作，但也不乏栩栩如生的傳記之作，反映著韓愈對那個時代的獨特見解，流露著他內心深處最真摯的情感，如《柳子厚墓誌銘》。而這一篇銘文還融入俳諧傳統，更是讓人耳目一新。

在元和八年，韓愈復任國子博士。對韓愈來說，自有才學高深，卻兜兜轉轉二十載，仍未能任職於朝廷政治的中心，為國家政事出一分力，實現抱負，還屢次遭到貶斥。心有不憤的韓愈便創作出《進學解》來自喻，尋求自我安慰。而當時的宰相看到這一文章後，十分同情韓愈的遭遇，還肯定了他在史學方面的才識，於是調任韓愈為比部郎中、史館修撰，韓愈的仕途也是從那時開始轉好。

《進學解》一文模仿東方朔的《答客難》以及楊雄的《解嘲》，假借師生對答，抒發懷才不遇的牢騷，並加以譏刺時相，顯得滑稽風趣又不乏深意。全文大致分為三大部分，第一段寫國子先生勉勵弟子要在「業」與「行」兩方面刻苦努力，「業精於勤，荒

14 譚家健：《中國古代散文史稿》重慶：重慶出版社，2006年1月，頁321。

15 閻琦，周敏：《韓昌黎文學傳論》西安：三秦出版社，2003年1月，頁141-142。

於嬉；行成於思，毀於隨」，正面得出「只要業精行成，就不患有司之不明不公」的結論。[16]這一段話是全文的題冒，總領全文，引出下文。第二大段則筆鋒一轉，弟子就國子先生的坎坷經歷質問先生：先生在「業」與「行」兩方面均有所成就，何故「命與仇謀，取敗幾時。冬暖而兒號寒，年豐而妻啼饑。頭童齒豁，竟死何裨」呢？[17]先生都如此了，何以教誨弟子？這一段的構思、寫作繼承了東方朔、楊雄的手法，運用大段的文字進行鋪排，先生是如何勤奮學習、修養身心，又是如何勞而無功，表面上是在自嘲，實則是在自誇。[18]這一段生徒之間的對話，其實是韓愈對於時勢的不公所發出的「不平而鳴」，發洩心中怨恨。第三大段則是先生對弟子的解答。此段落先以工匠、醫師為喻，說明宰相之責在於兼收並蓄，量才用人；再以孟子荀卿為例子，如此偉人尚且不遇於世，何況是「學雖勤而不繇其統，言雖多而不要其中，文雖奇而不濟於用，行雖修而不顯於眾」的自己呢。全是正話反說，將自身的困頓人生歸咎於命運，藉以自慰，多有無奈之意。實際上，這裡關於宰相的言論是有意而為之，表明自己「投閒置散，乃分之宜」的不平之鳴。這種表達一方面抬高宰相的任用人才能力，另一方面則暗示了自己所處職位之不當。言外之意則是希望宰相對韓愈加以賞識，調其職位。

《進學解》以問答形式抒發懷才不遇的悲憤，但也在顯示自己超高的文學才能，所以既使人為之動容，又不時有詼諧之感。如個中弟子的嘲笑無禮與先生的諄諄教誨形成強烈的對比，也顯示出先生實處於被動的地位，一反傳統，略有一番滑稽之意，但同時又讓讀者在一問一答的過程中有所感悟。通篇結構簡單，但氣勢與意趣上多有變化，語言上更是多有創新，層出新語，如「含英咀華」、「細大不捐」，句法整齊而又參差，散韻結合，讀來琅琅上口。由此，《進學解》是韓愈「氣盛言宜」、「不平則鳴」文學理論的實踐作品之一。

四　韓愈戲謔文的意義

（一）擴展了戲謔文的表達功能，賦予了戲謔文承載更多作者情感的能力

韓愈的戲謔文雖立於「俳諧」一詞之下，但也傾注了他內心的憤懣、孤獨、鬱悶情緒，即借用遊戲的筆墨宣洩出不便用嚴肅文學表達的內容，以起到掩飾的作用。韓愈一生所遭遇的挫折、打擊多不勝數，在其仕途生涯上則是如履薄冰，看盡人情冷暖，在其親朋交往上則多有離別，終日孤獨為伴。但有著超強自我調整能力的韓愈，認為沉溺於

16 韓愈：《韓昌黎文集校注》上海：上海古籍出版社，1986年，頁50。
17 韓愈：《韓昌黎文集校注》上海：上海古籍出版社，1986年，頁52。
18 譚家健：《中國古代散文史稿》重慶：重慶出版社，2006年1月，頁315-316。

「詩書皆欲拋，節行久已惰」實為不妥，便醉心於學問、文章的研究與創新，以此排解心中的抑鬱與悲憤。由此，戲謔文的自我解嘲、怪怪奇奇最能見韓愈真性情、真面目。其戲謔文就細事入文，甚至結合無中生有之想像，以俳諧為容器承托著嚴肅的思想內容和深沉的情感內涵，而喜與悲的強烈反差感則讓讀者以其情為己情，感同身受，也成就了一篇篇的戲謔文佳品。而這種寫作手法是韓文的一大創新。

（二）有效實踐了韓愈文論中「不平則鳴」的文學理論

在文學自覺不斷走向成熟的大背景下，韓愈確切地提出，文學是作家表達思想感情與內在期望的方式。「不平則鳴」指的是一種積極地對現實生活的干預，是對不合理現象的合理抗爭，更是為心中的「鬱結」找到一條宣洩的途徑。[19]韓愈的每一篇戲謔文中都帶有一個明確的中心主旨，針對某一社會現象，抒發其內心最真摯的情感，發表對其議論與想法，而並不是當作一篇純粹的文章寫作，空洞無物。這也跟韓愈宣導古文運動的基本原則相一致。韓愈在古文運動中雖反對駢文，但他不認同的是駢文的內容空洞、情感缺乏，而不是形式、修辭上的藝術美。總而言之，帶著微笑面具發表鏗鏘有力的言論，比辭嚴義正的文章，也許更加震撼人心，發人深省。

（三）「以文為戲」的戲謔文對韓文的新奇風格也有一定的影響

對於前人的優秀文學作品，韓愈始終秉持著「繼承與創新」的觀念進行借鑑與學習。韓愈的戲謔文在繼承南朝袁淑等的擬人化寫作方式基礎上，還創作出主客問答式的文章構思。就如《送窮文》是借送窮文這一民間風俗來發牢騷的遊戲之文，體現了韓愈的構思上的「奇」；再如《進學解》中，韓愈假託學生之口提出質疑，再跳出來為自己辯解，從自嘲式的語言中表現出作者懷才不遇的無奈，以及對朝廷不識人才的譏諷。

韓愈的戲謔文雖不是占其散文的大多數，但也是不可忽視的一個文章類型，具有深入研究的價值。其戲謔文的構思奇、情感真等方面的創新，都對後世散文、小說的發展，乃至對中國文學史的發展都有著舉足輕重的影響。

---

19 王婧文：〈略論韓愈散文中的「以文為戲」〉，《遼寧教育行政學院學報》，2013年，頁105-107。

長慶之流風，喪亂之詩史
——敘事學視角下韋莊、吳偉業的長篇歌行

魯楊泰

北京中國人民大學國學院

韋莊和吳偉業二人，是古代文學史中繼承元稹和白居易之長慶體的品質較高者。長慶體的其中一種類型是通過鋪陳某一人的遭遇，如帝王后妃、歌女舞妓或者平常百姓，以其生平經歷折射朝廷政治的得失和時代的脈動[1]；此類型作品「由白居易〈長恨歌〉、〈琵琶行〉開其端緒，晚唐韋莊有〈秦婦吟〉、吳偉業有〈圓圓曲〉、樊增祥有前後〈彩雲曲〉等」[2]。〈長恨歌〉和〈琵琶行〉已經被不同朝代的學者所討論；樊增祥所處的晚清接近於近代，歷史語境較為複雜；故本文主要討論晚唐的韋莊與明末清初的吳偉業較經典的長慶體作品，以期發現二者的異同，更好地探討和發現長慶體的發展軌跡。

在二十世紀二十至四十年代，失傳一千多年的〈秦婦吟〉作為一篇新從敦煌遺書被發現的文獻，很快成為一個學術熱點，吸引了王國維、羅振玉、陳寅恪等從考據學角度進行研究。新中國成立後至今，有學者從史學角度、思想內容、文體學和女性主義等角度進行研究。因其不存在於古代文人視野中，因此既乏傳承或者流變，亦乏古人對其評論。這使得本研究具有挑戰性，既需要對〈秦婦吟〉進行精確解讀，又亟需拓展對它的研究方向。

相比之下，關於吳偉業作品的研究比較豐富。清代的四庫館臣對吳偉業的高度評價——「其中歌行一體，尤所擅長；格律本乎四傑而情韻為深，敘述類乎香山而風華為勝，韻協宮商，感均頑豔，一時猶稱絕調」[3]，揭示了吳偉業對白居易的接受。上世紀八十年代以後至今，當代學界對吳產生關注，分別從社會層面、內心世界、詩史問題、貳臣問題、梅村體等內容進行了多角度多層次的探討。

開展本研究之前，本文首先要指出兩部作品相似之處：韋、吳二人都以元白體寫作了亂世之世運的長篇歌行敘事，被很多後世學者冠為詩史；此外，二人在歌行敘事中都對女性關注、代女性立言；第三，二者都對俗文學敘事方式有所接受。儘管此二人在很

1　李中華，薛原：〈「長慶體」考辨〉，《光明日報》，2005年2月25日，第6版。

2　同上註。

3　（清）紀昀編：《四庫全書總目・卷173》北京：中華書局，1965年，頁1520。

多寫作特徵上體現了可比性，但是學界尚缺乏將〈秦婦吟〉這篇晚唐繼承長慶體之名作與明末清初吳偉業繼承長慶體的佳作相互觀照，分析異同，這正是本文所做的嘗試。敘事學是研究敘事結構、敘事策略等問題的理論。長慶體是對社會歷史的記述，運用敘事學分析這種文體是合適的角度。本文擬從敘事觀、文體觀、書寫女性等角度進行討論。

一　喪亂世運，史詩書寫和心史書寫

究竟何為詩史？晚唐孟棨最先評價杜甫「杜逢祿山之難，流離隴蜀，畢陳於詩，推見至隱，殆無遺事，故當時號為詩史。」[4]宋人指出：「杜少陵子美詩，多紀當時事，皆有據依，古號詩史。」[5]可見詩歌對時事加以畢陳、實錄是詩史的特點。清人也指出：「古未有以詩為史者，有之自杜工部始；史重褒譏，其言真而核；詩兼比興，其風婉以長。」[6]顯然，按其所言，同時合乎二者特點的，可以概言為「詩史」二字。在清代，吳偉業即被後世學者稱作詩史：嚴榮曰：「梅村之詩，指事類情，無愧詩史」[7]。顧師軾曰：「吾鄉梅村先生之詩，亦世之所謂詩史也」[8]。程穆衡曰：「征詞傳事，遣無虛詠，詩史之目，殆曰庶幾」[9]。而在當代，很多學者也直接將韋莊與「詩史」相關聯，如張美麗《韋莊詩研究》稱其為「唐末社會現實的詩史」[10]，徐樂軍認為「韋莊詩具有『詩史』性，對時代重大事件的關注方面更接近杜詩」[11]。任海天《韋莊研究》稱「從詩中所寫內容與《兩唐書》所記載的史實完全相符這一點來看，〈秦婦吟〉堪稱傑出的詩史」[12]。由此可見，韋莊、吳偉業都憑藉了對末世的深刻書寫，從而被稱「詩史」。

韋莊生於晚唐，赴長安不第，因黃巢起義佔據長安而逃離。吳偉業先後出仕崇禎朝、弘光朝，兩次出仕，兩次下野。明亡後他曾試圖自殺以報崇禎知遇之恩，但因為親人挽留而放棄。清廷注意到他復社名士之聲望，迫使他為官，令他背上了貳臣的罵名。

縱觀二人的生命軌跡，可以看出，大時代給他們的影響不可磨滅。二人都曾身處朝不保夕的亂世，也目睹過戰爭受害者的流離。所謂「窮而後工」，韋莊在自身陷於黃巢佔據之長安作〈秦婦吟〉，用這首鴻篇巨制的長詩來反映起義軍和官軍為百姓帶來的傷痛；吳偉業所作梅村體敘事長詩，尤其是明亡後所作者，往往以小見大，用個人命運系

---

4 丁福保編：《歷代詩話續編》北京：中華書局，1983年，頁15。

5 （宋）陳岩肖著：《庚溪詩話》北京：中華書局，1985年，頁5。

6 （清）施閏章著：《施愚山集》合肥：黃山書社，1992年，頁68-69。

7（清）吳偉業著，李學穎集評標校：《吳梅村全集》上海，上海古籍出版社，1999年，頁1505.

8 同上註，頁1422。

9 同上註，頁1505。

10 張美麗著：《韋莊詩研究》北京：中國社會科學出版社，2010年，頁42。

11 徐樂軍：〈杜詩餘響——論韋莊憂國傷時之詩〉，《貴州社會科學》，2005年第5期，頁142。

12 任海天著：《韋莊研究》北京：人民文學出版社，2005年，頁191。

聯世運興衰，雖然因為懼於清廷、慚於人言等原因而往往有意寫得隱晦含蓄。儘管兩人之詩皆以情感真摯、描寫細緻的長慶體為濫觴，卻具有史詩和心史的不同。

源於二人的生命經歷，韋吳二人記錄世運，在深層的歷史觀上有所不同。〈秦婦吟〉對唐末的戰亂景象做出了細緻的描摹，對百姓遭受的苦難做了詳盡的描述，著眼點在於外部環境。作為一介赴長安趕考之學子，韋莊坦率地對為政者的無能感到痛心，對起義軍感到憤恨，對百姓感到同情。他用客觀的觀察視角觀察外部世界，將自己所有的感情向外磅礴地發射，願意去揚善癉惡，對自己卻無所觀照。所以〈秦婦吟〉花費大量筆墨「如實地記錄了起義軍的氣概之壯……也記錄了起義軍大肆燒殺擄掠的歷史事實」[13]，只在最後借秦婦言提了一句自己將前往江南避禍，將宏大敘事進行收束。

而有史官任職經歷的吳偉業則不然，學者們往往把吳偉業評價徐懋曙詩作的一句「可以謂之史外傳心之史矣」[14]拿來評價吳偉業，認為他的詩包含著「心史」的情懷，是因為吳偉業常常以當時個體的命運作為詩歌的切入點，將個體生命與動盪時局兩相衝突而造成的身世浮沉、勢成騎虎訴諸於其詩。時人，更包括自己之多次不得不面臨去留兩難的抉擇令吳偉業如履薄冰，使其將上下求索的自我書寫融入進了強烈的悲劇體驗。當然，根本原因在於吳偉業自明亡後便一直心懷故國之愧疚——沒有隨崇禎殉國，更不消提自己後來成為貳臣。故而吳偉業之感情未能像韋莊一樣向外散發，而是很大程度上向內探索，以詩歌進行一種自訟或者自寬，體現「自審的嚴酷，與自我救贖的艱難」[15]，從而尋求一種心靈的解脫。這種「心史」創作觀落實在創作上，往往通過象徵而成。梅村體的很多主角的記述描摹，其實都會將吳偉業本人的心曲、經歷、狀態暗藏於其中。如〈王郎曲〉，詩歌借助於描寫、讚美歌伎王稼，實則是在訴說自己內心的痛苦。靳榮藩《吳詩集覽》指出「故『承恩白首』，『絕藝』『盛名』，皆梅村自為寫照……言之長，歌之悲，甚於痛哭矣，而豈真為王郎作傾倒哉？」[16]。又如〈贈陸生〉，今人陳建銘認為，「梅村〈贈陸生〉之辯，於是來得曲折、宛轉，他藉由聲名狼藉者的相互勸慰，竟能以詩自訟；表面不見斧鑿痕跡，背後關山已渡，其辭深隱而多歧義」。[17]

所以，韋吳二人身處末世，戰爭、喪亂令他們都採取了長篇敘事詩這個文體來記錄歷史。長慶體之篇幅較長，又以紀史敘事、刺政得失、敘事平易、婉轉流利、兼備雅俗、以小見大等寫作風格，乃得二人之青睞。不過緣於身分之差異、境遇之差異，二人創作的歷史觀有些微的不同。韋莊的秦婦沒有名字，她既可以被認為是韋莊的個體化身，也可以代表著老百姓這個群體。史詩一般的〈秦婦吟〉，體現了韋莊批判現實的歷

13 張美麗著：《韋莊詩研究》北京：中國社會科學出版社，2010年，頁45。

14 （清）吳偉業著，李學穎集評標校：《吳梅村全集》，頁1206。

15 趙園著：《明清之際士大夫研究》北京：北京大學出版社，1999年，頁14。

16 （清）靳榮藩著：《吳詩集覽·卷五下》凌雲亭藏版，乾隆四十年（1776），頁8。

17 陳建銘：〈廣面具說—吳梅村〈贈陸生〉詩的曲折自辯〉，《漢學研究》，2018年第36卷第2期，頁93。

史觀。而吳偉業筆下的主角往往都是一些有才能者，也都是有名有姓，真實存在的人物，他們有才卻不能力挽狂瀾。以這些人為主角的敘事，一方面記錄了世運的衰頹，另一方面象徵了吳偉業自己貳臣的矛盾心曲。

二　文體創新，引進俗體的小說敘事和戲曲敘事

如果說以長篇歌行來記錄世運是韋吳二人取法杜甫、白居易；以女子為發聲主體，是因為二人繼承並發揚了〈邯鄲宮人怨〉、〈上陽白髮人〉等詩的傳統；那麼二人詩中複雜的敘事結構，應被認為是他們廣泛吸取了俗文學的長處。當然，歌行一體由於其本自樂府的出身，已有「俗」相，但究竟是詩之一脈，故而尚算「雅」。較雅的文學吸取較俗文學的長處，例如將詞入於詩，將曲入於詩，在古代觀念下，往往不被認為合乎時宜，但在現代看來，這種文體融合是一種創新，給這些文體注入了嶄新的生命活力，是值得肯定的。

〈秦婦吟〉對小說的接受，一是體現在敘述層次。「一部作品可以有一個至幾個敘述層次，如果我們在這一系列的敘述層次中確定一個主敘述層次，那麼，向這個主敘述層次提供敘述者的，可以稱為超敘述層次，由主敘述提供敘述者的就是次敘述層次。」[18]這種敘事層次在小說中運用較多，被稱為「中國套盒」（Chinese boxes）。典型如唐傳奇〈古鏡記〉，王度作為作者，在文中提綱挈領，作為超敘述層次，一者，如其聽到了主敘事層次程雄跟他講狐精的故事，而故事中的狐精自說身世，則構成了次敘事層次；二者，如其聽到了主敘事層次豹生跟他講自己以前伺候蘇綽的事，而引出的蘇綽和苗季子占卜交談之事，則構成了次敘事層次。〈秦婦吟〉顯然吸收了這種唐朝開始出現的類似小說的俗文學敘事方法，詩人自身以第一人稱作為一個超敘述層次在開頭引導；秦婦作為主敘述層次自被詩人的敘述聲音引出後，便一直掌握著詩歌的進展。直到結束，詩人的聲音這個超敘述層次再未在表層出現。而秦婦作為主敘述層次，又引出了三個次敘述層次，分別是金天神、老翁、金陵客。結構雖然複雜，卻並不雜亂。

二是〈秦婦吟〉情節敘事中有與小說要素的對應。小說三要素之人物、情節、環境，在〈秦婦吟〉中十分突出。葉聖陶在與俞平伯的信件中敏銳地察覺到：「意謂韋莊此作實為小說，未必真有此一婦；東西南北四鄰之列舉，金天之無語，野老之泣訴，以及兄（俞平伯）所感覺仿佛『（好像納納乾坤，茫茫禹域，）只她一個人在那邊晃晃悠悠的走著，走著』，是皆小說方法」[19]，指出小說主人公秦婦為虛構，四鄰、金天神和野老之情節為虛構，獨行之環境為虛構，這正體現了小說三要素。

---

18 趙毅衡著：《當說者被說的時候——比較敘述學導論》北京：中國人民大學出版社，1998年，頁58。

19 俞平伯：〈讀陳寅恪《〈秦婦吟〉校箋》〉，顏廷亮，趙以武編：《〈秦婦吟〉研究匯錄》上海：上海古籍出版社，1990年，頁147。

張學松研究〈秦婦吟〉與小說之聯繫時指出，「文學發展中，文體之間互相滲透、融合是一客觀現象，不僅詩文互滲，可以『以文為詩』，詩與小說也是互相滲透的」[20]。傳奇小說在唐代繁榮一時，雖然沒有文獻證明韋莊曾創作小說，但是顯然傳奇小說的流行足以讓其對此耳濡目染，從而以小說之筆法入於詩歌之中。

吳偉業的詩同樣具有俗文學的筆法，他的梅村體主要吸收了戲曲的精華，這也得益於他的戲曲創作。對此，葉君遠、李瑄等學者對此有過研究。[21]

一者，一般而言，敘事詩中如果有多個角色，兩性角色分主副搭配較為常見，如〈陌上桑〉、〈孔雀東南飛〉及〈長恨歌〉等。而吳偉業的諸如〈聽女道士卞玉京彈琴歌〉、〈楚兩生行〉和〈琵琶行〉等詩，存在著同性角色分主副的搭配。李瑄指出，吳偉業所用的「同性搭配在以往敘事詩中沒有典型範例，戲曲中卻很常見……戲曲配角通常在性格和敘事功能上對主角加以補充：既是觀照主角的一面鏡子，可凸顯角色特性、避免舞臺單調；又充當溝通主角與外部世界的橋樑。」[22]。最典型如〈聽女道士卞玉京彈琴歌〉中，與卞玉京一樣遭受了不幸命運的諸女子，襯托出了卞玉京與命運抗爭的勇氣。〈楚兩生行〉敘昆曲藝人蘇昆生事，輔以同性說書人柳敬亭為補充，以完善二人之愛國心，表現吳偉業所寄託之心志。

二者，吳偉業詩中往往沒有徵兆地變更發聲主體，如〈圓圓曲〉開頭，作者在敘述吳三桂行狀時，忽然插進一句第一人稱的「紅顏流落非吾戀」[23]，這在古典敘事詩中是難以想像的，因為這意味著吳三桂這個形象的觀點與隱含作者觀點的衝突。再如〈聽女道士卞玉京彈琴歌〉，文本沒有給出任何轉換敘述者的信號，寥寥數語卻從吳偉業這個超敘事層次轉為卞玉京這個主敘事層次進行敘事。其簡略程度甚至需要讀者費一番心思進行構想。其詩作「如此纔足當侯王；萬事倉皇在南渡，大家幾日能枝梧；詔書忽下選蛾眉，細馬輕車不知數」[24]，讀者難以辨別發聲者。〈吳詩集覽〉在「如此纔足當侯王」下言：「此下皆玉京語，先述其初見徐女也，『知音識曲』映合彈琴，『當侯王』引起下文」[25]。然則若沒有靳氏之言，實難以判定「當侯王」下文發聲者是吳偉業還是卞玉京，因為後幾句的南明政權選女一事，明顯可以看出弘光帝對此大操大辦，故兩個人都有知曉並敘事的可能。如果僅從文本考量，「當侯王」一句後，明確發聲者是卞玉京的最有力的證據，已經延至十四韻之後的「我向花間拂素琴」[26]。然而，這種忽然變更

---

20 張學松：〈論中國古代第一篇小說化長詩〈秦婦吟〉〉，《中州學刊》，2006年第6期，頁181。

21 參見葉君遠：〈論「梅村體」的形成和發展〉，《社會科學輯刊》，2005年第1期。李瑄：〈「梅村體」歌行與吳梅村劇作的異質同構：題材、主題與敘事模式〉，《浙江學刊》，2016年第1期。

22 李瑄：〈「梅村體」歌行的文體突破及其價值〉，《文學遺產》，2017年第3期，頁172。

23 （清）吳偉業著，李學穎集評標校：《吳梅村全集》，頁78。

24 （清）靳榮藩著：《吳詩集覽．卷四下》淩雲亭藏版，乾隆四十年（1776），頁17。

25 同上註。

26 同上註，頁19。

發聲主體的情況在戲曲中卻是常見的。因為在舞臺上，角色說話要自由得多，一是他們往往借助定場詩、自報家門、打背躬等方式暫停舞臺上的時間流動、跳出正在進行的事件而與觀眾進行溝通，甚至大發議論；二是在多個發聲主體進行對手戲時，如同現實意義上的交談，發聲主體的轉換是可以沒有徵兆的，便不需要像傳統意義上的書面文本一樣暗示或明示其變更。

另外，韋莊的小說體敘事和吳偉業的戲劇體敘事還分別體現在二人對時空轉換的不同運用。總體而言，時間在他們的詩篇中的地位是遜於空間的。分而談之，韋莊試圖以一種純粹弱化的態度對待時間，而吳偉業試圖進一步打破時間敘事的束縛從而進行自由敘事。

〈秦婦吟〉作為一個具有小說意味的敘事文本，所寫唯秦婦一路所見，使得韋莊有足夠的筆墨花費在轉場上。雖然詩中提到了時間跨度為三年，但是其以順敘行文，難以讓人體察時間流動。在空間上，秦婦先後出現在家中、俘虜營中、城中、城東陌、霸陵、三峰路、揚震關、新安東，最後到了洛陽。空間不斷地變化，場景不斷地轉換，敘事循序漸進，以空間來表現時間、安排敘事結構、推動敘事進程，使讀者對於不同空間發生的史實印象深刻。這種類似於「板塊」式並列的敘事，即使將秦婦逃出長安後的每一個事件的發生時間調換，不會有損戰亂敘事本身的邏輯。

相比之下，梅村體更具有時間跳躍性。「梅村詩的一大特點在於以敘事為主，附以抒情性筆墨，或順序寫來，或倒敘插敘……間騰挪轉換，點染生發。」[27]《圓圓曲》突出地採取了插敘的手法，令陳圓圓舊時同伴聽聞陳圓圓現狀時又回憶起自己往昔與陳圓圓相處的時光。故，時間和空間在吳偉業筆下是跳躍的，這大抵與他對戲曲的接受脫不開干係。另如〈臨淮老妓行〉，在空間上，吳偉業只花費了「一鞭夜渡黃河宿；暗穿敵壘過侯家」[28]兩句十四字，完成了老妓冬兒從出發地到終點的地點轉換，彷彿戲曲中的轉場。在時間上，老妓在敘事文本中，也只存在兩個年齡，即進行任務的年齡與接受吳偉業詢問的年齡，吳偉業只突出了主要的事件。

由上可知，韋吳二人的長篇敘事詩，分別進行了與小說和戲曲俗文學的文體融合，這增添了文本的敘事複雜度與活力，呼應了〈秦婦吟〉記錄歷史的史詩般的書寫和吳偉業糾結矛盾的貳臣心態的心史書寫，使得二人在記述世運時各有特色。

三　代言發聲，女性敘事和去性別化敘事

女性主義文學家伍爾芙指出，「任何作家在寫作時只想到自己的性別是致命的，做

27 尚永亮：〈論吳梅村對元白長篇的創作接受——兼論梅村體與長慶體之異同〉，《文史哲》，2010年第6期，頁81。

28 （清）吳偉業著，李學穎集評標校：《吳梅村全集》，頁286。

一個純男性或純女性都是致命的；人必須是具有女子氣的男性，或是具有男子氣的女性」[29]。這句話第一重意思在於作家自己的意識應當雌雄同體，第二重意思在於作家筆下人物之意識應當雌雄同體。跨性別的代言體作品在中國古代文學中並不少見，早先代言民歌表現出的大膽活潑女性形象受人喜愛，而元白以及長慶體後繼者的女性代言詩，題材往往是閨怨、宮怨，如〈井底引銀瓶〉、〈上陽白髮人〉、〈邯鄲宮人怨〉，而回顧戰爭、戰亂，則以男子——更往往以老翁代言，如〈新豐折臂翁〉、〈連昌宮詞〉、〈津陽門詩〉等。韋吳二人採用女性作為發聲主體以回顧社會動亂，是有著創新意義的。黃紅宇總結道：「在吳偉業之前，傳統上最著名的以戰爭和女性為主題的敘事詩，被認為是漢族女作家蔡琰的〈悲憤詩〉，五世紀中期至六世紀中期中國北方佚名的〈木蘭辭〉，中唐詩人白居易的〈長恨歌〉和晚唐詩人韋莊的〈秦婦吟〉，這四首敘事詩歌形成了戰爭中女性的三個原始形象：戰爭受害者、女戰士和紅顏禍水；吳偉業的戰爭詩在內容和形式上都清晰地展現出這些早期經典作品的影響。」[30]。然而〈悲憤詩〉並非男性所寫；〈木蘭辭〉與世運蕭條關係不大；〈長恨歌〉未以女性為第一人稱代言。故最與吳偉業〈圓圓曲〉、〈永和宮詞〉、〈臨淮老妓行〉、〈聽女道士卞玉京彈琴歌〉等書寫女性之作品風格貼近的，還應屬吳偉業未讀過的〈秦婦吟〉——他可能對〈秦婦吟〉的標題有所耳聞，最多也只能是瞭解《北夢瑣言》記錄的殘句「內庫焚為錦繡灰，天街踏盡公卿骨」[31]。但如前文所引，自〈秦婦吟〉到明末清初，時逾約七百年，在忽略戲曲等俗體韻文文體的基礎上，我們很難再找出「傳統上最著名的以戰爭和女性為主題的」敘事詩性文本，而吳偉業詩則與〈秦婦吟〉在內容和形式上皆存在很大的相似性，表現出一種巧合的「繼承」，其「繼承」的主要來源是他們都對白居易乃至杜甫的接受。而韋吳二人相同之創新，都在於採用女性發聲，以女性敘事進行歷史書寫。

首先，韋吳二人都沒有在詩中表現出歷史敘事中女性紅顏禍水的成見，反而處處同情女性，韋莊甚至試圖為遭受成見的女性翻案。白居易〈長恨歌〉被很多人認為主旨是批判楊貴妃誤國，相較於此，韋莊的絕句〈立春日作〉則鮮明地表達了對楊貴妃的同情：「今日不關妃妾事，始知辜負馬嵬人」[32]，在借玄宗逃難巴蜀來諷刺僖宗逃難巴蜀、指出僖宗沒有所謂紅顏禍水的妃子來當替罪羊的同時，代楊貴妃立言。再如吳偉業對白居易〈長恨歌〉有所接受的〈圓圓曲〉，雖然主題存在諸說，但即使是諷刺說，也僅認為諷刺的對象是不忠不義的吳三桂[33]，陳圓圓則不在被諷刺之列。至若吳偉業的

---

29 （英）維吉尼亞・伍爾芙著：《伍爾芙隨筆全集I-IV》北京：中國社會科學出版社，2001年，頁584。

30 H. Huang. *History, Romance and Identity: Wu Weiye (1609-1672) and His Literary Legacy*, Yale University, 2007: 26-27.

31 （五代）孫光憲著：《北夢瑣言》上海：上海古籍出版社，1981年，頁47。

32 （五代）韋莊著，聶安福注解：《韋莊集箋注》上海：上海古籍出版社，200年，頁71。

33 潘定武：〈〈圓圓曲〉主題之爭及思考〉，《學術界》，2011年第5期，頁129-130。

〈聽女道士卞玉京彈琴歌〉、〈永和宮詞〉、〈臨淮老妓行〉等詩，諷刺了荒淫的弘光帝、豪奢的田弘遇、不臣的劉澤清等人，而對女性給予了更多的同情。可以說，韋吳二人明智地認識到了國家之不幸原因不在於女性，而在於為政者，故而沒有在筆下對女性加以負面之批評。

第二，二人都認識到了女子與男子一樣的主觀能動性與獨立意志。韋莊運用了純粹女性視角，而吳偉業建構了去性別化形象。〈秦婦吟〉中的秦婦雖然是一個戰爭受害者，行動受到限制和約束，但她的所見所聞發揮了她自身的主觀能動性，標誌了她是一個聰明、勇敢而且有著自由意志的女性個體。秦婦原本出身於大戶人家，長安陷落被擄掠後並沒有因為恐慌而六神無主，反而機智地與亂軍周旋，得以保全性命、逃出生天。得到自由後沒有再提到古代禮制對女子的規訓、或者主動將自己視為一個「嫁雞隨雞」的男性附庸，反而對詩人侃侃而談，包括對四鄰之女的記述、對金天神之無能的愁上加愁、對於老翁一家不幸的淚如雨下，更包含了如「野色徒銷戰士魂，河津半是冤人血」[34]這樣對所有人民的悲憫。這種悲天憫人的宏大情懷實則是古代所謂的聖賢情懷，是一種神性的體現，卻被身處封建王朝之韋莊訴諸於一女子。因此，唐末波瀾壯闊的農民起義以及社會遭受的巨大創傷被從一名女性的視角敘述，這是很特別的。戰爭從男人的視角審視，是殘酷的；由女性的視角展示，則更加殘酷。很多評論家都認為「有唐一代女詩人，都因生活的狹隘，情感的單調，都沒有什麼特別成績」[35]，其詩歌中的自我書寫仍然受著婦道對她們的規訓，而且「這種意識已是根深蒂固、由來已久」[36]，不消說《女誡》、《列女傳》、《女論語》等文獻為例證，唐朝女詩人如魚玄機、李冶，她們稍稍不羈一點的自我書寫也往往被衛道士所貶斥。所以，帶有現實性的秦婦形象，這樣一個自逃出長安便不再滿足被男性約束的自由女性形象——甚至大大方方提到自己陷於長安時對亂軍「鴛幃縱入」[37]的虛與委蛇，被落筆在文學作品中。即便作者韋莊身為男性，這種女性視角的不諱書寫毫無疑問是十分大膽的。

吳偉業的梅村體敘事詩的女性形象更為多樣、豐富——畢竟其所存文本數量多於韋莊。他的筆下存在身不由己的女性，如〈圓圓曲〉中的陳圓圓和〈蕭史青門曲〉中的甯德公主，他對她們抱以惋惜和感歎；而對做出反抗者，例如卞玉京，則是構建出去性別化的形象。〈聽女道士卞玉京彈琴歌〉中，與卞玉京對比的其她女子，有著希望被君王寵倖的依附心理而只會空空徘徊，又不幸地被敵軍抄名，無力反抗而徹底消弭了自由。

34 （五代）韋莊著，聶安福注解：《韋莊集箋注》上海：上海古籍出版社，200年，頁318。

35 譚正璧著：《中國女性文學史話》天津：百花文藝出版社，1984年，頁208。

36 趙小華：〈公共性：唐代女性詩歌的別樣視角〉，《華南師範大學學報（社會科學版）》，2016第2期，頁145。

37 （五代）韋莊著，聂安福注解：《韋莊集箋注》上海：上海古籍出版社，200年，頁315-316。

反觀卞玉京，「私更裝束出江邊」[38]，之後遁入道門、躲過清軍搜捕。這種有著主觀能動性的出逃，遁入空門的出逃是卞玉京在亂世中的生存方式，體現了卞玉京的勇敢和機智，與秦婦相比，更具有去性別化的特徵。

如果說〈聽女道士卞玉京彈琴歌〉中的卞玉京的出逃尚是一種消極反抗，那麼吳偉業筆下另一個歌伎冬兒則做出了積極反抗。在〈臨淮老妓行〉中，吳偉業將冬兒扮男兒「暗穿敵壘過侯家」[39]探偵王室遺存的勇敢與她原來主家劉澤清「將軍自撤沿淮戍」[40]的見風使舵做出了鮮明的對比，體現了冬兒忠君報國的勇敢以及強烈的生命意志，再次展示了吳偉業對於亂世中女性出路的去性別化書寫。不過，即使是有勇有謀的冬兒，最後也只能慨歎一句：「老婦今年頭總白，淒涼閱盡興亡跡」[41]，這種女性代言的歷史書寫回歸到了吳偉業矛盾的貳臣心史。相較之下，〈秦婦吟〉結尾，秦婦向韋莊訴說江南之好，勸韋莊逃亡江南，留下了一絲生命希望。

雖然韋吳二人筆下的侍妾、歌伎並非勞動百姓，但在韋吳二人敘事之邏輯中，她們的具體職業身分是弱化的。她們所遭受的苦難，與普通勞動女性別無二致。秦婦之身分不影響她逃離長安；卞玉京的容貌使她必然遭遇選秀和清兵；王室遺存無法被冬兒挽救。故而這種具體職業身分弱化的表徵，體現出她們實質仍然代表著廣大的女性。而韋吳二人借戰爭中的她們所表達的思想情感，也是具有普適性關懷的。眾所周知，古代文學作品中因反抗禮制對女性束縛而被頌揚的最典型的女性形象，莫過〈西廂記〉崔鶯鶯、〈牡丹亭〉杜麗娘。然而它們才子佳人式的建構仍然在探討女性與婚姻、愛情。而韋莊、吳偉業的作品沒有刻意將普通女性與愛情、婚姻等母題相結合。這一方面可能是出於女主人公的身分原因，但另一方面，讓她們觀察、體驗，以及參與宏大歷史敘事，不失為一條變體之路。當然，這種書寫證明了，與婚姻、愛情相綁定並非文學作品中普通女性形象的唯一出路。所以，在弱化禮制觀念，以及文學書寫的創新層面上，這是可圈可點的。

綜上，本文認為，唐朝末年的韋莊和明末清初的吳偉業，他們的長篇敘事歌行創作存在諸多相似性。由於〈秦婦吟〉的失傳，這種相似性固然存在著巧合性。但是這種相似性仍能被梳理出原因，且具有文學史及文體學意義。同為末世之人，他們擁有著近似的創作觀。他們都繼承並發揚了長慶體，採用長篇敘事詩的手段，以一人或一事為主要書寫對象，以小家為敘事核心，藉以折射、記錄國家民族的興亡喪亂，揚善癉惡，愛恨分明，抒發悲憫情懷，具有很強的現實意義，足以被稱作詩史。

韋莊的筆法近於史詩，用客觀的觀察視角對外部世界進行探索；而吳偉業則將自己

---

38 （清）吳偉業著，李學穎集評標校：《吳梅村全集》，頁64。

39 （清）吳偉業著，李學穎集評標校：《吳梅村全集》，頁286。

40 同上註。

41 同上註。

對故國愧疚的心曲融入歷史書寫，形成了「心史」的創作觀。在古代語境下，文學的雅俗觀使得在古代文學語境下，被定義為較雅的文學向較俗的文學的滲透，是值得肯定的，反之則不然。然而，二人的詩歌皆對俗文學有所接受，體現了一種以俗為雅的文體觀。韋莊將小說的敘事結構與基本要素融入作品，而吳偉業借鑑了戲曲的發聲主體並其變更方式，這使得他們的文本具有更強的敘事性。並且，在引入俗體敘事的文體創新之下，他們打破了線性敘事的時空觀。韋莊以空間帶動敘事，弱化了時間在詩中的體現，強化了空間轉移帶來的滿目瘡痍的史詩敘事；而吳偉業則採取了時空跳躍的手段，描述了人物隨著時間流轉體會到的國破家亡與無力回天。此外，二人都選取了女性作為長篇敘事詩中的主要人物，採用了給女性代言的體式。雖然他們選取的有著侍妾、歌伎之身分的女性往往是初始依附於男性的，但她們實質代表著廣大的勞動婦女，這顯現出他們對於女子正面的關注。具體到手段，韋莊選用了純粹女性視角，吳偉業則構建了去性別化形象。在男尊女卑的古代環境中，將女性視為獨立的個體而非男性的附庸，欣賞她們類於甚至勝於男子的機智勇敢，這一點難能可貴。

本文對於韋吳二人「詩史」創作的異同的挖掘，可以發現長慶體敘事歌行的發展和流變，包括外在宏大敘事到內在個體心曲的視角轉變、小說到戲曲的文體轉變和女性去性別化以擺脫男性凝視而求生存等深層次變化，以唐末、清初文學文本之對比，窺見了社會史與文學史的進展。

色與空：論李商隱詩歌中的「高唐神女」系統

李爾清

北京中國人民大學國學院

「高唐神女」系統作為李商隱筆下最常出現的典故意象群體，原本是一個帶有濃郁楚國風格的故事，李商隱綜合南朝、唐朝兩種運用模式，對其進行了創造性接受，采用獨特的限知視角，在楚王、神女、宋玉的身分之間游走，寫出了有別於前代的特色，達到了重複而不平板、諷喻而不枯瘦的藝術效果。義山綺麗卻又空靈的別致詩風，也是來自這種對題材選取與處理的工夫。以「高唐神女」系統為切入點，可以重審李商隱運用意象、典故的特殊方法，一窺義山詩視覺艷情的背後，寄托的心靈空性。

李商隱詩作惝恍迷離、深遠晦澀是為公論，如其名「隱」。褒揚者或稱其「寄託深而措辭婉」[1]，或認為其「字字鍛煉，用事婉約」[2]，批判者或謂之「好積故實」[3]，或懊惱他「用事深僻，語工而意不及」[4]。而無論褒貶，都在承認一事實：大量典故與意象的使用是造就李商隱風格的重要方法。

在李商隱六百餘首存詩中，使用意象以「夢」為最，多達七十餘首，其中「高唐夢」十一首；明確的歷史典故中則以對宋玉的化用為最，達八首。更有多篇關於楚地之作。兼具意象、典故之用的巫山、雲雨、高唐（夢）、陽臺（夢）、神女、楚王、宋玉等相關書寫近三十首，它們共同構成了一個完整的系統（由於典故、意象皆由宋玉所作《高唐賦》、《神女賦》生法延伸，故下文統稱為「高唐神女」系統），無論數量、質量，都在義山詩中居於不可替代的高位。

雖然不乏學者單就「巫山雲雨」意象、神女形象、高唐典故、對宋玉的接受等角度對李商隱的詩歌藝術進行評賞，但礙於文學分析中接受與創作的分流、意象與典故的壁壘，少有人將以上內容視為系統，所以學界目前對此缺乏較為完整的理解。本文將淺析義山詩中「高唐神女」系統的特殊性與重要性，並以此為切口，試對其詩歌藝術進行更深入的探索。

1　（清）葉燮著；蔣寅箋注：《原詩箋注》上海：上海古籍出版社，2014年，頁448。

2　（宋）許顗：《彥周詩話》，明津逮祕書本，頁32。

3　（宋）黃徹：《䂬溪詩話》，清知不足齋叢書本，頁149。

4　（宋）蔡居厚：《蔡寬夫詩話》，見胡仔《苕溪漁隱叢話》北京：人民文學出版社，1962年，頁146。

一　從豔佚到清新：前李商隱時代的「高唐神女」系統

所謂「高唐神女」系統，可追溯至宋玉《高唐賦》、《神女賦》。雖然後世對其作者諸多爭議，但從李商隱的化用來看，至少他認為此二賦出自宋玉之手，故本文對其真實的作者不加考訂。這堪稱是李商隱最鍾愛的一個典故，正如他自己所說，「楚雨含情皆有托」（《梓州罷吟寄同舍》），宋玉作賦之後，巫山雲雨、高唐之夢確實成為了情愛的象徵。

我們不妨先看這個典故本身，《高唐賦》描述了宋玉與楚襄王遊雲夢、望高唐，楚襄王疑惑於奇特的雲氣：「悴兮直上，忽兮改容，須臾之間，變化無窮」[5]，宋玉遂奉命解釋其緣由，即夢境中神女對楚王自薦枕席一事。《神女賦》則講述遊賞之後，楚襄王也夢見了神女[6]，她思慕楚王而來，比及跟前，卻又「含然諾其不分兮，喟揚音而哀歎。頩薄怒以自持兮，曾不可乎犯幹」[7]，整頓易容一番，又「歡情未接，將辭而去。遷延引身，不可親附」[8]，只是依舊含情脈脈：「似逝未行，中若相首。目略微眄，精采相授。志態橫出，不可勝記。」[9]神女可謂是達情知禮的模範，楚王遂「惆悵垂涕，求之至曙」[10]。

兩賦原本講述的是互相嵌套又各自獨立的兩個遊仙豔遇故事，後世推測其主旨，大致認為像其它分兩段的賦（如《兩都賦》）一樣，通過對比而見對楚王「非禮而求」的諷諫。在其作為典故的接受史中，最終提煉出「巫山雲雨」、「陽臺」、「神女」等相關意象，形成了較為固定的意涵。而這一過程，先王、襄王被捏合成了同一個楚王，將先王與神女交合，神女化為雲雨，神女與襄王歡情未接便匆忙離去諸情節，簡化為楚王與神女在夢中交合這一件事。

就李商隱自己的詩論來看，他對「高唐神女」系統的偏愛不無道理：

> 我朝以來，此道尤盛，皆陷於偏巧，罕或兼材。枕石漱流，則尚於枯槁寂寥之

5　（梁）蕭統編：《文選》上海：上海古籍出版社，1986年，頁875。

6　此處存在版本爭議，核心在於《神女賦》序中的文字是「其夜王寢」還是「其夜玉寢」。因為這決定了雲夢高唐一遊之後，再夢神女的夢主是楚襄王還是宋玉。按清人胡克家《文選考異》的說法，應為「其夜玉寢」，一是因為楚襄王夢神女，卻讓宋玉描摹神女形狀，邏輯不夠通順；二是按《高唐賦》的結構，故事的敘述者應為宋玉，《神女賦》應當沿襲這一點；三是對一些傳抄訛誤的考訂，在此不加贅述。但在宋代之前，這個問題並沒有被特別提出過，因為《文選》中作「其夜王寢」，文人大約多以此為准，認為是楚襄王夢神女，向宋玉講夢，宋玉依此記述。後人的考訂與文學的流傳需分開看待，由於本文關注的重點是李商隱對《高唐賦》《神女賦》的接受，所以遵循當時的流傳情況，認為在李商隱的認識中，《神女賦》描繪的夢主應為楚襄王。

7　（梁）蕭統編：《文選》上海：上海古籍出版社，1986年，頁886。

8　同上註，頁892。

9　同上註。

10　同上註。

> 句；攀鱗附翼，則先於驕奢豔佚之篇。推李、杜則怨刺居多，效沈、宋則綺靡為甚。(《獻侍郎鉅鹿公啟》)[11]

李商隱批駁了唐詩的兩種取向，既反對純粹的現實主義因內容沉重而失去審美價值的寫法，也反對追求華麗辭藻而喪失寄託的過度的形式主義，「高唐神女」系統則同時規避了這兩點，是兼容「興」與「寄」的絕佳素材。從典故的事件來說，一方面，神女故事因含有交合情節，而被天然地賦予了淫豔色彩；另一方面，男主人公擁有一國之君的特殊身分，其個人情感與國家命運息息相關，所以極易與政治、天下等宏旨發生關聯。再者，作者宋玉又以敘述者姿態加入正文之中，使故事的角度更為複雜。又及，故事發生在遠離人世、接近仙境的超越之地，更增添了幽微神秘之感：二人的交合不是簡單的獵豔與獻身，而具有點化意味，隱藏著某種俗輩難以參透的玄機。從涉及的意象來說，作為自然景觀的巫山巫峽是奇險雄麗的，但雲雨卻以一種以柔克剛的姿態，長久環繞，與之纏綿相依，淒壯與纖柔的氣質就這樣天衣無縫地彼此交融。「夢」這一難以捕捉的心靈活動，作為故事發生的溫床，使之亦真亦假，難以琢磨。所以，高唐神女系統本身就是李商隱所提到的「兼材」中的集大成者，甚至可以說是獨一無二的。

而從李商隱時代之前的文學傳統來看，該系統既有豔情意蘊，又存言志傾向，更有超拔旨趣。首先，通常認為宋玉的《高唐賦》為「雲雨」賦予了性愛含義。雖然亦有說楚國的原始宗教中存在交媾祈雨的儀式，故而二者得以聯繫，但「雲雨」一詞表意的確立由宋玉發軔應無抗告。先秦漢魏時期，鮮有用此典故者，雖有題為「巫山高」的樂府，但不見其內容方面的遺存。凡涉及巫山，也基本只論風光，不涉其事，如三國時期《通荊門》。到了南朝，文人開始將自然景色與楚王神女的故事相聯繫，相關詩歌近四十首，更有明確描繪自薦枕席者。考其作者，多為齊梁文士，其主旨簡明易懂，基本難以脫離男女豔情，所以格調不高，多為繾綣纏綿之作。如梁簡文帝：「本是巫山來，無人睹容色，惟有楚王臣，曾言夢相識。」[12]更有通過神女之事引出情色描寫者，如劉緩《敬訓劉長史咏名士悅傾城》摹狀女子體貌，有「夜夜言嬌盡」等狎褻之語。亦有詩調自然清新者，如謝朓對漢樂府《巫山高》的仿作，但畢竟寥寥幾篇，並非宮體主流。可以說，高唐夢意象群的豔情色彩，在南朝文士的不斷演繹中趨於固定，呈現出曖昧、香豔的底色。

而有唐以來，以陳子昂為始，各詩家對該意象群進行了重新審視，或者將巫山、雲雨的自然意蘊從交合故事中抽離開來，以描摹山水形狀為主，沖淡豔情意味，表達羈旅哀愁，寄託送別之思。如李白《江上寄巴東故人》：「漢水波浪遠，巫山雲雨飛。東風吹

11　周紹良主編：《全唐文新編》長春：吉林文史出版社，2000年，頁9271。

12　（南北朝）徐陵編：《玉臺新咏》上海：上海古籍出版社，2013年，頁509。

客夢，西落此中時。覺後思白帝，佳人與我違。瞿塘饒賈客，音信莫令稀。」[13]運用巫山、雲雨、夢的意象，更提及「佳人」，其意旨明確，卻不見淫靡之態。

或者對單一的交合故事進行解構，將宋玉作賦之旨、神女與楚王的道德、二人相會的性質等問題加以多種角度的詮釋。如李白《古風五十八首》之五十七：「神女去已久，襄王安在哉。荒淫竟淪替，樵牧徒悲哀」[14]，以神女往事表今日憂思，直論「荒淫」，切感悲哀。需要補充說明的是，在普遍認知中，《高唐賦》、《神女賦》的托諷效果似乎是宋玉有意為之，因為昏聵的楚襄王似乎是楚國由興到衰的罪魁禍首。然而直至唐代才有作品明顯將高唐神女系統與君主耽於美色的行徑相聯繫，試圖作用於政治。宋玉生平難以詳考，基本可以確定的是他只是文學侍臣，除寫作外幾無政治活動，按《史記・屈原賈生列傳》，宋玉「終莫敢直諫」，說明他與九死不悔的屈原的性格不同，有自己軟弱的一面。而將宋玉作賦的行為視為忠君明義之舉，恰恰是唐代文人的創造性接受，這為高唐神女系統開闢出了嶄新境界。

即便是依舊例寫情愛之事，唐代文人也不再耽溺於低級的聲色趣味，而是展現出永恆的至情風貌，如元稹《離思》「曾經滄海難為水，除卻巫山不是雲」兩句，開闊浩大，絕響永傳。到了唐代，高唐神女系統的使用逐漸擺脫了男歡女愛的窠臼，與國運相系，與至情相切，面貌一新。擺在李商隱面前的，一面是南朝的旖旎氣息，一面是本朝的盛大氣象，但他沒有選擇依附一端，因為善怨刺者往往文采稍弱，重綺靡者又格調不高，所以他的審美趣向，或說對於創作的自我要求，是要兼二者之長的。

二　限知視角的心靈體驗：李商隱的獨特改造

注家往往在義山詩旨上各異其辭，常有類似「詩家獨愛西昆好，只恨無人作鄭箋」的喟歎，這和李商隱對寫作的模糊化處理是分不開的。李商隱極其善於製造語言的歧義，處理的手段有時是跳脫線性敘事，以心靈的內在變化為線索串引全詩；有時是大量採用典故、神話的資料，為詩蒙上神秘的玄學色彩……因此後人於愛情、悼亡、政治等主題上紛紜其說，難以定論。值得一提的是，李商隱本人對此似乎早有預料：

> 非關宋玉有微辭，卻是襄王夢覺遲。一自高唐賦成後，楚天雲雨盡堪疑。[15]

這首《有感》是針對宋玉作《高唐賦》諫楚襄王而發。多有注家認為本詩原意是指宋玉的勸諫不為楚襄王所解，影射了李商隱個人不得志的政治生涯，但這樣就難以解釋後兩

---

13 （唐）李白撰；（清）王琦注：《李太白集注》上海：上海古籍出版社，1992年，頁267。

14 （唐）李白撰；（清）王琦注：《李太白集注》上海：上海古籍出版社，1992年，頁61。

15 （唐）李商隱；（清）馮浩：《玉溪生詩集箋注》上海：上海古籍出版社，2018年，頁459。

句。本文認為，不妨將此理解為李商隱自己的文學理論：先說並非是宋玉特別喜愛以微辭托諷，而是因為襄王沉迷豔情，遲遲不覺，所以亟待喚醒——詩人自己確有隱而不露的托諷之作，因為君主身處迷夢而不自知，所以需要通過文學的手段加以點破。但話說回來，自從《高唐賦》開啟了托情言志的傳統之後，凡是事關風月雲雨的詞句，就總讓人猜測是別有用心之作——李商隱或許想說，自己傷春悲秋的篇章背後，未必都有具體的現實指向。或者說，這些篇章指向的是更深層的情感體驗，而非確鑿的歷史事件。

不同於香草美人傳統式單純的諷喻怨刺，也不同於齊梁宮體或後世仿義山者如西昆體的豔巧，這種情感體驗是「一生唯事楚襄王」的執著，而這種執著所對抗的是「神女生涯原是夢」的悲哀，在惆悵的情感底色中，最終形成李商隱對自己人生「愁將鐵網罥珊瑚」的體認。李商隱筆下的「高唐神女」系統，不僅僅是對夢幻的愛情、君臣的遇合、夢醒的悵然等主題的全知書寫，而是有角色、有觀測點的限知書寫。在對該系統的使用中，他經常將自身放置在不同人物中，視角也隨之不斷變幻。有時著眼於楚王的感受與得失：

> 如何一夢高唐雨，自此無心入武關。（《岳陽樓》）[16]
> 微生盡戀人間樂，只有襄王憶夢中。（《過楚宮》）[17]

這兩首詩的用意似乎全然相反，前者具有勸諫色彩，暗諷楚王因留戀巫山雲雨，荒廢爭雄大業，後者則像褒獎，以襄王夢中之事為某種「至樂」，是微生人間所不能理解的情感。但將二者並列對看，便會有新的創解，這似乎都是在講李商隱個人的經驗：「入武關」的宏圖或許也不過是微生之樂吧？「如何一夢」的答案，不就是夢中的「至今雲雨暗丹楓」嗎？李商隱作為世間的「微生」，也幻想著自己人生「入武關」般披荊斬棘、終成功名。但也許因為並沒有「人間樂」之眷顧，也許因為感到「微生」過於渺小，所以他在追求一種可以跨越俗情俗事的、更高維度的生命體驗。而這種境界就像楚王的雲雨之夢，雖然包含深情，達於至情，但過於虛幻恍惚，以至不著痕跡。這種特性讓他既難到達楚王夢中的境界，又致使他的癡性不為世人理解。

有時他又處在神女的視角，懷念那一次夢幻般相得的際遇。李商隱半生沉淪下僚，他人生中像巫山之會一般起著象徵作用的，大抵是年少時受到許多名人賞識，又從遊令狐綯的往事。自此往後，李商隱的命運就仿佛受到詛咒。回望充滿希望的最初，再憶高唐，難免有幽怨傷懷、無可奈何之感：

> 腸回楚國夢，心斷漢宮巫。（《聖女祠》）[18]

---

16 （唐）李商隱；（清）馮浩：《玉溪生詩集箋注》上海：上海古籍出版社，2018年，頁279。

17 同上註，頁352。

18 （唐）李商隱；（清）馮浩：《玉溪生詩集箋注》上海：上海古籍出版社，2018年，頁92。

豈知為雨為雲處（一作意），只有高唐十二峰。(《深宮》)[19]
十二峰前落照微，高唐宮暗坐迷歸。(《楚宮二首・其一》)[20]
暮雨自歸山悄悄，秋河不動夜厭厭。(《楚宮二首・其二》)
擬問陽臺事，年深楚語訛。(《腸》)[21]
楚妃交薦枕，漢后共藏鬮。(《擬意》)[22]
古有陽臺夢，今多下蔡倡。(《夜思》)[23]

從楚王轉換到神女，自然不再有「入武關」的執念牽絆，「夢」對於人來說是可遇而不可求的精神活動，而對於神女來說，卻是獨有的、自由的往來之地，可以純粹抒發巫山之會後的漫長思念，故而這裡的雲雨也顯得更加深情。

有時李商隱又將其裹在咏史、代言體之中，主體的轉換、典故的發散，掩蓋了詩人的心跡。《少年》中的衛霍，鮮衣怒馬、貤封疊被，在詩人看來，卻依舊把握不了自身的命運：「別館覺來雲雨夢，後門歸去蕙蘭叢。灞陵夜獵隨田竇，不識寒郊自轉蓬。」[24]更有甚者如《代元城吳令暗為答》，詩人為吳質代言，吳質又帶陳王作書，書中又用此典：「荊王枕上原無夢，莫枉陽臺一片雲。」[25]在多達三層的代言之後，詩人的用意自然顯得更加晦澀。

有時李商隱又自比宋玉。注家多認為李商隱詩學杜甫、李賀，鮮少有談及宋玉者，但李商隱自認為在生活遭際、心靈境界等各個方面，他與宋玉大約是曠世神交，故時常以之自況。而宋玉最重要的身分，恐怕就是神女故事的知曉者、講述者。當李商隱處於旁觀的位置、文人的身分上，又與宋玉取得了共情：雖無緣得見，卻是最懂得神女的人。非是尋愁覓恨，只是楚天楚神、人生際遇，本來就是他創作的源泉，襄王的未遂之志，神女的千古幽思，究竟是與現實各有對應，還是更翻一折，李商隱就像宋玉一樣是講述神話的人，只不過不會有慕道者為其作箋詮釋了：

料得也應憐宋玉，一生惟事楚襄王。(《席上作》)[26]
眾中賞我賦高唐，回看屈宋由年輩。(《偶成轉韻七十二句贈四同舍》)[27]

---

19 同上註，頁353。
20 同上註，頁701。
21 同上註，頁382。
22 同上註，頁620。
23 同上註，頁664。
24 （唐）李商隱；（清）馮浩：《玉溪生詩集箋注》上海：上海古籍出版社，2018年，頁254。
25 同上註，頁627。
26 同上註，頁288。
27 （唐）李商隱；（清）馮浩：《玉溪生詩集箋注》上海：上海古籍出版社，2018年，頁425。

只應惟宋玉，知是楚神名。(《咏雲》)[28]

楚天長短黃昏雨，宋玉無愁亦自愁。(《楚吟》)[29]

巫山雲雨在李商隱筆下雖然還是最常用的內涵，但義山時而議論楚王：作為一國之君，有平定天下的大業在身，又經歷了超然的情感體驗，受之點化，是荒淫之君，還是聖人一種，並無定說；時而代悲神女：無論是自薦枕席的奉獻，還是因禮而拒的矜持，來去無痕，化為雲雨，正是李商隱的心靈寫照；時而自況宋玉：對楚襄王的忠貞，對神女事的勘破，對楚國命運的憂愁，仿佛李商隱的現實之身。反覆其典，卻總能翻出新意，這是義山寫作的高明之處，也是因為這個典故意象群本身就與李商隱的詩論暗相契合，綺麗中含諷喻，說理而不枯瘦。

三　肉體之豔與性靈之空：李商隱的創作理路與底色

除了部分詠史詩的「沉博」特徵外，注家多愛強調李商隱的「綺才豔骨」或者「精工」的寫作習慣，又因其「聲調婉媚」，而認為義山詩近於詞體，加之與溫庭筠有「溫李」合稱，似乎日漸堅固了這種認識。但仔細審視就會發現，李商隱的豔情並不輕佻，其伴隨的淡淡哀情也不是妓女思客式的無病呻吟，而是具有哲學性的、巨大的空無感受。王蒙曾談到對義山詩的總體感覺：「我總覺得李商隱的詩中有一種唯美的成份。它表達的情緒是那樣悲傷，那樣頹唐，可他用的一些詞又是那麼華麗，有時直至是非常富貴。他很少用一些破罐子破摔的寒傖的破爛的詞，他是不搞審醜的。」[30]

「悲劇性」是近些年常有的對李商隱高度概括的評估，但仔細體味就會察覺，義山詩鮮少給人以瞬間的大慟，他的悲傷往往曠日持久，是一種緩慢而寂寥的消耗。義山詩有如風月寶鑑，往往一面倒映綺靡穠豔之色相，一面觀照寂滅空性之本質。李商隱很少單獨使用殘破、頹廢的意象、語詞，或者刻意以灰暗、淡漠的色彩渲染空間，所以詩作罕有枯槁之象。恰恰相反，他以調高對比的方式，大開大合，將豔色與空性都寫到極致。

在單句之中，或者用綺靡之色盡力鋪排，而以一兩個決絕的字眼，如盡、滅、斷、空等將其無情點破，如《日高》：「粉蛾帖死屏風上」[31]，粉蛾與屏風都隱含著強烈的閨閣暗示，而一個「死」字橫亙其間，則破滅之感立見。或者相反，在清冽的環境中，著一鮮明物象，彰顯冷豔氣質，如《謁山》：「欲就麻姑買滄海，一杯春露冷如冰」[32]，注

28 同上註，頁570。

29 同上註，頁648。

30 王蒙：《李商隱的挑戰》，《文學遺產》，1997年第2期，頁10-11。

31 (唐) 李商隱；(清) 馮浩：《玉溪生詩集箋注》上海：上海古籍出版社，2018年，頁10。

32 同上註，頁375。

家評析此詩多關注無情的時間，冰冷的天地，然而滄海之水僅剩一杯時，李商隱選擇稱其「春露」，才是本句之眼，使枯竭之句瞬間顯得尤為浪漫冶豔。而在對句中，這一點展示得更為明顯，最典型如《贈歌妓二首》：「紅綻櫻桃含白雪，斷腸聲裡唱陽關」[33]，描寫極為濃麗的歌妓體貌，朱唇皓齒，明豔生動，筆鋒輕輕一轉，又是破落荒蕪的邊塞之相。甚至在整體的謀篇佈局裡，李商隱也會刻意營造這樣的反差，如《無題・昨夜星辰》，四分之三的筆墨都在描繪酒宴的場面何等繁盛富麗，卻將全詩收束於漂泊無依、命運難定的「斷蓬」。

從這一點再來回看李商隱對「高唐神女」的偏愛，就會有更多理解。這或許也是李商隱偏愛「夢」意象的原因：夢的特性有二，一是夢時以為所處的世界是真實的，二是醒時發現夢中的一切是虛幻的。所以在夢中極為綺靡富麗的豔情場域，夢醒之後會發現只是幻象，真實的生活是蒼白而寂寞的。在「高唐神女」系統中，李商隱以一夢解釋了世間萬象：《聖女祠》作於送令狐楚喪車回京的路上，「腸回楚國夢」，似乎在說中興大業的夙願成空，宦海生涯，不過是夢；《代元城吳令暗答》寫甄宓與曹植的愛情，濃烈之至，依然不過是夢；《夜思》寫古今之變，楚國由盛向衰的歷史，如此厚重沉痛，仍舊不過是夢；《過楚宮》寫人生的至樂，對於楚襄王來說，不過是夢；《少年》寫青春子弟作樂時並不能意識到自己身如蓬蒿，人的命運，不過是夢。夢境的歡愉，夢醒的悵然，正因這種色與空相容的特性，我們讀義山詩時感受才不會偏於一端。另外，李商隱對女性的注視，甚至歡情描寫也能體現這一點。對女性的書寫往往是渲染豔情的重點，但李商隱呈現出的態度並不是狎昵與玩弄，反而醞釀出一種特殊的熨帖，如《嫦娥》擬其心態寫「嫦娥應悔偷靈藥」，而「碧海青天夜夜心」式浩瀚的空寂，則遺人以悠長的傷感。

癡極之人最易悟空，李商隱是早慧之人，兒時已誦佛經，在《上河東公啟》中自稱「兼之早歲，志在玄門」[34]，成年後也多與僧侶交遊，思念佛門，留有詩作如《五月六日（一作十五）夜憶往歲秋與徹師同宿》[35]，講述自己在桂林幕府，愁處炎熱南荒之處，時時想念五臺山清涼世界。但他又沒有真的離塵絕俗，所以只在現實失意時對玄門的慰藉格外渴求。可能是「深知身在情常在」的慣性，也可能是對「從來系日乏長繩」的不忿，對人世的失望沒有轉化為對悲劇的厭惡與疏離，而是對公平與補償執著而深情的追尋，無論政治、愛情皆如是。少年時以為閶闔門多，躋身青瑣班中有何難事，終其一生，卻有太多不了了之。

但面對這一切，李商隱也並未坐以待斃，只是他的自我慰藉不比許多人豪放豁達，總是以隱忍與承受的面貌，執著於最後的堅守。未必再有淩雲壯志，只有「一生惟事楚

33 同上註，頁557。

34 周紹良主編：《全唐文新編》長春：吉林文史出版社，2000年，頁9268。

35 （唐）李商隱；（清）馮浩：《玉溪生詩集箋注》上海：上海古籍出版社，2018年，頁284。

襄王」的堪憐深情。「春蠶到死絲方盡，蠟炬成灰淚始幹」。面對重重阻隔，相思依舊迢遞。枯荷無妨，仍有雨聲。在「高唐神女」系統中，這一點尤為凸顯。

> 《無題二首・其二》[36]
>
> 重帷深下莫愁堂，臥後清宵細細長。神女生涯原是夢，小姑居處本無郎。
>
> 風波不信菱枝弱，月露誰教桂葉香。直道相思了無益，未妨惆悵是清狂。

李商隱的失眠，就是安靜地發呆，沒有醉飲放縱，也沒有十足的怨恨，只有「臥後清宵細細長」，似乎連悲哀都是綿密而滋潤的。在此境界中，李商隱已經不再強求自己的心情得到回應，而是「雖千萬人吾往矣」的心態，這一點上，他超越了宋玉式的感傷。即使世界像風波、月露一樣冷漠無情，天地不仁，一切都在無為般地自然運轉，他也依然要奉獻自己的全部，即使蠟炬只有成灰的命運也要繼續燃燒。行為的意義不再是它所造成的後果，而是它本身，所以才有了「直到相思了無益，未妨惆悵是清狂」的結句。

高唐雲雨的故事早已膾炙人口，但李商隱卻並不忌諱使用這一「老生常談」的內容。奇典易巧，常典難工，而通過分析相關詩篇，我們可以發現李商隱對「高唐神女」系統的運用，已有春秋斷章賦詩、莊子敷演寓言的嫺熟度，反覆其辭，卻沒有平板單一之感，反而既服務於自己的表達，又為這一典故意象群增添了不少新意。同時，就像他將古體的奇詭瑰麗帶入律體，這個尋常故事也承載了李商隱最關注的焦點：巫山一會後，楚王的頹靡、神女的悵惘、宋玉的感傷，都透露出對圓滿背後的不足、綺麗背後的空性疑問。更何況李商隱一生沉淪下僚，又共情及於人世間、神話中種種不公，年輕的短暫得志，遂化作日後作品中朝雲暮雨般的綿密心思。愁如一春夢雨，志是鐵網珊瑚，「高唐神女」系統既像李商隱心靈世界的縮影，又成就了他綺豔、空性並舉的藝術。

---

36 （唐）李商隱；（清）馮浩：《玉溪生詩集箋注》上海：上海古籍出版社，2018年，頁458。

佛禪語言文字觀與白居易詩學觀的衝突及其轉化*

曹　璐

北京師範大學文學院

一　詩歌創作與佛禪語言文字觀的衝突

詩歌創作與佛禪語言文字觀之間的衝突涉及兩個層面，一是廣義上的文字與佛禪語言文字觀之間的衝突，二是狹義上藝術化的文字與佛禪語言文字觀之間的衝突。第一個層面的衝突在於佛教認為語言文字是不了義的，是指月之指。《楞嚴經》：「佛告阿難：汝等尚以緣心聽法，此法亦緣，非得法性。如人以手指示人，彼人因指當應看月。若複觀指以為月體，此人豈惟亡失月輪，亦亡其指。何以故？以所標指為明月故。豈惟亡指，亦複不識明之與暗。何以故？即以指體為月明性，明暗二性無所了故。」[1]這與「言不盡意」說不同在於後者雖然承認語言文字在表達意義上的有限，但並不否定語言文字所蘊含意義的無窮，因而把重心放在對語言文字的無盡涵泳上。而前者關乎的卻非「盡意」與「不盡意」的問題，而是強調了義境界根本不在文字所包含的意義裡，文字只是一個通道，它的意義在於它通向的境界，在達到那個境界之前對文字產生的認同或理解都將是錯誤的、有礙的。佛教的文字觀與儒家的「文以載道」也有區別，因為佛教認為道是文字所不能言說的，文字只能作為入道之因緣，而不能直接承載道、彰顯道。可見，從勝義諦即究竟實相上來說，佛教是不承許文字的。

第二層面的衝突在於佛教認為藝術本身是虛妄的，藝術對感官的訴求和凸顯本質上是對虛幻人身的執著。在《雜阿含經》中記載，曾有人問佛歌舞伎樂令人歡樂喜笑，是否能以此業緣，命終以後生歡喜天。佛起初遮止不答，再三請問後回答：「彼諸伎兒于大眾座中，種種歌舞伎樂嬉戲，令彼眾人歡樂喜笑。聚落主！當其彼人歡樂喜笑者，豈不增長貪、恚、癡縛耶？……譬如有人以繩反縛，有人長夜以噁心欲令此人非義饒益，不安不樂，數數以水澆所縛繩，此人被縛豈不轉增急耶？」[2]將歌舞音樂比作在捆縛人的繩子上灑水，因為歌舞音樂是貪嗔癡之心而造作的，耽著其中只會加深無明煩惱對人

---

* 基金項目：國家社科基金重大項目「中國古代都城文化與古代文學及相關文獻研究」（18ZDA237）。

1　蕅益智旭撰：《大佛頂如來密因修證了義諸菩薩萬行首楞嚴經文句》四川：巴蜀書社，2014年，頁272。

2　《雜阿含經》北京：宗教文化出版社，1999年，第三十二卷，頁717。

的束縛。在這個層面上，佛教也是排斥藝術化的文字的。

以上兩個層面的衝突都是佛教在勝義諦上對文字所持的看法，但在世俗諦上佛教與文字卻保持著親密的聯結。佛教從究竟實義上否定文字，但在世俗諦上依然以文字為重要的傳法載體，即使主張「不立文字」的禪宗也不例外；佛教主張破除對文學藝術的執著，但為了莊嚴佛法，佛經佛典上也不乏鋪張與華美的文字。正如周裕鍇指出，佛教矛盾的語言觀是二諦思維的產物。[3]從勝義諦的角度來說，文字無有實義，是應該被捨棄的，文字與佛法存在衝突；而從世俗諦的角度來說，文字作為引導此岸眾生趨入佛法的方便法門，則值得被肯定，文字與佛法又可以統一。

因而，佛教與詩歌的衝突其實是一個多層次、需要界定的問題。對於證悟者來說，他們在勝義諦上證悟了文字的空性，同時也可以在世俗諦上隨緣任用地以文字來接引眾生，詩歌與佛法對他們來說並不構成衝突。而對於還未證悟的凡夫來說，對文字的實執與勝義諦上文字的空性之間會形成一層衝突，文字作為悟道因緣與作為世俗愉悅之間又會形成一層衝突。對於一位兼具詩人與佛教徒雙重身分的人來說，便要同時面對這兩種不同層次的衝突，其衝突的顯現及其轉化方式是理解他們詩學觀念及佛學修養的一個重要視角。

白居易一生的佛教信仰以禪宗和淨土宗為主，而禪宗對他的影響又尤為重要。蘇轍曾評價白居易「樂天少年知讀佛書，習禪定。既涉世，履憂患，胸中了然，照諸幻之空也」。[4]白居易接觸禪宗的時間很早，貞元二十年（西元804年）他就曾作過〈八漸偈〉，以偈詩的形式記錄凝公禪師所開示的禪定心要；元和初與崔群共任翰林學士，「每視草之暇，匡床接枕，言不及他，常以南宗心要互相誘導」[5]；元和五年（西元810年）寫給元稹的詩序中表達「況與足下外服儒風，內宗梵行者有日矣」[6]；元和十年（西元815年）他曾向洪州宗惟寬禪師問道，且在詩中明確表示「近歲將心地，回向南宗禪」[7]。雖然白居易晚年自道「棲心釋氏，通學小中大乘法」[8]，也與各個宗派的僧人都有交遊，但與他來往最多的還是禪僧，他的思想也最明顯地受到禪宗的影響。在唐代，白居易是一位高產詩人，且多次編纂自己的詩文集，並在詩文中表達自己的詩學觀念。佛禪的語言文字觀也滲入了他的詩學觀之中，他不時流露出由佛禪觀念而來的對於詩歌創作的焦慮，但又通過不同途徑去彌合詩歌創作與佛禪語言文字觀之間的衝突與縫隙。

---

3 周裕鍇著：《文字禪與宋代詩學》北京：高等教育出版社，1998年，頁25。

4 蘇轍著，陳宏天、高秀芳點校：《蘇轍集．書白樂天集後二首》北京：中華書局，1990年，頁1114。

5 白居易著，謝思煒校注：《白居易文集校注．答戶部崔侍郎書》北京：中華書局，2017年，卷四十五，頁345。

6 白居易著，謝思煒校注：《白居易詩集校注．和夢遊春詩一百韻》北京：中華書局，卷十四，2006年，頁1130。

7 《白居易詩集校注．贈杓直》，卷六，頁583。

8 《白居易文集校注．醉吟先生傳》，卷三十三，頁1981。

二　白居易詩學觀與佛禪語言文字觀的彌合

（一）寫詩源於業力與習性

對於白居易來說，詩與禪在許多時候並沒有產生本質性的衝突。「辭章諷詠成千首，心行歸依向一乘。」[9]（〈愛詠詩〉）「早年詩思苦，晚歲道情深。夜學禪多坐，秋牽興暫吟。悠然兩事外，無處更留心。」[10]（〈閑詠〉）「外以儒行修其身，中以釋教治其心，旁以山水風月歌詩琴酒樂其志。」[11]（〈醉吟先生墓誌銘並序〉）詩、禪和山水酒琴一樣，作為不同元素共同參與構造了白居易閒適雅趣的士大夫生活。禪側重於閒適心境的營造，詩則更側重於閒適性情的表達和玩味，在創造和享受閒適這一層面，作詩與修禪並沒有構成強烈衝突。相反，在禪的觀照下，寫詩變得更加適性隨意，由「早年詩思苦」到「秋牽興暫吟」，流露出「閑詠」、「閑詩」之悠然。這是詩與禪相通的一面。

但在一些具有濃厚宗教氛圍的詩歌中，白居易也流露出對詩與禪衝突關係的審視。「葷膻停夜食，吟詠散秋懷。笑問東林老，詩應不破齋？」[12]（〈問遠師〉）「忽忽眼塵猶愛睡，些些口業尚誇詩。」[13]（〈齋月靜居〉）「酒魔降伏終須盡，詩債填還亦欲平。從此始堪為弟子，竺乾師是古先生。」[14]（〈齋戒〉）「叩齒晨興秋院靜，焚香冥坐晚窗深……此日盡知前境妄，多生曾被外塵侵。自嫌習性猶殘處，愛詠閑詩好聽琴。」[15]（〈味道〉）這些詩幾乎都寫於齋戒之時，正是在這樣濃厚的宗教氛圍中，詩人以佛教徒的身分審視自己，作詩便有「破齋」、「口業」、「詩債」、「習性猶殘」之嫌。一方面，他意識到只有徹底放下對寫詩的執著，才「從此始堪為弟子」，反思自己對於前塵往事多有省察與覺悟，唯對於詠詩、聽琴仍抱有難以遣除的喜愛，「自嫌習性猶殘處，愛詠閑詩好聽琴」；但另一方面，這種反思的力度又是不強的，在自省、自嘲之間，依然存有一份並不急於破除和更改愛寫詩這份習性的悠然、流連。因而他在「笑問」之中不妨為詠詩辯護、化解衝突，不顧「些些口業」而放任「誇詩」。

而當他整個精神狀態處於苦悶消沉、無力再進行自我闡釋時，詩歌創作與佛禪的衝突體現得更為明顯。〈醉吟二首〉：

空王百法學未得，姹女丹砂燒即飛。事事無成身老也，醉鄉不去欲何歸。（其一）

9 《白居易詩集校注．愛詠詩》，卷二十三，頁1838。

10 《白居易詩集校注．閑詠》，卷二十五，頁1961。

11 《白居易文集校注．醉吟先生墓誌銘並序》，卷三十四，頁2031。

12 《白居易詩集校注．問遠師》，卷二十三，頁1840。

13 《白居易詩集校注．齋月靜居》，卷二十六，頁2036。

14 《白居易詩集校注．齋戒》，卷三十五，頁2645。

15 《白居易詩集校注．味道》，卷二十三，頁1836。

兩鬢千莖新似雪，十分一醆欲如泥。酒狂又引詩魔發，日午悲吟到日西。（其二）[16]

當他感歎自己於佛法和道教的修行一無所成時，醉酒與吟詩也帶上了一股無奈消沉和自我放逐的意味。「詩魔」體現了對於寫詩病態的貪戀和執著。白居易對自己佛禪修為的認可度越低，對詩歌創作的負面化評價就越強。如果說把寫詩歸於口業和習性還是延宕而舒緩的，那麼「詩魔」就將詩歌創作與佛禪語言文字觀之間的衝突以更激烈化的方式揭示出來。

白居易從業力和習性的角度去看待自己愛詠詩這一行為，其實是以佛教徒身分對詩人身分的反思，顯現出白居易對於佛禪語言文字觀與詩歌創作之間的衝突的認識。執著於寫詩自然是與佛禪的語言文字觀相違背的，但白居易也從業力的角度試圖融合詩人與佛教徒的雙重身分。〈愛詠詩〉：「辭章諷詠成千首，心行歸依向一乘。坐倚繩床閑自念，前生應是一詩僧。」在這裡，吟詩千首與心向一乘不相違背，白居易由今生對詠詩之愛推想自己前世當為詩僧，以前世業力為由將詩人身分、佛教徒身分進行了完美融合，解釋了自己既癡迷於詩又信仰佛禪的雙重滿足，彌合了二者之間的縫隙。

白居易一生進行了大量的詩歌創作，他也時常從業力和習性的角度反觀自己對吟詩的貪愛，這不得不說是來自於佛禪語言文字觀的影響。而佛禪語言文字觀與白居易自身的詩學觀之間的衝突雖然不會從根本上動搖他的詩歌創作，但他也仍需要許多方式去彌合二者之間的縫隙，緩解佛禪的語言文字觀對詩歌創作帶來的焦慮。

（二）文字作為佛禪之因緣

白居易對佛禪的語言文字觀有比較通達的看法。禪宗以「不立文字」著稱。元和十年白居易曾向惟寬法師四問道，第一問的便是「既曰禪師，何故說法？」[17]可見白居易對禪宗的「教外別傳，不立文字」是有所瞭解的，對禪宗這種獨特的傳法方式也非常關注，所以才會對禪師說法這一行為感到疑惑不解。惟寬法師是洪州馬祖道一的弟子，他律、法、禪三用實一的回答體現了洪州禪隨緣任用、通達無礙的特色。洪州禪法禪無二、隨緣任用的思想也對白居易通達地理解佛禪的語言文字觀不無影響。後來白居易在寫給另一位菏澤宗禪師神照上人的詩中稱讚其「心如定水隨形應，口似懸河逐病治」[18]，並在為其所作的塔銘中言「其教之大旨，以如然不動為體，以妙然不空為用，示真寂而不說斷滅，破計著而不壞假名。」[19]可以看出他已經比較深刻地理解了禪宗「如然不

16 《白居易詩集校注‧醉吟二首》，卷十七，頁1389-1390。

17 《白居易文集校注‧傳法堂碑》，卷四，頁185。

18 《白居易詩集校注‧贈僧五首‧神照上人（照以說壇為法事）》，卷二十七，頁2172。

19 《白居易文集校注‧唐東都奉國寺禪德大師照公塔銘並序》，卷三十四，頁2017。

動」之體與「妙然不空」之用合二為一的辯證關係。無論是洪州禪的隨緣任用，還是菏澤禪的體用不二，都體現了禪宗通達自如的思想觀念。在這樣的思想觀念下，文字也可以成為佛禪之因緣。禪宗經歷了從「不立文字」發展到「不離文字」的演變，這個演變直到宋代文字禪的興起才真正完成，白居易詩學觀與佛禪語言文字觀的彌合便是演變過程中的一環。

白居易之所以對佛禪的語言文字觀有比較通達的理解，將文字作為佛禪之因緣，除了禪宗思想的影響外，很大程度上還源於他以儒家思想為根柢對大乘佛教精神的洞諳。在〈贈草堂宗密上人〉一詩中他曾鮮明地表達：

> 吾師道與佛相應，念念無為法法能。口藏宣傳十二部，臺照耀百千燈。
> 盡離文字非中道，長住虛空是小乘。少有人知菩薩行，世間只是重高僧。[20]

「中道」是大乘佛教的核心教義，指究竟實相遠離有無二邊之戲論。白居易認為「盡離文字」便落入了「無」這一邊，違背了中道。而安住虛空，與世隔絕，只求自度而不度人的小乘則違背了大乘菩薩行。他從大乘佛教中觀和菩薩行的兩個角度肯定了法師講經說法的行為，而否定了「盡離文字」的態度。

在〈題道宗上人十韻〉中，他對詩作為佛禪的方便法門作出了通透的理解：

> 如來說偈贊，菩薩著論議。是故宗律師，以詩為佛事。
> 一音無差別，四句有詮次。欲使第一流，皆知不二義。
> 精潔沾戒體，閑淡藏禪味。從容恣語言，縹緲離文字。
> 旁延邦國彥，上達王公貴。先以詩句牽，後令入佛智。
> 人多愛師句，我獨知師意。不似休上人，空多碧雲思。

在這首詩的並序中他稱讚道宗上人「閱其人皆朝賢，省其文皆義語，予始知上人之文為義作，為法作，為方便智作，為解脫性作，不為詩而作也。」[21]其論述與他在〈新樂府序〉中「為君、為臣、為民、為物、為事而作，不為文而作也」[22]的自剖何其相似！白居易最看重自己的諷喻詩創作，而在諷喻詩中〈新樂府〉又集中地體現了他「兼濟之志」的儒家理想和以采詩官自任的詩學觀念。白居易以自己的儒者兼濟之心去體會道宗上人的佛教慈悲之心，以自己以詩為政事的詩學觀去理解道宗上人「以詩為佛事」的方便法，「我獨知師意」中流露出對道宗上人由衷的理解和深切的共鳴。這種理解和共鳴無疑加深了他對文字作為佛禪之因緣的認同。

源於以儒家思想為根柢對大乘佛教精神的洞諳，加上受到禪宗通達的語言觀影響，

---

20 《白居易詩集校注・贈草堂宗密上人》，卷三十一，頁2367。

21 《白居易詩集校注・題道宗上人十韻並序》，卷二十一，頁1701。

22 《白居易詩集校注・新樂府並序》，卷三，頁267。

白居易將詩歌創作與佛禪語言文字觀原本存在的衝突轉化為了二者的融通。而這種融通也體現在他對自己詩文的觀照上。他晚年多次整理自己的詩文集，將之存放在廬山東林寺、洛陽香山寺、洛陽聖善寺、蘇州南禪院等多個寺廟，其緣由固然出於對自己詩文的珍視，對其不朽的希冀，然而也不能忽視白居易作為一個佛教徒的心理。他在這些送去寺院的文集記中反覆表達「願以今生世俗文字放言綺語之因，轉為將來世世贊佛乘轉法輪之緣也」[23]。他自省一生所作文字「文集七帙，合六十七卷，凡三千四百八十七首。其間根源五常，枝派六義，恢王教而宏佛道者多矣，然寓興放言，緣情綺語者，亦往往有之。」[24]而無論前者還是後者，他都將之作為來世締結佛緣之因。在這裡，文字具有了一種更抽象的意義，它被作為一種過程和管道，形式的意義超越了其內容本身的含義，而被一個更高的目的所統攝。

這種觀念在白居易自己的「為君、為臣、為民、為物、為事而作，不為文而作也」，和寫給禪僧的「為義作，為法作，為方便智作，為解脫性作，不為詩而作也」中已經體現得非常明顯。詩歌作為儒家理想的實現方式與文字作為佛禪因緣，兩者的共性除了在於儒家思想和大乘佛教在利眾精神上的相似性以外，還在於詩歌都被視為一個方便的管道，其意義更在於詩歌所弘揚的道。在觀照自己一生所作文字時，白居易將「恢王教」與「宏佛道」並列，他的儒學詩教觀與佛禪語言文字觀在將文字作為佛禪之因緣這一點上得到了最大程度的彌合。

三　白居易的「綺語」觀與「感妄悟真」的詩學意義

「綺語」作為佛教所講四口業之一，指的是由無明推動、串習貪嗔癡的言語。「綺語」一詞出現在白居易晚年為送去寺院保存的詩文集所寫的記中。〈蘇州南禪院白氏文集記〉：

> 其間根源五常，枝派六義，恢王教而宏佛道者多矣，然寓興放言，緣情綺語者，亦往往有之。樂天佛弟子也，備聞聖教，深信因果，懼結來業，悟知前非，故其集家藏之外，別錄三本，一本置於東都聖善寺缽塔院律庫中，一本置於廬山東林寺經藏中，一本藏于蘇州南禪字千佛堂內。夫惟悉索弊文歸依三藏者，其意雲何？且有本願，願以今生世俗文字放言綺語之因，轉為將來世世贊佛乘轉法輪之緣也。

〈香山寺白氏洛中集記〉：

23 《白居易文集校注・香山寺白氏洛中集記》，卷三十四，頁2015。

24 《白居易文集校注・蘇州南禪院白氏文集記》，卷三十三，頁1991。

> 夫以狂簡斐然之文，而歸依支提法寶藏者，于意雲何？我有本願，願以今生世俗文字之業，狂言綺語之過，轉為將來世世贊佛乘之因，轉法輪之緣也。

這裡的「世俗文字」、「寓興放言」、「緣情綺語」、「狂簡斐然之文」顯然都是與佛教正法相衝突的。當白居易用這些字眼來形容自己的文字時，他不再是站在世俗立場為文字作辯護的態度，而流露出對文字在世俗意義層面的否定。當他以與佛法相衝突之文字來「歸依三藏」時，他已然將兩者的衝突進行了轉化。轉化方式一是「懼結來業，悟知前非」的悔悟，二是他願以今生世俗文字為因轉為來世轉法輪之緣的願心。佛經裡常常強調懺悔與願力的不可思議，只要經過真切的懺悔往往就能滌除多生累劫的罪業，強大的願力大於業力。白居易一再強調其「本願」，也正是希望這些染著世間習氣的文字綺語在懺悔和願力的轉化下成為趨入佛禪的因緣。

他特意將「根源五常，枝派六義，恢王教而宏佛道者」與「寓興放言，緣情綺語者」區分，他並不認為那些表達儒家政治理想和社會理想的詩歌是「綺語」，屬於「綺語」的是那些單純抒發個人性情、享受生活愉悅、在言辭和趣味上都偏於俗化而又缺乏意義連接的詩歌。這反映出白居易的詩歌創作乃至人生意識中雅與俗的衝突、公共與私人的衝突。當他以「綺語」來看待這些詩歌時，其實是把這些衝突都歸入到了範圍更廣的佛教信仰與世俗愉悅的衝突之中。通過把這部分缺乏意義的詩歌看作「綺語」而將之徹底形式化，再以懺悔和願力而賦予其全新的意義。可以說，當以「綺語」來審視詩歌時，詩歌原有的世俗的意義就被否定掉了。而白居易詩中也確實還存在著這樣的現象，否定詩歌在世俗層面的意義，賦予它「感妄悟真」的意義。

〈和夢遊春詩一百韻〉乃元和五年白居易和元稹〈夢遊春詩七十韻〉而作。元稹詩主要寫了到江陵後追憶少年風流事蹟及感歎韋叢早逝，按陳寅恪先生，「微之自編詩集，以悼亡詩與豔詩分為兩類。其悼亡詩即為元配韋叢而作。其豔詩則多為其少日之情人所謂崔鶯鶯者而作。」[25]〈夢遊春〉一詩，則兼有豔詩與悼亡詩的意味。白居易所和詩同樣花了大量篇幅敘寫微之的情事和婚事，刻畫女子的形態、兩人相見時的情形，內容上縱情聲色，語言皆穠豔華麗。對於這樣的詩，元稹已表達出「悔既往而悟將來」之意，白居易不僅將其詩廣之，还將其意深之：

> 今所和者，其卒章指歸於此。夫感不甚則悔不熟，感不至則悟不深，故廣足下七十韻為一百韻，重為足下陳夢遊之中，所以甚感者。敘婚仕之際，所以至感者。欲使曲盡其妄，周知其非，然後返乎真，歸乎實。亦猶《法華經》序火宅、偈化城，《維摩經》入淫舍、過酒肆之義也。

這段文字並非僅為綺豔詩歌作開脫，它來自重新審視過往生活的悔悟心理。序中一開始

---

25 陳寅恪：《元白詩箋證稿》北京：生活・讀書・新知三聯書店，2001年，頁84。

就表達「況與足下外服儒風，內宗梵行者有日矣。而今而後非覺路之返也，非空門之歸也，將安反乎？將安歸乎？」[26]對空門產生「覺今是而昨非」的歸依感與他賦予詩歌「感妄而悟真」的意義，兩者是同步一致的，都與他對婚宦生活感到的幻滅感無不關係。此時元稹因得罪宦官而被貶江陵，妻子韋叢也於元和四年去世。白居易仍在朝中擔任翰林學士，但他很清楚元稹正是因為「事無不言」,「為執政所忌」[27]，才仕途受挫。作為其親密的同道者，也作為一個敏感的旁觀者，他也已然深刻感受到仕途際遇和禍福榮辱的無常。〈和夢遊春詩一百韻〉云：

請思遊春夢，此夢何閃倏。豔色即空花，浮生乃焦穀。
良姻在嘉偶，頃克為單獨。入仕欲榮身，須臾成黜辱。

「夢」、「空花」、「焦穀」三個比喻都來自佛教，表達了良姻和榮仕的空幻速滅，將該詩前部分對婚宦生活進行的大量鋪敘都頓然掃空。由對現實生活產生的虛妄感，進而對描述這些生活的詩歌產生綺語觀，而詩歌之所以還具有意義，是因為從耽迷其中地書寫虛妄到看破虛妄而感悟真實，這樣的詩歌便具有了悟道的性質。這也是綺語觀能夠轉化詩與佛教的衝突、使詩成為悟道之因緣的地方。而與一般的言說佛理的文字不同的是在綺語觀下創作的詩歌往往帶有以執破執、感妄悟真的色彩。

白居易的一些以佛教為背景的詩歌便故意帶有綺靡香豔的色彩。如〈題孤山寺石榴花示諸僧眾〉：

山榴花似結紅巾，容豔新妍占斷春。色相故關行道地，香塵擬觸坐禪人。
瞿曇弟子君知否，恐是天魔女化身。[28]

又如〈題靈隱寺紅辛夷花，戲酬光上人〉：

紫粉筆含尖火焰，紅胭脂染小蓮花。芳情鄉思知多少，惱得山僧悔出家。[29]

兩首詩都寫寺廟裡的花，著意刻畫其顏色之鮮豔，將之比作「紅巾」、「紅胭脂」、「火焰」，前兩者帶有鮮明的女性色彩，「火焰」在佛教則常用來象徵情欲。如此豔麗之花在牽動人的視覺之時也不由得牽動人的情思。「天魔女化身」、「芳情鄉思」更是將花女性化和豔情化，有意於挑戰僧眾的清心寡欲。第一首詩「示諸僧眾」，自然是要表達佛理。第二首「戲酬光上人」，雖有戲謔之意，但因其物件為僧人，即便玩笑之中也少不了佛理內涵。至於其佛理內涵究竟為何，他在另一首〈僧院花〉中表明：

---

26 《白居易詩集校注・和夢遊春詩一百韻》，卷十四，頁1130-1131。

27 劉昫等：《舊唐書・元稹傳》北京：中華書局，1975年，卷一百六十六，頁4327、4331。

28 《白居易詩集校注・題孤山寺石榴花示諸僧眾》，卷二〇，頁1618-1619。

29 《白居易詩集校注・題靈隱寺紅辛夷花，戲酬光上人》，卷二，頁1615。

欲悟色空為佛事，故栽芳樹在僧家。細看便是華嚴偈，方便風開智慧花。[30]

可見，塑造色相正是為了破除色相，「欲悟色空」乃是根本目的。因而無論如何過分地去刻畫色相，無論詩風如何綺靡香豔，如何將「綺語」發揮到極致，這些文字最終都是為了破除色相、了悟色空，它們都因為具有悟道的性質而洗清「綺語」的污垢。

而之所以要採取以執破執、以相破相的方式，是因為這最符合不落於單邊的中道，能同時遣除「有」與「無」、「色」與「空」二邊的執著。《維摩詰經・方便品》：「入諸淫舍，示欲之過。入諸酒肆，能立其志。」[31]深刻地闡釋了這一道理。白居易深受其影響，在〈和夢遊春詩一百韻〉的序中曾以「《維摩經》入淫舍、過酒肆之義也」來解釋自己的詩歌，又在〈酒筵上答張居士〉中引「淨名翁」即維摩詰居士為知音來解釋自己一邊信佛一邊世俗娛樂的行為：「但要前塵滅，無妨外相同。雖過酒肆上，不離道場中。弦管聲非實，花鈿色是空。何人知此義，唯有淨名翁。」[32]

白居易在詩中還多次使用齊梁詩僧惠休的典故。惠休的詩在當時便以「淫靡」、「綺豔」著稱，被劉師培認為是梁代宮體詩的前奏[33]。因江淹有〈雜擬詩〉模仿惠休作〈休上人別怨〉一首中有：「日暮碧雲合，佳人殊未來。」[34]唐人多錯以「碧雲」指代惠休所作的綺靡香豔之詩。白居易用「碧雲」的典故打趣過廣宣上人創作應制詩和綺豔詩：「道林談論惠休詩，一到人天便作師。香積筵承紫泥詔，昭陽歌唱碧雲詞」[35]；表達過超然無執的心態：「禪心不合生分別，莫愛餘霞嫌碧雲。」[36]在以悟道為目的，「感妄悟真」的觀照下，白居易對於綺靡詩風表現出了接納的態度。

白居易對於詩歌創作的悔悟意識，以及以綺靡香豔風格的詩歌創作去感悟佛理，體現了綺語觀。綺語觀，即將詩歌創作看作悟道因緣的詩學觀，通過對綺語的觀照而達到「感妄悟真」的目的，那麼詩歌創作本身就成為悟道的因緣，這便是綺語觀的詩學意義。且越是綺靡香豔風格的詩歌，越具有激發「感妄悟真」、以執破執的潛能和方便。綺語觀以一種具有創造力的方式轉化了詩歌創作與佛禪語言文字觀的衝突。

---

30 《白居易詩集校注・僧院花》，卷二十六，頁2092。

31 賴永海、高永旺譯注：《維摩詰經》北京：中華書局，2010年，頁25。

32 《白居易詩集校注・酒筵上答張居士》，卷二十四，頁1942。

33 「其以此體施於五言詩者，亦始晉宋之間，後有鮑照，前有惠休。綺麗之詩，自惠休始。」參見劉師培：《中國中古文學史講義》湖南：嶽麓書社，2011年，頁82。

34 鐘嶸著，周振甫譯注：《詩品譯注・齊惠休上人 齊道猷上人》北京：中華書局，1998年，頁93。

35 《白居易詩集校注・廣宣上人以應制詩見示因以贈之詔許上人居安國寺紅樓院以詩供奉》，卷十五，頁1174。

36 《白居易詩集校注・答次休上人》，卷二十四，頁1947。

四　從綺語觀重新審視南朝至北宋的綺靡香豔詩風

學界普遍認同佛教的傳入對中國古代文學形式的發展產生了重要的影響。不僅是形式直接地影響形式，佛教的觀念也豐富了詩歌思想，使詩人們在儒家詩學觀之外擁有了更多可能性，從而去創造新的詩歌形式。「綺語」便是一個佛教觀念，它指的是由無明推動、染著貪嗔癡妄念的言語。它進入詩人視野後漸漸成為詩人觀照自己詩歌創作的一種觀念，尤其對於兼具佛教徒身分的詩人來說，「綺語」代表著詩與佛教產生的衝突，而綺語觀又暗含著去轉化這種衝突的可能。綺語觀的基本內涵，是將詩歌在世俗層面的意義觀空，以實現感妄悟真的悟道目的。綺語觀影響著詩歌創作的形態、詩歌發揮的作用。

南朝宮體詩與佛教同時盛行，對宮體詩的興盛起著關鍵作用的蕭綱篤信佛教，宮體詩中對女性姿容的描摹和對豔情的書寫又確實與佛經典籍中的描寫近似，這些現象說明宮體詩與佛教之間確實存在著某種關聯。而這些以綺靡輕豔著稱的宮體詩在內在精神上與佛教有何相通之處呢？《玉臺新詠》中王僧孺〈為人述夢〉:

> 工知想成夢，未信夢如此。皎皎無片非，的的一皆是。
> 以親芙蓉褥，方開合歡被。雅步極嫣妍，含辭姿委靡。
> 如言非倏忽，不意成俄爾。及寤盡空無，方知悉虛詭。[37]

中四句是標準的宮體風格，結尾卻極言其虛妄不實。蕭綱寫了不少豔詩，但他也寫有〈十空詩〉，其中「六塵俱不實，三界信悠哉」[38]（〈如幻〉），「若悟假名淺，方知實相深」[39]（〈如影〉）也都在表明塵世的虛妄不實，如幻如影。再看他在〈誡當陽公書〉中所言：「立身之道與文章異，立身先須謹重，為文且須放蕩。」[40]儒家傳統的詩學觀是詩言志，將詩歌與詩人主體完全等同，而蕭綱卻主張立身與為文的分離，表現出與之迥異的觀念。詩與人格原本在同樣的高度，而「為文且須放蕩」實際上是將詩歌降格了。只有當詩歌表達的意義無足輕重時，才可能「且須放蕩」。這很可能是受到佛教色空觀的影響。佛教的色空觀認為一切色相皆是虛妄，描寫色相的詩歌也不例外，既然是虛妄，那麼便不妨遊戲。綺語觀就是色空觀在文字上的表現，當認識到詩歌本身就是沒有實義的綺語，那麼無論使用多麼綺豔的文辭，無論描寫多麼色情的內容，都不必那麼當真。綺語觀，可能是六朝宮體詩的一種創作心理。

在北宋，綺語觀在詩歌中被運用得更加主動。《五燈會元》記載了昭覺克勤禪師悟道的公案。五祖法演以豔詩「頻呼小玉元無事，只要檀郎認得聲」作開示，克勤從中悟

---

37 徐陵編，吳兆宜注，程琰刪補：《玉臺新詠箋注》北京：中華書局，1985年，卷六，頁240。

38 丁福保編：《全漢三國晉南北朝詩》北京：中華書局，1959年，頁906-907。

39 《全漢三國晉南北朝詩》，1959年，頁907。

40 歐陽詢撰：《藝文類聚》，卷二十三，清文淵閣四庫全書本。

道後寫了一首悟道偈獻給五祖演：

金鴨香銷錦繡幃，笙歌叢裡醉扶歸。少年一段風流事，只許佳人獨自知。[41]

這裡的豔詩不僅是認識到文字的虛妄性之後的遊戲，也不僅是用於以執破執，還帶有暗喻性，被用來表達禪悟體驗。「頻呼小玉元無事，只要檀郎認得聲」，「頻呼小玉」只是為了讓「檀郎」認得自己的聲音，豔情的書寫是要表達隱秘的真理，即一切有為法都是認識自性的契機，「認得聲」就是要認得本來面目。而克勤禪師的悟道偈看似寫少年佳人之間不為外人所道的風流韻事，實則喻指悟道體驗唯有悟道者相知相證，難以言喻。以豔詩來表達禪悟體驗，便是綺語觀的任運發揮，將詩歌創作當作悟道的機緣，詩歌充滿遊戲的輕盈感。

除了僧人以豔詩悟道，士大夫也通過豔詩、豔詞來表達禪悟。如黃庭堅〈戲答陳季常寄黃州山中連理松枝二首・其二〉：

老松連枝亦偶然，紅紫事退獨參天。金沙灘頭鎖子骨，不妨隨俗暫嬋娟。[42]

連理枝常被用來比喻夫婦之情。黃庭堅意在表明松樹連理只是「隨俗」的一面，其本性是「參天」。他還舉了「金沙灘頭鎖子骨」這個禪宗的典故藉以說明這一點。《傳燈錄》中記載：「僧問風穴：『如何是佛？』穴曰：『金沙灘頭馬郎婦，世言觀音化身。』」（北宋）葉廷珪的《海錄碎事》卷十三上〈馬郎婦〉條云：「釋氏書：昔有賢女馬郎婦，于金沙灘上施一切人淫。凡與交者，永絕其淫。死葬，後一梵僧來，云：『求我侶。』掘開，乃鎖子骨。梵僧以杖挑起，升雲而去。」[43]馬郎婦乃鎖骨菩薩的化身，她以情欲為方便點化眾人拋棄情欲，這恰和松樹本性參天卻隨俗而連理、黃庭堅本性堅貞不俗卻隨俗而寫作綺語之詩詞契合。這體現了一種更為積極的綺語觀，即以綺語包蘊佛理來化俗。

綺靡香豔是詩歌的風格之一，但並不是所有綺靡香豔風格的詩歌都具有綺語觀。綺語觀來自佛禪思想，意味著通過觀照詩歌的世俗意義而感悟實相真理，創造性地轉化了詩歌創作與佛禪語言文字觀之間的衝突。綺語觀往往體現在兼具佛教徒身分的詩人身上。南朝詩人在綺語觀下以遊戲的態度創作宮體詩；白居易的綺語觀轉化了詩與佛禪語言文字觀的衝突，幫助他以詩為娛的詩歌創作；而北宋以豔詩來表達禪悟則是對綺語觀的進一步發揮，開創了一種新的表達禪理的文字形式，既具遊戲的輕盈，又含佛理的深度，充滿詩歌與禪理的張力。從綺語觀重新審視南朝至北宋的綺靡香豔詩風，可以看到佛禪悟道的內在目的解放了以詩為娛的外在形式，創造性地轉化了詩歌創作與佛禪語言文字觀的衝突。

41 普濟：《五燈會元・昭覺克勤禪師》北京：中華書局1984年，卷十九，頁1254。

42 黃庭堅著，任淵、史容、史季溫注，黃寶華點校：《山谷集詩注》上海：上海古籍出版社，2003年，上冊，頁226。

43 葉廷圭撰，李之亮校點：《海錄碎事・馬郎婦》北京：中華書局，2002年，卷十三，頁688。

白居易寫真詩的功名觀念和生命意識

張冠柔

北京師範大學文學院

「表功」為唐代宮廷圖像所呈現的一大政治傳統。[1]作為一種宮廷圖像，朝臣寫真圖代表著臣功和圖繪的融匯，並通過入凌煙閣的方式達到功名和皇恩的雙重不朽。除此之外，詩人被授予寫真圖所作的寫真詩也可以有力詮釋其功名觀念，還可以更廣泛地表現其自我觀照的歷程。

自題寫真詩的創作自唐有之，代表作者有徐夤、司空圖等，最早成規模的創作始於白居易。到了宋代，蘇軾、蘇轍、黃庭堅、陸游、周必大等人均有創作，明清自題寫真詩也較為繁榮，作者如袁枚、汪婉、趙翼等人。自題寫真詩被劃為題畫詩或畫我詩的一種，[2]是詩人自我觀照的方式之一。近年來涉及白居易自題寫真的研究基本從審美、自我的角度，將白居易放在唐宋詩歌流變和唐宋文人心態轉變的起點上進行考量。本文則從白居易本人現實境遇出發，討論白氏寫真詩自觀歷程與其背後傳遞的功名觀念和生命意識。

白居易詩集共記載五首寫真詩，[3]分別為元和五年（西元810年）《自題寫真》、元和十二年（西元817年）《題舊寫真圖》、元和十三年（西元818年）《贈寫真者》、太和三年（西元829年）《感舊寫真》、會昌三年（西元842年）《香山居士寫真詩並序》，這五首寫真詩分別作於翰林、江州與晚年三個階段。白居易以寫真自覽與寫真詩創作展現自己對於仕途進退、生命狀態的深刻思考。通過對這一自我認知過程的揭示，我們可以管窺白居易功名觀念與生命意識的複雜性與局限性。

---

* 基金項目：國家社科基金重大項目「中國古代都城文化與古代文學及相關文獻研究」（18ZDA237）

1 許結：〈唐代圖像敘事的歷史價值〉，《社會科學》，2019年第12期，頁166。

2 「題畫詩」是從繪畫屬性的角度來說，衣若芬〈寫真與寫意：從唐至北宋題畫詩的發展論宋人審美意識的形成〉提出題畫詩概念，題畫詩反映了審美意識，唐代重「寫真」而宋代重寫意。李旭婷〈唐宋士人心態內轉的脈絡——以南宋自題寫真詩為視角〉認為畫讚是題畫詩的起源，而受畫讚影響最大的就是題人物畫像詩，即題寫真詩，分為題他人寫真和本人寫真。該文章主要討論南宋文人在自題寫真詩表現出的心態內轉問題。「畫我詩」是以自我為主體的角度來說，程楚曉〈淺論宋代「畫我詩」〉提出「畫我詩」概念，認為重點在於「我」的出現。衣若芬〈自我的凝視：白居易的寫真詩與對鏡詩〉將白居易的覽鏡詩和寫真詩都界定為「看見自我」的詩，以此分析詩人從凝視自我的體驗中感受到的自我意識。

3 關於寫真詩的編年、畫寫真的次數以及每首寫真詩對應的畫像，丸山茂《唐代文化與詩人之心》中已有整理，本文取〈自題寫真〉所畫寫真圖即〈題舊寫真圖〉的「舊寫真」一說。

一 翰林寫真：自觀觸發的仕途憂患與生命危機

元和五年（西元810年），時為翰林學士的白居易在寫真詩《自題寫真》中寫道：

> 我貌不自識，李放寫我真。靜觀神與骨，合是山中人。蒲柳質易朽，麋鹿心難馴。何事赤墀上，五年為侍臣？況多剛狷性，難與世同塵。不惟非貴相，但恐生禍因。宜當早罷去，收取雲泉身。[4]

關於這次寫真的背景，《香山居士寫真詩序》有言：「元和五年，予為左拾遺、翰林學士，奉詔寫真於集賢殿御書院，時年三十七。」其中「奉詔寫真於集賢殿」體現了這次寫真活動的性質，即一般性的賞賜朝臣寫真活動。朝臣寫真的最高賞賜級別是功臣寫真入凌煙閣，自漢就有皇帝賞賜功臣寫真並將之入麒麟閣（凌煙閣前身）的傳統。有唐一代，長安西內三清殿側專設「凌煙閣」，唐太宗於貞觀十七年（西元643年）命閻立本在凌煙閣繪長孫無忌等二十四名功臣圖像，閣分三層，內層繪功勳最高的宰輔，中層繪功高的王侯，外層繪其他功臣。[5]寫真入凌煙閣和寫真入宗廟都屬於題壁性質的寫真賞賜，與之相對的是日常性的紙絹本寫真賞賜，雖不如題壁之顯赫，但彰顯君主禮遇。這些寫真本或藏於書府，或贈與本人，日後也可成為入凌煙閣的底本，此以《開元十八學士圖》等學士寫真為典型。白居易本次寫真或屬此類，這種制度性寫真對學士具有著賞賜與激勵並行的意義，對時為翰林學士的白居易來說，是醞釀功名理想的特殊契機。

白居易在《自題寫真》說道自己在自觀寫真時，視線穿透了具體的相貌，看見了自己的神骨。畫里的白居易儼然為質樸難馴的「山中人」，而他又自許本是脾性剛狷之人，這一切都彷彿在解釋他位及近臣的不合理性。所謂「剛」為剛直、直切，「狷」在《說文》為：「狷，褊急也。」[6]《論語·子路》云：「不得中行而與之，必也狂狷乎！狂者進取，狷者有所不為也。」[7]均指一種偏激、反抗的態度。白居易形容自己為「剛狷性」，實際上是展現了自己性格與環境作對抗的一面，這種對抗的結局自然是走向「難與世同塵」。

然而在翰林期間，影響白居易仕途走向的並不是他的脾性，而是他的身分地位與政治作風。「剛狷」其實正是憲宗朝翰林學士所需要的品質。從翰林學士的職責來說，他

---

4 本文所舉白居易詩文均引自謝思煒注：《白居易詩集校注》北京：中華書局，2006年。謝思煒注：《白居易文集校注》北京：中華書局，2011年。後不額外作注。

5 「准敕書修創凌煙閣，尋奉詔問閣高下等級。謹按凌煙閣，都長安時在西內三清殿側，畫像皆北面，閣有中隔，隔內面北寫功高宰輔，南面寫功高諸侯王，隔外面次第圖畫功臣題讚。」（宋）薛居正等撰：《舊五代史》北京：中華書局，1976年，頁617。參見許結〈唐代圖像敘事的歷史價值〉相關論述。

6 （漢）許慎撰，陶生魁校：《說文解字》北京：中華書局，2020年，頁320。

7 （梁）皇侃撰，高尚榘校：《論語義疏》北京：中華書局，2013年，頁342。

們需要為皇帝起草機密性公文、參預皇帝宮中籌劃的政事和值班內廷等。[8]當時由裴垍帶領的一批翰林學士表現出頗為激進的立場，他們為使憲宗採納奏議甚至會屢次上疏。作為其中一員的白居易也不例外，他分別於元和三年至五年先後上書議制科人之事、節度使行為不當之事、吐突承璀領兵之事、元稹被貶之事等，每一件事都觸及到當時十分敏感的問題：藩鎮、宦官、邊事，[9]但這些事都沒有受到憲宗明顯的抵觸。直到元和四年（西元809年）裴均於德音後違背赦令進俸銀器，李絳、白居易勸諫憲宗「出銀器付度支」（《論裴均進奉狀》），白居易又以憲宗行事不妥「復以為言」之時，他第一次遭到了憲宗明確的反對。[10]在此之後白居易繼續就吐突承璀領兵、元稹被貶等事積極進言，卻均遭到駁回。

他具體的行事方式很大程度是效仿他的直屬上級——李絳。白居易隨李絳就藩鎮、宦官的問題數次直言，與憲宗展開了持久的博弈。但這帶給李絳的是君臣感情的升溫「憲宗見其誠切，改容慰喻之」[11]，帶給白居易的卻是君主的反感：「白居易嘗因論事，言『陛下錯』，上色莊而罷，密召承旨李絳，謂『白居易小臣不遜，須令出院。』絳曰：『陛下容納直言，故群臣敢竭誠無隱。居易言雖少思，志在納忠。』」[12]這背後的原因當然有兩人一為翰林承旨、一為「小臣」的身分之差。但更為深層的是，白居易本人行事是極缺乏策略性的：他雖秉持直切激進的政治作風，但他的直言有著「少思」的硬傷。也就是說，他在進諫過程中對合乎身分的直言尺度有著錯誤的把握，進而觸及憲宗底線而不自知，使「直言敢諫」變成了「以下犯上」。

白居易這種直切激進的政治作風對他當時的文學創作也有著強烈的引導作用，他將自己的政治抱負傾注在《秦中吟》、《新樂府》等大量諷諭詩中。諷諭詩的出現首先是受到了政治風氣與詩歌風氣的召喚：李肇曾在《唐國史補》中總結「元和之風尚怪」[13]，「怪」是士人們在文學中求怪奇、在政治中求變通的風氣。憲宗為政勤勉，對德宗朝產生的藩鎮、斂財等弊政有著改革的決心。他即位後還任裴垍為相，而後者十分欣賞諫官「言時政得失」的行為，[14]因此可謂整個上層中樞都呈現出良好的政治風氣。

正如許總《唐詩史》所說：「依倚著政治圖變氛圍，貫穿著文學革命精神，可以說

8　據傅璇琮：《唐翰林學士傳論》，《唐六典》、《通典》等官方政書並為提及翰林學士的職能，但可從唐人文學作品中瞭解。如杜黃裳〈東都留守顧公神道碑〉：「讚絲綸之密命。參帷幄之謀猷。」，白居易〈高鉞等一十人亡母鄭等太君制〉：「予有侍臣十人，咸士之秀者。或左右以書吾言動，或前後以補吾闕遺。」等。

9　（宋）司馬光編，（元）胡三省音注：《資治通鑑》北京：中華書局，1956年，頁7650-7677。

10　（後晉）劉昫等撰：《舊唐書》北京：中華書局，1975年，頁4287。

11　同上註。

12　（宋）司馬光編，（元）胡三省音注：《資治通鑑》，頁7676-7677。

13　（唐）李肇：《唐國史補．卷下》上海：上海古籍出版社，1979年，頁57。

14　（宋）范祖禹：《唐鑑．卷九》上海：上海古籍出版社，1984年，頁251。

是元和詩歌內涵的最重要的兩大構因和最根本的表現特徵。」[15]在這種政治與文學風氣的影響下，兼具政治與文學雙重身分的白居易可謂恰逢其時。在《秦中吟》、《新樂府》中，他對德宗、憲宗朝的許多弊病都表達了清晰的認識。《秦中吟》大致於元和三、四年（西元808、809年）落筆，脫稿較早，[16]詩人以一種譏刺現實、就事論事的姿態指出問題，但這些書寫多限於現象的反映。而到了元和四年（西元809年）開始創作、元和七年（西元812年）完稿的《新樂府》，[17]詩人開始有意識地灌注自己的政治理念。他《新樂府》的創作主張是：「其辭質而徑，欲見之者易諭也。其言直而切，欲聞之者深誡也。其事核而實，使採之者傳信也。其體順而肆，可以播於樂章歌曲也。」（《與元九書》）「直」是直抒胸臆，「切」是下語嚴厲，這充分表現了白居易直面君上的姿態與以文學干預政治的決心。

以白居易這一時期的政治和文學行事再反觀《自題寫真》一詩，我們不難發現他之所以說自己是「山中人」並不是真的「性本愛丘山」，而是在自觀寫真中，他發現自己剛狷的個性與政治作風有礙於功名前途，所以產生仕途的憂患。他由此又擔心「剛狷」會招徠不測之禍，進而產生了生命的危機感。這種複雜的危機感並不是一開始就伴隨著他，而是由特定的身分地位決定的。他在之前任校書郎時表現出的是驕傲自矜的心理狀態，這位科舉新貴總是帶著置身事外的睿智審視長安這一「帝都名利場」。而入翰林真正參與政事活動之後，他逐步形成了「剛狷」的政治作風，想以此大展拳腳，卻發現了其與政治身分、政治環境頗不契合。加之翰林學士系內廷之臣，是當時士人參預政治的最高層次。[18]它的政治地位之高、離君主之近，決定了它是極近密又是極孤獨的，權力極大又是危機極深的。白居易曾在同年所作《題海圖屏風》一詩中生動地表達了自己的恐懼：

> 海水無風時，波濤安悠悠。鱗介無小大，遂性各沈浮。突兀海底鼇，首冠三神丘。鈎網不能制，其來非一秋。或者不量力，謂茲鼇可求。屓贔牽不動，綸絕沈其鈎。一鼇既頓領，諸鼇齊掉頭。白濤與黑浪，呼吸繞咽喉。噴風激飛廉，鼓波怒陽侯。鯨鯢得其便，張口欲吞舟。萬里無活鱗，百川多倒流。遂使江漢水，朝宗意亦休。蒼然屏風上，此畫良有由。

寫真詩不僅反映了白居易這一時期功名理想與現實處境的矛盾感、仕途與生命的危機感，還通過抒發退避心理緩衝了這些消極的情感體驗。在這一方面寓直詩也有相似的作用。寓直詩是指白居易在中央夜值時創作的詩歌，他在夜晚會產生替代朝事情感的閒寂

15 許總：《唐詩史》南京：江蘇教育出版社，1996年，下冊，頁175。

16 陳才智：《元白詩派研究》北京：社會科學文獻出版社，2007年，頁184。

17 參見謝思煒：《白居易集綜論》北京：中國社會科學出版社，1997年，頁98。

18 傅璇琮：《唐翰林學士傳論》瀋陽：遼海出版社，2005年，頁36。

體驗，這種體驗使責任感被淡化、孤獨感被突出，而寓直詩便緩衝了孤獨感。[19]但有所不同的是，寫真詩調和矛盾感、危機感之前，首先是作為自我觀照的觸發機制之關鍵一環存在的。同時，寫真詩不受到身分的限定，它所起到的調和作用也並不是一蹴而就的，在擔任新的職位、面臨新的困難的時候，寫真的觀照又會觸發新的矛盾，又會有再次寫詩調和心態的行為。

二　江州寫真：自觀初老與事功情緒的加劇

元和十二年（西元817年），白居易被貶江州，回看翰林時期的寫真並作《題舊寫真圖》：

我昔三十六，寫貌在丹青。我今四十六，衰悴臥江城。
豈止十年老，曾與眾苦並。一照舊圖畫，無復昔儀形。
形影默相顧，如弟對老兄。況使他人見，能不昧平生？
義和鞭日走，不為我少停。形骸屬日月，老去何足驚。
所恨凌煙閣，不得畫功名。

詩人在這首詩裡主要是用自己「被貶江州」和「翰林在任」兩個時期對比。十年過去，他不僅容貌老去，更是品嘗了喪親、疾病和貶謫等各種方面的痛苦。詩人敏銳地抓住了生命流逝的兩種表現形式，一為年壽的流逝，二為身體的衰悴。不僅如此，生命的流逝還加劇了他對功名流逝的感觸，寫真使他意識到不斷地流逝中功名記錄的永恆性，並使他對年輕時締造功名的可能性存在執念，他對寫真賞賜的最高級別──凌煙閣寫真展現出強烈的渴望：「所恨凌煙閣，不得畫功名。」

同樣的，元和十三年（西元818年）的《贈寫真者》也是由年壽流逝的體驗出發，指向功名無望的無奈與悔恨：

子騁丹青日，予當醜老時。無勞役神思，更畫病容儀。
迢遞麒麟閣，圖功未有期。區區尺素上，焉用寫真為。

這首詩描述的是在江州進行的一次全新的寫真。白居易對年壽和功名的焦慮使他連寫真本身都開始排斥：「區區尺素上，焉用寫真為。」他的視線始終沒有聚焦寫真本身，而是首先落在畫者身上，將被寫真者的醜老和畫者施展才華時的意氣風發對比，表露了詩人對生命流逝以及病老狀態的無奈。從這兩首可以看到，白居易不僅會拿自己的生命與功名狀態與他人、去過去比較，還會採用年壽與仕途狀態並舉的形式，通過揭示兩者的

---

19 參見傅紹良：〈論白居易寓直詩中的非朝事情感及其成因〉，《西北大學學報》，2022年第1期，頁124。

適配或矛盾，以表達自己這一時期的年壽思考與功名觀念。

這次寫真的意義原本是記錄當下的神貌，但白居易卻聯想到寫真不入麒麟閣的問題，也就是說功名價值已經成為白居易評價寫真的根本標準。如果說翰林時期白居易是通過自觀寫真產生功名危機，進而感受到生命危機，那麼江州時期白居易則是通過參與寫真活動、自觀寫真兩個階段，共同產生一種生命流逝的焦慮感，進而產生強烈的事功情緒。

上文我們提到凌煙閣寫真是功臣寫真賞賜的最高級別，所謂「功臣」之「功」絕非虛名，太宗《圖功臣像於凌煙閣詔》曾云：

> 自古皇王，褒崇勳德，既勒銘於鐘鼎，又圖形於丹青。是以甘露良佐，麟閣著其美；建武功臣，雲臺紀其跡。……等（列舉功臣名字），或材推棟梁，謀猷經遠，綱紀帷帳，經綸霸圖；或學綜經籍，德範光煒，隱犯同致，忠讜日聞；或竭力義旗，委質藩邸，一心表節，百戰標奇；或受脤廟堂，辟土方面，重氛載朗，王略遐宣……可並圖畫於凌煙閣，庶念功之懷，無謝於前載；旌賢之義，永貽於後昆。[20]

這裡所列凌煙閣功臣既要有開國、平叛等重大功績，又要在治理、謀事、學養、品行、軍事等方面有突出的政治才能。唐代凌煙閣寫真活動總共只有十一次，且間隔最多可跨數十年，[21]白居易的人生中其實沒有經歷過一次凌煙閣寫真，在他生前的貞元五年（西元789年）凌煙閣列褚遂良至李晟等二十七人，「以繼國初功臣之像」。[22]而在他死後的大中初年（約西元847-848年），元和將相畫像被追加入凌煙閣，又續前代功臣圖像。[23]這些「功臣」均在平定叛亂、新朝建設中起到關鍵作用。可見白居易即便趕上寫真入閣活動，他的能力和地位也不符合當時的入閣標準。但作為彰顯功名不朽的標誌與唐代士人們功名夢想的傾注所在，寫真詩還是被白居易反覆賦予強烈的「凌煙閣情結」[24]

寫真詩所展示出的「凌煙閣情結」充分暴露了江州時期白居易閒適表面之下難藏的事功心情。白居易在《江州司馬廳記》將自己塑造成一個識時知命的「江州司馬」形

---

20 （清）董誥編：《全唐文》北京：中華書局，1983年，頁81-82。

21 據張李績：〈唐寫真研究〉北京：首都師範大學，2005年，頁21。

22 〔後晉〕劉昫等撰：《舊唐書》，頁368。

23 有關元和將相畫像入閣《新唐書．李絳傳》：大中初，詔史官差第元和將相，圖形凌煙閣，絳在焉，獨留中。《新唐書》又有大和初年凌煙閣功臣續圖之說，據《新唐書．李彭傳》「大中初，又詔求李峴、王珪、戴胄、馬周、褚遂良、韓瑗、郝處俊、婁師德、王及善、朱敬則、魏知古、陸象先、張九齡、裴寂、劉文靜、張柬之、袁恕己、崔玄暐、桓彥範、劉幽求、郭元振、房琯、袁履謙、李嗣業、張巡、許遠、盧弈、南霽雲、蕭華、張鎬、李勉、張鎰、蕭復、柳渾、賈耽、馬燧、李憕三十七人畫像，續圖凌煙閣雲。」《新唐書．宣宗本紀》：「（大中）二年已巳，續圖功臣於凌煙閣。」

24 有關「凌煙閣情結」，可參看梁曉霞：〈唐代詩人的「凌煙閣」情結〉，《興義民族師範學院學報》，2013年第4期，頁69-70。

象。他稱江州司馬為「司馬之事盡去，唯員與俸在。凡內外文武官左遷右移者，第居之。凡執伎事上與給事於省寺軍府者，遙署之。凡仕久資高耄昏軟弱不任事而時不忍棄者，實蒞之。蒞之者，進不課其能，退不殿其不能，才不才一也。」可見這是一個不能體現才幹、欲展宏圖卻無能為力的尷尬職位，但是他認為自己為官心態是平和的：相比於兼濟者的急功不樂，他「養志忘名，安於獨善者處之，雖終身無悶。」白居易雖在此文中把自我與外界政治環境對立，意圖說明自己對此閒職的定位理解透徹，並以一種事不關己的態度遠離政事之外。他在閒適詩中大肆宣揚被貶合乎自己的退隱之意：「三十氣太壯，胸中多是非。六十身太老，四體不支持。四十至五十，正是退閒時。」(《白雲期》) 但實際上，他還是控制不住表達出對翰林時期政治活動的追念，並屢屢以詩追憶：

臨水一長嘯，忽思十年初。三登甲乙第，一入承明廬。
浮生多變化，外事有盈虛。今來伴江叟，沙頭坐釣魚。(《垂釣》)
日出眠未起，屋頭聞早鶯。忽如上林曉，萬年枝上鳴。
憶為近臣時，秉筆直承明。春深視草暇，旦暮聞此聲。
今聞在何處，寂寞潯陽城。鳥聲信如一，分別在人情。
不作天涯意，豈殊禁中聽？(《聞早鶯》)

再如，他將當時淮西戰亂盡收眼底，希望有所作為，但又意識到這與官職身分的矛盾，只能寄情山水：

身閒易澹泊，官散無牽迫。緬彼十八人，古今同此適。
是年淮寇起，處處興兵革。智士勞思謀，戎臣苦徵役。
獨有不才者，山中弄泉石。(《春遊二林寺》)
驛路使憧憧，官防兵草草。及茲多事日，尤覺閒人好。
我年過不惑，休退誠非早。從此拂塵衣，歸山未為老。(《望江樓上作》)

他在詩中本意是將榮名與隱居相對，強調自己沈溺山中生活的理應之意，但是反覆書寫的仕宦情結實際上是暴露了詩人難言的事功心態。白居易反覆咀嚼翰林時期登科及第、秉筆承廬的輝煌時刻，小心翼翼地渴望作為時命載體的仕途機會再次到來，並在四年之後終於等到量移忠州的機會。他在《忠州刺史謝上表》寫道：「臣性本疏愚，識惟褊狹。早蒙採錄，擢在翰林。僅歷五年，每知塵忝；竟無一事，上答聖明。及移秩宮寮，卑冗疏賤。不能周慎，自取悔尤。猶蒙聖慈，曲賜容貸。尚加祿食，出佐潯陽。一志憂惶，四年循省。晝夜寢食，未嘗敢安。」對白居易來說，他一方面勸說自己安於閒職，另一方面期待仕進；一方面勸說自己現實的年壽狀態更適合歸隱，另一方面在自觀衰老的過程中展現出急切的事功情緒。

三　晚年寫真：喜老心態與功名追求的轉向

大和三年（西元829年），五十八歲的白居易第二次翻看翰林寫真，作《感舊寫真》一首，距初次寫真已近二十年：

李放寫我真，寫來二十載。莫問真何如，畫亦銷光彩。
朱顏與玄鬢，日夜改復改。無嗟貌遽非，且喜身猶在。

這裡仍是以時間跨度之長來形容年壽飛逝，隨之流逝亦有形貌，但是與之前的寫真詩有兩處不同。一是相比江州時期的落寞，這時的詩人同樣面對身體老去竟表示欣喜；二是詩人直面真實形貌的刻畫，詩中「朱顏與玄鬢，日夜改復改」一句似乎對容顏已老、鬢髮衰頹毫不在意。這一切都是建立在「身猶在」的前提下的，這種「身猶在」既代表壽命的延續，又代表著仕途的保全。大和三年三月末，為避免深陷黨爭，白居易百日長告假滿，罷刑部侍郎，除太子賓客分司東都。這其實是一次深思熟慮的政治選擇，早在大和二年（西元828年）白居易就十分清醒地認識到：

七年囚閉作籠禽，但願開籠便入林。幸得展張今日翅，不能辜負昔時心。
人間禍福愚難料，世上風波老不禁。萬一差池似前事，又應追悔不抽簪。

這首詩為組詩《戊申歲暮詠懷》的第三首，他在前兩首詩中也反覆強調自己的退守選擇：「莫求致仕且分司」、「不歸嵩洛作閒人」。可以說從翰林時期延續至今的仕途憂患一直伴隨著白居易，他一直擔心著在複雜的政治環境中無法使仕途善終。在政治與生命危機的倒逼下，白居易開始主動爭取出仕的機會並無限感慨退避之艱辛：「塵纓世網重重縛，迴顧方知出得難。」也正因如此，他在得以分司東都後一面繼續慶幸「倚瘡老馬收蹄立，避箭高鴻盡翅飛。」（《答崔十八見寄》）一面堅定不移地選擇就此不返「但問主人留幾日？分司賓客去無程。」（《陝府王大夫相迎偶贈》）「往時多暫住，今日是長歸。」（《歸履道宅》）當面對性命危機時，病老就變得相對可喜了，這也是為什麼他會「從今且莫嫌身病，不病何由索得身。」（《病免後喜除賓客》）「且喜筋骸俱健在，勿嫌須鬢各皤然。」（《酬別微之》），甚至如寫真詩所言一般悅納老病。

「退」為白居易帶來了安穩的現世處境，但他仍在解決這一時期功名情結的安放問題。與白居易相比，同一時期有如元稹般活躍在政治舞台並汲汲於爭鬥之人，也有如崔玄亮般退隱中難掩仕進之心重返朝廷之人。白居易在動搖與堅守中逐漸掌握了一種平衡的思想狀態與為官狀態——「中隱」。白居易《中隱》詳細闡釋了這種政治觀念：

大隱住朝市，小隱入丘樊。丘樊太冷落，朝市太囂喧。
不如作中隱，隱在留司官。似出復似處，非忙亦非閑。

不勞心與力，又免飢與寒。終歲無公事，隨月有俸錢。
君若好登臨，城南有秋山。君若愛遊蕩，城東有春園。
君若欲一醉，時出赴賓筵。洛中多君子，可以恣歡言。
君若欲高臥，但自深掩關。亦無車馬客，造次到門前。
人生處一世，其道難兩全。賤即苦凍餒，貴則多憂患。
唯此中隱士，致身吉且安。窮通與豐約，正在四者間。

雖說中隱在理想位置上處於大隱與小隱、丘樊與朝市、窮與通、貴與賤之間，但它的現實意義是為「退」而設計的。「中隱」是他為自己設定的一個邊界，再退一步便是隱匿山林。白居易的官職選擇也驗證了這一點，他在大和七年卸任河南尹後、大和九年拒絕同州刺史一職後都選擇了退守東都。在此前提下再看白居易大和三年（西元829年）的寫真詩，這其實展現了詩人審視自我後堅定中隱心態與官職選擇的心路歷程，他此時的覽鏡詩也表達了相似的觀念：「三分鬢髮二分絲，曉鏡秋容相對時。去作忙官應太老，退為閒叟未全遲。靜中得味何須道，穩處安身更莫疑。若使至今黃綺在，聞吾此語亦分司。」（《對鏡》）

受到現實政治變動與禪宗思想的影響，白居易一直呈現出人生無常、世事不定的偶然論思想傾向。[25]這也恰恰是上文提到的寫真詩中，他時刻保持的年壽敏感與政治敏感的又一佐證。在這種偶然論的影響下，白居易對待生死問題的態度從公開表示畏死，到正視死亡，並最終引向最廉價的念佛求生淨土的承諾。[26]淨土宗以求生西方了生脫死為宗旨，不同於理論高深的華嚴等宗派，它既有門徑可入，又方便易行，並且面向的是更為廣泛的社會大眾。[27]白居易正是利用淨土宗鮮明的目的性與可操作性去實現他的功利化訴求。

白居易晚年有著許多淨土修持，最明顯的就是修繕佛寺、修建藏經堂，並將自己的文集存放其中。白居易存放文集的佛寺分別有廬山東林寺、蘇州南禪院、洛陽聖善寺、香山寺，其中以與香山寺的互動為最。他在大和六年（西元832年）任河南尹時以士君子兼佛弟子的身分主持修繕香山寺，由於修繕的經費主要來自於為元稹家人給的潤筆，因此修寺目的是積累功德並「與微之結後緣於茲土」（《修香山寺記》）。修繕完畢後，他與香山寺的互動更加頻繁，並幾近將此當作終老之地。在開成五年（西元840年）九月，白居易主持修繕香山寺經藏堂，當時是「乃於諸寺藏外雜散經中得遺編墜軸者數百卷袟，以《開元經錄》按而校之。」（《香山寺新修經藏堂記》）存放新舊大小乘經律論

25 見《白居易集綜論》，頁333-334。

26 謝思煒：《禪宗與中國文學》北京：人民文學出版社，2017年，頁95-100。

27 羅顥：〈淨土宗述論——以早期中國淨土宗的歷史與文獻為中心〉，《普陀學刊》，2017年第2期，頁33-76。

集。但之後在同年十一月，白居易又將《白氏洛中集》放於藏經堂中，他絲毫不懼綺語與佛教教義悖理之過，甚至坦言「夫以狂簡斐然之文，而歸依支提法寶藏者，於意云何？我有本願，願以今生世俗文字之業，狂言綺語之過，轉為將來世世讚佛乘之因，轉法輪之緣也。」而他的最終目的仍是期待輪回轉世後喚醒前世的記憶：「經堂未滅，記石未泯之間，乘此願力，安知我他生不復游是寺，復睹斯文，得宿命通，省今日事。」存放文集之後，白居易還於會昌二年（西元842年）為如滿大師寫真（《佛光和尚真讚》），同年他又為自己寫真並將其放入香山寺藏經堂。此時距第一次寫真已隔三十年，《香山居士寫真詩（並序）》便是此時之作：

> 元和五年，予為左拾遺、翰林學士，奉詔寫真於集賢殿御書院，時年三十七。會昌二年，罷太子少傅，為白衣居士，又寫真於香山寺藏經堂，時年七十一。前後相望，殆將三紀。觀今照昔，慨然自嘆者久之。形容非一，世事幾變。因題六十字，以寫所懷。
>
> 昔作少學士，圖形入集賢。今為老居士，寫貌寄香山。
> 鶴毳變玄髮，雞膚換朱顏。前形與後貌，相去三十年。
> 勿嘆韶華子，俄成婆叟仙。請看東海水，亦變作桑田。

白居易特地為詩作序介紹寫真背景，總結了自己從翰林寫真到香山寺寫真的整體變化：三十年過去，他從「左拾遺、翰林學士」變為「太子少傅、白衣居士」，他的身分從朝中重臣轉向信徒領袖。與此同時他正視自己「鶴毳」、「雞膚」的年老狀態，彷彿並不在意「韶華子」變為「婆叟仙」。他將這種年壽變化等同為東海桑田的遞嬗，其實是隱含著兩個邏輯，一是他坦然接受自己變老的自然過程，二是他相信東海桑田的更替，暗指自己也會從「婆叟仙」變為「韶華子」。白居易的這種勢在必得正是來源於其晚年以宗教名義「寄存自我」的諸多嘗試。在無緣現世功名後，他期待通過功利化的宗教手段去實現後世、來世的「不朽」。

白居易詩歌中對自我現狀全然自足的心情，以及他存放文集與寫真以實現「不朽」的迫切舉動，很大程度是受到「甘露之變」的影響。「甘露之變」前後，白居易在詩中都表現出強烈的動蕩感，他在詩中不停說服自己安於現狀，又對慘烈的政局表達逃脫後的唏噓之感。他在《九年十一月二十一日感事而作》中表現自己不赴同州刺史的先見之明「禍福茫茫不可期，大都早退似先知。」又在《覽鏡喜老》中以年壽滿足進行自我撫慰：

> 今朝覽明鏡，須鬢盡成絲。行年六十四，安得不衰羸？
> 親屬惜我老，相顧興嘆咨。而我獨微笑，此意何人知？
> 笑罷仍命酒，掩鏡捋白髭。爾輩且安坐，從容聽我詞。

生若不足戀，老亦何足悲。生若苟可戀，老即生多時。
不老即須夭，不夭即須衰。晚衰勝早夭，此理決不疑。
古人亦有言，浮生七十稀。我今欠六歲，多幸或庶幾。
倘得及此限，何羨榮啟期。當喜不當嘆，更傾酒一巵。

相比江州時期他對年壽流逝的驚懼，在洛陽時期他明顯帶有「喜老」的心態。這一方面是因為他離自己設想的年壽和仕途終點——「設使與汝七十期」（《自誨》）越來越近，一方面是在現實的政局中，他安全地度過了各種政治隱患。最終，他在會昌元年（西元841年）選擇罷官，並於會昌二年（西元842年）致仕，正所謂「迷路心迴因向佛，宦途事了是懸車。」，「老」在這時已經成為一種代表著仕途成功、完滿的標誌。

再看《香山居士寫真詩》創作時間的獨特性，我們可以認為，白居易最後的這首寫真詩實際上起到了總結的功能，一是對甘露之變之後自己的追求轉向作出了總結：這一年他即走完了仕途，又實現了以畫像、文集安放來世的訴求。二是從他一生的寫真詩來看，這首詩總結了前四首寫真詩中年壽、仕途變化歷程——他終究在生命和功名的跑道上得到了勝利。

四　結語

從自觀寫真到回顧寫真，從翰林寫真詩到致仕寫真詩，白居易實現了一個較為完整的自我認知過程，並使其成為了閉環。詩人不斷地在自觀寫真和回顧寫真時思考自己的年壽與仕途狀態，並在各時期表達出不同的功名觀念與生命意識。翰林時期白居易由自觀反思自己剛狷的政治作風，並由此產生強烈的功名憂患，進而引發了生命的危機意識。江州時期白居易自觀醜老所感知的年壽流逝加劇了事功情緒，使他排斥寫真。晚年時期他在仕途上呈現持續退避的狀態以求性命與政治生涯的保全，與此同時他又通過在藏經堂存放文集和寫真的方式實現「不朽」的追求，並最終因生命與功名的完滿狀態而自得於老態。白居易的寫真詩始終圍繞寫真的功名屬性、自我的功名安放展開，並對他的人生選擇與心態調節起到了重要的作用。

但縱觀白居易各時段寫真自覽所表現的功名觀念與生命意識，我們可以管窺他價值觀的局限性。白居易的人生追求其實功利化色彩極重，相比於建安詩人將建功立業與生命價值緊密結合、盛唐詩人將功名追求放眼於王朝建設，白居易創作的階段性、情感思想的階段性，充分展示他永遠將「小我」凌駕於「大我」之上的功利化取向。不僅如此，他對「不朽」的追求也有著較為淺顯的認知，真正的「不朽」是身在難中不懼難、攻克難、進而迎難而上的「不朽」，而不是在避難和避禍中明哲保身的「不朽」。

「斯文未盡喪」
──論五代蜀地與江南文人的「崇儒尚雅」活動與工藝創作實踐*

剛祥雲
安徽師範大學文學院

由國外漢學家崔瑞德和史樂民所主編的《劍橋中國宋代史（907-1279年）》（中譯本2020年版）提出了一個十分尖銳的問題。他指出：「混亂與政局動盪的景象在很長一段時間內主導著我們對由唐到宋這一過渡時期的（重要）認知，如今，這種認知必須經由這樣一種觀點所代替，就是北部的五代和南部的九國是一個擁有強有力的國家政權時代，並為宋朝建立統一政權奠定了基礎。」[1]這一推斷是令人振奮的，至於它多大程度上切中了這一時代脈搏，仍需後進者不斷補證。這一觀點的提出及其相關論據的陳設，它所肩負的重要史學意義在於，它從一個側面警醒當下研究者要對此一時代既有研究之成果加以重新考量和自覺反思，保持一種嚴肅審慎下判斷的態度。事實上，在中國歷史中，五代[2]是介於由唐入宋的關鍵期。由於這一時代社會動盪，戰亂不斷，歷時較短，且夾在唐宋兩大王朝之間，傳統治中國史者往往對它採取輕忽的態度。至於它在中國文化史、美學史及工藝創造史上之創造，至多被視為「唐之遺緒」或「宋之發端」，一直缺乏足夠獨立的研究。但從中國歷史總是處於治亂交替的內在演進邏輯來看，治世固然有助於形成相對穩定的政治制度模式、斯文傳續之道以及美學、藝術之風格，但亂世則一方面終結了舊王朝，另一方面也有可能是新制度、新思想、新風尚、新美學的孕育者

---

* 基金專案：教育部人文社會科學研究青年基金項目：「五代書畫美學考論」（22YJC760018）階段性成果。

1 （英）崔瑞德主編：《劍橋中國宋代史（907-1279年）》北京：中國社會科學出版社，2020年，上冊，頁2。

2 一般而言，所謂的「五代」是指唐朝滅亡（西元907年）至北宋建立（西元960年），五十三年間，中原地帶依次出現的五個政權即後梁（西元907-923年）、後唐（西元923-936年）、後晉（西元936-947年）、後漢（西元947-950年）、後周（西元951-960年）。與此同時，在南方地區也相應地出現與之並存的九個割據政權，即吳（西元902-937年，創建者楊行密）、前蜀（西元907-925年，王建）、吳越（西元907-978年，錢鏐）、閩（西元909-945年，王審知）、南漢（西元917-971年，劉隱）、荊南（西元924-963年，高季昌）、楚（西元927-963年，馬殷）、後蜀（西元934-965年，孟知祥）、南唐（西元937-975年，李昪），外加一個北漢（西元951-979年，劉旻），所謂「五代十國」，簡稱「五代」。

和發動機。或者說，它既是「禮崩樂壞」的時代，同時也可能是萌發新希望、鍛造新思想的時代，類似如之前的春秋戰國、魏晉南北朝亦如是。以此視角來重新審視五代歷史與文化，可以發現某些被學術界所忽視的重要議題。諸如五代之際寓居在蜀地與江南文人的「崇儒尚雅」之風、「刻經修史」之實、「書院建設」與「藏書風尚」、以及「文房四寶」與書畫工藝的大發展影響後世深遠，它們皆是流淌在亂世夾縫之中微弱的文化纏流，表現出繁榮力量雖弱，但並非可有可無，它對全面理解這一時代的斯文傳續與審美風尚之變動仍有一定的意義，需要深入歷史予以爬梳和考辨。

一　「崇儒尚雅」與「詩文雅正」

歷史中的五代，世風、文風整體處於頹廢浮靡的狀態。然而在總體浮靡頹廢的煙雲大籠罩下，仍不乏有追求「崇儒尚雅」和呼籲「詩文雅正」的文人藝士。先從蜀地看起，川蜀之地因得益於天時地利之便，在唐朝就以「揚一益二」馳名於世。每逢中原動盪之際，此地往往成為皇室乃至士人群體避難的「後花園」。西元907年，唐朝覆滅，王建於蜀地自立政權，國號大蜀，史稱「前蜀」。王氏執政期間，採取一些利民措施，重視延攬人才，降敕諸州幕府四處搜訪賢良。無論是貴族後裔、山林隱士、鄉里舉人，還是能言擅諫者，抑或旁通經術的野外閒人，皆可招來為用。是時，「唐衣冠之族多避亂在蜀，蜀主禮而用焉，使修舉政事，故典章文物有唐之遺風。」[3]

這其中，如韋莊（西元836-910年）者，字端己，杜陵（今西安）人，自幼能寫詩文，為人性格頗為灑脫，不拘小節，曾撰有著名的《秦婦吟》，揭露戰爭的殘暴，人稱「秦婦吟秀才」。王建開國，制度禮樂，交由其所定。只可惜，由於晚唐五代正是「詞」文學興起並日益走向成熟的重要時期，而韋莊自己又恰恰是能歌「小詞」的高手，故而學界對其研究也往往過於重視「詞」的成就而相對弱化了對其他才能的探討。與此同時，也容易給人留下一種有關韋莊常年爛醉於「花前月下」、「歌樓楚館」的浪蕩之徒的整體印象，反而遮蔽了其堅守儒家思想的一面。據相關史料顯示，韋莊本人常以「平生志業匡堯舜」[4]自居。雖然生逢亂世，但也秉持「有心重築太平基」[5]的人生信念。作為詩人，他有長篇敘事詩《秦婦吟》，尖銳披露當時統治者的腐敗和無能。更有《憫耕者》、《汴堤行》、《重圍中逢蕭校書》、《睹軍回戈》、《聞官軍繼至未睹凱旋歌》，同情弱小，揭露戰爭罪惡。於此，有學者稱，五代十國諸多詩家中，韋莊詩歌「體近雅正」[6]、風致蕭然。這種審美風格的形成，無不導源於受傳統儒家「溫柔敦厚」和「主

3　（清）吳任臣：《十國春秋》北京：中華書局，2010年，第二冊，頁501。

4　聶安福箋注：《韋莊集箋注》上海：上海古籍出版社，2002年，頁25。

5　聶安福箋注：《韋莊集箋注》，頁81。

6　（明）胡震亨：《唐音癸簽》，上海：上海古籍出版社，1981年，頁81。

文譎諫」的詩教觀之薰陶和影響[7]。

詩人鄭穀（西元851-910年），傾慕老杜遺風，亦重視風雅傳承。常對人講：「風騷如線不勝悲，國步多難即此時。」[8]他以敏銳的感觸，對當時詩壇盛行重辭藻、重形式的浮靡詩文風氣，深感憂慮，喟歎「浮華重發作，雅正甚湮淪」[9]，「往事如今日，聊同子美愁」[10]。與之差不多同時的牛希濟（西元872-？年），仕前蜀，後主時官至翰林學士、禦史中丞。其撰有著名的《文章論》（載《全唐文》卷八四五）一文。在文中，他首先將「文」分為「治化之文」和「述作之文」，然後又細化將文章按題材具體歸類為「經」、「史」、「子」、「雅文」四種。但從整個文章內容來看，牛希濟十分痛恨當時流行的浮豔之文和無病呻吟之文，他提倡「言可教於人」的君子之文，呼籲「以通經之儒居燮理之任」，極力推崇堯、舜、孔、孟、揚雄、韓愈、皇甫湜、樊宗師等人的教化實用之文，從而開出了別樣的「文章道統」。誠如葉平教授所言，這一「道統」是對唐代韓愈所開出的「道統」譜系以及韓柳古文運動中「文以載道（或明道）」說在五代的繼承與發展，並間接影響到宋代歐陽修、蘇軾等人的「斯文道統」之繼承[11]。

不光鄭穀、牛希濟，詩人馮涓和僧人貫休也秉持儒士情懷。馮涓在王建割據蜀地之時，任翰林學士、節度判官。當時，兩川賦重。有一次，他主動向高祖獻《生日頌》，先述功德，後言民生之苦。高祖愧曰：「如君忠諫，功業何憂！」[12]其為人愛好詩文創作，時人有言他，比諷擅諫、達於教化、「迥超群品，諸儒稱之為大手筆」[13]。貫休雖身在佛門，但也心懷蒼生，極力推崇杜詩的儒家情懷，弘揚詩文中的美刺功能，高唱「造化拾無遺，唯應杜甫詩。」[14]（《讀〈杜工部集〉二首》）文人韋穀主編《才調集》時，為了在亂世之秋挽救微弱的儒家「斯文」精神，特輯錄了大量有關風雅教化的詩人作品。對此，清人馮武有過論析。他講：「《才調集》以白太傅壓通部，取其昌明博大，有關風教諸篇，而不取其閒適小篇也；以溫助教領第二卷，取其比興深邃，新麗可歌也；以韋端己領第三卷，取其氣宇高曠，辭調整贍也；以杜樊川領第四卷，取其才情橫放，有符風雅也；以元相領第五卷，取其語發乎情，風人之義也。」[15]

前有詩文家「崇儒尚雅」之舉動，川蜀之地自幼飽讀儒家經書的「真儒士」也不甘

---

7 孫振濤：《唐末五代西蜀文人群體及文學思想研究》南開大學博士學位論文，2012年，頁35。

8 趙昌平箋注：《鄭穀詩集箋注》上海：上海古籍出版社，1991年，頁262。

9 趙昌平箋注：《鄭穀詩集箋注》，頁177。

10 趙昌平箋注：《鄭穀詩集箋注》，頁193。

11 葉平：《唐末五代十國儒學研究——以儒學範式的轉變為中心》北京：中國社會出版社，2018年，頁238。

12 （清）吳任臣：《十國春秋》，第二冊，頁589。

13 （五代）何光遠：《鑑誡錄》北京：中華書局，1985年，頁25。

14 （五代）貫休：《禪月集》北京：中華書局，1985年，頁40。

15 四庫存目編委會：《四庫全書存目叢書》濟南：齊魯書社，1997年，集部第288冊，頁633。

落寞。如劉蒿、王昭圖於普州教書授業，人稱一代「宿儒」[16]。而名士多嶽，寄寓鐵峰，於山野民間，傳承儒學，「門下多知名士」[17]。李湛者，於居所旁，設館聚徒，講授《詩》、《書》、《禮》、《易》、《春秋》等儒家典籍。廟堂之上，孫逢吉，博學經史，「尤善《毛詩》，孟蜀時為國子博士檢校，刻《石經》於蜀學」[18]。但具體要說到五代之際，對儒學在蜀地的傳播起到關鍵作用的人物還是毋昭裔。毋氏自幼家貧，好古文，博覽群書，撰有《爾雅音略》三卷，亦嗜好藏書，最為重要的是，他曾不惜自費巨額錢財，上薦統治者，傾力儒典刊刻，可以說對蜀地經學與文學的雙向傳播和普及作出了重要貢獻。

除西蜀之外，五代之際，南唐以大唐後裔自居，推行文人治國，素以「儒雅」聞名。眾所周知，南唐政權的獲得是禪奪楊吳政權而來。楊行密於天複二年（西元902年），被唐朝統治者封為吳王，坐擁江淮之地，建立吳國。楊行密死後，其長子楊渥即位，好景不長，大臣張灝與徐溫發動兵變，殺楊渥而立楊行密次子楊隆演為帝，這時大權逐漸落入徐溫之手。徐溫死後，其子徐知誥代掌政權。天祚三年（西元937年），徐知誥廢楊氏政權而稱帝，建立齊國。升元三年（西元939年）二月，改國號為唐，史稱南唐，徐知誥也依其祖姓更名李昪。即位後的李昪及其後繼者唐中主李璟，勤政愛民，效仿唐祖，獎掖生產，崇儒重道，為此特頒《舉用儒吏詔》[19]，在其統治地區，另「建書樓於別墅，以延四方之士」[20]。因為「崇儒」之效，李氏一族，皇室成員皆能「文雅清秀」，俊傑當時。譬如，中主李璟興科舉，崇儒好佛，能「賓禮大臣，敦睦九族」（《江南錄》），擅長詩詞[21]與書法。而後主李煜更是重儒崇佛，推科貢舉，政事之餘，撰有《論儒術》、《雅》、《頌》、《文賦》三十卷。其為人秉性醇厚，雖不善治國理政，但詩、詞、書、畫、音律樣樣精通，後期將香軟濃厚的「伶工之詞為士大夫之詞」，雅化詞境詞體，成就「千古詞帝」之美名。

當時的南唐，由於舉國上下皆有「好儒」重「文雅」之風，從而薈萃了諸多著名文人墨客、儒道賢臣，諸如徐鉉、韓熙載、潘佑、史虛白、江文蔚、李建勳等等。只是困於戰亂史料遺存有限，無法對其作出深入全面探討，甚為憾事。比如，徐鉉十歲即能著文，仕南唐為知制誥、翰林學士、吏部尚書，與韓熙載齊名江南，並稱「韓徐」。徐氏在朝為官，為士夫所重，尤以儒學顯貴，但也兼擅詩書、表章、文字之學，留有《騎省

16 （清）吳任臣：《十國春秋》，第二冊，頁783。

17 （清）吳任臣：《十國春秋》，第二冊，頁784。

18 （清）徐炯撰：《五代史記補考》，載《五代史書彙編》（二）杭州：杭州出版社，2004年，卷二十二，頁1222。

19 陳葆真：〈南唐烈祖的個性與文藝活動〉，《臺灣大學美術史研究集刊》，1995年第2期。

20 （宋）馬令：《南唐書》，載《五代史書彙編》，杭州：杭州出版社，2004年，卷一，第5262頁。

21 中主李璟詩詞大多遺失，今《全唐詩》收有《遊後湖賞蓮花》《賞雪詩》；其詞與後主詞合刊《南唐二祖詞》，著名者有《浣溪沙》《應天長》《望遠行》等等。

集》三十卷（經女婿吳淑整理）。時人有言：「江表冠蓋，若中立有道之士，惟徐公近之。」[22]後曾與李昉等人編撰被譽為宋代「四大部書」的前三部，即《太平廣記》、《太平御覽》、《文苑英華》，在唐宋文化發展史上扮演者重要的角色。而韓熙載者，敦厚儒雅，精通音律，長於碑碣，分書及畫，名冠當時。中書舍人潘佑，也能為匡救時弊，以《周禮》唱變法。南唐禮儀草創之時，由江文蔚草擬朝覲、會同、祭祀、宴飨、禮儀等制度，以正朝綱。

對於南唐這種舉國好儒之風，宋史家馬令《南唐書》卷十三《儒者傳・序》中早有精闢論述。他講：「五代之亂也，禮樂崩壞，文獻俱亡，而儒衣書服，盛於南唐，豈斯文之未喪而天將有所寓歟！不然，則聖王之大典掃地盡矣。南唐累世好儒，而儒者之盛，見於載籍，璨然可觀。如韓熙載之不羈，江文蔚之高才，徐鍇之典贍，高越之華藻，潘佑之清逸，皆能擅價一時，而徐鉉、湯悅、張洎之徒，又足以爭名於天下，其餘落落不可勝數，故曰江左三十年間文物，有元和之風。」[23]

總結五代蜀地和江南文人的「崇儒尚雅」活動，可以見出三點特徵：其一，從傳習詩文經義角度來看，歷史中的西蜀與南唐，在文學上雖以「豔詞」（包括《花間詞》與《南唐詞》）顯名，但並非全是「軟語浮靡」的天下，而這其中因政權統治者重視人才和推崇儒術治國，從而也彙聚了一批「崇儒尚雅」之士。他們盡微弱的力量，於亂世之中呼籲回歸「詩文雅正」和推崇儒學，這是研究唐宋文學藝術緣何發生漸變與轉型中，不可輕易忽視的一股存在。其二，從保全自我與「兼濟天下」的矛盾現實來講。放眼這個時代，即使被歐陽修重點批判的中原四朝元老的馮道，他是否就是一個徹底不守「禮義廉恥」和不遵儒家教理的士人，也有待進一步討論。可以想像身處那樣一個朝不保夕、視生命如草芥的時代，既要保全自我還要照顧群生，儒家「兼濟天下」和「勤政愛民」的思想在馮道的世界觀裡是從來不缺席的。[24]所謂的「孝於家，忠於國」（《長樂翁自敘》），「但知行好事，莫要問前程」（馮道《天道》），這是出自馮道個人真真切切的自白。其三，再從宋初政權建立的人才基礎來源分析。據《宋史》所載，北宋建國基本是仰仗來自南唐、西蜀和吳越的儒士為多。儒家的「士夫」情懷在宋代也因統治者重視「文人治國」和恪守「祖宗之法」而被最大化地激發出來，甚至成為宋代文化復興與制度建設的精神支柱，也可稱為「士人精神」。余英時先生曾對唐宋之際的「士人」角色作過精闢分析。他一再指出：「新儒學的出現與演變自然是兩宋史上『一大事因緣』，但『人能弘道，非道弘人』，儒學本身並不會動，它的發展完全是士大夫相續，不斷努力

---

22 （清）吳任臣：《十國春秋》，第四冊，頁1684。

23 （宋）馬令：《南唐書》，載《五代史書彙編》，卷一十三，《儒者傳上》，頁5347。

24 後唐明宗不吝溢美之詞，贊馮道曰：「道（馮道）性純儉，頃在德勝寨居一茅庵，與從人同器食，臥則芻槁一束，其心晏如也。及以父憂退歸鄉里，自耕樵采，與農夫雜處，略不以素貴介懷，真士大夫也。」（《舊五代史》卷一二六）

所造成的。他們不但在思想上推陳出新，而且通過政治實踐將若干重要的儒學觀念納入法度與習慣之中，成為結構性的存在。這一類型的士大夫雖然只是湯因比（Arnold Toynbee）所說的『創造少數』(Creative minority)，但他們的影響是不容低估的。」[25]這其中，五代入宋的文人起到了間接的傳承與推動作用，力量雖小，氣象雖弱，但並非可有可無。

二　「書院建設」與「藏書風尚」

在中國古代，傳續禮樂精神與「斯文」傳統的方式很多，而「書院」是一種較為有效的方式。據相關史料所述，書院大致興起於唐代（如玄宗時的麗正書院），發展於五代至宋，此後成為一種獨特的文化教育方式，是儒學思想在民間播散和施行教化的重要新途徑之一。而這其中，書院於亂世之中，保存文脈，傳續「斯文」，顯得尤為珍貴。馬令《南唐書》講：「學校（書院）者，國家之規範，人倫之大本也。唐末大亂，干戈相尋……其來久矣！南唐跨有江淮，鳩集典墳，特置學館，濱秦淮開國子監，複有廬山國學，其徒弟各不下數百，所統州縣往往有學。方是時，廢君如吳越，弒主如南漢，叛親如閩楚，亂臣賊子，無國無之。唯南唐兄弟輯睦，君臣奠位監於他國最為無事，此好儒之效也。」[26]

以此為線索，我們先進入南唐。升元四年（西元940年）十二月，南唐於白鹿洞建學館，號「廬山國學」[27]，所統州縣境內傳承不息，往往有學。「廬山國學」是南唐儒學教育文化中心，後來發展為「白鹿洞書院」。據《續資治通鑑》云：「白鹿洞在廬山之陽，常聚生徒數百人，江南李後主時，割田數十，歲取其租廩給之。選太學通經者，授以他官，律領洞事，日與諸生講誦。」[28]歷史中，白鹿洞書院在中國文化史上的地位非常獨特，至宋代，它甚至成為全國四大書院之一。

翻檢書院史，傳統書院的創建方式主要分為官辦與私立。上層統治者興建書院的意圖很明顯，重在培養統治人才、維護統治。而與官辦書院不同，私人書院稍加靈活。無論是官辦書院還是私辦書院，深入反思其的興起緣由與時代功用，我們不得不先從中國「士」人群體的基本情趣導向來反思。在中國古代，士人群體的選擇，特別是在亂世之中，一般存在三種基本傾向，要麼在亂世的漩渦中奮力反擊；要麼隨波逐流、花前月

25 余英時：《朱熹的歷史世界——宋代士大夫政治文化的研究》北京：三聯書店，2004年，〈緒說〉，頁4。

26 （宋）馬令：《南唐書》，載《五代史書彙編》，卷二十三，頁5406-5407。

27 （清）吳任臣：《十國春秋》，第一冊，頁197。

28 （清）畢沅：《續資治通鑑》卷九「太平興國五年事」；（宋）洪邁：《容齋三筆》中也有類似之記載。

下；要麼歸隱山林、興建書院、收徒傳道。據相關學者考述[29]，五代之際，除白鹿洞書院外，南唐境內還有雲陽書院[30]、梧桐書院[31]、興賢書院[32]、光祿書院[33]、藍田書院[34]、華林書院[35]等等。如有《宋史》載，胡仲堯「構學舍於華林山別墅，聚書萬卷，大設廚廩，以延四方遊學之士。南唐李煜時嘗授寺丞。」[36]與江南相對，此一時期，北方也建有不少書院，如後梁時的留張書院[37]，後唐時的龍門書院[38]、匡山書院[39]，後周也有竇氏書院[40]、太乙書院[41]等。它們在亂世中傳承「斯文」，藏書育人，醇化民風，有輔助「振國家之治體」的作用。

如此多的書院在大致同一時間四方興起，其背後的肌理，是應時代所需，也是挽救「斯文」的重要體現。清人王日藻對此作過分析，如其言：「五代日尋干戈，中原雲擾，聖人之道綿綿延延幾乎不絕如線矣，而書院獨繁於斯時，豈非景運將開，斯文之未墜，已始基之歟!」[42]而呂祖謙在《白鹿洞書院記》中也談到：「國初斯民新脫五季鋒鎬之陋，學者尚寡，海內向平，文風起。儒生往往依山林，即閒曠以講授，大率多數百人。」[43]動輒上百人，於動亂之際，聚於同一書院，可見「書院」儒風影響之甚。另據當時相關書院志實錄，五代的書院教育中，因師資狀況不同，設有各自相對獨立的辦院宗旨、學堂儀規、教學內容、開課形式等等。其主要目的在於傳承儒家經籍（囊括《詩》、《書》、《禮》、《易》、《春秋》、《儀禮》、《爾雅》、《孝經》、《論語》），推崇禮樂詩文、修身明禮、弘仁尚義，大面積培養儒士，傳續斯文道統。於此可見，書院的紛紛建立，就成為動亂年代促使儒學民間傳播的一股重要力量，也是保存「文脈薪火」的重要之地。

除書院傳續斯文道統、保存「文化火種」之外，「藏書」也是重要途徑。比如，由

29 李勁松：《五代時期的江西書院考述》（參閱朱漢民主編：《中國書院》，湖南教育出版社，第四輯，2002年）。

30 位於洪州建昌（今江西永修縣境內），由（南唐）吳白舉進士謫居歸隱時所建。

31 在洪州奉新縣的羅坊鎮，由（南唐）羅靖、羅簡兩兄弟所建，（參閱徐應雲：《梧桐書院記》，同治《奉新縣誌》。）

32 吉州吉水縣（今屬江西）東鑑湖湖畔，邑人解泉謨創建。

33 吉州盧陵縣（今屬江西吉安），開寶二年（西元969年），邑人劉玉創建。

34 福州古田縣杉洋北門外，南唐知縣徐仁椿創建。

35 洪州奉新縣城地五十里的華林山元秀峰下，胡珰創建。

36 （元）脫脫等撰：《宋史》北京：中華書局，1977年，卷四五六，〈胡仲堯傳〉，頁13390。

37 又名書院、道院，高安縣北六十里（今屬江西宜豐縣），後梁時張玉創建。

38 洛陽龍門，張諠創建。

39 吉州泰和縣東匡山下，後唐長興年間（西元930-933年），羅韜建造。

40 今北京昌平縣，後周（西元951-960年）諫議大夫竇禹鈞建。

41 河南登封縣太室山麓，後周世宗顯德二年（西元955年）創建。

42 （清）王日藻：《嵩陽書院記》，《嵩陽書院志》卷下，清康熙刊本。

43 （宋）呂祖謙：《白鹿洞書院記》。

於南唐舉國上下有「好儒」之風，興辦學校，獎掖文藝、撰藏圖書於此為盛。皇室與私人皆以藏書為時尚，著名者如李唐王室內的「李賢院」、「建業文房」、「澄心堂」（三者或許有重疊，關係難斷）等等。在當時，南唐藏書與寫本書非常有名，有學者稱其奠定了宋朝三館藏書的基礎。據《江南別錄》記述，南唐王室好求古跡，宮中藏圖畫經籍約萬卷，「鍾、王墨蹟尤多。」[44]《五代史記補考》卷第二十二也講：「自諸國分據，皆聚典籍，惟吳、蜀為多，而江左頗為精真，亦多修述。」[45]其中，魯崇範者，喜以九經、子、史世藏於家（馬令《南唐書．魯崇範傳》），因烈祖建學校而獻出。朱遵度、鄭元素、陳褒、陳貺皆是當時的藏書名家。北宋建國之初，三館藏書僅有萬餘卷，待太祖平定後蜀與南唐，得蜀書約一萬三千卷，而江南圖書近二萬餘卷[46]。為此，有一天，宋太祖曾饒有興味地直接對臣下說：「夫教化之本，治亂之源，苟無書籍，何以取法？」[47]

一般來講，一國之中，但凡上層統治者有所嗜好，上行下效，跟風效仿，其影響範圍和廣度上是具有縱深性和漫溢性的。它不僅僅能潛移默化地塑造一代人，更有可能影響一個地區的數代人，形成一股強烈的民風。以南唐為例，其統治下的江西之地，它在南唐重儒學風的浸潤下，日積月累，入宋後爆發式地湧現了諸多名儒大家，諸如徐鉉、晏殊、歐陽修、曾鞏、王安石等等，影響深遠。他們的成就，很難說不受地域文化薰陶。於此，這也似乎額外提示了我們一個值得深思的問題，即研究唐宋之際的文化史，尤其不能忽視地方性「崇儒」風氣。特別在戰亂的五代，地方性的「文人集團」和諸多「書院」的創設以及大量「藏書」，使中國古代禮樂詩文藝術得以傳承，儒家的「斯文」與「風雅」教化精神傳統也順之獲得延續。

三　「刻經修史」與「尚文餘緒」

在五代之際，除了以「文儒佈道」、「書院建設」和「藏書於閣」的方式傳續「斯文星火」之外，還有兩種較為獨特的方式為「刻經」和「修史」。

中華民族是一個格外重視「經典」傳承與薰陶教化的民族，身逢淩亂的五代，武夫專權，「兵強馬壯者為天子」，文化典籍的保存自然是一個很大的問題。從典籍傳承的媒介方式來看，唐五代之前的經籍傳承之媒介大致經歷了簡牘、縑帛、麻紙的流變。但隨著歲月的流逝，書寫在簡牘和卷紙的經文，一方面很難持久保存，另一方面，在輾轉傳抄的過程中也容易發生訛誤和錯漏，引發不必要的歧義和紛爭。國家選拔人才，也很難有統一的教材。為此，歷代統治者和士人尤加重視尋求改善之道，有人曾提議刻於金屬

44 （宋）陳彭年：《江南別錄》，載《五代史書彙編》（九）杭州：杭州出版社，2004年，頁5140。

45 （清）徐炯：《五代史記補考》，載《五代史書彙編》（二），卷二十二，頁1214。

46 （宋）李燾：《續資治通鑑長編》，卷十九，欽定四庫全書影印本。

47 （宋）李燾：《續資治通鑑長編》，卷二十五，欽定四庫全書影印本。

之上，但成本過高，不宜推行，也有人提議不妨刻於石板之上，畢竟石材源於自然界，好找易刻，完成之後也可陳列於京師太學或郡縣官學之內，供學子拓印摹寫。於是，這也就有了漢靈帝熹平四年由蔡邕用隸書刊刻的儒家五經（即《詩》、《書》、《易》、《禮》、《春秋》），完成後立於洛陽太學門前供人傳習，人稱「熹平石經」。其後，又有曹魏時期的「正始石經」以及唐文宗開成二年（西元837年）完成的「開成石經」（今存西安碑林）。

唐末動亂，儒教事業的傳承面臨巨大挑戰。後唐長興三年（西元932年）二月，馮道等人奏請後唐明宗，仿民間刊刻，提出依《開成石經》重刻《九經》（即《詩》、《書》、《易》、《周禮》、《儀禮》、《禮記》、《春秋左氏傳》、《春秋公羊傳》、《春秋穀梁傳》）的想法，明宗從之。這一刻經活動斷斷續續近有十九年之久，直到後周廣順三年（西元953年）才最終完成。《四庫全書總目提要》稱其意義重大，所謂「經籍鏤版，昉自長興，千古官書，肇端於是，崇文善政，豈宜削而不書？」[48]而此時，割據巴渝之地的孟蜀一朝，也因受後唐國子監雕印儒家經書之影響，蜀相毋昭裔奏請孟昶別刻「十經」，並擴充到《孝經》、《論語》、《爾雅》等，於是乎也就有了後來的「孟蜀石經」，又稱「廣政石經」[49]。至宋代，在這條刻經道路上，經文典籍增至儒家「十三經」。

分析這一重要「刻經」現象，在五代這樣一個亂世之秋，至少有四點意義：其一，強化了當時已微弱的儒家思想之固定傳播與永恆價值。其二，增列《爾雅》，雖是字典，內容涉及名物考古，這部著作的大範圍流傳和影響，有利於強化中國人的「博物知識」和「風雅傳統」。其三，刻經者的身分構成以當時的書法名家為主，因而刻出的字亦具有重要的書法美學史意義。其四，還有一點至為重要，即經籍刊刻降低了知識普及的門檻，有利於儒家思想的地域性保存與傳播，維繫地域（如西蜀、南唐、吳越、閩、楚等）的文教事業，在一定程度上也為宋代儒學的復興提供了物質條件和人才啟蒙。諸多現象也表明，五代之際雕版印刷技術的成熟，以及伴隨著西蜀、南唐、吳越等地域文獻典籍作為底本被宋廷吸納，它在某種程度上直接促進了宋代大型文獻史料的編撰和印刷工作，如《太平御覽》、《太平廣記》、《文苑英華》、《冊府元龜》等等。倘若沒有五代之際典籍的刊刻以及刻經人員對雕版技術的改進，宋代這一浩大工程之落實，就是一個很懸的問題。再之，倘若考究宋人何以普遍比唐人有學問，其中一個重要的原因也與典籍印刷技術的改進而讀書甚多有重要內在關係，不可不察。

與「刻經」有關，另一個重要現象即為「修史」。從相關史料的索引來看，五代之際應該有不少人隱居參與了著述修史，但由於戰亂的緣故，多已散失。據《五代史記補考》卷第二十三《藝文考・史類》統計，五代五十餘年間，出現的大型史書有《唐書》二百卷、《開元天寶遺事》、《九朝實錄》、《帝王鏡略》、《唐年補錄》、《梁太祖實錄》、

---

48 （宋）王溥：《五代會要》，載《五代史書彙編》（四）杭州：杭州出版社，2004年，頁1966。

49 （清）吳任臣：《十國春秋》，第二冊，頁768-769。

《後唐莊宗實錄》、《後唐明宗實錄》、《後唐廢帝實錄》、《晉高祖實錄》、《晉出帝實錄》、《漢高祖實錄》、《漢隱帝實錄》、《周太祖實錄》、《周世宗實錄》、《五代通錄》、《吳越備史》、《南唐列祖實錄》、《南唐近事》、《江表記》、《閩王事蹟》、《閩中實錄》、《湖南故事》、《三楚新錄》、《五國故事》、《五代登科記》等等。

這其中，蜀地的「修史」尤為典型。王建曾於永平二年（西元912年）三月「詔平章事張格，專門編纂開國以來的《實錄》」[50]。待後蜀之時，專門開設弘文館、崇文館以及史館等撰史部門。如當時的李昊就任「弘文館大學士、修奉太廟禮儀使」[51]。廣政中，「拜門下侍郎，兼戶部尚書、同平章事、監修國史。」[52]文人句中正，「明德中，授崇文館校書郎」[53]。蜀主孟昶時有「史館集《書林韻會》五百卷」[54]。此時依靠史館修成的史書還有《蜀書》四十卷、《高祖（孟知祥）實錄》三十卷、《後主（孟昶）實錄》四十卷、《後主（孟昶）續成實錄》八十卷、《備忘小炒》十卷、《前蜀記事》、《後蜀記事》等等。以上「修史」之風，間接刺激和接續著宋人重評「前史」、重撰「史書」的新動向，如後來出現的薛居正的《舊五代史》，歐陽修主修的《新五代史》、《新唐書》等等。

深入追溯這一思想脈動背後的根由，它基源於中國文化根柢處的那種「尚文重道」與「修史載道」傳統。在中國古代，史學家往往通過著述歷史一方面來記述往事，另一方面奉行「傳道」之重任，這在戰亂的五代也不例外。誠如劉成紀教授對中國古人「重史」情結之分析，他指出其隱含著「以道開史」和「以史重道」[55]的情結，有一定道理。因為在中國古代，人們樂於「好而信古」，喜歡取法於歷史經驗，致使撰史者常以聖人孔子和史學家司馬遷為範型。在他們看來，「修史」既可「述往事而知來者」、「究天人之際，通古今之變」（《報任少卿書》），亦可寄寓「春秋筆法」（即褒貶善善惡惡）義，暢抒「古之幽情」。從群體的文化心理角度分析，這裡面深層次映照的也是一種強烈的歷史主義情結和如何傳承「斯文統續」的儒道情懷，它在一定程度上促使了歷史學在中國的異常發達以及千年文化綿延不息的內在動力。即使身逢動亂的年代，也不能沒有歷史的記述者。對此，法國學者魅奈（Francois Quesnay, 1694-1774）有言：「（歷史學）這是中國人一直以其無與匹倫的熱情予以研習的一門學問，沒有什麼國家如此審慎地撰寫自己的編年史，也沒有什麼國家這樣悉心地保存自己的歷史典籍。」[56]

---

50 王文才，王炎校箋：《蜀檮杌校箋》成都：巴蜀書社，1999年，頁115。

51 （清）吳任臣：《十國春秋》，第二冊，頁774。

52 （清）吳任臣：《十國春秋》，第二冊，頁774。

53 （清）吳任臣：《十國春秋》，第二冊，頁814。

54 （清）吳任臣：《十國春秋》，第二冊，頁712。

55 劉成紀：〈中國古典美學中的時間、歷史和記憶〉，《北京大學學報（哲學社會科學版）》，2020年第4期，頁37。

56 （法）弗朗斯瓦·魁奈，談敏譯：《中華帝國的專制制度》北京：商務印書館，1992年，頁57。

四　「文房四寶」與「書畫藝術」

除了「崇文尚雅」、「建院藏書」、「刻經修飾」之外，五代之際還產生出了當時著名的「文房四寶」（即諸葛筆、廷珪墨、澄心堂紙、龍尾硯）以及書畫工藝，影響後世。這一工藝發達的背後，是統治者的喜好以及相關政府機構的設置，如南唐在饒州就設有「墨務」，歙州設「硯務」，揚州設「紙務」，並由政府委派官員並給予財政支持[57]，這是中國歷代少見的。

（一）諸葛筆──「硬軟適人手，百管不差一」

「宣州筆」在中國毛筆史上佔有重要的位置，尤其在唐宋時期位列「文房四寶」之一，其中以諸葛筆最為出名。據史載，「諸葛筆」興起較早，在五代甚為興盛，獲得巨大發展，其因發明者諸葛氏而得名。宋人筆記《鐵圍山叢談》講：「宣州諸葛氏，素工管城子，自右軍以來世其業。」[58]可見諸葛氏家以制筆為家業，在唐代就很出名。如唐耿湋《詠宣州筆》：「落紙驚風起，搖空見露濃。丹青與文事，舍此複何從。」另據《新唐書・地理志》也載，在唐代宮廷貢筆名單中，主要以宣、越、升、蘄等四州為主，其中宣州筆（即諸葛筆）最優。

五代時，諸葛筆在南唐深受朝廷上下受到歡迎。如李璟第九子宜春王李從謙「喜書劄，學晉二王楷法，用宣城諸葛筆，一枝酬以十金，勁妙甲當時，號為『翹軒寶帚』。」[59]南唐以前唐遺風自居，是一個崇尚文藝的國度，對諸葛筆，上好之，下欲之，一時風氣不減。不過，此時之筆還比較珍貴，主要供應宮廷、官員享用。一般來講，毛筆的製作工藝是相當複雜的，需要歷經取毛、選毛、齊毛、裁毛、制筆柱蕊、劄毛根、上筆桿、梳毛型、最後定型等多重工序。早在東晉王羲之《筆經》就云：「制筆之法，桀者居前，毳（即短而軟）者居後。強者為刃（即鋒），耎（即軟）者為輔。參之以苘（麻），束之以管，固之以漆液，澤以海藻。濡墨而試，直中繩，勾中鉤，方圓中規矩；終日握而不敗，故曰筆妙。」[60]

經過五代統治者的大力推崇，士人唱和，「諸葛筆」在宋代風行天下。如宋代大文豪歐陽修，鍾情筆墨，在得到梅聖俞惠贈送的宣州筆後，大為讚賞。其作有《聖俞惠宣州筆戲書》，盛讚諸葛筆：「硬軟適人手，百管不差一。京師諸筆工，牌榜自稱述。」，其中「硬軟適人手，百管不差一」，無疑道出了諸葛筆軟硬適中、精緻美觀的主要審美

57 （宋）李師道：《後山叢談》上海：上海古籍出版社，1989年，卷二，〈論墨〉，頁14。

58 （宋）蔡條：《鐵圍山叢談》北京：中華書局，1983年，卷五，頁94。

59 （宋）陶穀：《清異錄》，卷下，欽定四庫全書影印本。

60 參閱黃鵬：《筆墨紙硯──書齋的瑰寶》北京：文津出版社，2013年，頁10。

特質。蘇東坡也講：「諸葛筆譬如內庫酒、北苑茶。山谷曰：『衙香椽燭與京師婦人梳頭』，亦天下所不及。』」[61]

（二）廷珪墨──「堅如玉，色如漆，香襲人」

「廷珪墨」是由五代時期李廷珪所創。廷珪本人依其祖姓，理應為奚廷珪。但唐後期，其父奚超為躲避戰亂，遷居歙州，曾以黃山松煙為原料，改進製墨工藝，帶動當地制墨業發展。繼之，奚廷珪發明「對膠法」，並在膠中加入生漆，所制之墨，堅實如玉、落紙如漆，香氣襲人，久貯不變，得到南唐後主李煜的賞識，賜予國姓，並封廷珪為墨務官，從此「李墨」揚名天下，被譽為「天下第一品」。

通常就松煙制墨的工藝而言，首先是取煙。在取煙之時，先將松樹裡的松香鑿洞去除乾淨，避免製墨時殘留渣滓，然後將松木截成圓段，於窯中燃燒，經數日後，入內掃煙。其次，要製墨模。墨模的製作，需要擇選原材料進行人工雕琢，刻成各種形制，並配上精美圖案、浮雕，有些融詩、書、畫於一體。最後，才是墨成。將收集的松煙放入墨模壓製，最終成型。[62]但廷珪制墨更為獨特：

> 牛角胎三兩，洗淨細挫。以水一鬥浸七日，皂角三挺煮一日，澄取清汁三斤。入梔子仁、黃蘗、秦皮、蘇木各一兩，白檀半兩，酸榴皮一枚，再浸三日。入鍋煮三五沸，取汁一斤，入魚膠二兩半，浸一宿，重湯熬熟，入碌礬末半錢，同濾過，和煤一斤。[63]

就李墨的品質和影響而言，據《十國春秋》卷三十二《李廷珪傳》中載有一事，說當時有一貴族不慎將一丸「廷珪墨」掉入水井中，水質發黑，以為是水壞，沒有取出。幾個月之後，臨池飲水時，偶墜金器，於是請人下水撈取，一併發現了曾掉入水中的「廷珪墨」，仍然「光色不變，表裡若新。」[64]李氏之墨，在宋代廣為流傳，一度被視為墨中神品。「國初平江南時，廷珪墨連載數艘，輸入內庫。太宗賜近臣秘閣貼皆用此墨。其後建玉清昭應宮，至用以供漆飾。」[65]另據史料所示，五代十國時期，除廷珪墨之外，還有較為出名的「化松堂墨」和「月團墨」。如《南唐拾遺》曾記載，南唐名臣韓熙載請歙工朱逢研製燒墨，「命其所曰化松堂，墨曰『元中子』。」[66]《清異錄》卷下

61 （宋）曾慥編纂：《類說》，卷十五，欽定四庫全書影印本。
62 （宋）蘇易簡：《文房四譜》重慶：重慶出版社，2010年，頁184-185。
63 （清）李孝美：《墨譜法式》，卷中，欽定四庫全書影印本。
64 （清）吳任臣：《十國春秋》，頁458。
65 （清）陸友：《墨史》，卷上，欽定四庫全書影印本。
66 （清）吳任臣：《十國春秋》，頁459。

《月團》也載：南唐人「徐鉉兄弟工翰染，崇飾書具，嘗出一『月團墨』，曰：『此價值三萬』。」[67]

五代制墨行業，除李氏一族世代制墨之外，還有耿文壽、耿文政、朱君德、柴洵、張遇、陳贇、盛通、盛真、柴成務等制墨名家[68]。如《輟耕錄》云：「南唐墨工，李氏外有耿文政、耿文壽、盛通、盛真諸人，附記於此。」[69]這其中，南唐製墨工藝在五代十國時期居全國之首，尤以李廷珪為標誌的製墨工藝，代表當時最高水準，甚至在宋代被視為神品，大書法家蔡襄、蘇軾、黃庭堅、秦觀皆喜愛之。此時，墨的型制也從單一的圓形「墨丸」，逐漸向「烏玉塊」、「雙脊鯉魚」等多種樣式發展，奠定了宋元明清製墨工藝發展的堅實基礎。

（三）澄心堂紙──「焙幹堅滑若鋪玉，一幅百金曾不疑」

有了上好筆墨，自然會想到上好紙，「澄心堂紙」無疑是五代最為出名的紙，也是中國古代造紙史上的傑作，對後世影響極大。「澄心堂」一名，原是南唐前國主李昪閒居金陵時的居所，後主拿來用於藏書和藏紙。據說，李煜繼位不久，從四川請來紙工，仿蜀地而造紙，產出了光滑細薄、潔白如玉的新紙種，遂命名為「澄心堂紙」。曾慥《類說》載，南唐後主李煜，嗜好筆劄，喜用「澄心堂紙」、「龍尾硯」、「李廷珪墨」，「三者為天下之冠」[70]。元人湯垕《畫鑑》也稱：「（五代）徐熙畫花果，多在澄心堂紙上。」

簡就傳統製紙工藝而言，首先，採集原料，選擇和搜集含有豐富纖維具有韌性的植物，如竹子、樹皮、麻等；其次，將收集到的原料放入池塘，洗滌雜質，然後再浸泡石灰水；再次，歷經舂搗、打漿；最後，撈紙、曬紙、揭紙、成型[71]。

江南「澄心堂紙」產出之後，不乏歷代文人讚譽。如（宋）梅堯臣《答宋學士次道寄澄心堂紙百幅》贊其云：「焙乾堅滑若鋪玉，一幅百金曾不疑」[72]。「堅滑如玉」、「細薄光潤」、「百金不疑」，無疑道出了「澄心堂紙」的審美價值和社會價值。《文房四譜》卷四也有類似說法，「黟歙間多良紙，有凝霜澄心之號。複有長者，可五十尺為一幅……自首至尾，勻薄如一。」[73]宋人所撰《圖畫見聞志》提到：「澄心堂紙，以供名

---

67 （清）陶穀：《清異錄》，卷下，欽定四庫全書影印本。

68 杜文玉：〈從文化產業的發展看五代十國文明的演進與變化──以相關手工業的發展為中心〉，《河北學刊》，2010年第4期，頁76。

69 （清）吳任臣：《十國春秋》，頁459。

70 （清）曾慥編纂：《類說》卷五十九，欽定四庫全書影印本。

71 （宋）蘇易簡：《文房四譜》，頁146-147。

72 （清）王士禎等：《五代詩話・澄心堂紙》北京：人民文學出版社，1989年，卷十，頁394。

73 （宋）蘇易簡：《文房四譜》，頁144。

人書畫。」[74]歐陽修撰《新五代史》所用紙，皆為澄心堂紙，可見澄心堂紙在當時乃至後世影響，非同一般。

（四）龍尾硯──「溫潤如玉，澀不留筆，滑不拒墨，發墨如油」

在古代「文房四寶」中，最具有審美價值的無疑是硯臺，其中龍尾硯（也即歙硯）是五代傑出代表之一。龍尾硯（或歙硯），因產於歙州（安徽歙縣）和婺源（江西婺源縣，唐屬歙州）的龍尾溪而得名，製硯之石也自然被稱為龍尾石。據說，「龍尾石多生於水中，故極其溫潤。性本堅密，扣之其聲清越，婉若玉振，與他石不同。色多蒼黑，亦有青碧者。」（宋佚名《歙硯說》）[75]如此美好的自然特性，龍尾石無疑是製硯的上好材料。《說文解字》釋「硯」為：「石滑也，從石，見聲。」可見，上好之硯，講究清涼溫潤如玉，滑而發墨如油為最佳。如蘇軾云：「（硯臺）澀不留筆，滑不拒墨。」（《孔毅甫龍尾硯銘》）「硯之美者，止於滑而發墨，其他皆是餘事也。」[76]（《書硯》）

上好之硯的製作，同樣需要歷經採石、選料、製璞、雕刻、配盒、磨光等多重工序，在設計上講究「因石構圖，因材施藝」，注重集實用、審美、象徵為一體。歙硯工藝精湛，往往鏤邊，極為工巧，顏色多為紫色、紅色、也有青灰色，少有純黑色，其石紋理豐富，聲音清越，岩能收香，常見有金星、銀星、龍尾、羅紋、刷絲、眉子等[77]。其中，另有著名「紅絲硯」，就是由紅絲石磨製而成。「紅絲石，紅黃相参不甚深，理黃者絲紅，理紅者絲黃，其紋勻徹。」[78]據《清異錄》，後梁開平二年，宰相張文蔚、楊涉、薛貽寶所得賞賜之硯，紋飾優美，皆是用歙州石所產。（宋）蘇易簡在《文房四譜》中甚至將硯視為唯一的終身伴侶，因為筆墨皆可隨時取索，而硯需要精心雕琢、悉心護養而成。可見，硯在中國文人心中的地位。

由於對硯的喜愛，一方面，五代南唐設立了硯務機構管理對硯臺生產，如歐陽修《試筆．南唐硯》云：「當南唐有國時，於歙州置硯務……月有俸廩之給，號硯務官。」另一方面，硯也由一種單純寫書工具逐漸發展為一種專門的學問（即「硯品」或「品硯」），硯的審美價值也由此得到進一步彰顯。如今人黃鵬指出：「石之美，莫過於玉；玉之美，在堅密、溫潤、瑩結，有利於雕琢。硯之美，在有玉石之德，雕琢之精；在於形制古雅，名稱可心；是融生命價值於自然的藝術品，是書齋中賞心悅目的默友，是自然與命運無言的啟示，是生死難離的不解之緣。」[79]

---

74 （宋）郭若虛：《圖畫見聞錄》北京：人民美術出版社，1963年，頁155。
75 顧宏義主編：《宋元譜錄叢編．文房四譜》上海：上海書店出版社，2015年，頁193。
76 （宋）蘇軾：《蘇軾文集》北京：中華書局，1986年，頁549、2237。
77 （宋）蘇易簡：《文房四譜》，頁101-106。
78 （宋）高似孫：《硯箋》，卷三，欽定四庫全書影印本。
79 黃鵬：《筆墨紙硯──書齋的瑰寶》北京：文津出版社，2013年，頁146。

（五）「書畫藝術」──中國古代書畫史上的「耀眼明珠」

除卻「文房四寶」工藝之外，五代的書畫藝術被譽為中國古代書畫史的一個高峰。首先，就書法而言，據深入歷史予以考證結果表明，五代十國，書家峰起，除楊凝式外，郭忠恕、李鶚、王文秉、韋莊、李煜、徐鉉、錢鏐、錢俶以及僧人貫休、齊己、彥修、無作、曇域、應之等均以書名世。如宋代大文豪兼書法家的歐陽修就講：「五代時以翰墨馳名於當世者……王文秉之小篆，李鶚、郭忠恕之楷書，楊凝式之行草。」[80]其中，楊凝式因書技上習得「二王顏柳」之髓，書道上詮釋「書品即人品」的理想價值觀，書境中融入禪機理趣，與宋人高度重視書品、人品以及欲「援禪入書」、「論藝通禪」開啟「尚意」新風的時代訴求高度契合，並因此備受宋書家（包括歐陽修、王安石、蘇軾、黃庭堅、米芾等人）的推崇，代表了五代書法的最高成就，其有書法作品《韭花帖》、《盧鴻草堂十志圖跋》、《夏熱帖》、《神仙起居帖》等等，皆為後世習書之範本。《宣和書譜》卷十九亦有其記載。此外值得提及的是，這一時代的書僧群體還提出「心為書源」的理論，為宋代「尚意」書學的形成做了前期準備。就此而言，五代既是唐宋書風之變的必要過渡，又是將兩者聯繫為整體的節點。

其次，再從繪畫來講，依據畫史資料，五代大畫家輩出，人物、山水、花鳥交相爭鳴，出現了諸多偉大的大畫家與畫論家，形成以「中原」、「西蜀」、「南唐」為中心的三大繪畫圈，尤以西蜀、南唐最盛。統治者重視畫藝，設立畫院，提升畫家地位，取得很高成就。花鳥畫方面，西蜀的黃筌父子以及南唐的徐熙、唐希雅，成就了「徐黃異體」（也即「黃家富貴」與「徐熙野逸」之別）。山水畫方面，北方的荊浩、關仝始創大山大水式的「北方山水」，代表性的如荊浩的《匡廬圖》和關仝的《關山行旅圖》；而江南的董源、巨然開拓「煙雨輕嵐」式的「南方山水」畫派，如董源的《瀟湘圖》和巨然的《秋山問道圖》，南北主導平分秋色。人物畫方面，顧閎中的《韓熙載夜宴圖》和周文矩《重屏會棋圖》為傑出代表。此一時期，更有貫休的《羅漢像》，郭忠恕的界畫，石恪的水墨人物，亦擅名一時。其中，諸多書畫家歷經五代而入宋，開後世中國書畫傳移摹寫之典範，影響深遠。在畫論處，接續（晚唐）張彥遠畫論後，荊浩畫論《筆法記》所展示的「圖真」系統論，對「度物象而取其真」和繪畫「六要」（即氣、韻、思、景、筆、墨）「四品」、「四勢」、「二病」的分析，代表了此一時期繪畫理論最高水準，影響宋代繪畫觀。畫風上，水墨畫的興盛，也見出由重寫實向寫意滑動的某些跡象。畫制處，西蜀、南唐「翰林圖畫院」等皇家機構的設立，或許在當時僅是一個虛的機構和虛銜，但它卻籠絡大批書畫人才，從而提升了畫家的社會地位，這一「制度」在宋代得以沿襲、完善，是宋代繪畫繁榮的重要一個條件。

---

80 （宋）歐陽修：《歐陽修全集》北京：中華書局，2001年，頁1059。

由此可見，五代在中國歷史上雖為亂世，連同歷史文化也通常被史家所貶低，但文房工藝和書畫藝術卻獲得了巨大發展。書畫方面的成就已為學者所共識，甚至有美術史家竟將五代繪畫稱為中國繪畫藝術的「頂峰」[81]。而具體到文房工藝方面，出現的諸如「諸葛筆」、「廷珪墨」、「澄心堂紙」、「龍尾硯」等文房優品，也能名冠當時，影響後世，在官方與文人之間均產生了重要效應，它對開啟宋人對文房寶物的搜尋、賞玩、珍藏之風有一定作用，也為宋代高度繁榮的士人生活美學作了準備。對於這一點，杜文玉教授曾指出：「（五代之前）士大夫們把筆、墨、紙、硯只是作為書寫工具看待，極少對其賦予更多的文化意蘊。自五代十國以來，士人們開始了對優質筆、墨、紙、硯的瘋狂追求，研究與把玩『文房四寶』的風氣愈演愈烈，士人以擁有其中珍品為榮，並總結出了一套鑒賞、品評方面的經驗，形成一種學問。」[82]

五　結語

總之，以上我們通過深入歷史，剖析五代某些士人心態與文化面相，旨在揭櫫一個重要問題。長期以至，因受諸多元素之影響，五代之際（尤其在西蜀與南唐）有個別現象往往容易被學術界所忽視，但它卻對全面理解這一時代的斯文傳續和審美風尚之變動有著重要意義。在中國文化史上，五代是介於由唐入宋的重要過渡時期，是連接兩座文化高峰之間「埡口」。這一時期武夫專權，戰爭不斷，文化總體處於頹廢狀態。然而在總體頹廢的煙雲籠罩下，仍有個別現象和部分文人在努力挽救著頹廢的「斯文」，繼而推動著新文化樣態的生成。具體體現在：其一，蜀地與江南文人的「崇儒尚雅」實踐，呼籲「詩文雅正」，救弊整體頹廢日下的「淺近浮靡」之風；其二，書院建設與酷愛「藏書」風尚，亂世之中保存了部分「文脈薪火」；其三，注重「刻經」和參與「修史」，接續「史道傳承」之重任。其四，「文房四寶」工藝和書畫藝術的大發展。正是經由這樣一批文人和個別統治者的諸多努力，他們皆使得流淌在亂世夾縫之中微弱的「文化潺流」、「尚文餘緒」以及時代審美新風尚，不絕如縷，匯入宋代，為促成「宋型文化」和「宋型美學」之到來作了前期準備。倘若沒有五代文化典籍刊刻與保存及其重要入宋文人（如徐鉉、楊徽之）諸多努力，宋文化的高峰到來也是一個比較懸的問題。因為在中國古代，歷史文化的連續性要往往大於歷史的巨變。以此反觀，某些史家（如歐陽修）所臆斷的「五代斯文盡喪矣」，有長期受中原正統文化中心論之影響，存在以偏概全之嫌疑，值得商榷。特別是西蜀、南唐、吳越之地，成為最有可能延續和保存唐文化「餘脈」與「火種」之地。力量雖然微弱，但並非可有可無！

---

81 陳傳席：〈五代——藝術輝煌之頂〉，《中國文化報》，2017年5月28日。

82 杜文玉：〈從文化產業的發展看五代十國文明的演進與變化——以相關手工業的發展為中心〉，《河北學刊》，2010年第4期，頁79。

知識介入與身體在場：論疾病詩在宋代的演進[*]

李雅靜

北京師範大學文學院

疾病與古典詩歌緊密相關，它既影響詩人的創作，也是詩歌書寫的對象，具有重要的藝術作用。近年來，不少研究借鑑「疾病的隱喻」視角，重審疾病與詩歌的關係，形成了一套行之有效的研究範式。[1]具體而言，疾病帶來的身體不適，往往觸發詩人心理上的聯想。由疾病出發，下至仕宦窮達、地域播遷，上至國疾民瘼、時代沉屙，皆可成為延及的話題，不僅促進了情志內涵的深化，也與古典詩歌的抒情傳統暗合相通。[2]這一視野推進了既有認知，固然重要，但還不夠充分。值得進一步追問的是，疾病自身的淡化與隱喻意味的凸顯，是否是疾病書寫的唯一形態？在不同的歷史時期，詩人對疾病的關注是否發生變化，從而導致詩歌表現重心的傾斜？突破陳熟模式的創作，又會有怎樣的藝術新變和詩學價值？

有鑑於此，本文選定在宋詩範圍內展開探索。這一方面是因為，當前涉及宋代的研究，多停留於個別詩人的疾病書寫而缺乏整體性觀照，尋繹其時代特性，尤顯必要。[3]另一方面，醫學發展至宋乃一大轉關，士人階層有尚醫之風，對疾病的認識也勝於前代，這在客觀條件上，為詩歌創變提供了更多可能。[4]

---

* 項目基金：國家社科基金重大項目「中國古代都城文化與古代文學及相關文獻研究」（18ZDA237）。

1 一九七八年，蘇珊．桑塔格（Susan Sontag）發表〈作為隱喻的疾病〉（Illness as Metaphor）一文，考察疾病如何被隱喻化，從「僅僅是身體的一種病」轉換為一種道德評判或政治態度，揭示了有關疾病的隱喻性的思考方式。「疾病的隱喻」也逐漸成為文學、醫學乃至文化研究領域關注的學術熱點。參見（美）蘇珊．桑塔格著，程巍譯：《疾病的隱喻》（Illness as Metaphor and AIDS and Its Metaphors）上海：上海譯文出版社，2003年，譯者卷首語，頁1-3。

2 這一範式可覆及先唐至宋的眾多詩歌，此處僅列部分論文成果，按其研究對象先後排序：劉少帥：〈論鮑照的隱逸思想與疾病書寫——兼談中古時期聊疾影響〉，《中國文學研究》，2018年第2期；王天嬌：〈從稱疾到臥疾：中古詩歌疾病隱喻的生成〉，《浙江學刊》，2021年第5期；安家琪：〈境遇體驗與家國隱喻：唐詩中的疾病書寫〉，《貴州社會科學》，2018年第5期；王友勝：〈曾鞏詩歌疾病書寫的多重隱喻及其消解〉，《江西社會科學》，2021年第4期；李淳：〈自我與時代之心——范成大詩歌創作的衰病主題及其超越〉，《中華文化論壇》，2016年第4期等。

3 個案研究多聚焦歐陽修、曾鞏、蘇軾、蘇轍、陸游、范成大、劉克莊等人，成果頗豐，此不贅引。

4 呂思勉〈先秦學術概論〉：「中國醫學可分三期北宋時，士大夫之言醫者，始好研究《素問》，漸開理

一 疾病的主題化：對隱喻模式的疏離

依據現存文獻，將自身疾病作為素材納入詩歌創作，始於魏晉南北朝。[5]最初階段的詩作，制題往往與疾病無涉，只在詩中提及。如劉楨「余嬰沉痼疾，竄身清漳濱」（〈贈五官中郎將詩四首 其二〉）[6]，陶淵明「負痾頹簷下，終日無一欣」（〈示周續之祖企謝景夷三郎〉）[7]。內容更詳實的是鮑照〈松柏篇〉，其序云：「余患腳上氣四十餘日。知舊先借《傅玄集》，以余病劇，遂見還。開帙，適見樂府詩〈龜鶴篇〉，于危病中見長逝詞，惻然酸懷抱。如此重病，彌時不差，呼吸乏喘，舉目悲矣，火藥間缺而擬之。」[8]序中先交代身患腳氣病的背景，而後詩中並有申說：「志士惜牛刀，忍勉自療治。傾家行藥事，顛沛去迎醫。徒備火石苦，奄至不得辭。龜齡安可獲，岱宗限已迫。」疾病導致消極情緒的蔓延，最後催化了對死亡的設想，一層層暈染出濃郁的悲感。在上述諸家之外，謝靈運的書寫更多也更有特點。[9]儘管他也未將疾病作為一種主題，卻頻繁使用「稱病」、「養疾」、「臥病」、「臥疾」之辭，實現了對「因疾而隱」、「臥疾閒居」的意蘊建構。[10]此後的詩人對此多有沿襲，如謝朓〈在郡臥病呈沈尚書詩〉、〈移病還園示親屬〉，江淹〈臥疾怨別劉長史〉，劉孝綽〈秋雨臥疾〉，直接在標題明示，但詩中卻毫無展現，可見重在寓意而非訴疾。唯有梁簡文帝蕭綱〈臥疾詩〉和庾信〈臥疾窮愁詩〉略算名實相副之作。前者連用四個典故，以「沉痾類弩影，積弊似河魚。詎逢龍子浴，空歎楚王菹」指代寒濕之病，表達稍顯晦澀[11]；後者「留蛇常疾首，

論醫學之端。」參見呂思勉：《中國文化思想史九種》上海：上海古籍出版社，2020年，下冊，頁569-570。

5 從溯源角度看，《詩經》中即有圍繞自身的涉病表達，但大多是嵌入疾病類語詞以抒發情志，如《衛風・伯兮》「願言思伯，甘心首疾」，《小雅・小弁》「心之憂矣，疢如疾首」，《小雅・無將大車》「無思百憂，祇自重兮」，《小雅・正月》「哀我小心，癙憂以痒」等。先唐涉及疾病的創作，可參考《藝文類聚》第七十五卷「方術部」下「疾」類收錄情況。僅有詩四首：梁簡文帝〈臥疾詩〉、〈喜疾瘳詩〉，（梁）劉孝威〈和簡文帝臥疾詩〉，（梁）朱超道〈歲晚沉痾詩〉。參見（唐）歐陽詢等編，汪紹楹校：《藝文類聚》上海：上海古籍出版社，1982年，第三冊，頁1289-1291。埋田重夫則對唐前「詠病詩」做過列舉，惜未區分自詠與他詠，並摻有和疾、問疾之作。參見（日）埋田重夫著，王旭東譯：《白居易研究：閒適的詩想》西安：西北大學出版社，2019年，第六章第二節〈詠病詩的譜系〉，頁112-113。此外，趙厚均也對疾病書寫傳統有過分析，但未區分詩與賦，也沒能揭示不同詩作涉病的程度及各階段創作特點。參見趙厚均：《明清江南閨秀文學研究》上海：上海古籍出版社，2020年，第四章第三節〈疾病詩學與金逸的詩意書寫〉，頁265-271。

6 逯欽立輯校：《先秦漢魏晉南北朝詩》北京：中華書局，1983年，上冊，頁369。

7 （東晉）陶淵明著，袁行霈箋注：《陶淵明集箋注》北京：中華書局，2003年，頁98。

8 （南朝宋）鮑照著，錢仲聯校：《鮑參軍集注》上海：上海古籍出版社，1980年，頁178。

9 具體篇目揆列，參見陳橋生：〈病患意識與謝靈運的山水詩〉，《文學遺產》，1997年第3期。

10 參見王天嬌：〈從稱疾到臥疾：中古詩歌疾病隱喻的生成〉，《浙江學刊》，2021年第5期。

11 （南朝梁）蕭綱著，肖占鵬、董志廣校注：《梁簡文帝集校注》天津：南開大學出版社，2015年，第二冊，頁313-314。

映弩屢驚心」一句，亦用杯弓蛇影典故，寫頭痛心驚之症。[12]

從在詩中植入疾病的元素，到以疾病為緣起的創作，這一演變透露出疾病中心化的趨勢。儘管如此，疾病本身仍非重點關注和表現的對象，仍處於局部嵌入、指涉模糊、虛實難辨的弱勢地位。這為涵容疾病之外的其他要素提供了可能。簡而言之，「病」的書寫意義不拘於身體，而要指向詩人賦予的隱喻意味，借病感懷、託病言志由此而來，並形成了一種穩固的書寫傳統。

唐初的詩人依然循常蹈襲，即便是不堪疾病折磨以自盡謝世的盧照鄰，也只在〈釋疾文〉序中陳訴多年苦痛：「余羸臥不起，行已十年，宛轉匡床，婆娑小室。未攀偃蹇桂，一臂連蜷；不學邯鄲步，兩足匍匐，寸步千里，咫尺山河。」[13]其詩中卻未見有如此情態畢見之作。真正實現突破的當推杜甫。對於親歷安史之亂、見證一代盛衰的詩人而言，在嗟歎老病之中抒發憂時傷世的情懷，反映個人與時代的現實遭際，既是情理中事，也是對已有傳統的接續。然而在思接外物的同時，杜甫還在詩歌中掀起了另一場「眼光向內」的革命。他不僅正視疾病，還在詩中具體揭示疾症，反映切身病痛，表現出寫實的傾向，成為創變的先導。如「峽中一臥病，瘧癘終冬春。春復加肺氣，此病蓋有因」（〈寄薛三郎中〉[14]），「肺萎屬久戰，骨出熱中腸」（〈又上後園山腳〉[15]），「飄零仍百里，消渴已三年」（〈秋日夔府詠懷一百韻〉）[16]，「此身飄泊苦西東，右臂偏枯半耳聾」（〈清明二首〉[17]），或是指明疾病名稱，或是直書病變器官。此外還有對病容、病情的描述，著墨較多者如〈病後遇王倚飲贈歌〉：「酷見凍餒不足恥，多病沈年苦無健。王生怪我顏色惡，答云伏枕艱難遍。瘧癘三秋孰可忍，寒熱百日相交戰。頭白眼暗坐有胝，肉黃皮皺命如線。」[18]歷病三秋，寒熱百戰，以至頭白眼暗，皮皺肉黃。因病久坐，致使臀部皮厚起繭，更是私秘難宣的細節。不僅盡露多病之狀，更開詩中先河。〈耳聾〉則是一首專題化詩作：「生年鶡冠子，歎世鹿皮翁。眼復幾時暗，耳從前月聾。猿鳴秋淚缺，雀噪晚愁空。黃落驚山樹，呼兒問朔風。」[19]南朝陳沈炯〈長安少年行〉中有老翁自述：「淚盡眼方暗，髀傷耳自聾。」[20]杜詩頷聯似承襲於此，但後兩聯又作了一番委婉補充。圍繞「耳聾」主題，以眼暗作陪，附之以「問風」的生活情境，直切題意而不失餘味。

---

12 （南朝梁）庾信著，（清）倪璠注，許逸民點校：《庾子山集注》北京：中華書局，1980年，頁283。

13 （唐）盧照鄰著，祝尚書箋注：《盧照鄰集箋注》增訂本上海：上海古籍出版社，2011年，頁271。

14 蕭滌非主編：《杜甫全集校注》北京：人民文學出版社，2014年，頁4489。

15 蕭滌非主編：《杜甫全集校注》，頁4660。

16 蕭滌非主編：《杜甫全集校注》，頁4834。

17 蕭滌非主編：《杜甫全集校注》，頁5746。

18 蕭滌非主編：《杜甫全集校注》，頁223。

19 蕭滌非主編：《杜甫全集校注》，頁5140。

20 逯欽立輯校：《先秦漢魏晉南北朝詩》，下冊，頁2444。

杜詩體現出的對疾病及身體的關心，在中唐詩人的筆下有更積極的反映。如白居易患有眼疾，僅此一病已有〈眼暗〉、〈得錢舍人書問眼疾〉、〈眼病二首〉、〈病眼花〉等詩；另有〈病中早春〉寫「風痰」，〈病中贈南鄰覓酒〉寫「齒痛」，〈初病風〉寫「風痹」、〈病瘡〉寫「足瘡」等。再如韓愈「中虛得暴下，避冷臥北窗」（〈病中贈張十八〉）寫腹疾[21]，「自從齒牙缺，始慕舌為柔。因疾鼻又塞，漸能等薰蕕」（〈赴江陵途中寄贈翰林三學士〉）寫鼻疾。[22]這些詩作無不折射出另一種寫作傾向。一方面，從語辭使用來看，病症不再泛化，而有切實所指，細密的身體經驗也隨之增多，呈現出回歸身體本體的特點。另一方面，就文本形態而言，詩歌制題與書寫篇幅的變化，昭示著主題吟詠的出現，這在一定程度上打破了局部涉病的書寫模式，擠壓了疾病隱喻所需的表達空間，開闢了有別傳統的新方向。

唐人寫入詩中的疾病體驗，引起了宋人的深切共鳴。「臂疼如子美，齒落如退之。腳患柳州腫，發垂孟郊絲」[23]，「已興工部耳聾歎，更和文公齒落詩」[24]，是對異時知音的銘記；而李流謙〈一春無日不飲遂作肺嗽效樂天體〉、樓鑰〈病足戲效樂天體〉、滕岑〈次韻樂天目昏〉等詩作，也是在仿效、次韻中分享生命的感同身受。站在前人基礎上，宋人還將目光投向了其他未曾入詩的身體疾病。涉及口腔疾病的如陸遊〈齲齒〉、岳珂〈十一月十五日忽苦舌瘍甚，不能飲食，憊臥一榻戲成〉；臟腑之病如李坤臣〈因痔痛徹心膂為詩〉、李曾伯〈累日脾疾自歌〉、陳著〈脾疼大作〉；肢體病痛如劉克莊〈腰痛〉；皮膚病如呂本中〈疥〉、劉克莊〈疥癬〉等。還有些詩作連寫不同部位，如方回七律〈數日項頰顴咽腫痛發中有瘡〉，為保證詩歌語言簡潔，特借標題加以說明；又如蔡戡〈病中紀事〉：「傴僂腰欲折，偃仰筋如抽。痛楚徹心膂，呻吟損咽喉。浹背汗淋漓，環膝寒颼飀。晨興服絺綌，夜臥重衾裯。垢膩生蟣虱，爬搔變瘡疣。」[25]先後寫了腰、筋、心、膂、咽喉、背、膝以及皮膚的各種不適。

除了創作實踐，宋人對疾病的關注也體現在宋編類書、選集、別集中。南宋潘自牧《記纂淵海》「人事部」下分「疾病」類，節錄宋前劉禎、杜甫、白居易、元稹、劉禹錫等人詩句，及本朝王安石、蘇東坡詩句。[26]祝穆《事文類聚》「嬰疾部」下分「疾病」類，節錄元稹、白居易詩句；「瘧疾」類收錄韓愈、陳克詩；「瘿疾」類收錄王安石

21 （唐）韓愈著，（清）方世舉編年箋注，郝潤華、丁俊麗整理：《韓昌黎詩集編年箋注》北京：中華書局，2012年，下冊，頁672。

22 （唐）韓愈：《韓昌黎詩集編年箋注》，上冊，頁161。

23 （宋）王十朋：《王十朋全集》上海：上海古籍出版社，1998年，〈乞祠〉，頁530。

24 （宋）陸遊撰，錢仲聯、馬亞中主編：《陸遊全集校注》杭州：浙江教育出版社，2011年，第八冊，〈雜賦〉，頁90。

25 北京大學古文獻研究所編：《全宋詩》北京：北京大學出版社，1995年，第四十八冊，頁30038。

26 （宋）潘自牧：《記纂淵海》，見《北京圖書館古籍珍本叢刊》北京：書目文獻出版社，1998年，第七十一冊，頁527。

詩。[27]方回《瀛奎律髓》卷四十四也設「疾病類」，選取唐宋五七言律詩共五十三首，其中唐至五代詩人有杜甫、白居易、劉禹錫、賈島、劉商、包佶、耿湋、李煜，宋代詩人有宋祁、王禹偁、張耒、陳師道、陳與義、曾幾、周孚、范成大、陸游、趙紫芝、劉克莊。[28]此外，就別集而言，南宋建陽刻《分門集注杜工部詩》有「疾病門」，南宋麻沙本《類編增廣潁濱先生大全文集》和《類編增廣黃先生大全文集》也有「疾病類」。這些都足以說明，自中唐以降，經過兩宋詩人的繼承發展，「疾病」不僅是片段化的素材，也逐漸成為一種獨立的詩歌題材。

由此可以梳理疾病書寫的演進脈絡，實質上已分化出兩條路徑。第一類是涉病詩，由於「病」的指義模糊，重點在闡發疾病之外的隱喻義，自魏晉時期便已形成基本模式，並被後世詩人廣泛接受和採用。第二類是疾病詩，即以疾病為主題，主要聚焦疾病自身屬性（如病態、病勢、病史、病理、病因）及其相關身體經驗（如形貌、體感、動作、治療行為）的詩作。確切來說，真正的疾病詩出現在中唐以後，在宋詩中才得到充分發展，並形成了鮮明的特色，進而開拓了疾病書寫的審美空間。

二　知識的應時吸納：從疾病體驗到醫藥實踐

中國古代醫學知識的流通，在宋前以「師徒」和「世業」傳承為主，即便有少數豪勢之人能自行搜羅，但整體呈現出封閉性特點。隨著宋代印刷技術與官私鬻書業的日益興盛，以往相對壟斷的局面得以打破。[29]以才學為尚的宋代士人，借助便利的條件，「自百家諸子之書，至於《難經》、《素問》、《本草》，諸小說無所不讀」[30]，往往具有較高的文化素養和豐富的知識儲備。而他們圍繞疾病的創作，既離不開自身最真切的感受，也是對現實生活的積極回應。

在公文寫作中，因病告假或致仕的奏請就有不少夾雜著真實的疾病表達。如嘉祐五年，以龍圖閣學士知鄭州的宋祁，因病作〈乞解鄭州還京求醫狀〉：「臣自去年五月脾胃寒泄，服暖藥過度，虛風客熱，結成沉屙。發歇不定，經一年有餘。……昨自六月中，寒溏頓作，不復支持。經四十餘日，飲食減少，出廳不得，肌肉銷盡，惟有皮骨，左腳麻木，行履艱難。」[31]病苦之態如在目前，語意酸楚，不忍卒讀。又如南宋景定元年，

---

27 （宋）祝穆：《古今事文類聚》上海：上海古籍出版社，1992年，第一冊，頁765-776。

28 （元）方回選評，李慶甲集評校點：《瀛奎律髓匯評》上海：上海古籍出版社，2005年，下冊，頁1575-1603。

29 陳元朋：《兩宋的「尚醫士人」與「儒醫」──兼論其在金元的流變》臺灣：臺灣大學出版委員會，1999年，頁55、74。

30 （宋）王安石：《王安石全集》上海：復旦大學出版社，2017年，第六冊，〈答曾子固書〉，頁1314。

31 曾棗莊、劉琳主編：《全宋文》上海、合肥：上海辭書出版社、安徽教育出版社，2006年，第二十三冊，頁285-286。

已逾花甲之年的李曾伯在〈以病乞休致奏〉中寫道：「自去春宿疾頓作，已費支持……有失調理，荏苒日久，遂成痰厥之疾，於四月初三日眩暈不省，幾致危殆。今親醫藥，將及一月，夜不能寢，晝不能動，呻吟苦楚，實不聊生。」[32]拋卻官員身分與公文語境，私人書劄也常因互相問訊而牽及疾病。如歐陽修〈與梅聖俞書〉專門對梅堯臣的「失音」給出驗方：「失音可救，曾記得一方，只用新好槐花，於新瓦上慢火炒令熟，置懷袖中，隨行隨坐臥，譬如閑送一二粒置口中，咀嚼咽之，使喉中常有氣味，久之，聲自通。……失音、腳氣皆是下虛。」[33]而黃庭堅〈答王定國〉：「今年來病滯下十餘日，比因積雨，舍中水夜上，為冷所逼，又暴下十數行，於今體氣極寒，所進皆極溫燥藥，生冷不得妄近矣。」[34]則向友人王鞏解釋了自己患痢的原因及身體變化。這些以時間推進或因果溯源詳述疾病與醫治經驗的寫法，在篇幅更簡短、表達更受限的宋詩中也屢見不鮮。

陸遊〈書病〉即以時間為線索，展現了不同階段的病態：

> 今年七月風眩作，兒子在前不能識。杯中藥冷呼不醒，全家相顧無人色。昏昏但思向壁臥，蟲臂鼠肝寧暇恤。醫巫技殫欲斂手，天高鬼惡籲莫測。偶然得活出望外，扶杖下床猶屢踣。讀書心在目力短，袖手堅坐到窗黑。[35]

詩下有題注：「乙卯七月二十二日，臥病兩旬始平，九月二日作此詩。」由於風眩發作，詩人一開始神志不清、不能識人，隨後陷入呼而不醒的昏寐狀態，甚至失去了對身體的感知。「蟲臂鼠肝」語本《莊子‧大宗師》：「以汝為鼠肝乎？以汝為蟲臂乎？」成玄英疏：「歎彼大造，弘普無私，偶爾為人，忽然返化。不知方外適往何道，變作何物。將汝五藏為鼠之肝，或化四支為蟲之臂。任化而往，所遇皆適也。」[36]意在說明重病之中只能昏沉臥睡，更無暇顧及肉身變化。僥倖自愈後，「扶杖下床猶屢踣」，《說文》：「踣，僵也」。段注：「僵，卻偃也。……

踣與僕音義皆同。孫炎曰：『前覆曰僕』。左傳正義曰：『前覆謂之踣』。」[37]走路的踉蹌之姿，又反襯出病後的虛弱情態。聯繫題注可知此詩為病後補記，具有明顯的紀實意識，對風眩導致的患病歷程也有切合實際的還原。

疾病自有其發生的邏輯，對病因的逐層追溯也成為詩歌展開的內在理路。如郭印〈病起贈劉元圭〉：「今年歲八十，有疾纏吾軀。初因水道澀，藥寒變河魚。食飲便退

32 曾棗莊、劉琳主編：《全宋文》，第三百三十九冊，頁256。

33 曾棗莊、劉琳主編：《全宋文》，第三十三冊，頁323-324。

34 曾棗莊、劉琳主編：《全宋文》，第一百五冊，頁260。

35 （宋）陸遊：《陸遊全集校注》，第四冊，頁318。

36 （先秦）莊周著，（清）郭慶藩輯：《莊子集釋》北京：中華書局，2004年，上冊，頁224。

37 （漢）許慎著，（清）段玉裁注：《說文解字注》上海：上海古籍出版社，1988年，頁83。

縮，脾土成中虛。言語氣自短，坐起人須扶。四肢時厥冷，甘心委冥途。」[38]「水道澀」大約是中醫所指泌尿系統一類的疾病。[39]「河魚」典出《左傳・宣公十二年》：「河魚腹疾，奈何？」[40]，喻指腹瀉。起初為治療「水道澀」而用藥，但由於藥性過寒腸胃受到刺激，結果演變為腹瀉。土氣為萬物之源，中醫以脾屬土，為身體氣血生化之源；中虛指內在虛虧。由於腹疾不適，導致食欲下降，以至新添脾胃失調、中氣不足等症。其後身體愈發困乏無力，不僅說話氣息短促，連四肢也變得清冷不溫。從水道、腹、口到脾、氣力、四肢，皆由因果關係環環相扣，嚴密有序地記敘了疾病牽一發動全身的連鎖反應。

從主觀層面上看，宋詩對病感的體察也愈發敏銳，尤其是對痛感的強調，成為疾病體驗的重要組成部分。不妨以詩歌對牙齒的書寫為例稍加說明。儘管唐代詩人杜甫、白居易等已對落齒現象有所關注，但直到韓愈所作之〈落齒〉詩，才稱得上是目前所見最早、最典型吟詠牙齒的詩歌。其中僅有「叉牙妨食物，顛倒怯漱水」一句，寫出了牙齒動搖帶來的具體感受。[41]相比之下，宋人卻格外偏好訴說牙齒將脫未脫的疼痛。如趙萬年〈圍中墮馬傷足方愈牙痛累日〉「足傷方複步，牙痛又搖齫」[42]，汪炎昶〈齒痛戲成三首其一〉「動疑難再穩，痛似忽微長。」[43]還有張嵲〈齒痛冀其速落而不可得〉、陸遊〈齒痛有感〉、姜特立〈齒將脫齟齬牴牾時或隱痛戲成〉等。如果說牙齒脫落或許與衰老有關，那麼病變後的齲齒則是疼痛的另一重來源。陸遊〈齲齒〉：「齲齒雖小疾，頗解妨食眠。昨暮作尤劇，頰輔相鉤聯。」[44]便簡要指出了牙疼殃及臉頰的連帶關係。而洪諮夔〈病齒〉描述更詳：「予方四十時，上齶右車毀。從茲白石源，歲歲費經理。軟疑梅著酸，疏類榴罅子。根浮觸易兀，力弱遇輒靡。……撼搖腫貫顴，焦蠹痛徹髓。外雖編貝然，中實空齫似。赤龍攪沆瀣，玉池漲清泚。天鼓弗能扣，金鼎亦徒舐。」[45]詩中運用了不少道教名詞，「白石源」指牙齒，「赤龍」指舌，「玉池」指口，「天鼓」指牙齒上下相叩。詩人介紹自己的齲齒從外觀上看似無恙，但內裡空疏。一旦觸及則引發顴頰腫脹，痛徹骨髓。叩齒、漱津本是道家養生之法，也因齲齒的存在而無法實踐。對纖微感覺的把握與傳達，為詩歌增添了不少代入感。

---

38 北京大學古文獻研究所編：《全宋詩》，第二十九冊，頁18653。

39 「膀胱，津液之府。熱則津液內溢而流於澤，水道不通，水不上不下，停積於胞。腎虛則小便數，膀胱熱則水下澀。數而且澀，則淋瀝不宣，故謂之為淋。」參見（隋）巢元方著，南京中醫學院校釋：《諸病源候論校釋》北京：人民衛生出版社，1980年，上冊，頁464。

40 楊伯峻編著：《春秋左傳注（修訂本）》北京：中華書局，2009年，第二冊，頁749。

41 （唐）韓愈：《韓昌黎詩集編年箋注》，上冊，頁89。

42 北京大學古文獻研究所編：《全宋詩》，第五十四冊，頁33791。

43 北京大學古文獻研究所編：《全宋詩》，第七十一冊，頁44803。

44 （宋）陸遊：《陸遊全集校注》，第六冊，頁226。

45 （宋）洪咨夔著，侯體健點校：《洪咨夔集》杭州：浙江古籍出版社，2015年，頁178。

宋詩圍繞病態、病因以及病感的記錄，首先屬於疾病體驗，其次也類似私人病歷，具有一定的知識屬性。從醫學角度看，傳統中醫四診法之一的「問」，就是將病人個體認知作為辨別疾病的重要參考。而在民間，也出現過詳細描述病症的曲子詞，借助演唱的形式發揮著醫學普及的作用。[46]這些都說明「識病」本身，就是對疾病不斷深入認識的過程，也是知識與經驗不斷積累的過程。

除此之外，作為與疾病對抗的醫藥實踐，也是宋代疾病詩集中書寫的內容。其中有些詩歌，在標題中就已記敘了完整的求醫過程，如趙蕃〈余客長沙，寒熱驟作，其證未分，理掾次律張君為致醫王生，述治之藥與病合，兩日愈，作七言二韻詩〉、楊萬里〈罷丞零陵，忽病傷寒，謁醫兩旬，如負擔者日遠日重，改謁唐醫公亮，九日而無病矣，謝以長句〉、毛滂〈比得寒疾，用道士養生法治其內，郡幕徐天隱遺以柴胡、桔梗，教作湯服之，疾間作小詩以寄〉等，對時間、地點、人物、病症甚至用藥都有交代，透露出豐富的資訊，也充分發揮了長題所具有的敘事優勢，為進入文本提供了理解的背景。還有更多詩歌則著眼於醫治方式，在使用藥物和接受理療的過程中融入知識與思考。

依靠藥物使疾病得到控制或緩解，是最常見的選擇。如王之望〈病後戲贈同官蔣子權〉：「昨因觸大暑，留熱在鬲脘。醫師戒飲酒，所嗜不可斷。寒熱一朝作，水火互濯熯。地偏無藥餌，伏枕但憂悹。……我昨病在床，君來問尤款。教我煮橘皮，湯熱過冰碗。繼送桔梗湯，一杯去煩懣。柴胡作引子，汗出如被瓚。所投立有效，病去若水浣。」[47]詩人因暑熱兼飲酒，病情加重，幸聽從同官蔣子權的方法，按其要求和次序，先後用橘皮、桔梗、柴胡等藥材煮成湯藥服食，最終得以痊癒。與此同時，宋人也關注藥物用量問題。如果說邵雍的「一身如一國，有病當求醫。病癒藥便止，節宣良得宜」（《有病吟》）[48]是抽象的感悟，那麼蘇轍則以親身經歷獲得了教訓：

> 我病在脾胃，一病四十年。微傷輒暴下，傾注如流泉。去年醫告我，此病猶可痊。試取薑豆附，三物相和丸。服之不旬浹，病去如醫言。醫言藥有毒，病已當速捐。我意藥有功，服久功則全。侵尋作風痹，兩足幾蹣跚。徐悟藥過量，醫初固云然。舊病則已除，奈此新病纏。醫言無甚憂，前藥姑舍旃。藥毒久自消，真氣從此完。鄙夫不信醫，私智每自賢。咄哉已往咎，終身此韋弦。（《記病》）[49]

---

46 敦煌文書p.3093的背面，寫有〈定風波．傷寒〉三首，介紹了陰毒傷寒、夾食傷寒、風濕傷寒三種不同疾病的症狀，對脈象和身體反應作了細緻描述。內容直白樸素，實用性強。參見任半塘編著：《敦煌歌辭總編》上海：上海古籍出版社，2006年，頁615-616。

47 北京大學古文獻研究所編：《全宋詩》，第三十四冊，頁21686。

48 （宋）邵雍著，郭彧、于天寶點校：《邵雍全集》上海：上海古籍出版社，2015年，第四冊，頁321。

49 （宋）蘇轍著，曾棗莊、馬德富校點：《欒城集》上海：上海古籍出版社，2009年，下冊，頁1509。

整個事件圍繞用藥展開：因病用藥——病癒而藥未停——致使新病——停藥但身受損。經歷這次波折，蘇轍認識到過量使用藥物的危害。儘管他以「信醫」作為議論和反思的終結，或許摻有扭轉民間「信巫」風尚的考量；[50]但其本質仍在於以辯證的態度對待藥物，反對迷信和依賴，折射出一種理性精神。

以艾灸為代表的理療方式在宋代也進入繁盛階段，當時的醫書對腧穴、灸材、艾炷形制、灸法、灸量、施術、灸瘡護理等皆有規定。[51]而透過宋詩，我們得以看見彼時的醫治情境。如范成大《灼艾》：

> 血忌詳涓日，尻神謹避方。艾求真伏道，穴按古明堂。謝去群巫祝，勝如幾藥湯。起來成獨笑，一病攬千忙。[52]

古人講究「天人合一」與「因時治宜」，注重人體氣血的週期性變化，施行針灸也有禁忌的時間，「血忌」和「尻神」就是其中兩種，首聯所寫正是對灼艾時間的選擇。[53]范成大《攬轡錄》中有：「壬申，過伏道，有扁鵲墓，墓上有幡竿，人傳云四傍土可以為藥，或於土中得小圜黑褐色，以治疾。伏道艾，醫家最貴之，十里即湯陰縣。」[54]「伏道」是宋代湯陰縣附近一處地名，其地所產之艾，醫家以為至貴，在宋代被視為艾中上品。「明堂」指《黃帝明堂經》，是針灸學領域最早的一部專著。雖然較早亡佚，但其部分內容卻被存世的古醫籍援引。因此頷聯是從選擇灸材和尋找穴位出發，為推進操作做好準備。頸聯則強調灼艾的效果，遠勝從前嘗試過的巫禱之術和藥湯，與尾聯的「一病攬千忙」相照應。從詩中即可看出，灼艾的確是一種頗有講究的治療方法。還有強至〈予以病久不赴朝謁，因灸三里穴罷，信筆偶書〉、朱弁〈予以年事漸高，氣海不能熟生、煖冷，旅中又無藥物，遂用火攻之策，灼艾凡二百壯，吟呻之際得詩二十韻〉、陸遊〈久疾灼艾小愈晚出門外〉、〈久病灼艾後獨臥有感〉等詩，也對腧穴位置、艾灸數量、施行步驟、灸瘡感受等多有記述，成為灸療發展進步的生動佐證。其他諸如湯熨、針刺之法，在宋詩中也偶有反映，如陸遊「病減停湯熨，身衰賴按摩」（〈病減〉[55]），張鎡「投針痛循筋，濯藥熱透骨」（〈足疾愈約客遊湖上園〉[56]）以及朱熹〈晦翁足疾，

---

50 宋代社會「信醫」與「信巫」相關問題，參見李小紅：〈宋代「信巫不信醫」問題探析〉，《四川大學學報（哲學社會科學版）》，2003年第6期。

51 劉立安：《宋以前灸療學術發展史研究》，北京中醫藥大學博士論文，2020年，頁123。

52 （宋）范成大著，富壽蓀標校：《范石湖集》上海：上海古籍出版社，2006年，頁322。

53 「血忌」和「尻神」所指具體時間尚存爭議。參見徐滿成：〈針灸日時避忌探析〉，《中國中醫藥資訊雜誌》，2013年第5期；紀征瀚、嚴季瀾、王淑斌、祖娜：〈針灸中的「神」禁忌〉，《中國針灸》，2014年第7期。

54 顧宏義、李文整理標校：《宋代日記叢編》上海：上海書店出版社，2013年，第三冊，頁798。

55 （宋）陸遊著：《陸遊全集校注》，第八冊，頁263。

56 北京大學古文獻研究所編：《全宋詩》，第五十冊，頁31528。

得程道人針之而愈，戲贈此詩〉等，為瞭解宋代醫療實際補充了更多訊息。

疾病和醫療就這樣改變了宋詩。宋人樂此不疲地分享自己的疾病體驗，解密身體的脆弱與堅韌、平凡與奇妙；也興味盎然地記錄不同的療愈經驗，在日益發展的醫學領域汲取新知、祈求健康。「在審美文化場內，各種不同的力量相互作用，技術自然是一個不可忽視的重要力量。技術在審美文化各個方面的廣泛運用，極大地改變了它固有的格局和方式。」[57]如果說這些知識被納入詩歌，是以通俗、淺白、實用貼合了宋人的日常；那麼在簡短的篇幅中擴充知識的容量，也不可避免地重塑了詩歌的格調。邏輯化的記敘與思考，開掘了疾病詩的敘事和議論特質，也揭示了宋詩在抒情之外更豐富的審美面相。

三　「病體美」的開掘與生命精神的升華

宋詩總體上是對人興味濃厚的詩。[58]除了留意「人事」，我們還能在宋人筆下見到不少吟詠「人體」的詩作。如梅堯臣仿陶淵明〈形影神〉所作〈手問足〉、〈足答手〉、〈目釋〉，艾性夫〈須語眉〉、〈眉答須〉，舒岳祥〈齒酬舌贈〉、〈齒酬唇贈〉等。劉克莊〈老病六言十首呈竹溪〉和〈竹溪再和余亦再作〉則是組詩，每組除開頭、結尾兩首，中間分別吟詠發、耳、目、口、鼻、腰、手、足八個部位。儘管這類創作頗帶有些遊戲的性質，卻反映出宋詩對人、對身體的關注。更為重要的是，在審視和打量身體的過程中，詩人們慣用客觀化、物件化的觀察方式，又附之以主觀裁奪，從而將眼前的現實點化成詩意的創造。正是在這種浸潤人文的視野籠罩下，即便是承受疾病侵襲的身體，也在詩歌中有了不同的面貌。

語言是見證疾病境況與藝術構思如何交互的最直觀載體。正如英國作家伍爾芙（Virginia Woolf）一九二六年在隨筆《論生病》（*On Being Ill*）中所寫：「那能夠表達哈姆萊特的滾滾思緒和李爾王的悲劇的英語，卻沒有詞彙去描繪寒顫和頭疼。最單純的女學生陷入熱戀時，都有莎士比亞和濟慈的詩句為她傾訴衷腸。可是讓一個病人試著向醫生描述他的頭疼，語言立即就變得乾巴巴的了。沒有任何現成的詞句供他使用，他被迫自己去創造新詞，一手拿著疼痛，另一手拿著聲音。」[59]當她還在為貧乏的英語無法描述疾病深感失落時，生活在八百年前的宋代詩人，已經用惟妙惟肖的表達，為疾病蒙上了一層浪漫的濾鏡：

57 周憲：〈審美文化中的工具理性和表現理性〉，《國外社會科學》，1997年第4期，頁69。

58 （日）吉川幸次郎著，李慶、駱玉明等譯：《宋元明詩概說》上海：復旦大學出版社，2012年，頁34。

59 （英）維吉尼亞．伍爾芙（Virginia Woolf）著，王義國等譯：《伍爾芙隨筆全集》，北京：中國社會科學出版社，2001年，第二冊，頁604。

體中初微溫，末勢如湯鑊。忽然毛髮起，冷撼如振鐸。
良久交戰罷，頂背如釋縛。尚覺頭涔涔，眉額如鑱鑿。
空日一寒暑，有准如契約。伏枕兩晦朔，枵然如空橐。
平生十圍腹，病起如饑鶴。衰發本無幾，脫去如秋籜。
到今僅能步，出沒如尺蠖。舊聞五嶺表，有此萬戶瘧。
而我自僑寓，了不蒙闊略。況予又持養，何至亦例著。
此身自空虛，客疾安所托。請作如是觀，無病亦無藥。

——唐庚〈瘧疾寄示聖俞〉[60]

瘧疾本是經蚊蟲傳播的一種流行病，有週期性發作的特點，常見症狀是寒顫、發熱、出汗，由於在古代南方地區多發，屬「瘴疾」的一種，故也被稱為「瘴瘧」，即詩中所指「萬戶瘧」。[61]詩人此時正寓居惠州，由於身染瘧疾，便作詩向外甥郭聖俞講述情況。詩歌起筆便交代瘧疾冷熱交戰帶來的身體反應，忽而身體發熱，忽而寒顫不已，稍有停歇卻大汗淋漓。間日發作、持續兩月後，只見腰圍縮減、腹內中空、頭髮脫落、腳力愈衰。最值得注意的是詩中九個比喻的運用，其中「如湯鑊」、「如釋縛」是形容身體感受，「如契約」是比擬發作頻率，而「如振鐸」、「如鑱鑿」、「如空橐」、「如饑鶴」、「如秋籜」、「如尺蠖」則是描摹患病之身，足見觀察之精細。然而正是「連一接二的搞得那件事物應接不暇，本相畢現，降伏在詩人的筆下」[62]，反而消解了疾病帶來的焦慮與恐懼，不僅增添了活潑的趣味，也賦予原本備受折磨的病體以強烈的藝術表現力，增強了詩歌的美學效果。

宋詩對「病目」的書寫也具有「織綜比義，以敷其華」[63]的特點。眼痛、目昏等眼疾，在唐詩中已有普遍反映，如權德輿〈多病戲書因示長孺〉「眼眩飛蠅影，耳厭遠蟬聲」[64]，王建〈眼病寄同官〉「天寒眼痛少心情，隔霧看人夜裡行」[65]，白居易〈病眼花〉「花發眼中猶足怪，柳生肘上亦須休」[66]等，但多是從主觀視覺出發，突出飛蚊症及視物不明的感受。相比之下，宋人則對眼睛有更細緻的觀察，並從外部形貌上追索昏花不清的原因。如劉克莊〈記醫語〉：「身如桐半死，天尚罰枯株。昔作紅顏子，今為碧眼胡。迷蒙銀海眩，攲側玉山扶。惜尚名書畫，緘縢可謂愚。」[67]詩下有自注：「醫言

60 （宋）唐庚著，唐玲校注：《唐庚詩集校注》北京：中華書局，2016年，頁29。
61 參見左鵬：〈宋元時期的瘴疾與文化變遷〉，《中國社會科學》2004年第1期。
62 錢锺書：《宋詩選注》北京：生活．讀書．新知三聯出版社，2002年，頁100。
63 （南朝）劉勰著，范文瀾注：《文心雕龍注》，北京：人民文學出版社，1958年，下冊，頁602。
64 （清）彭定求等編：《全唐詩》北京：中華書局，1960年，第十冊，頁3605。
65 （唐）王建著，尹占華校注：《王建詩集校注》成都：巴蜀書社，2006年，頁405。
66 （唐）白居易著，謝思煒校注：《白居易詩集校注》（第五冊）北京：中華書局，2006年，頁2219。
67 《全宋詩》，第五十八冊，頁36667。

余目有青暈侵眸子。」據注可推知劉克莊患有眼內障，這是唐宋士人中較常見的眼病，當時有「金針撥障術」(金篦術）可醫治此疾。[68]基於對此種疾病的常態化認知，宋人對其進行了詩意化改造。宋祁〈夏日舊疢間發〉「霜挫顛毛禿，雲添眼膜昏」[69]，趙鼎臣〈病目無聊因遊慈雲寺作詩呈諸友〉「胡為生纖雲，翳此秋月淨」[70]，葛勝仲〈和目疾韻〉「幻翳乘虛近漆瞳，輕雲蔽月有無中」[71]，郭印〈病目〉「視物都矇矇，浮雲翳秋月」[72]等，都將眼翳比作「雲」，而將晶體比作「月」。無論是纖雲、輕雲還是浮雲，給人的感覺都是成團的、局部的、附著的，而月則是明亮的、皎潔的。將眼部病變置換為雲月關係，既貼近事物各自原有的屬性，又借含蓄委婉的表意，牽連起美的聯想。

疾病經常使人的形體和容貌發生變化，儘管如此，宋詩中的「病骨」與「病顏」卻常常以新奇生動的姿態出現。如楊萬里〈病起覽鏡二首其一〉:「病起長新骨，居然非舊容。眼添佩環帶，腰減採花蜂。」[73]眼帶與蜂腰，都是病過留痕。然而這一添一減，頗見風神，似乎重新達成了有趣的平衡。又如「骨枯似蘖膚如臘」(范成大〈謝範老問病〉[74]),「梔黃染病顏」(陸遊〈病中戲詠〉[75])，以巧思構擬語辭，以懸想消弭鬱結，病後特有的樣貌頓時如在目前。而蘇轍〈病後〉「一經寒熱攻骸骨，正似兵戈過室廬。柱木支撑終未穩，筋皮收拾久猶疏」[76]，與陸遊〈齋中雜題四首其二〉「下濕病在脾，餘息僅如縷。枯皮裹瘦骨，半屬松下土。屋壞要當顛，安能強撐拄」[77]，皆別開生面，不僅以房屋敗落、搖搖欲墜喻指病體，寫出了弱不禁風的動感，更以鮮活的畫面延展著想像的空間。

另外，「鶴」作為一種意象與清癯的病體產生聯結，雖始於白居易，卻在宋詩中凝定成較穩固的投射關係，這是文人精神意趣灌注的結果。白居易任杭州刺史時飼養過一對華庭鶴，並在它們的陪伴度過了一段暮年時光。[78]他曾作詩〈病中對病鶴〉，也曾因病瘦而自比於鶴:「病瘦形如鶴，愁燋鬢似蓬。」(〈新秋病起〉[79]）在宋詩中，以鶴作為比照形容瘦削的病體，亦屢屢可見。如范成大〈初履地〉「長脛閣軀如瘦鶴，沖風奪

68 范家偉:〈唐宋時代眼內障與金針撥障術〉,《漢學研究》，2004年第2期。

69 《全宋詩》，第四冊，頁2527。

70 《全宋詩》，第二十二冊，頁14864。

71 《全宋詩》，第二十四冊，頁15661。

72 《全宋詩》，第二十九冊，頁78653。

73 （宋）楊萬里著，薛瑞生校證:《誠齋詩集箋證》西安：三秦出版社，2011年，第五冊，頁2960。

74 （宋）范成大:《范石湖集》，頁322。

75 （宋）陸遊:《陸遊全集校注》，第七冊，頁13。

76 （宋）蘇轍:《欒城集》，上冊，頁326。

77 （宋）陸遊:《陸遊全集校注》，第六冊，頁22。

78 白居易〈求分司東都寄牛相公十韻〉、〈洛下卜居〉等詩皆有提及。

79 （唐）白居易:《白居易詩集校注》，第四冊，頁1630。

氣似枯楠」[80]，陸遊〈病起遇晴有作〉「無人畫此翁，縹渺立孤鶴」[81]，胡仲弓〈病後呈芸居〉「病骨清於鶴，臨風直欲飛」[82]，趙師秀〈病起〉「身如瘦鶴已伶俜，一臥兼旬更有零」[83]，高斯得〈病起二首其二〉「頮面驚權出，梳頭感發稀。鶴饑從自瘦，驥老更求肥」[84]。但這恐非單純繼承白詩，或簡單的方於形貌，實際上還寓托著宋人的審美理想。因為宋人在描述瘦削身形時，也常與「竹」、「松」、「梅」聯繫起來。如范成大〈自詠瘦悴〉：「惟餘老筇杖，相伴兩虛心。」[85]陸遊〈暮春〉「俗態似看花爛漫，病身能鬥竹清癯」[86]，〈月下作二首其二〉「瘦身發鬅鬙，顧影如孤松」[87]，胡仲參〈書懷呈曾性之〉「覽鏡歎頭顱，梅花一樣臞」等。[88]松、竹、梅在中唐時期已有連譽之言，至宋則出現「歲寒三友」之說，它們折射著儒家「君子比德」的自然審美意識，凝聚著士人超拔流俗審美理念，也寄託著雅意自適的心理祈向。[89]作為與上述三者齊觀並美的「鶴」，因毛羽潔白、姿態高貴、神貌清曠、氣質超逸，歷來都深受人們喜愛，被視作祥瑞、長壽、自由乃至君子的象徵。[90]以「病體」與「鶴瘦」之形似為起點，宋代詩人或許也在「鶴我同構」的過程中，追尋那份延綿在文化深處的風骨與氣節。

疾病雖然帶給人痛苦的生理體驗，卻也成為反觀自我、反思生活的契機。宋人在這個過程中發現了身體，也在不斷地體認和玩味中，實現對「病體美」的開掘，為古代身體審美提供了新視角。事實上，自《詩經》開始，文學創作就對身體有所關注，且多聚焦女性身體之美。[91]如《衛風．碩人》寫莊薑美貌：「手如柔荑，膚如凝脂，領如蝤蠐，齒如瓠犀，螓首蛾眉。巧笑倩兮，美目盼兮。」[92]〈古詩為焦仲卿妻作〉寫劉蘭芝：「指如削蔥根，口如含朱丹。纖纖作細步，精妙世無雙。」[93]繼之有極力吟詠女性

---

80 （宋）范成大：《范石湖集》，頁243。

81 （宋）陸遊：《陸遊全集校注》，第六冊，頁32。

82 《全宋詩》，第六十三冊，頁39772。

83 《全宋詩》，第五十四冊，頁33854。

84 《全宋詩》，第六十一冊，頁38579。

85 （宋）范成大：《范石湖集》，頁371。

86 （宋）陸遊：《陸遊全集校注》，第一冊，頁304。

87 （宋）陸遊：《陸遊全集校注》，第一冊，頁309。

88 《全宋詩》，第六十三冊，頁39852。

89 程杰：〈「歲寒三友」緣起考〉，《中國典籍與文化》，2000年第3期。

90 「鶴文化在長期的發展過程中，逐漸形成了獨特的象徵內涵，主要有祥瑞、神仙、長壽、情義、君子、悼念、孝感等。」參見陳陽陽：《唐宋鶴詩詞研究》南京師範大學碩士論文，2011年，頁13。

91 漢樂府古辭有〈婦病行〉，但中心是借病婦反映勞動人民遭遇剝削壓迫的生活慘像，不涉及具體的疾病和身體書寫。錢鍾書先生在《管錐篇》中還提及一種「病美人」形象，舉西施「病心而顰」、潘夫人「憂戚瘦減之容」，以及梁冀之妻孫壽故作「齲齒笑」以為媚惑等例。這類書寫實際上是為反襯美人「愁貌尚能惑人，況在歡樂」，也非關注疾病和身體。參見錢鐘書：《管錐編》北京：生活．讀書．新知三聯出版社，2007年，第三冊，頁1647。

92 程俊英、蔣見元：《詩經注析》北京：中華書局，1991年，頁165。

93 逯欽立輯校：《先秦漢魏晉南北朝詩》，上冊，頁284。

肌膚、身姿、睡態的宮體詩及豔情詩詞。《世說新語》「容止」則記錄了魏晉士人的形體儀容，如何晏「美姿儀，面至白」，嵇康「身長七尺八寸，風姿特秀」，杜弘治「面如凝脂，眼如點漆」，[94]這種擺脫禮儀、服飾直面本體的審美，是人物品藻的重要環節，一定程度反映了自我意識的覺醒。儘管如此，唐前的身體審美仍顯單一，基本圍繞他者視角與健康身體展開。中唐以降，伴隨詩歌對衰老和疾病狀態的呈現，一種基於自審的身體審美逐漸流衍開來。[95]至宋得到進一步拓展，最終形成了自審視角下對病體的審美。正如「自然界有它的氣候，氣候的變化決定這種那種植物的出現。精神方面也有它的氣候，它的變化決定這種那種藝術的出現。」[96]宋詩的這一審美新變，與宋代社會文化背景及其影響下的士人文化性格緊密相關。

對疾病的畏懼與身體的關切，是生而為人的本能。但伴隨醫學的發展、知識的流通、認知的進步，宋人對疾病和身體的瞭解也愈發深入。他們相信「我命在我，不在於天」[97]，相信人所具有的主觀能動性，也相信預防與治癒的有效性。這種積極的心態，延伸到社會，助推了宋代養生之風的盛行；輻射到文學，也驅散了長久彌漫的軟弱無力、悲慟感傷，為審美活動的進行奠定了良好的心理底色。與之相佐的是，宋人還意識到自然規律的客觀存在，並不以人的意志為轉移。疾病可以預防和治療，卻不能阻止和避免。「大凡物老鬚生病，人老何由不病乎」（邵雍〈臂痛吟〉[98]），「力豈能加命，人終不勝天」（王炎〈病起〉[99]），「有身即有患，無生乃無憂」（蔡戡〈病中紀事〉[100]），「生老病催無怪者，寸關亦可自知之」（李曾伯〈累日脾疾自歌〉[101]），這些思索無不流露著可貴的豁達、通透和超脫。既然生命在活著的同時，也在走向疾病和死亡。那麼它的每一個瞬間、每一種形態，都具有無比珍貴的意義。宋人在詩歌中開掘「病體美」，使理性的接納轉化為感性的欣賞；最終也游離了孱弱的病軀，獲得了精神的昇華。從某種意義上說，與疾病的相伴而行，讓宋人的生命有了更豐厚的質感。感悟之深化、勇氣之培植、心胸之開拓、人格之砥礪，皆由此而來。而疾病也在宋代詩歌的銘寫中，變成了深刻的審美經驗與生命記憶。

94　（南朝）劉義慶著，徐震堮校箋：《世說新語校箋》北京：中華書局1984年，頁333、335、340。

95　中唐至宋的衰老書寫，可參看龐明啟：〈「剝落」的「老醜」：宋詩衰病書寫與身體審美轉向〉，《中山大學學報(社會科學版)》，2020年第5期。此文雖涉及「病」，但重在寫「老」；由於老年易病，故也涉及老年病態。文中認為宋詩中的衰病書寫，實現了「以醜為美」的身體審美轉向，這與筆者提出的「自審視角」、「病體美」角度不同，特此說明。

96　（法）丹納著，傅雷譯：《藝術哲學》北京：商務印書館，2018年，頁15。

97　（宋）周守忠編：《養生類纂》北京：中國中醫藥出版社，2018年，頁3。

98　（宋）邵雍：《邵雍全集》，頁211。

99　《全宋詩》，第四十八冊，頁29811。

100　《全宋詩》，第四十八冊，頁30038。

101　《全宋詩》，第六十二冊，頁38791。

法國漢學家胡若詩（Florence Hu-Sterk）曾說：「唐代的中國詩人面對疾病的態度和西方詩人截然不同。在中國，病從來就沒有積極的一面。」「唐朝的詩人從未給予病以美學的特徵，也從未發現過病的魅力。」[102]如果說唐詩多少保留了悲哀的餘緒，那麼受其滋育的宋詩，已然具有了不同以往的基調與氣象，並下啟元明清疾病詩的創作。還需要說明的是，宋詩對「病體美」的開掘，並不等同於「以病為美」，因為它植根理智、坦蕩無邪，而非耽溺畸形、偏嗜病態；也不等同於「以醜為美」，因為疾病生發實屬自然，關乎事實判斷，而非價值判斷；或許它應該歸入宋人「以俗為雅」思想的一部分，以詩歌為媒介，變庸常為雅正，最終走向了對凡俗生命的升華與超越。

四　餘論

在古代詩歌疾病書寫的傳統中，宋詩無疑處於一個重要的轉捩點。宋代以前，疾病書寫中的「病」大多無法確指，而更像一個指向性符號，使人由此聯想到疾病之外的諸多意涵，具有較強的隱喻意味；即使中唐之後的詩人在某些詩作中已顯露出對疾病的寫實傾向，也表現出對身體經驗的關注，但終未形成整體性氣候。而在宋代之後，圍繞疾病主題、進行切身書寫的疾病詩日益增多，我們甚至可以從少數民族詩人、明清閨秀詩人的創作中找尋到一貫而下的脈絡。[103]這充分說明疾病書寫在形成隱喻化模式後，也嘗試另辟新路向，宋代疾病詩正是這分化趨勢中最突出的代表。同時，對「疾病」這一題材的承與變，也呼應著中唐至宋的文學文化轉型。當時代風尚從昂揚開放走向深沉內斂，當士人目光從外在事功轉向個體修持，疾病這樣一種「日常化」、「私人化」的體驗也隨之進入詩歌，這正是「宋型文化」作用於文學的具體體現。

宋代疾病詩的演進也醞釀著新的詩學問題，即如何評價詩歌在融攝世俗現象與反映高雅情境、書寫知識經驗與營造興象風神之間的矛盾與選擇？以疾病為中心的詩歌，充斥著瑣細的體驗、堆疊著不同的知識，既無豐腴情辭，也無空靈韻味，似乎缺乏藝術感染力。但從另一個角度看，當這些認知與思考借詩人的邏輯統合得到表達，詩歌敘事化、議論化的內在肌理已漸次浮現。正是通過這綿密細緻的記述，我們才得以見證個體的生命病變與獨特感受；得以看見醫學進步是如何改造人們的肉體和心靈，並留下文明演化的深刻印記；得以從宋人超越痛苦發掘身體之美的過程中，觸及理性與感性交織下那份動人的生命情懷。這說明看待詩歌不能採用統一的衡量標準，更不能拘泥於一種研

102　（法）胡若詩（Florence Hu-Sterk）：〈唐詩與病〉（Maladie et poésie sous les Tang），見錢林森編：《法國漢學家論中國文學：古典詩詞》北京：外語教學與研究出版社，2007年，頁343-344。

103　具體創作情況可參看劉嘉偉：〈元代畏兀詩人偰百遼遜的病痛書寫〉，《中華文化論壇》，2021年第4期；方秀潔（GraceS. Fong）：〈書寫與疾病——明清女性詩歌中的「女性情境」〉，方秀潔、魏愛蓮（EllenB. Widmer）編：《跨越閨門：明清女性作家論》北京：北京大學出版社，2014年，頁21-47。

究範式，只有隨詩而變通，才能真正發現詩歌的特點與價值。

在疾病文學的範圍內，宋代疾病詩不僅是重要的組成部分，更以其演進歷程暗示著可能存在的聯動變化。歷史階段和社會環境的影響，絕不會只停留在某一類文體中。就宋代而言，諸如詞作、公文、書信、筆記、日記、小說甚至歌謠（類文學）中，是否也存在疾病相關書寫，在各自的文體傳統中呈現出怎樣的特點，而不同文體之間存在哪些共性和差異，這些都是值得繼續探索的問題。以此為基礎，或可從不同維度推動中國疾病詩學的建構，為跨學科（文學與醫學）甚至跨文化的相關研究提供參照；同時也為當下及未來同樣要面對疾病境遇的人們，提供思想資源和精神啟發。

張栻「敬」論的建構
——兼論張栻對湖湘學派工夫論的反思

湯嫣嫣
新加坡國立大學中文系

一　引言

張栻（1133-1180），字敬夫、欽夫，號南軒，南宋時期著名的理學家。張栻具有深厚的家學背景，得其父張浚教導，自幼受伊洛之學影響頗深，後又師從南宋湖湘學派實質開創者胡宏（1102-1161，字仁仲，號五峰）。胡五峰青年時傾心二程學說，從遊於楊時、侯師聖，其學術思想得自其父胡安國。胡安國雖然沒有拜於二程門下，但在與楊時、謝良佐、游酢等程門高弟交遊中受程氏學之影響。根據錢穆先生的觀點，二程洛學在南宋時期分為兩大派：其一傳自楊時，之後有朱熹，稱為閩學；另一傳自胡安國、胡宏，之後有張栻，稱為湖湘學。[1]因此，從學術淵源上看，湖湘之學亦出於二程。張栻思想在繼承湖湘學傳統的基礎上，結合了孔孟以及濂溪、二程的學說，同時又在與朱熹等友人交流論辯過程中逐漸趨於完善和成熟。黃宗羲曾說：「湖南一派，在當時為最盛，然大端發露，無從容不迫氣象。自南軒出，而與考亭（朱熹）相講究，去短集長，其言語之過者裁之歸於平正。」[2]由此亦可見張栻對湖湘學派思想發展的貢獻。

張栻哲學涵蓋宇宙本體與心性工夫理論。其中，他對「敬」的重視和積極闡發使其修養工夫在湖湘學派傳統的「察識」、「涵養」之外，獨具特色。「敬」是儒家傳統倫理思想的重要範疇。在儒學思想體系中，對「敬」的重視肇始於先秦時期，但真正將其作為道德修養工夫則是在宋明理學。二程以「主敬」代替周敦頤「主靜」說，使之成為了理學工夫體系的重要組成部分。錢穆先生曾經指出：「因辨已發、未發，涵養、省察，而有主靜、主敬之爭，此尤為宋明理學家相傳的一大問題，不可不詳論。」[3]張栻十分推崇二程的「主敬」工夫，但他對於「敬」的理解和闡釋也經歷了一個過程，並非簡單地回歸到二程的敬論。目前比較完整的關於張栻敬論思想的研究成果大部分以章節的形式存在於學術專著或學位論文之中。蔡方鹿的《一代學者宗師——張栻及其哲學》和陳

1　參見錢穆：《宋明理學概述》北京：九州出版社，2010年，頁105。

2　（清）黃宗羲：《宋元學案》北京：中華書局，1986年，頁1611。

3　錢穆：《朱子新學案》北京：九州出版社，2011年，第二冊，頁377。

穀嘉的《張栻與湖湘學派》作為研究張栻思想較早的兩部專著，都關注到了「敬」在張栻理學體系中的重要地位，但只是在認識論視域下圍繞「居敬窮理」說進行討論，對於敬的涵義和工夫的闡述還不夠全面。[4]侯外廬、邱漢生等主編的《宋明理學史》從思想史角度出發，認為張栻將「居敬主一」作為內心的修養工夫，以「去人欲，存天理」為旨歸，延續了宋代以來理學家對心性修養的重視。[5]蘇鉉盛在博士論文《張栻哲學思想研究》中以一個章節專門探討其敬論，不僅闡釋了敬的涵義與功能，還分析了敬與誠、天道的關係，拓寬了對張栻敬論的研究角度。[6]此外，還有在張栻工夫論演進背景下對於「敬」的考察。張栻的工夫論發生過前後期轉變這一點已是共識。大體上講，前期堅持胡宏「先察識後涵養」的觀點；後期則強調「察識涵養並進」。近來也已經有研究關注到了「敬」在張栻後期工夫論中地位的提升，[7]但對於此轉變的原因並沒有展開進一步的討論。因此，本文試圖從考察張栻「敬」的涵義入手，通過對文本的梳理和分析，回溯其「敬」論的建構過程，從而探究「敬」在張栻工夫進路中的作用和意義。

二　「敬」的四種涵義

在討論「敬」的涵義之前首先需要明確的是，敬作為一個工夫層面的概念，具有豐富的實踐內涵和意義，難以對其進行簡單的下定義。因此，下文總結的是張栻在不同語境下對「敬」的涵義的不同表述。

首先，敬是主一。「主一」一詞出自二程。程頤以主一來解釋「敬」：「敬只是主一也。主一，則既不之東，又不之西，如是則只是中。既不之此，又不之彼，如是則只是內。」[8]「主」有支配義，就行動主體而言，主一之關鍵在於「一」。程頤曰：「所謂一者，無適之謂一。」[9]適，往也。無適，即無往，亦即「不之東，不之西，不之此，不之彼」，歸於中、內。張栻受此影響頗深，《主一箴》云：「曷為其敬，妙在主一。曷為其一，惟以無適。居無越思，事靡他及。」[10]「主一」、「無適」皆取自二程之說，但張栻從思和行兩個層面進一步闡釋了「一」的內涵。他在給潘景愈（字叔昌）的書信中談

4 參見蔡方鹿：《一代學者宗師——張栻及其哲學》成都：巴蜀書社，1991年；陳穀嘉：《張栻與湖湘學派研究》長沙：湖南教育出版社，1991年。

5 參見侯外廬、邱漢生、張豈之主編：《宋明理學史》北京：人民出版社，1997年。

6 參見蘇鉉盛：《張栻哲學思想研究》北京大學博士論文，2002年。

7 參見文碧方、洪明超：〈張栻早期、中期與晚期工夫論之演變〉，《湖南大學學報（社會科學版）》，2019年第33期，頁18-24；葉耀華：〈張栻心性論演進探析〉，《湖湘論壇》，2020年第33期，頁107-115。

8 （宋）程頤、程顥著，王孝魚點校：《二程集》北京：中華書局，1981年，頁149。

9 同上註，頁169。

10 （宋）張栻著，鄧洪波點校：《張栻集》長沙：嶽麓書社，2017年，下冊，頁837。

到如何實踐主一：「須是思此事時只思此事，做此事時只做此事，莫教別底交互出來。」[11]在張栻這裡，「無適」指主於一物而無適於他物。故「敬」之主一義即隨事專一，思考一件事、做一件事時就只專注於這件事本身，使心思集中在一物上而不分散於他物。

其次，敬是敬此者，非一物也。前面講到敬的主一義，在於使心隨事物而專一，這容易被誤解為用「敬」來使得心能夠如此。張栻反對將敬視為一物，或將其作為一種對象化的治心之法：「所謂持敬，乃是切要工夫，然要將個敬來治心則不可。蓋主一之謂敬，敬是敬此者也。（原注：只敬便在此。）若謂敬惟一物，將一物治一物，非為無益，而反有害。」[12]由此可見，當做到隨事專一時，內心本身也是處於集中的狀態，這種狀態即是敬，它不是通過某種強制性機制來達到的，而是持敬所自然呈現的積極作用。就具體實踐而言，人在不斷應接事物的過程中，若能持敬，就不會思慮渙散、隨物走作。潘友文（字文叔）曾致信向張栻請教在內心平帖安靜時遇事接物卻渙散的原因，張栻答之以「未能持敬之故」。張栻認為，人心交感萬物，不能使之不思慮，它會被內在的欲念和外在的誘惑所干擾。面對這種干擾，如果把「敬」看作一物來治心，即使達到了潘文叔所言意思清明、念慮不作的狀態，其實也並非是真的克服了這些干擾，「所謂平帖安靜者，亦只是血氣時暫休息耳」[13]，所以才會覺得無所把摸。張栻「敬此者」之義，即在於與內心狀態的同一，如此才能抵制各種紛紛擾擾的私心雜念。

第三，敬則惺惺。即提撕精神，時時保持一種醒覺狀態。謝良佐以知覺訓仁，認為麻木為最不仁，應該在日常活動中從小處識道，因此要求心時時醒覺。他稱心的這種醒覺狀態為「惺惺」。胡宏也十分重視日用間的灑掃工夫，強調「敬行乎事物之內，而知乃可精」。[14]張栻將胡宏的觀點與自己對「心」的理解相結合，取謝良佐「惺惺」這一說法來解釋「敬」的涵義：「所諭居敬，雖收斂此心，乃覺昏昏不活，而懈意漸生。夫敬則惺惺，而乃覺昏昏，是非敬也。」[15]只收斂此心，而此心不活、懈意漸起則非敬。張栻認為心是生生之體，「敬」對於心體的發用有重要作用：「敬則生矣，生則烏可已也。怠則放，放則死矣。」[16]在張栻看來，心生生之道在於「敬」，如果不敬，那麼心之生道就會止息，導致「此心不活」。與「怠」相對，「敬」是「惺惺」，意味著心時時處於醒覺狀態，故而能夠於日用倫常中不間斷地求道體道，保持心體生生而不窮。

第四，敬有整齊嚴肅之義。張栻謂「敬之一字，其義精密。……整齊嚴肅，端莊靜

11 同上註，頁749。

12 （宋）張栻著，鄧洪波點校：《張栻集》，下冊，頁734。

13 同上註，頁750。

14 （宋）胡宏著，吳仁華點校：《胡宏集》北京：中華書局，1987年，頁152。

15 （宋）張栻著，鄧洪波點校：《張栻集》，下冊，頁749。

16 （宋）張栻著，鄧洪波點校：《張栻集》，下冊，頁595。

一」[17]。「端莊靜一」就持敬之狀態言，「整齊嚴肅」則體現了敬在工夫層面的內涵。張栻認為，敬是貫通內心狀態與外在行為的：「古人衣冠容止之間，不是要作意矜持，只是循他天則合如是，為尋常因循怠弛，故須著勉強自持。外之不肅，而謂能敬於內，可乎？」[18]依此言，真正能持敬的人，不需要刻意通過外在約束，就能使內外都處於敬的狀態；但尋常之人都容易懈怠，所以要通過外在的整齊嚴肅，反過來幫助達到端莊靜一的狀態。對此，也有人質疑這種工夫似從外面做起而非由中出，但張栻反對這種以內外區分「存心」與「動容貌整思慮」的說法。他認為內外之本一，強調動容貌、整思慮的有效性，如果只知道片面存心而不重視在行為舉止上做工夫，則易流於佛道，所謂存心便只是「強制思慮」，實非「敬」之理。

張栻對敬之涵義的闡釋，最主要的就是以上四種。在上述敬的涵義之中，除了「敬則惺惺」取自上蔡「常惺惺法」，其他三種都直接受到二程敬論的啟發。同時，張栻也吸收了其師胡宏的思想，注重於日用間灑掃應對體道的工夫。由此可見，張栻對「敬」的理解是在充分繼承和吸收了二程子以及程門後學關於「敬」的思想的基礎上形成的。但相較於「敬」的概念及涵義本身而言，為什麼要提倡「敬」工夫以及「敬」在實踐中所具有的特點，才是張栻敬論的主要內容。

三　張栻「敬」論的建構

宋明理學中，心性論和工夫論是一個連貫互通的體系。工夫論依據心性論而展開，所要解決的是人何以能上達至天道、如何通過道德實踐體認形而上之天理的問題。張栻論敬既是在工夫論層面，自然也是為了解決「人心如何認識天理」這一核心問題。圍繞這個問題，張栻在繼承二程敬論的基礎上，對其中不夠明晰的地方進行了進一步思考。通過對現有的本文的分析，可以看出「敬」在張栻哲學體系中具有貫通內外、動靜的特點。這也是「敬」能夠成為張栻工夫論核心的關鍵所在。因此，下文主要通過分析張栻對「敬」與「心」、「敬」與「集義」、「敬」與「靜」關係的闡述來回溯張栻敬論的建構過程。

（一）敬與心

綜觀張栻對「敬」的涵義的四種描述，可以發現無一不是與心有著密切關係。「主一」、「敬此」、「惺惺」都在強調心的狀態，心要時時保持一種醒覺狀態，故能隨事專一

17　同上註，頁832。

18　同上註，頁719。

而不渙散。「整齊嚴肅」看似是從外面做起，實則也是一種持心的工夫。因此首先有必要討論「敬」與「心」之間的關係。

張栻對心的理解可以簡單地看作是對孟子「本心」概念的延伸，本心對應純然至善的本性；同時張栻又賦予心統攝貫通性、理以及外部事物的獨特功能，反映了心性關係在宋代理學的演進。[19]他認為，心貫通萬事、統攝萬理，是天地萬物的主宰。那麼「心」何以有這種主宰作用呢？關鍵在於張栻對心之本體義的闡發。在《桂陽軍學記》這篇文章中，張栻對「本心」進行了更詳細的闡述：

> 聖賢之書，大要教人使不迷失其本心者也。夫人之心，天地之心也。其周流而該遍者，本體也。在乾坤曰元，而在人所以為仁也。故《易》曰：「元者，善之長也。」而孟子曰：「仁者，人也，合而言之，道也。」《禮》曰：「人者，天地之心也。」而人之所以私偽萬端，不勝其過失者，梏於氣，動於欲，亂於意，而其本體以陷溺也。雖曰陷溺，然非可遂殄滅也。譬諸牛山之木，日夕之間，豈無萌蘖之生乎？患在人不能識之耳。聖賢教人以求仁，使之致其格物之功，親切於動靜語默之中，而有發乎此也。有發乎此，則進德有地矣。故其於是心也，治其亂、收其放、明其蔽、安其危，而其廣大無疆之體，可得而存矣。[20]

在張栻看來，人心與天地之心同，是周流不息、無處不在的本體，這個本體在宇宙曰「天理」，在人心則體現為純然至善的德性「仁」。「本心」先天就是道德完滿的、能夠通達天理的本體。陳來先生認為，孟子說的本心是人先天所具有的仁義之心，亦即良知、良心。「本心」概念在宋明理學家這裡得到了進一步闡發，「本心並不是抽象的或隱蔽的神秘實體，本心即是人的道德意識和情感」。[21]此處的道德意識和情感是就本體層面而言的，指的是人與宇宙萬物為一體的內在根據。張栻言本心也是在這個意義上。本心在發用間容易「梏於氣，動於欲，亂於意」，失去其本然的道德意識而使本體陷溺，這是人不能與物同體的原因所在。但本體陷溺並不意味著本心之殄滅，就好比牛山上的樹木，即便遭到砍伐，但每天也會有新芽長出來，本心也是如此，所以關鍵在於人能不能得而存其本心。基於上述對本心的闡釋，張栻在修養工夫上主張「致知」以明是心、「敬」以持是心而勿失。由於萬物具備萬理，而萬理之妙著於人心，所以「致知」的對象並不是外在世界的具體事物，而是心體本身。「致知」是認識本心的方法，「敬」則是保持本心無所遺失的工夫。

---

19 參見H. C. Tillman, C. Soffel, “Zhang Shi’s philosophical perspectives on human nature, heart/mind, humaneness, and the supreme ultimate” *Dao Companion to Neo-Confucian Philosophy,* 1st ed., eds. J. Makeham (Dordrecht: Springer, 2010), 125-151.

20 （宋）張栻著，鄧洪波點校：《張栻集》，下冊，頁564。

21 陳來：《宋明理學》上海：華東師範大學出版社，2004年，頁148。

除此之外，人在與對象世界交往過程中需要心去承擔知覺和認識的功能，因此，張栻認為心還有另一重涵義，即「知覺心」。敬不僅是保持本心勿失的工夫，在知覺心的種種活動中也發揮著重要的作用。他說：「吾視也，聽也，言也，手足之運動也，曷為然乎？知心之不離乎是，則其可斯須而不敬矣乎？吾饑而食也，渴而飲也，朝作而夕息也，夏葛而冬裘也，孰使之乎？知心之不外乎是，則其可斯須而不敬矣乎？」[22]張栻認為人的視聽言動以及日常生活都離不開心的參與，這裡的心顯然不再就純然至善的本心而言，而是強調心在人的種種知覺和行為活動中所體現的道德主體性。知覺心既表現為內在的思維、欲求和情緒，也會對外物的刺激和誘惑作出反應。人雖然都有本心，但未必能體察到並遵循本心，使心的發用能合乎天理。因此，「敬」也與知覺心相關。對於知覺心，張栻認為，既需要在內在思慮情感上持敬來克服私欲，也要在日用間規範顏色辭氣和容貌舉止，以此來幫助本心顯發。

總而言之，「敬」是兼顧本心和知覺心的工夫，其作用在於使人心與萬事萬物萬理以至於天道合一。雖然張栻對心有「本心」與「知覺心」兩種理解，但是心本身並無「本心」與「知覺心」之分，心只是一個心。之所以分而言之，是因為張栻還在本心意義上闡發其格物窮理之工夫，這也是接下來所要討論的。

（二）居敬集義，工夫並進

「集義」出自於孟子論「養氣」。孟子謂「浩然之氣」乃是集義所生，非義襲而取之。集，即聚集、積累。集義就是要不斷地積累道德仁義，亦即所謂「必有事焉」。程頤在回答門人「必有事焉，當用敬否」的問題時說：「敬只是涵養一事。必有事焉，須當集義。只知用敬，不知集義，卻是都無事也。」[23]程頤認為敬只是持己的工夫，而義則知有是有非。如果不重視集義工夫，則敬只是「無事」之敬，失去了道德內涵。但對於「集義」具體怎麼做，以及「敬」與「集義」之間的關係，程頤並沒有給出一個明確的解釋。游九思曾就這個問題向張栻請教：「若能敬則能擇義而行，伊川謂知敬而不知集義為都無事，不曉其旨。又集義所生，義生於心，不知如何集？」[24]張栻回答說：「居敬集義，工夫並進，相須而相成也。若只要能敬，不知集義，則所謂敬者亦塊然無所為而已，烏得心體周流哉？事事物物莫不有義，而著乎人心，正要一事一件上集。」[25]由此可見，因為事事物物皆有「義」而附著於人心，所以關鍵在於用心去體察天地萬物，在一事一物上積累。從張栻的解釋來看，「集義」其實就是窮理、順理而為。雖然工夫

22 （宋）張栻著，鄧洪波點校：《張栻集》，下冊，頁595。

23 （宋）程頤、程顥著，王孝魚點校：《二程集》，頁202。

24 （宋）張栻著，鄧洪波點校：《張栻集》，下冊，頁797。

25 同上註，頁797-798。

向外落在一事一物上，但集義的目的並不是由此認識客觀事物或客觀規律，而是要在集義、窮理的過程中認識天理。這就需要回到張栻對心的本體義的理解：人心即是天地之心，統攝萬事萬物。在本體論上，張栻強調心與理一，心本無非，動於利欲、為利欲所蔽而有非，故要格其非以復天理。如何格其非？即是要居敬、集義，敬以持心，窮理以明心，明心以見天理。張栻「集義」工夫的特點，不是要在知識論層面試圖窮盡對事事物物本身的認識，也沒有省去向外窮理這一環節直指本心與天理，而是一種漸進的貫通內外的工夫，最終要回歸本心。因此在「敬」與「集義」的關係上，張栻始終強調二者的不可割裂性，如果只知敬而不知集義，敬就會無所作為，也就無法體認到心體之周流，無法通達天理；而如果不知用敬，集義之工夫亦將難以為繼。

（三）敬與靜

周敦頤援引了佛老更為常用的「靜」的思想，提出「無欲主靜」以通達中正仁義。二程為避免「靜」這一具有爭議性的概念，對周敦頤的「主靜」修養工夫進行了釐革，以「主敬」工夫克服濂溪「主靜」之弊病。但在實際的使用中，「敬」與「靜」在內涵上仍有許多相通之處。對此，二程只是避開談論「靜」這個字而用「敬」字代替，這就導致在喜怒哀樂未發之前謂之動還是靜的問題上存在歧義。伊川說喜怒哀樂未發之前「謂之靜則可，然靜中須有物始得，這裡便是難處」[26]，又云「學者莫若且先理會得敬，能敬則自知此矣」[27]。二程認為，情之未發為靜，但此靜不同於佛教的虛靜，而是靜中有物。至於這個物是什麼，則難以言明。只說「敬則自虛靜」，在體會了敬之後自然能理解此未發之靜，反對直接將虛靜等同於敬。

張栻推崇二程的主敬工夫，不教人靜坐，強調隨事主一。但在長期持敬和反思的過程中，張栻對周敦頤「主靜」思想的體會亦愈加深刻。如前所述，周敦頤「主靜」工夫的路徑是「無欲」，《通書》言：「一為要。一者，無欲也。無欲，則靜虛動直。靜虛則明，明則通；動直則公，公則溥。明通公溥，庶矣乎。」[28]張栻在給友人的回信中談及了對「無欲則靜虛動直」的理解：

> 所謂無欲者，無私欲也。無私欲則可欲之善著，故靜則虛，動則直。虛則天理之所存，直則其發見也。（原注：順理之謂直。）若異端之談無欲，則是批根拔本，泯棄彝倫，淪實理於虛空之地，此何翅天壤之異哉？不可不察也。[29]

---

26 （宋）程頤、程顥著，王孝魚點校：《二程集》，頁201。

27 同上註，頁157。

28 （宋）周敦頤著，陳克明點校：《周敦頤集》北京：中華書局，1990年，頁31。

29 （宋）張栻著，鄧洪波點校：《張栻集》，下冊，頁734。

張栻並沒有直接解釋「靜」的涵義，而是通過辨析「無欲」的概念來進一步澄清與佛教「靜」的區別。周子所說的「無欲」不是像佛家主張的一樣消除全部欲望，而是「無私欲」，人心去除了私欲則「可欲之善」就得以顯現。這種摒除了私欲且沒有一絲一毫私心傾向的狀態就是靜時之虛，它不是虛空，而有天理在其中。「靜虛」則沒有了私欲的隔斷，如此在應外物時方能發見、順應天理，即「動直」。從張栻的闡釋來看，「靜虛」具有比「動直」更基礎的地位和作用。

又曰：

> 某自覺向來於沉潛處少工夫，故本領尚未完。一二年來，頗專於敬字上勉力，愈覺周子主靜之意為有味。程子謂於喜怒哀樂未發之前更怎生求，只平日涵養，使是此意，須深體之也。[30]

程頤重視喜怒哀樂未發之前的涵養，但這種在未發前沉潛處的工夫偏重於靜，所以他只說用「敬」而避談「靜」。張栻則結合了濂溪的「主靜」和伊川的「涵養須用敬」兩種工夫，在闡釋「主靜」時滲透了「敬」的涵義，使二者融貫一致。首先，就工夫層面而言，「敬」與「靜」都強調克除私欲。張栻說「害敬者莫甚於人欲」，從他對靜的理解看，其實害「靜」者亦不過是人欲。此外，敬與靜的貫通還體現在「無私欲則天理自明」的道德修養境界上：靜則虛，虛為天理之所存的狀態；張栻又認為心與理一，敬則持其心而天理無所遺失。

四　張栻對未發已發工夫的反思

張栻敬論的發展與其對未發已發工夫的思考緊密相關。張栻早期關於已發未發的觀點基本來源於胡宏。胡宏認為，未發只可言性，已發乃可言心。未發之性是天生就有的天命之性，聖人與眾人同；而在已發之時，聖人發而中節，眾人不能中節，故已發之心有善有惡。因此，胡宏非常重視於已發處做工夫，先察識良心苗裔，然後存養擴充至心之全體，則可盡心成性。但是胡宏並沒有清楚說明，心既然只指已發而言，是性之「用」，那它如何能作為工夫修養的中心實現「成性」？[31]這也給張栻留下了進一步解釋和思考的空間。從張栻和朱子的書信往來中可以發現，張栻早期對未發已發問題的理解已經與胡宏思想有微妙的區別。乾道二年（1166），朱熹在給張栻的中和舊說第二書中提出了對其觀點的質疑：「向見所著中論有云：『未發之前，心妙乎性；既發，則性行乎心之用矣。』於此竊亦有疑。」[32]牟宗三先生評價張栻所用「妙」字甚妙：

30 同上註。

31 參見田浩：《朱熹的思維世界》南京：江蘇人民出版社，2009年，頁34。

32 （宋）朱熹：《晦庵先生朱文公文集》，卷三十，〈與張敬夫〉。

> 未發時，心內斂於性體而與性體之自存同其自存，此時心與性皆歸於其自己而自持自己，水乳交融而同是自存而不失其體，且是如如為一地自存而不失其體，然而主動卻在心，故言「心妙乎性」。此是靜時之心之形著義，妙亦形著也。發時，則心施布展現，而性亦密與俱現，令不放失，此即是「性行乎心之用」。此時主動在性，故偏重於性而言之。然而心之形著義未始泯沒也。此是動時之心之形著義。形著性而能使性行乎心之用，則性成矣，天下之大本亦於焉以立。[33]

由此可見，張栻對心性關係有自己獨特的思考，但此時的觀點並不成熟，只是大致包含兩個方面的含義：一方面仍以未發言性，以已發言心，這並沒有背離胡宏「性為未發，心為已發」的觀點；但另一方面又具有了心性不離的意味，未發前心存於性，已發後性又流行於心的運用之中。也正因為張栻本身已經對此有所思考，才會對朱子後來的思想轉變有所肯定。

乾道五年（1169），朱熹在出入道南、湖湘後提出「中和新說」，指出舊說的錯誤在於對心為已發、性為未發的定義。朱熹按程子之意，以思慮未萌、事物未接之時為喜怒哀樂之未發，此時心體寂然不動，天命之性具焉，故未發是心之體，因其無過無不及、不偏不倚故謂之「中」；而已發是感而遂通，則喜怒哀樂之性發焉，可見於日用流行間，故已發是心之用，因其無不中節、無所乖戾故謂之「和」。朱子將自己新的體悟以書信報張栻及其他湖湘學者，「惟欽夫復書深以為然，其餘則或信或疑」[34]。由此可見，張栻對朱熹新說的接受度是比較高的。但張栻也並非同意朱子全部觀點，這一點可見於朱熹致林擇之的信：「近得南軒書，諸說皆相然諾。但先察識後涵養之論執之尚堅，未發已發條理亦未甚明。蓋乍易舊說，猶待就所安耳。」[35]

朱熹在己丑（1169）之悟後，認識到湖湘學派主張的察識端倪說「闕卻平日涵養一段工夫」[36]，使人感覺胸中擾擾，沒有深潛純一之味，以至於在平時的言語行為方面顯得急迫浮露，缺少雍容深厚的氣象。因此，他提出要在喜怒哀樂未發之前涵養心體，以此未發之中來致已發之和，在已發後日用接物中省察格物。對於朱子強調的未發之前的涵養工夫，張栻並沒有否認其重要性，但他認為這種工夫在實踐中容易陷溺於虛無：

> 以靜為本，不若遂言以敬為本。
>
> 動中涵靜，所謂復見天地之心。
>
> 要須察夫動以見靜之所存，靜以涵動之所本，動靜相須，體用不離，而後為無滲漏也。[37]

---

33 牟宗三：《心體與性體》上海：上海古籍出版社，1999年，第三冊，頁82。

34 《晦庵先生朱文公文集》卷七十五，〈中和舊說序〉。

35 同上註，卷四十三，〈答林擇之〉。

36 同上註，卷六十四，〈與湖南諸公論中和第一書〉。

37 同上註，卷三十一，〈答張欽夫〉。

由此可見，張栻在已發未發工夫上已經持有「動靜相須、體用不離」的觀點，只是反對以靜為本的體驗於未發，更強調察識的優先性，因此仍堅持先察識端倪之發，再加以存養之功。至於他所謂「動中涵靜」與「以敬為本」實為一義，關鍵在於主一。動靜之中主一無適即為敬，這也是張栻早期工夫論最具特色和最核心之處。

經歷過一段時間的實踐和反思之後，張栻對未發已發問題有了新的理解和認識：「未發已發，體用自殊，不可溟涬無別。要須精晰體用分明，方見貫通一原處。有生之後，豈無未發之時，正要深體。若謂有生之後，皆是已發，是昧夫性之所存也。」[38]未發與已發有體用之別，有生之前固然是未發，但有生之後並非全然都是已發，也有未發之時，所以工夫不應該只在已發之後做，在性之未接於物的未發時也要做工夫。原先「先察識後涵養」之說以察識良心端倪為工夫起點，於日用人倫間察識良心發見並存而養之，而本體則是無需涵養必然可致的，亦即工夫的開展只在已發之心上做。據此，張栻對舊說進行了補充和完善，提出「察識涵養應當並進」：

> 存養省察之功固當並進。然存養是本，覺向來工夫不進，蓋為存養處不深厚（原注：存養處欠，故省察少力也）。
>
> 存養體察，固當並進。存養是本，工夫固不越於敬，敬固在主一。此事惟用力者方知其難。
>
> 如三省四勿，皆持養省察之功兼焉。大要持養是本，省察所以成其持養之功者也。[39]

吳翌（字晦叔）站在湖湘學的立場上，堅持「先察識後涵養」之說，認為如果在不先省察良心苗裔的情況下便涵養心體，如何能確定涵養的是不是最根本的本心，這種未見良心苗裔的涵養工夫就如同佛教所謂閉目坐禪便可見性。對此，張栻回應說：「不知苗裔，固未易培壅根本。然根本不培，則苗裔恐愈濯濯也。此話須兼看。大抵涵養之厚，則發見必多；體察之精，則本根益固。」[40]張栻不僅對察識涵養的工夫次序作了調整，其察識的內涵也發生了變化。張栻強調居敬涵養之功，故以「省察」、「體察」代「察識」一詞，不只在於從已發處、利欲之間去識取良心苗裔，而是依據平日所涵養之本體、三省四勿以成其存養之功。此時的「省察」由於內含著未發時之心體，因而也貫穿於動靜之中。由此可見，張栻已經不再視未發、已發為兩截工夫，所以更加注重察識和涵養之間的辯證關係和相互作用。在確定了察識涵養並進的工夫進路之後，張栻尤其重視「敬」在具體實踐中的作用，他說：「必有事焉，其惟敬乎！」[41]可以發現，與程子

38 （宋）張栻著，鄧洪波點校：《張栻集》，下冊，頁736。

39 同上註，頁723，747，753。

40 同上註，頁765。

41 （宋）張栻著，鄧洪波點校：《張栻集》，下冊，頁749。

認為「敬只是涵養一事」不同，「敬」在張栻這裡已經不僅僅是一種涵養工夫，而是具備了超越察識、涵養的地位。「拘迫則非敬也，悠緩則非敬也，但當長存乎此，本原深厚，則發見必多，而發見之際，察之亦必精矣。」[42]這句話與前面回應吳晦叔所表達的內容基本一致，但在強調涵養察識互相促進之外，張栻還指出了持敬對於涵養深厚、良心發見以及察識苗裔的基礎作用。

綜上所述，張栻對湖湘學派未發已發工夫的反思大致可以總結為以下兩點：第一，張栻指出了「先察識後涵養」的工夫只偏重於已發處察識而忽視涵養，容易導致諸多弊病。但他也並非直接捨棄察識這一步或是轉向「先涵養後察識」，而是強調涵養的基礎性。第二，張栻主張以「敬」作為一以貫之的工夫來統攝察識與涵養、貫通未發已發[43]，是為學修身的根本工夫。

五　結論

雖然張栻的工夫論在宏觀上有前後的調整和轉變，但他對「敬」的重視是一以貫之的，可見「敬」作為張栻工夫論中的核心工夫，在其思想體系中佔據重要地位。但是，由於更注重實踐和體察，張栻在「敬」的理論建構方面缺乏完整、系統的闡釋。因此，本文目的在於盡可能完全地爬梳張栻論「敬」的涵義，通過回溯張栻敬論在建構過程中主要關注的概念和問題，以此來探究「敬」在張栻工夫進路中的作用和意義。若從思想過程來看，似乎張栻是在與朱熹就未發已發問題進行討論之後，才逐漸將早期的「先察識後涵養」轉變為後期的「察識涵養並進」，並把「敬」抬升為一種貫通未發已發、察識涵養的統攝工夫。但經過上述分析，筆者認為，張栻對「敬」的理解一定意義上促成了其工夫論的轉變。

首先，在論「敬」與「心」的關係時所蘊含的心有「本心」與「知覺心」雙重涵義的觀點，其實已經體現張栻對心有兼具體用性情的理解了。「本心」純然至善，既有作為天理的宇宙本體義，又有作為人之道德意識和情感的道德本體義；「知覺心」則是指在人的知覺和行為活動中具有的功能。於本心而言，「敬」是一種操存涵養的工夫。他主張持敬以持心，即「治其亂、收其放、明其蔽」，從而保持心體無所失。對於知覺心，他主張既要在情感思慮上去除私欲，也要在日用間保持整齊嚴肅，內外同時用敬來使人的行為合乎道德。張栻在早期工夫論中主張「得而存其心」的工夫順序，似乎主敬

42 同上註。

43 同上註，頁725。張栻認為涵養、省察皆當以敬為本：「學聖者，蓋亦勉夫修道之教乎。修之之要，其惟敬乎。太極之妙，不可以臆度而力致也。惟當一本於敬，以涵養既發之際，則因其端而致夫察之之功；未發之時，則即其體而不失其存之之妙。則其所以省察者，乃所以著存養之理；而其所以存養者厚，則省察者亦明矣。」

涵養作為一種「存心」的工夫是在察識本心之後進行的。但值得注意的是，張栻重視心的主宰作用，「萬事具萬理，萬理之妙在人心」。而本心與知覺心都只是一個「心」，那麼在知覺活動中用敬也自然也具有顯發道德本心的作用。如「整衣冠、一思慮」等主敬工夫，雖未識得本心，但涵養之意已在其中。此外，張栻認為敬貫內外動靜，他既繼承了二程「集義」思想，主張在事上集義來窮理明心；同時又發揮了周子「主靜」說，將敬與靜相貫通以去私欲明天理。因此，將「敬」作為統領工夫，則無論在心之寂然未發還是已發活動時做工夫，動靜自能合理。最後，張栻在確立「察識涵養並進」的工夫進路之後，反過來也更重視對「敬」的闡發。他認為敬者乃人事之本，「敬道之成，則誠而天」[44]。「敬」作為道德修養的根本工夫，能夠達到與天地萬物為一體、與天道合一的工夫境界。不僅如此，張栻還將敬視作修身安民的切要工夫，「敬道之盡，則所為修己者亦無不盡，而所以安人、安百姓者，皆在其中矣」[45]。總而言之，張栻敬論是在充分吸收前人思想的基礎上，從理論到實踐、又在實踐中不斷完善而形成的，一定程度上推動了理學工夫論的發展。

---

44 （宋）張栻著，鄧洪波點校：《張栻集》，下冊，頁828。

45 同上註，頁120。

天啟進士姚恭之仕宦及其生卒年新探

黃　山

香港　方志學自由撰稿人

姚恭，字心翼，號允之，廣東海豐人，祖籍福建連城，是明朝天啟二年壬戌科進士，入清後官至山西潞安兵備道。目前關於姚恭的研究，有吳福欽《海陸豐科舉功名錄》[1]、〈海豐姚氏人文歷史初探〉[2]、葉良方及張裕斌〈姚恭、姚敬事略〉[3]、姚恩健（筆名楊柳岸）〈明天啟二年進士姚恭祖籍考〉[4]等。不過在姚恭的仕宦經歷方面，卻依然存在著較大的分歧，分別有吳氏主張的殉國說及葉、張二氏主張的隨洪承疇降清說。究其因由，皆因乾隆《海豐縣志．姚恭傳》對其晚景語焉未詳所致。筆者將嘗試藉著正史實錄、存世的明清檔案、科舉錄、方志及譜牒等，對姚恭的仕歷作出訂補。

一　《履歷》中的搢紳記錄

在現存的科舉錄中，與姚恭科年相關的有《天啟二年會試錄》、《天啟壬戌科進士同年序齒錄》及《天啟二年壬戌科進士履歷》。雖然葉、張二氏曾利用了由中央研究院歷史語言研究所建置的「內閣大庫檔案資料庫」及「人名權威人物傳記資料庫」對姚恭仕歷作了不少補充，但《履歷》在這方面又為我們提供了一份更為完整的記錄。馬鏞指出這類「同年齒錄以其履歷內容的詳細豐富，優於登科錄；以其重訂本內容的修訂增加，勝過硃卷履歷」[5]。《履歷》所載姚恭的搢紳履歷如下：

> 「姚恭，曾祖文興、祖祖善，鄉賓、父應明，冠帶善士。心翼，書三房，丙申正月初十日生，海豐人。戊午五十一名，會二百一十三名，三甲六十八名。吏部政，本年授浙江歸安知縣。戊辰，補應天府教授。辛未，改順天武學授。壬申，

1　吳福欽：《海陸豐科舉功名錄》北京：中國詩詞楹聯出版社，2019年，頁7-10。該書增修前題為《海陸豐歷代進士舉人貢生錄》北京：中國戲劇出版社，2006年，頁3-4。

2　吳福欽：〈海豐姚氏人文歷史初探〉，《海豐文史》，特輯，2017年3月，頁239-254。

3　葉良方：《山海探蹤》北京：中國文聯出版社，2012年，頁187-193。該文與張裕斌合作，修訂前題為〈明清名臣——姚氏雙傑〉，見《海豐史誌》，第12期，2009年12月，頁37-39。

4　楊柳岸：〈明天啟二年進士姚恭祖籍考〉，《閩南日報》，2019年12月3日，第10版。

5　馬鏞：《清代鄉會試同年齒錄研究》上海：上海科學技術文獻出版社，2013年，頁25。

升國子監博士；升禮部儀制司事，教習駙馬。乙亥，升員外。丙子，升郎中。丁丑，降江西布政司簡較。己卯，升河間府推官。庚辰，升山東僉事，懷來道。辛巳，升宣府監軍道。壬午，調永平道。癸未，考察。甲申，補山西潞安道，（付）〔副〕使。丙戌，升浙江右參政，溫處道。」[6]

二　從外派官吏到陞任禮部

姚恭在萬曆四十六年（1618）以國子監生的身分參與了戊午科廣東鄉試，並以《尚書》中式第五十一名舉人。至天啟二年（1622），又參與了壬戌科會試，並以第二百一十三名中式貢士，接著又在廷試中式三甲第六十八名進士。明太祖在洪武十八年（1385）廷試後，即設立觀政進士與庶吉士制度，「俾之觀政於諸司，給以所出身祿米，俟其諳練政體，然後擢任之」[7]。姚恭被分派到吏部觀政，同年再外派到浙江，選授歸安知縣。

最早的〈姚恭傳〉是見於其姪孫姚世英有份參與編修的乾隆《海豐縣志》，而民國三十四年由姚務科重修的《海豐縣姚氏族譜》中有關於姚恭的部份亦明顯承襲了該〈傳〉的內容。該〈傳〉載姚恭在歸安任內「創學田，備荒政，剔蠹釐奸，政清刑簡」[8]，但上述事蹟並不見載於歷次所修的《歸安縣志》，相反卻與其父姚應明的事蹟雷同。按〈姚應明傳〉始見於崇禎《惠州府志》，該〈傳〉載其「長男初任歸安，公課之簡刑釐蠹。創學田，救歲荒，民頌大父」[9]。《姚氏族譜》亦載姚應明「樂善好施，賑濟惠潮梅饑民，邑感（載）〔戴〕」[10]，又《履歷》載其為「冠帶善士」。邱仲麟指出「壽官」制度在明神宗登基後出現了一些改變，只要「德行著聞，為鄉里所敬服者」，就可以獲賜冠帶。這類「壽官」對地方上都有一定的貢獻，其中就包括了施捨錢財、救濟災荒。[11]因此，筆者有理由相信〈姚恭傳〉中的「創學田，備荒政」，其實是羼入了其父姚應明的事蹟。

天啟六年（1626），姚恭通過考察奏績，封授散階為文林郎。崇禎元年（1628），他

6 《天啟二年壬戌科進士履歷》，中國國家圖書館藏清刊本，頁41上。

7 （明）夏原吉等纂：《明太祖實錄》臺北：中央研究院歷史語言研究所，1962年景印北平圖書館校印紅格鈔本微捲，卷一百七十二，頁2627。

8 （清）于卜熊等纂：乾隆《海豐縣志》臺北：新高美印製公司，1970年景印民國20年黃菊虎整理本，頁37下。

9 （明）梁招孟等纂：崇禎《惠州府志》廣州：嶺南美術出版社，2009年，《廣東歷代方志集成》惠州府部第2冊景印清鈔本，卷十七，頁659。

10 姚務科撰編：《海豐縣姚氏族譜》1996年翻印本，〈序〉。

11 邱仲麟：〈耆年冠帶——關於明代「壽官」的考察〉，《臺大歷史學報》，第26期，2000年12月，頁247。

從歸安知縣轉補為應天府教授，然而姚應明卻在同年三月逝世，於是他未赴任即徒步返鄉奔喪。丁憂過後，他即於崇禎四年（1631）改任順天府京衛武學教授。五年（1632），他陞任為國子監博士，並在同年再陞任為禮部儀制清吏司主事，專職教習駙馬。八年（1635），他陞任為禮部員外郎，至九年（1636）再陞任為禮部郎中，期間曾受命冊封益世子朱慈炱為益王。崇禎十年（1637），他因為「少發欽賞」而被「降三級，赴部候補」[12]，最終降任為江西布政司簡較。按簡較即檢校，因避明熹宗及明威宗名諱而改。

三　外駐邊鎮及松錦之役的疑雲

崇禎十二年（1639），姚恭調陞為宣府鎮理刑。乾隆《宣化府志》引康熙《續宣府鎮志》載，《履歷》上的河間府推官實為該職的列銜。[13]十三年（1640），他陞任為懷隆兵備道，列銜為山東按察使司僉事。該職駐於懷來，所以又稱為懷來道，分理東北二路城堡倉場邊務。[14]姚恭在任內「陵後修濬，捐助千金」，宣府巡撫劉永祚在題本中建議明威宗「俯念前勞，俟姚恭補官之日，准其復級推用」。兵部郎中張若麒亦認為姚恭「歷任未幾而實心做事，且察捐千金以助修濬，一股急公之誼恐亦恆情所難及。察本官以別案降級離任，該撫念其清勤，于補官日量復原請職」。但明威宗則認為姚恭「奉旨降用，何得遽復原職，應否量敘，著吏部察明具奏」。[15]最後姚恭「各復原降一級」，在十四年（1641）初陞任為懷標監軍道（列銜如前），即隨軍東援遼東，並在二月抵達撫寧。[16]同年松錦之役爆發，而關於這場戰役的經過，可參閱陳生璽的〈論明清松錦之戰與洪承疇援遼的失敗〉[17]。

《明史・曹變蛟傳》載：「至明年二月，副將夏成德為內應，松山遂破。承疇、變蛟、廷臣及巡撫丘民仰，故總兵祖大樂，兵備道張斗、姚恭、王之楨，副將江翥、饒勳、朱文德，參將以下百餘人皆被執見殺，獨承疇與大樂獲免」[18]，《明史稿》四一六

12 國立中央研究院歷史語言研究所編：《明清史料丁編》上海：商務印書館，1951年，第七冊，〈兵科抄出山東按察司僉事姚恭題本〉，頁675上。

13 （清）王者輔等纂：乾隆《宣化府志》上海：上海書店，2006年《中國地方志集成》河北府縣志輯，第11冊，景印乾隆二十二年刊本，卷十九，〈職官〉，頁336。

14 《崇禎十五年縉紳便覽》，中國國家圖書館藏洪氏剞劂齋刊本，卷三，頁12上。

15 金毓黻編：《明清內閣大庫史料第一輯》瀋陽：東北圖書館，1949年，上冊，卷六，〈兵部為欽奉敕諭事〉，頁365-367。

16 國立中央研究院歷史語言研究所編：《明清史料丁編》，第七冊，〈兵科抄出山東按察司僉事姚恭題本〉，頁675上。

17 陳生璽：《明清易代史獨見》鄭州：中州古籍出版社，1991年，頁1-32。

18 （清）張廷玉等纂：《明史》臺北：國防研究院，1962年，卷二百七十二，〈曹變蛟傳〉。

卷本[19]、三一〇卷本[20]所載相同。據《清太宗實錄》載，清廷在崇德七年（1642）二月二十一日收到來自前線的奏報，內容提及清軍在二月十八日在松山「生擒明總督洪承疇、巡撫邱民仰，總兵王廷臣、曹變蛟、祖大樂，遊擊祖大名、祖大成，總兵白廣恩之子白良弼等。其兵道一員，副將十員，遊擊、都司、守備、紅旗千總、把總等官百餘員，兵三千六十三名，盡戮之」[21]，《東華錄》所載亦同。[22]值得注意的是，當時被殺的道員只有一名，而非三名。那麼姚恭在松山殉國一說到底是從何而來？

《清太宗實錄》收錄了崇德六年（1641）八月二十九日的一份敕諭：「其被我軍圍於松山者，總督洪承疇、巡撫邱民仰，兵道張斗、姚恭、王之禎，通判袁國棟、朱廷榭，同知張為民、嚴繼賢，總兵王廷臣、曹變蛟與祖大樂等，士卒不過萬餘。」[23]這份敕書的原件，李光濤指出即《明清史料・丙編》裡所收錄的崇德六年（1641）九月初三日的敕書殘件。[24]而在松山失守後，據《清太宗實錄》崇德七年（1642）三月十二日的王公群臣賀表載：「又收克松山，明總督洪承疇、巡撫邱民仰，兵道張斗、姚恭、王之禎，總兵祖大樂、曹變蛟、王廷臣，副將十員及眾末弁，俱生擒之。」[25]另外，在四月二十日[26]、七月八日[27]、九月初七日[28]的王公群臣賀表等都有相類似的內容。《清初內國史院滿文檔案譯編》繙譯了滿文崇德七年檔冊，清太宗在四月二十八日給朝鮮仁祖的敕諭[29]，〈朝鮮國王表賀錦松杏塔四城降清事〉引錄了其漢文文本，當中更提到「其逆命

19 （清）萬斯同等纂：《明史稿》上海：上海古籍出版社，2002年，《續修四庫全書》第三百三十冊景印清鈔本，卷三百七十四，〈曹變蛟傳〉，頁600。

20 （清）王鴻緒等纂：《明史稿》臺北：文海出版社，1962年景印敬慎堂刊本），第5冊，卷234，〈曹變蛟傳〉，頁259。

21 《清實錄》北京：中華書局，1985年，《太宗文皇帝實錄》，卷四十九至卷六十五，景印一史館大紅綾本，第2冊，卷五十九，頁799。

22 （清）蔣良騏撰：《東華錄》濟南：齊魯書社，2005年鮑思陶、西原點校本，卷四，頁48。

23 《清實錄》，第2冊，卷五十九，頁776-777。

24 李光濤，《明清檔案論文集》臺北：聯經出版事業公司，1986年，〈論建州與流賊相因亡明〉，頁153。該份敕書見國立中央研究院歷史語言研究所編：《明清史料丙編》上海：商務印書館，民國25年，第1冊，〈崇德六年敕書殘件〉，頁76上。

25 《清實錄》，第2冊，卷五十九，頁802。

26 《清實錄》，第2冊，卷六十，頁821。及中國第一歷史檔案館編，《清初內國史院滿文檔案譯編》北京：光明日報出版社，1989年，上冊，頁471。

27 《清實錄》，第2冊，卷61，頁841。

28 《清實錄》，第2冊，卷62，頁854。及中國第一歷史檔案館編，《清初內國史院滿文檔案譯編》，上冊，頁480-482。及國立中央研究院歷史語言研究所編，《明清史料丙編》，第1冊，〈對印居子國等賀松錦大捷表〉，頁84上。按《清實錄》並未收錄該表，其內容見於《清初內國史院滿文檔案譯編》，漢文文本則收錄於《明清史料丙編》。漢文景印原件見李光濤編，《明清檔案存真選輯初集》臺北：中央研究院歷史語言研究所，1959年，〈圖版伍拾柒〉，頁106。

29 中國第一歷史檔案館編：《清初內國史院滿文檔案譯編》，上冊，頁476。

官員巡撫丘民仰，監軍道張斗、姚恭、王之禎，總兵曹變蛟、王廷臣及副將十員，併所屬官兵人等，盡誅之」。[30]

李新達在〈對明清松錦決戰中一件史實的考證〉中指出，「《清太宗實錄》說姚恭與洪承疇一起被清軍圍困於松山，這是錯誤的。姚恭在寫給崇禎皇帝的題本中回憶說：薊遼總督洪承疇於『八月二十一日申時傳令撤兵就餉，酉時起行。臣親帶印信，將敕書付親信家人謝茂捧帶隨行。值夜間衝殺出圍，家人竟爾迷散。至寧遠察訪，始知謝茂尚在松山』」。[31]可惜葉、張二氏誤解了這份題本的內容，因而以為姚恭是在松山被俘後隨洪承疇降清。而除了姚恭外，山永東協監軍道王之禎當時亦不在松山。據兵部章奏，他曾在崇禎十五年（1642）四月回奏明威宗有關「東師潰敗堪憂等事」。[32]由於受到清廷那些敕諭及賀表的影響，從《明史稿》到後來的《明史》及《御批歷代通鑑輯覽》等在編修時都產生了一定的誤會，致使清高宗在下旨編修《欽定勝朝殉節諸臣錄》時，姚恭、王之禎獲賜諡「節愍」，吳氏又因之而認為姚恭是在松錦之役中死難。

在緊急突圍的過程中，姚恭亦因下屬走失而遺失了部份的官兵賞銀，宣大總督張福臻認為「難責該道以認（陪）〔賠〕」，因而題請開銷。[33]崇禎十五年（1642）初，姚恭調任為永平監軍兵備道（列銜如前），兼管燕河、建昌二路馬政，屯田、督餉。[34]他於同年冬季入京，在十六年（1643）參與了三年一次的朝覲考察。據康熙二年《永平府志》載，朱國梓是在十六年（1643）接替姚恭為永平監軍兵備道。[35]在清廷入關前，姚恭的去向如何，史料暫缺。

四　出仕新朝及其下場

《清世祖實錄》載，順治元年（1644）九月一日「調永平道僉事姚恭為山西按察使司副使，潞安兵備道」[36]。據同月的吏部章奏，吏部是在九月初九日題「姚恭補山西按察司副使，潞安兵備。由進士，廣東惠州府海豐縣人，原任永平道僉事」[37]。潞安兵備

30 張存武、葉泉宏編：《清入關前與朝鮮往來國書彙編1619-1643》臺北：國史館，2000年，頁484-486。

31 李新達：〈對明清松錦決戰中一件史實的考證〉，《清史研究通訊》，1989年第1期，頁33。

32 國立中央研究院歷史語言研究所編：《明清史料乙編》上海：商務印書館，民國25年，第5冊，〈兵部題「彙報奉旨章奏行訖」殘稿〉，頁417上。

33 國立中央研究院歷史語言研究所編：《明清史料乙編》，第4冊，〈兵部行「兵科抄出宣大總督張福臻奏」稿〉，頁374上。

34 《崇禎十五年縉紳便覽》，卷二，頁10下。

35 （清）宋琬等纂，康熙二年《永平府志》北京：中國審計出版社，2001年《秦皇島歷代志書校注》點校本，卷十五，〈朱國梓傳〉，頁382。

36 《清實錄》北京：中華書局，1985年《世祖章皇帝實錄》景印故宮小紅綾本，第3冊，卷八，頁83。

37 〈三曹章奏〉，《中國學報》，第2期，民國元年12月，頁11-12。

道又兼任分巡冀南道，所以又稱為冀南兵巡道、潞安道、冀南道或巡南道，兼管潞安、汾州二府，遼、沁、澤三州屯田，水利。[38]二年十二月十九日（1646），山西巡撫馬國柱上奏了一份關於遴選山西按察使司的題本，他推薦了三位資歷豐富的道臣，其中對姚恭的評語為「老成持重，事□□□□□之僻」。[39]最終，清廷在三年（1646）四月八日陞婁惺伯為山西按察使司副使，管按察使事；姚恭則陞任為分守溫處道，列銜為浙江布政使司參政。[40]

清廷早在順治三年（1646）二月二十九日任命貝勒博洛為征南大將軍，領兵南下攻取浙東及福建。清軍在五月二十日抵達杭州，並在六月渡過錢塘江。到了八月中旬，浙東全境皆為清軍佔據。姚恭並沒有赴任，清廷在全面控制浙江後，便在九月一日改任魯近暹為分守溫處道。[41]至於姚恭的去向，筆者從乾隆《鳳臺縣志》中找到了線索。當時明軍與清軍在南方的戰事仍然持續，所以姚恭便與家人在山西鳳臺暫居。五年十二月初三日（1649），大同總兵姜瓖宣佈反正，並奉明朝永曆年號，而附近十一座城亦相繼響應抗清。六年（1649）六月，姜瓖部下張斗光收復澤州府。據乾隆《鳳臺縣志・姚恭傳》載，張斗光希望姚恭一同反正，他因為不肯依從而被殺害。從此，姚恭的家人便在鳳臺落地生根。[42]而相關的傳記，可參閱乾隆《鳳臺縣志・陳氏（姚安中妻）傳》[43]。

五　生卒年

有關姚恭的生卒年，《姚氏族譜》載他於「明萬曆庚寅年三月十五日生……順治四年卒於山東，享壽五十八歲」[44]，然而《履歷》卻載他生於萬曆二十四年（1596）正月初十日。這裡顯然涉及到了官年與實年的問題。陳長文在〈明代科舉中的「官年」現象〉中指出，「隨著科舉制度的形成與完善，士子們為了尋求功名，躋身仕途，使這一現象進一步惡化」。他比較了一百多種明代的年譜、譜牒、存世科舉錄及《明人傳記資料索引》，得出官年問題在嘉靖後期至明末較為嚴重，而科舉錄中所言的生年也未必是實年。[45]因此，筆者認為姚恭的生年應以《姚氏族譜》為準。

---

38 《順治十八年縉紳冊》，中國國家圖書館藏洪氏剞劂齋刊本，頁69下。

39 張偉仁主編：《明清檔案》臺北：聯經出版事業公司，1986年，第3冊，〈山西巡撫馬國柱揭請遴補臬司〉，頁B1485-B1486。

40 《清實錄》，第3冊，卷二十五，頁214。

41 《清實錄》，第3冊，卷二十八，頁234。

42 （清）林荔等纂：乾隆《鳳臺縣志》南京：鳳凰出版社，2005年《中國地方志集成》山西府縣志輯第37冊景印乾隆四十九年刊本，卷九，〈姚恭傳〉，頁179。

43 （清）林荔等纂：乾隆《鳳臺縣志》，卷十一，〈陳氏（姚安中妻）傳〉，頁204。

44 姚務科撰編：《海豐縣姚氏族譜》，〈十五世祖考恭公〉。

45 陳長文：《明代科舉文獻研究》濟南：山東大學出版社，2008年，〈明代科舉中的「官年」現象〉，頁203-204。

至於姚恭的卒年，前文已述。《姚氏族譜》與乾隆《鳳臺縣志・姚恭傳》中所出現的誤差，可能是由於當時南北戰事持續，通訊不便，致使姚氏族人未能清楚核實。所以在卒年方面，當以乾隆《鳳臺縣志・姚恭傳》為準。即姚恭是生於萬曆十八年（1590），卒於順治六年（1649），享年六十歲。

六　結語

通過上文，我們對姚恭的仕歷已有了較深入的了解，一直以來的爭議亦可以畫上句號。他既不是於松錦之役中殉國，亦不是在被俘後隨洪承疇降清。他經歷了明朝在軍事上的慘敗，顛沛的駐邊生涯無疑就是他的人生高峰點。對於朝代變革之際的人來說，他們只不過是在大時代裡被擺渡的人。在明威宗殉國以後，他轉而出仕國之大敵的清廷，成為了效忠兩朝的貳臣。「節愍」一諡對他而言並不光彩，反倒成了後世在無意間的一大諷刺。

附錄　姚恭遺文輯存

迄今存世的姚恭遺文，主要見載於吳福欽先生及葉良方先生的著作中。而我在搜集資料撰寫〈天啟進士姚恭之仕宦及其生卒年新探〉時，亦發現了兩篇前人所未發現的遺文。現依寫作先後，將姚恭遺文輯錄標點如下：

〈與友人遊惠州豐湖〉[46]

豐湖拉友酌蘭舟，閱盡英雄土一抔。寶塔插天今復古，金波湧地聚還流。香煙杳漠玄門寂，芳草淒其書院幽。誰識江山風月好，坡翁千載共夷猶。

此詩年代未詳，大抵是在姚恭登科以前所寫。按「玄」字，康熙十四年《歸善縣志》改作「禪」，避清聖祖諱名。「夷」字，康熙十四年《歸善縣志》及雍正《歸善縣志》俱改作「彝」，避滿洲人諱。

〈廉明德政碑銘〉[47]

乾坤在手，日月在躬。心同白雪，度若玄風。歌仁頌德，白叟黃童。惠臨茲土，胡不勒功。輔振柱石，廉明自公。

此銘寫於天啟五年九月，是為了讚揚海豐知縣計成久的清廉而作。按「手」字，吳、葉二氏俱錄作「乎」，形近而誤。

〈宅院堂聯〉[48]

讀聖賢書；行平等事。

此聯寫於丁憂期間。

---

46 （清）連國柱等纂：康熙十四年《歸善縣志》廣州：嶺南美術出版社，2009年，《廣東歷代方志集成》惠州府部，第6冊，景印康熙十四年刊本，卷二十一，〈詞翰志〉，頁334。及（清）孫能寬等纂：雍正《歸善縣志》廣州：嶺南美術出版社，2009年，《廣東歷代方志集成》惠州府部，第6冊，景印雍正二年刊本，卷二十一，〈詞翰志〉，頁688。

47 葉良方：《海陸豐詩詞史話》香港：成達出版社，2012年，頁45-46。及吳福欽：《海陸豐科舉功名錄》北京：中國詩詞楹聯出版社，2019年，頁383。

48 （清）于卜熊等纂：乾隆《海豐縣志》臺北：新高美印製公司，1970年，景印民國20年黃菊虎整理本，頁37下。

〈題為遴補營將以資征戰事〉[49]

本年八月初二日松山大戰，一營副將李友功、二營副將劉世爵、三營參將黃文玉皆能憤激報國，仗義捐軀。所遺營伍乏人料理，且當對壘之際，相應急請填補。察得楊總鎮標下實授守備楊捷，射穿七札，身經百戰，屢有血功，堪補友功之缺；陸營中軍劉登雲，遇陣奮不顧身，臨事綽有成算，堪補世爵之缺；五營中軍實授守備滑國材，久諳營伍，熟知戰陣，堪補文玉之缺。

此題本寫於崇禎十四年八月，經宣大總督張福臻轉引，由兵科抄出。按《明清內閣大庫史料第一輯》所錄有誤字，筆者因據《中國明朝檔案總匯》景印原件轉錄。楊總鎮，即宣府總兵楊國柱。

〈題為敕書闖圍存松事〉[50]

臣恭粵海孤踪，巖疆外吏，先任備兵懷隆，正值四事奉行之始，如築台繕城，置器儲備，厲兵秣馬，凡可為陵疆守禦計者，無不拮据卒瘏，以日為年。嗣因前任禮部，少發欽賞，蒙降三級，赴部候補。旋以四事克完，及十三年秋防，各復原降一級。時當逆奴屯義困錦，蒙皇上命臣監督懷標兵馬，赴援遼東。臣領憑赴任，即誓師起行。

迨二月末旬，奉令駐兵撫寧，始拜接敕書一道。繇是自三月以至八月，日日戎行，屢次督軍上陣。即兵馬倥偬之際，臣皆攜帶隨身，護持惟謹。不意八月二十一日申時傳令撤兵就餉，酉時起行。臣親帶印信，將敕書付親信家人謝茂捧帶隨行。值夜間衝殺出圍，家人竟爾迷散。至寧遠察訪，始知謝茂尚在松山，則敕書之存松可知。茲蒙皇上調任永平，例應將原領敕書赴山東布政司按季彙繳。今既存松，理合題知，俟松山解圍之日，容臣炤例齎繳。伏乞皇上鑒宥，臣不勝悚息待命之。

此題本寫於崇禎十五年二月，由兵科抄出。葉氏曾在其〈姚恭、姚敬事略〉一文中節錄，筆者因據《明清史料丁編》全文轉錄。

〈永平府志序〉[51]

郡有乘，其昉于國史之遺乎？永平偏壤，屬孤竹故封，古文物衣冠地也，嗣以金

49 金毓黻編：《明清內閣大庫史料第一輯》瀋陽：東北圖書館，1949年，下冊，卷十九，〈宣大總督張福臻為遴補營將以資征戰事〉，頁365-367。及中國第一歷史檔案館、遼寧省檔案館編：《中國明朝檔案總匯》桂林：廣西師範大學出版社，2001年，第39冊，〈宣大總督張福臻為遴補營將以資征戰事題本〉，頁401。

50 《明清史料丁編》上海：商務印書館，1951年，第7冊，〈兵科抄出山東按察司僉事姚恭題本〉，頁675上。

51 （清）宋琬等纂：康熙二年《永平府志》，中國國家圖書館藏康熙十八年刊本，〈序〉，頁4下至6上。

元竊據幾百年所。迨我明混一寰宇，置關設衛，爰稱雄鎮，為神京左協。然障塞一垣瀕海百里許，尤東北要劇之區。不佞承乏于茲，去城陷時未久，睠其民生凋瘵，里戶單虛，賦役繁苛，風俗偷薄，竊有慨焉。更以羽檄交馳，即荒垣三百餘里，儘費拮据，日奔走于踈煙斷草之中，猶不暇給，無問勞勞郡治矣。

夫去故者新難圖，憑虛者實愈遠，天下事不可以臆任昭昭也。是故考時者證變，度地者覽勝，觀風者驗治，論世者定宗，凡所轄之山川、井邑、戶口、土田、人物、食貨、建置興除，曁于城郭、溝塗、郵傳、甲兵、民風、吏治。咸筆之書者所以述往古，詔來茲得失之林，鑒戒係焉勿可後也。宜直指韓公甫入境，亟以郡志下詢也。郡故有《志》，己巳之變火為梨災，搜之書舊，僅得原本，乃知經剞劂者三，而前劉公謀以繕之，為郡侯擢去不果。茲者關中李侯雅有同心，博諮廣採，補其闕遺，分綱析目，于疆域、物力、屯社、戎政則加詳焉。累月告成，屬余為序。夫徐公、熊公再序原本亦既該矣，余復何言？惟是披覽之餘，繇今思昔，不能無感于斯《志》也。

嗟嗟！戶口昔登今耗，賦役昔簡今繁，風俗昔厚今偷，人才昔隆今替，郡固偏壤乎？然而天下之盛衰，一隅之積也；一隅之盛衰，天下之漸也。盛衰之數在天，而致之誠在人，考之則在書也。書也者，政之所自出也。後之君子涖斯土，讀斯《志》，覩邊疆則思握險控御、巡鼜壺柝之事；徵人用則思愛養制節、盈縮損益之宜。未病而調，算無逸策，庶寒谷春生，涸轍波迴有望乎？不然徒曰紀，故實備採風也，殆匪為《志》者之志矣。

崇禎壬午整飭永平等處監軍兵備道　陸安姚恭撰

此序寫於崇禎十五年。直指韓公，即巡按御史韓文銓。劉公，待考，按文意當為永平府人士。關中李侯，即永平府知府李在公。徐公，即前任永平府知府徐準。熊公，疑為白公之誤，按萬曆《永平府志》只有徐準及永平府東勝左衛人白瑜序文。

〈題可園〉[52]

流行坎止總無心，一可名園寄興深。滿眼蓁荊難措履，半區華卉足弘襟。坐看蒼狗消塵晝，移近黃鸝聽好音。學門漫云非若事，先憂後樂此追尋。

此詩寫於順治三年至六年，其間姚恭寓居於山西鳳臺。可園，或為姚恭宅院。按「弘」字，乾隆《鳳臺縣志》改作「宏」，避清高宗諱名。

52 （清）林荔等纂：乾隆《鳳臺縣志》南京：鳳凰出版社，2005年，《中國地方志集成》山西府縣志輯第37冊景印乾隆四十九年刊本，卷十八，〈藝文〉，頁367-368。

附記

葉良方及張裕斌在〈明清名臣——姚氏雙傑〉[53]中提及，姚恭在安徽采石磯太白樓寫有一則楹聯：「狂到世人皆欲殺；醉來天子不能呼」。此實為誤錄。按此聯見於清人梁章鉅《楹聯叢話》[54]，其作者是桐城舉人姚興㬃。又乾隆《海豐縣志．姚恭傳》載，姚恭「所著作皆載陶石簣、韓求仲兩太史集中」[55]。按此說實有誤，陶望齡在姚恭出仕以前早已逝世，而韓敬亦無詩文集流傳。

53 葉良方、張裕斌：〈明清名臣——姚氏雙傑〉，見《海豐史誌》，第12期，2009年12月，頁39。

54 （清）梁章鉅：《楹聯叢話》上海：商務印書館，民國24年，卷六，〈勝蹟上〉，頁77。

55 （清）于卜熊等纂：乾隆《海豐縣志》，頁37下。

知音未盡：論明清女性作家彈詞寫作的承傳

——以彈詞《玉釧緣》、《再生緣》為中心*

吳　越

北京中國人民大學國學院

明清時期，才女文化發展，又逢彈詞這一文體盛行，一時出現了大量女性作家書寫彈詞作品。其中，不少女作家彈詞作品之間帶有一定的承傳關聯，在人物設置、情節鋪排、主題表達等方面多有相似或相關之處，尤其還存在接續前作的故事、人物而衍生出的彈詞作品，清代彈詞文學的高峰之作《再生緣》即是承續自彈詞《玉釧緣》。對此，已有胡曉真的專著《才女徹夜未眠：近代中國女性敘事文學的興起》中第一章〈女性小說傳統的建立——閱讀與創作的交織〉[1]和李凱旋的博士論文〈《再生緣》系列閨閣彈詞研究〉[2]關注到《玉釧緣》、《再生緣》、《再造天》、《筆生花》這四部女性創作的彈詞作品之間的關系。本文以彈詞《玉釧緣》到《再生緣》的承傳為討論中心，兼及上承下啟的其他彈詞作品，嘗試討論明清女性作家彈詞寫作的承傳，以期對陳端生筆下未完的彈詞《再生緣》以及女作家彈詞這一形式有更多認識。

一　《玉釧緣》、《再生緣》的寫作接續與情節仿效

《玉釧緣》與《再生緣》是古代女作家創作的彈詞佳篇。彈詞《玉釧緣》共三十二卷，四百六十八目，寫宋寧宗時謝玉輝與胞妹謝玉娟易裝，而後建功立業，娶妻妾八人，滿門榮貴。《玉釧緣》作者及成書時間無考，只能據其第三十一卷卷首「女把紫毫編異句，母將玉緒寫奇言」[3]，推知作者是母女二人，一般認為該書大約作於明末清初。彈詞《再生緣》共二十卷，八十回，寫元成宗時孟麗君與皇甫少華悲歡離合事，尤寫孟麗君女扮男裝官至宰相的奇遇，書中幾個主要人物為《玉釧緣》人物轉世，故名

* 本文係中國國家社科基金重大項目（批准號21ZD15）的階段性成果。

1 胡曉真：《才女徹夜未眠：近代中國女性敘事文學的興起》北京：北京大學出版社，2008年。

2 李凱旋：《《再生緣》系列閨閣彈詞研究》廣西師範大學博士學位論文，2014年。

3 林玉、宋璧整理：《玉釧緣》哈爾濱：黑龍江人民出版社，1987年，下冊，頁1693。

「再生緣」。清乾隆年間女作家陳端生（1751-約1796）著《再生緣》前十七卷，未完篇，後有女作家梁德繩（1771-1847）續著三卷，又經另一女作家侯芝（約1764-1829）改訂，道光年間始有《再生緣》刻本。

《玉釧緣》本身承續彈詞《大金錢》、《小金錢》[4]而來，延用《大金錢》、《小金錢》的時代背景與部分人物。《大金錢》講南宋時王文亮與陳月嬋、陳月娟的悲歡離合，續書《小金錢》講王文亮之子王景星與柳文奎（《大金錢》中作柳文魁）之女柳卿雲之事。《玉釧緣》以《小金錢》為背景，男主人公謝玉輝的妻子之一王淑仙是王景星的堂妹，妾室酈貞卿是王景星第三位夫人斡離賽珠的表妹[5]，《小金錢》女主人公柳卿雲等虛構人物也在《玉釧緣》中經常出場。《玉釧緣》故事中還專門嵌入《大金錢》，第九卷寫女先生喬四姐演唱彈詞《金錢傳》，說是「本朝孝宗年間故事，聞得是尊府的親戚」[6]，並解釋故事來源是「幹離夫人生日，央我去唱書，夜來我同他家肖姨娘宿在一個屋內，他將這些古話，細細的談了一回」[7]，巧妙增添彈詞故事的真實感。

彈詞《再生緣》承續彈詞《玉釧緣》而來，開篇即有明確說明：「《再生緣》，三字為名不等閑，卻說《玉釧緣》書內……」[8]顧名思義，《再生緣》寫《玉釧緣》中人物的轉世情緣，書中幾位主要人物均襲自《玉釧緣》。《玉釧緣》末尾已為續作提供了空間，介紹「謝玉輝在元朝至元年間，又幹了一番事業，與如昭、芳素做了三十年恩愛夫妻，才歸仙班。」[9]陳端生《再生緣》第一回為〈東門君雲霄被謫〉，開首講述《玉釧緣》人物謝玉輝、鄭如昭、陳芳素和曹燕娘已修成正果升天，成為東鬥星君以及執拂、焚香、捧圭三位仙女（捧圭仙女還未超升歸位），天帝下旨令四人轉世投胎成為皇甫少華、孟麗君、蘇映雪和劉燕玉，繼續未了之緣，另有金童、玉女下凡為元成宗及皇甫長華。出於情節設置的考慮，《再生緣》此段內容與《玉釧緣》末尾的設想還有些微區別之處，一是增加了曹燕娘的轉世，二是調整了時代，至元是元世祖忽必烈所用的年號，《再生緣》中皇甫少華降生在元世祖朝，但立事業卻是在成宗朝。於《再生緣》一書而言，對《玉釧緣》的承接十分明顯且重要，《再生緣》中英武多情的皇甫少華、獨立自尊的孟麗君、溫柔癡情的蘇映雪、敏感多思的劉燕玉這四個主要人物，都保留了《玉釧緣》謝玉輝、鄭如昭、陳芳素、曹燕娘大體上的個性特點。

由於是演繹《玉釧緣》人物的轉世，《再生緣》延續了《玉釧緣》的藝術世界，兩部彈詞中的人物共享同一個大的虛構時空，前作人物還為《再生緣》人物提供了精神指

4 據譚正璧、譚尋編著：《彈詞敘錄》上海：上海古籍出版社，2012年，彈詞《大金錢》、《小金錢》均未署撰人，作者性別與成書年代不詳。

5 參見胡曉真：《才女徹夜未眠：近代中國女性敘事文學的興起》。

6 林玉、宋璧整理：《玉釧緣》，上冊，頁507。

7 同上註，頁508。按：「幹」或應作「斡」，「肖」或應作「蕭」。

8 （清）陳端生著，劉崇義編校：《再生緣》鄭州：中州書畫社，1982年，上冊，頁1。

9 林玉、宋璧整理：《玉釧緣》，下冊，頁1814。

引，讓相似情節的出現顯得自然合理。《再生緣》第三卷第十回，孟麗君被聖旨逼迫改嫁，正是想到《玉釧緣》及前作彈詞的虛構人物經曆，決意女扮男裝出逃：「想當初，宋朝正值寧宗帝，有二位，女扮男裝蓋世人。一個是，落蕊奇才謝氏女，一個是，廣南閨秀柳卿雲。俱因事急施良計，接木移花上帝京。金榜標名都及第，到後來，團圓骨肉有芳名。……奴若改妝逃出去，學一個，謝湘娥與柳卿雲。」[10]謝玉娟（字湘娥）是《玉釧緣》中的虛構人物，柳卿雲是彈詞《小金錢》的虛構人物，為《玉釧緣》所沿用，而《再生緣》中孟麗君卻認為此二人是曆史上實有的人物，並希圖模仿她們女扮男裝求取功名的經曆。類似的，第一回蘇映雪夢會皇甫少華，醒來認為「分明今夕蘇家女，又似當年杜麗娘」[11]。杜麗娘是小說、戲曲虛構人物，彈詞《小金錢》及《玉釧緣》中又虛構柳卿雲為杜麗娘的孫女。此處蘇映雪也將杜麗娘視作古人。

除了藝術時空的延續，《玉釧緣》、《再生緣》與其他彈詞在情節內容方面的相似也值得注意。比如，《玉釧緣》嵌入的《大金錢》情節，在彈詞《玉釧緣》及《再生緣》中可以看到相似段落。《玉釧緣》中《金錢傳》演唱「還有瓊英美貌姨。前世定婚吳雲閣，墜樓守節損其身。投至張門為愛女，玉英二字國公題。前生定下來生約，果然今世配成雙。」[12]著重介紹了《大金錢》裡陳垣妾室季瓊英之事，瓊英愛慕王文亮，訂來生之約，陳垣之女月娟遇搶親，瓊英代往，大罵後跳樓而死，後轉世為張玉英，嫁文亮為妾。季瓊英以有夫之婦的身分與王文亮情約來生，《玉釧緣》中的陳芳素與之相似，而其代嫁墜樓之事，《再生緣》裡蘇映雪（陳芳素的轉世）與之相仿。另外，《大金錢》中還有陳月嬋逃婚投池被沖至江灘，得杜麗娘相救並認為義女諸事，「死而複活盡稱奇」[13]，《再生緣》蘇映雪也有相似經曆。綜合來看，《再生緣》蘇映雪這一人物種種經曆糅合了《玉釧緣》及《大金錢》等前作的故事，她夢中定情如杜麗娘、代嫁墜樓如季瓊英、遇救認母如陳月嬋、招贅女狀元則如王淑仙等，整體性格則如同前世陳芳素。

此外，《玉釧緣》還有可能受到女作家所作彈詞《轘龍鏡》的影響。《玉釧緣》第十六卷，王淑仙產子，柳卿雲贈送「蟠龍鏡」，稱「當初高宗聘取崔娘娘，乃是雄鏡，這是雌鏡」[14]。曆史上，宋高宗趙構原配為憲節邢皇後，繼立憲聖慈烈吳皇後，並無崔姓後妃見於史傳。「崔娘娘」之說或源於彈詞《轘龍鏡》，筆者暫未見其他出處，《轘龍鏡》中有康王（宋高宗）以轘龍鏡聘娶崔龍珠，「蟠龍鏡」與「轘龍鏡」之名有小異。彈詞《轘龍鏡》本身是彈詞《鸞鳳圖》[15]的續作，將女主人公崔龍珠設置為《鸞鳳圖》

---

10 （清）陳端生著，劉崇義編校：《再生緣》，上冊，頁129。

11 （清）陳端生著，劉崇義編校：《再生緣》，上冊，頁24。

12 林玉、宋璧整理：《玉釧緣》，上冊，頁508。

13 同上註。

14 林玉、宋璧整理：《玉釧緣》，中冊，頁884。按：「取」或應作「娶」。

15 據譚正壁、譚尋編著：《彈詞敘錄》，彈詞《鸞鳳圖》未署撰人，作者性別不詳，有清同治年間刻本，末尾結句稱初作於明嘉靖年間。《轘龍鏡》有乾隆年間刻本，注明「系《鸞鳳圖》後集」。

主人公崔如玉之女，故而姓崔。《轘龍鏡》書末雲「要曉此書何人作，學淺才疏是女人」[16]，可知作者為女性。該書寫康王男扮女裝、崔龍珠女扮男裝避難，二人所遇女子後來悉入高宗後宮，《玉釧緣》中謝玉輝兄妹易裝諸事與之有相似處。

另有女作家創作了系列彈詞《安邦志》、《定國志》等，作品中的馮仙珠與《再生緣》的孟麗君有許多經曆極為相似，包括因不願改嫁而扮男裝出走、令乳娘之女代嫁、醫治皇家而立大功、在自己建功而未婚夫另娶後不願復妝、被皇帝覬覦調戲、後期體弱嘔血等。目前《安邦志》與《再生緣》創作的先後順序尚不可考，但這樣多的相似顯然體現了女作家彈詞一脈相承的敘事傳統。

在彈詞《再生緣》之後，有侯芝改寫《再生緣》為《金閨傑》彈詞，並撰寫續作《再造天》彈詞。侯芝對《再生緣》的思想傾向以及陳端生塑造的孟麗君這一人物形象不滿，她在《金閨傑》題詞中批判孟麗君「爵祿竊來忘面目，利名貪處入心脾」[17]，《金閨傑》在保留《再生緣》主體情節的基礎上，改變人物形象，弱化孟麗君的叛逆色彩。侯芝又作《再造天》接續《金閨傑》，寫皇甫少華、孟麗君之女皇甫飛龍後宮幹政亂國，希圖對女子不守禮教加以批判，但隨著寫作展開，書末也對無視三綱五常但頗具雄才的皇甫飛龍存有同情。需要指出，《再造天》是延續《金閨傑》而寫，並非接續《再生緣》，並未完全襲用梁德繩所續《再生緣》的結局，尤其是《再造天》中皇甫少華子女情況與梁德繩續書多有不同。

二　《再生緣》承繼發展的女性形象與女性意識

《再生緣》在接續《玉釧緣》故事、人物的同時，以女性人物形象為載體，也對《玉釧緣》及此前彈詞的女性意識與思想主旨有所繼承、發展。彈詞《再生緣》本身就是為《玉釧緣》「補恨」的續作，為前世彌補遺憾也成為《再生緣》的重要主旨。陳端生《再生緣》開篇即寫要為《玉釧緣》鄭如昭和陳芳素補恨，《再生緣》確有貫徹這一點，轉世後的二人不再囿於謝府，鄭如昭希求的尊嚴、陳芳素難抑的情思轉換成今生孟麗君對事業、蘇映雪對愛情的大膽追求。為鄭、陳二人再生補恨襲自《玉釧緣》結尾，讓好妒的曹燕娘轉世補過則是陳端生的新創內容，以此三人為代表的《再生緣》與《玉釧緣》中不同類型的女性人物，都承載著彈詞女作家們一以貫之的女性意識。

16 《轘龍鏡》，轉引自譚正璧、譚尋編著：《彈詞敘錄》，頁365。

17 （清）侯芝：《金閨傑》，轉引自車振華：《清代說唱文學創作研究》濟南：齊魯書社，2015年，頁140。

（一）對女性獨立的浪漫想象

彈詞《玉釧緣》中，富商之女鄭如昭身為謝玉輝妾室，卻自尊自立，不願妥協，因謝玉輝聽信讒言，懷疑她與旁人通奸，即使後期謝玉輝承認錯誤、眾人勸說，她也無法完全接受謝玉輝，只約定來世再結緣。

彈詞《再生緣》寫鄭如昭轉世成為尚書孟士元之女孟麗君，自幼接受了更好的教育，因緣際會改妝入仕，得到了宰相這樣高的社會地位，從而也表現出比前世更為強烈的獨立意識和自主意識。陳端生筆下的孟麗君才華卓絕，心性剛強，遇事大膽走出閨門，自信施展才幹，認為「奴若不，烘烘烈烈為奇女，要此才華待怎生」[18]，等到年少得志，官居相位，又見未婚夫皇甫少華因與劉燕玉私情而為奸臣求保，她更是一心為官，不肯復妝完婚，認為「何須嫁夫方為要，就做個，一朝賢相也傳名」[19]，不顧「夫為妻綱」的禮教要求，而以自己的事業為倚仗。在《再生緣》前十七卷為止，《玉釧緣》中鄭如昭不願重偕謝玉輝的情形也在轉世的孟麗君、皇甫少華身上變幻重演。鄭如昭堅執、自尊的性格，在孟麗君身上得以保留，鄭如昭不肯放下尊嚴，孟麗君還難能割舍她的事業。

《再生緣》孟麗君身上強烈的獨立精神並非孤例，除了鄭如昭，孟麗君身上還能看到《玉釧緣》其他女性人物的影子。如前所述，柳卿雲、謝玉娟女扮男裝科考甚至娶親，為孟麗君所模仿。並未易裝的薛美英為宋寧宗療疾而立功，被封公主，孟麗君醫治太后立功，與此相似。梁德繩的續書寫孟麗君被太后認為義女，喜慶完婚，也似薛美英經曆。

陳端生以及諸多女作家在彈詞中塑造了一個個巾幗英才形象，浪漫想象女子憑借才智可封侯拜相，表現了對女子才能的贊美、對女性志懷的肯定以及對綱常禮教不同程度的反叛。女作家彈詞《轘龍鏡》的崔龍珠，《玉釧緣》的謝玉娟，《再生緣》的孟麗君、衛勇娥等都是情勢所迫走出閨門女扮男裝而建功立業；《轘龍鏡》的玉鸞英、《再生緣》的皇甫長華等則是直接以女子身分征戰沙場，破敵救國。即使這些女性角色在立功之後回歸家庭，一般也保留了繼續發揮才能的一定可能。《玉釧緣》前作《小金錢》中，柳卿雲請罪，皇帝恕其罪，封為女學士，為宮妃之師，《玉釧緣》的謝玉娟奏明真相後，被聘為榮王世子妻，也被封女官，每逢三六九日，入後宮輔佐皇後。梁德繩所作《再生緣》續書違背前十七卷中的人物性格寫孟麗君欣然復妝嫁人，但也有寫其仍可偶以保和公主身分參與政事。即使是反《再生緣》而作的《再造天》，致力規訓女性遵循禮教，但對皇甫長華、孟麗君在國家危亡之際主持朝局力挽狂瀾也持肯定態度。相較其他彈詞

18 （清）陳端生著，劉崇義編校：《再生緣》，上冊，頁129。

19 同上註，中冊，頁514。

女性人物，陳端生在《再生緣》前十七卷中塑造的孟麗君更有離經叛道的抗爭色彩，她立功拜相，一心為官，不願復妝，甚至不惜忤逆君父，是一位個性強烈而極具華彩的人物。「孟麗君」這類文學形象上寄托著困於深閨的古代女性知識分子渴望施展才華、參政輔國的理想抱負。

（二）對女性情愛的寬容理解

彈詞《玉釧緣》在後半部分塑造了陳芳素這一人物，她原是大戶人家婢女，因與主人有染，被夫人配給長隨邵升並驅逐出府，後在謝府做鄭如昭之子的乳娘，見謝玉輝豐姿英俊，心生愛慕，與之接觸，進行試探，謝玉輝因其有夫之婦的身分不肯接受，後在鄭如昭的幫助下，陳芳素與謝玉輝約定來世姻緣。《玉釧緣》陳芳素無法選擇結束無愛的婚姻，私心戀慕謝玉輝，屢有越禮行為，但在女作家筆下卻可以被理解和同情。

《再生緣》為陳芳素補恨，寫其轉世蘇映雪也有不合於禮教的感情。蘇映雪暗中戀慕小姐孟麗君的未婚夫皇甫少華，直到她與孟麗君洞房重聚，坦白自己對少華的感情，得到了麗君的許可，她的感情才開始符合道義；而後少華知其替嫁自盡，為其請封，她的感情才真正為禮教所容。書中蘇映雪的行動則基本不違背道德，至多就是偷看少華，但她內心也有悖禮的不安，會夢到因與姑爺皇甫少華私約而被老爺孟士元責罵。蘇映雪同陳芳素一樣性格柔弱、身分低微、癡心不改，但有了更強的自主選擇意識。前世被主家強行配婚，她無從反抗，今生被主家要求代嫁，她有了與奸賊勢不兩立和堅守夢中誓言的理由，先是直接拒絕，再是意圖刺奸，最後投水自裁，寧死不願嫁仇人，表現出強烈的自主意識。

同時，知書識禮的蘇映雪也比陳芳素更能壓抑自我，她雖然屢屢婉言勸說孟麗君復妝，但也可以為幫助不肯復妝的孟麗君，保持假鳳虛凰的婚姻，壓抑自己的愛情和欲望，心中想：「夢裡姻緣雖未會，早懷著，碧鸞宮內赴神交。甘心與你（指孟麗君）同偕老，也不想，結子開花種玉苗。」[20]「只因小姐心堅執，教我也，怎不跟隨女丈夫？雲雨巫山空悵望，琴瑟合好屬虛無。」[21]《玉釧緣》裡陳芳素感念鄭如昭的恩情，《再生緣》蘇映雪終於對孟麗君進行了報償。無論鄭、陳還是孟、蘇，二人雖然身分不同、所求相異，但能互相理解、扶持。當然，蘇映雪自我壓抑也不只因為友情，孟、蘇二人除了是朋友，還是主僕和妻妾，蘇映雪始終視孟麗君為小姐，而自從孟麗君答應讓蘇映雪為妾，二人之間就不以年庚而以妻妾身分稱姐妹，這樣的倫理關系也讓蘇映雪選擇聽從孟麗君。當蘇映雪與孟麗君的追求相悖時，蘇映雪只有無奈選擇妥協。

20 （清）陳端生著，劉崇義編校：《再生緣》，下冊，頁961。

21 同上註，頁967。

除了繼承陳芳素形象的蘇映雪，陳端生對《再生緣》中其他女子追求愛情甚至私欲也有所包容。書中劉燕玉主動出面救下皇甫少華並與之私定終身，並不合於禮教，作者卻予以正面描寫，這一段落後被侯芝《金閨傑》修改、被邱心如《筆生花》批判。《再生緣》書中還寫到康家王德姐、柳柔娘兩位姨娘向義子酈君玉（孟麗君）求歡，經孟麗君好言勸解而放棄，陳端生也並沒有將王、柳二人當作反面人物處理，反而正面描寫孟麗君始終為二人保守此秘密並與之友善相處。在那個禮教嚴苛的時代，女作家們寫作彈詞敢於肯定女性人物不合於禮教的感情與欲望，本身即有莫大的勇氣。

（三）對女性妒心的矛盾態度

彈詞《玉釧緣》中以很多篇幅描寫謝玉輝後宅妻妾八人之事，細膩展現了三妻四妾狀態下女性的極大痛苦。婚前即與謝玉輝建立感情的薛美英、曹燕娘在婚後每每因謝玉輝納新而傷心苦悶，王淑仙、鄭如昭為情勢所逼而被迫嫁與謝玉輝，婚後賢惠不妒，但也常因薛美英、曹燕娘的忌妒而煩惱。對於嫉妒心重、挑撥離間、造謠生事的曹燕娘，書中並未簡單持批判態度，而是報以一定同情，花費大量筆墨描寫其內心世界。

陳端生作《再生緣》，寫曹燕娘轉世為劉燕玉，與謝玉輝轉世皇甫少華再續舊緣，以便「解釋冤仇」、「洗心改過」[22]。劉燕玉雖為郡主，但是庶出且生母早逝，因而承繼了前世曹燕娘的敏感自卑，只是她追求愛情遠比曹燕娘更為大膽濃烈。劉燕玉與仇家子皇甫少華私定終身，堅貞守節，劉家事敗，劉燕玉求助於少華，婚後她無依無靠，也常介懷少華的多情，並因孟麗君、蘇映雪的存在而恐懼將來的妻妾矛盾，她時時壓抑自己，但也幾次忍不住在夫家流露出略含妒意負面情緒。對於似乎沒有完全「洗心改過」的劉燕玉，陳端生也以較為寬容的態度進行描繪，展現了她的真摯感情與尷尬境遇，也讓劉燕玉略存嫉妒之心有其合理性。而梁德繩在續書中，就通過皇甫敬之口指責劉燕玉「略有三分妒忌心」[23]，令其悔過。

受時代所限，彈詞女作家們對於妻妾制度普遍帶有一種略顯矛盾的態度，作品中一方面稱贊女子賢惠不妒、批判妒婦，但另一方面又時有對上述所謂「妒婦」的同情，同時大力肯定不納妾的男子，強調納妾的弊端。《再生緣》中描寫上一代主要正面男性人物孟士元、皇甫敬等都不肯納妾，衛煥甚至不肯續弦生子，只有康若山等人為子嗣納妾；對書中年輕一代男子則不再強調感情專一，但也肯定了皇甫少華不納通房之事。侯芝《再造天》開篇即寫魁郎不肯納妾；而後熊起鳳因納妾而與妻子梁氏爭吵，書中以多人之口指出二人都有錯處；衛勇彪妾呂氏引出禍患，就被說是納妾致禍。另外，從

---

22 （清）陳端生著，劉崇義編校：《再生緣》，上冊，頁3。

23 （清）梁德繩著，劉崇義編校：《再生緣》鄭州：中州書畫社，1982年，下冊，頁1150。

《轎龍鏡》、《玉釧緣》到《再造天》，許多彈詞都有描寫宮闈後妃爭鬥，抨擊寵信奸妃的昏君。

同樣有趣的是，幾部女作家彈詞的女主人公都符合「不妒」的規範要求，但同時都表現出對愛情的相對淡漠。追求「螺髻換烏紗」的孟麗君的確會對皇甫少華有欣賞、有感動，更承認婚約規定的守節責任，但她並不願意為婚姻舍棄自己的事業理想，也不介意皇甫少華迎娶旁人。《轎龍鏡》裡崔龍珠對康王的感情不似夫妻，更似君臣，她忠心報國，無關兒女私情。《再造天》女主角皇甫飛龍陰狠狡詐，入宮弄權，殘害熊后，但她沒有爭寵妒心，反而為了獨攬朝政而故意使皇帝沉溺聲色；她後期悔悟，盡心護助被貶的皇帝，最後自己攬下全部罪責而為皇帝開脫，坦然受死還不忘照顧皇帝的情緒，也是因顧全大局，並無太多愛情。這些女作家彈詞作品主要女性人物不因感情而舍棄自我追求，反而都能接受丈夫或未婚夫三妻四妾。

四　女作家彈詞寫作承傳的原因與意義

如前所述，以《玉釧緣》、《再生緣》及兩部彈詞的周延作品為例，女作家彈詞作品對前作的承傳包括人物的延續、情節的襲用、藝術時空的的延用、思想主旨的傳承等等。這種作品之間的承續放諸文學史並非特例，中國古代小說、戲曲等俗文學創作中的承續、借鑑、改編現象從不鮮見，彈詞故事、人物的承續創作與彼時迭出的白話章回小說續書皆屬一理，都汲取了先前作品的藝術成果，為自己的藝術創作提供便利，當代所說的「同人」創作也有類似之處。

而女作家彈詞承傳的獨特之處在於閨閣閱讀與寫作的私密性。不少女性作家強調自己的彈詞只為供閨閣知音欣賞，《玉釧緣》全書末尾有「珍重閨詞勿誤傳」、「願為閨閣供清聽」之句[24]，陳端生在《再生緣》第三卷卷首說「不願付刊經俗眼，唯將存稿見閨儀」[25]，這些女作家寫作彈詞的預期讀者也都是閨閣女子。因此女作家彈詞之間的承傳有著閨閣知音跨時空交流的意義，中國古代各類文體的創作者基本都以男性為主，明清時期的彈詞卻為女性作家們提供了這樣一個抒發志懷、交流感想的新形式。

也正是彈詞的閨閣閱讀催生了女作家們創作彈詞時對先前作品的自發承續。彈詞創作本屬閨中消遣，以自娛為主，《玉釧緣》開篇作者自言「閑拈彩筆度新聲」[26]，《再生緣》開篇作者也說「閨幃無事小窗前……今夜安閑權自適，聊將彩筆寫良緣。」[27]彈詞的創作與閱讀之間關系緊密，女作家們寫作彈詞常肇始於閱讀已有彈詞未能盡興遂願而

24 林玉、宋璧整理：《玉釧緣》，下冊，頁1815。

25 （清）陳端生著，劉崇義編校：《再生緣》，上冊，頁106。

26 林玉、宋璧整理：《玉釧緣》，上冊，頁1。

27 （清）陳端生著，劉崇義編校：《再生緣》，上冊，頁1。

生發出的創作欲。陳端生在《再生緣》第一卷第一回卷首詩中就說「知音未盡觀書興，再續前文共玩之」[28]，因為閱讀《玉釧緣》未能盡興而續寫出《再生緣》。梁德繩續寫《再生緣》，在第十八卷第六十九回卷首說：「欲觀全豹情猶切，漫試雕蟲趣亦深。續更自應慚短綆，習勤聊附惜分陰。」、「傳閱再生緣一部，詞登十七未完成。好比那，無尾神龍恣出沒；引得人，依樣胡聲續寫臨。」[29]她因陳端生《再生緣》未完，而為之續補結局。

女作家彈詞寫作的承傳反映了明清女性表達的承繼，彈詞女作家們以浪漫的筆調謳歌女性英傑的才智，以飽含同情的筆觸講述女性的生存困境，通過彈詞發出難得的古代女性聲音。當然，古代女作家彈詞創作在思想方面也存在波動起伏的情況。縱觀彈詞文學史，陳端生汲取了此前彈詞的有益成分，其所著《再生緣》前十七卷無論是藝術成就還是思想表達都已至高峰。從《玉釧緣》等作到《再生緣》，女作家們在彈詞中稱頌女性的卓越才能，正面講述女性對建功立業的雄心，也對女子的情欲和妒心予以一定包容，不循綱常禮教對女子安分、禁欲、不妒的嚴苛規訓。但陳端生筆下孟麗君對復妝的抗拒、梁德繩筆下孟麗君對復妝的接受，也讓秉持不同觀念的讀者「未盡觀書興」，提筆開始自己的寫作。道鹹年間女作家邱心如就因為對彈詞《再生緣》有遺憾而仿作翻新，在其寫作的《筆生花》卷首稱《再生緣》「文情婉約原非俗，翰藻風流是可觀。評遍彈詞推冠首，只嫌立意負微愆。……因翻其意更新調，竊笑無知姑妄言。」[30]由是，邱心如《筆生花》塑造了比孟麗君更符合傳統道德規範的薑德華。而後同光年間，汪藕裳不認同《再生緣》（梁德繩續書版）等彈詞故事中女主人公復妝完婚的結局，《子虛記》卷首言「遍覽彈詞男扮者，此書不欲與相同」[31]，作品塑造了徹底反叛的趙湘仙，寫其拒不奉詔復妝，絕食而死。在陳端生之後，清代彈詞女作家中既有延續其路徑強化女性獨立精神與反抗意識的汪藕裳等人，更有向禮教閨訓回歸的梁德繩、侯芝、邱心如等人，這種差異與碰撞也反映了清代女性知識分子對傳統禮教或反叛或維護的不同態度，各自在傳達自己的女性聲音。

另外，從傳播效果上看，這些女作家彈詞作品的承續，不僅可以引起前作讀者的興趣，利於案頭傳播，也讓曲藝及戲曲搬演相關作品時可以連續搬演幾部彈詞的故事。比如，《玉釧緣》（含《玉釧緣謝玉輝平金番》）是潮州歌冊中的名篇，演繹《再生緣》故事的潮州歌冊作品即以《玉釧環續再生緣》為名，可與《玉釧緣》接續歌唱；溫州鼓詞《再造天》為溫州鼓詞《孟麗君》（《龍鳳再生緣》）續集[32]。不少彈詞《再造天》衍生

28 同上註。

29 （清）梁德繩著，劉崇義編校：《再生緣》，下冊，頁977。

30 （清）邱心如著，江巨榮校點：《筆生花》鄭州：中州古籍出版社，1984年，頁1。

31 （清）汪藕裳著，王澤強點校：《子虛記》北京：中華書局，2014年，卷一，頁37。

32 李秋菊：《清代彈詞再生緣研究》北京：光明日報出版社，2019年，頁368。《飛龍傳》、《長慶宮》、

的戲曲作品都與前作《再生緣》的衍生作品接續演出：民國時期楚劇《飛龍傳》與《華麗緣》連臺演出[33]，桂劇《長慶宮》與《孟麗君》連臺演出[34]，當代的高甲戲《孟麗君後傳》也接續《孟麗君》演出。另有《玉釧緣》衍生的粵劇《華麗前因》[35]，從劇名看即意指演繹粵劇名劇《華麗緣》的前傳故事。這些前後勾連的長篇或連臺作品符合近世觀眾的審美需求，利於知識分子女性所作的彈詞故事在民間傳播。

《孟麗君後傳》等都是彈詞《再造天》衍生作品名稱，《華麗緣》、《孟麗君》、《龍鳳再生緣》等是彈詞《再生緣》衍生作品名稱。

33 李秋菊：《清代彈詞再生緣研究》，頁218。

34 廣西壯族自治區戲劇研究室編：《桂劇傳統劇目介紹》，1984年，頁308-309。

35 譚正璧、譚尋編著：《彈詞敘錄》，頁157。

陳振孫《直齋書錄解題》舊鈔本七種之考述及日本抄本《解題》之輯佚

何廣棪
香港新亞研究所

前言

余早歲攻讀博士學位於香港新亞研究所，追隨恩師王韶生（懷冰）教授撰寫文學博士論文，題目為〈陳振孫之生平及其著述研究〉。三載文成，而內容充實，且多所突破，獲優異成績。其後，南京大學武秀成教授撰《陳振孫評傳》，其書徵引拙著凡三十三條，甚受學界重視。余畢業後即獲臺灣華梵大學東方人文思想研究所與國家科學委員會合聘為客座副教授；畢業論文亦即蒙臺北市文史哲出版社刊行面世。

〈陳振孫之生平及其著述研究〉凡六章，其第四章乃〈陳振孫之主要著作—《直齋書錄解題》〉，該章第三節為〈《直齋書錄解題》之版本〉。所考及《直齋書錄解題》（以下簡稱《解題》）之版本凡十一類，計：（子）底本、（丑）傳鈔本、（寅）批注本、（卯）舊鈔本、（辰）刊本、（巳）輯本、（午）鉛印本與影印本、（未）校本、（申）重輯本、（酉）彙校本、（戌）點校本。而其（卯）舊鈔本下分（一）《永樂大典》本，（二）朱彝尊曝書亭所藏舊鈔殘本，（三）宋蘭揮藏舊鈔殘本，（四）吳騫藏舊鈔殘本，（五）鮑廷博舊鈔殘本，（六）陳徵芝所藏鈔本，（七）王懿榮手稿本，凡七種。

以下擬先就拙著所論《解題》舊鈔本之七種資料，重作剪裁，考述如次：

一　《永樂大典》本

《永樂大典》所據鈔《解題》原本，今已不可得而見。惟《四庫全書總目》卷八十五〈史部・目錄類〉一云：

> 《直齋書錄解題》二十二卷，《永樂大典》本　宋陳振孫撰。……而此書久佚，《永樂大典》尚載其完帙，惟當時編輯潦草，譌脫宏多，又卷帙割裂，全失其舊。謹詳加校訂，定為二十二卷。……原本間於《解題》之後，附以隨齋批注，……今亦仍其舊焉。

案：茲者《永樂大典》本《解題》雖不可得而見，惟《四庫》輯本既就《大典》本編輯而成，如研閱輯本，又詳參《四庫全書總目》，則猶依稀可知《大典》本《解題》之一斑。

二　朱彝尊曝書亭所藏舊鈔殘本

瞿鏞《鐵琴銅劍樓書目》卷十二〈目錄類〉云：

> 《直齋書錄解題》，舊鈔殘本。宋陳振孫撰。此出文淵閣所鈔，即秀水朱氏、抱經盧氏所見本也。僅存〈楚辭類〉一卷、〈別集類〉三卷、核與今館本同，惟字句差有小異。盧氏又得子部數門於鮑氏。知此書原本惟〈別集〉分三卷，〈詩集〉分兩卷，其餘各類各自為卷，全書當分五十六卷。〈詩集〉後次以〈總集〉、〈章奏〉、〈歌辭〉，而以〈文史〉終焉。其餘次第與館本同。卷首有「文淵閣」、「季振宜藏書」、「汲古閣」、「曝書亭珍藏」、「朱彝尊印」諸印記。

案：依瞿《目》所載，則此本僅殘存〈楚辭類〉一卷、〈別集類〉三卷，凡四卷，乃文淵閣所鈔。考明文淵閣藏有《解題》一部，共七冊；而此本僅存四卷，是所缺者殊多矣。秀水朱氏，即朱彝尊。彝尊字錫鬯，號竹垞，晚號小長蘆釣魚師，又號金風亭長，浙江秀水人。著作豐贍，撰有《經義考》、《日下舊聞》、《曝書亭集》諸書。〈曝書亭集．鵲華山人詩序〉曰：

> 予中年好鈔書，通籍以後，見史館所儲，京師學士大夫所藏弆，必借錄之。有小史能識四體書，日課其傳寫，坐是為院長所彈，去官，而私心不悔也。

是朱氏好書，故曝書亭所鈔書、藏書至富。此本後為盧文弨所見，盧氏〈新訂直齋書錄解題跋〉云：

> 直齋陳氏《書錄解題》二十二卷，《四庫》館新從《永樂大典》中鈔出以行。……乾隆己卯，余讀《禮》家居，友人見示此書，僅自〈楚辭〉、〈別集〉以下，而其他咸缺焉，乃秀水朱氏曝書亭鈔本也。今距曩時十八年而始見全書，殊為晚年之幸。

是瞿《目》謂此本乃「抱經盧氏所見本」，固是不誤。瞿《目》又謂此舊鈔殘本卷首有「文淵閣」、「季振宜藏書」、「汲古閣」、「曝書亭珍藏」、「朱彝尊印」諸印記，據是可推知此本雖不知誰氏所鈔，然鈔畢後，初為文淵閣收藏，次則歸諸季滄葦及汲古閣，其末則為秀水朱氏所得；則此本原非曝書亭所鈔，盧抱經亦不免有所未照矣。邵懿辰《四庫簡明目錄標注．史部》卷十四〈目錄類．經籍之屬〉附錄云：

> 瞿氏有殘本四卷。存〈楚辭類〉一卷、〈別集類〉三卷。（星詒）。

案：《四庫簡明目錄標注》所著錄者亦即此本。張金吾《愛日精廬藏書志》卷二十〈史部．目錄類．經籍〉云：

> 《直齋書錄解題》殘本四卷，舊鈔本。宋陳振孫撰。存〈楚辭類〉一卷、〈別集類〉三卷。《四庫全書》著錄本係從《永樂大典》錄出者，此則原本殘佚也。

案：觀是，張氏愛日精廬所藏者亦即此本。金吾字慎旃，別字月霄，畢生篤志儲藏書籍，小大彙收，今古並蓄，合之先人舊藏，竟多達八萬餘卷，惟其後亦不免散佚。瞿氏與張氏同里，其鐵琴銅劍樓所收藏宋元舊刻暨舊鈔之本，皆從邑中及郡城故家展轉搜羅而得，卷逾十萬。是可推知瞿氏所藏《解題》舊鈔殘本，原屬愛日精廬家藏故物，二家先後所著錄者實為一書，固非於昭文張氏藏本外，另有鐵琴銅劍樓藏本。

三　宋蘭揮藏舊鈔殘本

繆荃孫《藝風堂藏書記》卷五〈類書〉十七〈目錄類〉云：

> 《直齋書錄解題》二十卷，舊鈔本。原書久佚，館臣從《大典》輯出，以原分五十三類，定為二十二卷。此鈔帙雖不全，尚是陳氏原書。存〈楚辭類〉一卷、〈總集類〉一卷、〈詩集類〉二卷、〈別集類〉三卷、〈類書類〉一卷、〈雜藝類〉一卷、〈音樂類〉一卷、〈章奏類〉一卷、〈歌辭類〉一卷、〈文史類〉一卷、〈神仙類〉一卷、〈釋氏類〉一卷、〈兵書類〉一卷、〈曆象類〉一卷、〈醫書類〉一卷、〈卜筮類〉一卷、〈形法類〉一卷。原書惟〈別集〉分三卷，〈詩集〉分兩卷，每類各自為卷，全書當分五十六卷。與《大典》本相較，〈釋氏類〉多二條，〈雜藝類〉七條，〈類書類〉二條，其餘字句亦多同異。荃孫另撰《考證》。收藏有「緜松庵」白文長方印，「筠」字朱文圓印，「宋氏蘭揮藏書善本」白文長方印。

案：《藝風堂藏書記》所著錄者，乃宋筠所藏《解題》舊鈔本，此本凡二十卷。考筠字蘭揮，緜松庵乃其齋名。惟繆氏《藝風堂藏書記》於宋氏行實未曾道及，余已於本章第二節中紹介之。今仍補述一二於下：

考沈文慤〈奉天尹宋公墓志銘〉云：

> 公諱筠，字蘭揮，號晉齋。既冠，捷南宮，由江西藩司晉奉天府尹。

瞿鏞《鐵琴銅劍樓藏書目錄》卷三、〈經部〉、三〈詩類〉亦云：

> 《叢桂毛詩集解》二十一卷，舊鈔本。題廬陵段昌武子武集。……每冊皆有「筠」字圓印，「雪苑宋氏蘭揮藏書」長方印。

同書卷十七〈子部〉、五〈小說類〉云：

> 《鐵圍山叢談》卷六，舊鈔本。題百衲居士蔡絛撰。……卷首有「宋氏蘭揮藏書善本」朱記。

綜上所記，是蘭揮由江西藩司，官至奉天府尹，其家藏之書，舊鈔本殊不少，而其藏書上均加蓋藏書印記也。

繆藝風所藏此本，後經王先謙以《大典》本相校，先謙《虛受堂書札》卷一有〈又與筱珊〉函，云：

> 尊藏《書錄解題》鈔本，校畢奉上。各卷次第分合與《大典》不符，而卷數或有或無，〈類書〉、〈雜藝〉、〈音樂〉、〈神仙〉、〈釋氏〉、〈兵書〉、〈曆象〉、〈醫書〉、〈卜筮〉應在「子」而入「集」，蓋鈔本書者糅亂任意，非原本誤也。與《大典》本互勘，字句頗多殊異、增省之處。〈雜藝類・唐朝名畫錄〉一卷，原別為一條，《大典》本據《通考》錄入，合之於〈畫斷〉，賴此本猶見原書面目。〈音樂類〉亦有數條為《大典》本所無，惜「經」、「史」全缺，「子」部少〈陰陽家〉一類，然張氏《讀書志》所藏不及此本之多，已云稀有，則此本之可貴當何如邪！僕慮籤黏易脫，校注上方，又以文繁眼眊，既無別本攙雜其間，意趨簡略，不復出「《大典》本」三字。史席餘閒，請自增之。

案：先謙此函所謂《大典》本，即《四庫》輯本，先謙蓋用輯本與繆氏所得宋蘭揮藏本相較也。舊鈔本勝處，王氏類能言之，此本卷數又較秀水朱氏所藏鈔本為多，固甚可貴也。惜此本蹤跡，今亦不可確悉矣。徐小蠻、顧美華點校《直齋書錄解題》，其卷首〈點校說明〉處載：

> 青海師範學院藏繆荃孫批校本。

竊疑青海師範學院所藏之繆荃孫批校本，即為繆藏之宋蘭揮所藏本。所惜徐、顧二君點校《解題》，於青海師範學院所藏本全未善加利用，而繆氏自言另撰有《考證》，惟此《考證》之本，今亦不之見矣。

邵懿辰《四庫簡明目錄標注》卷十四〈目錄類・經籍之屬〉、邵章〈續錄〉云：

> 《書錄解題》二十二卷，武英殿聚珍本，盧學士借校，多所補正，凡字畫之不合六書者，悉皆更定，彌見前輩讀書之精審，深可寶愛。簡莊徵君復校補十數條，內卷十二至卷十四，卷十九至二十二，先君子曾得舊鈔殘本，手校於上，後以贈

> 嘉興陳梅軒進士。嘉慶乙丑，簡莊得陳鄉人從梅軒借錄本一冊，以示先君子，因復錄於是本，並書十四卷後云：「予向有舊《書錄解題》殘本，後以贈檇李陳進士效曾，效曾官楚中十餘年，移疾而歸，所患乃失心之疾。此書予未有副，求前書一校此本亦不可得。頃簡莊從吳中購得一本，則有效曾鄉人曾與效曾借予殘本而手校者，惜不知姓氏，考其所校時，迄今已二十有五年矣。因復從簡莊借錄於此本，不禁閣筆為之三歎！嘉慶乙丑兔床志。」又書廿二卷末云：「嘉慶丁卯仲秋，秀水王稼洲茂才過訪，予出此書示之，其十二卷中所云：從同郡陳效曾所借。效曾之姓名，稼洲亦不辨。稼洲名尚繩，尊甫省齋大令元啟，禾中篤學士也，於效曾為前輩。」

案：讀上述《簡莊綴文》及《拜經樓藏書題跋記》二條所載，當知吳騫舊藏有《解題》舊鈔殘本，用之持贈陳熷。熷字效曾，號梅軒，官楚中十餘年，後以患失心疾而歸鄉。所惜熷所得自槎客之舊鈔殘本，今已蹤跡莫明矣。熷鄉人某曾借錄此本，轉錄於聚珍本《解題》上。陳鱣客吳中時購得此借錄本，歸里攜示槎客。槎客乃跋之，並略考鄉人某借錄之時月，蓋在嘉慶（十年）乙丑（1805）二十五年前，即乾隆四十五年庚子（1780）也。由是可推知，槎客所藏舊鈔殘本，乾隆四十五年庚子間仍存陳梅軒處，惟自鄉人某借錄後，此本存佚則無可稽考矣。

至吳槎客此舊鈔殘本，究所鈔存者為若干卷，陳簡莊、吳槎客及吳壽暘諸人均未詳考及之。惟《拜經樓藏書題跋記》既云：「簡莊徵君復校補十數條，內卷十二至十四，卷十九至二十二，先君子曾得鈔殘本，手校於上，後以贈嘉興陳梅軒進士。」據此，則頗疑槎客此舊鈔殘本所存者，即輯本之內卷十二至卷十四，卷十九至卷二十二各類，亦即〈神仙類〉一卷、〈釋氏類〉一卷、〈兵書類〉一卷、〈曆象類〉一卷、〈陰陽家類〉一卷、〈卜筮類〉一卷、〈形法類〉一卷、〈醫書類〉一卷、〈音樂類〉一卷、〈雜藝類〉一卷、〈類書類〉一卷、〈詩集類〉二卷、〈歌詞類〉一卷、〈章奏類〉一卷、〈文史類〉一卷，凡為十五類十六卷，較之宋蘭揮所藏之二十卷本，稍少四卷。宋藏本〈楚辭類〉一卷、〈總集類〉一卷、〈別集類〉三卷為此本所無，而此本有之〈陰陽家類〉一卷，則為宋藏本所獨缺。宋、吳二家所藏舊鈔殘本有一共同點，即其存者皆為子、集之部，而經、史兩錄全缺。今宋藏本幸賴得木齋全部過錄，猶可綿延不絕於時；而吳藏本則已無所蹤跡矣。至梅軒鄉人、槎客、簡莊諸人所過錄之本，亦求而不可得。言念及此，乃不禁擱筆為之傷歎不已也。

然木犀軒過錄本《解題》中並無隨齋批注，疑宋蘭揮所藏舊鈔殘本原本亦如此。余頗懷疑宋氏所藏舊鈔殘本，其所依據者或為《解題》底本，或為傳鈔本；亦有可能此本即為傳鈔本之殘本。故其與《大典》本頗有異同，且若干類中所收書籍較《大典》本為多，足補《四庫》輯本之闕。至此本與輯本字句之異同，且若干類中所收書籍較《大典》本為多，足補《四庫》輯本之闕。至此本與輯本字句之異同，足資讎校，猶為餘事也。所可惜者，此一舊鈔殘本，其經、史兩部全缺，子部又少儒、道、法、名、墨、縱橫、農、雜、小說、陰陽等十家十類；然則王氏〈又與筱珊〉函中僅謂「子部少陰陽家一類」，殊未符此本事實，不意先謙此函所述亦偶有失檢之處也。

四　吳騫藏舊鈔殘本

吳騫為清代著名藏書家，《海昌備志》載其生平曰：

> 吳騫字槎客，號兔床，家新倉里。篤嗜典籍，遇善本傾囊購之弗惜，所得不下五萬卷，築拜經樓藏之。晨夕坐樓中展誦摩挲，非同志不得登也。得宋本《咸淳臨安志》九十一卷、《乾道志》三卷、《淳祐志》六卷，刻一印曰「臨安志百卷人家」，其風致如此。子壽照，字南耀，號小尹，乾隆丙午舉鄉試。壽暘字虞臣，槎客以宋槧《東坡先生集》授之，因自號「蘇閣」，取拜經樓書有題跋者手錄成帙，為《題跋記》。

同書中之《海昌藝文志》又載：

> 吳騫，仁和貢生。居邑之小桐溪，築拜經樓，貯書甲於一邑。又構別業於陽羨，搜討桃溪諸勝殆徧，與同里陳簡莊、周松靄諸君子日事校讎，不預戶外事。卒年八十一。

余讀吳騫《愚谷文存·桐陰日省編》下，亦云：

> 吾家先世頗乏藏書，余生平酷嗜典籍，幾寢饋以之。自束髮迄乎衰老，置得書萬本，性復喜厚帙，計不下四五萬卷。分歸大、二兩房者，不在此數。皆節衣縮食，竭平生之精力而致之者也。非特裝潢端整，且多以善本校勘，丹黃精審，非世俗藏書可比。至於宋元本精鈔·往往經名人學士賞鑒題跋，如杭堇浦、盧抱經、錢辛楣、周松靄諸先生，鮑淥飲、周耕崖、朱巢欽、張芑堂，錢綠窗、陳簡莊、黃蕘圃諸良友，均有題識，尤足寶貴。故余藏書之銘曰：「寒可無衣，饑可無食，至於書，不可一日失。」此昔賢詒厥之名言，允可為拜經樓藏書之雅率。嗚呼！後之人或什襲珍之，或土苴視之，其賢不肖真竹垞所謂視書之幸不幸，吾不得而前知矣。

觀以上各條所載，則槎客一生於書籍之嗜、求、藏、校，固可知矣。槎客一字葵里，陳鱣《簡莊綴文》卷三〈直齋書錄解題跋〉云：

> 近客吳中，從書賈購得《書錄解題》，係聚珍本，間有朱筆校語，初不知為何人，及閱卷之十二上有標題云：「借同鄉陳進士熷所藏海寧吳葵里鈔本殘帙校。」始知吾鄉槎客明經曾有舊鈔以遺秀水家效曾進士，而此君復轉錄於此本者也。惜乎僅題年月，不著姓名，觀其書法秀麗，精心好古，定屬雅人。會余歸里，携示槎客，一見心喜，如逢古人。既為重錄於盧抱經學士手校本上，余復借盧校本傳寫對勘一過，又改正數百字，並從《文獻通考》補得十餘條，凡黃筆者皆是，今而後庶幾可為善本。因念抱經學士已歸道山，效曾進士久患心疾，而槎客之年亦七十三矣。余得挾書往來，賞奇析義，能不欣感交至哉!

陳鱣此條所載槎客與《解題》之事亦甚可珍惜。

五　鮑廷博藏舊鈔殘本

盧文弨《抱經堂文集》卷九、〈跋〉二〈新訂書錄解題跋戊戌〉云：

> 此書外間無全本久矣，《四庫》館新從《永樂大典》中鈔出，分為二十二卷，余既識其後矣。丁酉王正，復得此書子、集數門元本於知不足齋主人所，乃更取而細訂之。知此書唯〈別集〉分三卷，〈詩集〉分兩卷，而其餘每類各自為卷，雖篇幅最少者，亦不相聯屬，余得據之定為五十六卷。元第〈詩集〉之後，然後次之〈總集〉，又〈章奏〉，又〈歌詞〉，而以〈文史〉終焉。其他次第，並與館本無不同者。其〈雜藝〉一類，較館本獨為完善，余遂稍加訂正而更鈔之。余自己卯先見集部元本，越十九年而更見子部中數門，則安知將來不更有並得經、史諸類者乎？取以證吾所鈔者，庶有以明吾之不妄為紛更也已。乾隆四十三年正月二十九日東里盧文弨書。

觀是，則盧氏曾得《解題》舊鈔殘本子、集數門於知不足齋主人所。知不足齋主人鮑廷博，字以文，清代著名藏書家，與盧抱經至相友善。盧氏另有〈徵刻古今名人著作疏〉，不見於《抱經堂文集》，其文略云：

> 吾友鮑君以文者，生而篤好書籍，於人世富貴利達之足以艷人者，舉無所槩於中，而惟文史是耽。所藏弆多善本，並有人間所未盡見者，進之秘省之外，復不私以為枕秘，而欲公之。晨書暝寫，句核字讎，廼始付之梓人氏。棗梨既精，剞劂亦良，以是毀其家，不卹也。

是以文耽文史，好藏書、校書，並及於剞劂可知矣，而其所刻亦至精也。至鮑氏之為人與行事，朱文藻〈知不足齋叢書序〉亦云：

> 吾友鮑君以文，築室儲書，取《戴記》「學然後知不足」之義以顏其齋。君讀先人遺經，益增廣之。令子士恭，復沈酣不倦，君字之曰「志祖」，蓋嗜書累葉如君家者，可謂難矣。三十年來，近自嘉禾、吳興，遠而大江南北，客有舊藏鈔刻來售武林者，必先過君之門．或遠不可致，則郵書求之。浙東西諸藏書家，若趙氏小山堂、汪氏振綺堂、吳氏瓶花齋、汪氏飛鴻堂、孫氏壽松堂、鄭氏二老閣、金氏桐花館，參合有無，互為借鈔。至先哲後人，家藏手澤，亦多假錄。得則狂喜，如獲重貨；不得，雖積思累歲月不休。余館於振綺堂十餘年，君借鈔諸書，皆余檢集。君所刻書，余嘗預點勘。余與君同嗜好，共甘苦，君以為知之深者，莫余若也。

趙懷玉〈知不足齋叢書序〉於以文行實亦有所增補，云：

> 鮑君以文識曠行高，自其先人即嗜文籍。君復勤搜遐訪，積數十年，家累萬卷。丹鉛校勘，日手一編，人從假借，未嘗逆意。既又以其異本刊為《叢書》，曰：「物無聚而不散，吾將以散為聚耳。金玉璣貝，世之所重，然地不愛寶，耗則復生。至於書，則作者之精神性命託焉。著古昔之晤晤，傳千里之忞忞者，甚偉也。書愈少則傳愈難，設不廣為之所，古人幾微之緒，不將自我而絕乎？乞火莫若取燧，寄汲莫若鑿井，懼其書之不能久聚，莫若及吾身而善散之也。」鮑君於是乎遠矣!

阮元〈知不足齋鮑君傳〉更謂：

> 高宗純皇帝詔開《四庫》館，採訪天下遺書，鮑君廷博集其家所藏書六百餘種，命其子士恭由浙江進呈。既著錄矣，復奉詔還其原書；《唐闕史》及《武經總要》，皆聖製詩題之。嘉慶十八年，方公受疇巡撫浙江，奉上問鮑氏《叢書》續刊何種。方公以第二十六集進，奉上諭：「鮑廷博年踰八旬，好古積學，老而不倦。著加恩賞給舉人，俾其世衍書香，廣刊秘籍，亦藝林之勝事也。」元案：君又號淥飲，世為歙人。父思詡，攜家居杭州。君以父性嗜讀書，乃力購前人書以為歡，既久而所得書益多且精，遂裒然為大藏書家。自乾隆進書後，蒙御賜《古今圖書集成》、《伊犁得勝圖》、《金川圖》，疊膺異數，褒奬彌隆。君以進書受主知，謂諸生無可報稱，乃多刻所藏古書善本，公諸海內。至嘉慶十八年，年八十有六，所刻書至二十七集，未竣，而君以十九年秋卒。

讀盧氏諸入所載有關廷博之一生行事，則廷博有功於學術，有裨於書林，蓋可知矣。知不足齋所藏《解題》舊鈔殘本，就盧〈跋〉所記，乃僅具子、集數門，而缺經、史二錄；至其集部次第亦與《四庫》輯本略異，即〈詩集〉兩卷後，次以〈總集〉，又次

〈章奏〉，又〈歌詞〉，而以〈文史〉終焉。至其他各類次第，則與輯本無不同；然其子部〈雜藝類〉則較輯本為完善也。抱經得此本在「丁酉王正」，即乾隆四十二年（1777）正月，蓋距其作〈跋〉之時僅一歲耳。所惜者，此本雖一時為盧氏所擁有，而今亦渺其蹤跡矣。

六　陳徵芝所藏鈔本

陳徵芝，字蘭鄰，福州府閩縣人。嘉慶七年壬戌（1802）科進士二甲七十名。為令浙江時，藏書甚富。其裔孫，名樹杓，字星村，嘗編有《帶經堂藏書目》五卷，民初間順德鄧實依原稿本刊印，為《風雨樓叢書》之一。《帶經堂藏書目》卷二〈史部・目錄類〉載：

> 《直齋書錄解題》二十二卷，鈔本，宋陳振孫撰。內〈楚辭〉一卷、〈別集〉三卷，從朱氏曝書亭影宋殘本錄寫；餘從文瀾閣纂輯《永樂大典》本傳錄。

是則此鈔本乃湊合曝書亭影宋殘本及《大典》本鈔錄而成。惟此鈔本有三問題必須略作考證者，其一即為此鈔本究寫成於何時？今觀《書目》末語「余從文瀾閣纂輯《永樂大典》本傳錄」云云，則其成書必在文瀾閣建就貯藏《四庫全書》之後。案：文瀾閣，乾隆四十九年（1784）就杭州孤山聖因寺藏書堂改建而成，是則此鈔本當成於此年之後。

其二則為此鈔本究寫成於何人之手？案：帶經堂所藏書，皆為蘭鄰官浙江時得之於王芑孫者。芑孫字念豐，號惕雨，一號鐵夫，又號愣伽山人，清長洲人，乾隆間舉人，家有淵雅堂，藏書甚富。譚獻《復堂日記》卷一云：

> 見陳氏《帶經堂書目》多有影宋鈔本，蓋黃蕘圃舊藏，後歸王惕甫。陳徵芝蘭鄰官浙江時所，又得之惕甫所，乃入閩。此其流傳端緒也。

據仁和譚氏《日記》所載，則此鈔本當亦購自長洲王氏。惟是否由王氏鈔成，或蕘圃舊藏，惜原書未見，取證不足，無由判決矣。是則此問題欲求答案，猶須俟諸他日也。

其三則為此鈔本其後之蹤跡。案：帶經堂所藏之書，陳樹杓身後散佚，大半歸周星詒；星詒之書，其後又歸蔣鳳藻。陸心源《帶經堂陳氏藏書目書後》有云：

> 《帶經堂陳氏藏書目》五卷。閩陳徵芝蘭鄰鑒藏，孫樹杓星村編次，原稿本，周星詒季貺、陸心源剛父批訂。陳徵芝蘭鄰以名進士為令浙江，藏書甚富。孫星村，名樹杓，亦善鑒別，編為《書目》五卷，手寫成帙，以就正於祥符周星詒季貺、歸安陸心源剛父。季貺、剛父為之刪訂添改，多有旁注眉批，皆季貺、剛父手筆也。季貺、剛父皆夙好藏書，素精目錄之學，此蓋其官閩時所手改。後陳氏

> 藏書大半歸之季貺，季貺挂誤遣戍，所藏遂歸吳中蔣鳳藻香生。

又考葉昌熾《藏書紀事詩》卷七〈周星詒季貺〉條云：

> 周季貺別駕，名星詒，河南祥符縣人。……季貺少籍華膴，收藏甚富。精於目錄之學，四部甲乙，如別黑白。筮仕閩垣獲譴，虧公帑無以償，亡友蔣香生太守出三千金資之，遂以藏書盡歸蔣氏心矩齋。……季貺書數十櫝，余在心矩齋盡見之，雖無宋元舊槧，甄擇甚精，皆秘冊也。尤多前賢手錄之本及名家校本，朱黃爛然，各有題跋，今散為雲煙矣。

觀陸、葉二氏所記，足見此《解題》鈔本當隨藏書由陳氏而周氏，由周氏而蔣氏矣。蔣氏心矩齋之書，葉氏《藏書紀事詩》謂「今散為雲煙矣」，而同書卷六〈蔣鳳藻香生〉條云：

> 同邑蔣香生太守鳳藻，家世貨殖，納貲為郎，嗣以知府分發福建，補福寧府。……君雖起自素封，未嘗學問，而雅好觚翰，嗜書成癖。在閩納交周季貺司馬，盡傳其目錄之學。……閩垣未經兵燹，前明徐興公、謝在杭，及近時帶經堂陳氏遺書，流落人間者，君留心搜訪，多歸插架。季貺絓誤遣戍，君資以三千金，季貺盡以所藏精本歸之，遂蔚成大國。……君少通侻，不矜細節，尤為里中兒所賤簡。聞君收藏書籍，譁然相告，引為破家殷鑒。及君歿，而市駿者懸巨金以求發篋，則又動色嗟訝。嗟乎！自蕘圃、香嚴，距今不過百年，何以風流歇寂，月旦舛淆，望影吠聲，群自居於原伯魯，亦書林之一厄也。

觀是，是香生既歿，亦即心矩齋藏書「散為雲煙」之時矣。

余考《藏書紀事詩》，原稿六卷，斷自香生為止，前有王頌蔚於光緒辛卯孟陬所撰一序。光緒辛卯，即十七年（1891），是香生病歿當略在此年之前。由是觀之，則此鈔本渺其蹤跡，及今又百三十年矣。

綜上所述，陳徵芝所藏《解題》鈔本乃得自王芑孫惕甫，書乃湊合鈔寫而成，故論其價值則未算至高。惟清末如繆荃孫、王先謙，及今人陳樂素、喬衍琯輩，均未知有此《解題》鈔本，用特考其寫成歲月與後人收藏蹤跡，揭之於世，庶可發潛德之幽光矣。

七　王懿榮手稿本

國立中央圖書館編印有《臺灣公藏善本書目書名索引》，其書著錄曰：

> 《直齋書錄解題》一卷，宋陳振孫撰。清編者手稿本，《觀我堂叢書》之一。中圖 1821

案：觀我堂乃王懿榮室號。《清史稿》卷四百六十八、〈列傳〉二百五十五〈王懿榮〉云：

> 王懿榮，字正孺，山東福山人。祖兆琛，山西巡撫。父祖源，四川成綿龍茂道。懿榮少劬學，不屑治經生藝，以議敘銓戶部主事。光緒六年成進士，選庶吉士，授編修，益詳練經世之務，數上書言事。十二年，父憂，解職。服闋，出典河南鄉試。二十年，大考一等，遷侍讀。明年，入直南書房，署國子監祭酒。會中東戰事起，日軍據威海，分陷榮城，登州大震，懿榮請歸練鄉團。和議成，還都，特旨補祭酒。越二年，遭母憂，終喪，起故官，蓋至是三為祭酒矣，前後凡七年，諸生翕服。二十六年，聯軍入寇，與侍郎李端遇同拜命充團練大臣。懿榮面陳：「拳民不可恃，當聯商民備守御。」然事已不可為。七月，聯軍攻東便門，猶率勇拒之。俄眾潰不復成軍，迺歸語家人曰：「吾義不可苟生！」家人環跽泣勸，厲斥之。仰藥未即死，題〈絕命詞〉壁上曰：「主憂臣辱，主辱臣死。於止知其所止，此為近之。」擲筆赴井死。先是，懿榮命浚井，或問之，笑曰：「此吾之止水也！」至是，果與妻謝氏、寡媳張氏同殉焉。諸生王杜松等醵金瘞之。事聞，贈侍郎，謚文敏。懿榮泛涉書史，嗜金石，翁同龢、潘祖蔭並稱其博學。

林申清所編《明清藏書家印鑑》則云：

> 王懿榮（1845-1900），字廉生，清福山人。光緒庚辰（1880）
> 進士。生平好聚舊槧古器碑版圖畫之屬。
> 觀是，可知王氏生平概況。考《明清藏書家印鑑》書中，收有「王懿榮」大小三方印及「福山王氏正孺藏舊」長方印，蓋懿榮字正孺也。

行文至此，忽念及中央圖書館之編輯《臺灣公藏善本書目書名索引》，其書中雖著錄有此手稿本，然編者竟不知「觀我堂」乃懿榮少年時室名，又未翻檢此本首頁右下角，即蓋有方型之「王懿榮印」，亦可算疏略矣。至喬衍琯先生曾較長期任職國立中央圖書館，惟其所著《陳振孫學記》，於第四章《直齋書錄解題》第二節〈傳本〉著錄中，竟缺少王懿榮此手稿本，殊可怪異。真治學檢書甚難，致令喬氏「睫在眼前看不見」耶！噫！固足惋矣。

以上有關《解題》舊鈔本七種，已作詳實考述。繼而略述「《解題》日本抄本」資料之獲悉。

近日有暇，閒逛二手書店。於九龍旺角西洋菜街梅馨書店購得北京圖書館出版社二〇〇二年七月刊印之《北京師範大學圖書館古籍善本書目》。返家急速檢閱，於該書頁一二二〈目錄類〉，編號一三〇三條有「《解題》日本抄本」之著錄，為之狂喜，此本固余前此未嘗知悉者也。茲先將該條資料影印本揭示於下，以告同道。

1303
直齋書錄解題二十卷
（宋）陳振孫撰
日本抄本
七冊
十三行，字不等，無格。鈐「激素飛清閣藏書記」、「星吾海外訪得秘笈」、「宜都楊氏藏書記」、「楊守敬」、「黃氏藏書」、「小野氏圖書印」、「緗盦圖書」等印。
善015.852/378-03

案：此條著錄《解題》日本抄本，謂全書凡七冊，每半頁十三行，每行字不等，無格。其下記「星吾海外訪得秘笈」、「宜都楊氏藏書記」、「楊守敬」，皆屬楊守敬之藏書印。守敬字星吾，清末民初大藏書家。至「黃氏藏書」，疑屬黃丕烈藏書印。《解題》日本抄本，其書或初藏黃氏，丕烈歿後書散，轉藏楊氏，故書上蓋有二家之印。「小野氏圖書印」，其小野氏，疑即小野節。北京圖書館出版社二〇〇〇年十月第一版林申清編著《日本藏書印鑑》，該書頁十一有「小野節家藏書」印，旁說謂「朱文篆方六分五厘」。至其右旁，則有印主簡介，茲謹將二者附載，以供參考。

> 小野節（1620-1688）更姓人見，通稱友元，號竹洞。江戶初期儒學者。師從林羅山、林鵝峰父子。藏書多善本佳刻，後多歸足利學校。

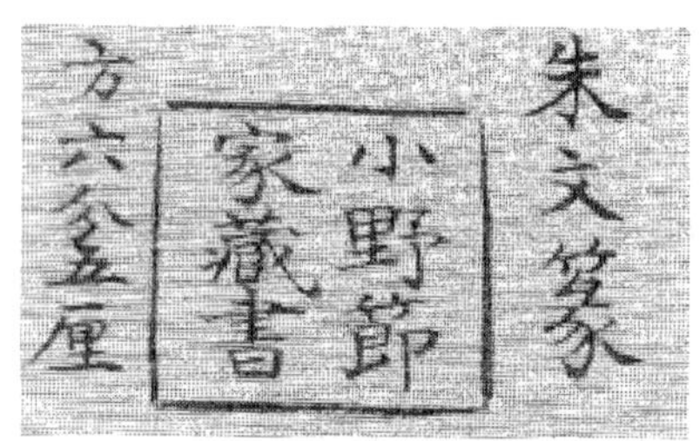

圖一　「小野節家藏書」印

至「激素飛清閣藏書記」、「緗盦圖書」二印，其印主為誰？余嘗細檢孫書安、孫正磊編著《中國室名大辭典》、林申清《明清藏書家印鑑》二書，一時未獲答案，容後續考。

有關北京師範大學圖書館珍藏《解題》日本抄本七冊事，前此陳樂素、喬衍琯二老固未之知；當世為《解題》全書作點校之徐小蠻、顧美華二位與曾撰作《陳振孫〈直齋書錄解題〉管窺》之張守衛先生似亦未知此事。至撰寫《陳振孫評傳》，現任教南京大學中文系之武秀成教授，於其著書中亦未嘗提及有《解題》日本抄本。故甚希望有後繼研究《解題》版本者，能親往北京師範大學圖書館借出此書影印，並設法版行，使之化身千萬，斯則對有志研治《解題》日本抄本者，受益無量矣！

大夢已覺，人才未備
——《香港華字日報》所見晚清學務的時論

鄭振偉
澳門大學教育學院

十九世紀末期，中國在列強的環伺下，不少有識之士提出各種救國方案，其中最突出的是強調教育的變革以開通民智。從洋務運動到維新運動再到八國聯軍後的新政，改革教育都是重要的內容。庚子新政，政府詔諭建設新式學堂、鼓勵出洋留學，但當時已不再只是廢除八股或改試策論，而是要徹底變革整個教育制度。光緒二十八年（1902）管學大臣張百熙（字冶秋，1847-1907）擬定《欽定學堂章程》，是為壬寅學制，雖然只是頒布而未有實行，卻是近代中國首個官方的學制系統。光緒二十九年（1904年1月）公布的《奏定學堂章程》，是為癸卯學制，其中包括了各類學堂的章程，另附有學校管理和教授法等。該學制一直沿用至一九一一年，其中包含學前到大學各級，有入學年齡的規定，有普通學校和專門學校的結合，有師範學校培養師資。張之洞（1847-1909）在〈變科舉〉提出「救時必自變法始，變法必自變科舉始」[1]，到光緒二十九年二月，袁世凱（1859-1916）和張之洞奏請遞減科舉，指出「科舉一日不廢，即學校一日不能大興，將士子永遠無實在之學問，國家永遠無救時之人才。……今縱不能驟廢，亦當酌量變通，為分科遞減之一法」[2]，遞減的用意自是要逐步以學堂取士取代科舉取士。十一月重訂學堂章程又有《奏請遞減科舉注重學堂片》，之後就是一九〇五年九月袁世凱以直隸總督北洋大臣身分聯合湖廣總督張之洞等聯名上摺，奏請立停科舉，以廣學校，上諭「著即自丙午科為始，所有鄉、會試一律停止，各省歲科考試亦即停止」[3]。至此，科舉制度從原來的改革一變而為廢除。

科舉取消以後，學部奏請裁撤各省學政、學務處等機關，改設提學使司。提學使司設於省會，原學務處改為學務公所，總理全省的教育行政事務，負責籌劃經費和管理學

1 （清）張之洞：《勸學篇》，見璩鑫圭、童富勇編：《中國近代教育史料匯編：教育思想》上海：上海教育出版社，2007年，頁108。

2 朱有瓛等編：《中國近代教育史料匯編：學制演變》上海：上海教育出版社，2007年，〈奏請遞減科舉摺〉，頁532。

3 朱有瓛等編：《中國近代教育史料匯編：學制演變》，〈會奏立停科舉推廣學校摺暨上諭立停科舉以廣學校〉，頁541。

堂。光緒三十二年（1906）四月，學部在〈奏陳各省學務官制摺〉規定在提學使司下設省視學六人，巡視各府廳州縣學務；各廳州縣設勸學所，以推廣普及教育，並設縣視學一人，常駐監督學務。[4]然而，對於學制的確立、行政的變革，以及取士制度的改變等方面，當時社會的輿論如何？清朝的最後十年，政府重視報章，辦理官報，光緒三十四年（1908）且頒行《大清報律》規範開設報館和發行報紙，有論者認為政府、官場、學界、工商界和農民對於報章的態度與往昔的改變極大[5]。就前四者而言，該文作者認為：政府已不再敵視報紙的意見和新聞記者，更有說兩宮常遍閱報紙，留心各省官吏是否賢能，政府諸公有老耄而目力不足的更有使人讀報而聽；官場大半已知報章的意見乃憑公理而非逞私見，故有以報章的記錄用於公牘；學界皆留意報章上的內政、外交和一切學務興革等事，天天讀報，並視之為求學急務；工商界亦留心報載的社會狀況、市面盈虧和商業發達與否，也關心時局。本文即嘗試整理《香港華字日報》所刊登的一些新聞和論說，藉此瞭解該時期社會的精英階層對於晚清學務的言論。該報在香港發刊，也在廣東省流通，除刊發中外新聞外，另闢有羊城或廣東新聞的版面，雖有地域限制，卻有不少批評政俗的文章，有敢言之譽，而其宗旨正是「外觀於世界潮流，內察乎國民程度，知非自強不足以自保，非開通民智無以圖強。……期以世界知識，灌輸於國人，以國內政俗，報告於僑胞，使民智日開，而奮其愛國之念」[6]，而這份報紙於一九一〇年也曾因言論幾乎被禁止在廣東發行。[7]

一　辦理學堂的建議

梁啟超（1873-1929）是廣州府新會縣人，早在《變法通議》便提出「變法之本，在育人才，人才之興，在開學校，學校之立，在變科舉，而一切要其大成，在變官制。」[8]八國聯軍以後，有識之士對於國家的急務是建設學堂亦有共識，有論者便提出推行新政要從源頭著手，共有四個方面，一是建學堂，二是正刑罰，三是謹關旅，四是裁官制，而該文作者並就學堂一項提出一套想法，認為國家得人則興，失人則敗，而得人必先善於取人，取人無法則真才不出。該文的作者以為自戊戌政變後，變八股而為策論並不足取，因為其中有不少冒名者，改變選取人才的辦法在於建設學堂，學堂又可以

4　璩鑫圭、唐良炎編：《中國近代教育史料匯編：教育行政機構及教育團體》上海：上海教育出版社，2007年，頁43-47。

5　〈論閱報者今昔程度之比較〉，《香港華字日報》，1906年7月4日。

6　陳止瀾：〈《香港華字日報》創辦以來〉，見廣東省政協文史資料研究委員會編：《香港報業春秋》廣州：廣東人出版社，1991年，頁26。

7　〈分別弛禁華字日報進口之詳覆〉，《香港華字日報》，1910年7月19日。

8　湯志鈞、湯仁澤編：《梁啟超全集》北京：中國人民大學出版社，2018年，卷一，《變法通議．論變法不知本原之害》（1896年8月29日、1897年9月15日），頁30-31。

分為鄉學堂、縣學堂、府學堂、省學堂和國學，在學堂中要設科考和明賞罰。該文的建議特別針對偽託的問題，提議入讀鄉學堂應先注明都圖（所屬鄉里）、年貌和受業師，掛號後鄉學堂須給掛號者拍照，其中一張交回他本人，當掛號滿五十人，督學司可以掛牌齊集，點名後即關門考試，親自坐堂督考，至多取錄五名，稱為「學生」，並將所取錄學生的策論刻出供公眾閱覽，受業的老師可獲銀一百元作鼓勵，自後由學堂供給學生讀書，就其所長分類而教，各精一藝以備應考。考入縣學堂的稱為「秀才」，百名考生中至多取錄三名，同樣有核實身分的程序，入學堂後准住三年，應考三次，未獲取錄的可重返鄉學堂，有重考的各種安排，而最後的出路是發給文憑後在村落間教學；督學司的黜陟則由學生的優劣來決定，有一名學生考入縣學堂可獲賞銀五百，如連續兩年沒有學生獲縣學堂取錄即開除。考入府學堂的稱為「舉人」，百中至多取三，同樣有核實身分程序，入學堂後准住三年，應考三次，未獲取錄的有相若的重考安排，也有既定的出路，縣督學司也有黜陟的相若規定。考入省學堂的稱為「進士」，百中至多取四，考入國學堂的稱為「翰林」，百中至多取十，其他如兩級的安排相若。自後國學堂各班翰林每年考一次，各班的首三名別為狀元、榜眼和榜花[9]。儘管上述建議並無涉及各學堂的教學內容，但各級學堂報名、取錄、學額、年限、出路、考黜等各方面均能綱舉目張。

二　學堂的腐敗和衰落

陸費逵（1886-1941）於一九一〇年曾撰文綜論晚清學堂的一些弊端，指政府興辦學堂成效未見，學堂風潮卻迭起，而學風浮薄反令社會人士視學堂為畏途。一般人多以為立法未善、行政不當、社會信用未孚致阻力多而助力少等原因，但陸費逵卻認為那只是部分原因，更為重要的是：（一）學堂設備不完善，包括校地、校舍和校具等；（二）管理不善，包括校務、生徒和衛生等；（三）教員學識和經驗不足。[10]有論者曾以自己在福建延平王故里的一段經歷調侃政府，該文作者看到該地雖處山區僻壤，但卻學堂林立，有蒙學堂、小學堂、中西學堂，滿以為祖國大有途，卻發現學堂內一片空蕩，既無教習，也無學生。作者向某舉人秀才鄉先生了解以後，才知道書院的門扁改為學堂的門扁後，學堂給予學生的津貼倍增，而牆上月考和歲考的學榜，仍多是出自一些善於經義辭章的「八股高手」，而學堂更可能是他們將來入學中舉點翰林的捷徑，作者反嘲「我輩不禁日向學堂二字而百拜首，曰朝廷之嘉惠士林，有加無已」。作者質疑政府興辦教育以培植人才的用心，原因有二。首先是那些封疆大吏和樞要鉅公或已窺破朝廷的旨

9　〈建學堂私議〉，《香港華字日報》，1901年2月28日；〈續建學堂議〉，《香港華字日報》，1901年3月1日。

10　璩鑫圭、童富勇編：《中國近代教育史資料匯編：教育思想》上海：上海教育出版社，2007年，陸費逵：〈論今日學堂之通弊〉，1910年，頁870-875。

意，人言辦理學堂，只要我亦云云便可，下級官員隨之附和，於是將書院的門匾改為學堂後即張大其詞，宣稱已設立若干學堂，再藉此濫支搜刮，中飽私囊，實際是教習和學生俱無。至於稍近都會的地方，也只會是如俗諺所謂「天地玄黃喊一年」那般，官員從不監督教學的情況，而從地方奉詔辦學以來，也未見有官員因辦理學堂不善而遭彈劾。[11]其次是滿人的一些言論，作者引剛毅（1837-1900，字子良，滿洲鑲藍旗人）曾言「學堂為養漢奸之地也」，又引端方（1861-1911，字午橋，滿洲正白旗人）曾言「我滿學生……尤不可不閱留學生漢人所出之報，閱報多則知其待滿之法以抵制之」，又引述福州某督撫曾言「遊學何用，不過多幾個漢奸耳」。由於時勢所迫，清政府不能禁止國民設立學堂，又不能禁止國民遊學，於是採用委蛇籠絡的策略，設立一些腐敗的學堂，聘用一些頑固的教習，這樣也遠勝於任由國民自設學堂而無法控制。作者對於國家阽危和強鄰環列的局面，引述吉田松陰（YoshidaShōin，1830-1859）之言「打破局面，徐圖布置」，又引述馬志尼（GiuseppeMazzini，1805-1872）之言「教育與暴動並行」，作者並不懷疑救國之道宜從新民入手，但時局並不容許要用上數十年時間才有效的教育來補救，改變從少數下手者易，從多數下手者難，言補救不先從少數和短時的政府入手而只從多數和漫長的學堂入手，是倒果為因，於祖國之亡無補。[12]該文談及滿漢之間的矛盾和官吏的敷衍塞責，吉田松陰是明治維新思想的開拓人，梁啟超認為「傾幕府，成維新，長門藩士最有力焉，皆松陰之門人也」[13]，吉田松陰敢為天下先，犧牲個人而成就天下，而馬志尼則是梁啟超《意大利建國三傑傳》的其中一位人物，「倡革命，倡共和……故論意大利建國之功，首必推瑪志尼」[14]。該文作者隱然有認同採取極端方式來達到目的的想法。

〈中國學堂弊病說〉是另一篇痛陳官辦和私立學堂流弊的文章。封疆大臣是奉諭旨辦理官辦的學堂，所以能夠在地方搜刮學款，教習、總辦又或提調等官員待遇優厚，學校能開設方言、歷史、輿地、算學和體操等課程，表面上頗具規模，但勝任與否則不遑計。學堂的考試不是查考學問，反而是查考推薦學生入學堂的背景勢力，以追名逐利。學生不重視考試成績，反倒是注意自己洋派的形象，並以某官學堂學生身分自居，但上課時卻敷衍，甚至聯群請假外出，有與流氓同行滋事，有到娼樓妓館。如總辦提調干涉，則肆無忌憚地在學堂內聚眾喧鬧，總辦提調因衣食生計攸關又只能掩耳盜鈴般不聞不問。至於私立學堂，除卻少數由中西學術兼優的愛國志士所倡辦的以外，其他無知之徒表面是創辦堂以開通風氣，實際是謀取學費和膳宿費等收入，以贏利為目的。對無知之徒而言，學堂只是逐利之場，完全不顧監督的責任、教習的義務和學生的功課。作者

---

11 思救世齋主：〈急設民立學堂與取法所宜〉，《香港華字日報》，1905年6月28日。

12 思救世齋主：〈急設民立學堂與取法之所宜（續稿）〉，《香港華字日報》，1905年6月29日。

13 《梁啟超全集》，第二集，《自由書・成敗》（1899年8月26日），頁43。

14 《梁啟超全集》，第三集，頁502。

向三方提出忠告：「主教育權者勿徒視學堂為美差，上下蒙混，為搪塞詔咨之舉；其私立者勿徒視學堂為商賈之地，作欺人自欺之事；其學生勿徒視學堂為進身之階，隨群逐隊，聞鈴上堂，負此如荼如火之韶光。」[15]

學堂的腐敗與學堂風潮不無關係。從一九〇五至一九一一年，北京和全國二十一個省份的學堂風潮共有三百四十七次，其中廣東占十五次。[16]有論者指學堂有三類風潮，即鬨堂停課、全體解散和中途放棄，結果是有學生半途放棄後改入書塾，也有新舊學一併放棄，改習洋文。該文的作者並提出救弊的五種方案。一是宜甄別教員，某些學堂教員上課時出現的種種訛謬早已傳為笑柄，故提學官應加以甄別和淘汰。二是宜訂定教科書，不少學堂教科書僅藉版權圖利，內容襲謬沿訛，故須有人區別和訂定。三是宜慎選管理學堂庶務的人員，學堂有一半的肆鬧是緣於供事的下人，起因可能只是飲食方面的小問題，又或是管理苛刻而出現事端，激發學生憤懣後又採用強行禁制的高壓手段。四是宜多委派通達的人當勸學員，學務有賴辦學者主動，更有賴勸學員的幫助，遇事時能排難解紛、據理力爭和大公無私。五是宜嚴定對調查學務人員的處分，改革和振興學務須依靠查學員執行他們的權責，但有些查學員不問學堂的功課而只問學堂的環境（如光線和空氣流通等），有些則對於學堂的功課和一些宜更替和整頓的事情草草了之，結果是一省的提學官無「所憑信以操縱其興替學務之權」，因此向稽查不全面和報告失實的查學員依法問罪，能使他們悉心辦事。[17]

關於廣東省的風潮，或可舉兩例作說明。一九〇六年十月報上有關於時敏學堂罷課的消息，原因是三名學生向督請求添購喇叭和添聘體操教員，監督回應沒經費，學生卻要求核算堂費。學生認為學堂招收新班後共三十名學生後應有六百元學費進帳，故認為沒經費有欠公允，於是全堂集議罷課，學監飭令三名學生停課出堂後，群情更加洶湧，無法調停，時敏學堂的董事只好向提學司請為懲究。[18]又廣府中學堂的風潮，事緣監學謝利行因為戊班和己班學生喪假逾期，學生遭記過處分，全堂學生認為不公平，學監為息事，於是將有關的記過注銷，但學生認為不斥退監學，恐貽後患，於是集議籌款數百金，準備抗爭，並同時向廣府和提學司呈稟，又向學部拍發電報，結果是堂中教習以風潮劇烈，全部告假停學。監督邱逢甲（1864-1912）勸諭學生照常上學，但對於戊己兩班學生則置之不理，並有意全部斥退。[19]各省學界風潮迭見，亦曾引起北京學部的注意，並且酌定辦法，即使最終散學或停課，仍須詳查案情，如是監督教習確有不合則懲辦監督教習，如是學生鬨鬧則懲辦學生。[20]

---

15 〈中國學堂弊病說〉，《香港華字日報》，1906年6月30日。

16 桑兵：《晚清學堂學生與社會變遷》桂林：廣西師範大學出版社，2007年，頁166。

17 亞黃：〈論廣東學界亟宜籌救弊之法〉，《香港華字日報》，1907年3月30日、1907年4月1日。

18 〈時敏學堂罷學之原因〉，《香港華字日報》，1906年10月23日。

19 〈廣府中學退學風潮紀聞〉，《香港華字日報》，1906年12月14日。

20 〈學部注意學界風潮〉，《香港華字日報》，1906年7月6日。

三　廣東學務的落後和退步

岑春煊（1861-1933）於光緒二十九年（1903）調任兩廣總督，主政三年，有論者以為廣東在學務方面的發展，與其他各省比較下瞠乎其後，責任全在岑春煊。查當時廣東省會的官立學堂只有廣東大學堂、武備堂、水陸師學堂和師範學堂，該文作者舉出四項令廣東人疑惑和埋怨的事情：（一）岑春煊主政廣東後從各方搜刮的學款不下數十萬金，但就只設立了一所師範學堂，而學務處的總辦卻坐支月薪高達八百兩；（二）師範學堂的某些預算過高，如一座秋千架須費五百金，粉塗墻壁須費八百金；（三）廣東不缺人才，但師範學堂的教習除算學教習為粵人外，其他教習皆來自他省，言語不通，學生無從受益，故大抵為薦遞私人的陋習；（四）各府州縣奉詔督令興辦學堂，亦以之作評核官員的表現，南海本是廣東的首縣，順德和三水二縣也富足，但全都未有設立縣學，但岑春煊卻未有問責或懲辦地方縣令。[21]前文談的主要是官學的情況，該作者另有後續兩篇談論國家對於民立學校的支援問題。地方興學的資源須取給自地方的公款，而公款多涉及劣紳的利益，受損者自然造謠毀謗，阻撓公款用作辦學。岑春煊成立學務處之初，深知其情如此，故曾宣言「兩廣學務處權力之所及，即兩廣總督權力之所及，有敢阻抗必以此權力懲之」，結果其行事卻令稟請興學的人灰心。究其原因，是岑春煊在處事上未有言出必行。當一些已獲嘉許和批准的辦學章程受到頑劣者揑造罪名攻訐時，在沒有查察的情況下便要重新審查稟請人品行的優劣和所擬定章程的良否，當知道是失實和冤枉時，對有意阻撓的人卻又只是以空言責備而不作懲辦，即使飭縣究辦，結果也是讓雙方對簿公堂。一些州縣官員見阻撓辦學的事情最終不過爾爾，態度自然輕忽，更甚者是受賄阻學和仇陷興學的人；一些頑劣者更是肆無忌憚，毀校鬧學，搶掠的事情每月都有數次，高要縣的興學者曾被刺，番禺縣更曾釀出命案。作者認為這些禍端，主政者難辭其咎。該文最後談到遣派留學生數量遠不及全國其他各省，直隸、湖北、江蘇諸省的數量不用說，即使較守舊的湖南也派遣了六百餘人，四川有三百餘人，雲南地處僻瘠也有百餘人，但岑春煊蒞粵三年只派百餘人赴日本，並且只是速成科，往歐美的只有二十餘人，且規定不得習政治，又這百數十人的名額更有部分被來自其他省份的宦遊子弟佔去。最後，作者歸因於岑春煊幕府中人官場習氣極深，學識淺陋，公益非所措意。另外就是廣東吏治積疲不振，岑春煊並無整頓之方。[22]

另有一文談到粵省教育退步的各種情況——私塾充斥，學徒眾多，學堂衰落，學生寥然。作者列舉出四方面的原因。第一，也是最重要的原因，是學堂管理人員的問題。私塾的教法並無新章，雖然學究，但在約束方面甚嚴，就學者不失謹慎誠實，但學堂的

21 〈論粵東學務〉，《香港華字日報》，1905年6月27日。

22 〈論廣東學務〉，《香港華字日報》，1905年7月3日、1905年7月4日。

教習，雖使用部定的講義，但管理則從略，由是學生日漸輕薄放蕩，學生的父兄對學堂因此失去信心。第二，是學費重，學期長。由於送子弟入學者，總的想法是他們能夠盡快騰達飛揚，但初等小學五年，高等小學四年，已要用上九年的光陰，學費、堂費、書籍、筆墨、衣服、鞋帽等支出，又要有志願書和擔保人等以確保學生不半途退學，入學之始即須應允留在學堂五年，否則追繳學費。因此，父兄們寧可乞靈於守舊塾師，期望子弟能識字，能於日後謀生。兩等小學已經要用上九年時間，如果加上中學五年，全省的高等和預備又需五年，京師大學又需三年。時間長，經濟負擔重，再加上難以卒業和有追繳學費的憂慮，學堂也就更令人卻步。第三，提學司不揣其本而齊其末，尸位素餐，不謀進步。提學司雖然通飭各方官員督同各屬勸學所員紳，分定區域，廣派職員，遵照勸學所定章推廣學務，並要求認真勸諭，然而提學司本負責全省學務，平日卻不巡視各學堂，又不考核其管理，於可者沒獎勵，於不可者又沒要求改良，以為一紙空文即可了事。一些窮鄉僻壤連提學署也不知道，遑論興學。第四，負責興學辦教育的各級人員推卸責任。學堂太多，有意見認為提學司不可能依循從前學政的那種巡試的舊例（三年之內，巡試各屬兩次），地方官員理應督倡學堂，勸學員理應勸諭開導。然而，地方官卻如提學司那般卸責，勸學員又與從前的教官相差甚遠，難望其振士風興學務。提學司將責任推給地方官，地方官將責任推給勸學員，勸學員藉其權力又將責任推回地方官和提學司，結果是全省負責興辦教育的人員，自上而下，俱若無事之人，在粵城勸學總所，那些地方官員根本甚麼都沒有做。作者的結論甚為悲觀：

> 夫管理無法，則學堂名譽不如私塾，退學安得不多；期長費重，則作學生易，為父兄難，就學安得不少；至於提倡無責，勸諭無人，則成立者固易崩，發起者更難有望。以云普及，俟諸何時？統觀近日粵省學務情形，竊以為無望推拓也，亦無望普及也。[23]

周馥（1837-1921）於光緒三十二年調補兩廣總督，十二月初九日的上諭便明說：

> 近聞廣東學堂頗多辦理不善，著周馥飭提學使認真整頓，毋稍瞻徇，務令講求實用，力戒浮囂，以副朝廷興學儲才之至意。[24]

上文的作者客星亦曾慨嘆在廣東開辦存古學堂。存古學堂原是湖廣總督張之洞為保存國粹而奏設，並奏請在各省一律仿照辦理，以延續正學而鞏固邦基。[25]儘管該學堂的課程「略兼科學」，但存古學堂的設立與當時建設學堂的大方向是背道而馳的。作者認為在經費維艱的情況下，國家所需要的是要能培養聲光電化等新學的人才的專門學校，而不

23 客星：〈論粵省教育退步之原因〉，《香港華字日報》，1908年5月7日，1908年5月8日。

24 〈諭旨補錄〉，《廣東教育官報》，第4期，宣統二年（1910）五月，葉8下。

25 （清）張之洞：〈創立存古學堂摺〉，《中國近代教育史資料匯編：教育思想》，頁114-118。

是保存經史詞章之類的國粹的舊學堂。文章的論點很直截，「學而無用，何貴設此學堂」。當日在社會上夠得上「存古」的人，無法養活自己和家眷者，比比皆是，國家的各個部門和官署所需的並不是存古學堂要培養的人才，這是經費和效益的問題。何況當時的廣東並不缺乏「存古」的人，反是缺乏「通今」的人。國家急務是「輸入歐化」，所以存古只會窒礙學堂的發展。作者的結語是，主持學務的人不明白自己的責任，而如果能將經費和校地等資源用於興辦郡城各地的初級小學，當可開設十餘所，收效亦將是百倍十倍。[26]

四　廣設小學堂

前文已談及廣東學務不及當時全國其他各省。一九〇五年四月，管學大臣張百熙曾有咨文到粵，飭各府州縣廣設小學堂，以增進國力。該咨文提及初等小學堂為「養正始基」，東西各國適齡兒童如不入學，父母有罪，稱為「強迫教育」。該咨文提到地方有遵旨籌辦學堂，但推卸敷衍者亦所在多有；地方縣屬有未明白宣示奏定學堂的宗旨，以致某些地區出現疑慮，而有辦理不善者又招致學界的指摘。該咨文又提到學生的管理問題，大意是因為小學堂沒有合格的畢業生，以致往上的學堂所取錄的學生多是原習詞章的學生，不曾受學堂規條約束，行為言論往往不知分寸，而如果所有學生都由小學遞升，知道學堂的規條，約束管理便不難，[27]這似是回應各地學堂的風潮問題。〈論廣設小學堂之益〉一文應和張百熙的咨文，指當時廣東各省府州縣學堂仍然甚少，作者以為中國四萬萬人，「其堅執自是愚拙蒙昧者居其半，狡猾譎詐者又居其半，其戇直樸誠精明強幹者不可多覯」，原因是自幼失學，沒有父兄之教在先，社會上又甚少合群討論的風氣。而作者的提議亦正是如咨文所說的「強迫」，必須強迫各處都會鄉邑舉行團體之會，使百姓清楚知道愛國，並應遍設小學堂，定出功過賞罰的規則，做好教學和考核，十年後便能有所成。待初階學堂廣開以後便可繼續設立中學和大學，至於負責教學的必須通曉時務，而官紳因私人情面用人最足敗事。[28]該文作者於日俄戰後亦曾撰文表述相同的論點，「如欲變法自強，當盡力以興小學，務使通國窮鄉僻壤無不設立童蒙書塾」。[29]後同年九月，又有報導學務大臣咨文催促廣東各府廳州縣一律舉辦官立蒙小學，並勸地方紳士設公學和私學，然後再陸續辦理中學高等各學堂，並嚴札各縣屬限期舉辦。[30]

多設鄉學的言論出現甚早，有論者即以為在「通都」（大城市）設一學堂，不如在

26 客星：〈聞廣東存古學堂將開學感書〉，《香港華字日報》，1908年6月6日。

27 〈管學大臣欲使廣東普及教育〉，《香港華字日報》，1905年4月5日。

28 匏老：〈論廣設小學堂之益〉，《香港華字日報》，1905年4月8日。

29 匏老：〈論日人公憤至於暴動〉，《香港華字日報》，1905年9月15日。

30 〈咨催速辦蒙小學〉，《香港華字日報》，1905年9月2日。

「內地」（相對於「通商口岸」以外經濟和文化水平低的地區）設一學堂，於城中設一學堂，不如在鄉間設一學堂。該文將政治與教化分別視作外治之術和內治之術，外治之術關乎詔誥號令，由上而下，而內治之術關乎人心風俗，由下而上，「欲變化其國法，改良其氣質，增長其智慧」，須從鄉學開始。這時候剛是義和拳亂之後，作者指在京師和通商大埠有大學堂，但在內地閉塞者如故，在城邑有知識的人能讀報知時事，但鄉間的人仍然野蠻如故。士大夫日談新學，但鄉間如不設學堂，中國始終不會有文明，沒有文明就沒有太平。至於經費，可使用舊有的義塾，又或興三數房屋，各能容下十餘人即可，一年需二、三百金，再節省一點還可以開設更多。作者的建議是暫於三年中不收費，或酌量減收，八歲以上不入學者受罰，課本的內容不奢求聖賢經傳，普通知識便可，學生如能完成學業，就能略明史事地理修身的大要，淺近的格致，通俗的文理。這些人能服務於農工商業，國家就能蒸蒸日上。作者建議有志之士，如憂心國亡、身役、種滅而想設立學堂以開智，應到鄉間去。[31]

《奏定學堂章程》有蒙養院，保育教導三歲以上至七歲之兒童，但有論者指當時各省辦理的學堂並不是從改良蒙小學開始，而是將注意力集中於高等小學以上的程度，高等小學以下之學堂只有初級小學，又將蒙學和小學混而為一，入學年齡以七歲為始，七歲以下入幼稚園，但當時各省就只有張之洞曾倡議設幼稚園，但又因辦理為艱而停歇。作者客星認為培育人才計，中學以上的學堂不可不設，但為完備教育計，七歲以下之幼稚園不可不興。沒有幼稚園培養七歲以下的幼童，日後就沒有好的初級小學生，各省辦理學務的人沒注意初基的重要性，反而耗費鉅款於有名無實的中等以上學堂。作者認為與未來關係最大的是少年人，但國家卻養育無方。中國女學不昌，便難言家庭教育，蒙學不講即失其養正之基，官吏不提倡，地方不知建設，只是自誇某學為中等某學為高等。[32]

一九〇五年的日俄戰爭以俄國戰敗而告終，達壽（1870-1939，滿洲正紅旗人）考察日本憲政，以「非小國能戰勝於大國，實立憲能戰勝於專制」[33]，由是立憲之議於數月間遍及全國，光緒三十二年（1906）七月頒布《宣示預備立憲先釐定官制諭》。[34]然而立憲一事，如梁啟超所述，「必民智稍開而後能行之」。[35]有論者以為社會底層民眾識字仍然是個問題，能夠閱讀白話報的人寥寥無幾，而熱心教育者提倡用演說和宣講的辦

---

31 〈論中國內地宜多設鄉學〉，《香港華字日報》，1901年7月1日。

32 客星：〈論各省辦學宜多設幼稚園〉，《香港華字日報》，1906年9月4日。

33 達壽：〈考察日本憲政情形摺〉，見故宮博物院明清檔案部：《清末籌備立憲檔案史料》北京：中華書局，1979年，頁29。

34 賴駿楠編：《憲製道路與中國命運：中國近代憲法文獻選編1840-1949》北京：中央編譯出版社，2017年，上冊，頁274。

35 梁啟超：〈立憲法議〉（1901年6月7日），見《梁啟超全集》，第二集，頁282。

法，但講演能只開發心思，無法開啟民智。查光緒三十一年（1905），清政府為預備立憲特設立「考察政治館」，後慶親王奕劻（1838-1917）等於一九〇七年奏准改「考察政治館」為「憲政編查館」，並擬定章程。宣統元年（1909）清政府學部頒布《簡易識字學塾章程》，飭令各地開辦，為失學及貧寒子弟無力就學者而設，課程有《簡易識字課本》、《國民必讀課本》，並可酌授淺易算術（珠算或筆算），修業年限以三年以下一年以上，分官立、公立和私立三種，不收學費。作者春星在文中就認為「憲政編查館」逐年所籌備的事項以「簡易識字學塾」與憲政的關係至關重要。由於小學有入學的年齡限制，課程又太多，一些年長和有職業的人並無入學資格，由是風氣沉涸，閉塞如故，社會上出現種種不文明的事情，致預備憲政大受影響。該文的建議是：

> 不必先從通都大邑辦起，不論何鄉何里，有欵可籌，立令開辦，即創始時小有不合格處，亦所不問，候陸續設成後逐漸改良。蓋基址已立，有進無退，衹患其不多設，不患其不合格也。至塾師一層，亦不必太過苛求，教一字得一字之用，若開辦時多所挑剔選擇，反於教育普及上增無限阻力耳。

文中的觀點大意就是辦事不必求齊整完全，在財困的情況下，變通是必須的，不必堅持先讓通都大邑有完整的組織和無人不識字，然後才推廣至窮鄉僻壤，否則只會是遲誤光陰。由於窮鄉僻壤識字的人少，更宜從速開辦。至於未曾編齊頒發的一些課本，亦可先由各省自編通行課本作暫時授課之用，不必拘泥，待有部本以後可再行更換。[36]

五　結語：廢除科舉以後

袁世凱等於一九〇五年九月二日會奏請立停科舉，清政府的〈即停科舉上諭〉於九月六日便已在《香港華字日報》上刊登，[37]九月八日便有〈論停止科舉〉一文，申述「不裁科舉則學堂不興」的勢不兩立的觀點，[38]該文大意指科舉美其名是選拔人才，實際是英雄豪傑的牢籠，但認為即使在專制政府下沒有民權，取消科舉至少堵塞了一個禍害同胞的陷阱，而奏停科舉一事快心豁目，袁世凱更得「奏停科舉」的美名。[39]然而，

36 春星：〈論簡易識字學塾宜於鄉間先開辦〉，《香港華字日報》，1909年10月19日。

37 〈請立停科舉推廣學校並妥籌辦法摺〉在《香港華字日報》9月19日至21日連續三天刊完。

38 更早的觀點見於〈論學堂科舉並行〉，《香港華字日報》，1903年9月9日。該文作者不認為學堂與科舉可以並行，作者認為即使科舉改試策論經義，所培養的人也只會是博古而不通今，故此更應將兵刑錢穀等學分門別類，選取有才智的人入塾學習。作者又憂慮經由兩個途徑出身的人未能同心同德為朝廷効力，而科舉出身的人遠多於學堂出身的人，後者亦難有機會受到重用。又中國政治農工商賈各界過去未有設立學堂培訓人才，因缺乏人才以致數十年來不斷吃虧，到設立學堂以後，學習者又因造詣不精，並且樹黨與國家為敵，最終連累維新人士。

39 獨立：〈論停止科舉〉，《香港華字日報》，1905年9月8日。

立停科舉之詔仍然留有尾巴，那就是停科舉的奏摺內有「十年三科之內，各省優貢照舊舉行，己酉科拔貢亦照舊辦理」，為士子留點出路，有論者以為這個做法「非所以保士子實以害士子」，原因是十八省有三十萬士子，優拔獲選者至多三四百人，名額根本不足分配。如果仍然保留優拔的做法，學堂的教習和學生難免心有旁騖，課程難免鬆懈，學堂雖可禁止學生應試，但更直截的做法是取消優拔之途，讓士子專精於一途，至於為士子這樣謀出路也不合，一切應順乎物競天擇和自然淘汰的規律。[40]本文從《香港華字日報》選取了一些論說文章，藉以呈現清朝最後十年社會上關於學務的一些觀點，其中有關於興辦學堂的建議、學堂腐敗和衰落的闡述、廣東學務落後和退步的分析、廣設小學堂的建議等，這些論點大致能顯示廢科舉興學堂並不是出人才的靈丹，學堂的發展存在著各種各樣的問題，而本文或可補各類教育史料匯編所未見的一些論述。

40 〈論裁優拔以絕根株〉，《香港華字日報》，1905年10月9日。

士民之責　書香濟世

——徐樹蘭、徐爾谷家族研究

蔡　彥

浙江省紹興博物館

一　徐樹蘭及棲鳧徐氏

據《民國紹興縣誌資料第一輯・人物列傳》：

> 徐樹蘭，字仲凡，號檢庵，山陰棲鳧人。光緒二年舉人，授兵部郎中，改知府。以母病，歸不出，旋以地方公益自任。光緒二十八年五月卒，年六十五。

《紹興白話報》是紹興歷史上第一張報紙，由光復會、同盟會會員王子余創辦於光緒二十九年（1903）閏五月十五日，除在紹興發行外，還在北京、上海、杭州、寧波、福州設發行所。其第一四七期「追悼詞」把徐樹蘭稱為「頭一個提倡維新的人」。徐樹蘭一生有影響的事蹟大致集中在興農和教育上。

徐樹蘭家族世居紹興城南棲鳧村，先世故清寒，以農儒繼業。目前尚存有徐公橋、三接橋、新老台門、徐家洋房等遺跡。據《民國紹興縣誌資料第一輯・民族》：「棲鳧徐氏，先世居淮上。有名處儀，字尚威者，宋崇寧初進士，官給諫。建炎間與兄處仁，扈蹕南渡，同居山陰之項裡。其裔名德明，字大宏，由項裡遷居山陰之棲鳧村。選舉表中之徐樹蘭、徐維則，其裔也。」清末紹興徐氏分項裡、棲鳧、下方橋南瀚、東浦、安昌、履橋、下徐等十四支。大弘公徐德明為棲鳧第一。徐樹蘭之父雲泉公系徐氏第二十四房，其人「敏練，善商戰，贏得過當」，家境漸臻殷實。在咸豐八年（1858）遷至府城大坊口，同治七年（1868），又於水澄巷購地建房。十一年（1872），徐樹蘭遵父命「築徐氏義塾於郡城古貢院，名曰『誦芬堂』，延師以教族之無力者。」徐樹蘭講求畫學，胞弟徐友蘭（過繼給懷瑾公）頗耽吟詠，於是在其右「別構精舍」共讀，自謂「自戊辰以來同居三十年，門庭肅雍，長幼秩序，水澄之徐最所稱道」，為清末紹城徐、李、胡、田四大家之一。光緒二十八年（1902）五月樹蘭卒，其後友蘭乃命其子維則偕弟滋霖別賃老虎橋，至此，昆弟始分家。

徐樹蘭長子徐元釗，字吉蓀，晚號逷園。光緒戊子科副貢，司鐸台州太平，推升河南靈寶知縣。因與太平軍作戰不力被革職。宣統元年（1909）短暫出任浙省諮議局議員。

徐元釗是錢玄同的父親錢振常在執教紹興龍山書院時的好友。光緒二十二年（1906），錢玄同由自己哥哥錢恂做主，與徐元釗女兒徐婠貞成婚。婚後錢玄同赴日本早稻田大學留學，開始致力於文字學、音韻學、訓詁及《說文解字》研究，廣泛結交革命志士和大批追求新思潮的青年。光緒二十三年（1907）加入同盟會。一九一三年十月十六日，徐婠貞在紹興棲凫家中生下他們的第四個孩子「秉穹」，日後的「兩彈一星」元勳錢三強。第二年，徐婠貞隨錢玄同搬往北京。「我們家在北京住了二十多年，搬了七次家，原因總起來不外乎三種；一、逃難；二、子女病死；三、為了子女就近讀書。」[1]一九八一年一月十八日，錢三強應《浙江日報》約稿發表署名文章《寫給故鄉的話》：

> 不論是在他鄉學習的時候，還是在異國漂泊的日子，不論是在法國居裡實驗室裡，還是在回國後領導科研的工作中，（紹興）故鄉總是時時牽動著我的心。

第二年六月時日，在一封給娘舅徐世燕的信中，錢說：

> ……你的名字，我還有些印象，但是那時我們只有六七歲。解放後，在黨的領導下從事科學院的改組工作和原子核科學的培養隊伍的工作。——直到打倒四人幫，才能在科學事業上做點事，浙大校長事也是這個時期產生的。……從你信中知道你在這六十年中經過了不少曲折，但解放後一直在銀行工作中為人民服務，這也是很可喜的事，你有三兒一女，都已成家立業，晚景也可告慰了。……

徐元釗工詩古文詞，著有《遏園詩草》。今杭州岳王廟、紹興戒珠寺都留有其撰寫長聯。次子徐爾谷熱心新政，從商。三子徐嗣龍，一九一三年在紹興組織自由黨。四子徐維烈事蹟未詳。二十七世後徐氏散居紹興、北京、上海、杭州、武漢、蘭州、衢州、新竹、休斯頓（美）、坎培拉（澳）等。

棲凫徐氏（二十一世～二十七世）簡表[2]

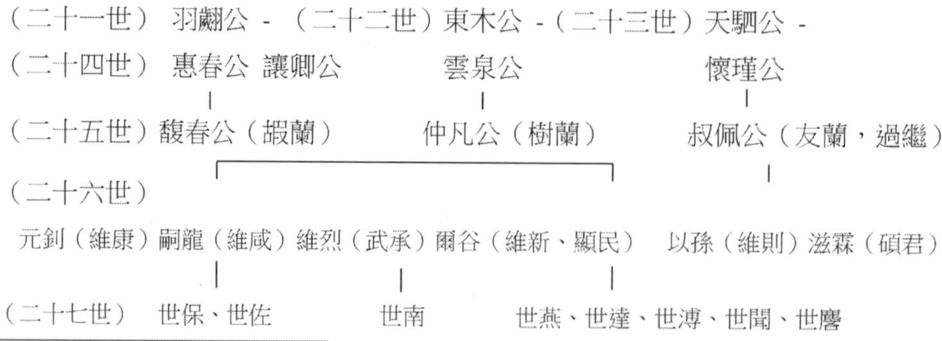

1　錢秉雄：〈片斷回憶——憶父親錢玄同〉，見中國人民政治協商會議北京市委員會文史資料研究委員會編：《文史資料選編》，第32輯，北京：北京出版社，1987，頁223。

2　徵引自《浙江紹興棲凫東海堂徐氏宗譜》。

二　次子徐爾谷

一九一五年九月三十日的一份《署浙江巡按使屈映光敬舉人才呈》中，將徐爾谷履歷講的清楚：

查有前清直隸候補道徐爾谷于光緒年間曾在上海創辦農學會，並編譯農學報，為改良農業之倡。經前湖廣總督張之洞委充督署文案，並派赴日本考察農商事務。回國後，委辦湖北農務局，規劃一切、條理井然。嗣經浙撫委辦山會蕭三縣水災義賑，並建築沿海沙地堤埂，保全甚大。其後沙田清丈事宜並資得力。該員氣度安詳、心思明敏，而辦事尤切實。……映光為敬能員以備任使起見，是否有當。伏乞大總統鈞鑒訓示。……均著交政事堂存記。此批。中華民國四年九月三十日。國務卿徐世昌。[3]

農學會亦稱「務農會」。甲午戰爭後，民族危機加劇，愛國志士奔走呼號，謀求救亡圖存的辦法，紛紛組織學會，這年八月康有為等首先在北京成立強學會，出版報刊，宣傳鼓吹變法圖強，繼此之後，很多地方都成立學會。一時學會風起雲湧。光緒二十三年（1987），羅振玉、蔣黼、徐樹蘭、朱祖榮於上海創設的農學會是這時期成立起來的許多學會中的一個。這四是「務農會」的發起人，不久「務農會」改稱「農學會」。

所謂「學會」，據梁啟超的解釋；「士群曰學會」，意即士大夫組織的團體就叫「學會」，和我們現今所說的「學會」含意有相當差距。當時絕大多數的學會任務在於宣傳維新變法。農學會宗旨則在「整頓農務」，用現在的話說就是改進農業，所以它的性質和當時許多學會稍有差別，符合徐樹蘭父子郎中、道員身分。它主張「農學為富國資本」「採用西法，興天地自然之利，植國家富強之原」，試辦「辨土宜、興水利、制肥料」等事宜。第二年，創設東文學社，培養日語翻譯。關於農學會活動後面還會講到。

屈映光呈文中講到「委辦山會蕭三縣水災義賑」指的是光緒二十七年（1901）徐爾谷在蕭山糶糧、以工代賑，主持修築「新堤」。

「新堤」實稱浙東海塘南沙段，據民國來裕恂著《蕭山縣誌稿》：

建自光緒二十八年，因二十七年六月淫雨浹旬，南沙一帶，致成澤國，而沿海尤甚，經山、會、蕭三邑士紳，籌款賑撫，並馳書於京外各同鄉，捐集銀洋一萬元，匯解到越，購糧於無錫，及運到而賑務已竣，遂議以工代賑，于蕭紹沿海，創築大堤，長四千八百餘丈，底厚三丈，面厚八尺，高——丈，需款六千餘元，即以糶糧之價充之，二十八年冬開工、次年春工竣，計圈進紹縣三江場糧地一千

3　政事堂印鑄局：《政府公報》，1915年10月5日，第1225號。見：《政府公報》上海：上海書店，1982年，第68冊，頁227。

餘畝，蕭山縣日月等號、生熟沙地二萬餘畝，繪圖呈報府縣立案，董共事者，為山陰鮑臨、徐蝦蘭，會稽徐爾谷，蕭山湯懋功，有碑記其事。

但不足十年，「宣統二年閏六月風急潮猛，全堤矬陷，致成欠歲。次年春，以工代賑，重修完竣。」[4]光緒二十八年、宣統二年分別是一九〇二年、一九一〇年。上面的「有碑記其事」指是《築堤碑記》，原在新堤上，可補縣誌稿不足。碑文如下：

山、蕭之際有沙衍焉。規為六區，以三才、三辰表綴之。辛丑秋仲，淫霖為災。人日、月、星四區丁其厄。山、會、蕭三邑士紳，籌所以濟之者。稽丁中，徇施捨，賴以存活者實繁有徒。猶懼未韙，馳書于京外諸同鄉。蒙大司寇葛公寶華、少司寇胡公燏棻電匯墨銀一萬圓到越。時越中蓋藏俄空，爰購糧於無錫。汎舟之役，倫滯於絳雍；移民之謀，較易於東內。及糴至，而災黎既平。聿庸以工代振之法……。是役也，既節唐靡於今茲，複固崇堤于來許，此則葛、胡二公己饑己溺之誠，與諸士紳爰究爰度之識，為不可諼也，是為記。光緒二十九年歲癸卯十月，山陰鮑臨、徐蝦蘭，會稽徐爾谷，蕭山湯懋功同監造。慈溪馮一梅書。

光緒二十八年（1902）九月，丁憂二品銜直隸候補道徐爾谷、三品銜補用知府分部郎中徐蝦蘭、詹事府右春坊右中允鮑臨、內閣中書湯懋功，為呈請飭縣出示曉諭事，具呈紹興府正堂熊：

……惟查該處興築堤埂，未免有占著彈基之處，應請劄飭蕭山縣出示曉諭沙民，如埂基有占著彈基之處，由縣發給新沙一張，以貼彈基錢糧等項。並請曉諭是項工程，洵屬地方義舉，于沙民大有裨益，如有地方棍徒藉端阻擾，並居民牧放夜牛，踐踏新埂等情，准由經辦司事稟官究治。為此呈請大公祖大人察核，轉飭蕭山縣迅即出示曉諭，實為德便。再，此項工程，係由紳捐紳辦，應請免造報銷，合併聲明。

光緒二十九年（1903）十一月初九日，他們為呈請堤工告竣飭縣定限諭禁加租事，具呈紹興府正堂熊：

唯此次修築堤埂，實為賑濟沙民起見。或十年、或五年，飭令該業主不准加租，以示限制。如是定限，使業主限內不能加租，沙民限內得沾實惠，庶與以工代賑命意相符。

光緒三十年（1904）二月日，又為堤工告竣呈請飭縣示諭按糧捐繳經費以備修築堤身缺口歲修事，具呈紹興府正堂熊：

---

44 來裕恂：《蕭山縣誌稿》天津：古籍出版社，1991年，頁79。

……向係留有流水缺口三處，以備宣洩，每處計闊十餘丈。若遇秋汛，必須缺口堵築完固，方免潮水沖入之患。……今擬每年按糧捐錢一次，如熟地每畝糧百余十文者，加一捐錢十餘文；生地每畝糧七八十文者，加一捐錢七八文」。每年可收三百八十千。如此辦理，每年並可歲修堤身。

作為以「仁」、「農」為核心的儒家思想體系，其所推崇的治國理政天然帶有道德屬性。貫穿治水始終的是徐爾谷憂心國家存亡拳拳之心，他不止一次提到「猝遭水患，無以為食」，希望通過糴糧、定限、示禁、歲修，找到一條士農工商「得占實惠」辦法。社會發展如何，如今已不言自明，但在時代裹挾下躬行實踐尤其珍貴。

光緒三十一年（1905）七月二十六日，張元濟、徐爾谷等人發出《寓滬浙省紳商呈外務部電》：「北京外務部王爺、中堂諸位大人鈞鑒：昨日寓滬全浙紳商集議全浙鐵路，議定自辦，不附洋股。蘇杭甬草合同，懇請主持飭廢。謹先電達。浙江京官代表孫廷翰、沈衛、張元濟、汪康年，留學生代表何烯時及寓滬紳商王存善、沈敦和、嚴信厚、龐元濟、李厚祐、施則敬、周晉鑣、沈能虎、徐爾谷、夏曾佑、朱佩珍、張美翊、謝綸輝、虞和德、樊桑、徐棠、孫思敬等一百六十人公具」。他們認為「將謂鐵路易乎?此為軍用至鋒銳之武器，且以一公司而包含農工商礦各實業……又有外交焉，度支焉，學堂焉，巡警焉，電務焉，分之即新政一大部分」，把修築鐵路作為維新、救亡圖存一個緊要事。參加此會的有商界代表嚴信厚、李厚佑、徐爾谷等，士紳代表有王存善、沈敦和、夏曾佑等。一致推舉湯壽潛為全浙鐵路有限公司總理，擬定《浙江全省鐵路議略》：公司自辦，一期集資四百八十四萬元。徐爾谷為股東。光緒三十三年（1907），公司創設浙江興業銀行。宣統二年（1910）清政府欲將浙路公司收歸國有，全體股東呈文浙江巡撫增韞，「惟就法律上言之，商律公司律總理規定、任期、選舉及開除由股東全體同意之公決，朝廷決無制限之明文」。浙省諮議局罷會抗議，表現很強的現代公、私法概念。

一九一一年十月十日武昌起義爆發並迅速波及全國。十一月四日杭州革命黨人舉行起義，次日宣佈省城光復。六日紹興知府程贊清等人，經過緊張籌畫，表示回應並組織成立紹興軍政分府。據宣統三年（1911）九月十六日《紹興分府通告》：

十六日四點三十分接浙軍都督府來電，內開：省垣于十五日光復，增撫被獲，旗營繳械，居民安緒，秩序如常。速轉各縣趕辦民團自衛。官吏仍請照常辦事。浙軍都督湯（印）。又，四點五十分接來電，內開：舉程公極表同情。……（印）等因，現在民團兵力已厚，並已派專員赴省接洽一切。

這張通告中所錄的第一份電報反映了杭州已經光復，湯壽潛被舉為浙督。第二份電報顯示程贊清等人業已宣布成立紹興軍政分府。據陳燮樞《辛亥紹興光復紀聞》一文：「沈慶生（錫慶）自杭校歸，雲省城已光復，燮樞急集村市中工農商掌燈巡夜，告慰鄉人。越宿，得城中王子余諸君之招，與慶生赴城會議。……開會時民團局長徐顯民（爾谷）宣佈：浙省已獨立，吾紹宜亦回應，宣告獨立。」程贊清出任分府府長，徐爾谷任民事部長（民團局局長）。（浙江圖書館藏《紹興臨時軍政分府職員一覽表》）「眾議紛紛，乃募人赴省探確切的消息。」於是陳燮樞，沈慶生二人連夜赴杭面見剛上任的浙江都督湯壽潛，湯委王金發到紹。十一日，王宣佈新的紹興軍政分府名單，內設四部三局，徐爾谷留任民團局副局長。陳燮樞在回憶中稱徐為「本城巨室」。

民國肇始，全省糧食緊張。浙督蔣尊簋為限制糙米起價，籌辦官米平糶，在上海設立備荒事務所，委紳辦理。據民國元年（1911）五月二十八日《越鐸日報》中《蔣尊簋不顧民食》：

> （往返電文）杭州蔣都督鑒；
>
> 紹運米局在無錫購存米五千擔，並紹商買存約四五千擔，前已由徐顯民君電商滬備荒事務所給護轉運，未蒙蘇督允准。現在紹興存米僅支十日糧，饑民蠢動，全市恐慌，乞速電商。紹議事會、商會。
>
> 蔣電紹議事會、商會胡錢諸君；
>
> 漾電悉。蘇省現在禁米出口，其防範之嚴，甚於私運軍火。（比擬不倫。迭經電商，幾於聲嘶力竭。（費心了）。我盡肯求，彼終罔應。（原來無效。）敝人實已智盡能索。（力量有限）。如能由紹商派人至鳳，與蘇省商會婉商，或能通融。（不能通融如何。）近返來請諮者，均給護照赴皖採辦。皖再遏糶，浙真坐困矣。（公其奈何）。都督蔣敬。

少不了徐爾谷出力出錢。

一九一五年，徐爾谷任北洋政府審計院核算官。一九一五年十月教育部頒布《圖書館規程》，他即遞送《呈請續辦紹興藏書樓稟》，部批「雅志高誼，洵堪嘉許。徑向地方長官核明立案，再行諮報本部查核即可」。其核算官一職，據王超《中國歷代中央官制史》：北洋政府設審計院。該院下設三廳二室一會，即第一廳、第二廳、第三廳、書記室、外債室和審計委員會。其中書記室設機要、會計、庶務、編譯四科，並得設核算官，掌辦核算業務，屬簡任官。一九一九年二月二十五日大總統令「前政事堂存記徐爾谷交財政部酌量任用」，改任的新職屬特任官。

三　與蔡元培的交往

光緒十二年（1886），蔡元培因自己老師田春農的介紹，開始為徐以孫（維則）做伴讀，並為校勘所刻《紹興先正遺書》、《鑄史齋叢書》等。據《蔡元培自寫年譜》：

「（蔡元培）到徐氏後，不但有讀書之樂，亦且有求友的方便。以孫之伯父仲凡先生（徐樹蘭）搜羅碑版甚富。……那時候，年輩相同的朋友，如薛君朗軒、馬君湄蓴、何君閬仙等，都時來徐氏，看書談天。曾相約分編大部的書，如《廿四史索引》、《經籍纂詁補正》等，但往往過幾個月就改變工作。這種計畫，都是由我提出，但改變的緣故，也總是由我提出，所以同人每以我的多計畫而無恆心為苦。」字裡行間流淌著深深的眷戀之情。

> 清光緒十三年丁亥。是年留徐氏。
>
> 清光緒十四年戊子。是年留徐氏。
>
> 清光緒十五年己丑。是年留徐氏。是年有恩科。秋，復往杭州應鄉試，與王君寄廎、徐君以孫同中式，主試為李仲約（諱文田）、陳伯商（諱鼎）兩先生。
>
> 「清光緒十六年庚寅。是年春，往北京應會試，偕徐君以孫（維則）行。……到上海後，寓北京路某茶棧，徐氏有股份的。有人吃番菜、看戲、聽唱書。」好不愜意。
>
> 清光緒十七年辛卯。是年仍館徐氏。

從一八八六年到一八九一年蔡元培在徐家一共五年。光緒十八年（1892）蔡元陪到北京參加複試，在保和殿應殿試被取為第二甲第三十四名進士。當時學界權威翁同和稱其：「年少通經，文極古藻，雋才也」。光緒二十年（1894）蔡元培被光緒帝授為翰林院編修，自此離開徐氏，開始自己京官生涯。

光緒二十二年（1896）初蔡元培回紹興。據其《丙申知服堂日記》所記：正月二十九日「訪顯民（徐爾谷）、誼臣。」三月十三日「至顯民處。晚秋濃招飲于徐氏鑄學齋。」三月二十一日「顯民來，屬（蔡）複勘前數年代撰《西湖底造閘記》。」四月六日「致顯民簡，還徐評《葉氏臨證指南》。」七月十一日「看顯民、以孫。」兩人互有來往。十月十八日蔡元培準備回京，徐爾谷等好友邀他游石佛寺，舉行餞別。他們在石佛寺的牆壁上題名，蔡元培撰文記述這一經過：「以孫，顯民，何、薛二郎，鐘生，邀游下方橋石佛寺，在羊石山。並邀許翰伯、陳韻樓。勒題名於壁，曰：光緒二十二年十月，余將北征，同人餞余於是。千年象教，印度忽焉。此子疲于津梁，此中惟宜飲酒。峴首佳客，有如叔子，新亭名士，誰為夷吾，息壤在茲，赤石鑒之』。山陰蔡元培識會稽徐維則書。同集者：江甯許登瀛，山陰胡道南、何琪、薛炳、陳星衍，會稽徐爾谷。」（蔡元培《游紹興石佛寺題名記》）

再據《年譜》：

> 清光緒廿四年戊戌。是年，梁啟超氏有「公車上書」的運動。及八月間，譚、楊、劉、林及楊深秀，康廣仁六君子被殺，梁二氏被通緝，我甚為憤懣，遂於九月間攜眷回紹興。……那時候，紹興已經有一所中西學堂，是徐君以孫的伯父仲

凡先生所主持的，徐先生向知府籌得公款，辦此學堂，自任督辦（即今所謂校董），而別聘一人任總理（即今所謂校長），我回裡後，被聘為該學堂總理。

清光緒廿五年己亥。我任紹興學堂總理。
清光緒廿六年庚子。舊派的教員，既有此觀念，不能複忍，乃訴諸督辦。督辦是老輩，當然贊成舊派教員的意見，但又不願公開的干涉。適《申報》載本月二十一日有一正人心的上諭，彼就送這個上諭來，請總理恭錄而懸諸學堂。我複書痛詆，並辭職。後經多人調停，我允暫留。

蔡元培在自己的日記中詳細記錄了他在「紹郡中西學堂」任職經過及回紹後的活動。與徐爾谷有關的有六件事。一、光緒二十四年（1898）十二月八日：「唔顯民，得燦庭電訊。」燦庭是蔡元培的好友。二、光緒二十五年（1899）正月十四日：「同鐘生，朗軒到學堂，與顯民監新舊二司事交帳。」適學堂設有「司事」一名，掌文書、書藏事。五月七日：「仲丈來，攜日本教育社責物目一冊，顯民所寄也。」六月十八日：「得顯民日本書。」三、七月十三日徐爾谷在東京為中西學堂購買的器械標本「寄到」。這是蔡元培托徐爾谷為學堂購買器械標本。「日本所制小學校物理器械第二號一組，三十三種，化學器械二號一組，三十一種（及藥品）；化學標本一組，四十種，庶物標本一組，二百種；動物標本乙號一組，八十五種；植物標本乙號一組，百有五種；礦物標本乙號一組，六十五種。；三球儀一架，三角及兩腳定規三具，助力器模一組，八種，立體幾何一組，平面幾何一種。」四、七月三十日：「乘舟到學堂。順道訪顯民，假得東文書十種，圖兩種：生理學，生殖新書，進化新論，男女自衛論，東京遊學案□，催眠術，植物學講義，新撰普通動物學，外國地志，名勝寫真，萬國史地，支那輿圖。」五、八月五日：「與鐘生、閬仙、秋帆宴吉孫、顯民於學堂，顯民演日本影畫。」六、光緒二十六年（1900）正月十五日：「晨到學堂。徐丈來。顯民來。」從前後文看，這天學堂剛剛開學。光緒二十七年（1901）一月，蔡元培辭去在紹郡中西學堂的職務。「三月十八日黃昏，到上海。」；「二十一日，叔佩年丈來。顯民招飲。張月樓來。看穰卿。二十二日，同月樓到公學。」在上海，蔡元培仍然與徐爾谷、湯壽潛、羅振玉這些維新人物過從甚密。徐爾谷育有六子，第五子徐世燕，即前文錢三強信中所稱娘舅。一九九一年受紹興圖書館邀請參加了古越藏書樓建立百年典禮。

光緒二十七年（1901），清政府宣佈實行新政。七月十六日諭令科舉考試廢除八股，改試策論。八月初二日頒布興學詔書，提出興學育才為當務之急。諭令將各省書院一律改設學堂：「著將各省所有書院，于省城均改設大學堂；各府廳直隸州，均設中學堂；各州縣均設小學堂；並多設蒙養學堂」。[5]但是政府財政拮据，根本沒有財力投入。「中國疆域廣遠，人民繁庶，僅持地方官吏董率督催，以謀教育普及，其難也。勢必上

5　朱壽朋：《光緒朝東華錄．光緒二十七年辛丑》北京：中華書局，1958年，頁4719。

下相維，官紳相通，借紳之力以輔官之不足，地方學務乃能發達」。因此各地都組織教育會作為政府的鑲助機構。其職責包括：1.立教育研究會。2.立師範傳習所。3.調查區內官私學堂。4.教育統計。5.開宣講所。6.籌設圖書館、教育品陳列館、教育品製造所，刊行有關書籍。

據《紹興教育會發起紀事》所記：癸卯（1903）正月，蔡元培擬組織教育會，集同志二十三人錄姓名如下：蔡元培、何豫才、杜海生、徐顯民（爾谷）、徐培芝（友蘭）、何朗軒、孫伯圻，徐以孫（維則），杜亞泉，壽效天，徐伯孫（錫麟）……。「是月二十日同志會議于紹郡老虎橋徐宅，與議者十人。……」

光緒二十八年（1902）初，蔡元培在上海發起成立中國教育會，並被選為會長。同年十月他又創辦愛國學社任總理。第二年由於愛國學社組織義勇隊回應留日學生的抗俄行動，引起了清政府關注，學社領導均在預定逮捕之列。蔡的兄長蔡元汾與在滬親朋徐顯民（爾谷）、湯蟄仙等力勸其赴德留學。徐爾谷從陳敬如處探聽：「是時啟行，將以夏季抵紅海，熱不可耐，蓋以秋季行，且蓋不先赴青島習德語。於是有青島之行。」6陳敬如即陳季同，福建侯官人。清末外交官，歷任駐法、德、意參贊，一九〇〇年後定居在上海。

民國建立，一九二三年七月二十三日蔡元培「搭乘波楚斯輪離滬赴歐。」八月一日在船上寫就「致（紹興）魯蘭洲、陳庚先、徐顯民（爾谷）、姚幼槎、朱閬仙、陳積先片」，表明這時徐、蔡二人聯繫仍很緊密。蔡元培甚至出面為徐爾谷介紹工作。

四　從中西學堂到古越藏書樓

據記載，徐樹蘭與次子徐爾谷「皆喜購舊書，書賈多集其門。」胞弟徐友蘭亦性好收藏，凡舊鈔、精刻、石墨古今法帖、書畫，有所見輒購庋。徐友蘭長子徐維則在水澄橋南首創辦墨潤堂，銷售書籍，並自設木刻作坊。據光緒二十九年（1903）浙江潮第八期《紹興府城書鋪一覽表》：「墨潤堂，開設年月，二十年前；書籍新舊參半」。蔡元培《戊戌知服堂日記》說：「光緒二十四年三月十八日，以孫貽我《劉子全書遺編》、《述史樓叢書》。」據《劉子全書遺編》中鐘念祖序：「徐顯民（爾谷）秀才聞有斯役為，從董君竟吾假藏本交瓢翁，始籍付梓並據鏤補中間模糊蟲損。……而第一卷二十二頁獨缺。顯民從兄以孫孝廉知董氏尚藏殘帙有之，複為借來檢補，所失得蕆全。」它們均為徐氏刻本。光緒二十五年（1899）、二十八年（1902）徐維則編輯出版了《東西學書錄》《東西學書錄增補本》，收譯書八百三十八冊，蔡元培兩次作序。光緒十八年（1892）桐城人、藏書家蕭穆來紹，「自明浙人南大吉來官紹興，其人精於地理，始定禹陵確為

6　蔡元培：〈自寫年譜〉，見：蔡建國：《蔡元培先生紀念集》北京：中華書局，1984年，頁254。

今會稽山地，乃大書『大禹陵』三字刻陵前。國朝康熙口年，聖祖仁皇帝南巡，至紹興祭大禹陵，始封姒姓一人為九品奉祀生。余於光緒壬辰秋九月，訪老友周季貺太守星詒于紹興。因偕鍾厚堂觀察念祖、徐顯民文學以孫孝廉兩昆仲，至初十日，畫舫出東郭門，南行六、七里，泊舟會稽山下。……」一行人少長咸集，游大禹陵又上香爐峰。暢飲之餘，免不了要互相吹噓下自己的藏書。

光緒二十五年（1899），徐爾谷赴日本考察農商，同行好友有錢恂、汪康年、羅振玉。據《汪康年師友書劄．錢恂四十八通》中己七月十二：

> 穰卿兄覽：恂定乘神戶丸回國，一行計十八日可到上海。上海不過一日留，已約何梅孫，為學生事。嚴筱舫，為張聽事。吾兄雖無事，亦願一見，請留意焉。徐顯民同歸。章枚叔同歸否未定，大約有八九分。恂頓首。七月。

這是一封錢恂寫給汪康年，告之自己返滬時間的信，告訴我們很多資訊。穰卿即汪康年，浙江錢塘人。主張維新變法，著名報人。恂即錢恂，徐爾谷連襟。出任自強學堂（今武漢大學）首任提調。曾入甯紹台道薛福成幕，奉命整理天一閣藏書，留有《天一閣見存書目》，任職浙江圖書館館長時，編成《壬子文瀾閣所存書目》。光緒二十五年（1899）張之洞委派錢恂出任湖北留日學生監督，同年回。徐爾谷在日本考察農商，剛好同船返回。信間第一個提到的何梅孫即何嗣焜，江蘇武進人。曾入張樹聲、盛宣懷幕，光緒二十三年（1897）出任南洋公學總理，制訂《南洋公學章程》。嚴筱舫原名錦堂，浙江慈溪人。寧波商幫鼻祖，創辦錦堂師範學校（今慈溪錦堂師範學校）。從信件看，這幾個人相互都很熟悉也熱衷辦教育。

日本漢學家內藤湖南著有《禹域鴻爪》，寫於一九〇二年十月至一九〇三年一月間。書中有：

> 十二月「十六日，午時訪羅叔韞，叔韞以不識天一閣主，而謀之張某，張亦雲不識，不得已，遂決意直接赴寧波。叔韞為予作伐，作書致紹興陶心雲、徐顯民，適遇徐顯民過訪羅氏，徐氏即作介紹書致馮夢香，辭歸。」

羅叔韞、陶心雲分別是羅振玉、陶浚宣，都是著名的藏書家。內氏欲訪書，徐顯民（爾谷）做了回中間人。馮夢香諱一梅，字夢香，浙江慈溪人。任浙江官書局總校，杭州求是書院、紹興府學堂總教習。「嘗為徐氏編定《紹興先正遺書》，訂《藏書樓約》。晚年客古越徐氏，時值徐錫麟就大通師範學校，朝夕講武，謀革命。書樓與校衡宇相望，徐（仲凡）創議新政，恆請其列名。先生固拒徐乃不告而署之。由此，即引疾歸，閉門勿出」（《寧波旅滬同鄉會月報》第48號）。馮一梅曾刻制「古越藏書樓圖記」章。因為熟悉打聲招呼總可以的。

十九世紀末，紹興正處在經濟轉型的前沿陣地，在濃厚的文化守藏情節和率先走出國門的基礎上，徐氏族人的思想轉變更為迅速，率先做出了興學、辦圖書館的舉動。

光緒二十一年（1895），朝命兼采中西實學，倡設學堂。徐樹蘭「查盛杏孫（宣懷）京卿在天津道任內稟請北洋大臣奏設之頭，二等學堂最為得要。紹郡經費未充，只能設立二等學堂，今擬仿其規制」，假借豫倉，創辦紹郡中西學堂。「延訪中西教習，務以忠愛誠意為主；禮聘督課生徒，兼及譯學、算學、化學」。該校初定學額四十名，習國文、外國文、算學三科，另有附課生二十名。光緒二十五年（1899）蔡元培回紹興，出任紹郡中西學堂的總理。一般而言清末學校可分作三類：凡用國稅立者曰官立，用地方稅務立者曰公立，用人民私財立者曰私立。興辦學堂有二個關鍵人物，一是監董，由地方官或士紳擔任，作用不在於學堂內部管理，而是創立學校，擬定發展目標。時浙江巡撫任道鎔在浙省士紳捐資興學的一份奏報中說：「惟事創始，籌款維艱，尚賴地方紳富集資捐辦，以輔官力之不足」。二是監督，主持全校教學。紹郡中西學堂開紹興乃至浙江近代教育先河。雲房第四代徐世保即為該校的首屆畢業生。此後學校數度遷址。一九五四年定名為紹興第一中學。學校創辦之初設立養新書藏圖書室，今存一部圖書上鈐有「光緒二十三年會稽徐維則捐」、「養新書藏圖籍」、「紹興府中學堂藏書．閱後繳還，請勿遺失」「古越藏書樓圖記」四枚印章，說明至少在光緒二十三年（1897），學校已經開始「購儲」圖書，為古越藏書樓建立提供了源頭。「古越藏書樓之成立，始於清光緒23年」（劍夫：〈徐仲凡與古越藏書樓〉，見《民國紹興縣誌資料第二輯．教育》）。從中西學堂到古越藏書樓是中國文化教育史上大事件。此後才有京師大學堂（1898）、浙江藏書樓（1903）、江南圖書館（1907）、京師圖書館（1909）等漸續創設。著名學者孫孟晉（延釗：〈其父親孫詒讓〉，一九四一年任浙江圖書館館長、《重修浙江通志稿》總編纂）就在全國政協《文史資料選輯》第十五輯上撰文《清末東南的幾個藏書樓》，肯定古越藏書樓建於一八九七年。

光緒三十一年（1905）正月，為培養革命軍事幹部，光復會領導人徐錫麟、陶成章擬在中西學堂舊址創辦大通體育師範學堂。他們「赴府城，謁豫倉董事徐以孫，商借倉屋。以孫一口答允。」徐世佐任器械體操教員兼學校庶務。這裡已經成為皖浙起義領導機關的所在地。從兩校走出了徐錫麟、秋瑾、陳伯平、孫德卿、王金發等辛亥革命的主將和許壽裳、夏丏尊、陳建功、胡愈之、孫伏園、潘家錚、馮綏安、孫觀漢、胡鴻烈等在全國有影響的專家學者，另一方面創辦者自身也通過學堂這種形式實現了角色轉化。

光緒二十六年（1900），徐樹蘭在紹興城西籌辦古越藏書樓。光緒二十八年（1902），已「繕具書目、章程、照繪樓圖」，對公眾開放，至今剛好一百二十年。他在《為呈明捐建紹郡古越藏書樓懇請奏諮立案》中指出「泰西各國講求教育，輒以藏書樓與學堂相輔而行。學校既多，又必建樓藏書。」這裡提及的「藏書樓」就是近代圖書館。古越藏書樓是我國第一家公共圖書館。待「書樓告成」，見「其鄉之人大歡」，確「有益地方」，於是士紳們聯名上呈撫院，為徐樹蘭「籲懇奏獎」。光緒二十八年

（1902）九月二十五日，德宗皇帝朱批「著戶部核給獎敘」。二〇一一年，我分別從中國第一歷史檔案館、臺北故宮博物院查得光緒二十八年（1902）九月二十五日浙江巡撫任道鎔《為請獎捐資紹興府中學堂及藏書樓紳士事片》原件（編號中國第一歷史檔案館·宮中朱批04-01-38-0029-029）、光緒二十八年（1902）十月二十四日《奏報旌表捐款設學之浙江候補道徐爾谷片》原件（編號臺北故宮博物院·軍機處檔折件第150882號）、光緒三十年（1904）三月十七日《奏報旌表捐款設學之浙江候補道徐爾谷片》原件（編號臺北故宮博物院·軍機處檔折件第159448號）從而在史料研究和時間確定上取得重大突破，下節將重點分析。徐樹蘭病故後，徐爾谷「鍾繼前規，竭力經理」，照常開放。它是辛亥革命前後浙江唯一的兩所公共圖書館，據《中國近現代圖書館事業大事記》一書統計，清末全國已經開辦和籌辦的圖書館包括官立、公立、私立，僅四十所。一九二六年由孫徐世南續辦。對外稱「紹興藏書樓」（1928年、1929年、1931年《中華圖書館協會會報》全國圖書館調查表）。一九三三年轉為縣立。

古越藏書樓的藏書特色在於兼收並蓄，不僅收古人著作，也收當代人的著作。為擴大藏書來源，接受各界捐贈、寄存。光緒三十年（1904）徐爾谷主持印行了《古越藏書樓書目》二十卷本。較光緒二十八年版，該目首先分「學部」和「政部」二部，兩部之下各分二十四小類，小類之下再分若干子目，具有中外學術統一立目的特點。《古越藏書樓書目》突破了四分法的束縛，在分類、編目、書目體系、類目名稱上均有創造性，為我國接受西方圖書分類法，編制統一的十進分類法起了推動作用。著名學者姚名達十分推崇《古越藏書樓書目》，說：「談最早改革中國分類法，以容納新興之學科者，要不得不推《古越藏書樓書目》為最早也。」此書目「規模完備」、「分類精當」、「系統分明」，是近代新舊圖書館並存時「混合庋藏統一分類派的登峰造極者」[7]

古越藏書樓各時期藏書數量

時間	藏書量	依據
光緒二十八年（1902）	七萬餘卷	《為呈明捐建紹郡古越藏書樓懇請奏諮立案》
1914年	刊入書目七萬八千四百四十一卷，未刊入書目一萬五千二百八十卷	《古越藏書樓之內容》浙江省教育會
1916年	七萬卷	《呈請續辦紹興藏書樓稟》徐爾谷
1933年	23450冊	《民國紹興縣誌資料·第二輯》
1937年	33000冊（內舊書20000冊，新書13000冊）	《民國二十六年紹興縣教育概況》

7　姚明達：《中國目錄學史·分類篇》上海：上海科學技術文獻出版社，2014年，頁146。

時間	藏書量	依據
1949年	29440冊	《紹興概況調查》紹興縣軍事管制委員會
1982年	16萬冊	其中善本685種3895冊（《紹興魯迅圖書館善本書目》）
2016年	29996種148838冊	全國古籍普查登記資料

清末，處在蛻變中的棄舊圖新的士紳逐漸向城市集中。他們首先致力於新式教育及文化事業，接著創辦近代企業及地方自治，「馳譽鄉邦為士紳表率，負芨東西效力於鄉國，擠擠蹌蹌備一時之選」，正成為邁向新時代的精英力量。

五　徐爾谷為徐樹蘭請獎

光緒二十六年至二十八年（1900-1902），徐樹蘭創辦「古越藏書樓」，「裨益紹郡地方士子，似並為江浙兩省倡首」，所以士紳聯名呈請朝廷給予褒獎。徐樹蘭病故後，徐爾谷主持「仍照常開放」。光緒二十八年（1902）九月二十五日浙江巡撫任道鎔「因各省士民捐辦善舉，有益地方，均准奏請旌獎」，具奏：「徐樹蘭，前於二十一年捐款倡設紹郡中西學堂，至上年遵旨改設中學堂，因即歸併辦理，事半功倍，士論翕然。複以寒無力購書，於府城西偏建立藏書樓，捐置經籍史部及近日譯本新書、中外圖書報章，凡七萬數千卷，以備士子觀覽，並擬置產取息，以為常年經費。……其子直隸補用道徐爾谷，踵繼前規，竭力經理，計建屋、購書、置器共用銀三萬三千餘兩，又每年認捐洋一千元，以資應用。……徐爾谷，不惜鉅資，成就後學，尤與尋常善舉不同，應如何量予獎敘之處，出自聖裁。除諮部查照外，謹附片具陳，伏乞聖鑒訓示，謹奏」。朱批：「著戶部核給獎敘」。這樣，把創辦「古越藏書樓」的功勞都記在徐爾谷的身上。於是徐爾谷趕忙寫了一份《丁憂直隸補用道徐爾谷稟文》，把事情說清楚：

> 敬啟者：竊職道接准兩浙黃運司照會奉護撫憲誠劄行。任前部院附片具奏，紹郡紳士徐爾谷，仰承先志，獨力建屋購藏書籍，裨益地方，請旨獎敘一片，奉朱批：著戶部核給獎敘，欽此。恭錄劄知轉行，欽遵查照等因。伏讀之下，感激涕零。惟查故父徐樹蘭，創建古越藏書樓，購儲書籍七萬數千卷，合捐銀三萬二千九百餘兩，均係故父在日一手經理，已于告成後自行呈明在案。職道仰承遺命，認捐常年經費洋銀一千元，原期歷久弗替，何敢仰邀獎敘？既據紳士翰林院編修馬傳熙等呈請奏，蒙天恩，飭部給獎，合無仰懇大人俯賜奏諮請為故父徐樹蘭核給獎敘，以資觀感，俾職道為人子者亦可心安理得，不失尊親之義，則仰戴逾格

慈施，歿存同深銜結。謹瀝陳下情，籲懇恩准施行，不勝屏營驚切之至，專肅恭請鈞安。伏乞垂鑒，職道爾谷謹稟。

《稟文》對於確定「古越藏書樓」的建立具有重要意義。先看開頭「接准兩浙黃運司照會奉護撫憲誠劄行」一句。「劄」是清代使用的一種公文，主要用在上下級之間。誠即誠勳，滿洲正白旗人。光緒二十七年（1901）七月，他由江蘇按察使「晉浙江布政使」。光緒二十八年（1902）九月，浙江巡撫任道鎔因「病免」，巡撫一職由布政使誠勳署理，叫「護撫」。據高平叔編《蔡元培年譜長編》，光緒二十八年（1902）九月初六日記有「看任巡撫、黃運司及書局提調蕭某等人」。清制，布政使是一省最高的民政長官，簡稱藩司。它的地位僅次於巡撫。其職由朝廷特簡，或由鹽運使及道員升任，或由京官外放。督撫缺位時多由布政使護理。布政使對督撫公文用「詳」，督撫行文用「劄」。清末，由於人們不知道圖書館是何物，以捐建藏書樓，比如捐修公所及橋樑，因此把它劃歸布政使管理。兩浙運司全稱作「兩浙都轉鹽運使司」，順治二年（1645）設立。其職「掌督察場民生計，商民行息，水陸挽運；計道里，時往來，平貴賤」，直屬於「鹽政」或署理「鹽政」的督撫。上句中「黃運司」指的是黃祖絡。光緒二十年至二十三年出任蘇松太兵備道（上海道）、江南製造總局總辦，「光緒二十四年任兩浙鹽運使，兼代布政使」。汪康年《穰卿隨筆》：「（黃祖絡）為浙藩，以貪著。嘗以數千售山陰缺，有趙姓行六者得之。然，後即被言官摻劾，去官。」朱朋壽編《清代人物大事紀年》：（黃祖絡）浙江鹽運使。光緒二十九年（1903）八月卒。

又，中國第一歷史檔案館編《光緒朝朱批奏摺》中光緒二十八年（1902）十二月初二《誠勳簡命擢撫皖疆當經具折叩謝天恩並請陛見簡派大員護理折》：「再，新授浙江布政使翁曾桂現已到省，應即飭赴新任，兼署藩司鹽運使黃祖絡飭力交卸。」朱批：「知道了」。《稟文》中的誠勳於光緒二十八年（1902）十二月「新授安徽巡撫」，次年八月「抵任」。據錢實甫編《清代職官年表》：「光緒二十九年（1903）布政皖撫誠勳卸浙江巡撫，由布政翁曾桂護。八月聶緝槼赴任。」查中國第一歷史檔案館《清代官員履歷檔案全編・光緒二十八年》：「翁曾桂，江蘇常熟人，由監生應咸豐乙卯等科順天鄉試，挑取勝錄……。光緒二十四年七月奉旨加護理江西巡撫，九月丁母憂，開缺交卸……。（現）回籍守制營葬事畢。本年（光緒二十八年）十月到京，召見一次。本月（十月）二十四日奉旨補授浙江布政使。」

這樣，徐爾谷寫稟文的時間大致在光緒二十八年（1902）末。當時，浙江巡撫是誠勳，鹽運使是黃祖絡。在《稟文》中，徐爾谷表示建樓之舉均係父親徐樹蘭一手完成。他自己不過「認捐常年經費洋銀一千元」，以保證藏書樓的日常管理，因此懇請大人可否給予改獎。接到徐爾谷的稟文，此時的浙江巡撫已是聶緝槼。他大筆一揮：「嗣據該紳徐爾谷呈稱，仰承遺命，認捐經費，願期歷久弗替，何敢仰邀獎敘？惟既蒙天恩允准，可否改為故父樹蘭核給獎敘，以資觀感。茲據布政使翁曾桂詳稱，擬准如該紳所請，改為伊父已故一品封職鹽運使銜補用道候選知府徐樹蘭請旨建坊旌表，給予樂善好施字樣，並將前次請給獎敘之案註銷。臣覆核無異。除諮部查照核辦外，謹附片具陳，伏乞聖鑒，敕部核覆施行，謹奏。」朱批：「著照所請，該部知道，欽此」。可謂達到了目的。

六　抗災救荒總關鄉情

清末自然災害頻發，不僅造成了人口死亡和財產的損失，而且會直接影響農業收成。災後，散發銀米、安置流民成為政府的一項急手工作。徐樹蘭因其父輩經商致富，遂從樓覺舉家遷至城內大坊口、水澄橋居住，成了有一定資產的殷實之家。同時致力於地方慈善活動，以造福鄉里為己任。

據《紹郡義倉歷年清目》一書，紹郡義倉建於同治七年（1868）。義倉的經營方法是錢谷並存。錢存入錢莊生息，用於賑濟和損耗；積穀用於備荒。光緒五年（1879），徐樹蘭擔任義倉紳董。《清目》中光緒五年目下首條即記：「新收徐紳捐租米六十九石九鬥八升六，合計變價錢一百四十二千一百一文」。徐樹蘭自捐租米錢一百四十余千文，彌補前董虧欠，補足原額一萬石。至「十三年共積存錢四千六百三十五，千二百六十九文。谷本項下存息錢一千四百五十，六千文，約可購穀四千九百余石。因由樹蘭籌墊錢八十一千五百十二文，合成錢六千一百七十二千，七百八十一文購買晚谷五千石。共有晚谷一萬五千石錢」。

又據光緒二十三年（1897）九月十七日《鹽運使銜補用道候選知府徐樹蘭呈文》：「竊上年十二月初三日核准十一月三十日照會。紹郡公款以義倉穀本與存典募捐為大宗。向系貴紳董經管多年，年有起色，可謂煞費苦心。本年三月間，貴紳董因精力難支決意告退。將經手倉穀畝捐、本息錢文、各行典領狀、保結憑折、租簿分開冊單呈請另邀賢紳接辦。……茲准馬紳等複稱以義倉穀本一款責成徐紳蝦蘭接管，至畝捐塘閘經費交郡中同善局紳董接管，應准照辦」。徐樹蘭你們移交簿冊、帳目清楚。

徐樹蘭抗災和慈善活動表

	地點	時間	作用	經費	人員	其它
義倉	倉橋	同治七年建，儲谷一萬石。光緒五年五月，徐樹蘭任義倉董事。光緒九年，修理添造倉敖。光緒十八	積穀生息，賑災濟貧。光緒九年，風潮肆虐，塘外沙地盡遭淹沒，將義倉穀本借給賑濟。光	官辦商助。山會嵊有田畝官產，一百三十九畝三分八裡。（紹郡義倉征信錄歷年	董事一人。	宣統三年，歸併山會城區自治會。

	地點	時間	作用	經費	人員	其它
		年，加增儲谷二萬石。光緒二十三年三月，移交徐嘏蘭。光緒三十一年，移交徐維則。（紹郡義倉征信錄）	緒十五年，息款錢文散放嵊新二縣災民。光緒十八年，以義倉贏餘辦開元寺粥廠。	報銷冊）		
同善局	開元寺東	乾隆五十七年建。光緒四年，沈元泰、徐樹蘭重建。	儲材施藥。左為積字所、施棺所（同善局碑記章程）	田，二百七十二畝九分。房屋若干。	紳董一人，司事若干。	民國十八年，移交救濟院。
豫倉	古貢院西	光緒二十年，徐樹蘭就賑捐盈餘積息二項購地建立。（光緒十八年二月豫倉征信錄）	備荒兼辦平糶、施粥。	民捐商辦。擬有《山會二邑初辦備荒經費章程》。宣統三年，發借山陰縣申解積穀塘閘經費二成給施粥。	倉董四人，不開薪水。司事一人，住倉辦事。	宣統三年，歸併山會城區自治會。（宣統三年正月豫倉徵信錄）
清節堂	錦鱗橋下	同治十二年建。光緒二十六年，徐樹蘭、沈元泰再建。（光緒二十六年籌建浙紹清節堂收支年終清目）	維風厲節。	商捐助，酌提善舉公款濟用。光緒二十八年，收捐錢一千五百串有奇，存典生息。擬有《浙紹清節堂恤孤條款》。	二、三同志。（王運伯先生遺稿）	民國十八年，徐家驤移交救濟院。
育嬰堂	迎恩門外	道光七年建，二十六年移建。徐樹蘭捐助。（紹郡育嬰堂類記）	收養棄嬰。	官紳捐助。以運庫歲發銀三千兩，官紳捐錢千餘，養嬰定額二百名。擬有《紹郡育嬰堂規條》。	堂董若干，司總、副司總一人，司捐二人，司醫、司書、司號十一人。雇工七人。	民國十八年，移交救濟院。

又，馬賡良《鷗堂遺稿》〈嵊縣保嬰局募捐啟〉:「志乘乾隆間邑有育嬰堂。數十年來廢而不舉，基址已湮。某等不揣固陋，糾合同志，思紹先民之型，請于邑主於某年某月立育嬰局於城北。會稽徐氏，旌節孝者五，褒樂善好施者四，為一時冠簂。仲凡太守樹蘭嘗以事往來嵊境；諮其故，乃請于母馬太夫人、叔母節孝章太夫人。而偕其弟叔佩農部友蘭從事焉。舊有別業在縣治後。乃析其東院為保嬰局基址，而以西院為清節堂。買田二百八十六畝有奇，儲錢五千八百餘緡。以其租息為永久之賴」。據商志良《清末民初嵊縣那些慈善救濟組織·私立清節堂》:「徐仲凡捐田三〇〇畝，以年收租金一三〇〇元做基金，救濟當地貧苦寡婦。」徐樹蘭家族的慈善活動並不限於紹興一地。

清代規定，凡忠義孝悌，一切義行，皆得題請表彰，所以各地需要不定期收集這些資訊，奏報或編入地方誌。在民國紹興縣修志委員會眾多文檔中，存有《修志故實》一卷，內錄徐樹蘭致潘伯循函二件。第一件:「修志亦屬要事，近為修建義倉，工程正在經始，只得將志事暫擱。」第二件:「吾越郡志及山會邑志，兄倡儀籌修。今得陳晝卿先生僉助，業已通稟准行。惟經費尚無就緒，故難開局。」總的來說，徐氏族人對社會民生問題的介入程度頗深，多從事一些常規、典型的事務，如公共工程公共福利。這些活動一般都會呈請地方官批准或「督勸」，地方官往往樂意「從之」，並允許他們發揮實際的組織、策劃和領導作用。差委的專案、時間與徐氏經濟實力頗有關係。

七　百年實業之路

二十世紀初，在庚子事變所造成的巨大民族危機下，中國社會出現了一股興辦實業的熱潮，「富國之道，首推實業，而實業之根本，農事尤其重要。必使地無遺利，斯無氣可以恢復，而國勢日趨富強」。在政府的推動下，以引進和推廣先進的農業種植技術以及經營管理方法為核心的農學活動率先被士紳階層付諸實踐。光緒二十二年（1896），徐樹蘭和同鄉羅振玉等人，在上海組織「農學會」，並在當時的維新報刊《時務報》和《知新報》上刊登徵求會友的《公啟》十條和《試辦章程》十二條。《試辦章程》說「本會應辦之事：曰立農報、譯農書，曰延農師、開學堂，曰儲售嘉種，曰試種，自製肥料及防蟲藥，製農具，曰賽會，曰墾荒」。徐樹蘭身體力行，於光緒二十四年（1898）與胞弟徐友蘭在上海昆山黃浦之濱置地百畝，採購多國農作物良種，開闢種植試驗場，即以此田作為試驗農學新法之地。」宣統二年（1910），山會農務分會假借郡城湯公祠掛牌，專司處理農事糾紛、推廣農技。一九一三年，紹興士紳發起在會稽城隍廟組織農會，舉徐友蘭之子徐維則為會長，後遷至倉橋。它們是紹興建立最早的兩個農學團體。

另一方面，紹興地處東南沿海，據萬曆十三年（1585）統計，「合府田地山蕩池塘漊浜瀝港共六萬七千二百六十三頃九十九畝九分三釐三毫九絲一忽」，這一土地面積大致保持到清末。康熙二十二年（1683）統計：「山會二邑合計戶四萬八千九百五十九，口十七萬七千九百七十八」。宣統三年（1911）統計：「山會二邑合計戶一十七萬四千一十九，口一百十六萬六千三百八十四」。由於人口膨脹，加劇了整個地區的生存鬥爭和向外轉移。據《民國紹興縣誌資料第二輯・食貨》：「紹興農產物大宗曰米、曰棉、曰茶。……邑之南境為會稽山脈綿亙之區，著名產品有茶、竹二項……茶葉由山戶采下，略加焙炒，即由茶行收購，轉售於滬上茶商。紹茶近年輸出約三四十幫，總價值約有五六十萬兩」。《蔡元培自寫年譜》記：「光緒十六年（1890）庚寅是年春，往北京應會試，偕徐君以孫行。……到上海後，寓北京路某茶棧，徐氏有股份的」。清末茶棧有「大棧」和「小棧」之分。「大棧」又稱「洋莊」，往往由幾個實力較強的紳商合股，分別在平水和上海設點，資訊靈通，競爭力強。一個茶季能出精製茶葉五六百擔。徐氏茶棧屬於「大棧」。

為實現自己「興農」的主張，光緒二十六年（1900），徐樹蘭編《種煙葉法》作為農學叢書的一種由北洋官報局刊行。全書分「辨土、治地、下種、栽秧、捕蟲、澆壅、采葉、曝曬八卷」。他指出浙江新昌一帶多山坡地，適宜種耐寒植物，因此「揀選佳葉，參酌紙煙、呂宋煙之法，製為洋煙，其銷用當不減葡萄酒、咖啡茶之屬，亦中國一利也」。這裡「利」是產業的意思。

光緒二十九年（1903），由徐爾谷和羅振玉發起，集股銀十萬兩，分二十股，購買呂四桓商李通源產權，成立我國第一家近代鹽業企業「同仁泰鹽業公司」。以後推舉張謇為經理。據《張謇日記》光緒二十九年（1903）六月七日：「晤叔韞，蟄光，顯民諸君。」七月十二日又「詣顯民。與禮卿、聚卿電約來滬。」徐、張之間來往頗為密切。原來這一年五月由徐爾谷、羅叔蘊（振玉）發起集資銀十萬兩，計二十股，購買呂四桓商李通源產權，成立「同仁泰鹽業公司」。張謇在日本考察回國後也加入這個企業被推為經理。「七月二十一日，擬整頓鹽業章程。」，「七月二十二日，與蟄先、顯民、時薰、癸山，訂立鹽業公司章程」。據同仁泰鹽業公司《整頓垣章稟場立案文》：「竊商等於本年六月十九日，契買前商李通源垣產，七月初一日接收，由租商旺長髮原有司事代辦。至八月十四日，商等始自行派人開收。」因「鹽業為商務，凡執事人大概稱先生，不得沿老爺之舊」「今就見聞所及隨時推究，分別為整頓、改良次第辦法，以救數百年因循之弊」（光緒二十九年（1903）七月一日《同仁泰鹽業公司籌辦、整頓、改良說略》）。九月七日，張謇「往滬」。「八日，晤蟄先、顯民」，以示經營正常。「十二月十八日，至呂四。與蟄訊。與顯民訊，有誼臣帳。」它通過集股方式籌集資金，採用了近代企業的管理模式-公司制，具有一定規模；使用新技術和新農具，選育良種進行土壤分析並「教農試用，以開風氣」，一直經營至解放後。光緒三十年（1904），徐爾谷投資二萬元，在紹興開辦衛生制冰公司。隨著一些近代工業企業開始出現，實業救國呼聲很高，但它們數量不多、實力也較弱。

徐樹蘭、徐爾谷都把自己的投資集中到鹽業、民生等風險較小，收益相對穩定的行業，面對市場風險，採取了一種比較謹慎的態度。但是唯有對生產和經營方式進行徹底改革，才能建立起真正意義上近代企業。據光緒三十三年（1907）《致同仁泰鹽業公司各股東公啟》：

> 揆卯春，湯羅徐劉君集股本規銀十萬兩，購呂四李通源鹽恆，建立同仁泰鹽業公司。含鹽法之弊在漏私，而私之原在丁無以資生，漏之便在地散。於是求所以苦丁者去之……；求所以便丁者與之……。此為整頓舊法，舊法依天時，天時不可知，產數即難預計。乃求盡人事以受天時，延日人仿東法造鹽田，租地規化。此以新法改良者。……原集股本，用於購產者五萬，用於二年正息二萬，用於粗鹽虧折及整頓二萬餘，股本十萬罄矣。然勢不可以中止，議再添集十二萬，報告股東，股東之體諒辦事人員為難而應者止四萬，所缺八萬，由謇籌調。……然板鹽聚煎二項，固有積鹽，徒以成本較重，不能賠本配解正額，一再設法銷疏，驟為運司所詰。……萬不得已乃控於農工商部度支部鹽政部……允援泰興食岸例，開通如海食岸，疏通呂鹽。……惟是前請添股所請八萬，至今未足。所持以營運規劃者，悉由籌調而來。計所借各款十二萬五千餘兩中，唯官款四萬息重，期在四月，最須首先歸還。公司總經理張謇謹啟。

除了採用先進的技術增產，還需打通各方面關係。那麼四萬的官息有多少呢？據《同仁泰鹽業公司第六屆營業說略》：「記存本年官息規銀一千九百二十兩」，年息五釐。從中可以看到企業生存的艱難。至於徐爾谷出資的目的本是通過「興荒漲之墾利，扶種植之所宜」來「盡地力」，按照「西國農學新法經營」實現富國強民目的。在現實面前免不了碰得頭破血流。光緒三十年（1904）他和張謇「增添大生分廠，計紗機二萬錠」。同年，張謇應徐爾谷之請撰寫《古越藏書樓記》，稱讚「徐樹蘭舉其累世之藏書，樓以庋之，公於一郡，凡其書，一若郡人之書也者」，自己「欲效先生之所為，而亦欲海內藏書家皆效先生之為也」。但誤把建樓之功歸在徐爾谷名下，「其事集議於庚子，告成於癸卯」。對此，徐爾谷是很清楚的，早寫了一份《丁憂直隸補用道徐爾谷稟文》，建樓之舉均係自己父親徐樹蘭一手完成。

清末新政以後，政府從傳統的「抑末」轉向「通商惠工」，浙江出現了一次興辦工廠的高潮。據不完全統計，一九〇〇～一九一一年間已知名的新辦企業有一二二家，資本總額約在四百萬元以上。從行業結構看，這一時期開辦的企業，大部分屬於生產日用品的輕工業和糧油鹽食品業。徐樹蘭、徐爾谷的實業活動反映了紹興乃至東南沿海近代工業建立和成熟的曲折過程，傳統與創新是擺在他們面前的一道難題。

棲鳧徐氏創辦的其他企業

維椿	秀才	
維梅	秀才	棲鳧：桑園
維瀚		杭州：湖濱旅館　瀛洲旅館　環湖旅館
維鴻		上海：大中華紗廠
維湘		棉米店
維則	舉人	紹興、上海：墨潤堂

八　社會事務

從職業來看，清政府獎勵工商的政策及工廠熱的興起，把相當一部分的士紳捲入其中。半官方性質的農會、商會及各類新式經濟組織，如墾牧公司、工礦企業、鐵路公司，都為士紳提供新的活動場所和職業。同時為了應對日益增多的新事物，需要在既有行政體制外建立大量臨時機構。光緒朝增加的局所、各地方自治機構，地方官往往委託士紳辦理。徐樹蘭先後擔任紹興酒捐局和電報局董事。據宣統元年（1909）四月《紹興公邪延慶整頓酒捐情形稟》：紹屬酒捐光緒二十八年開辦以來，最旺之年收捐之二十四五萬，其職責為按月分派員司巡勇周曆城鄉名鋪查驗。紹興電報局成立於光緒九年（1883）八月十五日，所在地惠蘭橋（今清道橋東），報房二等甲級。

光緒三十二年（1906），清政府諭令禁煙：「禁煙一事，乃今日自強實政，教養大端」，禁煙運動自上而下地在全國展開。據宣統元年（1909）二月紹興公報中徐維則啟：

> 山會禁煙局自光緒三十三年七月十一日成立以來，承公舉維則與朱理生君擔任局務，複當場邀請胡鐘生君、孔康甫君襄同辦理。次年正月，公議陳牧緣君駐局，任雲瞻君任總幹事，朱君任管理收支，而維則任籌款。去歲，由省會禁煙公所頒到分所章程，即應改為禁煙分所。維則遂與陳君稟明縣尊，力求退卻……凡本月十六日以後所有禁煙分所事務款項，維則概不預聞，亦無經手未完事件。特此聲明，以清界限。

辛亥十月，紹興禁煙分所改為禁煙局。一切事宜由軍政分府經濟部辦理。所有吃戶牌照應歸經濟部刊刷，按戶換給並督飭科員隨時偵察，以杜無照買賣之弊。一九一一年十二月東關禁煙分局分董一缺委徐世保充補，他以後又擔任紹興煙酒公賣局董事。

九　組織紹城民團

清末的民團是一個守望相助的准軍事組織。一九一一年武昌起義爆發並波及全國，「紹地時傳警報。又值饑年，由紳商組織團防，為紹城民團。分籌團餉，募勇二百名。紳辦者一百名，徐爾谷主其事。商辦者一百名，山會商務分會主之。自九月初一日至十五日光復而止。款皆地方自籌。」

嗣後遇時局變化，時時有組織。對於維護地方安全、社會穩定具有意義。據宣統三年（1911）九月十六日《紹興分府通告》：「十六日四點三十分接浙軍都督府來電，內開：省垣于十五日光復。……速轉各縣趕辦民團自衛。官吏仍請照常辦事。浙軍都督湯。又，四點五十分接來電，內開：舉程公極表同情。……現在民團兵力已厚，並已派專員赴省接洽一切。」這兩份電報反映了杭州已經光復，湯壽潛被舉為浙督和成立紹興臨時軍政分府的史實。據陳燮樞《辛亥紹興光復紀聞》一文回憶：「越宿，得城中王子余諸君之招，與慶生赴城會議。……開會時民團局長徐顯民宣佈：浙省已獨立，吾紹宜亦回應，宣告獨立。」徐顯民（爾谷）任民政長兼民團局局長。今紹興市柯橋區檔案館保存有當時「民團總局為邀集各商蒞局照常認捐事商務分會照會」，清楚鈐有「徐」字印戳。

一九一一年紹興臨時軍政分府職員一覽表（部分）[8]

職務	姓名
民　事　部　長	徐爾谷
民事部文牘科科員	徐元釗
民事部交通科科員	徐世佐
軍事部軍械科科員	徐維瀚

十九世紀末二十世紀初是中國近代化的關鍵時期，以徐樹蘭、徐爾谷家族為代表的士紳階層轉變為我們帶來了近代化的機遇也帶來了邁入新時代的助力。這一切都預示著近代化浪潮是不可逆轉的。

8　徵引自《紹興臨時軍政分府收支徵信錄》。

淺析孫中山遺囑的符號構建

吳至通

香港中文大學歷史系、廣東省非物質文化遺產研究基地兼職研究員

一　前言

一句提煉自孫中山的《國事遺囑》的話語「革命尚未成功，同志仍需努力」自孫中山逝世後仍然流傳至今，不僅成為孫中山在人們心目中的標誌，也是不少中國人心中的座右銘。然而，孫中山的「遺囑」究竟如何產生，其遺囑如何被利用和推廣，其背後反映出的，是伴隨著一系列孫中山崇拜、紀念運動而隨之誕生的產物。孫中山「遺囑」的出現和標誌化過程，是紀念孫中山運動中最為廣泛、直接的運動。「總理遺囑」的形成和推廣，背後所反映出的，是國民黨奪取全國政權的政治目標與國家通過自上而下強制推廣以使得偉人的死亡成為國家標誌的過程。

關於對孫中山崇拜與紀念活動的研究是近年來的一門顯學。較為典型的代表是學者陳蘊茜，其一系列的論著系統地論述了關於孫中山的崇拜與紀念運動及其涵義。陳的論著涵蓋關於紀念孫中山的陵園、道路、紀念堂以及紀念日等，討論了孫中山的紀念如何通過空間、時間的方式被標誌化。[1]而關於孫中山國事遺囑的直接研究，中國學者方面近年來有鄢增華對孫中山的《國事遺囑》的訂立過程進行了詳細的考究。[2]國外學者方面則有日本學者堀川哲男與石川禎浩的研究。[3]前者對孫中山遺囑的分析停留在考證階段且分析角度尚有進一步討論的空間，而石川禎浩對於中共黨史有較深入研究，他結合

1　陳蘊茜的主要論著包括：《崇拜與記憶：孫中山富豪的構建與傳播》南京：南京大學出版社，2009年8月；〈空間重組與孫中山崇拜——以民國時期中山公園為中心的考察〉，《史林》，2006年2月，頁1-18、123；〈身體政治：國家權力與國民中山裝的流行〉，《學術月刊》，2007年第9期，頁139-147、〈時間、儀式緯度中的「總理紀念周」〉，《開放時代》，2005年第4期，63-81頁、〈國家典禮、民間儀式與社會記憶——全國奉安紀念與孫中山符號的構建〉，《南京社會科學》，2009年第8期，頁88-95、〈民國中山路與儀式形態日常化〉，《史學月刊》，2007年12期，頁108-117。此外，陳還有數篇文章均以同樣角度來討論孫中山逝世帶來的影響，在此不一一列明。此外還有南京大學歷史系博士李恭忠也有近似的研究：〈孫中山崇拜與民國政治文化〉，《二十一世紀》，2008年4月12號（總第86期），網路版。

2　鄢增華：〈孫中山《國事遺囑》訂立經過考析〉，《理論學刊》，2013年3月，頁110-113。

3　（日）堀川哲男（ほりかわてつお）：〈關於孫文的遺書〉，《人文》（京都大學教養部學報），第20號；（日）石川禎浩（いしかわよしひろ）：〈孫中山致蘇聯政府的遺書〉，《東方學報》，第79冊，2006年9月，頁1-24。

國民黨與共產黨在第一次合作期間的情況，認為「孫中山致蘇聯的遺囑」背後體現國共兩黨對「中國革命」有著不同的看法，本文認為其觀點對本文的分析亦可提供一個思考的角度。

我們不難看出，在諸多關於孫中山的紀念或崇拜行為中，「恭讀遺囑」無疑是較為廣泛、較為直接的行為。也是孫中山死亡文化中的核心組成部分。孫中山逝世後，國民黨以其遺囑作為對抗北洋政府，宣傳政黨理念及爭取政權合法性的武器；蔣介石也免不了利用孫中山遺囑來建立個人權威。不同方式的推廣，使孫中山的《國事遺囑》不斷在民間進行傳播，一定程度使得孫中山的遺囑儼然成為了國家的符號與象徵。

以往學者較少以「國家象徵」或「國家符號」的角度對孫中山的《國事遺囑》進行分析。本文利用部分報刊、政府檔案、當事人回憶錄等一手材料及部分轉引材料，[4]通過文獻分析法，希望整理並簡單討論孫中山遺囑如何被官方構建、推廣以致其成為流傳至今的國家象徵的過程。

二　「語錄」符號的形成基礎

孫中山的「遺囑」是其眾多語錄的一部分，而這些語錄為何成為「遺訓」乃至成為國家的象徵，究其由來，與中國傳統語錄功能相近但有所區別。中國傳統名人語錄，有包括哲學和宗教的經典如先秦儒家經典《論語》，有記錄漢傳佛教臨濟宗創始人臨濟義玄其言行的《臨濟錄》，也有帝制時期的皇家祖訓如《明皇祖訓》等。這些語錄，前者靠其自身影響力以獲取信眾，後者適用物件只限於國內部分特定人群。但通過官方將其在全國人民中強制推行，使其深入到每一個人的心中，並使其成為國家象徵的，孫中山的「總理遺囑」是一個典型的代表。[5]

即使沒有直接的證據表明，孫中山的遺囑被推崇成為國家標誌是源於蘇聯對列寧的崇拜。但不少學者的研究表明，關於孫中山去世後的一系列紀念儀式、崇拜方式等，與前者相比有過之而無不及。陳蘊茜在其研究中更加表明，孫中山的崇拜不但受到傳統中國人對英雄崇拜的影響，而更重要的是這種崇拜形成於近代的國外個人崇拜模式，尤其是「列寧崇拜模式」。[6]其次，就孫中山個人而言，其自身也是在中國推行對列寧崇拜的主導者之一。列寧逝世後，在孫中山的主導下，國民黨在廣州掀起了一系列對列寧的紀念活動，其中包括：在國民黨一大召開期間，大會休會三天，廣州政府下半旗誌哀，宣

4　部分一手材料轉引自學者著作。

5　即使不同朝代、不同政權都對某家學術經典或某種官方指定的讀物加以強制推行，如漢武帝時期的「獨尊儒術」或清代「八股文」。但前者的推廣方式及效果未能如「總理遺囑」深入，而後者僅適用於特定群體（如參與科舉者）。

6　《崇拜與記憶：孫中山的符號構建與傳播》，以下簡稱《崇拜與記憶》，頁41。

傳列寧的生平事蹟。[7]孫中山也發出《關於列寧實施的演說》弔唁，稱列寧為「革命中之聖人」。[8]同時國民黨在廣州舉行追悼大會，各界群眾約六萬人參加。孫中山親自宣讀悼詞。[9]進而全國各地如北平（即今北京，下文統稱北京）的學生團體、社會團體以同樣的形式對列寧進行遙祭。[10]而眾多報章媒體包括國民黨的黨報《民國日報》，甚至民間的電影院都參與到對列寧的崇拜活動中。[11]

客觀地說，偉人的「語錄」成為國家象徵不但受傳統觀念中對英雄、名人崇拜的影響，這種象徵更加形成於近代對國外偉人的崇拜。與傳統不同，近代的偉人崇拜形式在官方的宣導下更加深入人心，使得廣泛的人民群眾參與到崇拜活動中來。此外，孫中山自身對這種崇拜活動的推崇，也是形成後來對其自身個人崇拜提供了語境基礎與重要示範。

同時，在孫中山的宣導下，以近代廣州為例，開始出現新的城市空間改造。儘管許多新的頗具現代意義的建築物如中山紀念堂等，出現於孫離世後。但孫中山生前所宣導廣州城市新規劃，例如一九一七年孫中山提議建立的「廣州市立第一公園」（一九二五年改名「中央公園」），是廣州最早的綜合性公園，為城市增加了供市民活動的公共空間。[12]而公共空間的出現為後來國民黨推行對孫中山的崇拜打下空間建設的基礎。

最後，孫中山在「以俄為師」的理念下所一手建立的「黨國體制」雛形，是形成對孫中山崇拜的體制基礎。孫中山早年在其對政黨政治的構想中提出「黨事即國事」。[13]孫中山在宣導「黨國體制」的過程中欲將黨的思想與國家憲法、行政結合起來，為後來國民黨奪權全國爭權後開始的訓政提供基礎。胡漢民在談及「總理遺囑」與「言論自由」的關係時認為「言論自由，是民主國家人民的基本權利，為任何人所不能剝奪……（但是）必須在國家民族的利益範圍內……（而中國近代處於）次殖民地……（中國人）個人還有什麼自由可言！除遵照總理遺囑，於最短時間內廢除一切不平等條約解除帝國主義的羈絆外，我們確信已再沒有自由可述了。」[14]胡漢民的說法直言不諱地體現國民黨不惜以犧牲民眾的言論自由為代價，自上而下向民眾強推孫中山的遺囑。

在探討「總理遺囑」為何會成為國家標誌的過程中，可見孫中山自身的推動因素是

7　〈各界昨日遙祭列寧〉，北京《晨報》，1924年1月27日。轉引自陳蘊茜：《崇拜與記憶：孫中山的符號構建與傳播》，頁41。

8　孫中山：《孫中山全集．第9卷》北京：中華書局，1981年8月，〈關於列寧逝世的演說〉，頁136。

9　同注釋9。

10　同注釋9。

11　《廣州民國日報》，1924年1月28日，同注釋9，頁42。

12　廣州古都學會：《名城廣州小百科》廣州：中山大學出版社，1992年10月。

13　孫中山：《孫中山全集》北京：中華書局，1986年，第2冊，頁397。

14　胡漢民：〈談所謂「言論自由」〉，中國國民黨中央執行委員會宣傳部編印：《中央週報》第129期，1930年11月24日。轉引自《崇拜與記憶》，頁43。

不可忽視的組成部分。本文理解為，孫中山在構建其自身心目中的現代民族國家的構想中所宣導的「城市空間改革」、「黨國體制」中的「訓政理念」，是影響後來國民黨官方推行其個人崇拜的前提。

三　孫中山「遺囑」的形成

（一）國民黨對「遺囑」的推動

根據現有研究成果對孫中山遺囑的認識，孫中山的遺囑共有三篇。其中包括對國民黨「同志」提出革命目標的《國事遺囑》、致其家屬吩咐後事的《家事遺囑》以及近年來頗受議論的《致蘇聯政府遺囑》。這三份遺囑的形成過程，以及國民黨成員對其遺囑的選擇、簡化、提煉，是「遺囑」成為國家象徵與國民記憶的重要前提。

不少研究對孫中山的遺囑形成過程總結出三種說法。其中包括「汪精衛臨時草擬說」、「汪精衛提前擬定說」以及「孫中山口授說」。[15]其中有學者認為較可信的說法是「遺囑由汪精衛起草，孫中山首肯」。[16]本節目的不在於討論以上三種說法誰更可信，本文認為，汪精衛親身參與孫中山「遺囑」的形成過程是較為可信的，但本文更應注汪精衛及國民黨在孫離世後如何對其國事遺囑進行二次提煉以作宣傳並使其成為國民心目中的偉人標誌甚至國家象徵。

對於孫留下的三則遺言，如何進行選擇，汪精衛在國民黨「二大」上的陳述有一定的參考價值。[17]

一方面，在孫中山病重後，國民黨核心成員認識到要提前準備訂立遺囑。汪精衛曾說：自得知孫中山病重無法挽救後，「政治委員會諸人商量了許久，都以為應該趁總理未臨危之前，求他一個遺囑，好交付同志遵守，大家對於這層意見，是經一致贊成的」。[18]可見，不管這個遺囑是否由孫口述或出自汪草擬，國民黨對於用孫中山的「遺囑」以作黨內「遺訓」已早有準備。其後，汪精衛向病重的孫中山追問其遺囑時說道「你著的建國方略，建國大綱，三民主義，及第一次全國代表宣言，我們都要寫上去的，但還想先生有些總括的話。」[19]這段對話體現出汪精衛希望以孫中山簡練而可以概括其政治目標及思想的語言以作訓詞。此外他還提到：孫中山曾於一九二五年對其口授

15 現今持這種觀點的學者包括前述鄢增華、日本學者石川禎浩等。而鄢增華認為「汪精衛起草，孫中山首肯定稿」的說法較為可信。關於鄢增華的論著見注釋2。

16 同上註。

17 中國第二歷史檔案館：《中華民國史檔案資料彙編》南京：江蘇古籍出版社，1991年6月，〈汪精衛在國民黨「二大」會議上說明接受孫中山遺囑經過記錄〉1926年1月4日，頁267-271。

18 同上註，頁267-268。

19 同上註，頁269。

「『他四十年革命之目的，是求中國之獨立、自由、平等』這句話，是用傳單替代演說，散給民眾的」。孫中山是否口授此話予汪精衛，在今天看來很難確定，但國民黨希望以其簡潔的言行以擴大孫中山的理念在民眾心目中的影響，大概是可以體現的。

此外，關於「遺囑」起草經過的其他說法也提及部分涉及「遺囑」一事的當事人如于樹德回憶道：「某次擴大會議上，因孫先生病勢嚴重，汪精衛提出要為孫中山先生起草一個遺囑以防萬一。當時公推吳稚暉起草。下次開會時吳稚暉提出遺囑草稿，搖頭晃腦第當眾宣讀。我不記得原文，大意就像普通人的遺囑一樣，勉勵黨員們完成他未竟之志；文字不過百餘字，我只記得最後一句是：『方旃！方旃！』極為酸腐。汪精衛一面聽一面搖頭。宣讀完了，汪精衛問大家的意見，大家都不吭聲。汪精衛發言，大意說『這個稿不大好，不能表達孫先生的革命精神，也不能鼓舞黨員們的革命鬥志』。」[20]於的說法也表明，國民黨對孫中山遺囑的形式及宣傳效果是極為重視的。

根據現有的材料，與其說孫中山在他自己去世前主動地想為其黨員留一些臨別贈言，不如說孫中山的這些遺囑是在經汪精衛等國民黨成員的安排及推動下出現的。時至今日，我們很難判斷《國事遺囑》究竟是汪精衛起草還是孫中山口授，但是汪精衛等其他國民黨要員的參與是較為明確的。更重要的是，國民黨成員在孫中山彌留之際，對《國事遺囑》的出現起了很大的推動作用。如果沒有以汪精衛為代表的參與者，孫中山的遺囑是否如今天這般呈現就難以預料了。

（二）《致蘇聯政府遺囑》引發的爭論

至於其他兩則遺囑，《家事遺囑》屬私人生活性質，難以作為政治宣傳口號加以推廣。而對於《致蘇聯政府遺囑》，有觀點認為，這則遺囑因為孫中山對蘇俄的態度引發黨內不同意見而備受來自國民黨內的爭議。[21]在對蘇俄的問題上，孫曾與部分黨員發生爭執。[22]而孫逝世後，這篇遺囑因為其對黨員提出繼續與蘇聯進行長期合作的要求而遭到與《國事遺囑》截然相反的待遇。「蘇聯遺囑」首次被公開是來自蘇聯的《真理報》（Правда）。[23]不同於《國事遺囑》電文在孫中山逝世的第三天（1925年3月14日）即被

20 於樹德：〈中山先生遺囑的起草經過〉，《文史通訊》，1982年第6期。

21 （日）石川禎浩：《孫中山致蘇俄的遺書》。

22 一九二四年八月，孫中山訓斥主張取消國共合作的張繼，說到「我們的同志，還有我們的軍隊只有當命令對他們有利時才能服從，反之往往拒絕服從。如果所有的國民黨員都這樣，那我將拋棄整個國民黨，自己去加入共產黨。」中共中央黨史研究室第一研究部譯：《聯共（布）、共產國際與中國國民革命運動（1920-1925）》北京：北京圖書館出版社，1997年，頁526。

23 中國現代革命史資料叢刊：《共產國際與中國革命資料選輯》北京：人民出版社，1985年4月，頁3-4。

長沙《大公報》刊登：「漢口電。孫（中山）遺函同志，照所著建國方略建國大綱，三民主義，及第一次全國代表大會宣言所主張，繼續努力……」[24]（如下圖一）

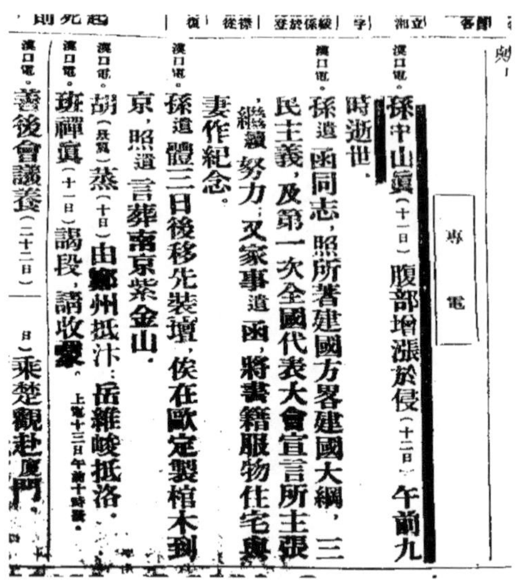

專電

漢口電。孫中山眞（十二日）腹部增漲於侵（十二日）午前九時逝世。

漢口電。孫遺函同志，照所著建國方畧建國大綱，三民主義，及第一次全國代表大會宣言所主張，繼續努力。又家事遺函，將書籍服物住宅與妻作紀念。

漢口電。孫遺體三日後移先裝殮，俟在歐定製棺木到京，照遺言葬南京紫金山。

漢口電。胡（景翼）蒸（十日）由鄭州抵汴，岳維峻抵洛。

漢口電。班禪眞（十一日）謁段，請收蒙。（上海十三日午前十時發）

漢口電。善後會議養（二十二日）……

圖一　《大公報》一九二五年三月十四日電文
（香港中文大學圖書館複印版）

翌日（三月十五日），《大公報》又刊登了孫中山《國事遺囑》全文。（如下圖二）

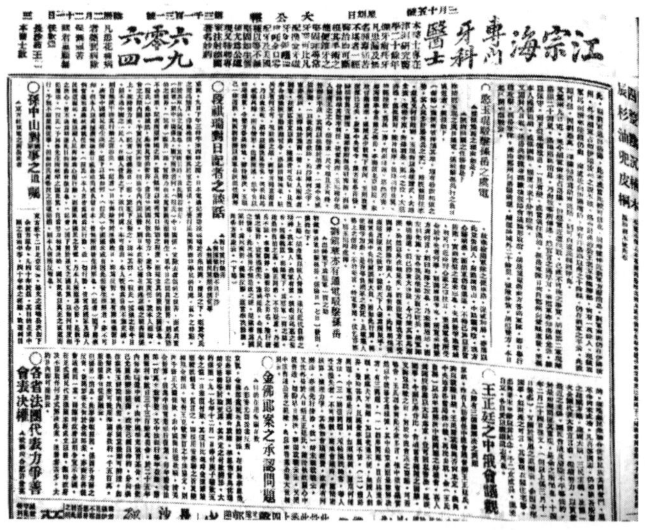

孫中山對國事之遺囑

段祺瑞對日記者之談話

金佛郎案之承認問題

王正廷之中俄會議觀

各省法團代表力爭善會表決權

圖二　《大公報》一九二五年三月十五日刊登孫中山《國事遺囑》全文
（香港中文大學圖書館複印版）

24 〈專電〉，《大公報》，1925年3月14日。

而在國內，關於「蘇聯遺囑」的第一次報導是由《真理報》兩天以後引用發自巴黎路透社電的形式報導的。[25]一天后，《申報》與上海《國民日報》經過刪減後，以簡單的形式，概括性地將「致蘇聯遺囑」進行報導。[26]根據報導內容，其中刪去了孫中山對於希望繼續求助蘇聯政府的援助及其對列寧的評價。進而到了三月三十一日，國民黨黨報《廣州國民日報》才把「致蘇聯遺囑」全文進行刊登。[27]由此可見，從報刊的情況反映出孫中山遺囑是經國民黨對其進行政治性選擇與人為干預後才進行宣傳。

此外，值得一提的是，《致蘇聯政府遺囑》不但引發了國民黨與共產黨之間的輿論戰，共產黨人趙世炎、陳獨秀等以此篇遺囑來批評國民黨右派成員。[28]同時，對於「致蘇聯遺囑」的形成過程，更引發國民黨內左、右兩派的不同看法。屬左派的何香凝認為：「致蘇聯遺囑」與《國事遺囑》等三份遺囑均出自孫中山口授。何香凝曾在其回憶錄中寫道「到二十四日，遺囑已經全寫好了。預備的遺囑共有三個，一個是國民黨開會常年的那個，有孫先生口說，汪精衛在旁邊筆記的……還有一個是寫給蘇聯政府的，由孫先生用英文說出，由鮑羅廷、陳友仁、宋子文、孫科筆記的」。[29]而屬國民黨右派的鄒魯及張繼則對何香凝所謂「孫中山口授遺囑」的說法有不同意見。鄒魯在其所編的《中國國民黨史稿》中提出「汪乃念預備遺囑全文。總理表示滿意曰『我很贊成』。繼念致蘇俄書及家屬遺囑全文。總理復曰『我也很贊成』。汪請總理簽字……」[30]而且有學者還發現，早在一九二九年出版的《中國國民黨史稿》中，沒有前述「致蘇俄書」四個字，直至一九三八年版才補上去。[31]而張繼在其日記中回憶道：「原稿乃稚暉起草後，再三商榷修改，乃成為今文。兆銘亦改修者之一，並非如當時紀要所云『於是汪兆銘等聲請總理預備對統治之遺言，由兆銘筆記』。丞應更正。致蘇聯書，乃鮑羅亭等之

---

25 （日）石川禎浩：《孫中山致蘇聯的遺書》，頁12。

26 同上注釋。報導原文為：「據俄國消息，孫中山病中曾致蘇聯執行會，謂彼已令國民黨維持對蘇聯永遠之交誼，俾自由強大統一之中國，得以實現雲。」關於「致蘇聯遺囑」原文見附錄。

27 同上註，頁13。

28 趙世炎：〈中山去世之前後（北京童欣3月20日）〉，《嚮導》，第108期，1925年3月28日；陳獨秀：〈帝國主義下的難民與蘇俄〉，《嚮導》，第109期，1925年4月5日。轉引自（日）石川禎浩：《孫中山致蘇聯的遺書》，頁14。

29 何香凝：《雙清文集》北京：人民出版社，1985年，下冊，〈我的回憶（1961年）〉，頁943。石川禎浩對此提出不同意見，認為何香凝說法是基於其左派的立場，並通過對比一九二五年二月二十四日孫中山的談話記錄（出自《邵元沖日記》上海：上海人民出版社，1990年，頁122。）與何香凝的回憶錄，證明何香凝前後所述並不一致。並認為何香凝是基於一九三七年抗戰開始後，出於中國對蘇聯恢復外交關係的需要而作出「《致蘇聯政府遺囑》出自孫中山口授」的觀點。

30 鄒魯：《中國國民黨史稿》臺北：商務印書館，重印版，1965年，頁425。

31 發現此細節者為石川禎浩，此外，他還注意到，一九二〇年代後半期的《中山全書》，基本都把這篇《致蘇聯政府遺囑》收錄進來（作為最後一篇）。但到了一九三〇年胡漢民編的《總理全集》發行後，「蘇聯遺囑」便不再被收錄。這可能是由於一九二九年中東鐵路的事件引發中蘇斷交而造成的結果。載前述《孫中山致蘇聯政府的遺書》。

意，陳友仁起草。遺囑起草後，曾請總理閱，總理首肯……」[32]。由此可見，國民黨左、右派要員對於《致蘇聯遺囑》來源的不同看法，在遺囑是否由孫中山口授形成了不同的看法。孫中山生前曾致力於與蘇聯進行合作以希望完成自己的革命理想，但國民黨內對於孫中山聯合蘇聯的政策出現了不同的看法，左、右兩派為此產生摩擦。[33]如此一來，這份《致蘇聯遺囑》——代表孫中山關於繼續與蘇聯合作進行革命的態度的遺囑就難免受到來自黨內「同志」的爭議了。左派黨員認為孫中山口授遺囑，堅持與蘇聯進行合作；而右派黨員則將這則遺囑描述為：由黨員起草，並獲得總理肯定。右派的做法可能是為了在有朝一日取消孫中山生前所定的路線，而將孫中山致蘇聯的遺囑隱去不提。這樣一來，就可以不用背上「擅自刪除總理遺言、違背總理遺訓」的罪名了，因為在他們心目中，遺囑是由他們先行起草的。對於這篇《致蘇聯遺囑》形成過程的不同看法，國民黨內左、右兩派的分歧與鬥爭清晰地顯現出來。那麼這份遺囑有沒有被從史書上刪除的經歷呢？從現有的材料上看顯然是有的。

以往的研究注意到一個細節，《致蘇聯遺囑》有被隱去的情況。[34]最初在發行鄒魯所編的《中國國民黨史稿》的時候沒有收錄《致蘇聯政府遺囑》，而不僅一九二〇年代後半期編纂的《中山全書》把《致蘇聯政府遺囑》作為「最後一篇」收錄進來，且自從一九三〇年代胡漢民編的《總理全集》發行以後（一九二九年因中東鐵路事件導致中蘇斷交），《致蘇聯政府遺囑》便不再被收。直到一九三八年抗戰爆發後，中蘇關係改善、恢復邦交，鄒魯便重新把此篇遺囑補充進來。由此可見，這篇遺囑早在一九二〇年代末就已經成為了中國對蘇聯的外交象徵。

在國民黨成員事前精心策劃的幫助下，推動遺囑了一個既利於宣傳而又能反映孫中山革命意志的遺囑的出現，而其《國事遺囑》與《致蘇聯政府遺囑》的背後，不僅反映了國民黨內部的派別分歧，後者更成為了民國早期對外關係的象徵之一。對於國內來說，《國事遺囑》則是國民黨向民眾推動孫中山崇拜運動的利器之一了。

四　國民黨對《國事遺囑》的壟斷與宣傳

國民黨明白總理遺囑對於民眾的凝聚力與感召力，因此在宣傳之前，國民黨首先要做的，是把總理遺囑上升為黨內的壟斷性財產。面對段祺瑞執掌的北洋政府於逝世當天開始就對孫中山離世作出發布總統恤令、通過國葬議案等一系列措施，國民黨更加緊步伐，使孫中山的離世變成自己的黨產，遺囑自然也不在話下了。

一九二五年三月二十三日，在北京的國民黨員在中央公園對孫中山進行了公祭。戴

32 張繼：《張溥泉先生全集》臺北：中央文物供應社，1951年，頁325。

33 見注24，孫中山對張繼否定與蘇聯合作的訓斥。

34 即注33中，石川禎浩的觀點。

季陶在祭文中表明「奉總理遺教以為則……以此救國，以此救世。」[35]三月三十一日，國民黨在京執委決定「各級黨部每逢開會時先由主席恭誦總理遺囑，恭誦時應全體肅聽」。[36]五月，國民黨召開一屆三中全會，通過了《接受總理遺囑宣言》，表示「完全接受總理遺囑」，「犧牲一切自由及權利，努力為民族平等，獨立而奮鬥，」並規定「吾人一致奉行總理遺教，不得有所特創」。不但遺囑的內容和形式完全被固定，且在《接受總理遺囑宣言》中規定，國民黨除選舉產生的「中央執行委員會執行之責外，不能更有總理」。[37]導致蔣介石在後來必須設置新的領袖職位「總裁」以對自己的頭銜進行避諱。[38]避諱，屬於傳統專制皇權社會中臣民對於皇室成員的行為，而如今卻在這個所謂新的民族國家中毫不隱諱地保留下來。同時，全會還通過了《關於接受遺囑之訓令》，規定「以後本黨的一切政治主張，都不得與總理所著建國方略、建國大綱、三民主義……相違背。」[39]在國民黨二大上，通過了「全國代表大會謹以至誠接受總理遺囑並努力履行之案」，決定在「粵秀山頂建一第二次全國代表大會接受總理遺囑紀念碑」。[40]由此，國民黨在黨內一步步鞏固了「總理遺囑」的地位，使之成為黨內教條。

而當國民黨奪取全國政權後，國民黨開始將「總理遺囑」推向全國。一九二九年三月，國民黨三全大會通過決議：「舉凡國家建設之規模，人權、民權之根本原則與分際，政府權力與其組織之綱要，及行使政權之方法，皆須以總理遺教為依歸……全國人民之民族生活與國家生存發展，皆統一於總理遺教之下。凡我同志及全國國民，均宜恪守勿渝者也。」甚至，決議促請「中國國民黨中央執行委員會，應根據總理教義，編制過去黨之一切法令、規章，以成一貫系統」。[41]胡漢民甚至說「總理一切遺教是成文的憲法」。[42]

而有學者表明，孫中山遺囑原文本無標點，但作為國民黨的「聖經」，中央執行委員會於一九二八年十月規定，除訓令各級黨部一體遵照外，並交國民政府通飭遵照。[43]一九三七年四月一日，國民政府第二一二號訓令，重行通飭遵照，公布《政治遺囑》的

35 〈國民黨員昨日公祭孫中山〉，天津《大公報》，1925年3月24日，轉引自《崇拜與記憶》，75頁。

36 《黨聲週刊》，《廣州國民日報》，1925年5月4日，副刊，轉引自《崇拜與記憶》，75頁。

37 榮孟源：《中國國民黨歷次代表大會及中央全會資料》北京：光明日報出版社，1985年，上冊，頁81。

38 同上注釋，下冊，頁479。

39 同上注釋，上冊，頁85。

40 中國第二歷史檔案館：《中國國民黨第一、二次全國代表大會會議史料》南京：江蘇古籍出版社，1986年，上冊，頁189。

41 同注釋39，頁654、656。

42 胡漢民：〈從黨義研究說到知難行易〉，載《革命理論與革命工作》，中央政治會議武漢分會1928年版，頁132-133。轉引自《崇拜與記憶》，頁77。

43 王俊明：〈孫中山遺囑微探〉，「《中國檔案》紀念孫中山誕辰150週年專題」，2016年11月，頁28-29。

句讀標準樣板，並規定在讀、寫全文的時候一定要寫「總理遺囑」四個字。[44]

國民黨在各種關於孫中山的紀念場合上對總理遺囑進行宣傳、雕刻，已是常態。如廣州的中山紀念堂正中央，便刻有「總理遺囑」（見下圖三）。

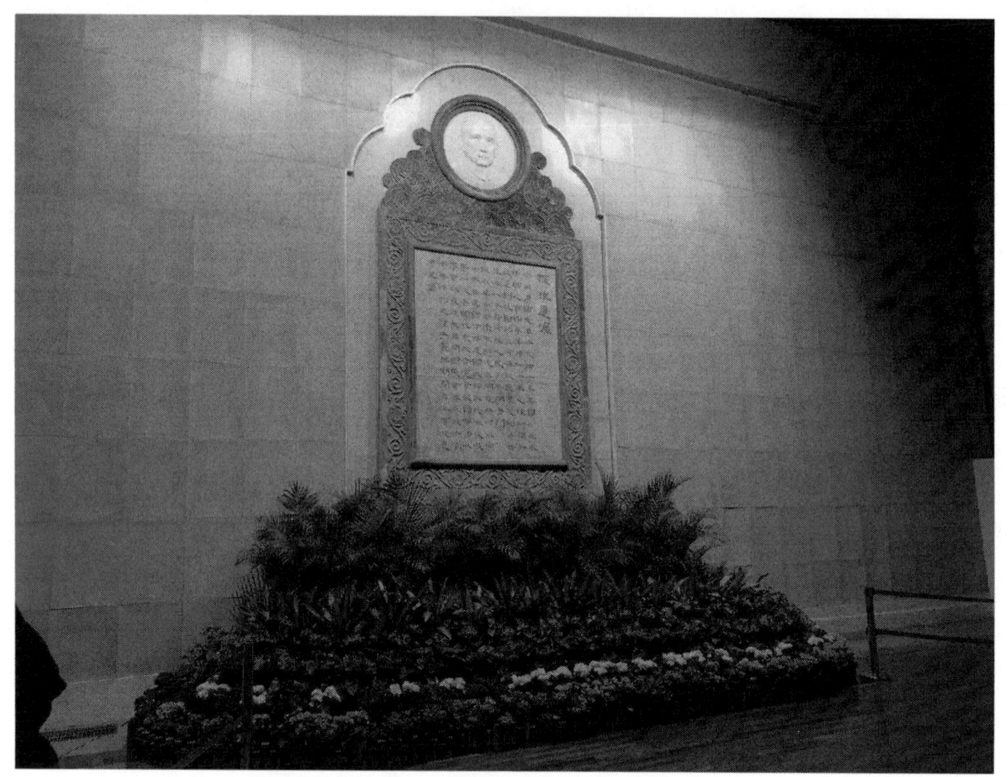

圖三　廣州中山紀念堂內的「總理遺囑」
（二〇一八年二月攝於廣州）

在非國民黨群體中，任何人不得褻瀆甚至對總理遺囑提出反對意見，違反者都將受到來自官方的批評甚至屬違法行為。[45]如胡適對孫中山的《建國大綱》曾提出過質疑，寫了「《我們什麼時候才可以有憲法》對於『建國大綱』的疑問」，提出「我們不信無憲法可以訓政；無憲法的訓政只是專制」，呼籲儘快制定約法以確定法治基礎。[46]此言論一出即遭到來自吳稚暉的批評：「譬如胡適之要約法，雖然不懂總理遺教，確是人民的口吻，批評行政人員，亦還要得，他後來竟說到中山先生根本錯誤，那就荒謬絕倫……」[47]

---

44 同上註。

45 《崇拜與記憶》，頁78。

46 《新月》，第二卷第4期，1929年7月。

47 吳稚暉：〈詮釋總理遺囑——十九年二月七日在南京特別市第六區第十五區分部演講〉，《中央週報》，第95期，1930年3月31日，轉引自《崇拜與記憶》，頁78。

甚至，恭讀遺囑已經深入到百姓的生活中，成為社會風潮。不僅許多重要的活動或儀式需要進行「恭讀遺囑」，而且連日常生活包括娛樂活動都要將展示「遺囑」。廣州的媒體曾刊登一則名為《影戲院開幕前，須先映總理遺像遺囑》的通告。[48]

雖然，「恭讀遺囑」在不少人的心目中引起不滿，不少知識份子與媒體也多有批評。[49]但在一般民眾的心目中，孫中山的《政治遺囑》已經成為了一種象徵國家的符號。這句「革命尚未成功，同志仍需努力」從《政治遺囑》中提煉出來的口號，不僅是孫中山的個人標誌，而且是整個國民群體的集體記憶。

五　結語

孫中山遺囑流傳至今，相信是眾多關於孫中山的紀念與崇拜的行為中成本最低、成效最直接的形式。作為名人的語錄，其成為國家標誌經歷了「選擇——推廣」的過程，是一個由官方到民間的自上而下的過程。同時，本文認為，這個過程更少不了政黨內部派系、黨與黨之間相互競爭的推動作用，政治上的鬥爭，使得「語錄」在不同的時代可能有著不同的意義，使得「政治語錄」，這個各黨派之間共同爭奪的「政治遺產」成為了今天的國民記憶與國家象徵。也許孫中山的《國事遺囑》也猶如民國建立初年那些新的國家象徵「唱國歌」、「祭奠烈士」一樣，作為各種政治力量相互作用下的產物，影響到民眾的行為方式。

48 《廣州民國日報》，1926年6月18日，轉引自注釋45。

49 如時任上海光華大學文學院院長張東蓀對於每次校務開會「恭讀遺囑」很不滿意。載沈雲龍：《傳記文學》臺北：傳記文學出版社，1981年，《光華大學雜記》，頁54。轉引自《崇拜與記憶》，頁542。

附錄　孫中山遺囑三則全文

《國事遺囑》

余致力國民革命，凡四十年，其目的在求中國之自由平等。積四十年之經驗，深知欲達到此目的，必須喚起民眾及聯合世界上以平等待我之民族，共同奮鬥。現在革命尚未成功，凡我同志，務須依照余所著《建國方略》、《建國大綱》、《三民主義》及《第一次全國代表大會宣言》，繼續努力，以求貫徹。最近主張開國民會議及廢除不平等條約，尤須於最短期間，促其實現。是所至囑！

孫文　三月十一日補簽
中華民國十四年二月二十四日
筆記者　汪精衛
證明者　宋子文
孫　科
孔祥熙
邵元沖　戴恩賽
吳敬恆　何香凝
戴季陶　鄒　魯

《家事遺囑》

余因盡瘁國事，不治家產。其所遺之書籍、衣物、住宅等，一切均付吾妻宋慶齡，以為紀念。余之兒女已長成，能自立，望各自愛，以繼余志。此囑。

孫文　三月十一日補簽
中華民國十四年二月二十四日
筆記者　汪精衛
證明者　何香凝
宋子文
鄒　魯
孔祥熙
吳敬恆　孫　科
邵元沖　戴季陶
戴恩賽

《致蘇俄遺書》（譯文）

蘇維埃社會主義共和國大聯合中央執行委員會

親愛的同志：

我在此身患不治之症。我的心念，此時轉向於你們，轉向於我黨及我國的將來。

你們是自由的共和國大聯合之首領。此自由的共和國大聯合，是不朽的列寧遺產與被壓迫民族的世界之真遺產。帝國主義下的難民，將借此以保衛其自由，從以古代奴役戰爭偏私為基礎之國際制度中謀解放。

我遺下的是國民黨，我希望國民黨在完成其由帝國主義制度解放中國及其他被侵略國之歷史的工作中，與你們合力共作。命運使我必須放下我未竟之業，移交於彼謹守國民黨主義與教訓而組織我真正同志之人。

故我已囑咐國民黨進行民族革命運動之工作，中國可免帝國主義加諸中國的半殖民地狀況之羈縛。為達到此項目的起見，我已命國民黨長此繼續與你們提攜。我深信你們政府亦必繼續前此予我國之援助。

親愛的同志！當此與你們訣別之際，我願表示我熱烈的希望，希望不久即將破曉，斯時蘇聯以良友及盟國而歡迎強盛獨立之中國，兩國在爭為世界被壓迫民族自由之大戰中，攜手並進以取得勝利。

謹以兄弟之誼祝你們平安！

孫逸仙

一九二五年三月十一日簽字，

證明者　宋子文

汪精衛

何香凝

孫　科

戴恩賽

鄒　魯

孔祥熙

卞之琳新詩的中國哲學解讀

──以〈斷章〉、〈圓寶盒〉、〈白螺殼〉為中心

江彥希

香港科技大學人文學部

一　引言

卞之琳（1910-2000）是中國現當代著名詩人，自二十世紀三〇年代起活躍於文壇。不少學者著眼於卞氏多所借鑑西方現代詩之藝術技巧，又取法於法國象徵派，注重感覺與想像、暗示與象徵，因而其詩作之語言、形式，呈現出「朦朧」[1]、「難懂」[2]之風格、特色。

除西方詩學之影響，部份研究指出卞之琳亦有受中國詩歌傳統之啟發。一方面在於中西詩學有近似處，如智量說卞氏「發現二十年代西方現代詩人與他先前所沐浴其中的中國古典詩歌傳統有很多相通之處」[3]，而另一方面則在於中國古典文學本身的優點，如江弱水認為「卞之琳的詩」是「結合著中國古典詩學」的特點，並保留著「舊詩詞的長處」。[4]有學者曾進一步說明，卞氏創作與古典詩詞的聯繫，如據周惠、李繼凱、李怡之研究，「晚唐『溫李』」的「詩風」得卞氏所「推崇」，而卞詩之「意象創造」有「與古典詩歌的意境相一致」之處；[5]另外，周邦彥（1056-1121）是其中一個獲得卞之琳「推崇」的詞人[6]。論及卞氏作品之成就、貢獻，王洪岳說卞氏在「現代詩學」上「打通了中國古典詩學傳統和現代詩學傳統」[7]，而王蒞提到「卞之琳詩藝術在古典與現代的通透交融」，在「美學價值與詩學理論發展上來看」，是「具有承往開新的歷史性意義」[8]，張同道亦以卞氏等詩人及其作品「匯融西方現代主義詩學與中國古典詩學」為

1　見藍棣之：《正統的與異端的》杭州：浙江文藝出版社，1988年，頁139。

2　見孫玉石：《中國現代詩歌藝術》北京：人民文學出版社，1992年，頁112。

3　智量：《比較文學三百篇》上海：上海文藝出版社，1990年，頁147。

4　江弱水：《卞之琳詩藝研究》合肥：安徽教育出版社，2000年，頁184。

5　周惠、李繼凱：〈作為文化資源的「國學」〉，《福建論壇（人文社會科學版）》，2008年4期，頁90。

6　見李怡：《閱讀現代：論魯迅與中國現代文學》重慶：西南師範大學出版社，2002年，頁46。

7　王洪岳：《審美與啟蒙：中國現代主義文論研究（1900-1949）》北京：光明日報出版社，2009年，頁211。

8　王蒞：〈於「相對」中求真──評劉祥安《卞之琳：在混亂中尋求秩序》〉，《中國現代文學研究叢刊》，2009年4期，頁187。

「中國現代主義詩歌發生以來的一個高峰」[9]。所謂「打破傳統」、「通透交融」，有學者從意象運用上加以分析，指出卞氏有藉「中國古典詩的意象」來「改造」一些「西方現代詩的意象」[10]。龍泉明、鄒建軍甚至相信「如果沒有民族文化精神的復歸」，卞氏的創作「是不可能走向成熟的」[11]。

上述學者的觀察，實可與卞之琳自己的剖白互證，如卞氏認同戴望舒（1905-1950）「把側重西方詩風的吸取倒過來為側重中國舊詩風的繼承」的「傾向」，並且以「舊詩風」為「藝術遺產」，而從戴詩在「白話新體詩獲得了一個鞏固的立足點」之時，「無所顧慮的有意接通我國詩的長期傳統」，可見其「上接我國根深柢固的詩詞傳統這種工夫的完善」，並因而有益於戴氏「藝術獨創性的成熟」。[12]卞氏之評論，一方面是其個人創作經驗的心得，而另一方面，這種文人中、西「匯融」之思想，亦可與民國以還之學術思潮發展，加以參照，以由一個較宏觀的背景，說明其中合理之處。錢穆（1895-1990）曾以「新舊難辨」、「新舊難分有如此」來形容民國時期之學術思潮[13]，而曾有研究就錢氏之說法加以探討，認為錢氏之如此判斷是「與民國學人的背景與思想比較複雜有關」[14]：一方面民國學人難免受「西方人重新時代、新風氣」之觀念影響，而「開創出學術新生命、新精神、新面貌」[15]，但另一方面，民國學人大多自小受傳統舊學栽培，致使其成長後之「治學」、「興趣」並不能完全脫離中國傳統學術，而於學人「價值觀」、「待人接物」所體現中國傳統思想之一面，則更為明顯，而梁啟超（1873-1929）、章炳麟（1869-1936）、胡適（1891-1962）諸君正在錢穆論述之列[16]。卞之琳並不在錢穆之討論範圍內，但由卞氏於一九二九年考入北京大學英文系前，於幼年隨父習《千家詩》，讀過家藏各類詞章典籍，並曾於私塾習古文一年，又入讀過一所以文言授課之小學[17]，可見卞氏受西學訓練之餘，亦有傳統舊學根柢，與錢穆所提及「新舊難辨」之學人背景，有相近之處，而由此可明白卞氏之個人、時代背景，也是一個促成其新詩創作

9 張同道：〈夢的呢喃——三十年代現代主義思潮〉，《新華文摘》，1997年6期，頁118。

10 見趙毅衡、張文江：〈卞之琳：中西詩學的融合〉，載曾小逸編：《走向世界文學：中國現代作家與外國文學》長沙：湖南人民出版社，1985年，頁501。

11 龍泉明、鄒建軍：《現代詩學》長沙：湖南人民出版社，2000年，頁184。

12 卞之琳（1910-2000）：〈序〉，載戴望舒（1905-1950）：《戴望舒詩集》成都：四川人民出版社，1981年，頁3、5。

13 錢穆（1895-1990）：〈學術傳統與時代潮流〉，載氏著：《中國學術思想史論叢（九）》臺北：素書樓文教基金會，2000年，頁43。

14 見江彥希：〈錢穆先生之讀書指導——「學術傳統」的繼承與變化〉，載《第二屆中華文化人文發展國際學術研討會論文集》香港：香港珠海學院中國文學及歷史研究所，2017年，頁835。

15 錢穆：〈談當前學風之弊〉，載氏著：《學籥》臺北：聯經出版事業公司，2000年，頁221、225。

16 見江彥希：〈錢穆先生之讀書指導——「學術傳統」的繼承與變化〉，頁835-836。

17 見張曼儀：〈卞之琳年表簡編〉，載氏著：《中國現代作家選集・卞之琳》北京：人民文學出版社，1995年，頁301。

有受傳統詩學影響之因素。

論者認為「中國哲學」與中國文學關係密不可分，如許總認為「從哲學與詩學的關係看」，「詩中蘊含哲理幾乎與詩的產生同步，古代哲人亦往往借助詩的形式闡釋哲理」[18]，又，袁行霈提到「儒釋道三家的宇宙觀、人生觀及其道德規範對文學家的思想及其創作所產生的影響」，便是其中「一個方面」[19]。李怡有言「卞之琳又總是把這些外來的詩藝與中國自身的傳統互相比附、說明」[20]，可知「中國自身傳統」包羅甚廣，並非純「詩學」一途所能涵蓋。學者有留意到卞之琳新詩創作之哲學意味，如李怡認為「在卞之琳的詩歌裡，出現了一系列睿智的思想」，而卞氏有「注意把對現實的觀察上升到一個新的哲學高度」[21]，又，錢理群等視卞氏為「在新詩史」中「一位具有自覺哲學意識的詩人」，並能創作「於平淡中出奇」的作品[22]。除了「睿智」，卞詩之哲學意味，還與其運用之象徵所呈現出來的含蓄意蘊有關，如有論者指出「卞之琳善於在許多象徵的事物中發現並暗示他的哲學思辨的果實」[23]，而金理「以〈斷章〉為代表」，道出卞詩「往往避免直抒胸臆」，並多運用「客觀形象、意象以及繁複的組織」的寫法[24]，又，羅成琰認為包括卞之琳在內的一眾「三〇年代」詩人均「熱衷於對宇宙、人生奧妙哲理的探索和暗示」，並利用「象徵性的意象」，讓「哲學思考」可以「隱藏在抒情整體構造的深處」，令作品「往往帶有玄學的味道，令人難以捉摸」[25]。卞之琳於〈魏爾倫與象徵主義〉之「譯者識」部份便曾明言哈羅德尼柯孫（HaroldNicolson〔1886-1968〕）之《魏爾倫》（筆者按：*PaulVerlaine*）「一書最後一章裡的三節文字」有關「親切（原按：Intimacy）與暗示（原按：Suggestion）」的部份，其「論調」即使「搬到中國來，應當是並不新鮮」，因「親切與暗示」正「是舊詩詞底長處」[26]，可見卞氏確有視「含蓄」為詩歌之一可貴特點。有論者更進一步說明卞詩哲學的意味的特色，在於具有「『分析』特徵」，但「不表現為深奧的哲學」[27]，而「點到即止」：「他（筆者按：卞之琳）不是要展開什麼複雜的思想而是要在無數的趣味的世界流連把玩，自得其樂」[28]，

18 許總：《宋明理學與中國文學》南昌：百花洲文藝出版社，1999年，頁4。

19 袁行霈：《中國文學概論》北京：高等教育出版社，1990年，頁76。

20 李怡：〈卞之琳與後期象徵主義〉，《四川外語學院學報》，1994年2期，頁39。

21 李怡：《中國新詩的傳統與現代》臺北：秀威資訊科技公司，2006年，頁321。

22 錢理群、溫儒敏、吳福輝：《中國現代文學三十年》北京：北京大學出版社，1998年，頁367。

23 見李怡編：《中國現代詩歌欣賞》臺北：秀威資訊科技公司，2017年，頁169。

24 金理：《現代記憶與實感經驗：現代中國文學散論集》臺北：秀威資訊科技公司，2014年，頁275。

25 羅成琰：《現代中國的浪漫文學思潮》長沙：湖南教育出版社，1992年，頁214。

26 哈羅德尼柯孫（Harold Nicolson〔1886-1968〕）著，卞之琳譯：〈魏爾倫與象徵主義〉，《新月》，1932年4期，頁1。

27 見張潔宇：《荒原上的丁香：20世紀30年代北平「前線詩人」詩歌研究》北京：中國人民大學出版社，2003年，頁295。

28 見李怡：《中國文學的現代性：批判的批判》臺北：秀威資訊科技公司，2010年，頁172。

因「他（筆者按：卞之琳）不是哲學家，並不著意去構建自己的哲學體系」，而卞氏只是「善於哲理地思辨與參悟生活」[29]，即「能夠從日常普遍存在的生活現象中挖掘出深刻的哲理意味」[30]。

部份研究則有將中國哲學與卞之琳新詩創作之聯繫加以闡述。江弱水肯定卞氏有「吸收了從法國象徵派到英美現代主義詩歌的影響」，同時卞氏「又將中國傳統哲學和藝術思想創造性地融會於一身」，所以能夠「凝成了自己獨特的詩的結晶」[31]。有論者更認為不僅哲學之思想本身為卞之琳之創作帶來影響，連「中國哲學『悟』的思維方式」都能夠在卞氏作品中與「現代派知性化、哲理化的思維方式」作出「融合」[32]。有學者更細緻地以卞氏個別作品討論其創作與中國哲學之關係，如陳希、何海巍以卞氏〈斷章〉、〈舊元夜遇思〉所「表現的對時空對主客體的相對關係」，說明其「與中國道家哲學有密切關係」[33]。

陳希、何海巍之討論方向，筆者認為可取，但還有尚待加強之空間，如〈斷章〉是否只是跟「中國道家哲學」有關，即為下文將會論述之一個方面。筆者於下文選取卞之琳於三〇年代所創作之〈斷章〉（1935）、〈圓寶盒〉（1935）、〈白螺殼〉（1937）三詩為討論對象，原因是這三首詩歌的解讀都曾引起學界熱議，如李健吾對〈斷章〉、〈圓寶盒〉的理解得到卞之琳商榷[34]，而卞氏更以「人各一說」來形容別人對〈斷章〉的解法[35]；朱自清（1898-1948）認為〈白螺殼〉是一首「情詩」[36]，而詩中「空靈的白螺殼，你」、「卻有一千種感情」、「柔嫩的薔薇刺上／還掛著你的宿淚」句，朱自清解讀為「『你』『有一千種感情』，只落得一副眼淚：這又有甚麼用呢？那宿淚終於會乾枯的」[37]，但卞之琳卻補充〈白螺殼〉「也象徵著人生的理想和現實」[38]，並且這個時期的作品常常有「詩思、詩風的趨於複雜化」：「一方面憂思中有時候增強了悲觀的深度，一方面惆悵中有時候出現了開朗以至喜悅的苗頭」，「即使在喜悅裡還包含惆悵、無可奈何的命定

29 陳丙瑩：《卞之琳評傳》重慶：重慶出版社，1998年，頁64。

30 見盧洪濤：《中國現代文學思潮史論》北京：中國社會科學出版社，2005年，頁214。

31 江弱水：《卞之琳詩藝研究》，頁229。

32 見張新：《20世紀中國新詩史》上海：復旦大學出版社，2009年，頁329。

33 陳希、何海巍：〈中國現代智性詩的特質——論卞之琳對象征主義的接受與變異〉，《中山大學學報（社會科學版）》，2005年2期，頁22。

34 見卞之琳〈關於《魚目集》〉，載劉西渭（李健吾）：《咀華集》上海：文化生活出版社，1947年，頁153-154、155-156；見劉西渭（李健吾）：〈答《魚目集》作者〉，載氏著：《咀華集》上海：文化生活出版社，1947年，頁175。

35 卞之琳：〈難忘的塵緣——序秋吉久紀夫編譯日本版《卞之琳詩集》〉，載江弱水、春喬編：《卞之琳文集》合肥：安徽教育出版社，2002年，中卷，頁559。

36 朱自清（1898-1948）：《新詩雜話》上海：作家書屋，1947年，頁7。

37 朱自清：《新詩雜話》，頁30。

38 見朱自清：《新詩雜話》，頁7。

感」[39]。可見讀者就上述三首詩歌所作詮釋，幾近能夠呈現「同讀一卷書，各自領其奧」（趙翼〔1727-1814〕〈書懷〉）[40]、「作者之用心未必然，而讀者之用心何以不然」（譚獻〔1832-1901〕《復堂詞話》）[41]之一種類近西方「讀者為本（reader-oriented）」詮釋概念之現象。[42]因此，筆者相信這三首詩歌的玩味空間較大，而若能結合作者自身說法、學人研究、哲學文本原典，作出分析、解讀，將能為這三首詩歌作出更充實的詮釋。

二　〈斷章〉的分析

〈斷章〉一詩全文如下：

你站在橋上看風景，
看風景的人在樓上看你。

明月裝飾了你的窗子，
你裝飾了別人的夢。[43]

〈斷章〉一詩之解讀，李健吾認為重點是在第二節「明月裝飾了你的窗子，你裝飾了別人的夢」的「裝飾」：「詩人對於人生的解釋，其實『都是裝飾』，『暗地裡卻埋著說不盡的悲哀』」[44]。作者卞之琳對李氏之見解，不甚同意，並指出「我的意思也是著重在『相對』上」[45]。李氏得悉作者之回應，將其解讀的詩意加以補充：「與其看做衝突，不如說做有相成之美」[46]。有不少學者以「相對」一說為〈斷章〉進行詮釋，與作者本人之理解接近，茲引二例為例子說明，如張曼儀〈「當一個年輕人在荒街上沉思」——試論卞之琳早期新詩〉有言「詩人自己說意思不在『裝飾』，而著重在『相對』上」，「因為『你』既是第一個境況的主，同時也是第二個境況的賓，兩個境況都有『你』在其中，只不過賓主易了位吧了」[47]，又，余光中〈詩與哲學〉提到「這首詩（筆者按：〈斷章〉）有一種交相反射、層層更進的情趣」，「〈斷章〉的妙處尚不止此，因為它更闡

39 卞之琳：《雕蟲紀歷（增訂版）》香港：三聯書店，1982年，頁6、8。
40 趙翼（1727-1814）：《甌北集》上海：上海古籍出版社，1997年，頁515。
41 譚獻（1832-1901）：《復堂詞話》北京：人民文學出版社，1959年，頁19。
42 詳參江彥希：〈清代「讀者為本」詮釋理論溯源辨誤〉，《明清史集刊》，2017年12期，頁243-245。
43 見江弱水、春喬編：《卞之琳文集》，上卷，頁29。
44 見劉西渭（李健吾）：〈魚目集〉，頁149。
45 見卞之琳：〈關於《魚目集》〉，頁156。
46 見劉西渭（李健吾）：〈答《魚目集》作者〉，頁175。
47 張曼儀：〈「當一個年輕人在荒街上沉思」——試論卞之琳早期新詩〉，載袁可嘉等主編：《卞之琳與詩藝術》石家莊：河北教育出版社，1990年，頁122。

明了世間的關係有主有客，但主客之勢變易不居，是相對而非絕對」[48]。綜合上述作者本人與論者之見，〈斷章〉不僅表現出有關「相對」方面的思考，還有「相對」而又「相成」的哲學意蘊。

論者認為〈斷章〉與「與中國道家哲學有密切關係」[49]，筆者同意，並可據道家原典加以補充論述。《老子》有「反者道之動」（第四十章）之言，有言明「有物混成，先天地生」（第二十五章）之「道」所運作之趨向，是以有「天之道，損有餘而補不足」（第七十七章）、「故物或損之而益，或益之而損」（第四十二章）之理解[50]。既然「相反相成」乃「道」之運作規律，《莊子》認為若不從「道」的角度出發，而以「以差觀之」、「以功觀之」、「以趣觀之」，則會「因其所大而大之，而萬物莫不大；因其所小而小之，則萬物莫不小」、「因其所有而有之，而萬物莫不有；因其所無而無之，則萬物莫不無」、「因其然有而然之，而萬物莫不然；因其所非而非之，則萬物莫不非」；反之，若然「以道觀之」，則「物無貴賤」，所以由此「道無終始」的角度出發（《莊子・秋水》），可以明白其實「凡物無成與毀，復通為一」（《莊子・齊物論》）[51]。可見道家思想確與「相反相成」之思考關係密切，然而於中國哲學的背景下，是否只有道家思想能呈現「相反相成」之想法？

《周易・繫辭下》有言「日往則月來，月往則日來，日月相推而明生焉。寒往則暑來，暑往則寒來，寒暑相推而歲成焉。往者屈也，來者信也，屈信相感而利生焉」[52]。可見「日」、「月」；「寒」、「暑」本為「相對」，但兩者「相推」、「相感」之變化，卻能有「明」、「歲」之「成」、「利」，正能體現「相反相成」之理。

宋人周敦頤（1017-1073）《太極圖說》有述及宇宙生成的過程，節錄如下：

> 無極而太極，太極動而生陽，動極而靜，靜極復動，一動一靜，互為其根；分陰分陽，兩儀立焉。[53]

據錢穆之說明，「無極」指「無始」[54]，是一種後人「不能追尋天地原始」的狀態[55]，而「太極」是指動、靜「本是一體」，而兩者「同時並起」[56]。動、靜兩者何以「同時並

48 余光中：〈詩與哲學〉，載袁可嘉等主編：《卞之琳與詩藝術》石家莊：河北教育出版社，1990年，頁137。

49 陳希、何海巍：〈中國現代智性詩的特質——論卞之琳對象征主義的接受與變異〉，頁22。

50 見陳鼓應：《老子註譯及評介》北京：中華書局，2009年，頁217、159、334、225。

51 見陳鼓應：《莊子今注今譯》北京：中華書局，2009年，頁452、69。

52 見周振甫：《周易譯注》北京：中華書局，1991年，頁261。

53 （宋）周敦頤（1017-1073）：〈太極圖說〉，載氏著：《周元公集》《景印文淵閣四庫全書》本，臺北：臺灣商務印書館，1983年，卷一，頁1下。

54 錢穆：《中國思想史》臺北：素書樓文教基金會，2001年，頁132。

55 錢穆：《宋明理學概述》臺北：素書樓文教基金會，2001年，頁30。

56 錢穆：《中國思想史》，頁132。

起」？因兩者實是「互為條件」[57]，即《太極圖說》所言「互為其根」，而於錢穆看來是一種「變」[58]，最終能達至「萬物生生而變化無窮」(《太極圖說》)[59]。《太極圖說》「互為其根」之「變」而「生生」，亦能表現一「相反相成」之情況。

另一宋人邵雍（1012-1077）於《皇極經世》就宇宙生成的過程，又有與周敦頤接近之看法，如：

> 天生於動者也，地生於靜者也。一動一靜交而天地之道盡之矣。動之始則陽生焉，動之極則陰生焉，一陰一陽交而天之用盡之矣。靜之始則柔生焉，靜之極則剛生焉，一柔一剛交而地之用盡之矣。(《皇極經世・觀物內篇》)[60]

參之《皇極經世・觀物外篇》，邵雍有言「太極一也，不動；生二，二則神也」。所謂「神」，楊立華解釋為「動」[61]，又，唐君毅（1909-1978）說明「太極之一，乃自其兼涵陰陽動靜說」、「陰陽動靜為二」，「陰陽可互為用」，而「神見於陰陽之變化」[62]，可見亦與「相對」有關。這種「動」、「變化」的趨勢如何？據上引〈觀物內篇〉所述，是「始」、「極」；「陽」、「陰」；「柔」、「剛」之「相反」趨向的變化。如此變化有如「春夏秋冬」之「昊天之四府」，存在「不可逆轉的必然性」[63]。可見於邵雍看來，宇宙生成亦一「相反相成」之過程。

楊萬翔認為「〈斷章〉的作者對情感的表現引而不發」，所以讀者可根據「它的內涵」，結合「各自或甘或苦的人生經驗」，「生發出各自的聯想」[64]。綜合以上論述，可知如果將〈斷章〉之解讀，僅局限於其與道家思想之關係，而忽略其與儒家、理學相關之內容，不單是讀者「聯想」的限制，而且未能充份反映〈斷章〉與中國哲學思想之聯繫，則於「內涵」之理解方面，亦見差異。

三　〈圓寶盒〉的分析

就詩題「圓寶盒」之所指，李健吾說是「象徵現時」，但作者卞之琳卻不同意，並

57 見楊立華：《宋明理學十五講》香港：中和出版公司，2017年，頁56。

58 錢穆：《中國思想史》，頁132。

59 （宋）周敦頤：〈太極圖說〉，載氏著：《周元公集》《景印文淵閣四庫全書》本，卷一，頁4上。

60 （宋）邵雍（1012-1077）：《皇極經世書》，《景印文淵閣四庫全書》本，臺北：臺灣商務印書館，1983年，卷十一，〈觀物篇〉，頁1下。

61 見楊立華：《宋明理學十五講》，頁94。

62 唐君毅（1909-1978）：《中國哲學原論・原教篇——宋明儒學思想之發展（上）》香港：新亞研究所，1977年，頁40。

63 見楊立華：《宋明理學十五講》，頁85。

64 楊萬翔：〈卞之琳的《斷章》為何耐讀？〉，載張曼儀著：《中國現代作家選集・卞之琳》（北京：人民文學出版社，1995年），頁296。

以「顯然是『全錯』」作出批評。據卞氏自述，「圓寶盒」指其對人生之「心得」、「道」、「知」、「悟」，而卞氏稱這種心得與覺悟為「beautyofintelligence」[65]。張曼儀將「圓寶盒」之內涵，說得再清楚一點，就是「卞之琳嘗試用『圓寶盒』象徵智慧的結晶」[66]。

詩中第一行至第九行提到：

我幻想在哪兒（天河裡？）
撈到了一隻圓寶盒，
裝的是幾顆珍珠：
一顆晶瑩的水銀
掩有全世界的色相，
一顆金黃的燈火
籠罩有一場華宴，
一顆新鮮的雨點
含有你昨夜的嘆氣……[67]

詩中第一行至第九行，包含三種相對關係。第一種是「晶瑩的水銀」與「全世界的色相」的小、大「相對」，如卞之琳自言「我們所看見的天上一顆小小的星，說不定要比地球大好幾倍呢」（關於《魚目集》）[68]。第二種是「金黃的燈火」與「華宴」的遠、近「相對」，如卞氏所言「我們在大廈裡舉行盛宴，燈光輝煌，在相當的遠處看來也不過『金黃的一點』而已」（關於《魚目集》）[69]。第三種是「新鮮的雨點」與「你昨夜的嘆氣」的時間後、先「相對」，即「嘆氣」變成蒸氣再成為雲，然後化為新形成、「新鮮」的雨水。詩中第十四行至二十行提到：

你看我的圓寶盒
跟了我的船順流
而行了，雖然艙裡人
永遠在藍天的懷裡，
雖然你們的握手
是橋——是橋！可是橋
也搭在我的圓寶盒裡；[70]

---

65 見卞之琳〈關於《魚目集》〉，頁154。
66 張曼儀：〈「當一個年輕人在荒街上沉思」——試論卞之琳早期新詩〉，頁127。
67 見江弱水、春喬編：《卞之琳文集》，上卷，頁27。
68 見卞之琳〈關於《魚目集》〉，頁155。
69 見卞之琳〈關於《魚目集》〉，頁155。
70 見江弱水、春喬編：《卞之琳文集》，上卷，頁27。

詩中第十四行至二十行，有第四種相對關係，關乎時間推移之「有限」、「無限」的「相對」。

四種「相對」關係，與中國哲學也有可相參照之處。西方漢學學者漢樂逸（Lloyd Haft）認為「色相」一語，受「中國佛教術語」影響，代表「心智理解世界的一個階段」[71]。如承〈斷章〉一詩，集中說明卞氏對「相對」之體會，所可闡發者有二途：一者為「相對」之角度，如上引卞氏所言「天上一顆小小的星」可以比「地球大」的感受，即可表現兩種觀物之角度，即如在地球上看「天上」繁星固然是「小小的」，但若在太空看那些「星」，體積便很可能「比地球大」。古代哲人早有這方面的觀察，如《莊子》所形容「天地之為稊米」、「毫末之為丘山」（〈秋水〉）、「天下莫大於秋毫之末，而大山為小；莫壽乎殤子，而彭祖為夭」（〈齊物論〉）都是受自身觀點影響，而有不同的比較結果[72]；另一者為「有限」、「無限」之「相對」，詩中第十四至二十行以「順流」的流水象徵時間，即「船」上「艙裡人」都是順著時間的推移而向未來前進，而無法抗拒時間的流逝並停留在水中央，只能順著時光的流走而經歷生、老、病、死的變化，但從宇宙整體的角度言，時間變化、時日推移卻是自然定律，永不止息與改變。有如孔子（西元前551-479年）「在川上」所言「逝者如斯夫！不舍晝夜」（《論語．子罕》），而朱熹（1130-1200）即將孔子之言加以說明為「天地之化，往者過，來者續，無一息之停，乃道體之本然也。然其可指而易見者，莫如川流」[73]，即視「川流」為無形之「道體」的一種具體呈現。因此，就〈圓寶盒〉中不同時間、時代的「艙裡人」言，他們都如同「永遠在藍天的懷裡」一樣，是時間、歷史的一部份。就「橋／也搭在我的圓寶盒裡」言，卞氏自言「說到『橋』，我們中國人大約不難想到『鵲橋』」，而從「廣義」的層面來看，即表現「在感情的結合中，一剎那未嘗不可以是千古」[74]。於卞氏看來，「一剎那」與「千古」未必相對立，而如此人生「心得」，除可與上文所述「相反相成」之觀念相應，也可表現詩人打破「暫時」與「永恆」之界限。傳統道家思想已有世事萬物運作、變化永恆之見解，如《老子》視「常」為「道」之性質[75]：「知常曰明」（〈第十六章〉）、「無遺身殃，是為襲常」（〈第五十二章〉）[76]；《莊子》有言「見獨而後能無古今，無古今而後能入於不死不生」（〈大宗師〉），而其中之「獨」，可與莊子所言「一」呼應，如「夫天下也者，萬物之所一也。得其所一而同焉」（〈田子方〉）[77]，又

---

71 漢樂逸著；李永毅譯：《發現卞之琳——一位西方學者的探索之旅》北京：外語教學與研究出版社，2010年，頁39。

72 見陳鼓應：《莊子今注今譯》，頁452、80。

73 見朱熹（1130-1200）：《四書章句集注》臺北：國立臺灣大學出版中心，2016年，頁153。

74 見卞之琳：〈關於《魚目集》〉，頁155。

75 參陳德和：《從老莊思想詮詁莊書外雜篇的生命哲學》臺北：文史哲出版社，1993年，頁59。

76 見陳鼓應：《老子註譯及評介》，頁121、259。

77 見陳鼓應：《莊子今注今譯》，頁202、577。

此「一」即〈天地〉所言「一之所起，有一而未形。物得以生謂之德」之「一」，是「天地萬物所以生之總原理」[78]。可知據道家思想看來，明乎「道」，便代表能領略「無古今」、「不死不生」之「常」。由上述分析可見，卞氏之人生「心得」、「智慧」，與中國哲學思想密不可分。

四　〈白螺殼〉的分析

〈白螺殼〉之第十一行至第二十行，是這首詩的第二章：

請看這一湖煙雨
水一樣把我浸透
像浸透一片鳥羽。
我彷彿一所小樓，
風穿過，柳絮穿過，
燕子穿過像穿梭，
樓中也許有珍本
書葉給銀魚穿織，
從愛字通到哀字——
出脫空華不就成！[79]

〈白螺殼〉第十七行提到「樓中也許有珍本」，而這些各種典籍的「珍本」，隨著時日推移，可以如第十八行所言：「書葉給銀魚穿織」。可見「珍本」雖珍貴、難得，但卻不能脫離第十九行所提及「從愛字通到哀字」的演變過程。[80]世事萬物，包括「珍本」，都會經歷一個由簇新的「愛」變成後來陳舊的「哀」的變化。僧人一松（生卒年不詳）注重「吸習」、「生等」的學習。一松認為這種學習過程，涉及對「生已住、住已異、異已滅」道理的了解，而一松有此理念，是受《楞嚴經》原文「覽塵斯憶，失憶為忘，是其顛倒生住異滅」所啟發。[81]「生住異滅」，又稱「四相」，《俱舍論》將其說明為「諸法能起名生，能安名住，能衰為異，能壞為滅」[82]。除「生住異滅」，《俱舍論》又有將如

78 見馮友蘭（1895-1990）：《中國哲學史（上）》上海：華東師範大學出版社，2000年，頁172。

79 見江弱水、春喬編：《卞之琳文集（上卷）》，頁78。

80 見江弱水、春喬編：《卞之琳文集（上卷）》，頁78。

81 見一松（生卒年不詳）：《楞嚴經秘錄》，載河村照孝編：《卍新纂大日本續藏經（第十三冊）》（東京：株式會社國書刊行會，1975-1989年），頁85。

82 世親（生卒年不詳）著，玄奘譯：《阿毘達磨俱舍論》，載大正新修大藏經刊行會編：《大正新修大藏經》東京：大藏出版株式會社，1988年，第二十九冊，頁27。

此演變規律，形容為「成住壞空」，又稱「四劫」，而據《佛光大辭典》之解釋：「成」指「為器世間（原按：山河、大地、草木等）與眾生世間（原按：一切有情眾生）成立之時期」；「住」指「器世間與眾生世間安穩、持續之時期」；「壞」指「眾生世間首先破壞」而「器世間亦隨而破壞」的階段；「空」指「世界已壞滅」的階段[83]。

面對如此變化，不是如〈白螺殼〉第二十行所言「出脫空華」的話[84]，似乎亦一時難以接受、面對。《圓覺經》有言「妄認四大（筆者按：地、水、火、風）為自身相，六塵（筆者按：色、聲、香、味、觸、法）緣影為自心相，譬彼病目見空中華及第二月」。[85]所謂「空中華」，並非有一實體存在，只是如夢似幻，不存在於現實之中。所謂「第二月」，可與《楞嚴經》的「妄為色空及與聞見」句相參看，[86]即本來一個月亮固然是「真」的，但假如因為不同原因而看到兩個月亮，其中一個必然是假的：譬如月光在湖面得到反射，所以好像能在湖面看到除天上以外的第二個月亮，但始終這個倒影都不是真的月亮。因此，不論「空中華」還是「第二月」都是人的心中妄念，是一種「妄見」、「幻有」。[87]詩中第二十八行提到白螺殼作為一個被觀賞者，「怕叫多思者想起」，而此「多思者」可與詩中第四行所言「卻有一千種感情」的觀賞者呼應。[88]人之「多思」、多「情」，又有可能引起更多上述之妄念，白螺殼由是不禁心生「愁潮」。[89]

〈白螺殼〉第三十五至三十七行，提到「黃色還諸小雞雛，／青色還諸小碧梧，／玫瑰色還諸玫瑰」[90]，即為一種讓動物、植物回復至初成長或生命力最旺盛階段的想像，但萬物始終會由簇新的「愛」變成陳舊的「哀」，而當這些顏色、生命力都不復再時，根本無人能逆轉「生住異滅」、「成住壞空」的自然定律，最終只能遺下詩末所言「宿淚」的悲哀。

卞之琳曾形容自己在二十世紀三〇年代中、後期的新詩作品，多帶有「無可奈何的命定感」[91]，而作於一九三七年的〈白螺殼〉亦表現出一種世事萬物皆受制於自然定律的想法。

---

83 慈怡法師主編：《佛光大辭典》高雄：佛光出版社，1988年，頁1694。

84 見江弱水、春喬編：《卞之琳文集》，上卷，頁79。

85 見宗密（780-841）：《圓覺經大疏》，載河村照孝編：《卍新纂大日本續藏經》東京：株式會社國書刊行會，1975-1989年，第九冊，頁348。

86 見般剌蜜帝（生卒年不詳）譯：《大佛頂如來密因修證了義諸菩薩萬行首楞嚴經》，載大正新修大藏經刊行會編：《大正新脩大藏經》東京：大藏出版株式會社，1988年，第十九冊，頁112。

87 參《妙法蓮華經玄義》所言「幻有為俗，即幻有空為真」。見智顗（西元538-597年）：《妙法蓮華經玄義》，載大正新修大藏經刊行會編：《大正新脩大藏經》東京：大藏出版株式會社，1988年，第三十三冊，頁702。

88 見江弱水、春喬編：《卞之琳文集》，上卷，頁78、79。

89 見江弱水、春喬編：《卞之琳文集》，上卷，頁79。

90 見江弱水、春喬編：《卞之琳文集》，上卷，頁79。

91 卞之琳：《雕蟲紀歷》增訂版，頁8。

五　總結

就卞之琳新詩之詮釋、評論言，論者多能注重分析其所受西方現代詩、法國象徵派等外國文學創作的影響，而部份學者同時著眼於卞氏如何承傳中國詩學之精髓。其中又有研究分析過卞氏詩作與中國哲學傳統之關係，筆者認為除以「思維方式」、個別哲學概念之角度作說明外，還可結合作品文句、哲學原典、詩人自述等作更全面、深入的分析，遂以〈斷章〉、〈圓寶盒〉、〈白螺殼〉為對象，加以展現作品所呈現與中國傳統儒、道、釋相關之思考。卞之琳曾言「我以為純粹的詩只許『意會』，可以『言傳』則近於散文了」[92]，而上述三首作品所運用之各種意象，正為讀者提供「意會」與「涵泳」的空間[93]，讓讀者得以受到詩人人生感悟的感染。卞之琳詩作甚豐，恕上文未能一一討論，有關他的其他作品與中國哲學思想之關係，還有待日後繼續闡發和探究。

92 見卞之琳〈關於《魚目集》〉，頁156。

93 所謂「涵泳」，語本朱熹之「虛心涵泳」讀書法。朱熹所言「涵泳」，可與「涵養」、「玩味」相參看，而學者如能「靜著心，寬著意思，沉潛反覆」、「看來看去」地閱讀，加以多「思」，將能有所「曉悟」。見張洪（生卒年不詳）、齊熙（生卒年不詳）：《朱子讀書法》《景印文淵閣四庫全書》本臺北：臺灣商務印書館，1983年，〈原序〉，頁4下；黎靖德（生卒年不詳）編：《朱子語類》北京：中華書局，1994年，頁179、178、181、180、167。

「實有形態形上學」與「境界形態形上學」如何合一？
——牟宗三先生「道德的形上學」探究

朱萌然
北京師範大學哲學學院

中西方哲學界對於「形而上學」這一問題的探討由來已久。而在牟宗三先生這裡，其融匯康德、貫通儒家、兼論佛老而發展出來的「道德的形上學」體系更是包羅萬象、考量周全：在挺立「天理」、確立骨幹的基礎上，在發揮佛老義理中「境界」之勝場的同時，還進一步彌補了康德思想中因「設准」而來的他律道德難題。這一兼具「實有形態形上學」與「境界形態形上學」而達至的「道德的形上學」，使得以宋明理學為核心的儒家哲學成為牟先生哲學思想中真正的完備之學。

一　「實有形態形上學」與「境界形態形上學」合一的理論根據

在牟宗三先生的哲學系統中，儒家哲學因堅守「天理」而發展出了「實有形態形上學」，這使其能夠與以「空」和「無」立教的佛老哲學形成根本區分。但若只是如此，則儒家的此種「實有」又將面臨與西方重實體的形上學傳統是否同一的問題。若單看兩者對「實體」的推崇，那麼儒家哲學似乎可以在此路線上與西方哲學同質，其對「帝」、「天」等人格神的讚美也似乎能夠在宗教領域裡與基督教溝通。然而，牟先生指出，在「形而上學」這一問題上，儒家並未於「實有」處止步。相反，儒家哲學在以「實有」彰著其特質的同時，又憑藉「境界」這一中國哲學特質得以和西方哲學的「實有」區別開來。也就是說，若把「實有」視作「上」，那麼西方哲學家看重的是此「上」的完整與懸置，而儒家聖人追求的則是對此「上」的體驗和落實，即「上達」。從這一「上達」的過程和可能性中，便引生出了「境界形態形上學」。由此，「實有形態形上學」與「境界形態形上學」在「上達」中合一，儒家哲學主、客觀面均得到充分發揮，從而成就出「道德的形上學」系統。

（一）《論語》、《孟子》一路：「盡心知性知天」

在孔、孟對先秦儒家義理的繼承關係上，陸象山概括為「夫子以仁發明斯道，其言渾無罅縫，孟子十字打開，更無隱遁」[1]。在孔子這裡，雖然多次表現出對「仁」的堅守與推崇，但更多的卻是將此種「仁」義可能形成的實體義直接聚焦到主體的踐行上，因而對「仁體」採取了擱置態度，即「存有問題在踐履中默契，或孤懸在那裡」[2]。例如，從孔子所言的「仁遠乎哉？我欲仁，斯仁至矣」中，便可看出他對「實有」的態度：「仁」並不是什麼遙不可及、高不可攀的存在，相反，只要自己「欲仁」、「行仁」，「仁」便可為己有；進而論及對「天」的態度，孔子首先表明「天何言哉？四時行焉，百物生焉。天何言哉？」，以此說明其在對「天」這一實體上採取的是與對「仁」這一實體同樣的觀點，即將其孤懸或擱置。同樣，與以「欲仁」彰著「仁」的思路一致，孔子以「踐仁」來「知天」。這就表明，在「仁」、「天」問題上，孔子尚未正視其實體義，而是著重開發主體在其中的價值，以期達至「欲仁斯仁至」的實踐境界。但與此同時，孔子也並未完全阻止實體義的發展，而是以「踐仁知天」的形式將其保存了下來。於是之後的孟子便提出「盡心知性知天」一義，進一步強化了主體與實體間的遙契關係。到孟子時，因各家對「人性」問題的爭論，對「性」的定位成為當務之急。於是，不同於孔子的「罕言性與命與仁」，在孟子這裡，「盡其心者，知其性也。知其性，則知天矣」：「實有」問題以「性」與「天」的形式獲得了進一步說明。一方面，在孔子時尚是敞開著的「性」，此時得到了道德意義的貞定。如孟子所言「盡心知性」，踐行道德意義的「心」便可體知道德意義的「性」，這兩者間是水到渠成、沒有隔閡的。這說明在孟子這裡，「性」不僅不同於以往「生之謂性」的自然義，而且是需要經由道德義的「心」來彰著的道德義存在；另一方面，在對「性」義做出規定後，繼而在對「天」義上，孟子雖與孔子一樣，並未顯明地表示心、性與天是一。但牟先生認為，因心、性、天三者「內容的意義」完全相同，即都完全體現著道德價值，且由於「萬物皆備於我」對主體價值的確認，再經由主體「反身而誠」的實踐修為，「心」的無限涵蓋性必將擴展至天地萬物，進而以「道德性」這一內容意義實現徹上徹下的一體平鋪，達到心、性、天是一。在牟先生看來，這也就是較孔子更進一步的「實有形態形上學」與「境界形態形上學」合一。

在牟先生的儒學系統裡，此種以《論語》、《孟子》攝《易傳》、《中庸》而以《論語》、《孟子》為主的義理模式，在先秦時期是以孔、孟為代表，而發展至宋明階段，則以陸、王為首出。與程顥的圓融一本、張載的「太虛即氣」等直接從形上層面契接天道

1　（宋）陸九淵著，鍾哲點校：《陸九淵集．卷三十四．語錄．門人傅子雲季魯編錄》北京：中華書局，1980年1月，頁398。

2　牟宗三：《心體與性體》臺北：聯經出版事業公司，2003年，上冊，頁28。

實體的思路不同，牟宗三先生認為，陸九淵和王陽明的心學系統是直接承繼孟子而來，因此尤為重視「心」這一主體功能以及其所帶來的道德踐履意義。在陸、王這裡，「心」的意義與功能得了最大限度的展開。在「心」的意義上，陸、王一改理學家堅持的「性即理」觀點而大力提倡「心即理」。這種對「理」之意義的扭轉，不僅深刻具體化了儒家「實體」的主觀義，從而為後續「察識本心」與「逆覺體證」的工夫修養奠定了理論基礎，而且進一步強調了「理」的道德性，從而有效避免了理學家可能向外部事事物物求天理的做法；在「心」的功能上，心學則充分發揮了道德本心的涵蓋性與遍潤性，首先將其視為一切自然界與價值界的根本，從而視「發明本心」為「先立乎其大」。而「宇宙便是吾心，吾心便是宇宙」[3]，「心」之道德價值不僅在修養者心境內部充其極，而且進一步擴展到全宇宙，實現真正的「一體」。經過如此對「心」之根本性地位的奠定與涵蓋性功能的發揮後，修養者的修為境界在整個世界的觀照與體驗中發揮著關鍵作用，因而有王陽明所言「我的靈明，便是天地鬼神的主宰，天沒有我的靈明，誰去仰他高？地沒有我的靈明，誰去俯他深？鬼神沒有我的靈明，誰去辨他吉凶災祥？天地鬼神萬物離去我的靈明，便沒有天地鬼神萬物了」[4]之境界。可以看到，在牟先生詮釋下的陸王心學系統裡，「境界形態形上學」貫穿了其脈絡發展的始終，「實有形態形上學」則是在這種境界的形成與升進中逐漸得到展現，即「實有」是融於「境界」中的。與偏重形上意味的理學家不同，陸、王是直接大談心，即主觀性、即境界。而這個作為主觀性的「心」因為有伸展的無限可能、有「覺」和「健」，所以終究是可以拓展至實體從而主、客合一的。這也就說明了為什麼陸、王像禪，就是因為與理學家相比，陸、王於「境界形態形上學」處體悟更多所以和佛老的路子相似；而陸、王終究不是禪，則是因為這一體系最後可以由「心」拓展至客觀面；而陸、王之所以「不免使人有虛歉之感」[5]，則是因為其客觀面終究不甚能挺立，而是由主觀面拓展過去的。因此，不論是孔子的「我欲仁，斯仁至矣」，還是孟子的「萬物皆備於我」，抑或是象山的「宇宙便是吾心」，這種由「心體」出發無限向外延展的發展方向均是「實有形態形上學」與「境界形態形上學」合一這一問題中「由人之天」的路向。而至於另一路徑，即「由天之人」，則需要從《中庸》、《易傳》一路中見。

（二）《中庸》、《易傳》一路：「天命之謂性」

按照牟宗三先生的畫分，先秦儒家的天人關係問題，是先經由孔子和孟子的「由人

3　（宋）陸九淵著，鍾哲點校：《陸九淵集》，卷三十六，〈年譜〉頁483。

4　（明）王守仁原著，（明）施邦曜輯評，王曉昕、趙平略點校：《陽明先生集要》北京：中華書局，2008年10月，理學編卷二，〈語錄〉，頁130。

5　牟宗三：《心體與性體》，上冊，頁51。

之天」，在對不可知的「天」之懸置中與其遙契，繼而再進一步發展，由《中庸》、《易傳》一路「由天之人」，在「天」之「於穆不已」的創生過程中實現「天地變化草木蕃」。因此，在這從上至下的縱貫一路中，首先突出的便是「天」的地位與作用。在《中庸》的義理脈絡中，開篇一句「天命之謂性，率性之謂道，修道之謂教」便最顯明地表現出了這一立場。一方面，「天命」是人性的總源頭。「天命之謂性」，即是說人由「天」而秉得「性」，因而此種「性」是亭亭當當、當下即善的「天命之性」、「義理之性」。而至於為什麼「天命」會有如此純粹的道德賦予功能，牟先生認為，這和一直以來中國文化對「德性」與「生命」的特別重視密不可分。牟宗三先生在《中國哲學十九講》中指出，中西方文化的差異表現在一個重要方面便是西方文化重「自然」、重「智」，中國文化則重「生命」、重「德」。因此，在中國文化傳統裡，對「德性」的培養和對「生命」的愛護自始至終都是人們的根本課題。於是，區別於西方哲人在「外延的意義」上所進行的探索與構造，中國聖者則是致力於對「內容的意義」進行開發與拓展，由此形成了中國哲學特殊的德性之學、生命之學。也正是由於這種學問的特殊性，與西方文化由探究自然世界而形成的自然知識與「認知」方向不同，中國文化便發展出了由體驗生命境界而形成的德性知識與「縱貫」系統，並進而借助「由天之人」這一方向，將這種由生命挺立起來的「內容的意義」下貫到了人類個體；另一方面，「天命」是物性的總源頭。在《中庸》裡，「天地之道，可一言而盡也。其為物不貳，則其生物不測」，便表明了「天命」的創生作用不僅下貫到了人類的本心仁體，並且也同時囊括了世界的萬事萬物：「今夫天斯昭昭之多，及其無窮也，日月星辰係焉，萬物覆焉。今夫地一撮土之多，及其廣厚載華岳而不重，振河海而不洩，萬物載焉。今夫山一卷石之多，及其廣大，草木生之，禽獸居之，寶藏興焉。今夫水，一勺之多，及其不測，黿、鼉、蛟、龍、魚、鱉生焉，貨財殖焉」[6]；這一點在《易傳》中則表現為「大哉乾元，萬物資始，乃統天。雲行雨施，品物流行。大明終始，六位時成，時乘六龍以禦天。乾道變化，各正性命，保合太和，乃利貞。首出庶物，萬國咸寧」[7]。這表明，在《中庸》、《易傳》一路裡，不僅是「由天之人」，而且進一步也是「由天之萬物」。這樣一來，既在創生「人之性」中挺立了「道德」，又在創生「物之性」中極成了「形上學」，從而為之後逐漸發展出儒家特有的「道德的形上學」系統奠定了理論基礎。

這種偏重於形而上學的理論傾向，雖然在先秦儒家階段還未獲得正式發展，但到了宋明理學時期則開始了深度闡發。對於宋明這種發展路向，牟宗三先生曾在《心體與性體》中評議道：「宋明儒之發展，大體是由《中庸》、《易傳》開始而逐步向《論》、

6 （清）劉沅著，譚繼和、祁和暉箋解：《十三經恆解　箋解本・中庸恆解・卷下・第二十六章》成都：巴蜀書社，2016年1月，頁139。

7 （宋）朱熹撰，廖名春點校：《周易本義・卷之一・周易上經・乾》北京：中華書局，2009年11月，頁32。

《孟》轉，以孔子之仁與孟子之心為主證實天道誠體之所以為天道誠體而一之——一之於仁，一之於心，重新恢復先秦儒家從孔孟到《中庸》、《易傳》之發展，如此而知《中庸》、《易傳》是其圓境。否則，《中庸》、《易傳》之天道誠體只是空頭的宇宙論的，亦是外在的，此則客重而主輕，濂溪、橫渠俱有此意味。本是主客觀之真實統一之圓教，然而因不能貫通先秦儒家發展之序遂顯出客重而主輕，亦可說是內輕而外重，主觀性原則（心）不足故也。」[8]這一論述不僅梳理了儒家「道德的形上學」系統最終的發展脈絡，即「由人之天」與「由天之人」的圓環貫通，而且同時點出了北宋初期的儒者在探索「由天之人」這一路徑過程中存在的問題，即「客重而主輕」。雖然如此，但逐步的深入完善有待於後期理學家的拓展，而若只就《中庸》、《易傳》一路言，則濂溪與橫渠對「太極」等形上實體的把握實為生命相應、心態相應的創見。例如在周濂溪這裡，其「默契道妙」，自《中庸》（後半部）與《易傳》入而以「誠體」合釋乾道。周敦頤在《通書・誠上第一》中雲：「誠者，聖人之本。大哉乾元，萬物資始，誠之源也。乾道變化，各正性命，誠斯立焉，純粹至善者也。故曰：一陰一陽之謂道，繼之者善也，成之者性也。元亨，誠之通；利貞，誠之複。大哉《易》也，性命之源乎！」[9]以「誠體」來解釋乾道的「元亨利貞」，既從「誠體」處表現出了體性學意義，又從終始過程中體現出來宇宙論立場。經過如此對「性體」與「道體」客觀形式的描述，儒家思想中形而上的部分便得到了加強。再進一步，「天之道以誠為體，人之道以誠為工夫」[10]，在以「誠體」合釋乾道的過程中，在充分發展了「誠體」與「乾道」實體創生意義後，再繼而以「誠體」作為天之道與人之道相貫通的橋樑，通過「誠之」的工夫，將此一根而發的「誠體」貫注、體現到主體身上，從而達至「誠則形，形則著，著則明，明則動，動則變，變則化。唯天下至誠為能化」的聖者境界。如果說在實體境界中，「誠體」發揮的是合釋乾道、貫穿元亨利貞生成過程的創發作用，那麼在修為境界裡，「誠體」體現的則是「誠無為，幾善惡」[11]的修養工夫。例如，在這一澄明性體、歸複本心的實踐工夫中，周敦頤根據《洪範》提出了「思」。誠體是客觀地說的道德之實體，思誠則是主觀地朗現此誠體。在「誠體」的規範下，主體之「思」落在「幾善惡」之「幾」上。通過此工夫化惡繼善，最終恢復到「誠無為」狀態。徹上徹下的「誠體」即本體即工夫，以「本體」暢通「乾道」，以「工夫」澄明本心，這就是周敦頤對《易傳》、《中庸》回歸《論語》、《孟子》這一路徑的闡發。

8 牟宗三：《心體與性體》，上冊，頁364。

9 （宋）周敦頤著，陳克明點校：《周敦頤集・卷二・通書・誠上第一》北京：中華書局，1990年5月，頁13。

10 牟宗三：《心體與性體》，上冊，頁341。

11 （宋）周敦頤著，陳克明點校：《周敦頤集・卷二・通書・誠幾德第三》，頁16。

二　「實有形態形上學」與「境界形態形上學」合一的實現途徑

在「由人之天」的《論語》、《孟子》一路與「由天之人」的《中庸》、《易傳》一路所形成的回環往復中，存在著廣闊的主體工夫實踐領域，而這也正是實現「實有形態形上學」與「境界形態形上學」合一的根本途徑所在。因為有經「由天之人」一路而來的對形上實體的建立與闡發，而理不空言、道不虛懸，懸置在上的「道體」必須再進一步下貫至包括人在內的天地萬物並與之產生互動，方可極成具體的普遍性。因此，在這實體下貫到具體世界之後，在「氣昏」之「推不得」的草木瓦石等物外，人則首先接收到了這道德性形上實體所賦予的「秉彝」與「善端」，因而得以充分發揮其主觀能動性，在主觀修養上的「逆覺體證」和客觀踐履上的「體用圓融」兩方面盡可能地體驗、彰著、落實這天命天道。也唯有在主體這「盡心知性知天」的工夫歷程中，主體才能真正感知天道，天道也才可真正落實貫徹，從而實現實踐主體與天道客體的融合，即「實有形態形上學」與「境界形態形上學」的真正合一。

（一）主觀修養之逆覺體證

若從終極的圓融一本狀態看，在牟先生詮釋的儒家義理中，「實有形態形上學」與「境界形態形上學」應當是為一不為二、頓時即統攝於「道德的形上學」這一整全格局中的。但就現實個體的修養歷程言，大本之確立并不能一勞永逸、境界的提升也不是一蹴而就。面對自身氣質之偏雜和世界人事之多變，要真正達到心、性、天是一的至上體驗，修養個體則不得不經歷一番變化氣質的工夫考驗。於是，無限的活動空間便主要依賴於修養主體的發揮。就主體的能動性言，其在此一「道德的形上學」裡所能發揮的作用，我們可以在牟宗三先生的理論基礎上將其進一步細化、概括為主觀心境內的逆覺體証與客觀實踐上的體用圓融兩大方面。在這部分內容中我們將先討論「主觀心境內的逆覺體証」這一方面。

主觀心境內的逆覺體証，主要是修養個體不與世俗糾纏、專注澄明本心的慎獨狀態。為了便於分析，我們可以將此種工夫體驗細化為「由心之人」與「由人之心」兩個階段。首先，按照心性之學的發展脈絡，這一道德意義主導下的逆覺體證工夫需要先經「由心之人」給予源頭上的開啟，也就是「天命之謂性」所給予的對本體的肯定。在人未正式得到超越層面的啟發與價值世界的引導之前，只是處於氣質層面混沌不自知的道德狀態，類似於黑格爾所說的「在其自己」之狀態。此時，「天命之性」、「義理之性」雖然存在卻是潛伏，即「百姓日用而不知」。但正是這種隱而未彰的道德善性，不僅為人們的日常生活提供著合乎情感的規範與依據，更是為個體的修養實踐提供了源源不竭的動力與方式。此正如《孟子》所言，「所以謂人皆有不忍人之心者，今人乍見孺子將入於井，皆有怵惕惻隱之心——非所以內交於孺子之父母也，非所以要譽於鄉黨朋友也，非惡其聲而然也」，人人皆有此滿心而發的「不忍人之心」，進而擴及為仁義禮智，皆是人之為人所本質上擁有的善端。「凡有四端於我者，知皆擴而充之矣，若火之始然，泉之始達。苟能充之，足以保四海；苟不充之，不足以事父母」。也就是說，此純粹的道德本心作為至上動力之源，在「由心之人」這一階段，主要負責始終給予處於氣質之性層面中的修養主體以當然不容已、必然不可移的興發力與可能性。而正是這不依賴於任何經驗條件的獨立本體之源，使得主體能夠排除干擾、持續不斷地進行「由人之心」方向上的逆覺心體實踐。由此，在超越層道德心體的推動與保障下，修養個體處於經驗層的「氣質之性」得以自覺自律地進行察識本心的工夫修為。在此階段中，主體要做的便是努力克服種種情欲之雜與氣質之偏而向後返回至此超越層的道德本心，完成異質層的跨越。因為在牟先生看來，若只處於經驗層面上，那麼無論怎樣的工夫實踐與道德行為均只是無根基、無力量且始終不能有切實保障的。只有將此經驗層的「心」經過縝密艱苦的克己工夫，逐漸剔除感性駁雜，進而逐漸回歸到本心的本來狀態，才能以純粹至善的道德本心身分獲得與天道的溝通和感應，實現真正的道德自律和「從心所欲不逾矩」。因此，經過這一步後返式「由人之心」的逆覺經歷，「氣質之性」與「天命之性」得以雙向貫通，修養主體也在內心境界上實現了自我諧和、遊刃有餘。

此種返歸本心的逆覺體證之路，在牟先生看來，可以具體表現為李延平所謂「超越的逆覺體證」與胡五峰所講「內在的逆覺體證」：兩者所面對的都是即存有即活動的本心性體，涵養此本心以期純熟自如，察識此本心以求良心發見，兩者並行不悖地共同致力於道德本心的呈露與道德踐履的自在。例如，在李延平這裡，借助於對《中庸》「未發已發」的體驗與詮釋，其發展出了一套涵養之學，即所謂「默坐澄心，體認天理」[12]。

「未發已發」原出自《中庸》「喜怒哀樂之未發謂之中，發而皆中節謂之和」，原意只是從情感發作的前後定義未發、已發。但在李延平這裡，則存在著一個異質層的跨越：「喜怒哀樂」本是感性經驗層面的現象，但在其還未被世俗經驗激發起來之前，個體可以在這「萬象森然」之時澄然凸顯以自持其自己，這時所見到的便是「中」，是「天下之大本」，即「中體」；然此超越體證仍只是第一關，當其受到外界刺激感而應物，喜怒哀樂作為「情」，自然有中節之時，卻也有勉強之時，其自身並不能保證時時洒然自得。所以個體常需在具體生活中漸證漸養，引導「喜怒哀樂」能寂然不動、感而遂通、通而中節，即「致中和」。也就是說，在李延平這裡，「喜怒哀樂之未發」與「喜怒哀樂之已發」之間存在著一套修養工夫的漸進過程。一方面，在「喜怒哀樂之未發」上，延平致力於「靜坐以驗未發前氣象」之超越體證。《文集・延平行狀》中記載，「先

12 牟宗三：《心體與性體》臺北：聯經出版事業公司，2003年，下冊，頁7。

生既從之學，講論之余，危坐終日，以驗夫喜怒哀樂未發之前氣象為如何，而求所謂中者。若是者蓋久之而知天下之大本真有在乎是也。」[13]由此可以看出，在本體論的體證中，延平尤其注重「超越的體證」，既在未發之時暫時與經驗層隔絕一下，借助這種隔絕達至的清淨狀態涵養本心，從而發見「天命流行之體」。這種排除一切感性因素向後複歸「中體」的修養方式，便是一種逆覺體證之路，也可以理解為「由人之心」。而這種「由人之心」的超越體證之所以可能，則在於有《中庸》「天命之謂性」所做出的本體論保障，即「由心之人」的保障。繼而，另一方面，在「喜怒哀樂之已發」上，這種通過長期「即身以求，不事講解」[14]而達到的聖賢之域，仍需進一步「由中導和」，完成真正的「致中和」。而因為已有涵養所達至的天理氣象，所以這一步的「達道之和」便是「灑然自得，冰解凍釋」[15]。於是，這種對「中體」的體證進一步落實到動容周旋的具體世界裡，自然而然，不假人為，成為「率性之謂道」。如此，借助於由涵養而來的「超越的體證」，李延平在「中」與「和」的貫通中完成了喜怒哀樂之「未發」與「已發」的暢達，也實現了對本心性體的逆覺複歸。

（二）客觀踐履之體用圓融

在修養者經由逆覺體證、察識本心而來的境界體驗之後，因為道不虛懸，為了成為具體的普遍，還需進一步以「人」為主體和媒介向外部世界擴展，進入更深一層的圓融。在這裡我們可以將這種修養主體對外應事接物的過程概括為「由人之物[16]」與「由物之人」兩個方面。

首先發生的是「由人之物」，即因為天命道體的無限涵蓋性與具體普遍性，由「人」之修行實踐而來的體用並不會只局限於「人」之一身，而是會進一步延申到外部具體世界。此時這種「由人之物」的方向，因為要接觸的對象是外部現象世界，因而會發生「格物」並不可避免地產生知識論意味。但又因為此時的主體雖然是「人」、但卻是經過逆覺實踐而「蛻變」的「人」，已經同時具備了牟先生所說的「感觸的直覺」與「智的直覺」，因而其所接觸與應對的事事物物也已不再是單純的現象界意義，而且同時承載了本體界價值，從而可以形成「冰解凍釋」般的由體達用。也就是說，此時的「格物」固然含有現象界因果與知識論傾向，但由於其發自「道心」而非「識心」，因而最終的「致知」還是指向「天理」而非「物理」的；繼而，在「由人之物」帶來的對外部世界的參與後，由於中國哲學對體用關係，如體用不二、體用一源、即體即用等的

13 牟宗三：《心體與性體》臺北：聯經出版事業公司，2003年，下冊，頁6。

14 同上註，頁7。

15 同上註。

16 注：這裡的「物」兼「物」與「事」二義。

特殊規定，在現象界中所發生的「格物」與「致知」必將再次返回於主體方能徹底圓滿。就像在主觀修養中，在「由心之人」給予源頭上的動力與可能性后必須再有「由人之心」的復歸經歷一樣，此時的客觀踐履也將需要「由物之人」的後返過程。此時由於「物」已經過窮究，自然可能出現知識論傾向與泛認知主義。然而，囿於中國哲學重德輕智的一貫傳統，一方面，「格物」所得之理雖兼具知識意味與道德意義，但仍然是以道德之理為主，而知識之理只能是附帶出來的；另一方面，由於「人」兼有「感觸的直覺」與「智的直覺」，而中國哲學裡的修養主體是以「智的直覺」為勝場，因而其面對「由物之人」時的「物」，終究是側重於其中所「格」到的價值論意義而非知識論傾向的。於是，在此時的「由物之人」階段，「物」是以物自身形式複歸到同是物自身形式的「人」，這樣一來，「物」與「人」均越過了經驗世界而在價值世界裡貫通、交匯，從而實現體用不二、顯微無間。

修養者由逆覺體證達成心境內之無礙化境，並進一步參與到世俗世界的應事接物中形成真正的無限圓融，這裡的關鍵在於「人」。因為一方面，囿於現實因素，修行者之「心」確實有「氣」之成分，但經過發明本心的修養工夫，「氣」之心與「體」之心已經可以完全達到一而二、二而一的狀態。所以，此時的「心氣」不但不是實踐過程中異質層的阻礙或不穩定的凝斂，反而正是成就「氣」、「體」不二的助推；另一方面，以逆覺證悟後的聖者境界去接觸外部世界，則此時的任何事物均是以「物自身」狀態呈現出來。因此，修養者的所有活動都是直接指向超越經驗層面的價值世界，而修養者所接觸的所有事物也都是直接位於超越感性材質的自在形式，從而實現即用即體、當下即道。

而在這自律自發、積極創造方面，在牟宗三先生的理論系統中，相較於縱貫系統，橫攝系統則稍顯不足。以朱子哲學為例。在牟先生這裡，朱子哲學因為與心學相比過於「向外求」的理論姿態而被劃定為知識論上的「橫攝系統」：牟先生認為，《大學》並未有一個清晰的走向指導，只是列出了一個大概方向，而朱子便正是以此未決定的義理脈絡為主詮釋出了一套向外開的「格物致知」理論，因而無法成立真正的道德自律與道德自由。格物，「格，猶至也」[17]；至於「物」，則「眼前凡所接應底都是物」[18]。這就容易導致泛認知主義，混「氣質之性」與「性理之性」為一，也與「縱貫系統」中的成德之教顯然有別。至於「致知」，即是「窮極事物之理到盡處」[19]。朱子認為，心是有認知事物之理之明的，但被人欲蒙蔽而發不出。所以借助格物，一方面恢復、擴大心知之明（致知），一方面擴充這認知到極處（知至），最終得以「眾物之表裡精粗無不到，吾

17 （宋）黎靖德編，王星賢點校：《朱子語類・卷第十五・大學二・經下》北京：中華書局，1986年3月，頁283。

18 同上註，頁282。

19 同上註，頁284。

心之全體大用無不明矣」[20]。在牟先生看來，《大學》在個體用力的具體路徑上為開放者，可順「孟子學」來講，如陽明；也可按朱子學來講。而朱子將格物致知一律處理為然與所以然之能所關係，喪失了明道等人上下貫通、圓融無礙之一本義，遂成為平置的「橫攝系統」，個體失去向上的動力之源，而天理也成為靜置的最高實體等待「格物」來認取。關於此，牟先生也以「靜攝」來概括之。「靜攝」，即認知的綜涵攝取之意，相應於朱子所說之致知格物。「中和新說」後，朱子強調以致知為先，主張個體應致力於日常生活中的格物窮理。雖然事物千差萬別，但當躍上一層翻轉上去看時，卻又都是那同一個「理」。所以個體雖因「心氣之知」或被蒙蔽而發不出、或格物少而未擴充，但只要在日常生活中就所見之物不論大小一律細細格過，至於用力之久，則人心之大用豁然明朗、眾物之本源頓在眼前，此即所謂格物、窮理、致知、知至等一系列工夫程序。但牟先生認為朱子這一套工夫極易發展成泛認知主義格物論。蓋在牟先生建立的心性為一的縱貫系統中，察識的對象主要是內在於個體的道德本心。但在朱子的工夫論中，察識的方向恰恰相反，是順著心氣的流散方向去向外運作，在運作過程中獲得至高之理，從而使本來有奔逸趨向的心氣凝聚收斂於理的軌道。這就不免形成一大曲折，不易直接達到自作主宰、冰解凍釋。

三　結語

通過對「主觀修養之逆覺體證」與「客觀踐履之體用圓融」這兩方面的分疏，我們可以逐漸看到「實有形態形上學」與「境界形態形上學」合一的具體內容以及其在成就「道德的形上學」理論中的關鍵作用。儒家傳統的兩大路向，「由人之天」的《論語》、《孟子》一路,與「由天之人」的《中庸》、《易傳》一路，使得「實有形態形上學」與「境界形態形上學」這兩種在佛老思想與西方哲學中看似衝突的形上學形態得以和諧共存於儒家哲學中，並且借助主觀修養上之逆覺體證與客觀踐履上之格物致知，這兩形態之合一工作得到了具體落實；而在持續不斷「常惺惺」的主客觀工夫實踐中，這「實有形態形上學」與「境界形態形上學」合一而形成的儒家「道德的形上學」理論系統不斷充實、逐漸挺立，最終達到圓融化境。在此種境界下，化境之「聖人」可以「從心所欲不逾矩」，化境之「道德」可以自由流行無阻礙，化境之「宇宙」可以德福一致最圓滿。總之，道德秩序即是宇宙秩序，一切都是無隱曲、無造作而如如呈現出來的「大而化之」之天地氣象。

20 （宋）朱熹撰：《四書章句集注・大學章句》北京：中華書局，1983年10月，頁7。

李碧華《胭脂扣》的經典化改編
——電影版「如花」的「鬼」形象重塑

區肇龍

香港都會大學人文社會科學院

一　前言

李碧華的小說《胭脂扣》膾炙人口，該書寫於一九八四年，影響了香港文壇，特別是肯定了李氏成為香港女作家的代表之一。然而《胭脂扣》的光彩輝煌成就，實有乃於一九八七年由香港導演關錦鵬執導的同名改編電影所致，《胭脂扣》電影風靡華人社會，除了動人而忠於原著的情節改編、切合人物角色的選角安排、扣人心弦的電影主題曲和配樂等，主角「如花」的角色重塑，才是電影成功的主因。

在中國文學史中，以「鬼」作為題材的作品多不勝數。先不論民國以前的唐傳奇和六朝志人志怪小說，以至清代的《聊齋誌異》等。民國以降，中國雖受到西方思潮的影響，文學界在形式和內容以至表現手法上都取得了很大程度的變革，然而以「鬼」作為題材的遺風則一直延續。現代文學時期的魯迅、錢鍾書等，[1]都有以「鬼」入文的例子。直至八〇至九〇年代內地「先鋒」文學流行，莫言、賈平凹等代表作家都有對「鬼」有多多少少的書寫，以此作為隱喻的表象或手段；[2]由於地理和歷史的關係，香港早在六〇至七〇年代已受西方思潮的影響，魔幻現實主義等西方文藝思潮，一直影響香港的文壇。[3]雖則如此，對於「鬼」的書寫和借用，都往往集中在通俗文學的範疇中萌芽和成長，除了反映「鬼」題材的大眾化特性之外，亦揭示香港嚴肅文壇在此一題材上的空白。而可幸的是，在通俗化書寫的範疇中，香港作家李碧華能帶領「鬼」題材的作品穿梭在政治寓意、歷史觀照、女性書寫、故事新篇等不同領域之中，讓「鬼」題材

1　例如魯迅的《女吊》和《無常》，借鬼的故事來諷刺現世，鬼的人性化的描寫，反倒讓人覺得人不像人了。又如錢鍾書的〈魔鬼夜訪錢鍾書先生〉，以新奇的手法針砭時弊之餘，亦作了學識的賣弄。

2　例如莫言的小說《奇遇》中的趙三爺和《我們的七叔》中的七叔，都曾於過世後與主人公「我」有過不少的對話，形成了人「鬼」對話的敘事書寫。賈平凹的小說《寡婦》敘說孩子夜夜見到爹和娘，但爹實際上已死去多時，形成一種懸疑和驚慄效果，亦多少帶出親情和人生不常的多元思考。

3　文學方面有也斯、西西、崑南等作為代表人物，電影方面則有以譚家明、許鞍華、方育平、徐克等「新浪潮」電影導演作為代表。

的作品得到廣泛性的肯定和步入經典化的進程（如電影改編）。文藝中有關「鬼」的書寫，實乃一種文化的反映。Daniel Bell 曾說：「文化本身是為人類生命過程提供解釋系統，幫助他們對付生存困境的一種努力。文化領域是意義的領域，它通過藝術與儀式，以想像的表現方法詮釋世界的意義……」[4]「鬼」的書寫有助打破空間和時間的限制，利於創作。在人對於鬼產生的好奇與恐懼之間，讀者已不自覺墮入了作者設計的情節之中，成功配合作者利用「鬼」有別於人的特性來加強表意效果。

李碧華筆下作品繁多，各自精彩。而其電影改編，更是把文字作進一步的昇華，並以影像的方式，呈現予讀者／觀眾眼前。[5]可以說，李碧華的電影比其同名小說出色，在情節方面得到強化和鮮明，人物角色則變得血肉化和立體化。小說在電影改編的過程上，必然作了枝節的刪減和情節脈絡的篩選，亦會加入以多有關商業考慮的元素。因此過往眾多的小說改編電影，每每落得「前好後壞」或「後比前好」的結果。假如是後者的話，便是把小說經典化和普及化的過程，達到此一程度，當然有一定的難度，亦要取決不同因素。最基本是角色的選定、情節的篩選，以及論述重心的轉移。羅璨瑛曾指出：「電影將社會生活中的論述轉碼成影像化的敘述，在轉換的過程當中，電影所執行的是一個論域到另一個論域的轉碼。因此，電影在決定社會真實如何被建構的過程中，扮演一個重要的角色，電影本身成為建構社會真實再現文化體系中的一部分。」[6]我們可以從《胭脂扣》的電影改編，看到導演如何把歷史、本土意識、身分、愛情等多元主題，透過影像以及「如花」形象的重塑，而得到發揮和昇華。

鑑於李碧華《胭脂扣》的電影改編有著以上特性，本文擬就當中主角「如花」的「鬼」形象重塑展開論述，以探析《胭脂扣》經典化過程與「如花」鬼形象重塑的關係和種種特點。

4　（美）Daniel Bell著，趙一凡等譯，《資本主義文化矛盾》北京：生活．讀書．新知．三聯書店，1989年，頁1。

5　歷年李碧華的小說改編電影繁多，如《潘金蓮之前世今生》（1989）、《古今大戰秦俑情》（1990）、《川島芳子》（1990）、《霸王別姬》（1993）、《青蛇》（1993）、《誘僧》（1990）、《三更2之餃子》（2004）、《迷離夜》（2013）、《奇幻夜》（2013）。不是每部電影都受到好評，但幾乎每部電影都引發討論和迴響（正如《霸王別姬》，藤井省三作了頗為尖銳的批評，並認為導演在故事結尾刻意淡化文革對人的傷害，轉而聚焦在同性戀的主題上。這種論述在日本國內得不到相應的支持，反而在香港找到近似的聲音。（參藤井省三：〈李碧華小說中的個人意識問題〉，王德威主編，《文學香港與李碧華》（臺北：麥田出版，2000），頁99-118。）相較小說版，電影版結合改編過程、演員名氣、導演手法、商業考慮等多元因素，令文本更有發揮和討論的空間。

6　羅璨瑛：〈性暴力的文化再現：港台強暴電影的文本分析〉，《新聞學研究》，第57期，1998年3月，頁159-190。

僑日報編採，屬知識份子，是現化版的書生。十二少溫柔敦厚，家境富裕，想必也受過不少教育。男性形象弱化的塑造，是用以襯托女性的果斷和剛烈，可以說《胭脂扣》是承襲了上述傳統「男柔女剛」的故事設定，原因是把故事聚焦在女性身上，故事除了「如花」，八〇年代的港女凌楚絹同樣霸氣，甚至比三〇年代的「如花」更凌厲。可是她所欠的是三〇年代與十二少的一段情慾故事，以及叫人好奇又驚訝的「鬼身分」，使得角色變得可有可無。「如花」形象重塑的成功，主要在於她有別於傳統的「鬼」，因此凌楚娟首次與「如花」見面，即問她會否「穿牆」及其他「鬼」應該具備的功能，然而「如花」通通不懂，可以說是一種「如花」「去魅化」的表現。「如花」的「去魅化」實際是一種人性化的趨向，整部電影除了「如花」於八〇年代華僑日報報館出現時穿門而過，以及在樓梯街「巧遇」袁永定，成功營造出香港八〇年代典型驚慄片的懸疑感之外，接著的所有部分，「如花」都表現出很重的無力感，完全沒有「鬼」的特徵，可以說是一種很成功的「去魅化」表現。這進一步說明，導演希望告訴我們的，並不是一個「鬼」故事，而是一個包含愛情、政治、歷史、本地意識等等的多元立體故事。在傳統的民俗意識中，「鬼」和人是相對而各自存在的，「鬼」又是人的另一種存在形式，兩者是二元對立而並存的。[9]一般來說，「鬼」的存在建基於人，「鬼」的存在的共通點是對人有著大大小小不同形式的訴求，而「鬼」在人的存在空間的出現，目的是達到一己目的，而依賴人去完成滿足。例如〈宋定伯捉鬼〉中的「鬼」就對宋定伯提出互相交替背負的要求，又如〈聶小倩〉中的小倩，四處引誘男人以取得鮮血來供奉黑山姥姥，又如〈碾玉觀音〉中的璩秀秀，被人害死後仍對家庭生活念念不忘，除了渴望跟丈夫崔寧共同生活外，還盼望跟父母在一起生活。在《胭脂扣》中的「如花」則在八〇年代緊跟著袁永定，希望他能夠幫助自己，收容自己，以尋得十二少的下落。[10]因此八〇年代袁永

9 「鬼」字本身可以隱約向我們傳達古人心中「鬼」的基本形象的，王筠在《釋例》中認為「鬼」是：「有手有足，像人形」，可見「鬼」與人的形象相近。魯迅在《中國小說史略》中也提到：「天地神祇人鬼，古者雖若有辨，而人鬼亦為神祇。人神淆雜，則原始信仰無由蛻盡。」（魯迅：《中國小說史略》上海：上海古籍出版社，2004年，頁15。）這進一步反映人和「鬼」的關係如何密切。人和「鬼」基本上形態一致，難以區分，造就了文藝世界的創造空間。「鬼」的身分叫人感到撲朔迷離、似是而非，不知屬人屬「鬼」，間接促成故事的發生和大大增加了故事性和趣味性。如《胭脂扣》中八〇年代開首的一段，都花了不少時間敘說「如花」似人非人，似「鬼」非「鬼」的撲朔身分。

10 傳統書生遇「鬼」的故事，其實是男性性幻想的一種表現，之前有不少學者已作出相關的論述例如高辛勇分析《聊齋誌異》中的「鬼」狐故事時，已揭示了這些故事不外是男人的性幻想。「鬼」狐之所以吸引，是因為男性把他們對妻子的情欲要求完全轉移到她們身上。傳統文化中的愛情和婚姻分家，個人情欲與傳宗接代的任務屬兩碼子的事，因此造成情欲轉移的現象。（Karl S. Y. Kao, "Projection, Displacement, Introjection: The Strangeness of Liaozhai zhiyi," *Paradoxes of Traditional Chinese Literature*, ed. Eva Hung [Hong Kong: The Chinese UP, 1994]:210-11.）可以說，《胭脂扣》中的「如花」基本上是袁永定的一種情欲投影，以凸顯凌楚絹所代表的八〇年代港女形象，以及其所代表的妻子形象，只是電影中刻意把這個部分弱化了。

二　傳統的「鬼」與「如花」

《胭脂扣》的情節相當有故事性和耐讀性，原因在於糅合了古典小說的「才子佳人」、「書生遇鬼」的故事模型，以及現代香港有關殖民和港人身分的書寫。

「如花」的「鬼」形象不論在小說抑或在電影中，都缺乏一種叫人不寒而慄的感覺。「如花」形象的塑造，可以說是對傳統「鬼」故事有關「鬼」形象的一種顛覆。至少，「如花」沒有猙獰的面孔，也不懂得「飛天遁地」。因此，「如花」在「鬼故事」的功能上，很明顯是「失職」，教讀者和觀眾都得不到應有的效果。然而，《胭脂扣》並非一般的「鬼故事」，而是一套「借鬼過橋」的另類文本。

穿梭時空的故事、殉情美學的展現、兩代人對歷史和時間的表述，都得依靠「鬼」來帶領和展開，從而發揮著關鍵的功能意義。

「鬼」在中國社會是一種特殊的象徵符號。賴亞生《神秘的鬼魂世界》中提到：「鬼文化是古代的人們對人類死亡現象及相關問題的思考所帶來的觀念和行為。它大體由以信仰為核心的觀念（如鬼魂觀念、冥界觀念）和儀式、風俗為表現形式的行為事象（如喪禮、祭鬼、驅鬼、招魂、鬼故事的講述以及鬼事禁忌）構成一個整體。」[7]在從民俗學的角度，「鬼」在民間不單反映大眾的心理恐懼，同時是對不可解釋的現象的一種詮釋的依歸。「鬼」又是一種社會的約束，時時提醒人「因果報應」的道德約制，具教化的功能。[8]

在古典文學中的「鬼」大多都不具有恐怖的形象。原因在於「文以載道」的傳統文學精神，某程度限制了「鬼故事」的藝術空間。古典文學中的「鬼」都很顯然帶有功能性，為故事的最終目的提供了輔助的作用。這類型的故事，很多時作者都在說明一種道理，或借事件嘲諷著一些人和事。而大多的論調總離不開「人比鬼差劣」的核心價值。例如唐傳奇〈霍小玉傳〉時刻在提醒愛情從一而終的重要性，亦對負心漢作了嚴厲尖銳的抨擊。又如《列異傳》中的〈談生〉，在告誡和批判了不守信諾的男性，本來可以得美人和美滿的家庭，卻因好奇心而化為烏有。這類型的故事一邊滿足書生的幻想，一邊警惕世人從一而終，信守承諾。不消說，蒲松齡的《聊齋誌異》更是古典「鬼故事」中的佼佼者，當中涉及電視電影改編的故事更是不勝枚舉，而當中對於女鬼的描寫更是入木三分。然而全書離不開女鬼與書生的糾葛，這樣的母題在唐傳奇中亦常見，只是故事結構變得更完整和嚴謹。

《胭脂扣》中的十二少和袁永定都附合女鬼書生型故事的傳統書寫，袁永定任職華

7　賴亞生：《神秘的鬼魂世界》北京：人民中國出版社，1993年，頁1-2。

8　傳統人「鬼」故事完全體現「君子固窮」、「安貧樂道」的儒家思想和規範的顛覆，讀書人一邊內心深處渴望打破思想和行為的樊籬（與女「鬼」私會，這種「無媒苟合」某程度是打破了傳統社會的三綱五常），一邊承受著不安本份或不守信諾的後果。

定與凌楚絹二人的作用和意義非常重大，是「如花」賴以存在於八〇年代空間的重要及惟一要素。人「鬼」和諧共存可以是一個普遍的母題和現象，「鬼」的親和力甚至比人更大，例如「如花」比凌楚絹更溫柔，更懂得如何取悅男性，對袁永定而言，是一種很大的誘惑，對凌楚絹而言，是一種很大的挑戰。可是，導演在電影的改編版本中，刻意弱化三人愛情故事的敘事傾向，而選擇集中在歷史意識和二人愛情故事的主旋律中作深入表述。目的除了是強化「如花」和十二少的愛情故事，說明「如花」如何死心塌地的依戀十二少，讓這個「尋人」故事更加淒美動人，更重要是加強八〇年代（袁永定和凌楚絹）對三〇年代（「如花」和十二少）的抽離感，拉遠兩者的距離，以此深化香港的變化和兩個年代的對比。[11]

三　「虛」「實」互證——人鬼殊途與共存、情愛故事的永劫回歸、歷史的集體失憶與遺忘

整個《胭脂扣》的故事骨幹都是以「虛」「實」互滲的方法來構建的，「虛」中有「實」，「實」中有「虛」。故事建構的時間分別為三〇年代和八〇年代，空間同樣是香港，尤其是石塘咀一帶，然而故事透過在同一地域的時間穿梭，來印證今不如昔、變幻不定的基調。從時間域的角度來看，小說版明顯把焦點置於八〇年代，以「實」的袁永定、凌楚絹二人的生活圈，來加插「虛」的女「鬼」「如花」。「如花」因三〇年代殉情自殺，卻在黃泉路上尋不著十二少，於是重返陽間，尋找其下落，可是一返，人間卻過了整整五十年。電影版則採取三〇年代為主線，八〇年代為副線的鋪敘，如此，在三〇年代的「如花」乃「實」，八〇年代的「如花」乃「虛」，而三〇和八〇年代的人和事，都可以是既「虛」且「實」了。導演成功營造若即若離、似是而非的效果，完整地呼應了《胭脂扣》的基調，究其原因，除了情節的因素外，由於「如花」「鬼」的身分，令她能打破了時間和空間的限制，在兩代人和事之間穿梭往返，建構了其「虛」「實」形象。再者，在「虛」「實」互照的討論中，電影版比小說版顯得更為複雜。如上所述，小說版把焦點置於八〇年代，「如花」乃「不存在」的「虛寫」，然而，她卻是故事的核心，整個故事都在圍繞著她，亦是從她的口中展開整個追尋十二少的故事，因此「如花」也是一種「實寫」。電影版方面，敘事焦點落在三〇年代，講述此時代的「如花」確實是一種「實寫」，而八〇年代的「如花」則是一種「虛寫」。然而，敘事者和受眾都處於八〇年代的時空，明顯跟三〇年代產生著很明顯的距離，當敘述八〇年代的脈絡

---

11 區肇龍：〈試論李碧華《胭脂扣》中所呈現的愛情觀和歷史意識〉，《文學研究》，第1期，2006年3月，頁114-120。曾對此有過深入的論述，說明兩代人在愛情、歷史、身分等有著不同的價值觀，有助有強對三〇年代昔日香港懷舊感，同時凸顯八〇年代港人身分的特徵。

時，便很容易有抽離感，理解到實情是八〇年代的女「鬼」「如花」，在訴說著三〇年代的往事而已。而十二少也是值得留意的人物，整個故事不論是小說版抑或電影版，他都是活在三〇年代的，因此他屬於「虛」，然而電影結尾有關十二少老態龍鍾的描寫，則把十二少由「虛」轉化為「實」了。而十二少的「再出現」，導致「如花」放棄此段愛情，轉世投胎的決定，把「如花」由「實」轉而為「虛」了。「實」「虛」互照的表現手法令故事變得立體和結構變得嚴謹，穿梭兩代的尋人兼愛情故事，導致香港重新再被認識和發掘，再而是緬懷，加諸八〇年代的香港前途問題，亦令本來只著重經濟的港人，更懂得思考殖民、身分、歷史、本土意識、政治、文化等多元課題，而這些課題又是互相糾葛的。而促使故事建構和連繫於兩個年代的重要媒介是「如花」「鬼」的身分和特徵。

「如花」由於「鬼」的身分，能夠穿梭兩個年代，是建構《胭脂扣》「虛」「實」敘事的最重要媒介。除此，與小說電影同名的重要信物「胭脂扣」／「胭脂盒」是另一重要媒介。此信物為十二少於戲棚外所買，而贈予「如花」，實乃「胭脂盒」，因屬項鍊，有扣，美稱為「胭脂扣」。同時寓意著他們二人愛情的扣連，亦可視作三〇與八〇年代扣連的重要意符（Signifier）。電影中的袁永定在上環尋找有關三〇年代的舊報紙，探求「如花」殉情的真相，卻意外見到「胭脂扣」，從而發現了三〇年代專門報道塘西逸聞的《骨子報》，始知「如花」在十二少生吞鴉片前，已版灌注入安眠藥的烈酒，繼而延續故事情節。

同樣，電影版除了把敘事焦點置於三〇年代，亦把重心轉移到愛情的層面上，很顯然是出於商業的考慮。小說和電影版同樣以「插敘」的方法，把三〇年代「如花」與十二少的相遇相知相愛的故事娓娓道來，但前者把三〇年代放諸略述，八〇年代放諸詳述，後者則相反。可以說，小說是借三〇年代說八〇年代的故事，極具八〇年代港人境況的自我反思，當中涉及香港前途的政治問題、回憶昔日殖民時期的港人身分問題等；而電影則是借八〇年代說三〇年代的故事，昔日香港「塘西風月」的寫照，更具回顧昔日殖民時期生活的情懷，再加諸八〇年代港人對三〇年代生活的「獵奇」的眼光和「發掘」的心態，成就了糅合商業、殖民、港人身分等多元元素的流行經典。另外，小說版在愛情的故事基礎上，注入了不少政治元素，貫徹李碧華小說的風格，尤其當中有關內地和香港的敘述。[12]電影版對政治方面的弱化，某程度削弱了故事的多元性，但導演巧

12 李碧華小說的一貫風格，是以淺白的文字，加上緊密的故事結構，來敘說女性和政治兩大命題。當中會以故事新編的方法重塑經典故事的情節和人物，令原有故事變得「在地化」，以迎合世情。有論者早已從「華語語系」（Sinophone）的角度，研究李碧華小說在「後零三」的書寫鬼魅現象，以說明二〇〇三年後港人與中國關係緊張的狀況如何在李碧華小說的鬼魅書寫中呈現。（黃國華：〈拒絕收編──論李碧華「後零三」電影小說的鬼魅故事〉，《中國文學研究》，第42期，2016年7月，頁119-160。）雖然論述的範疇局限於二〇〇三年以後，也只從邊緣（香港）與中心（中國）對立的觀

妙地借「如花」「鬼」的特性，而在愛情層面上加以放大，以彌補缺失。因此不難發現，電影版「如花」有關「鬼」的特性的描寫是相當多的，可以說是一種對「如花」「鬼」形象的重塑，讓她由鬼的「虛」轉而為有血有肉、有情有性的人的「實」。例如故事開首「如花」於八〇年代初遇袁永定時，在小說版中，袁永定問走到報館的「如花」：「你是大陸來的吧？」，「如花」回應他：「不，我是香港人。」[13]這很顯然屬八〇年代的香港有關大陸人南來移民的寫照。這種有違三〇年代塘西妓女說話身分和口吻的對白，同時反映李碧華刻意帶出香港本土意識的用意。電影版則改為袁永定問「如花」是否從「上面」下來，「如花」則回應他是從「下面」上來，弱化了本土意識之餘，同時加添了調笑效果。承上所述，雖然「如花」變得人性化，但故事結尾離不開「人鬼殊途」的母題，人和「鬼」終究不可在一起。「如花」在電影版的「鬼」形象，可以說是亦正亦邪的，結集了「鬼」的陰森、神秘；人的癡情、可憐於一身，形象相當的豐富和立體。因此在電影的最後，於片場一幕，惠英紅飾演的角色在扮演女「鬼」時，受到導演的指示，「既要有女鬼的陰森，也要有女俠的氣勢」。雖然表現手法有待改善，然且這是屬於「如花」的重像（Double Image），借此直接道出《胭脂扣》導演的心底話——「如花」亦正亦邪（同樣是可愛可恨）。電影中的「如花」比小說中的形象更見突出，主因是導演把「如花」通過角色重塑來得以「強化」。小說中的「如花」總給予別人一種柔弱嬌小的感覺，電影版則感覺較為強勢，其中一個重要目的，是呼應和切合「如花」「鬼」的身分。「如花」重遇十二少後的反應，是誘發觀眾繼續對情節保留興趣的一大誘因，故事中亦借袁永定的口向「如花」提出疑問：「如果重遇他，你會怎樣？」。結局是「如花」與十二少相認，歸還信物「胭脂扣」，然後獨自離去。結局情節承傳古典書生與女鬼的故事傳統，女鬼雖對負情／不守信諾的書生抱怨，然而未見有「厲鬼索命」的極端恐怖情節，仍然保留以愛情為主軸的兩性故事模式。這種模式延續了愛情為主，鬼魅為輔的敘事結構，可以說鬼魅只是一種手段，用以令故事情節變得合理化和增加吸引力，假若淪為女鬼復仇的敘事情節，則故事的文學價值將大大減低。這種弱化「鬼功能」的愛情故事的敘事模式，在古典小說中屢見不鮮，如著名的《碾玉觀音》，不單弱化女主人公璩秀秀的「鬼功能」，甚至連其父母璩公、璩婆的「鬼功能」都一併被弱化。目的除了保留愛情、生活世情的故事母題，免得傾向復仇恐怖的主題之外，也是為了在故事過程中隱藏人物的鬼身分，使得故事結尾添了驚喜之餘，也教讀者同情人物角色。

「如花」其中一個很重要的作用，是把她所代表的三〇年代，帶進八〇年代，以此造成當中人和事的強烈反差，繼而道出香港的殖民地身分以及不重視歷史、瞬息萬變的

點來敘事，未能全面對李碧華小說有關港人身分、港地緬懷、香港命運等多種互相糾葛的元素作多角度的剖析，但帶出了很重要信息，就是李碧華小說的鬼魅和政治兩大元素的鏡像關係。

13 李碧華，《胭脂扣》香港：天地圖書公司，1998年，頁5。

特色。當中的表現方法，主要是借「如花」與袁永定的對話來呈現的，尤其是電車一幕。當中可以帶出幾個重點：一、港人不重視香港歷史；二、香港瞬息萬變；三、「如花」形象的轉化（從陰森恐佈轉而為可憐柔弱）。導演選擇上環、石塘咀為敘事據點，當中有電車、海味舖、塘西風月的舊貌，都是極具香港本土意義的地標，加上早在一九四一年一月二十六日，英軍登陸上環水坑口，這個地方亦是標誌著香港淪為殖民地的濫觴。作者和導演可謂獨具匠心。香港主體和香港人身分一向是研究者反覆論述的對象，正如著名學者阿巴斯（Ackbar Abbas）的觀點，探索和追問香港主體是個錯誤的方向，因為香港處於「錯置／誤認」（Disappearance）的情境之中，香港的主體只有借第三方（如英國殖民地／中國）來體現出來。然而阿巴斯並沒有否定香港主體的存在價值，甚至在不同範疇的文化論述和創作中可以得到不同程度的建構。[14]香港的主體和歷史可以從不同敘事者和切入點而得出不同的論述和結論，李碧華和關錦鵬借香港三〇年代殖民時期的「塘西風月」來訴說單純殖民時期的五光十色，同時與八〇年代同樣是殖民時期但多了香港前途問題的憂患意識的繁華生活來作並觀，令港人以至不同政治譜系的華人對香港主體和歷史有了多種面向的思考。

在故事建構和角色設定方面，《胭脂扣》無疑是相當出色的，它利用香港今昔故事的比較，從中揭示男女關係的對比、港人港地遺忘殖民歷史的特徵、對九七回歸的恐懼和擔憂。然而，故事終究離不開傳統才子佳人、書生遇「鬼」的母題和結局。書生（十二少）因不守信諾（沒有與「如花」一起殉情、另娶表妹程淑賢）而得不到好結果（孤獨終老、窮愁潦倒）。其次，忠貞不二的癡情女子「如花」除了得到世俗人的認同外（袁永定與凌楚絹二人的肯定和幫助），在故事的結尾也得到好的回報（重新投胎做人）。這反映《胭脂扣》仍有一定的世俗教化意味，離不開典型的負心漢遇「鬼」的母題，用以警醒世人。「如花」跟袁永定凌楚絹二人都具備香港人的身分，然而因「生活」在不同的年代，導致面對不同的桎梏。「如花」一心尋找十二少，她所面對的困難極之單一化。袁永定二人則在緊張的政治氣候底下，終日顯得鬱鬱寡歡。小說和電影分別成於1985年和1987年，普遍港人當時都面對香港及港人自身的前途問題。1984年12月《中英聯合聲明》簽訂，意味香港將於一九九七年七月一日回歸中國，在政治、文化、經濟多方面元素的徹底轉化的大前提底下，港人都表達或多或少的擔憂，正如電影中，凌楚絹首次與「如花」碰面，便質疑她的身分，質問她所穿的衣服是否長埋地下「五十年不變」。雖然此幕明顯是各自表述，各說各話（語意雙關），縱使同屬港人，但基於不同的生活年代，兩者的身分則顯得極度懸殊。正如霍爾（Struart Hall）所言，身分的界

---

14 Ackbar Abbas, *Hong Kong: Culture and the Politics of Disappearance* (London: University of Minnesota Press, 1997), 1-15.

定，靠的不是溯本追源，而是如何面對群體所經歷的各種道路。[15]可以說，如何看待往事，如何置身其中，都是表述身分的重要方式。[16]電影版一邊去政治化，一邊加強愛情敘事，但政治元素去得不夠全面而徹底，雖得到觀眾多少共鳴，但難免有種突兀的感覺。田邁修（Matthew Turner）亦曾對「五十年不變」作了一些看法：「所謂香港的『生活方式』是指甚麼呢？……因為從來沒有一個社會可以『維持五十年不變』，那麼要怎樣才能讓社會的變化合理化呢？在有關香港將來的條約的重要部分，用上了一個意味含糊、幾乎可以讓人解釋為任何東西的新詞。」[17]似乎不單是香港八〇年代的社會大眾，學院中人亦對「五十年不變」作了批評和提出了疑問。究其原因，是因為這種「五十年不變」的「一國兩制」系統前所未見，大家都抱著懷疑的態度去看香港的前景相信是相當合理的。

四　結論

《胭脂扣》的結局，屬於典型的人「鬼」殊途的悲劇結局，離不開人「鬼」不可一起的調子。同時貫徹書生不守信諾而必然得到惡果的母題。因此《胭脂扣》在故事情節上並沒有得到很大的突破，只是在題材上巧妙地挪用了三〇年代昔日香港塘西風月的景致與八〇年代香港前途問題敲定後的景況作一並置，加諸以女鬼遇書生的傳統敘事母題，建構出女「鬼」橫渡五十年的隔世尋人故事。《胭脂扣》的主人公「如花」貫連整個故事，在三〇年代與八〇年代之間穿梭，引導讀者／觀眾重新認識香港，思考本土歷史、港人身分、香港前途等課題。《胭脂扣》電影中的「如花」形象無疑是相當成功的，相較小說中的纖纖女子形象，電影對「如花」形象的重塑，有助加強故事的吸引力，畢竟書生遇「鬼」或單純以「鬼」作為題材的文藝作品，在票房上都有一定的號召力。[18]可以說電影中的「如花」形象更見立體，她比小說的形象更具「鬼」的特性，帶有驚慄感之餘，又見其超能力，在外方面可見她的勇毅和堅執，在內方面可見她的柔弱和深情。相信這些都是「如花」形象能夠深入民心的原因，她有別於人，但必須依靠人來輔助她達到她的目的。

---

15 Stuart Hall, "Introduction: Who Needs Identity?" *Questions of Cultural Identity*, ed. Stuart Hall and Paul du Gay (London: Sage, 1996):4.

16 Stuart Hall, "Cultural Identity and Diasporta" *Identity: Community, Culture, Difference*, ed. J. Rutherford (London: Lawrence & Wishart, 1990):394.

17 Matthew Turner, "60's/90's: Dissolving the People", *Hong Kong Sixties: Designing Identity*, ed. Matthew Turner and Irene Ngan (Hong Kong Art Center, 1995):25.

18 八〇年代港產片多以殭屍和「鬼」作為題材，屬當時流行的現象和風尚。當時香港的「鬼」片大行其道，是緊隨功夫片而來的風潮，並以電影《鬼打鬼》為首，掀起了延續超過十年的「鬼」片熱潮。當中從純以恐怖驚嚇為旗幟的電影風格，進而加入道教元素（茅山道士、靈符、殭屍），成為流行一時的「殭屍片」，進一步的發展是糅合愛情、社會寫實、性欲等多元主題電影。

「歷史書寫」研究的回顧與展望

郭晨光
北京師範大學漢語文化學院

所謂「歷史書寫研究」，學界又稱「史料論式研究」、「史料批判研究」或「文本考古學」[1]等，是一種以正史為主要研究對象的史料處理方法和史學研究範式。該範式遠源古史辨、傳統史源學以及後現代史學解構方法，高度重視解析史家的「執筆意圖」，探討「史料為什麼呈現現在的樣式」，即歷史是如何被書寫的。圍繞史料文本的生成、流動過程，在此基礎上探討制約這一過程的歷史圖景，並揭示史料生成所具有的歷史意義。「歷史書寫研究」由前些年主要應用於魏晉南北朝史領域，已經逐漸擴展到中國史的各個斷代，湧現了一系列有價值的研究成果，成為近些年以來史學研究的學術增長點。相關的學術活動比較活躍，甚至被評為「2015年度中國人文學術十大熱點之一」[2]。特別對青年學者的影響尤為顯著，給人以不談歷史書寫便不得預流之感。本文根據這一研究範式的意涵和旨趣，從學理層面梳理歷史書寫的研究成果、理論價值和方法論意義，總結其取得的成就、反思不足之處，以期為相關研究的深化、跨學科之間的對話提供更多的維度。

一　歷史書寫研究範式的興起及意涵

在歷史學語境裡，「歷史」一詞主要有兩種不同的意涵：它既指人類所經歷的如此這般的過去，即客觀存在的歷史；也指人們憑籍人類過往活動所留下的痕跡，對那一過去所進行的編排、表述、解釋和評價，即記錄下來的歷史。[3]「史實」是歷史的第一重面相，指發生在、存在於過去特定時空中的人和事，它獨立於史料之外，不以任何歷史記錄的主觀傾向性和片面取捨性為轉移，具有唯一性的特點。「史實」轉瞬即逝、不可重複的特點決定了只能借助於口傳、筆錄才能得以保存，產生了所謂的「史錄」。「史錄」作為「書寫的歷史」，是對過去發生的人、事有意識的選擇、重組，是歷史的第二重面相。儘管「書寫的歷史」應盡可能做到真實、客觀，但經由文字、語言或圖像反映

1　為行文方便，全文統稱「歷史書寫研究」。

2　〈2015年度中國人文學術十大熱點〉，《文史哲》，2016年第3期。

3　彭剛：〈歷史記憶與歷史書寫——史學理論視野下的「記憶轉向」〉，《史學史研究》，2014年第2期。

後的「歷史印象」或「歷史記憶」已不再是原生性歷史事項本身，變成了精神遺存式的意識形態。從這個角度講，「書寫的歷史」在真實性上必然存在先天缺陷。「史錄」永遠不可能與「史實」完全吻合。對歷史「在場者」而言，源於個人第一手材料是他們親歷歷史的重要手段，對於「後人」而言，如何進入「歷史現場」以獲得歷史性，只能依靠「史錄」。因此，古往今來的歷史學家對「史錄」、史料的挖掘以及探究都極為重視。

在西方，古希臘史學家修昔底德最早提出了近代所謂的史料批判的原則，提出了兩個判斷史料可靠性的方法：一是利用明顯的證據；一是採納合乎情理的解釋（《伯羅奔尼撒戰爭》）一方面，歷史學家利用親身目睹得事實來檢驗別人的報導（古希臘史學家重視研究當代史）；另一面，歷史學家用理性的態度去判斷報導是否合乎事物發展的邏輯。十九世紀以來，德國實證主義史學興起，代表史學家蘭克提出「如實其書」（《拉丁和條頓各族史・序言》），他在《英國史》中說：「我想消滅自我，只讓史事說話」，主張只用史料說法以保證歷史的「客觀性」。蘭克「如實直書」的史學思想遭到後世學者的批判，但其史料考證的方法對後世影響巨大。二十世紀六〇年代以降，後現代主義的興起對實證史學產生了猛烈衝擊。在後現代史學看來，歷史學家研究所依據的不再是完全客觀的史料，史料在被編纂、保存和流傳的過程中存在被建構行為，因此直接運用史料並不能達到歷史真實，反而應當解構出史料背後存在的權力關係和人們歷史記憶的形成過程，即在史料呈現什麼之外繼續追問史料為什麼會如此呈現，方能得到更為真實的答案。在這種「懷疑理論」的關照下，後現代主義者提出了許多影響甚深的研究範式和理論術語，如「文本」（text）、「解構」（deconstruction）、「書寫」（writing）從字面意思講，「文本」與昔日慣用語「文獻」（decuments）或作品（works）並無區別，但卻是完全不同的概念。「文獻」關注史料記述內容所反映的事實，「文本」關注史料形成、留存、傳播、銷毀、篡改、重構的過程以及影響這個過程的觀念。「書寫」對於多數人而言是區別於「研究」的概念，側重於過程，是史料挖掘、前人綜述、理論分析和論證的載體。其中「文本」一詞最能代表後現代旨意，在被稱為後現代「祭司」的德裡達看來，一切都是符號化的文本構成的，「文本之外，別無他物」，在『批判性閱讀』（critical reading）中，才能無限接近已逝去的真相」。[4]

事實上，中西方史學在史料批判方法上有諸多契合之處，早在春秋時期就產生了史料批判思想的萌芽，孔子作為中國歷史學的奠基人，提出「無徵不信」（《禮記・大學》）主張以審慎、求實的態度來編修《春秋》，他強調「蓋有不知而作之者，我無是也。多聞，擇其善者而從之，多見而識之，知之次也」（《論語・述而》）在多聞多見中鑑別、批判的態度對待史料，這些方法對後代史家產生了深刻影響，司馬遷撰寫《史記》時曾提出「小子不敏，請悉論先人所次舊聞，弗敢闕」（《史記・太史公自序》）「網

4　陳新：〈解構與歷史：德里達思想對歷史學的可能效應〉，《東南學術》，2001年第4期。

羅天下放失舊聞，考之行事」(《報任安書》，見《漢書・司馬遷傳》)，廣泛收集史料的基礎上，對其進行考證和批判。在對史料進行批判、取捨時，又提出「載籍極博，猶考信於六藝」(《史記・伯夷列傳》) 傅斯年高度評價司馬遷的史料處理方法，稱「西曆紀元前兩世紀的司馬遷，能那樣子傳信存疑以別史料，能作八書，能排比列國紀年，能有若干觀念能比19世紀的大名家還近代些。」[5]此外，司馬遷還以卓越的史識對史料進行精心解讀和闡釋，挖掘史料背後的複雜史實和意義。其後，針對官方修史與政治、權力的密切關係，唐代史學家劉知幾對史書中「曲筆」、「隱晦」等問題進行了深刻揭露，提出「史氏有事涉君親，必言多隱諱，雖直道不足，而名教存焉」[6]，已經深入到官方歷史書寫機制的層面[7]。二時世紀上半葉，以顧頡剛為代表的「古史辨派」主張對古代文獻持懷疑態度，「已經認識到『古代事情的本身』與古書上所記過的古史『不能並為一談』，故其考辨『寫的古史』，只是要『知道那些記述古史的人對於古史的觀念、知識或解釋的構成和依據』，希望通過這樣的解構（他未用這個詞）方式，可以『逐漸的走到能夠認識古代事情的路道上去』」。[8]在其看來，歷史書寫的「真實」與「歷史」、「真實」實為兩個問題，似乎還是論證書寫文本的「真實」更為可靠，歷史研究的真實自然由討論歷史的真實性問題轉向了書寫的真實性問題。正因為如此，趙世瑜認為「中國傳統史學（甚至也包括經學）在史料學或文獻學上的建樹不僅具有現代意義，而且也具有後現代意義。」[9]

二十一世紀以來，後現代史學的語言學轉向之後帶來了「文本化的歷史」，在寫作過程中，史料被史學家安排到文本結構中，進行選擇和剪裁。一些史學家將歷史著作視為以敘事活動為基礎的語言結構，因此相對於傳統研究，對歷史著作的書寫、形成以及建構過程的考查成為新的學術增長點[10]。後現代史學下的史料不局限於史籍，既然史料可以文本化，那麼一切文字或非文字皆可被視為文本，這就極大的拓寬了史料範圍，促使國內學者開展史料批判和拓寬史料範圍研究。

歷史書寫作為一種史學研究範式或方法，在研究中古史的青年學者中異軍突起是近

5 傅斯年：〈歷史語言研究所工作之旨趣〉，見《國立中央研究院歷史語言研究所集刊》，第1分冊，1928年10月。

6 （唐）劉知幾著、（清）浦起龍通釋《史通通釋》，上海：上海古籍出版社，2009年，卷七，〈曲筆〉，頁182-185。

7 其後司馬光撰修《資治通鑑》時，利用《大唐創業起居注》質疑《唐高祖實錄》《唐太宗實錄》刻意對李建成、李元吉進行醜化。明清時期，錢謙益利用明代官方檔案文書發現《明太祖實錄》的曲筆問題。趙翼《廿二史劄記》揭示陳壽《三國志》、沈約《宋書》、蕭子顯《南齊書》、魏收《魏書》等正史中存在的曲筆回護。這些主要是對具體問題的探討和揭露，仍是在劉知幾理論框架下的延續。

8 羅志田：〈檢討〈古史辨〉學理基礎的一項早期嘗試〉，《社會科學研究》，2008年第3期。

9 趙世瑜：〈文本、文類、語境與歷史重構〉，《清華大學學報》，2008年第1期。

10 楊華：〈「後學」留痕：後現代史學在國內的傳播、實踐及影響〉，《東嶽論叢》，2021年第1期。

二十年以來的事。「歷史書寫研究」又稱「史料論式研究」或「史料批判研究」。它興起於日本中國中古史研究領域，日本學者安部聰一郎將其定義為「以特定的史書、文獻，特別是正史的整體為對象，探究其構造、性格、執筆意圖，並以此為起點試圖進行史料的再解釋和歷史圖景的再構築。」[11]從以往對史書的宏觀關注轉而探索史書內部的微觀構造，重在對史料進行重新分析，在研究過程中保持批判性的思維和眼光，以疑古的態度，對史料進行保持高度的敏感和審慎，分析「史料來源、書寫體例、成書背景、撰述意圖等，考察史料的形成過程，以此為基礎，探討影響和制約這一過程的歷史途徑，並揭示史料形成所具有的歷史意義。」[12]儘管上述學者對歷史書寫的定義在語言表述上略有不同，但是強調的旨趣和意涵大體是一致的，一言以蔽之，歷史書寫研究是史料學、歷史編撰學以及歷史文獻學相結合的研究，即「從史料分析走向史學分析」[13]。

與傳統中國史學史重在考辨史料真偽、確定其可靠性不同，後現代史學指出「文本」與「過去」的間隙，修正了傳統史學企圖通過「文本」重建「過去」的實證立場，指出探究「文本」形成過程中的種種因素才是真正的歷史。歷史書寫研究受後現代文本觀念影響，當發現『偽史』時，後現代方法並不急於確定真偽、身分，而是試圖進一步發現該歷史文本是在怎樣的知識系統和條件下，被如何有意識組織和建構起來的，而這一解構歷史文本的過程似乎是能反射出哪些被懸置的歷史真實，「用來解釋和重建歷史過程的史料本身，其實是一種被書寫、被建構形成的文本，史料真偽並不重要，重要的是史料為什麼會呈現現在的樣式。」[14]較之史料記載內容所呈現的「歷史真實」，史料作為文本本身的形成過程是一種更加真實的「歷史事實」，凸顯史料的形成過程以及所聯結的歷史意義更為重要。

二　中國史領域歷史書寫研究的現狀分析

歷史書寫研究範式興起於魏晉南北朝史研究，很大程度上源於本時期史料的限制。新史料對歷史研究的推動作用巨大，比如簡帛文獻對先秦、秦漢史，敦煌文書、吐魯番文書對隋唐史以及明清內閣檔案對明清史研究的推進。魏晉南北朝時期的「新史料」並不豐富，除了少量簡帛、北朝石刻資料的發現外，傳世文獻被研究者反覆爬梳，能夠開掘的新內容所剩無幾，因此多數研究仍需建立在對傳世文獻的「窮盡史料」和「精耕細

11 （日）佐川英治等：〈日本魏晉南北朝史研究的新動向〉，見《中國中古史研究》編委會編：《中國中古史研究：中國中古史青年學者聯誼會會刊》，第一卷，卷八。

12 孫正軍：〈通往史料批判研究之途〉，《中國史研究動態》，2016年第4期。

13 陸揚：〈從墓誌的史料分析走向墓誌的史學分析——以〈新出魏晉南北朝墓誌疏證〉為中心〉，《中華文史論叢》，2016年第4期。

14 孫正軍：〈魏晉南北朝史研究中的史料批判研究〉，《文史哲》，2016年第1期。

作」的基礎上，「那些為人熟知的常見史料亦需加以深翻和檢討，追本溯源，訂訛補闕，為學者研究提供可能的文獻基礎，並使其煥發出新的學術價值。」[15]通過觀念和方法的更新，使這些舊史料煥發新的價值。本文擬從歷史書寫的內涵、旨趣入手，總結、梳理相關領域成果，所選取的代表性論著，並非以標題是否冠名「歷史書寫」或「書寫」作為標準，而是以是否符合歷史書寫（史料批判）的核心要義為圭臬，[16]重在其呈現的新特點以及對研究範式的推進。[17]

（一）探討史源問題，是歷史書寫的主要取徑之一。重視史源，強調史料文本的原始性和可靠性，是史學研究的基礎。「以史料來源為取徑的史料批判研究，往往矚目於史料來源的『不合理』，既包括史源自身的『不合理』，也包括史源與史料文本間的『不合理』。以這些『不合理』為線索，梳理史料的形成過程，探究在此過程中從史學到史學之外的種種問題。」[18]例如劉子立《再論〈後漢書・趙壹傳〉——兼及〈後漢書〉的史料來源問題》[19]揭示趙壹在光和元年（西元178年）上計的經歷有大量抵牾之處，原因在於《趙壹傳》特殊的史料來源與性質。後人撰寫《趙壹傳》等傳記時，由於《東觀漢記》的中斷，缺少國史資料依憑，只有轉而依靠別傳、類傳等「雜傳」類史料。史料來源與性質的變化，使得《趙壹傳》中「附益增張」，出現了類似於小說家言的記載。近些年隨著新出史料的湧現，史料範圍進一步延申，一些遠離歷史編纂的文本受到研究者的重視，在材料的運用和整理上均有提升。如唐雯《〈舊唐書〉列傳史源辨析之一——以傳世傳記類材料為中心》[20]針對以往多以為《舊唐書》列傳承襲諸如實錄本傳、行狀、碑誌、家傳等傳記類文獻的判斷，通過對比《舊唐書》本傳與各色傳記類文獻，指出前者雖在一些場合以後者為史源，但並非全然如此，尤其是中晚唐部分列傳，五代史臣並不太以來行狀、傳記，反而文集中的序傳更受青睞。陳潔《〈明史〉與〈明實錄〉史料源流考述》[21]指出《明史》人物傳記不僅以《明實錄》為主要史源，還參考

---

15 劉浦江：〈窮盡・窮通・預流：遼金史研究的困厄與出路〉，《歷史研究》，2009年第2期。

16 有關歷史書寫研究範式在魏晉南北朝史研究中的各種範例，詳見阿部幸信、安部聰一郎、佐川英治合撰：〈日本魏晉南北朝研究新動向〉，見《中國中古史研究》委員會編《中國中古史青年學者聯誼會會刊》北京：中華書局，2011年，卷一，頁8-9、頁15-17；《大陸學界中古史研究的新進展（2007-2010）、近四年（2007-2010）日本東漢、魏晉南北朝史研究的動向》，見中國中古史委員會編：《中國中古史研究：中國中古史青年學者聯誼會會刊》北京：中華書局2013年，卷三，頁222、273、274；以及孫正軍：〈魏晉南北朝史研究中的史料批判研究〉，《文史哲》，2016年第1期。

17 文本所舉相關研究，限於筆者所見，挂一漏萬，敬請諒解。

18 孫正軍：〈通往史料批判研究之途〉，《中國史研究動態》，2016年第4期。

19 劉子立：〈再論《後漢書・趙壹傳》——兼及《後漢書》的史料來源問題〉，《勵耘學刊》，2020年第2輯。

20 唐雯：〈《舊唐書》列傳史源辨析之一——以傳世傳記類材料為中心〉，見《中國中古史研究》上海：中西書局，2020年，卷八。

21 陳潔：〈《明史》與《明實錄》史料源流考述〉，《古籍整理研究學刊》，2021年第1期。

《皇明開國功臣錄》、《國朝獻徵錄》、《國朝列卿記》、《罪惟錄》等明、清私家著述，通過將《明史》傳記與《明實錄》及其他諸書比對，針對記載各異之處分類評析，發現《明史》傳記運用《明實錄》時，在文字上精細化處理，亦利用其他史籍，糾正了《明實錄》的許多曲筆、錯誤。

研究者在史源考索上也有方法的推進，針對中古以後的史書修撰，往往難以成於「一人之手」，反而因修史制度出現「史料淨化」（即反覆修撰、日趨完善）的過程，需要關注史料在不同時代的疊加，這就依賴對史源的追索，才能區分後世史家的觀念與前代史家的記載，考察世代知識的「層累」與思想的潮流。如錢雲《再論〈宋史・外國傳〉的史源和書寫》[22]提出因元修《宋史》的完成，宋朝國史的散佚，若簡單以「文字對比」方式追索《宋史》史源，難免會忽視宋朝國史與傳世文獻間的關係，甚至會混淆對史源的辨別。該文不以傳統「文字對比」的方式，以「內容相似」或「文辭相同」作為證據考查史書的史源，而是將兩宋史書的編撰過程與史料的「環流」納入思考範圍（即兩宋國史的往復修撰等，促成了史料在不同史書中的環流，形成事實實記載「共用」）由此辨明《宋史・外國傳》與《文獻通考・四裔考》、宋朝國史之間的關係。

（二）書寫體例。書寫體例主要包括史書體裁諸如紀傳體還是編年體，篇章的命名、紀傳的設置以及在史書中的排序、位置等。孫正軍從書寫體例角度對史書「模式化書寫」作了考察，所謂「模式化書寫」，「指史傳中那些高度類型化、程式化的文本構築元素，它們或本諸現實，或由史家新造，在史籍中被大量運用，以構建、形塑各式各樣的人物形象。」[23]孫氏《中古良吏書寫的兩種模式》[24]一文認為史書中大量存在像「猛虎渡河」、「飛蝗出境」之類的「模式化書寫」，大多應為「與史實無關」的虛構，這不僅削弱了歷史記載的真實性，也使中國古代史書普遍因「千篇一律」的模式而缺乏「個性化」的描述。受其思路影響，有研究者對中古以降「飛蝗出境」問題進行了思考，安敏《起到輒應：歷史書寫視野下元代「蝗不入境」的史實構建》[25]指出中古時期盛行的「飛蝗出境」模式在元代式微，取而代之的是與祈禱密切相關的同類模式，既包括了採用祈禱手段作為防災邏輯，也包括飛蝗入境後以祈禱消災的邏輯。降雨在這一過程中發揮了重要作用，元代良吏書寫這一新模式，反映基層社會對於地方官「治民事神」的雙重標準要求。一些研究者在肯定「模式化書寫」思路的同時也提出了不同見解，[26]如把夢陽《「乞代」與「義釋」：對一種正史書寫表彰模式的探究》[27]探討漢晉時期「乞代」、

22 錢雲：〈再論《宋書・外國傳》的史源和書寫〉，《青海社會科學》，2020年第5期。

23 孫正軍：〈魏晉南北朝史研究中的史料批判研究〉，《文史哲》，2016年第1期。

24 孫正軍：〈中古良吏書寫的兩種模式〉，《歷史研究》，2014年第3期。

25 安敏：〈起到輒應：歷史書寫視野下元代「蝗不入境」的史實構建〉，《農業考古》，2019年第3期。

26 如夏炎立足於環境史視角，肯定了「飛蝗出境」記載所包含的真實性。參見夏炎：〈環境視野下「飛蝗避境」的史實建構〉，《社會科學戰線》，2015年第3期。

27 把夢陽：〈「乞代」與「義釋」：對一種正史書寫表彰模式的探究〉，《國學學刊》，2021年第1期。

「義釋」的故事類型：面臨盜賊圍困之際，傳主主動祈求盜賊讓自己代替同伴赴死，進而感化盜賊將其釋放。該文認為古代頻繁發生的饑荒與賊亂，為「乞代」、「義釋」在事實層面的成立提供了邏輯合理性，也成為不斷被效仿的政治行為。陳爽《縱囚歸獄與初唐的德政製造》[28]一文指出常見於正史的「縱囚歸獄」書寫模式不僅被書寫，也同時被效仿，成為漢唐之際普遍流行的政治行為。可見兩位學者認識到「模式」不僅可以「真實」，反之也能塑造「真實」。歷史書寫可能對歷史真實具有某種「反向作用」。

針對異族傳在正史中的編次位置，胡鴻《中古前期有關異族的知識建構——正史異族傳的基礎性研究》[29]認為《史記》編次以事件為主，將異族傳與朝臣傳記混編在一起。《漢書》的編纂宗旨是成為帝制王朝製作的典範，編次以身分為中心，異族傳被至於類傳末尾。范曄《後漢書》以「四夷」理念編次異族的方式則是受到經學的影響。郭晨光《從「下詔」到「下書」——《十六國春秋》等史書的「春秋筆法」》[30]對《十六國春秋》、《魏書》、《晉書》等史書對十六國胡主詔書採用的載筆方法也可歸為此類，直接將「下詔」改為「下書」，或將「詔」改為「歎」、「曰」、「自言」等「口語」；若於雙方正統性均不認可的情況下，改作「令」以表折衷，如《晉書．苻堅載記》、《魏書．僭晉司馬睿傳》將苻堅詔書均改作「令」、唐人不認可石虎、李壽任何一方為正統，因而《晉書》對雙方詔書均該作「令」以表中立態度。

（三）成書背景。考查成書背景對文獻的影響，同樣是歷史書寫的重要取徑之一。如陳君《潤色鴻業：《漢書》文本的形成與早期傳播》第二章《從衝突到合作：政治影響下的班固《漢書》》[31]指出兩漢之際的諸家「續《太史公書》」與班彪的《史記後傳》可視為《漢書》文本形成的第一個階段，這一時期《漢書》編纂還屬於相對簡單的歷史寫作。但從永平五年（西元62年）明帝召班固為蘭臺史令開始，班固的身分變為一名官方學者，《漢書》編纂由私人撰述變為官方行為，這是《漢書》文本形成中的根本性轉折。永平十七年（西元74年），明帝特意召問班固《史記．秦始皇本紀》末的讚語以司馬遷對武帝的態度問題，顯然有警告之意。在東漢皇權的巨大影響下，《漢書》逐步成為東漢王朝意識形態建構的工具。在此案例中，政治因素作為成書背景成為制約《漢書》文本形成的決定性因素。黃楨《中書省與「佞幸傳」——南朝正史佞幸書寫的制度背景》[32]指出「佞幸傳」由《史記》首創，《漢書》則奠定了後世佞幸書寫的基調。《宋

28 陳爽：〈縱囚歸獄與初唐的德政製造〉，《歷史研究》，2018年第2期。

29 胡鴻：《中古前期有關異族的知識建構——正史異族傳的基礎性研究》，見《中國中古史研究》，中華書局2014年，卷四。

30 郭晨光：〈從「下詔」到「下書」——〈十六國春秋〉等史書的「春秋筆法」〉，《海南大學學報》，2021年第2期。

31 陳君：《潤色鴻業：《漢書》文本的形成與早期傳播》北京：北京大學出版社，2020年，頁40-47。

32 黃楨：〈中書省與「佞幸傳」——南朝正史佞幸書寫的制度背景〉，《中國史研究》，2018年第4期。

書》、《南齊書》在「何為佞幸」上設立了全新的標準，收錄的人物均為擔任中書舍人的寒人。其成書背景與魏晉以來中書制度的發展密切相關。魏晉時期，皇帝出於集權需要而新設的中書機構，中書監、令常遭受佞幸之譏。南朝皇帝以寒人任中書舍人典掌機要，代表官僚集團主體、主流士人立場的《宋書・恩幸傳》、《南齊書・幸臣傳》、《梁史・權幸傳》由此誕生。中央官制的演進以及士族政治的終結，是初唐官修《梁書》、《陳書》不立「佞幸傳」的原因。

（四）探討書寫者的撰述意圖，也是歷史書寫研究的重要取徑之一。受後現代史學文本觀的影響，史料的客觀性以及史料背後撰述意圖備受研究者關注。分析修史人的寫作意圖，進而演化為分析史官的歷史，打破了對現有王朝體系的分析、解釋模式，呈現了歷史研究的別樣圖景。如駱揚《試論春秋筆法及其歷史書寫中的客觀性》[33]撰文指出歷史文本是主體（書寫者）與所記錄客觀對象（史事）結合的產物。《春秋》對史事的記錄是經過判斷的結果。史官（孔子）的判斷又分為兩個層次：一是對史實的認定，即客觀史事首先要經過史官主觀的分析與決斷，是書寫者所認定的客觀真實；二是史官的書寫規則，即把經過分析認定的事實用合適的語言表達出來（春秋筆法）。在《春秋》的書寫中，史官並非不注重歷史記錄的客觀真實性，但他們試圖通過凸顯自身主體性的方式更好的展示心中的歷史之真。春秋筆法是一種書寫客觀歷史之真的特殊總結。錢茂偉、王松《由《春秋》純儒而「益世」儒宗——《漢書》對董仲舒武帝朝地位的重構》[34]指出董仲舒作為西漢重要學者，然在《史記》中只是專治《春秋》的純儒，在武帝朝並未受到重視。隨著漢代政治形勢及學術傾向的變化，至劉向時，董仲舒被鼓吹為對武帝朝政治發揮重大作用的儒宗。班固接受了劉向的說法，為使董仲舒符合兩漢的儒宗標準而刻意通過種種手段提高了他在武帝朝的政治參與度，於是董仲舒從《史記》中的純儒變為《漢書》中「於世有益」的儒宗。龍坡濤《史官誤筆與歷史書寫：司馬光配享帝王太廟探微》[35]指出《宋史》載建炎三年（1129）六月，宋廷罷王安石配享神宗太廟，代之以司馬光配享。然建炎元年（1127）宋廷已經詔令司馬光代蔡確配享哲宗太廟，史官誤筆將司馬光一臣配享二帝並非偶然，與南宋初期宗元佑抑熙豐的政治傾向有關——南宋為塑造政權合法並未徽、欽二帝開脫罪責，王安石因熙豐變法被徹底否定，而司馬光因反對變法被南宋官方史官重新塑造，被朝中主流價值判斷奉為圭臬，體現了後代史官由被動的歷史形象之判斷向主動的歷史形象之重構的變化。

史書的撰述意圖更多的被指向皇帝權力。如劉小龍〈《明實錄》對科舉的歷史書

33 駱揚：〈試論春秋筆法及其歷史書寫中的客觀性〉，《北京師範大學學報》，2020年第2期。

34 錢茂偉、王松：〈由《春秋》純儒而「益世」儒宗——《漢書》對董仲舒武帝朝地位的重構〉，《史學史研究》，2020年第1期。

35 龍坡濤：〈史官誤筆與歷史書寫：司馬光配享帝王太廟探微〉，《北京社會科學》，2018年第4期。

寫：「史相」與「史實」之間〉[36]指出在《明實錄》編修群體中，科舉出身者超過百分之八四點三八，對史書的編修產生了重大影響，科舉灌輸的儒家倫理思想，特別是忠君思想對其影響甚深，加之實錄體史書的性質訴求，二者共同促進史官書寫科舉時努力凸顯「吾皇」之英明偉大，《明實錄》文本呈現的史相「皇帝是科舉運行的主角、殿試及其相關事宜得以重點書寫」即為例證。在這種意識形態的影響下，《明實錄》文本中的科舉難免同史實產生一定距離，甚至是曲筆。有時歷史書寫摻入了現實的利害關係，情況就變得更加複雜：為達到為現實服務的政治目的，歷史書寫者會從自身立場出發，回避對自身不利的史實。鄭寧《明清官修史書對「正統北狩」的歷史書寫》[37]一文指出明朝史官編修《明英宗實錄》選擇有利於明英宗形象建構的故事版本，精心建構了明朝官方語境中的「北狩」歷史。但在清高宗指示下，不利於明英宗形象的內容被刪除、修改，粉飾「北狩」史事，原因在於「正統北狩」的歷史書寫關乎帝王形象和皇權尊嚴，明、清雖有王朝更替，但存在不可分割的權力承繼關係，粉飾「北狩」史事，有利於清王朝的利益。

對撰史意圖的探討不局限於官方修史，民間士人編撰的私史有更多值得研究的空間。中國史學史上，私修比較發達的時期有魏晉南北朝、兩宋之間以及明清易代之際。民間士人作為書寫者，由於政治地位的不同，其政治傾向、價值觀與朝廷史官多有不同，歷史書寫的側重點與被賦予的意義必定有所不同。對歷史書寫權的搶奪成為引人注目的現象，新朝編修前代舊史，往往突出前代的腐朽以及本朝的英明神武，以此確立本朝的合法性。但前朝遺民努力嘗試在政策禁忌縫隙間灰色地帶遊走，編修私史以對抗官方意識形態。如陳永明《清代前期的政治認同與歷史書寫》[38]一書從分析寫史群體的政治選擇入手，論述南明史書寫立場的變化以及圍繞南明史書寫而展開的社會話語權爭奪。彭志《書寫與緬懷：明清之際的江南私史纂修讞論》[39]將明崇禎至清順治年間（1628-1661）有關明清易代史事的十二種私史作為研究對象，書寫者多為抗清義士、明遺民等，涉及崇禎朝事、甲申巨變事、弘光朝事等，反映江南士人借修史建立自以為接近於歷史真實的闡釋體系，表達對故國舊君的緬懷。可見歷史書寫不僅是一種客觀的史實記載，而且是通過歷史記憶的建構表達作者精神和價值取向的實踐。在特定歷史時期，歷史書寫的掌控權和主導權並不完全取決於官方、統治者對被統治者單方面的壓制，而是雙方在衝突、協調下的結果。孫衛國《清官修〈明史〉對萬曆朝鮮之役的歷史書寫》[40]指出清初《明史》對萬曆朝鮮之役的歷史書寫，正是這樣一種妥協的結果，從

36 劉小龍：〈《明實錄》對科舉的歷史書寫：「史相」與「史實」之間〉，《雲南民族大學學報》，2018年第1期。

37 鄭寧：〈明清官修史書對「正統北狩」的歷史書寫〉，《中央民族大學學報》，2021年第2期。

38 陳永明：《清代前期的政治認同與歷史書寫》上海：上海古籍出版社，2011年。

39 彭志：〈書寫與緬懷：明清之際的江南私史纂修讞論〉，《關東學刊》，2019年第3期。

40 孫衛國：〈清官修《明史》對萬曆朝鮮之役的歷史書寫〉，《歷史研究》，2018年第5期。

萬斯同《明史稿》到王鴻緒《明史稿》，再到張廷玉主持修纂的殿本《明史》，清晰的反映了這種變化。最終在殿本《明史》中，修史者完全貫徹了清朝官方的立場。

除了中國古代正史領域（主要是政治史），一些研究者結合自身領域，對諸如碑誌、方志等進行史料批判研究，較有特色，具體如下：

現代歷史學傳入之後，碑石證史之風相沿不替。近四十年來，隨著碑誌的大量出土或被重新發現，加之在歷史研究方法上實證史學的回歸，中古史領域的碑誌研究更顯活躍。中古碑誌研究出現了一些新動向和研究增長點，碑誌中「異刻」即非正常刻寫的確認及歷史書寫研究亦受到學者關注，由此碑誌中的記載甚至文本整體，都被或視為刻意書寫的產物。基於「異刻」的考察如徐沖《從「異刻」現象看北魏後期墓誌的「生產過程」》[41]一文歸納出左方留白、志尾擠刻等八種「異刻」現象，由此指出墓誌在北魏後期的洛陽社會中絕非一種「私密性」文本，其生產過程充滿了各種權力關係的參與和介入，故一方墓誌的誕生，是包括喪家、朝廷等多種要素共同參與和互動的結果。徐氏《元淵之死與北魏末年政局——以新出元淵墓誌為線索》[42]還以身死葛榮之手的廣陽王元淵墓誌中缺乏贈官褒賞的「異刻」為例，追究該方墓誌形成的政治環境。對於北魏碑誌中的歷史書寫，日本學者室山留美子多有揭示。其《北魏墓誌的史料性格——以追贈和改葬為線索》[43]以一般贈官有別的追贈及與追贈相伴的改葬為線索，指出墓誌與其製作時期的政治狀況密切相關，後者的變化深刻體現於墓誌製作的背景中。其《出土刻字資料研究中的新的可能性——以北魏墓誌為中心》[44]又以北魏墓誌大部分產生於政權更迭頻繁的宣武帝以降，判斷通過墓誌對志主的書寫可以窺視執政集團的意圖，進而發現墓誌產生的時代背景和政治局勢。在室山看來，墓誌乃是政治的產物，其製作不可避免的會受到政治權力的影響，因此在不少墓誌中，都不難發現政治元素的參與。

對於隋唐碑誌中的歷史書寫，代表有唐雯《蓋棺論未定：唐代官員身後的形象製作》[45]《從新出王宰墓誌看墓誌書寫的虛美與隱惡》[46]《女皇的糾結——〈升仙太子碑〉的生成史及其政治內涵重探》[47]、仇鹿鳴《碑傳與史傳：上官婉兒的生平與形象》[48]、

41 徐沖：〈從「異刻」現象看北魏後期墓誌的「生產過程」〉，《復旦學報》，2011年第2期。

42 徐沖：〈元淵之死與北魏末年政局——以新出元淵墓誌為線索〉，《歷史研究》，2015年第1期。

43 （日）室山留美子《北魏墓誌的史料性格——以追贈和改葬為線索》，見（日）氣賀澤保規編：《隋唐佛教社會基層結構的研究》，明治大學東亞石刻文物研究所，2015年，頁213-231。

44 （日）室山留美子《出土刻字資料研究中的新的可能性——以北魏墓誌為中心》京都：朋友書店，2010年，《中國史學》卷二十，頁133-151。

45 唐雯：〈蓋棺論未定：唐代官員身後的形象製作〉，《復旦學報》，2012年第1期。

46 唐雯：〈從新出王宰墓誌看墓誌書寫的虛美與隱惡〉，《復旦學報》，2014年5期。

47 唐雯：《女皇的糾結——〈升仙太子碑〉的生成史及其政治內涵重探》，見榮新江主編：《唐研究》北京：北京大學出版社，2017年，卷二十三，頁221-246。

48 仇鹿鳴：〈碑傳與史傳：上官婉兒的生平與形象〉，《學術月刊》，2014年第5期。

陸揚《上官婉兒和她的製作者》[49]等。這些研究中，將政治人物的權力、生命歷程與不同撰者的不同文本相關聯，為探討其中的歷史書寫提供了契機。

宋代的碑銘墓誌書寫代表有柳立言《蘇軾乳母任采蓮墓誌銘所反映的歷史變化》[50]，指出其書寫原則是為墓誌主人隱惡揚善，通常是透露「部分」而非全部真相，因而我們看到的墓誌銘是撰者根據一定的模式有意選擇製造出來的，著重挖掘撰寫者的心態，其研究方法與「歷史書寫」取徑之「撰述意圖」亦有相通之處。仝相卿《宋代墓誌碑銘撰寫中的政治因素——以北宋孔道輔為例》[51]指出王安石與張宗益由於撰寫時間和政治派別不同，導致對同一人物生平的書寫差異頗多。張益宗反對熙寧變法，在撰寫孔道輔石碑時，對王安石所撰墓誌銘大加否定，把相關文字作為當作發洩對王安石不滿的手段，顯示了墓誌碑銘作為具有較強時代意義的「歷史書寫」內容，受政治環境、立場的影響較大。還有研究者在理論上有所創新，吳錚強《文本與書寫——宋代的社會史：以溫州、杭州等地方為例》第三章《僧侶與文士：宋代寺院碑銘書寫的社會史分析》提出了「書寫與書寫內容的間隔效應」[52]，即書寫活動與書寫內容的不重合現象。這種現象一般出現在被動書寫情況下，書寫者與求書者的社會關係及其對書寫內容的影響，成為書寫內容另一種社會史脈絡。例如墓誌銘撰者所依據的材料士他人提供的行狀，墓誌銘的書寫就是喪家和撰者精心選擇的產物，而考慮「書寫活動與書寫內容的間隔效應」，就意味著將關注的重點從碑銘記述的修造活動本身，轉移到碑銘作者的書寫緣由及其與寺院修造活動社會關係等問題。

方志亦是歷史書寫的重要對象之一。周毅《方志中的「歷史書寫」研究範式——一個方志研究的新取向》[53]提出將地方誌作為一種包含著建構成分的「文本」，從文本角度探討方志文本的歷史書寫、建構過程。「歷史書寫」研究範式在方志研究領域的拓展，主要包括：(一）針對方志纂修呈現出常態化和制度化的特點，同一地區方志在不同時代不斷得以重修，對同一對象的記載，或照搬前志，或根據不同時代需要不斷修動、疊加，形成了豐富的層累資料，為比較成書於不同時代的文獻對同一或相關記載的異同，提供了大量空間。(二）針對方志研究，謝宏維《文本與權力：清至民國時期江西萬載地方誌分析》一文提出「將地方文獻置於具體的社會歷史環境中理解和解讀，探

49 陸揚：《上官婉兒和她的製作者》，見《清流文化與唐帝國》北京：北京大學出版社，2006年，頁264-282。

50 柳立言：〈蘇軾乳母任采蓮墓誌銘所反映的歷史變化〉，《中國史研究》，2007年第1期。

51 仝相卿：〈宋代墓誌碑銘撰寫中的政治因素——以北宋孔道輔為例〉，《河南大學學報》，2015年第5期。

52 吳錚強：《文本與書寫——宋代的社會史：以溫州、杭州等地方為例》北京：社會科學文獻出版社，2019年，頁59。

53 周毅：〈方志中的「歷史書寫」研究範式——一個方志研究的新取向〉，《中國史動態研究》，2019年第2期。

究其形成過程以及由此映射出來的地方社會變遷與文化氛圍」[54]，這種方法與美國學者蔡默涵《歷史的嚴妝——解讀道學陰影下的南宋史學》提出的「文本考古學」也有共通之處：將史料看成是歷時性的生成的產物，是「隨著政治與思想的變化，文本隨時代變化不斷經歷變更與操作的動態過程的結果」[55]，探求各個不同時期「政治與思想的變化」，是如何「改變歷史的書寫與架構」。（三）在方志研究中，將不同時代、不同地區、不同版本的方志中的人物傳記可視為「同一類別的一組文獻」。明清方志的人物傳記中，對傳主的個性化描述並不多見，更多的是讓渡符合理學教化標準的各種書寫模式，可以通過對這些書寫模式的具體「性質、結構」進行解讀，分析探討這些模式化的人物傳記背後所對應的社會歷史情境，探討「文獻形成背後的政治或者文化氛圍」，代表有劉正剛、杜雲南《對方志中女性「言論」模式的分析》[56]、杜雲南《明清廣東方志書寫烈女「言論」探析》[57]，就是這種具體方法在方志研究中的應用。

三　有關歷史書寫理論的探索與反思

回顧歷史書寫研究的發展脈絡概況，梳理其發展脈絡，從中可以發現這一領域取得了許多成就，至少表現在以下幾個方面：

一是研究成果數量眾多。據不完全統計，近十餘年明確標舉歷史書寫研究範式，或並未標舉但相關研究取徑、研究方法較為接近的論文超過二百篇以上，出版的專著以及碩、博學位論文超過四十部。特別是出版了一系列厚重、有影響力的奠基之作，例如徐沖《中古時代的歷史書寫與皇帝權力起源》[58]、《觀書辨音：歷史書寫與魏晉精英的政治文化》[59]、胡鴻《能夏則大與漸慕華風——政治體視角下的華夏與華夏化》[60]、聶溦萌《中古官修史體制的運作與演進》[61]、劉學軍《張力與典範：慧皎〈高僧傳〉書寫研究》[62]等專著相繼出版，為中古史研究開創了全新的範式與取徑，為歷史書寫研究範式的深化奠定了基礎。

二是研究方法多種多樣，研究者在利用歷史書寫研究方法外，注重多學科交叉與借

54 謝宏維：〈文本與權力：清至民國時期江西萬載地方誌分析〉，《史學月刊》，2008年第9期。

55 （美）蔡默涵：《歷史的嚴妝——解讀道學陰影下的南宋史學》北京：中華書局，2016年。

56 劉正剛、杜雲南：〈對方志中女性「言論」模式的分析〉，《暨南學報》，2014年第2期。

57 杜雲南：〈明清廣東方志書寫烈女「言論」探析〉，《中國地方誌》，2014年第6期。

58 徐沖：《中古時代的歷史書寫與皇帝權力起源》上海：上海古籍出版社，2012年初版、2017年再版。

59 徐沖：《觀書辨音：歷史書寫與魏晉精英的政治文化》北京：北京大學出版社，2020年。

60 胡鴻：《能夏則大與漸慕華風——政治體視角下的華夏與華夏化》北京：北京師範大學出版社，2017年。

61 聶溦萌：《中古官修史體制的運作與演進》上海：上海古籍出版社，2021年。

62 劉學軍：《張力與典範：慧皎〈高僧傳〉書寫研究》上海：商務印書館，2022年。

鑑。二十世紀初，王國維先生主張以「地下之新材料」補正「紙上之材料」，這一研究思路對歷史書寫研究同樣具有指導意義。例如陳金星《神話思維與中古歷史書寫——以通行本〈後漢書〉為中心》[63]，以《後漢書》、《續漢書》、《宋書》等史書為研究對象，考察具有神話思維的歷史文本，分析史書中神話歷史敘事的思維機制、文本生成方式和文本意蘊。研究方法上，廣泛運用出土文獻、人類學田野調查資料、考古實物，立體呈現相關歷史文本的生成語境和思維機制。孫瑜《碑刻民俗宗教文獻的史料批判研究——以明清以降雁北關帝廟碑刻為例》[64]一文指出因碑刻宗教文獻具有文獻和文物的雙重屬性，闡釋碑刻民俗宗教文獻的史料價值和歷史意義。還有研究者通過「引文入史」、「以文釋史」的新路徑，以此參證、補正甚至是重塑歷史。如許雲和、石雅梅《丁廙〈蔡伯喈女賦〉與蔡琰〈悲憤詩〉二首的真偽——兼論《後漢書・董祀妻傳》的史料來源》[65]一文以《後漢書・董祀妻傳》所載蔡琰《悲憤詩》二首的真偽以及蔡琰的生平經歷這一爭議作為切入點，通過與丁廙《蔡伯喈女賦》這一長期被忽視的文學文本以及《後漢書・董祀妻傳》、《蔡琰別傳》等史傳文獻的綜合利用與解讀，得出結論，《董祀妻傳》的史源應是曹魏時期項原《列女後傳》而非世所謂《蔡琰別傳》，《董祀妻傳》記述的蔡琰事蹟和創作是真實可靠、確切可據的，經得起時間和歷史檢驗。李曉紅《卞彬童謠與宋齊革易之歷史書寫——從《南齊書・卞彬斌傳》據《南史》補字說起》[66]以蕭子顯《南齊書・卞彬傳》和李延壽《南史・卞彬傳》所載卞彬童謠的差異為研究對象，蕭子顯看來該謠集中表現了卞彬對離合與諧音雙關修辭方式的運用，寓諷諫於排調。李延壽的解讀控訴蕭道成殘殺宋家忠臣的史實，預言其必敗。兩書之不同折射出易代史料的複雜面貌，反映了史家書寫與文學修辭之互動。張德健《歷史文本中的文學因素——以「解縉之死」書寫差異為例的考查》[67]以歷史文本中對明代名臣解縉之死的書寫差異為例，通過對其書寫中「內在規則和美學特徵」的追問，考察和理解這些生死描寫的意義和價值，並具體分析有關歷史真相、歷史敘述與歷史文本書寫的相關問題，探討歷史書寫中的文學修辭，即文學因素何以進入道理是文本之中。

三是研究視野廣闊，幾乎囊括了中國古代史的各個斷代。各個斷代的研究者結合自

63 陳金星：《神話思維與中古歷史書寫——以通行本《後漢書》為中心》上海：上海交通大學出版社，2021年。

64 孫瑜：〈碑刻民俗宗教文獻的史料批判研究——以明清以降雁北關帝廟碑刻為例〉，《民俗研究》，2019年第4期。

65 許雲和、石雅梅：〈丁廙《後漢書・董祀妻傳》與蔡琰《悲憤詩》二首的真偽——兼論〈後漢書・董祀妻傳〉的史料來源〉，《清華大學學報》，2021年第1期。

66 李曉紅：〈卞彬童謠與宋齊革易之歷史書寫——從《南齊書・卞彬斌傳》據《南史》補字說起〉，《中山大學學報》，2015年第5期。

67 張德健：〈歷史文本中的文學因素——以「解縉之死」書寫差異為例的考查〉，《四川大學學報》，2018年第2期。

身領域就其特殊性和共通性展開探索，呈現了歷史研究的整體觀感。例如楊博《試論新出「語」類文獻的史學價值——借鑑史料批判研究模式的討論》[68]一文針對出土文獻佔據重大意義的上古史領域，借鑑和利用史料批判方法，通過探討「語」類文獻的構造和執筆意圖，重新考量其文獻史學價值。此外，還有研究者表現出宏大的跨國、跨文化視野，代表有日本學者阪元義種《百濟史的研究》[69]、孫衛國《大明旗號與小中華意識：朝鮮王朝尊周思明問題研究（1637-1800）》[70]、馮立君《漢唐時代與百濟歷史——研究內涵、歷史書寫與學術譜系》[71]、黃修志《十六世紀朝鮮與明朝之間的「宗系辯誣」與歷史書寫》[72]等，將中國史學與朝鮮史學、日本史學相聯系、比較。其中阪元義種《百濟史的研究》，是對百濟兩大系統史料《三國史記・百濟本紀》和中國史書進行文本細讀，其中第二部分探討中國史書中的百濟王系譜，附標題為「中國正史外國傳的史料批判」，通過對百濟王系的案例，結合其他外國傳，探究中古正史外國傳的記述特點，回過頭來再細讀百濟王及其系譜記事，揭示《晉書》至《新唐書》等十三種正史出現的百濟王名及其在百濟王系中的位置關係。面對史料種類複雜、史料總量匱乏、史料分布不均等困難，重視國際交流，充分吸收各國現有研究成果，重視跨語際、跨領域的合作，意在相容並包，那麼歷史的書寫就可以成為容納多種風格和文化資源的載體。

當然，在取得若干成就的同時，當下的歷史書寫研究依然存在一些可供進一步深化的空間。不僅表現在「較為缺乏在批判性吸收西方史學理論研究成果之後，深入探究其對歷史書寫所產生的影響」[73]，還表現在以下幾個方面：

（一）正如羅新先生所言：「一切史料都是史學」[74]，史料批判的對象不僅要涵蓋一切已經被新史學開拓出來的史料，而且要涵蓋尚未被新史學開拓出來的史料，特別是那些被遮蔽、消失、遺忘的曾經存在。歷史不僅是關於記憶的學問，如果從未被記錄的歷史而言，它也是關於遺忘的學問。在文本細讀過程中，關注作者「寫了」什麼內容，更要關注他們「沒寫」什麼，也能成為探討歷史書寫、史料批判行之有效的途徑。由這個立場出發，那些不被官方所認可的、被塗抹的曾經鮮活存在過的人和事，特別是歷史

68 楊博：〈試論新出「語」類文獻的史學價值——借鑑史料批判研究模式的討論〉，《圖書館理論與實踐》，2016年第2期。

69 （日）阪元義：《百済史の研究》東京：塙書房，1978年。

70 孫衛國：《大明旗號與小中華意識：朝鮮王朝尊周思明問題研究（1637-1800）》上海：商務印書館，2007年初版；成都：四川人民出版社，2021年修訂版。

71 馮立君：〈漢唐時代與百濟歷史——研究內涵、歷史書寫與學術譜系〉，《社會科學站線》，2019年第10期。

72 黃修志：〈十六世紀朝鮮與明朝之間的「宗系辯誣」與歷史書寫〉，《外國問題研究》，2017年第4期。

73 鄧京力：〈近二十年西方史學理論的發展與歷史書寫的關係〉，《首都師範大學學報》，2020年第1期。

74 羅新：〈一切史料都是史學〉，初刊於《文彙報》，2018年4月13日，後收入氏著：《有所不為的反叛者：批判、懷疑與想像力》上海：上海三聯書店，2019年。

中的失語者，如弱勢群體、邊緣人與從屬者，考察其自身具備的社會史意義，不應被忽視[75]。

（二）歷史學是一門講究證據、以求真為歸依的學問。歷史書寫要以史實、史料作為基礎，而且史實、史料的解讀、運用，自有一套學術規範以及必須遵循的原則。即便是作為西方後現代史學的代表人物海登·懷特，也承認「人類的過往中有著諸多不可知的面向的同時，也不會否認人們能夠從中發掘出真實不妄地發生過的『事件』」[76]。研究者在感受豐富多彩的研究路徑和理念的同時，也要不斷反思哪些是歷史永恆的存在？或者接近真實的歷史情境？哪些又是後代史家不斷層累的敘述？文本在層累的過程中，那些是因襲前史舊文？哪些是編纂者在特定歷史情境下有意識的建構？為歷代王朝所重視的正史編纂，特別是正史列傳的史源繁雜多元，往往有重複、矛盾和遺漏之處，因此要在不同史料之間相互對比、相互質證，有時還要求助於當時人留下的「筆記雜書」，才能穿透權力干預對歷史編纂所造成的迷霧，以求得真正的「同情之理解」。研究水準的高低取決於研究者對史料的充分佔有、細膩解讀以及闡釋的方式，對歷史文本的解讀，既要儘量貼近撰述者，細心體會其心態立場，又須超然於文字之外，冷靜分析，以期接近史實，同時還需反對割裂史料、結論預設、過度推測以及從文本到文本等做法。

四　結語

歷史書寫受制於歷史學家對史實、史料的積累、使用的方法以及撰述的宗旨等因素，也與歷史學家的生活環境、閱歷變化和人生志向息息相關。有些史事的書寫者是在「歷史現場」的（比如《春秋》），更多的情況是書寫者並不在場。我們當下閱讀的史書都是歷代的歷史學家以「史錄」為依據，進行再度選擇、建構的「書寫的歷史」，已然是「隔了一層」。對於我們今日的研究者來說，「歷史書寫的多維面向」不單指歷史學家在編撰過程中對史料的發現、採納和捨棄，還來自今日的學人對史家的解構與建構，以多重視角看待史料以及對史料採用開放而多元的闡釋路徑，否則就把歷史書寫理解的太過簡單。重建歷史書寫不是簡單的以小見大、化整為零，或者沉迷於某一問題在狹窄範圍內的拔高，而是如何找到一種歷史敘述的恰當方式，依靠清晰的史料分析及其邏輯關係，又要將眾多歷史事實、場景串聯起來，將研究對象置於重疊的多維時空中進行合理的推理，方能辨別遮蔽在虛實之間的歷史真相，需要我們不懈的努力。

---

75 有關歷史記憶與遺忘的研究，代表有陳侃理：《〈史記〉與〈趙正書〉——歷史記憶的戰爭》，見《中國史學》京都：朋友書店，2016年，卷二十六、胡鵬：〈歷史記憶與歷史書寫——論入宋文士南唐歷史筆記的撰作〉，《南京曉莊學院學報》，2019年第4期等。

76 彭剛〈被漫畫化的後現代史學〉，《書城》，2009年第10期。

珠三角沿岸蜑家禁忌習俗

馮國強

香港樹仁大學

一　前言

當人們要表達那些包含著必須陳述但又是忌諱性的文化信息時，用語委婉便成為一種必然的現實需要。禁忌，作為一種文化現象，早在遠古時代已經產生，隨著歷史的延續和積累，言語上的禁忌演化成為社會民俗規約和精神文化的一部分。人們因為相信語言具有某種魔力，認為語言這種能使符號與它所表示的事物之間確乎存在著某種神秘的靈應關係，因此，當某種事物需要避忌時，人們在語言上也就出現了不提及或避免使用某些詞和句，而換用別的詞、句的話語方式替代的現象。這些不被提及或用委婉語替代的詞或句便形成了語言系統中的禁忌語。借代法（如果不宜直接說出那個詞，可以換一個詞）便是禁忌詞語在閱讀中的表現方法。[1]

漁民以船為家，足下無塊土，頭上無片瓦，終生漂泊，生活艱難。漁業生產豐歉具有不確定性，這帶給漁民種種疑慮和困惑。在漁諺裡，便有不少關於漁民生產豐歉不確定性問題。[2]從這些漁諺可見影響漁民生計全是與氣象有關，吃得好[3]與吃得不好，餓肚

1　吳平編：《對外漢語教學中的文化詞語》北京：世界圖書北京出版公司，2012年，頁132。

2　（1）「三月打魚，四月閒，五月推艇上沙灘」（珠江口）

這一條漁諺是反映木船年代打魚之苦，只在漁汛期方能進行生產，過了漁汛期就是推艇上沙灘休憩。三月是漁汛期，漁民便要努力打魚賺錢，積穀防飢。魚兒產卵後，雌魚便體瘦，沒有市場價值。過了這個旺汛，海裡便沒有肥美的魚可捕撈，這時一般剛好是四月了，漁民在四月期間把魚網來曬。五月時還是要把艇推上沙灘休憩，因跟著是端午前後一段時間都要下大雨，漲端陽水，水就會混沌，魚眼便看不清，魚就會游到深水處。那個木帆漁船年代，在龍舟水期，不少漁船是出不了大海，因此漁民索性把漁艇推上沙灘休憩。這一條漁諺是反映那個丈八長的小木漁船的打魚年代的生活苦況。

（2）「六七月閒漁民閒」（台山下川島）

大海的魚，是按著一定時間洄游。每年三、四、五月多數魚洄游淺灘產卵，是盛產魚貨的季節。到了六、七月，由於受西南流水影響，魚浮頭不成群，而幼苗尚未長大，因此，有「六七月閒漁民閒」，做成這兩個月無收入。

（3）「半年辛苦半年閒，照完魚仔船泊灣」（台山縣上川島、珠海）

這條漁諺，珠海漁民稱「半年辛苦半年閒，七月推船上沙灘」。農業生產情況，一般農村農民除了農業生產外，農民家庭一般還從事少量副業，如養雞等，另外，還要抽時間放牛。農民在農閒時還會

上山砍柴，自己養牛、割草、養鴨、養豬，還可以做手藝或挑擔做生意，這是寫出有苦有樂的莊稼漢。以上是指北方的一年一熟現象，方出現半年閒，南方會有兩熟甚至三熟。山區的土家族人在入冬之後，就由「管山」而去「趕山」、「攆肉」，漢語稱為「打獵」。但是，漁民是沒有田地，也沒有山頭可讓其打獵，只能照完魚仔後把漁船在灘邊泊灣等待明年的漁汛期的來臨。七月是與鬼節有關，漁民是不敢到海邊照魚，因此七月便開始休息。這條漁諺反映出木帆漁船年代的漁業生產是季節性強的行業，一般工作集中在春汛和夏汛，所以在漁汛期間要努力打魚，要積穀防飢。

（4）「四月初八起東風，今年漁汛就落空」（珠江口）

就是說東風風勢是特大的，即使是魚蝦春汛期，因風大，所有魚蝦未能接近岸邊產卵繁殖，就是這個原因，便構成不利於捕撈，捕不成魚蝦機會很大，所以漁諺說成「漁汛就落空」。足見漁民生計好壞與氣象有密切關係。

（5）「五月初五起南浪，魚群漁汛冇曬行」（珠江口）

每逢端午時，珠江口總會起南風，風是吹得很急，所以會引起大浪，漁民便稱作「五月初五起南浪」，大浪會讓海洋餌料多隨浪而漂流到別處，整得海面餌料便不多。此時還是汛期，魚群洄游到南方索餌育肥和產卵，或者在外海洄游到近岸育肥和產卵，但漁場卻因「南浪」引起少餌料，讓魚群也引起不能進行索餌料而無法產卵期前進食，所以便出現漁汛失效，故珠江口漁民稱「魚群漁汛冇曬行」。因此，壞氣象對漁民生計有莫大影響，現在遇上了「五月初五起南浪」，漁民又要吃穀種了。

（6）「清流一把水，海底無魚游」（珠江口）

清流是漁民分析和觀測到無浮游生物棲息的海區，因而往往餌料缺乏，魚不能在此集群索餌，於是漁汛會不會出現，若然要捕撈也不會有好漁獲，生計便無著落了。

（7）「西南起風，赤魚游空」（台山）

台山一帶的西南風，《東海區海洋站海洋水文氣候志》之〈台山海洋站〉一節裡指出夏季時，台山的波型以風浪為主，風向為南至西南風的情況下，當風力二至六級時，均以二級波高最多；風力七至八級時，以三級波高最多。台山夏季以西南風為主，頻率百分之三十七。游空就是指魚沉底或者游到深水處，就是因起了西南大風，引起大浪，會讓天氣悶熱，水中缺氧，水也會混濁，影響餌料，再者大風導致水溫層破壞，赤魚群便逸散整個水體，不宜在淺岸一帶產卵，赤魚沉底和游到深水，便使到整個海面的赤魚全是空的，《漁業資源與漁場》還稱甚至是漁汛也遂告結束。氣候風情的變化，就是導致魚群游空現象。廣西北海和合浦也有與此相關的漁諺，那邊說「赤魚怕西南」。所以氣象影響漁民生計很大，他們是處於聽天由命的。

（8）「赤魚喜愛東南風，捕魚最好大東風，北風吹來一場空」（台山縣）

是說對赤魚進行圍網時，宜在吹東南風時進行；也可以在吹大東風時進行圍網；若然出現北風，會引起大浪，水也混濁，影響餌料，也導致水溫層破壞，赤魚便會沉底和游到深水處，整個海面的赤魚全是空的，漁民就不能進行圍網。所以「北風吹來一場空」，這個氣象會直接影響漁民生計。

（9）「南風天澇海水清，魚群食水清；北風天陰海水濁，只有魚頭粥」（珠江口）吹起南風時，又遇上大雨，那麼漁場的海洋餌料便少了，是餌料隨水漂到別處去，魚群也因無餌料可進食便不到來，漁民就不好進行捕撈；北風起時，加上天陰，海水混濁，也不好捕撈，漁民只能吃魚頭充饑，故稱「只有魚頭粥」，寓意能捕撈起的魚不多。

（10）「四月初八起東風，今年漁汛就落空」（珠江口）

「四月初八起東風，今年漁汛就落空」這條漁諺跟「穀雨風，山空海也空」（華南）、「穀雨吹東風，山空海也空」（南澳）、「不怕西南風大，只怕刮東風」（海南）意思一致。就是說東風風勢是特大的，即使是魚蝦春汛期，因風大，所有魚蝦未能接近岸邊產卵繁殖，就是這個原因，便構成不利於捕撈，捕不成魚蝦機會很大，所以漁諺說成「山空海也空」。舉凡海上起東北風、東風，便能導致「海也空」，漁民生計便有很大問題。

皮與飽腹完全是天氣問題，全是一種被動，與勤奮無關。由此可見，不少漁諺反映出漁民的艱苦生計，漁民生產是豐是歉的不確定性，一切都要聽天由命。因此，漁民會通過自我的言行限制，形成許許多多的禁忌，並且相繼沿襲，達到祈福辟邪，使生活更為順利的目的。所以禁忌也就成為漁民社會生活中不可缺少的自律行為或約定俗成。

珠三角有漁諺說：「無風三尺浪，有風浪滔天」[4]，又有說：「腳踏漁船三分命，遇到風浪就心驚」、「半寸板內是娘房，半寸板外是閻王」[5]。在這種險惡的環境下，他們下海時最大的心願，就是保平安，其次方是求得豐收，有時一網三食，有時十網皆空。所以便形成一種喜歡說吉利的「彩話」，也形成許多禁忌和委婉語。漁家的禁忌，一般可分為生產作業禁忌、船上禁忌、婚嫁禁忌、語言禁忌、漁婦禁忌、命名禁忌六種禁忌。

二　生產作業禁忌

漁民視船頭位置是至高無上。龍是中華民族共同敬奉的圖騰，是吉祥雄偉的象徵。船頭相當於龍頭，漁民的重大活動一般在船頭進行，有講究的漁民在捕撈季節常在船後竹竿或木棒上繫一塊紅布，隨風飄揚，這代表龍尾。過去，漁船很小，漁民燒香祭祖就

---

(11)「六月西南風，旱死大蝦公」(惠陽縣)
我國東南沿海地區是亞熱帶海洋氣候，在夏季的時候基本上都是吹東南風，東南風會帶來大量的水汽，形成降雨，沖淡海水的鹽度，而且會有充足的氧氣，適合魚蝦生存。反之如果西南風會缺少水汽，海水就會鹽度升高和偏缺氧，如果情況嚴重厭氧的蕨類植物會瘋狂繁殖，變成紅潮，嚴重影響海洋養殖業。所以這一條漁諺說「旱死大蝦公」就是與紅潮有關。不單海上起東北風、東風，便導致「海也空」，紅潮也會導致影響漁民生計。

3 「三月西南流，食魚唔食頭」(珠江口)
拖網漁船作業，合風合流，產量必高，意思跟粵西沿岸漁民的「正二月東風逢南流，食魚唔食頭」漁諺意思相同。「正二月東風逢南流，食魚唔食頭」粵西於正二月時，起東風又合南流，產量必高，漁民可以不用只吃魚頭，可以食魚肉，是漁獲豐收的表示。

4 「無風三尺浪」是漁民們對海洋的描繪。地球上的水域是相通的。因此，一旦有風有浪，便會連鎖反應般波及別的地區，所以即使風停了，大海的波浪並不會馬上消失；別處海域的風浪也會傳播開來，波及到無風的海面。因此，「風停浪不停，風無浪也行」。這種波浪叫湧浪，又叫長浪。參看：黃自良編：《走近科學》呼和浩特：內蒙古大學出版社，2003年，頁84。王霖主編：《地球揭秘之謎》吉林：吉林音像出版社，吉林大學出版社，2004年，頁24。

5 「半寸板內是娘房，半寸板外是閻王。」不單在珠三角流行，即使是臺灣、福建、河南、黃海、江浙、上海、東北松花江下游也是有此諺語。臺灣方面，可參看方奇著，中共廈門市委宣傳部、廈門市社會科學界聯合會合編：《閩臺民間體育傳統習俗文化遺產資源調查》廈門：廈門大學出版社，2014年，頁9。河南省方面，可參看任騁著：《中國民間禁忌　第五版》濟南：山東人民出版社，2012年11月，頁318。黃海方面，可參看佘耀東編寫：《民俗禁忌》合肥：黃山書社，2012年，頁129。江蘇、浙江和上海方面，可參看畢旭玲著：《古代上海　海洋文學與海洋社會　古代上海海洋社會發展史研究》上海：上海社會科學院出版社，2014年，頁136。東北方面，可參看吳凱主編：《中國社會民俗史》上海：中國古籍出版社，2010年8月，卷三，頁1012。

習慣在船頭。因船頭這種特殊作用，任何人千萬不要在船頭小便，這不但對船主不尊敬，而且也會冒犯其祖宗，這將招來主人的極大不滿，輕者遭罵，重者遭打，並且要以各種方式賠禮道歉。如今漁船換了大漁船，但仍沿襲這種習俗。此外，漁民認為出海前不能講不吉利的話，除了不能在船頭小便，也不能在下網的船邊撒尿，以為這樣會得罪水神，捕不到魚。禁忌是對理智的一種抗命，是一種嚴重對事物的偏見，也是對一些事物的一種執著的迷惘，但又不知道其究竟，卻用上無科學根據的眼光來對待。漁民的生產禁忌，一直在漁民中流傳，就是對海豚有恐懼心理的看法。例如：

黑豬、白豬嬉，見到不大利（海豐縣）

海豐一帶漁民稱海豚為黑豬和白豬，他們認為見到是不吉利的，這一種看法與珠江漁民和粵西漁民也有這一種相同看法。老一輩的漁民還認為遇見海豚是不吉利的兆頭，原因有二。一則，海豚聰明，會跟住漁船，等待偷食漏網之魚；二則是老漁民認為海豚的出現，是海面風高浪急的先兆。所以海豐一帶漁民稱「見到不大利」，這是心裡上不能釋懷的原因，方有這顧忌。

烏忌、白忌，唔見大吉大利（粵西海區）

「烏忌」、「白忌」稱呼海豚是漁民叫的。老一輩的漁民還認為遇見海豚是不吉利的兆頭，粵西和珠江口一帶漁民稱「唔見大吉大利」。

粵東如此，粵西如此，中間便是珠江一帶，珠三角漁民對海豚也是這樣子執著，認為在生產作業時碰上，是沒好運的暗示，是一種不吉利。香港漁民也是如此，完全沒有分別。

三　漁船上的禁忌

捕魚是一行極其複雜的行業，在過去丈八[6]長的小漁艇，上無片瓦，下無寸土，三面朝天，一面朝水，終年漂泊，生活艱辛。漁民捕魚生活有太多的不確定性，這樣子便給漁民帶來種種疑慮和困惑。因此，漁民會通過自我的言行限制，形成許許多多的禁忌，並且相繼沿襲，達到祈福辟邪，使生活更為順利的目的。所以禁忌也就成為漁民社會生活中的一種約定俗成的生活習慣。因此，漁民見過死人或到過喪家的人，要經法師念咒淨穢後方可上船。珠三角漁民對於擺湯匙也有講究，其實是一種禁忌行為，他們必要擺放得平平正正，用後也要放得平平正正。若然湯匙不平正擺放，絕對會招致漁船在

6　昔日的小漁艇長度不統一，但基本以丈八為多。若然父母手上資金不足，只能替孩子弄一艘一丈、丈二或丈四的小漁艇。

深海中出現覆舟的現象。劏魚的時候，不能把魚尾斬斷，因魚尾象徵船的舵。至於吃魚，還要留下頭尾，寓意為年年有餘。殺雞做菜時，雞腸不可以割斷，否則便會招致斷繩纜。曬鞋不能曬鞋底，因為「底」朝天，意味著翻船。

四　婚嫁禁忌

男方擇定婚辰吉日，提日子。把結婚吉日寫成年庚帖，送到女方家，通知準備結婚，一般是在結婚吉日三個月前發出。送年庚首先是要選擇結婚吉日。按傳統是選吉年，最好選擇閏月的年分，有時有雙春年，這是吉年，避開無春之年即「盲年」或「喜沖喜年」和「喪沖喜年」。為了大吉，人們愛使用「大利月」，要避開農曆三、七、九這三個月分，這三個月分別是「清明」、「盂蘭」、「重公」（指重九）等傳統鬼節，不宜舉辦婚禮。在迎娶日，忌用「七絕」魏偉新說「七絕」就是「七煞」）[7]、「楊公忌」[8]、「三娘煞」[9]、「破日」[10]、「孤辰、寡宿」[11]、「五離」[12]等凶日。

7 「七絕」可能是誤說，應是指「七煞」，而「七煞」是指「七煞星」。（前廣州大學廣州發展研究常務副院長，現任《城市觀察》雜志社兼總編輯）魏偉新兄跟筆者說：「『七絕』就是『七煞』。『七煞』，就是甲木見庚金，庚金就是甲木的七煞；乙木見辛金，辛金就是乙木的七煞之類。換句話就是五行『陽干克陽干』，『陰干克陰干』者為七煞星。七煞星好比二男不同處，二女不同居，無法形成陰陽夫婦配偶，故此，五行陰陽屬性相同且相克之故。也可以這樣理解，以其相隔七位而相互沖克，稱之為『七煞』。『七煞星』，在不論八字喜忌組合的情況下，理論上定位於兇星，主小人、兇狠殘忍有破壞力，無視禮法，行動快而敏捷，不懲不戒，宜觸犯法律和規則，八字中若無製化者，容易發生災煞禍患。」魏偉新再說：「十天干的七煞辨識，以及制約七煞的天干：甲木的七煞為庚金；制約庚金的為丙火。乙木的七煞為辛金；制約辛金的為丁火。丙火的七煞為壬水；制約壬水的為戊土。丁火的七煞為癸水；制約癸水的為己土。戊土的七煞為甲木；制約甲木的為庚金。己土的七煞為乙木；制約乙木的為辛金。庚金的七煞為丙火；制約丙火的為壬水。辛金的七煞為丁火；制約丁火的為癸水。壬水的七煞為戊土；制約戊土的為甲木。癸水的七煞為己土；制約己土的為乙木。」

8 正月十三日是北宋名將楊令公（楊業）的楊家將戰敗金沙灘，七子亡六的日子，人們把這一天定為楊公忌日。

9 新人婚嫁時，是要避開「三娘煞」。相傳月老不為三娘牽紅線，使她不能出嫁，三娘喜與月老作對，專門破壞新人之事，故每月「三娘煞」之日即初三、初七、十三、十八、廿二、廿七不宜結婚。

10 廣東民俗擇期，反映了婚姻是人生一件大事，選個良辰吉日是必須認真對待的，以求趨吉避凶。在婚期的選擇上，在民間也流行一些忌俗。首先是忌年。無春之年不結婚。所謂無春之年，就是當年無立春，稱之為寡年。認為寡年結婚，沒有後代，所以一定要禁忌的。其次是忌月。婚禮哪一個月舉行，也有講究。民俗認為雞兔兩屬相宜，七月嫁娶；蛇豬兩屬相宜，三、九月嫁娶；狗龍屬相宜，四、十月嫁娶；馬鼠屬相宜，六、臘月嫁娶；虎猴宜二、八月嫁娶。再次是忌日。許多地區都選用雙日而不用單日，有道是「好事成雙」，這就是不用單日的原因。同時，還要忌初五、十四、二十三，這幾日是破日，不能結婚。尤其要忌七月七日，這與牛郎織女的婚姻悲劇傳說有很大關係，也反映了祈求婚姻美滿的良好願望。最理想的是春秋兩季，因為春天生機勃勃，秋天金風送爽，也是收獲果實的最美好季節。在這樣的季節結婚，象徵家庭發達、婚姻美滿。

11 辛慧穎主編：《家居環境布局宜忌手冊》南昌：江西科學技術出版社，2014年1月，頁404。孤辰寡宿在迎娶日花燭將燃盡而新娘未來，或花燭燃盡，或被風吹熄，均為大忌。結婚之日，新娘出門時嫂嫂不能相送，珠三角都是粵語區，因為粵語「嫂」[ʃou^{35}]與「掃」[ʃou^{33}]音近，代表不吉利。

在過去，珠三角水上人結婚是在凌晨進行的，就是害怕在日間婚嫁時遇上黑狗或喪事隊伍。廣東陽江市蜑家婚俗，在過去是夜間出嫁，男家用船接新娘，現在依舊是夜間出嫁，但改為陸上用車接新娘。[13]中山市過去也曾是凌晨接新娘，香港也是，如香港新界的大澳漁村。[14]廣西北海市那邊的操白話的漁民迎娶新娘時，也是在凌晨二時到四時進行的。[15]

再者，忌結婚日新娘來月經，有則改期迎娶。嫁女之家，最忌女兒三朝回門時，男方無燒豬送來，貽笑親友。

五　語言的禁忌和委婉語

語言禁忌的作用，「大都在顧念對話者乃至於關涉者的情感，竭力避免犯忌觸諱的話頭，省得別人聽了不快」，[16]這就使得禁忌語具有情感運動的特性。從符號學的角度看，禁忌語的實質就是用其它符號來回避掩飾另一種符號或事物的文化現象。因此，它的使用藝術也就是如何創設一種語言符號或非語言符號來取代原先的那種禁忌對象的符號現象。[17]語義諱飾是人們利用諱飾符號與諱飾對象之間的關係，來進行的一種符號替代行為，它也可以叫做「義代」。義代就是用表示其他意義的語詞去代替禁忌語。[18]

浙江富春江的桐江漁民一帶與珠三角漁民的禁忌有些是一致的，[19]漁民吃魚最忌把

煞——八字中出現了「孤辰星」或「寡宿星」。孤辰星和寡宿星，是兩顆主導孤獨的星宿，一旦八字中出現了這兩顆星，就意味著這個人將一生孤獨。通常命帶孤寡的人，性格孤僻，冷若冰霜，喜歡獨自行動，即使有追求者也常被其趕走，好不容易有了戀愛對象，也很難與其共結連理。

12 （清）允祿（1695-1767）撰《欽定四庫全書・子部・協紀辨方書・上》北京：中醫古籍出版社，2012年，頁242。五離者，月中離神也。其日忌結婚姻、會親友、作交關、立契券。

13 雷汝霞、吳水田（1972-　）〈淺析陽江閘坡疍民婚俗的傳承與保護〉，收入林有能、胡波、陳光良主編《疍民文化研究（三）——疍民文化學術研討會論文集》廣州：中山大學出版社，2018年，頁320。

14 廖廸生、張兆和：《大澳》香港：三聯書店（香港）公司，2006年，頁116提供了一張天未亮便接新娘回來的照片。何漢威：《本地華人傳統婚禮》香港：市政局，1986年，頁60。也稱當時水上人迎親是在半夜進行。馮國強：《中山市沙田族群的方音承傳及其民俗變遷》臺北市：萬卷樓圖書公司，2018年，頁261-262。沙田地區早年的移民者都是來自順德的漁民，所以沙田人是早年上了岸的漁民。故此，沙田人保留祖輩的半夜進行迎親的習俗，也保留了在婚嫁時唱鹹水歌。

15 孟穗東主編：《水韻蜑家》（缺出版資料、出版年分）（屬內部資料），頁41。

16 陳望道：《修辭學發凡》上海：上海教育出版社，1979年，頁138。

17 康家瓏編著：《語言的藝術》北京：海潮出版社，2003年，頁317-318。

18 同上註，頁321。

19 許馬爾、李龍編著：《桐江漁韻》杭州：西泠印社出版社，2020年，頁132-134。

魚兒翻面，因為「翻」字會聯想到「翻船」。因此，魚的一面吃光後，會用筷子去夾魚身下面的魚肉，絕不會將魚翻個面。不單如此，甚至連鑊子裡的燒魚也不翻面。因此，在說話方面，水上人家最忌的就是一個「翻」字，平時要表達「翻」的意思時，也要用其他字來替代，如把這塊板翻個面、掀鍋蓋、揭艙板，會很委婉語說成「把這塊板調個面」，或者改用「轉個面」、「調轉鍋蓋」、「調轉艙板」等。珠三角的漁民將「帆」稱作「悝」[lei^{13}]，因「帆」[fan^{21}]與「煩」[fan^{21}]同音，又與「翻」[fan^{55}]近音，這是漁民的大禁忌，漁民故改為「悝」[lei^{13}]，音似「利」[lei^{22}]。至於倒水，不能稱倒水，這是大忌，會委婉的稱「清水」。此外，由此而擴充到睡眠時的姿態，大家會規定只可以仰睡、側睡，也不能趴著睡，因為人在水裡淹沒，頭和臉是翻向著水下，屁股向上，與趴著睡的姿態一樣，這是翻的問題。

漁民也不會在船上說「冇、白」的字，他們相信會對漁獲生產有很大影響。再者，漁民不會說「空」，因「空」字，因會大大影響收成。空航、空箱、空櫃的委婉語則會說成吉航、吉船、吉櫃。總之，漁民在船上的語言都很慎重。

漁民的船，就是他們的財產，漁民對它承載著無數的希望，同時也祈求每次能風平浪靜地進入港灣。因此，打造漁船時講求「頭不頂桑，腳不踩槐」，「頭」指船頭；「頂」是用的意思。「頭不頂桑，腳不踩槐」，指船頭不用桑木，腳下不用槐板。所以漁民造漁船時，必須選用上等筆直的杉木做船底，不能選用桑木和槐木，因為造船業有一句行規，船頭是全船最神聖的地方，所以船頭一定不用上桑木，腳下不用槐木，這個禁忌是有普遍性，從珠三角到東南和東北部沿海和內陸都有這種禁忌，如湖南、山東、安徽、南通、武漢、宜昌、遼陽、大連、深圳、香港等地也存在著。[20]因為「桑」[ʃɔŋ^{55}]、「喪」[ʃɔŋ^{33}]近音，犯忌諱。至於槐木，而槐木是福氣的象徵，所以不能踩在腳下，故此，船底便不能用上槐木，只能用上杉木。當整個船體結構大體完成後，最後是安裝船頭上的一塊橫木，這橫木叫「金頭」。「金頭」木料必須是榆、槐，絕對不能用桑木。

新船下水，漁民是不說「下水」，他們認為「下水」是有沉船的意思，所以「下水」稱作「進水」或推水」。「進水」是有招財的意思。

---

20 湖南、山東、安徽、南通、武漢、宜昌、遼陽、大連、深圳、香港等也有這個禁忌，參看陳立中著：《湖南方言與文化》北京：中國國際廣播出版社，2014年，頁12；山東省地方史志編纂委員會編：《山東省志民俗志 1840-2005下》濟南：山東人民出版社，2016年，頁877；歐陽發主編：《安徽民俗》蘭州：甘肅人民出版社，2004年，頁35；見蒙城縣地方志編纂委員會編《蒙城縣志》合肥：黃山書社，1994年，頁467；尤世偉主編：《南通特色文化》蘇州：蘇州大學出版社，2006年，頁102；見武漢地方志編纂委員會主編：《武漢市志・社會志》武漢：武漢大學出版社，1997年，頁117；《美麗宜昌》編審委員會編：《美麗宜昌叢書・宜昌風物》武漢：武漢出版社，2015年，頁184；李祝編著：《遼陽民俗》沈陽：遼寧民族出版社，2015年，頁355；楊錦峰主編：《遼寧地域文化通覽・大連卷》大連：大連出版社，2017年，頁452；廖虹雷著：《深圳民間熟語》深圳：深圳報業集團出版社，2013年，頁229。

六　對漁婦的禁忌

漁民是禁止漁船上的婦女進入船頭尖端地方，他們認為船頭是龍頭的神聖部位。若是外來婦女要上艇裡來，他們會很小心防備，男的一定蹲在船頭，拉住岸邊，讓外來婦女從船旁或艇旁上落。他們的觀念是認為婦女下體污穢，若然給她們跨過船頭或艇頭，是褻瀆神靈，自己便會招來不幸。漁民也會禁忌婦女跨越船上的生產用具，如魚網，就是怕漁網沾上穢氣而捕不到魚蝦，或者一天的生產就不順利。另外，婦女也不能進入「海口」地方，「海口」是漁獲上船的地方，這地方也稱「漁門」，他們認為婦女踏進「海口」，會影響收穫，所以嚴重禁止她們在此活動。至於婦女遇上經期，船頭附近地方也不能進入。祭神方面，春節過後，漁民準備「開身」出海捕撈，男船主會以熟豬肉、活雄雞牲口進行拜祭，女的要躲在船艙裡，不可以參加參拜，也是禁忌。此外，清明節拜祭祖先，一般都禁止婦女同行，以免給祖先帶去穢氣。

七　沿海漁民的命名禁忌

漁民認為命名與命運有著必然的關係，將來的窮通或得失，在人名中已伏先兆，所以一些不吉祥的字是不能直接入名的，這表示他們是比較重徵兆，故取名也求吉祥義，這是很好理解。不論從大眾心理，還是個人心理來講，取吉祥義入名都是有百利而無一弊。人們取名應該避開不吉祥的字眼，或者變不吉祥義為吉祥取名。珠三角從事海洋捕撈的漁蜑，其命名特色只是用上五行的四行的金木水火，是絕對不用「土」字，因為「土剋水」；而珠三角內河捕撈的漁蜑，他們只是用丈八長的小船在珠江捕撈，便用上五行的金木水火土。筆者調查時，便發現廣州黃埔區的九沙漁村便有漁民用上「土」字，有漁民命名吳土坤、彭土海。但沿海的漁民便認為「土」和「水」有相沖，對漁民的工作會有不吉利的影響，甚至會帶來很多災禍，所以沿海漁民五行命名時是有禁忌。他們認為死亡方會葬在泥土裡，所以對用「土」有禁忌，因此，沿海的漁民，陸上人便稱其為「四行仔」、[21]「四行人」。[22]內河漁民則不會介意用上「土」字，因其捕撈時是位於珠江，與陸上相距不遠。[23]

21廣東省民族研究所編：《廣東疍民社會調查》廣州：中山大學出版社，2001年，頁82。

22陳贊康、何錦培、陳曉杉：《香港四行人命名文化》（未刊報告，2002年）頁38-39。筆者是陳贊康等報告的指導老師。

23馮國強：《中山市沙田族群的方音承傳及其民俗變遷》臺北市：萬卷樓圖書公司，2018年，頁287。

八　結語

以上珠三角漁民這些海上禁忌的形成，客觀因素是過去漁具落後，個人的命運很大程度上受到大風大浪和險惡氣候的擺布，翻船死人時有發生；主觀因素是心裡求吉利保平安的意念特強。

珠三角的漁船自七八十年代改成大漁船，加上漁具設備的改進，而捕撈技術也大大提升，方方面面的改進和提升，漁船的抗災能力便提高，昔日的許多禁忌慢慢隨之逐漸打破。

"Teacher Education lays the Foundation of Nurturing Human Resources to be seen in a Hundred Years":The Philosophy of Education of Confucian Merchant Tin Ka Ping*

(「捐資師範、百年樹人」：儒商田家炳先生的辦學理念之研究)

Au, Chi-kin

Department of History, Hong Kong Shue Yan University

1. Introduction

It is true that the long-term development of China depends on the development of education, as the Chinese saying goes, it takes ten years to grow trees, but a hundred years to rear people, but upon its establishment, the country was blessed with the unconditional contributions and support of businesspeople. In terms of the situation in China in the 1980s, at the beginning of the country's reform and opening up, the establishment of many domestic institutions of primary, secondary and higher education relied on funding from patriotic businesspeople. When it comes to building schools throughout the entire country, promoting regional primary and secondary education, improving educational facilities, and introducing teaching technology, one particular businessman must be mentioned: the "Confucian businessman" Mr Ka-ping Tin. Tu (2008) and Yu (2018) have pointed out that Confucian businesspeople adopt Confucianism in business operation and charity participation such as building bridges and roads, subsidizing education, donating coffins, providing relief goods. In addition, King (2013), Duara (2014), and Wang (2018) claim that the notion that the late 21st

* The research output discussed here based on Research Project for the Archive of Confucian Merchant Ka-ping Tin(20-22) owes thanks to the funding from Tin Ka Ping Foundation.

century shows diverse modernization or a form of modernization that is different from that occurring in Europe and America should point to more emphasis on the relationship between Confucian culture and modernization taking place in Asia, the relationship between entrepreneurship demonstrated by Chinese businesspeople in Asia and Confucian culture, the once so-called Four Asian Dragons (Hong Kong, Singapore, Korea, and Taiwan), and Confucian businesspeople and Confucian business culture in Asia.[1] As an exemplary Confucian businessman, Ka-ping Tin (1919-2018) has been chosen as the subject of this study regarding his Confucian businesspeople education philosophy and its applicability.In *My blessed life. Funding teacher's college, investing in human resources for 100 years*, Tin pointed out that teacher education lays the foundation of nurturing human resources to be seen in a hundred years, is the root for the greater China, and had had profound influences on himself. Tin has once said "Good shoots come from good bamboos, as good students come from good teachers." Good teachers are a prerequisite for education. "Teacher's colleges are an important base for training teachers." That was why Tin focused his funding for education on teacher training. Teacher training, on top of training teachers academically, nurtures teachers-to-be to be examples for students, representatives of ethics and discernment, and nurturers of virtues among students. In addition, funding teacher's training puts Confucius education in practice.[2] With his emphasis on practicing ethics, promoting education, particularly teacher's training, Tin has been named by scholars as Confucius merchant, acclaiming him as an exemplary Confucius merchant for his knowledge and practice of Confucianism, as well as business richness and success.[3] Also, Tin spoke with the title "Believing the future of China lies in education" at the graduation ceremony of Faculty of Education of University of Hong Kong on 23 November 2002, which serves as a conclusion of his educational philanthropic goal, that is, to develop education. Therefore, it is important to study the education philosophy of Tin and its actualization, and the current relevance of traditional moral education expressed by Tin. The study of actualization of education

1 Arguments made by Wei-ming Tu,"Third phase development of Confucius culture", Ying-Shih Yu, "Ethics of Xin Jiao and Capitalism", Ambrose King "Turns in contemporary China", Prasenjit Duara, *The Crisis of Global Modernity*(Cambridge: Cambridge University Press, 2014), Gung-wu Wang "Southeast Asia and Chinese people" can be found in Au, Chi-kin, "A study of Tin Ka Pin – an exemplary benevolent businessperson"presented at The 4th Conference on the Education of Chinese History and Culture in the Great Bay Area on 15 November 2019.

2 K. P. Tin, *My blessed life* (Hong Kong: Tin Ka Ping Foundation, 2017), 162.

3 'The stories of Tin Ka Ping' *The Collection for the Writing of Tin Ka Ping* (Hong Kong: Tin Ka Ping Foundation, 2016), 88-89.

philosophy of Tin will mainly be based on written records of beneficiaries of donations by Tin. Also, as the Chinese saying goes, prosperity of a state stems from unity of families, so it is also important to study stories told by the children of Tin for the inspirations from his familial teachings. This part of research into the verbal and behavioural examples set up by Tin to his family is based on advocacy by scholars on diverse historical studies in the 22nd century to also adopt history of emotions and family history.[4]

2. Tin's *Believing the future of China lies in education*

Tin is a Hakkanese born in Dabu county of Meizhou city in Guangdong province, who became an entrepreneur and philanthropist in Hong Kong. In 1935, due to the death of his father, Tin became the breadwinner of his family and started a business in Vietnam selling clay from his hometown, demonstrating his competence in creating business advantages by making use of resources from his hometown.[5] Later, Tin travelled even further to Indonesia, where he established his extraordinary rubber industry, but then out of concern about the education of his children and his recognition of Chinese cultural education as the origin of his success, Tin decided to give up his gigantic business and move to such an East-meets-West junction as Hong Kong.[6] From Tin's perspective, education is cause of social changes and solution against poverty. In 1982, Tin established Tin Ka Ping Foundation, with the aims of "improving the quality of education through promotion of moral education, Chinese culture, and integration with world's civilization, as a contribution to our country". Since then, Tin focuses on promoting education in China, with strong emphasis on Chinese culture and moral education.[7] Tin gave a speech on "Believing the future of China lies in education" at the graduation ceremony of Faculty of Education of University of Hong Kong on 23 November 2002.[8] He believes that "regardless of the availability of natural and geographical resources of a region, as long as there is well-developed education, living standard of people is naturally

4 Robin L. Bennett, Robin, *Practical Guide to the Genetic Family History* (Hoboken: Wiley, 2010), pp.5-12. Cf Feng-en Tu,"Emotional history: theory and practice", Q. Edward Wang," Why is history of emotions the new direction for historical study for contemporary China", Chu-shan Chiang eds, *Current trends in historical study*（臺北：聯經出版事業公司，2019年）, pp. 29-56; pp. 57-70.

5 Ka-ping Tin,*My blessed life* (Hong Kong: Tin Ka Ping Foundation, 2017), 54-63.

6 Tin (2017), pp. 88-90.

7 Tin (2017), p. 128.

8 "*Education: the hopes of China,"The Collection for the Writing of Tin Ka Ping* (Hong Kong: Tin Ka Ping Foundation,2016), 489.

good; otherwise, if education of a region is poorly developed, people's living standard will not improve much despite rich natural resources, fertile land, and fine weather." Education is the key to changes in society and living standard. Tin used census data of China around 2002 to find that among the vast population of 1.3 billion people in China, there were hundreds of millions who were illiterate or half-illiterate. Such people lacked life skills and were troubled by poverty, who, if were given access to better education, "will be able to make a living on their own and develop their own strengths; then such population burden will transform into human resources to generate income." This is the reason why Tin repeatedly advocated "believing the future of China lies in education", as he said, "This is the main reason why I have spent some twenty years of my life funding education at 50 or so universities and 80 or so secondary schools, and why I reiterated 'believing the future of China lies in education' to call for all of us to pay attention to education."

In addition to academic education, Tin has attached strong emphasis to moral education, as he once said, "A successful teacher not only should possess academic knowledge, but also uphold high moral standard, with elegance demonstrated in daily affairs." This was a response to the decline in moral standard such as overemphasis on material, pursuit of undue fame and fortune, indiscrimination between high and low standards, chase after folk customs, and search for short-lived excitement, which resulted in "wallowing in degeneration, violating law and order." It was therefore important to reverse such thinking and practice and create a benevolent society. "In particular, teachers should understand better the truth of establishing oneself before establishing others and the importance of teachers to nurture students with purity in character and care for others, so that students understand the importance of development of virtue over growth in knowledge. Upon graduation, students are well-prepared for jobs which bring with materialistic wealth. Apart from enjoying such wealth, they should do good for others within their job capacity and outside work, "towards a perfect life, which is the most meaningful and perpetual value." Therefore, education should emphasize virtue development. "It is well-know that education is a business of developing people, nurturing intelligence and quality and increasing advantage for survival. Education is the key to all problems, and that is why enhancing education is the utmost important task at present." Tin further encouraged teachers receiving training at Jiaying University and Guangdong Institute of Education by saying "It is easier to recruit a teacher with subject knowledge than to recruit one who can set oneself as an example to the students. This reflects the importance ancient Chinese attached to moral education." He added that "From the bottom of my heart, I hope every parent, educator, and relevant authority to pay attention to this, to have a common consensus that money provides only material wealth, but what we need more is cultural-ethical wealth."Even if a family is not materially wealthy, as long as the parents are kind, the children honor their parents, siblings are friendly, the family can achieve harmony and joy. Only when a society preaches propriety, righteousness, integrity and honor, develops morality in the people, cultivates communities with care and concerns for one another, can it achieve "peaceful households, joyful workplaces, and genuine fortune." Therefore, Tin hopes teachers and learners "work together and harder on self-nurturing, family unity, and contributing to the country, in order to develop China into a genuine world power." Schools and teachers should go beyond knowledge transmission to nurturing virtue, and union of family and prosperity of the country will ensue.[9]

In his speech given at Seminar on Chinese Moral Education,[10] Tin said that on top of basic life necessities including clothing, food, shelter and transport, people need etiquette and culture, practice of virtues, especially Chinese traditional virtues. "Chinese has attached high importance to virtues and practice of virtues, which require conscious effort." "I believe Chinese traditional virtues will definitely gain enormous recognition." Education is not only about "alleviating poverty through knowledge", but also nurturing moral culture in students, which is the reason why Ting Ka Ping Foundation was established in 1982.[11]

Tin's emphasis on moral education stems mainly from his father. Tin had a family history with a deep cultural root and considerable fame in Dabu county.

His uncle Cui-shan was the last scholar in the late Qing Dynasty, with a solid foundation in Chinese studies. The Tins had earned high respect in the Dama district of the county. Another two uncles You-yu and Xiu-wu founded business brands Tailong and Shiji, respectively, selling alcohols, livestock and daily necessities such as oil and rice, and purchasing firewood, bamboo and wood. Tin's great grandfather Jun-ting built Gongchen Tower, whichfaces north, with Han River on its east (Han river is so named to commemorate Han Yu's contribution to education of Chaozhou.

All Tins uphold their family teachings, taking "promoting the family history of nurturing morality", and achieving the status where "the parents are kind, the children honor their

9 "Speech by Tin Ka Ping to townspeople" at Tin Ka Ping broadcast center, Tai Po county (22 October 1997), 501.

10 "Speech at Teachers' training for Chinese virtue education,", *The Collection for the Writing of Tin Ka Ping* (Hong Kong: Ting Ka Ping Foundation,2016),502-503.

11 "Knowledge aiding poverty should be encouraged,", *The Collection for the Writing of Tin Ka Ping* (Hong Kong: Tin Ka Ping Foundation,2016), 505.

parents, siblings are friendly, so that the family can achieve harmony and joy" as their own responsibility. It was well known in the Dabu community that "the sons and daughters of Gongchen are indeed distinct,"which served as encouragement among the Tins. Tin said,"The teachings from his clan and the beautiful scenes back then have always affected my entire life. It has made Gongchen Tower known as a model family of scholars and heirs of poetry and etiquette." [12] Tin's father Yu-hu named him Ka Ping "in hope that I can inherit the legacy of the elders, make great achievements, benefit the people, and prosper through the generations." Yu-hu had high demands on Tin. "In addition to formal curriculum, I was given extensive moral education. He repeatedly taught me the 524 words of Zhu Bolu's motto for family governance. Not only did I have to memorize the motto, but I also had to practice it." In daily life, Tin paid special attention to the cultivation of morality. With the guidance of his father, Tin "excelled in the cultivation of his character, and the people in the village often praise [him] for speaking without arrogance or humility, for [his]gentleness and elegance, open-mindedness, courtesy and generosity."Under the influence from his father, "for more than ten years, whenever [Tin] held presentations at ten universities and over a hundred middle schools, [he] raised the hope that everyone will establish oneself before establishing others, first create a happy and caring environment for the family, so that their children can grow up in a joyful atmosphere and grow up to be good citizens with both ability and political integrity. Those are words from the bottom of [his] heart." Tin also used integrity taught by his father as his business operation principle, as his father possessed "excellent credibility and personality and taught [him] 'integrity-based' business operation." Tin also quoted his father as saying, "attending to the physical needs of your parents is less important than attending to their emotional needs. If you succeed in business, do great things to benefit your country to honour your ancestors, and that is the highest form of familial piety. Secondary to that is to add no extra burden to your parents and to refrain from malicious deals that insult your parents. All these are what is meant by attending to the emotional needs of your parents, which is much more important than attending to their physical needs."[13]

Tin indeed reckoned an indispensable basic for the country to develop is education, especially moral education on top of subject knowledge.

12 K. P. Tin, *My blessed life*, 32.

13 K. P. Tin, *My blessed life*, 52.

3. Educational practice of Tin

Tin practices morality and traditional Chinese cultural education in his business operation, as he believes “Chinese culture has a long history, of which [he] benefit[s] the most is the four anchors and eight virtues including propriety, righteousness, a sense of honour, and a sense of shame, loyalty, filial piety, benevolence, love, faithfulness, justice, peace and harmony. These guides people on nurturing virtues and building harmonious communities, for a better world. This cultural aspect is distinctive.”[14] His famous quotes such as “steady foundation is based on integrity”, [15] “peace with others”, “honesty in personal relationship”, and “everyone shouldestablish oneself before establishing others, first create a happy and caring environment for the family, so that their children can grow up in a joyful atmosphere” reflect his emphasis on family education.

Tin’s children also practice his moral nurturing. His eldest son Hing-sin said, “Father sets himself as an example for us, along with verbal teachings, so that I have been inculcated with such traditional Chinese values as respecting seniority and harmony between siblings, caring about funerals and remembering forefathers, and not forgetting clan roots.” [16] Eldest daughter Shuk-fong said, “Father has many life mottos such as “be good to others; be considerate about others”, “better be wronged than to wrong others”, “be willing to let go”, “keep to rules on rewards and punishments”, and “be impartial”, to name but a few that we are most familiar with. [17] A younger daughter Shuk-lin added, “[Father] used various distinctive methods in his daily dealings: keeping promises, persevering, being very kind to others, relying on himself, hardworking, considering others in all things, and abiding by laws and orders, which we should learn and follow in our whole life and of which we as his children to be proud.” [18]

Tin’s educational practice can also be observed from his foundation of Jiaying University (formerly know as Jiaying Institute of Education) and inscription on the tablet in Tin Ka Ping Tower in its campus – “We teachers and students here are extremely grateful to such a charitable act of Mr Tin, and would like to express our gratitude on this tablet,” and in *The building of Yuhu Middle School in Dabu County* – “As time goes by, students admitted exceeded the campus capacity. Even though the authority had been seeking another location

14 K. P. Tin, *My blessed life*, 115.

15 K. P. Tin, *My blessed life*, 56.

16 K. P. Tin, *My blessed life*, 3.

17 K. P. Tin, *My blessed life*, 1.

18 K. P. Tin, *My blessed life*, 18.

for a new campus, the lack of fund had hindered the progress. That was made known to Mr Tin, who is a graduate of the Yuhu and considered education provided by Yuhu important. Tin then agreed to donate fund to cover costs of construction, teaching facilities, machines for the library and more. The construction of the first phase began in 1982 and completed in the autumn of 1983, when 10 classrooms and 10 teacher's offices were built. At the same time, the county government, with a view to a large number of elementary school graduates in nearby villages and the implementation of 9-year compulsory education by the central government, consulted Tin and switch Yuhu into a middle school for the geographical convenience of those elementary school graduates. In the spring of 1986, Tin further donated for the building of the second phase. Furthermore, he donated for the construction of Hu Liao Bridge (later known as Tin Ka Ping Bridge), PingyuanTianjiabing Middle School, Juren Junior High School, Jiaoling Overseas Chinese Middle School in Guangdong, and Tianjiabing Education College of Huazhong Normal University. Tin's educational effort in Dabu was reported by He (1997), and has been remarked by Yang by saying, "As a teacher on moral education at school, I am proud, glad, and excited about having such a senior so into moral education at school as Mr Tin."

In business, Tin operated on the principle of honesty. First, at his young age, Tin succeeded the brick business of his father, [19] and he already showed courtesy to seniors in the village – "I regarded them as my own senior relatives, who naturally felt for me and urged their clan members to learn from me", which earned support from the clans to his brick business in Dabu. Second, honesty to others can be applied to business operation. Tin endeavoured to improve the quality of his bricks, sold those with better quality at a higher price, and those with secondary quality in categories. That was contradictory to the usual practice of zero price difference between goods of different degrees of quality. Tin explained, "Dear buyers, please purchase a certain portion of bricks of secondary quality and use them for less important purposes. The users were happy to accept such a change, as they regarded such an honest practice as uncommon in the market." Other users supported and purchased bricks from Tin. In conclusion, Tin said, "I put my feet in others' shoes in all things. I show concerns for them in exchange for their trust, and I never have had any unpleasant business experience." Third, treating businesses with honesty in developing Vietnam trades. In the 30s, Vietnam was a French colony. Some Dabu businesspeople brought along their experience in porcelain industry in Gaopi and Guangde to Vietnam to open porcelain factories. There were also three companies which transport clay from Dabu to Vietnam for sale. In 1937, Tin travelled to

---

19 *Family letters by Tin Ka Ping.*

Saigon and founded TaiOn Lung Porcelain Clay Company. While the three aforementioned companies were operating at a higher cost because of multi-layer sales, Tin's company provided free samples for clients to try and operated with integrity, attracting most clay businesses in the local market. However, Tin did not wish to monopolize the market and thus invited the other three companies to collaborate, establish Chayang Porcelain Clay Company, and unify the sale of clay. Tin's company owned 60% of Chayang, while the other three companies owned 40% of it. The collaboration prevailed and owned 100% market share. Tin said, "Seniors of my hometown gave me tremendous support in this, as they deeply understood the other three companies were faced with difficulties, and they knew that if I could persevere for one or two more years, the other three companies would close down and my company would become the monopoly. That would have been lucrative to me. My seniors thought I was too kind and generous." But Tin insisted, "There is no harm to be kind in all things, no need to take all advantages, and no need to push others into extremely difficult situations." He added, "It was a better scenario where small hometown porcelain clay businesses were able to survive. It was a win-win scenario in the Vietnam market. Even though the price of clay and thus the cost of our clients went up, our collaboration was a good sign of unity among Dabu townsmen. [20]I earned trust from a dozen or so large porcelain factories and eliminated the belief that 'others in the same business are all evil'. I made use of the moment to urge for mutual trust and understand the truth of unity being strength. Within half a year, the collaboration already accumulated profit as a strong foundation enough not only for us to pay for purchase without delay but also to support our townsmen to develop their businesses. Therefore, upon knowledge of the founding of Chayang and the trust and support Chayang had gained from three other stakeholders with some achievements, they gave full support to my advocate."

Tin advocated mutual benefits in developing businesses in Indonesia. In June 1939, Japanese army occupied Shantou, which barred export including that of porcelain clay. Chayang had to close down, and Tin's mother asked him not to return to Dabu but to travel to Indonesia to succeed the business of his elder brother Ka-lit. At that moment, Chinese mainly lived in Jakarta. The average education level of Indonesian people was relatively low. Most knew only addition or subtraction of numbers smaller than 100, so they had to rely on other people. "The most common deception businesspeople did was to raise the selling price and lower the purchase price. That was used by small unscrupulous shops and regarded as a

20 *Family letters by Tin Ka Ping*, 62.

common practice, since 90% of retail shops at the lower level and native merchandisers were controlled byChinese. Tin said, “As soon as I took over, I advocated ‘not to take advantage of others’, ‘a family formed based on miser cannot prosper’.” In the end, he earned trust of Jakarta natives and Chinese, and the business began to earn profit. Tin concluded, “businesspeople need to have a mindset of mutual benefitting.”

4. Conclusion

Tin attached high importance to education, especially moral education. He even put that into practice as an example for his children, who made further contributions to education in their hometown, society, and country. The schools founded through Tin have actualized his education philosophy. Moreover, in 21st century, Tin demonstrated that emphasis on traditional Chinese cultural education and moral education is a perfect example of incorporating contemporary cultural development. Also, Tin's philosophy on business operation with integrity and moral cultural education serves as a reference for the study of Asian business culture and global moral cultural values.

附錄一

永懷李璜（幼椿）教授

——並記其為余所撰之一篇序文

何廣棪教授

香港新亞研究所

圖一　李璜教授個人照

恩師李璜教授（1895-1991），字幼椿，號學鈍，又號八千。四川成都人。中國青年黨創始人，與曾琦、左舜生合稱該黨三鉅子，對青年黨之發展甚有貢獻。

恩師一九〇八年，年十三，入成都洋務局英法文官學堂學習。一九一四至一九一六年，在上海震旦學院修法語。一九一九年三月，年廿四，赴法國巴黎大學留學。一九二四年九月，年廿九，學成歸國，初曾在北京各大學授學，羅香林教授其時在清華大學歷史系攻讀，曾修幼椿師所授課程。其後晚年，二人在香港珠海大學文史研究所任教，羅教授仍稱李璜教授為老師，可知二人有深厚之學術情誼。

余於一九七二年九月考入珠海文史研究所。其時羅教授任所長，幼椿師任專任教授，余攻讀該所碩士班文學組。因於入學前已出版《讀書管窺》、《楊樹達先生甲骨文論著編年目錄》二書，後經涂公遂教授推介，並轉呈拙著。楊樹達教授亦羅教授早歲就讀北平清華大學時之老師，故余入學伊始，即受到羅所長垂注。

余攻讀碩士班第一年，即以成績優異，考獲文學組第一名，並獲獎學金。該年研究所曾舉行論文發表會，題目由所長訂定，而指派某同學為發表者。羅所長開出《漢賦與楚文學之關係》一題，指定由余發表。當日在研究所進行，羅所長主持，幼椿師評述。回憶當日，所得評語甚佳，不論文章內容、形式，修辭技巧及發表態度、講述口才都得到幼椿師肯定與好評。其後該論文被收入「珠海書院中國文學、歷史研究所學會叢刊之一」，由所長署耑，並乞王韶生教授賜序，予以出版。

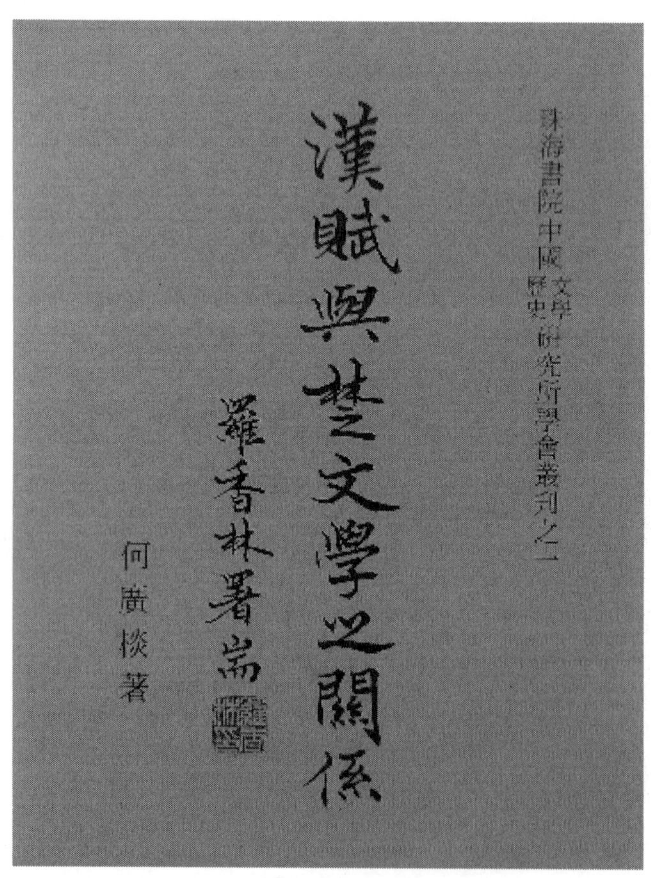

圖二　《漢賦與楚文學之關係》著作封面一影

上述一事，足見幼椿師及羅、王二教授對余之錯愛。次年，余即在王韶生教授指導下，以《李清照研究》為題撰就論文，以第一名畢業，榮獲碩士學位。後得李、王二師推薦，羅所長留余在所及中文系任講師，使余以後數十年能順利任教大學、研究所，繼續學術工作，培育人材。

修讀碩士學位完畢後，余即考上珠海文史研究所史學組博士班，追隨羅所長鑽研「陳寅恪教授之學術」。為做好治學、研究之入門工夫，余即著手編撰《陳寅恪先生著述目錄編年》，該書後收入「珠海書院中國文學、歷史研究所學會叢刊之四」，仍由羅所長署耑，而倩幼椿師撰序，蓋以幼椿師在法國巴黎攻讀學位，即與寅恪同時，彼此交游甚早，相知甚深，故所長特予邀請幼椿師，並深慶得人。幼椿師晚歲曾撰就《學鈍室回憶錄》，內容富贍，由明報出版社刊行。此序似未被收入《回憶錄》中，固佚文也。茲不以其文為冗長，特予轉錄，俾留鴻爪，藉資紀念。

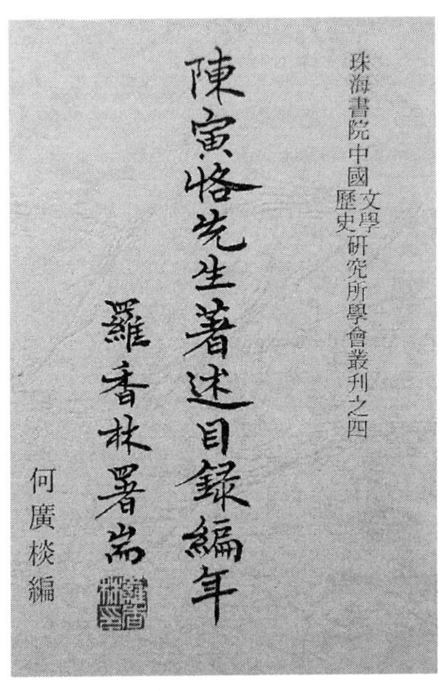

珠海書院中國文學歷史研究所學會叢刊之四

陳寅恪先生著述目錄編年

羅香林署耑

何廣棪編

李璜教授序

近年我在珠海書院中國文史研究所任導師，於所授的「歐美之漢學」課程第一日開講中，我例勉研究諸生爲學須做到廣博與深細兩種工夫。因有兩段話，大意如下：

本課重在說明西方學人研究中國文史的方法論，茲所謂方法，要本於歷史學與社會科學。歷史學上之考據工夫，本我乾嘉學派之所長，西方漢學界也受其影響。不過學問之道，日新月異，西方歷史學在十九世紀末期以來，已有長足進步，方法日趨深細，成績斐然可觀。且近七十年中，社會各科相繼發展，無不有其科學的方法，以奠定其觀點；尤其是本於語言學與社會學見地，以之縱論古今，比較中外，足使新義，層見不窮。

不過從事文史考據，固在糾正爲文空泛之習與誇誕之識，然而又不可以鑽入牛角尖裏，只見其小，不見其大；徒矜瑣碎細節，忘却廣博視野。因是考證之爲學，小題不妨大做；但大做之目的，應每在有關於時代之興衰、制度之因革、社會之趨向、文化之交流，以及史事之隱約應予明導，古文之紊誤應予爬梳等等大處着眼，方見識度。

說了這兩段話後，我便取香港出版之「陳寅恪先生文史論集」上下兩册，令同學去加以留意，便於其中可得深細而不離廣博之爲學門徑。陳氏家學淵源，博覽羣書之餘，又特具古今世界多種語文修養；故以其考證周至而論，實已邁過乾嘉學者；以其著述精審而言，又足助我們去了解近代西方漢學界用力之處。除陳氏之專著外，其論文散篇，對文史上之小題目，往往以獅子搏兎之力，旁徵博引，深入腠理，使新義頓見，令人眼界一寬。——陳氏此類工夫，有如法國漢學家伯希和氏平生所作短篇考據與註釋文字，其中特多精品。兩氏同具語文工具甚富，而見識均不同凡響，且又對於一事之疑，一字之不妥而不肯輕輕放過，此其在深細與廣博處均有所成就。

惜因世亂，陳氏篇章散見國內外報刊，書不易覓，至今尚未能窺全豹。香港近刊之論集不過六十六篇，而台北學人所紀亦至不全。今何廣棪君竟能搜得九十五篇，爲之編目，足見何君爲學之勤。且何君此目着重於編年，意在揭示陳氏治學旨趣及其研究路向之演變，尤見何君對陳氏之學，早有心得，難能可貴，故我願爲之序於編首。

一九七四年五月十一日香港

圖三　李璜教授賜序予《陳寅恪先生著述目錄編年》

案：敬讀幼椿師之序，足證其教學備課之認真，其授課所述治學方法並多屬金針度人之言，使弟子獲益不淺。至其對陳寅恪教授之學術亦深有認識，尤對陳氏治學深細與廣博兼備之成就有所確認，並加以表彰，此舉更屬難得。至序末謂余「為學之勤」，又謂「對陳氏之學，早有心得」，斯乃師長激勵之語，余當銘誌於心，終生力行不怠，絕不辜負良師之愛護。

羅香林所長不幸於一九七八年四月二十日肝病離世，未幾幼椿師亦移居美國，與子女同居，樂享天倫。以迄一九八四年六月二十八日得蔣經國總統約見，並聘為總統府資政，幼椿師始移居臺北市中央新邨。余在此年聖誕節乃陪同王韶生教授由香港回臺，前往謁見。晤對閒談，幼椿師言及其有回臺之定奪，主要因師母中風，美國醫療費昂，聘用工人照顧亦不易。適蔣總統有禮聘，回國服務之意，不得以作此抉擿，其事殊不足為外人道也。

羅所長逝世，幼椿師赴美，接任者方豪院士未幾亦病歿，王教授授教新亞研究所，乃邀余轉讀新亞，並改而研治「陳振孫與《直齋書錄解題》」，余乃請王教授任指導教授，題目改為《陳振孫之生平及其著述研究》，一九八九年九月入學，一九九二年論文撰就，獲博士學位。一九九三年七月受聘臺灣華梵大學東方人文思想研究所，初任副教授。未幾送審新撰論文獲教育部升等為教授，繼用此著獲「文化復興獎」。後余又獲行政院頒發「任職滿二十年服務成績優良頒給二等服務獎章」；續又利用課餘時間對《直齋書錄解題》作全面研究與考證，成書六種，凡十四大冊，數百萬言，由花木蘭文化出版社二〇一六年出版。余所以有此成績，皆仰賴幼椿師、羅、王二位教授誘導及激勵而有以致之。

幼椿師不幸於一九九一年十一月十五日於臺北逝世，享壽九十有六。余於一九九三年七月始任教華梵，如能早日轉教臺北，則親炙幼椿師之機會增多。憶昔日攻讀珠海文史研究所時，幼椿師居跑馬地，余則住銅鑼灣，有暇則造訪其府第。幼椿師喜愛進食法國西餐，常邀往共酌，並得恭聆教誨，聞其指導。如斯之良會，於茲已不可再得矣！

附錄二

懷念廖伯源老師

祁志偉

香港新亞研究所

編者按：新亞研究所舉辦廖伯源教授追悼會，會後除祈志偉博士外，翟志成教授、何冠寰教授、楊永漢教授等，並幾位學長談及廖教授治學之認真，對後輩之提攜，情行殷切，令人感動，忽爾而逝，種種往事，只餘唏噓。

我在一九九四年認識廖伯源老師。當年春天，廖老師到中文大學講學，新亞研究所總幹事趙潛先生邀請廖老師，於周六下午到研究所講授「秦漢史專題研究」。我有幸修讀本科，於是認識了廖老師，而且廖老師研究秦漢軍事制度史，與我的研究方向相同，所以決定跟隨廖老師多加學習。

廖老師在講授「秦漢史專題」時，先用了兩節課（共四小時）講述「封建與郡縣」。他不但詳細講解兩制之由來與演變，而且博引「四史」，以及王先謙之《漢書補注》及《後漢書集解》注釋，說明漢初封相國與郡守同級之關係，以及侯國取消後轉成縣級之地方行政安排。廖老師欣賞漢朝政府的行政靈活，以及進步思維，解決困難之能力極強。廖老師講學時，討論綿密深刻，推論嚴格謹慎，結論令人折服，讓我眼界大開。

廖老師講課時，時常提及三名恩師，受他們啟發最深。他研究制度史，畢生從事秦漢制度研究，並整理官階之晉昇途徑、留意使者之性格及職責，這方面受嚴耕望老師影響最深。此外，廖老師亦深受牟潤孫先生及徐復觀先生影響和啟發。他在講授「秦漢史專題研究」時，鼓勵我們細閱徐先生《兩漢思想史》第一冊的〈漢代一人專制政治下的官制演變〉及〈有關周初若干史實的問題〉。前者討論漢武帝因著即位年齡及性格，如何改變秦漢以來的中央官制發展，以及內朝出現之關係。後者主要談論治史者應有的嚴謹態度及紮實的資料論證，不要以奉承前輩和欺騙讀者為手段，非常值得學習和借鏡。

一九九六年八月，我的碩士論文「西漢馬政研究」獲評審委員通過，論文導師嚴耕望老師身體不適，在臺北休養，廖老師轉達了嚴先生對論文的意見。同年十月，嚴先生辭世，新亞研究所在舉行追悼會，廖老師回港出席，並在大會發言。會後廖老師答應作我的博士論文導師，於是我在翌年入讀研究所的博士班。

廖伯源老師指示我先熟讀「四史」，並將有用的資料抄寫在卡片，成為札記。那時候，互聯網開始普及，我下載了《廿四史》，但是廖老師不准我以列印資料作卡片，堅持要我抄寫資料作札記。我任職中學老師，工作繁重，費神耗力，下班後身心俱疲，只好利用周末及長假期，才能好好讀書。結果花了近四年，才把《史記》讀完。每次我向廖老師報告進度時，他必查看我所有札記，又考問我的四史知識。廖老師與我背誦〈匈奴列傳〉，查問我對「屬國都尉」、「使匈奴中郎將」、「護鮮卑校尉」等官職由來、職責。並比較《漢書》及《後漢書》對天水郡之描述，以瞭解該地之發展，以及二書立場之異同。廖老師從我的札記中，檢示我閱讀史書時須注意的地方，讓我對史料更敏感，抄寫範圍更廣泛和深入。

二〇〇二年，我開始撰寫博士論文，初稿及二稿均為廖老師斧削，只好硬著頭皮撰寫第三稿。二〇〇四年，我必須提交畢業論文，但是第三稿還在撰寫中。長女只有兩歲，幼女尚在襁褓，廖老師提示我以「漢代屬國研究」為論文題目，以表列研究西漢武帝至東漢末年，屬國的發展形態，並以履歷表，整理西漢「典屬國」以及兩漢「屬國都尉」的晉昇徐徑。發現曾出任屬國都尉之官員，從西漢中葉至東漢末年地位日見重要，入職條件越來越高，調升後仕途愈加坦美。說明了具備屬國管治經驗，非常有利其在軍隊中的發展，亦說明外族兵在東漢年間防衛職責日見吃重。二十一世紀初，以履歷表整理某官職之演變是頗嶄新的歷史研究方法。廖老師對學術界瞭如指掌，指導我用新方法撰寫論文，不但有所發現，讓我獲益良多。

從一九九七年開始，多次到臺北拜訪廖老師，除了到史語所向他請益，廖老師曾招待我和來訪的研究所同學到宿舍吃火鍋、或是到臺北的廣東酒樓品茗。二〇一四年冬天，廖老師搬到新北市三峽，我拜訪他時，我們在國立臺北大學校園走走看看。

廖伯源老師治學認真，他提醒治史者必須客觀嚴謹，對學術及前人負責任。他從不接受學生禮物。我向廖老師討論報告時，他的意見不多，點到即止。偶有片刻沉默，卻沒有尷尬。

二〇一一至二〇一三年，廖老師出任新亞研究所所長，舉辦多項學術活動，包括「秦漢史專題講座」、「北學南移」等講座，可惜我因工作繁忙，未曾多加參與和支持。深感遺憾。

附錄三

追憶澳洲昆士蘭大學黎志剛教授*

張偉保　溫柏堅

澳門大學，南京大學

新亞研究所知名校友、澳洲昆士蘭大學黎志剛教授於二〇二一年四月二十二日因病去世。黎志剛（Chi-Kong Lai）教授生於一九五五年的香港，父親在鰂魚涌開辦小型工廠，家境小康。在中學就讀香港新法書院時，黎教授已經是校中的活躍分子，積極參加童軍活動。畢業後入讀香港樹仁學院社會系，曾多次向中文系湯定宇教授請益中國歷史，深得湯老師的期許。湯老師曾提醒他寫文章要小心，標準要定得高，對其日後的研究有很大的指導。其後黎教授轉到嶺南學院中文系，師從國學大師陳湛銓教授。

黎志剛教授一九八〇年本科畢業後，考入香港新亞研究所，師從全漢昇老師研習中國經濟史。據瞭解，黎教授每次投考院校前，必定仔細研究教授陣容及專業領域。因此，他往往在入學前已廣泛研讀心儀教授的專著及論文，故其準備工夫可謂極之充分，同輩均深感佩服。由於準備、目標都很清晰，故其碩士論文《郭嵩燾的經濟思想》能在兩年內順利完成，並獲全老師的指示赴美攻讀博士。黎教授原打算請何炳棣教授任博士導師，當時何先生身在芝加哥大學。全老師則建議可考慮密西根大學的費維愷教授或加州大學戴維斯分校的劉廣京教授。其後，黎教授同時得到這兩所大學的取錄，最後決定到加州跟隨劉先生研究中國近代經濟史和企業史。

劉廣京教授對黎教授很照顧，在他的推薦下，申請到了六年五十萬美元的獎學金，故留美多年也不愁學費的事，只管安心做學問。黎教授的博士論文題目原定是《明清的官商關係》，不過後來他碰見韓書瑞教授（Susan Naquin）。韓教授問他計劃做什麼題目？導師是誰？由於韓教授覺得這個題目不好做，便跟劉教授說了。劉廣京教授遂再與他商量，最後決定做企業史，先做招商局。這可是一次很好的改動，奠定了黎教授一生的主要研究方向，並終於成為研究輪船招商局的國際著名學人。由於招商局只是個案

---

* 本文的編撰曾參閱王哲、趙興勝：〈黎志剛與中國社會經濟史研究〉，《中國歷史評論》，2019年5月28日〈https://mp.weixin.qq.com/s/-2cgFKOcHexQYwCOwq_DpA〉和〈斯人遠去——黎志剛：我的學術經歷〉，〈https://twgreatdaily.com/qQDyAXkB9wjdwRpvqyw5.html〉，並獲得鄭潤培教授和羅志強博士的大力協助，謹此致謝。又，黎志剛教授的著作目錄可參看：〈http://ccs.ncl.edu.tw/ccs2/scholars_detail.aspx?sn=281〉。

例，黎教授原想通過雲南銅礦、山西票號，研究中國政府怎麼動員商人參加政府的實業規劃，招商局跟他們有什麼不同，同時也比較日本的企業和美國的鐵路公司。可是由於領域涉及太寬，最後也只好集中研究早期的輪船招商局。正因有這個想法，黎教授當時修了很多課，包括社會學、人類學、經濟、藝術等等，學分夠了，再交一篇論文，就拿了兩個博士。黎教授是戴維斯分校第一位拿到雙博士的中國學者。

黎志剛教授博士畢業後，劉廣京教授擬安排他到南港中央研究院工作，並公開表示黎教授是他最好的學生。不過，黎教授很想在大學教書，因能多接觸學生，最終選擇了澳洲昆士蘭大學，原因之一可能是因為澳洲更接近亞洲，方便他跑回香港。熟悉黎教授的朋友都佩服他有用不完的精力，又喜歡大量收集圖書文獻和檔案。每到一處，必訪當地大學圖書館，儘量複印未曾出版的原始資料。單從他的博士論文《中國第一間公司與政府：輪船招商局中的官僚、商人及其資源分配》（*China's First Modern Corporation and the State: Officials, Merchants and Resource Allocation in the China Merchants' Steam Navigation Company, 1872-1902*）的深厚的學術功力，便足以說明他好像有用不完的精力，故能寫出一篇視野極其開寬的精彩論文。後來，他的努力也受到學術界的賞識，並獲頒美國經濟史學會（EHA）一九九三年度的亞歷山大・格申克龍獎（Alexander Gerschenkron Prize）。這是美國經濟史學會頒給最佳非美國經濟史博士論文的獎項。雖然獎金只有一千美元，但在學界影響很大，這可能是到當時為止第一位拿到這個獎的中國人。黎志剛教授除任昆士蘭大學歷史、哲學、宗教及古典史學院（School of Historical and Philosophical Inquiry）教授外，也兼任中國社科院近代史研究所社會史研究中心學術委員、上海社科院特聘研究員、清華大學華商研究中心學術委員、香港中文大學訪問教授、山東大學訪問教授以及復旦大學上海史國際研究中心和孫中山博物館顧問。

有學者指出，黎志剛教授在中國社會經濟史研究領域的貢獻，主要集中在以下三個方面：一、輪船招商局；二、商業史（商標）；三、商業網絡史（香山籍商人及海外華人）。招商局自然是黎教授最重要的研究對象。除了劉廣京教授外，當時也有一批高質素的研究成果，如費維愷（Albert Feuerwerker）、陳錦江（Wellington K. K. Chan）、郝延平（Hao Yen-ping）等人的研究。但其中有一個值得關注的現象，就是這些研究將晚清政府興辦洋務企業，視為中國近代工業化的開端，但清政府在其中的角色是負面的，認為它對這些企業只有壓榨和盤剝。在黎教授看來，這一悖論的發生，原於「政府壓榨論」的提出者「沒有探究政府政策的演變，亦沒有分析研究企業的歷史背景。」為了證明自己的觀點，更為了真實、準確地研究輪船招商局的歷史，黎教授曾多次到哈佛大學閱讀旗昌等洋行的檔案，到英國看太古、怡和洋行檔案，到北京的中國第一歷史檔案館、南京的中國第二歷史檔案館、上海圖書館和香港中文大學圖書館，查閱盛宣懷檔案及招商局檔案，足跡遍佈中、英、美，特別是中國大陸及臺港地區。以此為基礎，黎教授完成了它的博士學位論文。其後的研究成果又彙集於《黎志剛論招商局》一書中。

在這些研究中，黎志剛教授主要討論了清政府與招商局的關係、招商局的國有化、李鴻章與招商局關係、招商局的經營管理、招商局因開發上海金利源碼頭而產生的產權糾紛等早期歷史上的一些基本問題，極大地推進了輪船招商局史乃至整個中國近代企業史的研究。其中最重要的發現是：一、援引美國經濟史學家亞歷山大·格申克龍（Alexander Gerschenkron）的後發優勢理論，檢討了以往輪船招商局史研究中的「政府壓榨論」，認為在輪船招商局早期歷史中，清政府的資助政策是成功的，是一種「優勢」；又相信「商為承辦，官為維持」政策得以實行，很大程度上要歸功於李鴻章；二、率先提出並討論了招商局的「國有化及其影響」，認為國有化方案意味著國家扶持和商人自主管理之間的權力失衡，阻礙了企業的發展，這可從招商局自盛宣懷執掌後的衰落上得到印證；三、細緻研究招商局總局與分局之間的關係，洞見招商局內部經營管理的問題。

至於商標史的研究，是中國商業史研究中的重要課題，但學者早期並未重視。早在一九八七年，黎教授與韓格理教授合作完成的《近世中國商標與全國都市市場》（收於《近代中國區域史研討會論文集》，中央研究院近代史研究所，1986年）。該文特點有二：一是史料運用非常獨特，包括了方誌史料、筆記小說、文學作品，以及各種碑刻資料和繪畫史料等，解決了中國商標史研究中長期困擾學者的史料不足問題；二是修正一個長久以來幾乎控制近代中國社會經濟史研究的理論典範——施堅雅理論，提供一些近代中國商業發展及全國市場研究的重要指標。劉石吉教授稱讚其「填補了中國近代經濟史的一個缺口，是中國商標史研究中的拓荒之作，貢獻很大」。美國《當代人類學》雜誌曾專門討論過這篇文章，認為其是商標史研究的典範。

最後一個研究課題是香山籍商人及海外華人的商業網絡史研究。由於輪船招商局早期發展史中，香山籍買辦商人的出色表現，引起黎教授對這群體及其代表的華商，還有其商業貿易網絡的研究興趣。黎教授的研究主要從三個層面展開：一是香山籍商人的商業冒險傳統。二是香山商人商業網絡的形成。三是海外華人的鄉土意識。在研究過程中，黎教授爬梳了大量原始資料，包括方志、報刊、國內地方檔案、海外華商商會檔案、時人的文集和回憶錄、海外華人碑刻銘文、中研院等單位所藏經濟史檔案以及口述史料等，故在研究上取得重大的突破。此外，在剛出版的《劍橋中國經濟史》（*The Cambridge History of China*, 2 vols, Cambridge University Press 5/2022），黎志剛教授是其中一位撰稿人，題為 *The State and Enterprises in Late Qing China* (pp.167-183, Volume II)，正好說明他在中國經濟史研究中的重要地位。

黎志剛教授在昆士蘭大學任教多年，曾指導多位研究生。黎教授像「保姆」帶研究生。他不僅非常關心學生的學業，也留意他們的起居飲食。在黎教授的指導下，已有不少弟子在中國和澳洲多所大學任教。他對後輩一視同仁、傾囊相助，多方鼓勵，關懷備至。每次別人問起「為什麼對年輕人這麼好」時，他總是笑笑說，「全漢昇、劉廣京兩位老師都是這樣對學生的」。由此可見師門師風，一脈相承，充滿著對後輩的善意和期許，而黎教授為紀念業師，更曾於著名大學籌辦「全漢昇講座」系列。黎教授把一生都獻給了史學，遍尋典籍、博覽群書，學生們眼中極其複雜的學術概念，對他來說則是易如反掌，做學問功力之雄渾、做研究功底之深厚,令後輩望塵莫及。黎教授教學認真，對培育後輩盡心盡力，即使到了去世前的一兩天還在幫學友修改研究計畫、寫推薦信。除了照顧學界後輩，黎教授亦樂於助人，故朋友滿天下，但他鮮有向人提及這些事蹟。在黎教授的葬禮上，有位澳洲工會界德高望重的華人便對黎夫人表達了深切的感激，「如果沒有黎志剛的幫助，就沒有我今天的成就」。

生病之前，黎教授一直身體康健，估計自己能活到八十多歲，總想著有「閑下來」的那天，等閒下來之後再整理一生的學術成就。黎教授的學術遺產共有四本著作和八十多篇學術論文，從招商局研究拓展至海外華人史，再延伸至海外華人的日常生活，豐富的研究成果本可以彙編成冊，而史學界仝人更期待他的得獎博士論文可以出版面世。然而病魔無情，他終究沒有等到那一天，遽然離世。

附錄四

鄧立光博士生平傳略

謝向榮
香港能仁專上學院

鄧立光博士，廣東三水人，一九五九年六月出生於北婆羅洲（沙巴）。幼兒時期，隨受聘於沙巴英資公司、擔任軍塞保佛埠總部工程師之父親，生活於保佛。因遇當地內戰，舉家返港。未幾，因父親工作關係，又曾遷往南太平洋島國那魯。保佛與那魯，皆華洋共處之地，身邊稚童玩伴，無分種族膚色，彼此和樂融融，先生兼容並蓄之德，蓋本乎此耶？後返港定居，童年在李鄭屋村接受基礎教育。因家道中落，先生與兄長國光先生半工半讀，日間在工廠打工，晚上於基智夜中學進修。先生一生勤奮、簡樸、堅毅，蓋由此勞其筋骨、空乏其身之成長磨練所得。

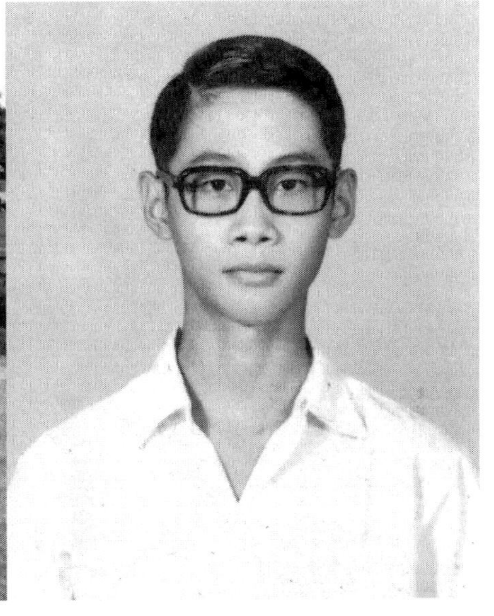

圖一　鄧立光博士童年時期與中學時期的照片

中學時期，為求改善生活質素，先生本欲專攻經濟科，惟受到在中大中文系修學之兄長國光先生影響，終選擇專攻中文。一九八一年，憑其刻苦精神，終成功考入香港大學中文系，接受高等教育，先生特在日記中記錄其弘揚中國文化之志，時刻提醒自己，毋忘初心。惟何謂「中國文化」，先生當時仍似懂非懂。直至在港大文學院的迎新營中，遇上剛於哲學系畢業的某位學長，問其「中國」定義何指，是地理版圖範圍內之中國？抑或有中國人之地方？當時先生未能即時回答，但經此一問，開始認真反思「中國文化」何指，最後想通，其所要弘揚者，乃華夏之禮樂文明、中國傳統文化之精神內涵，並不局限於版圖之內，亦非僅指有中國人居住之地。先生自覺學問基礎未穩，故升上大學二年級時，即選讀其認為最難讀的學科，包括佛學、先秦諸子思想史、中國近三百年學術思想史等，期望可打好根底，他日有機會進入中國社會科學院當研究員，得以從事可專注於中國文化的研究工作。

本科畢業後，先生曾考慮研治杜甫詩，惟讀過牟宗三先生《心體與性體》、《從陸象山到劉蕺山》諸書後，驚覺宋儒心性學說之宏大，心情激動不已，嚮往內聖外王之道。時先生兄長國光先生正於新亞研究所修碩士課，先生得知牟宗三先生亦在該所講學，遂慕名前往旁聽。先生當時聽牟先生主講之首堂課為「老子」，全堂三小時僅講「道可道，非常道」六字，將「道」之形象表現得極為活潑生動，使其無比震撼，立志跟隨。牟先生指出，中國學術精神至劉宗周而絕，先生於是沉潛劉宗周門人陳確，並以「陳確理學思想研究」為題，隨杜維運教授攻讀港大碩士。當時，先生白天在中學任教，擔當高年級班主任，又要應付港大課業，壓力沉重。惟出於對牟先生之由衷傾慕，先生在原來課擔以外，還修畢新亞所有規定學科，更一度想放棄港大學位而直接轉校到新亞，後經研究所總幹事趙潛先生苦勸，方打消念頭。於是，先生在教學以外再兼讀兩校課程，終日乾乾，夕惕若厲，過程至為辛勤，惟箇中樂趣，無法言喻，生命境界，亦大幅提升。

圖二　鄧立光博士與牟宗三先生合影

一九八八年，先生順利以「陳確理學思想研究」一文取得港大哲學碩士學位。通過研治宋明理學，先生優遊於古代聖賢學問，立志以生命實踐君子道德理想，以復興傳統文化為己任。先生又領略到，歷代大儒的學說，實皆源於其對生命本質的體會；此一本質，即為先天本有之良知，由形而上之天道化生。先生遂將治學重心復歸道德之原、群經之首的《周易》。受牟宗三先生《周易的自然哲學與道德函義》一書啟發，先生埋首《周易》象數研究，並以「先秦至兩漢周易象數之研究」為題，隨陳耀南教授攻讀港大博士。至一九九二年畢業，取得哲學博士學位。

先生認為，古來聖賢強調的「道統」，重點在於喚醒良知本心，必須通過道德教育，以心靈傳承之，以生命實踐之。因此，先生一直重視文化教育，以孔孟之志為己志，以菩薩之心為己心，以成德之教律己導人。學位畢業後，先生曾先後任教於香港道教聯合會鄧顯紀念中學（1984-1985）、聖公會梁季彝中學（1985-1988）、天主教南華中學（1988-1989）等校。攻讀博士期間，又與兄長國光先生同任教於香港樹仁學院（今香港樹仁大學）中文系（1989-1992），講授「先秦諸子」與「中國哲學史」等科。博士畢業後，轉任香港公開進修學院（今香港都會大學）人文及社會科學部講師（1992-1993）。一九九三年秋，入職香港城市理工學院，隔年學院升格為香港城市大學，先生於其語文學部協助「應用中文」課程發展（1993-2008），後調往專業進修學院（2008-2014），其間曾教授「中國哲學」、「古代專書」等科，選講範圍包括《周易》、《論語》、《老子》、佛學、宋明理學等，受教學生不可勝數。此外，又曾於青松觀香港道教學院（1995-1997、2000-2001、2011）、中國文化促進中心（2008）、志蓮夜學院（2010）、香港新亞研究所（1996-1997、1999-2000、2002-2005、2006、2009-2011）等不同文教機構兼課，春風化雨，桃李滿門。這二十多年來，先生先後任教於香港不同院校，見證部分學校由學院升格為大學，學制由高級文憑易為副學士課程，學生畢業了一代又一代，經歷滄海變化。唯一不變者，乃先生之講學，貫徹道德感化，強調人生體會，力求以心傳心，用生命感動生命。故先生面對每一位學生，不論成績高低，不問際遇順逆，盡皆有教無類，一視同仁，通過身教言教，傳授專業知識，培育品德情意，啟迪文化精神，殷殷關懷，諄諄勸導，時刻提醒其保守良知本性，以正見正念，行正義正道。故學生對先生教誨與栽培之恩，無不銘感五內，縱畢業多年，仍與先生保持聯繫，返校探訪、寒暄問候者甚眾，先生道德教育之成功，由此可見一斑。

先生之學術專業為中國哲學與傳統文化思想，以《周易》之象數思想為綱，兼及先秦諸子、宋明理學、道學、佛學、現代新儒學等義理。《周易．繫辭傳》曰：「一陰一陽之謂道，繼之者善也，成之者性也。」先生認為乾坤思想必須並構，故以宋儒「理一分殊」觀統合諸家異說，學宗儒、釋、道三家，主張三者皆以「存心養性，執中貫一」為念，同有導人向善之實，務須並倡，不能偏廢。先生常言，儒、釋、道三家之思想，乃中華文化之核心，民族氣節之根本，猶如鼎之三足，同樣重要，無分長短；若截然三分，則必入一偏，難窺中華文化之全豹，人文發展亦將背離大道，而失去中正和平之德。故今人欲復興傳統文化之精神，必須兼重儒、釋、道三家之義理，以儒學為軀幹，佛道為左右手，如此方能以出世之心行入世之事，參贊天地而可以功成身退，使中國成為實至名歸的禮儀之邦。

為傳承及弘揚文化，先生著有《陳乾初研究》（1992）、《象數易鏡原》（1993）、《老子新詮》（2007）、《周易象數義理發微》（附《五行探原》）（2008）、《中國哲學與文化復興詮論》（2008）等學術專書；又擔任國務院參事室《中國地域文化通覽》（香港卷）副主編，撰寫其宗教章〈中西宗教之並存〉一節（2013）；發表學術論文七十餘篇，散見於中、港、臺、澳不同學刊及學術研討會；報刊專欄文章「《易經》與人生」七十二篇、「《論語》與人生」一百二十八篇與「古道今談」三十二篇；以及時事評論六十餘篇，部分收入《言歸「政」傳》、《特別關注》、《國是港事》三部時論專輯（詳見拙編〈鄧師立光博士論著目錄〉）。這些論著，無不體現先生之學養、襟懷與精神，蘊含其救世渡人之發願。讀者若能細意玩味，咀嚼文理，應能體會先生治學之用心，使生命發光發亮，文化生生不息。

先生人生之轉捩點在二〇一三年遇馮燊均國學基金會主席馮燊均先生與其夫人鮑俊萍女士。蓋其時先生有感傳統文化難以深入社會，非人才之有無，乃在於政治人物之不重視，教育制度之不有利。故先生之關注轉向政治與教育之頂層設計，對時局與民族命運關切不已，逐漸由一位學術研究人員、一位前綫教師，轉而為一弘揚傳統文化的行動者和復興民族的改革者。馮燊均伉儷提倡國學教育十數年，默默捐資內地大中小學接近一億元，一直期待一宏遠之國學教育藍圖。先生二〇一三年參加馮氏伉儷在陝西榆林舉辦的研討會，以〈中華文化在當代的困境與開展〉首次提出國學教育「由下而上」及「由上而下」兩條路徑，並呼籲慈善家全力奉獻於此以補政府之不足。馮燊均伉儷讀之極為震撼。經過兩年的交往與觀察，他們發現先生確然學問篤實、知行合一、抖落名利，遂開始一段在國學教育和民族復興道路上相互增益、彼此成就的奇逢佳遇。

二〇一五年，香港中文大學在馮燊均國學基金會的慷慨支持下成立國學中心，並禮聘先生擔任中心主任，協助推動國學發展及弘揚傳統文化。先生期望，以社會的資源與校內相關教學及研究部門互相支援，共同構建更完備的中國學術研究體系，以及更全面的中國文化教學內容，為學生講授聖賢學問，把思想和人格的教育，回歸崇尚德性的中華文化精神。先生在國學中心以行政工作為主，教務不多，僅講授「中國文化與文學」及「國學經籍概論」等選修科，其餘與涵養德性相關之多數學科，則仍分由中大不同部門各自負責。相對以往在城大講學的生涯，中大學生能親聞先生講學的機會明顯較少，亦不可不謂一憾。然此亦先生有意識之抉擇，捨學術研究與杏壇設教，為的是造就更多的人，建立更深的影響。

圖三　二〇一五年香港中文大學文學院國學中心成立，
鄧立光博士與中文大學沈祖堯校長等合影留念

二〇一六年，馮先生邀請先生加入馮燊均國學基金會之董事會。從此，先生隨馮氏伉儷獻身國學，將心力全落於弘揚中華傳統文化，積極舉辦或協辦國學講座，邀請兩岸四地及海外學者主講不同國學專題。謹將相關講座詳情列示如下，以見其弘揚文化之功：

	日期	講座	講者
1	2015年11月5日	非物質文化遺產講座：廣繡・粵劇戲服（協辦）	謝　西小姐
2	2015年10月20日	武德與中國傳統文化的精神價值	趙式慶先生（中華國術總會主席）
3	2015年12月11日	廟宇與中國文化	楊春棠先生（一新美術館館長）
4	2016年1月22日	馮燊均國學講座：《孝經》的精神與價值	如　證法師（福智鳳山寺住持）
5	2016年3月31日	馮燊均國學講座：道教關心世道人生的一面	李耀輝道長（嗇色園黃大仙祠監院）
6	2016年6月28日至8月23日（逢周二晚）	國學班：從《周易》看傳統文化 —— 福禍報應與人生智慧（協辦）	謝向榮博士（香港能仁專上學院）

	日期	講座	講者
7	2016年7月7日至8月18日（逢周四晚）	國學班：鑑古知今——《春秋左傳》的現代價值（協辦）	李詠健博士（香港中文大學自學中心）
8	2016年8月4日至9月8日（逢周四晚）	國學班：字裡行間——《說文解字》與中國古代社會文化（協辦）	陳嫣雪小姐（香港大學中文學院）
9	2016年11月22日	馮燊均國學講座：禮儀人生	黃　天先生
10	2016年12月6日至2017年2月7日（逢周二晚）	國學班：讀《周易》知天命——順流逆境皆有時（協辦）	謝向榮博士（香港能仁專上學院）
11	2017年1月17日	馮燊均國學講座：《周易》與中華國學	張其成教授（北京中醫藥大學國學院院長）
12	2017年2月18日	非物質文化遺產講座：「上善若水」粵劇戲服·水袖	謝　西小姐
13	2017年5月4日至6月1日（逢周四晚）	國學專題班：文化漫談——從《說文解字》認識古代生活	陳嫣雪小姐（香港大學中文學院）
14	2017年5月8日至6月26日（逢周一晚）	國學專題班：《周易》入門——陰陽並建之人生	謝向榮博士（香港能仁專上學院）
15	2017年6月3日	民藝築蹟：香港傳統華人社群建築	鄭　紅博士（華南理工大學建築歷史博士）
16	2017年11月25日	馮燊均文化講座之「細味中國」系列：絲桐合為琴，中有太古聲——中國傳統蠶絲琴絃的歷史與文化意義	黃樹志先生、梁麗雲女士
17	2017年12月5日	馮燊均國學講座：走不一樣的生命路	永　富法師（佛光山港澳地區總住持）
18	2017年12月16日	馮燊均文化講座之「細味中國」系列：從戲曲的「虎度門」看另類空間的體現	謝　西小姐
19	2018年1月26日、2月2日及2月9日	國學專題班：孔子的感性與詩意體驗工作坊	嚴力耕先生（鳳凰衛視前新聞主播）
20	2018年3月22日	馮燊均國學講座：儒家傳統的身心修煉及其治療意義	彭國翔教授（浙江大學求是特聘教授）
21	2018年3月23日	馮燊均文化講座：中國射禮與日本弓道的教育傳承	秦兆雄博士（日本神戶市外國語大學中國學科教授）

	日期	講座	講者
22	2018年3月26日	馮燊均文化講座：從明清小説淺談道教科儀	葉長清先生（香港華人廟宇委員會文化及宣傳小組主席）
23	2018年5月8日	中國文化研究中心主任孫亮先生主編《中國香文獻集成》贈書儀式暨專題講座：香聖黃庭堅的嗅覺世界	孫　亮先生 （中國香文化研究中心主任）
24	2018年8月17日至9月21日（逢周五晚）	國學班：《史記》導讀──究天人之際，通古今之變，成一定之言（協辦）	謝向榮博士（香港能仁專上學院）
25	2018年9月14日	馮燊均文化講座： 中西神話之比較	張學明教授（香港中文大學新亞書院資深書院導師）
26	2018年11月19日	馮燊均文化講座： 中國古典文學內涵説	楊錦富教授（臺灣屏東大學、美和科技大學教授）
27	2018年11月24日	馮燊均國學講座：《論語》在日本皇室與民間的經世致用	海村惟一教授 （日本福岡國際大學名譽教授）
28	2019年5月9日	馮燊均文化講座： 吟誦藝術知易行易	招祥麒教授（陳樹渠紀念中學校長、香港能仁專上學院客座教授）
29	2019年8月13日至8月27日（逢周二、四晚）	國學專題班：中華文化的感悟	陳家偉校長 （優才（楊殷有娣）書院小學部）
30	2020年11月4日至12月9日（逢周三晚）	國學班：以無心應無窮，讀《莊子》看人生（協辦）	謝向榮博士（香港能仁專上學院）

從上可知，先生所推廣之講座，範圍甚廣，內容既涵蓋《周易》、《左傳》、《說文》、《論語》、《莊子》等傳統經典之思想闡發，也包括儒家、道家、佛家、文學、神話、禮儀、孝道、戲曲、戲服、武術、弓道、吟誦、廟宇、建築、琴學等傳統文化，從學術研究到生活應用俱備，務求從社會不同層面中體現傳統文化的精神。所邀請之講學嘉賓，既有大專學者，亦有民間專家；既有前輩時賢的指導，亦有後學新進的分享，鼓勵各界交流文化，繼往開來，其良苦用心，令人感動。

為了促進各界作深層交流，先生努力聯繫學界專家，舉辦不同學術論壇，提供國學闡論之平台，冀能為文化復興提供學術理論基礎，謹將相關活動詳情列示如下，以便省覽：

	日期	活動	主講嘉賓
1	2015年9月2日	往山東濟南出席「儒通世界・慧聚泉城」2015濟南友城文化對話	鄧立光先生宣讀〈中華文化在當代世界的價值〉一文
2	2015年11月30日	「孟子學說的現實意義」論壇（與全球孟子學院聯合發展總會、香港孟子學院及文化通行國際有限公司合辦）	孟小紅、鄧立光、謝綽武、高家裕、孟濤、孟淑勤、趙龍、梁濤、彭林、鮑鵬山、劉強、姚中秋、唐元平、楊汝清、馮文舉、方宇、張國文等
3	2016年4月23-24日	兩岸四地儒學研討會（與國際儒學聯合會合辦）	張踐、方俊吉、黃敏浩、鄧國光等三十多位學者
4	2016年7月11-12日	第九屆馮燊均國學研討會（與馮燊均國學基金會合辦）	劉智鵬、湯汝清、徐玲、趙立、謝向榮、李子建、賴貴三、劉楚華、潘麟等
5	2017年4月21日	「從《周易》看中華文化之價值體系」座談會	朱冠華、周錫䪖、張其成、彭泓基、黃成益、溫海明、廖名春、鄧立光、鄭吉雄、黎子鵬、謝向榮等
6	2017年5月19-20日	第七屆讀經教育國際論壇（協辦）	單周堯、彭林、王財貴、溫金海、施仲謀、楊裕貿、李焯然、孟柱億、高瑋謙、李學銘、鄧佩玲、張秋玲、鄧昭祺、張連航、Mattia Salvini、張俊杰、林暉、李雄溪、王培光、謝向榮、施枝芳、林暉、莊偉祥、黎世寬、潘樹仁等
7	2018年12月5日	2018年兩岸四地華語詩歌高峰論壇（協辦）	謝冕、商震、李元勝、藍野、朱壽桐、古月等六十餘位學者參與
8	2019年8月15-16日	跨宗教修行理論與實踐方法國際學術研討會（合辦）	梁德華、李耀輝、葉長清等道長
9	2019年11月9日	「陽明學的日常之用」論壇	鄧立光、海村惟一、中江彰、朱麗霞等

多年來，先生的奮鬥及超乎學者文人的高遠理想，不僅得到馮燊均伉儷的倚重，也獲得各方的賞識。先生在離世前的學術及社會職務，包括國際儒學聯合會理事暨會員聯絡委員會委員、國際易學聯合會副會長、北京大學大雅堂客座研究員、北京師範大學人文學院客座教授、湖南大學嶽麓書院客座教授、香港大學佛學研究中心顧問、香港新亞研究所教授兼博士生導師、嗇色園黃大仙祠文化發展委員會顧問、佛光山國際佛光會理

事、香港東方文化研究中心董事、香港中華文化學院董事、東方國際易學研究院學術委員、國際易學會香港區代表、中國周易學會會員、中國麥里周易研究院顧問、香港婦聯名譽顧問等職務，於兩岸四地頗負盛名。然而，先生為人低調，縱然榮譽等身，從未顯赫居功，總是謙和待人，默默為弘揚國學文化而努力耕耘。

先生於香港特區政府所擔任的公職，包括二〇〇七年負責特區政府在港舉行之「山東—香港祭孔大典」；二〇一〇年任國務院參事室主編《中國地域文化通覽》（香港卷）之副主編；以及擔任特區政府中央政策組特邀顧問、香港政府民政事務局華人廟宇委員會委員暨發展及文化小組主席、民政事務局公共事務論壇成員、香港學術評審局（後稱香港學術及職業資歷評審局）中國哲學學科專家、全國港澳研究會會員等，奔走於學術與政治之間，投身於社會大眾及基層師資培訓之中。近年更擔任國家教育部基礎教育課程教材發展中心「中華優秀傳統文化承傳專案」領導小組成員，參與國學融入基礎教育課程（幼兒班、小學、中學）之頂層設計；二〇一八年度國家社科基金教育學重大（重點）專案「教材建設中創新性發展中華優秀傳統文化研究」之總課題組專家，忠誠為國家、為社會貢獻己力，為實現民族復興、重振文化自信之偉大事業，不辭勞苦，鞠躬盡瘁。

圖四　鄧立光博士與馮燊均、鮑俊萍伉儷等合影

先生有一最大特點，乃篤信「眾生平等」。先生吃飯是最普通的茶餐廳，從不追求搭乘頭等艙、商務艙，一客沙爹牛肉通粉早餐，一杯下午的絲襪奶茶，就能和學生們開心談上三兩小時。為了使國學思想能更深入民間，先生又肩負起《輕談國學歌風雅》系列國學節目之製作總監一職，邀請內地著名歌手陳佳小姐擔任節目主持人，冀效法古人俗講、說唱之故智，以輕鬆手法，深入淺出地推廣國學及傳統文化。在先生的努力下，基金會及馮燊均伉儷在二〇一五～二〇一九年間共製作出以下二十七集優秀節目，供各地電視台選播，並於網上免費流傳：

1	詩歌：深情與至誠	2	家庭：人倫與孝道	3	師道長存
4	溫柔敦厚之詩教	5	樂而不淫哀而不傷之中和德性	6	中國古代之禮樂文明
7	中國傳統文化之東傳日本	8	宋朝之文治與學風	9	中華文化之南下西洋
10	海納百川之中華文化：佛教編	11	從佛教俗講到說唱文學	12	自強不息與厚德載物之中華文化
13	小說之夢境與人生啟示	14	中國近代之通商與民族自強	15	中華文化嶺南風
16	中華文化之南下西洋：儒家思想與新加坡	17	中華文化之南下西洋：宗教共存與種族共融的新加坡	18	中國傳統雅樂與流行曲
19	儒家樂教及其時代意義	20	濟南名士　柔而能剛之李清照	21	鄒魯禮義地　母教出聖賢
22	教育特輯：中國教育百年風雨路之一	23	教育特輯：中國教育百年風雨路之二	24	為天地立心之書院講學：千年學府嶽麓書院
25	為生民立命之宋明理學：朱熹與陸九淵	26	為往聖繼絕學之王守仁心學	27	為萬世開太平之中華文化基礎教育

多年以來，製作隊伍走遍中國大江南北取景，過程相當艱辛，惟無論天氣嚴寒酷暑，過程攀山涉水，先生都堅持隨行，為普及國學文化而不遺餘力。先生曾說：「我們學者有機會研究古籍，中小學生在學校也有接觸傳統文化的機會，可是一般人呢？尤其離開社會出了學校的一般百姓，難道就不需要教化嗎？」先生從來不視國學為象牙塔裡少數人的專利，他不捨世間，要風行草偃，此《易》漸卦《象辭》:「君子居賢得善俗。」

先生另一項在國學教育事業上的重大成就是二〇一八年為馮燊均先生創設「大成國學基金」作出擘畫，並親自擔任基金的代表監督其執行。在這之前三年，先生積極參與馮先生資助的亙元教師心靈成長研究院主辦的師資培訓班，訪問了不同省市的中小學，並且為該院在全國各地舉辦的中小學校長、幼稚園園長國學師資培訓班定期授課。培訓班每兩個月一次，先生跑遍大江南北，還帶著校長老師和縣市教育主管遠赴日本觀摩傳統文化教學。先生深切體會這些校長、園長對傳統文化教育的敬意和熱情，以及他們面對的教育政策與資源不足，決定接觸國家教育部和北大、清華、北師大三個高校，尋求突破。在先生看來，國學之衰亡在於民國初年教育之全盤西化，故須切入制度化之學校教育，「由下而上」讓國學全面進入基礎教育之課程、教材、校園，以及「由上而下」急起培養能傳承國學的高級知識分子。恰好國家教育部有中華優秀傳統文化「三進」的構想，於是先生為國學教育做出上下相通之全盤規劃，在二〇一八年中由馮燊均先生捐款人民幣一億五千萬元予中國教育發展基金會，創設「大成國學基金」，專用於國家教育部開展與中華優秀傳統文化進入基礎教育的研究，並且捐款北大、清華、北師大、湖南大學，設立獎教金、獎學金鼓勵開設中國經典、歷史、哲學課程和進行相關研究。二〇一九年底還資助清華大學成立中國經學研究院，推動經學成為獨立學系。

圖四　鄧立光博士參與馮燊均先生大成國學基金項目捐贈簽約儀式合影

先生及馮燊均先生此舉，在國家教育部及大學之人文學院堪稱創舉，中國教育發展基金會特為「大成國學基金」的設立在北京人民大會堂舉辦捐贈儀式，先生上台發言說明國學教育上下兩個路徑的重大意義，新華社的報導當天點擊超過二十萬人次，正規國學教育的落實在神州大地唱響。先生是籌劃者，也是推動者，他和馮燊均先生受國家教育部基礎教育課程教材發展中心邀請，擔任「中華優秀傳統文化傳承項目」領導小組成員，在疫情發生前定期到北京與課程中心的學者專家開會討論項目發展。其時專家皆以傳統文化浩如煙海，選取何者放進基礎教育之課程教材欠缺理論支持。先生二〇一七年在《人民教育》發表重要論文〈「五學並舉」傳承中華優秀傳統文化〉，指出經典、歷史人物、禮儀、武術、書法乃士君子必備學養，應以此作為國學教育的核心課程，這正是二〇二一年教育部頒佈〈關於成立教育部中國書法、武術、戲曲教育指導委員會等三個教育指導委員會的通知〉的雛型。先生又以《四庫》經、史、子、集目錄為經，以當前小學及中學十二年級各學科為緯，建議教育部朝滲入各學科的方向研究，這就是二〇二一年教育部印發《中華優秀傳統文化進中小學課程教材指南》的部分理論基礎。《指南》建議，采取三加二加 N 的方式，按照中國傳統目錄歸類，把「五學並舉」融入當前語文、歷史、道德與法治、體育、藝術五個學科，而把傳統天文、地理、科學、農田、水利、軍事、醫學知識滲入其他文理各科之中。此真一改中國近百年教育之歧出而恢復張之洞癸卯學制精神！國家固然有此方向，先生把多年思考與實踐奉獻於民族，引領教育回歸中國文化本位，其功大矣！尤以獲悉中國武術納入體育課，先生最為激動。先生少年習武，常以當代年輕人身心孱弱為誡，認為武德與武藝得讓我國少年健其身、強其魄、壯其志，並說：「這是未來中國真正強大、屹立世界強國之林的心法所在。」

先生一生行誼，為典型之君子儒而不類於現代工具型學者。先生之學問只用於造福國家民族及人類，先生之知識必伴以具體之行動。故先生自己在香港中文大學即先選定「五學並舉」的禮儀一項，開始從事禮儀教育的師資培訓和學校實踐。先生二〇一九年與清華大學中國經學研究院彭林教授和他的學生們合作，攜手推動「粵港澳大灣區中華禮儀教育」。二〇二一年初，開辦第一期「大灣區禮儀教育師資培訓課程」。同年，改編彭林教授《禮樂文明教育》初級篇和中級篇並編寫輔助學習教材。又與幸福文化教育控股有限公司合作，共同編撰中華傳統文化禮樂幼兒繪本《禮樂好孩子》共六冊，另附《教師手冊》二冊，由中文大學國學中心免費贈送予全港幼稚園。先生支持國家粵港澳大灣區的構想，在中聯辦教科部和香港教育工作者聯會的支持下，奔走香港教育局、澳門教青局部和廣東省九個城市的教育主管，成立「粵港澳大灣區禮儀教育聯席會議」，居中協調，身肩重任。

二〇二一年八月，先生轉職香港教育大學國學中心主任，開啟事業新章。先生初抵教大，即為訂立明確的發展目標，計劃將於未來五年推行「大成國學講堂系列」、「國學興趣班及課程」、「中華文化品德生命教育研究」、「粵港澳大灣區國學核心課程師資養成計劃」等不同文教項目，一切以「五學並舉」為框架，集中力量於國學師資的養成。書法教學及武術教學興趣班，一經推出即超額報名，可見香港教育大學的學生亦有感文化自信正伴隨中華民族復興而勃然升起，亟需認識書法、武術、禮儀、經典、蒙書之教學方法。而「粵港澳大灣區國學核心課程師資養成計劃」也獲得香港教育局和澳門教青局的積極采納，正與先生洽談納入教育局行事曆及認可修讀成果等事宜。詎料，當一切光明開展之時，惡疾竟來相侵。先生深信文化使命尚在，天必不喪斯文，直至離世前兩星期還在病榻上辛勤工作，忍住巨痛，安排彭林教授和徐勇教授為粵港澳中小學校長、教師、準教師及教育管理人員做「推廣國學及國學教育實踐的問題」系列講座。二〇二二年七月七日晚彌留之際，先生在家人手心重重寫下「國學」二字，再無氣力。翌日午時，先生於香港仁安醫院帶著無限遺憾和期許辭世，享年六十四歲。

圖五　鄧立光博士轉任香港教育大學國學中心主任時留影

先生畢生為弘揚中華文化而奮鬥，事事不遺餘力，艱辛勞累。即使得知病情惡化，仍堅持參與大小事務，直至生命最後一刻，尚念念不忘推展國學之事，為法忘軀。今文星隕落，社會痛失模範，同道門生故友不勝唏噓，惟先生復興傳統文化、振奮民族精神之心願，其情其志，嘉言美事，咸誦於心，必可薪火傳承，萬古長存。又先生為道教大德，對《道德經》有獨到見解，常以全真弟子自居。我等親炙先生，總覺他「和其光，同其塵」，氣質清新，超凡脫俗，仙氣飄飄。先生又以儒、釋、道三家為傳統文化的一體，故先生於佛學也多有深入體會，皈依法鼓山聖嚴上人修習禪宗妙法，最尊崇佛陀「無緣大慈，同體大悲」。先生聞佛曲動輒流淚，他曾說：「此發自內心深處，不知乃愧於自己追趕不上，還是由衷欽佩？」

然先生終究為儒家之徒，關心政治隆污及民生疾苦，一生以杜甫詩「致君堯舜上，再使風俗淳」為志，用之則行，捨之則藏，惕勵奮進，無有已時。生前愛以北宋大儒張橫渠先生「四句教」為訓，勉勵學子宜以人飢己飢、人溺己溺之志，「為天地立心，為生民立命，為往聖繼絕學，為萬世開太平」。案《左傳・襄公二十四年》曰：「太上有立德，其次有立功，其次有立言。雖久不廢，此之謂三不朽。」孔穎達疏云：「立德謂創制垂法，博施濟眾」；「立功謂拯厄除難，功濟於時」；「立言謂言得其要，理足可傳」。綜觀先生一生，於國家公職，鞠躬盡瘁；於文化大業，弘道養正；於德育啟蒙，言傳身教；於學術研究，金聲玉振。是先生不止承繼道統，為天地生民「立心」、「立命」，更為國家民族「立德」、「立功」、「立言」，樹立君子典範。鄧師立光先生，立身行道，謙尊而光，無悔今生，真不朽也！

圖五　筆者畢業時與鄧立光博士合影

附　鄧立光博士學術論著目錄

（一）學術專著

日期	著作名稱	出版社	頁數
1992年7月	《陳乾初研究》 （ISBN 957-668-044-1）	臺北：文津出版社	共224頁
1993年11月	《象數易鏡原》 （ISBN 7-80523-593-7/B.68）	四川：巴蜀書社	共242頁
2007年6月	《老子新詮》 ——無為之治及其形上理則 （ISBN 978-7-5325-4656-5）	上海：上海古籍出版社	共255頁
2008年8月	《周易象數義理發微》 附《五行探原》 （ISBN 978-7-5326-2481-2/B.128）	上海：上海辭書出版社	共243頁

日期	著作名稱	出版社	頁數
2008年12月	《中國哲學與文化復興詮論》（ISBN 978-7-5325-5111-8）	上海：上海古籍出版社	共232頁
2013年9月	中央文史研究館《中國地域文化通覽．香港卷》副主編（ISBN 978-7-101-09044-4）	北京：中華書局	共587頁

（二）學術論文

篇數	日期	出版資料
1	1994年10月	從帛書《易傳》看孔子之易教及其象數 《周易研究》1994年第3期，20-29頁。又收入《百年易學菁華集成．出土易學文獻》第3冊，上海科學技術文獻出版社，2010年4月，頁1072-1083。
2	1994年12月	從帛書《易傳》重構孔子之天道觀 臺北《鵝湖學誌》第13期，43-62頁。
3	1995年6月	五行哲學新說 臺北《鵝湖學誌》第14期，125-139頁。
4	1995年11月	王船山之易學——《易》數析論 高雄《第四屆清代學術研討會論文集》，57-78頁。
5	1995年12月	馮友蘭學行述評 臺北《鵝湖月刊》246期，42-48頁。
6	1995年12月	五行之源起流變及其哲學意義 《中國文化》第12期1995季秋號，81-93頁。
7	1996年8月	孔老原論 原出處待考。收入《中國哲學與文化復興詮論》13-41頁。
8	1996年12月	牟宗三先生的易學與當代儒學的關係 原出處待考。收入《中國哲學與文化復興詮論》106-116頁。
9	1997年4月	易數（天地之數）之存有論意義 臺北《鵝湖月刊》262期，35-37頁。
10	1997年	陸象山學說述要 《酒泉教育學院學報》第1期，1-6頁。
11	1997年9月	老聃職官新考 臺北《鵝湖月刊》267期，37-42頁。

篇數	日期	出版資料
12	1997年8月	從帛書《易傳》證知孔子說《易》引用古熟語 《周易研究》1997年第3期，1-5頁。
13	1998年4月	牟宗三先生重建中國哲學的道路 臺北《鵝湖月刊》274期，27-36頁。又收入《中國哲學與文化復興詮論》90-105頁。
14	1998年6月	河圖洛書的宇宙論意義 《國際易學研究》第4輯，275-283頁。
15	1998年10月	象數易學義理新詮──牟宗三先生的易學 《大易集述》，成都：巴蜀書社，149-152頁。
16	1998年12月	中國傳統哲學的返本開新 原出處待考。收入《中國哲學與文化復興詮論》〈代序二〉1-15頁。
17	1999年6月	孔子形上思想新探 《新亞學報》第19卷，33-44頁。
18	2000年3月	中國哲學的傳統特色及其發展創新 《中華文化與二十一世紀》，627-641頁。
19	2000年3月	孔子的德性生命與形上思想 原出處待考。收入《中國哲學與文化復興詮論》13-41頁。
20	2000年6月	老子的慈心 《香港道訊》第4期。
21	2000年6月	文化復興與中華民族應走的方向 《紀念孔子誕辰2550周年國際學術討論會論文集》，955-964頁。
22	2000年8月	從帛書《易傳》析述孔子晚年的學術思想 《周易研究》2000年第3期，11-20頁。又收入《百年易學菁華集成・出土易學文獻》第3冊，上海科學技術文獻出版社，2010年4月，頁1169-1178。
23	2000年9月	說謙德 《毅圃》第23期，香港：弘毅文化教育學會，18-20頁。
24	2001年9月	從《黃帝陰符經》說道教哲學 《道家與道教──第二屆國際學術研討會論文集》，214-222頁。又收入《中國哲學與文化復興詮論》156-162頁。
25	2001年10月	如何復興文化傳統 《新亞研究所通訊》第14期，5-9頁。
26	2001年11月	朱熹理學思想之「心」義辨微

篇數	日期	出版資料
		《朱子學與21世紀國際學術研討會論文集》，西安：三秦出版社，267-274頁。又收入《中國哲學與文化復興詮論》68-76頁。
27	2001年11月	《老子》所反映的天道觀與政治理想 《新亞學報》第21卷，201-215頁。又收入《中國哲學與文化復興詮論》119-145頁。
28	2001年11月	中國文化的回顧與反省、復興與發展 原出處待考。收入《中國哲學與文化復興詮論》208-216頁。
29	2001年11月	儒學研究與文化復興 《中華儒學》第1輯，長春：時代文藝出版社，1-5頁。
30	2002年4月	現代儒學研究的方向 《傳統儒學、現代儒學與中國現代化論文集》，93-99頁。
31	2002年8月	從帛書《易傳》考察「文言」的實義 《周易研究》2002年第4期，40-44頁。又收入《百年易學菁華集成．出土易學文獻》第3冊，上海科學技術文獻出版社，2010年4月，頁1219-1224。
32	2002年10月	孔子的德性生命 《孔學論文集》，馬來西亞孔學研究會。
33	2002年10月	以儒釋道三家作為復興傳統文化的重點 原出處待考。收入《中國哲學與文化復興詮論》217-228頁。
34	2002年12月	從帛書《易傳》與《乾文言》說儒家的道德觀 《大易集義》，上海古籍出版社，489-498頁。
35	2003年10月	修真與體道——陳希夷「無極圖」與周濂溪「太極圖」闡微 《新亞學報》第22卷，517-535頁。又收入《中國哲學與文化復興詮論》163-182頁。
36	2003年8月	道教在現代中國文化的作用 《道教教義與現代社會》，上海古籍出版社，146-150頁。
37	2003年12月	《道德經》第一章道境闡微 《弘道》總第17期，2003年冬季號，26-29頁。
38	2004年9月	孔子的謙讓思想 衢州國際孔子節暨國際儒學論壇，2004年9月28日。收入《中國哲學與文化復興詮論》3-12頁。
39	2004年12月	從鄧小平先生看胡錦濤主席的歷史使命 《中國改革發展理論文集》，北京：中國文藝出版社，883-885頁。又收入

篇數	日期	出版資料
		《中國新思維新學術獲獎成果精粹》，北京：中國文聯出版社，2005年5月，145-147頁。
40	2004年12月	《象傳》的思維特徵及道德意識 《大易集奧》（上），上海古籍出版社，197-214頁。又收入《百年易學菁華集成·〈周易〉經傳》第5冊，上海科學技術文獻出版社，2010年4月，頁1864-1875。
41	2005年3月	文化自覺與民族政治制度的建立——「中國式社會主義民主」芻議 《二十一世紀中華文化世界論壇論文集》，842-852頁。
42	2005年5月	從《老子》看道家道教的修真 原出處待考。收入《中國哲學與文化復興詮論》146-155頁。
43	2005年6月	宋明理學的時代意義 《儒學與當代文明》（論文集），北京：九州出版社，933-938頁。
44	2005年6月	品德培養是教育的基本考慮 《京港學術交流》第66號，37頁。
45	2005年11月	通《經》致用——以王夫之的易學為例 《清代經學與文化》，北京大學出版社，1-8頁。
46	2005年11月	老子天道觀闡微 《老子研究》第3集，長樂老子研究會編，香港：天馬出版有限公司，134-144頁。
47	2006年2月	從《孝經》說中國傳統文化的精神 《中國文化研究》2006年春之卷，北京語言大學出版社，14-19頁。又收入《中國哲學與文化復興詮論》196-207頁。
48	2006年5月	從《彖傳》、《象傳》探討中國哲學的特色 香港華夏書院2006年5月12日講座筆記
49	2006年6月	復興中國傳統文化的理論模型——「文化三層論」 《孔子研究》2006年第3期，北京：中國孔子基金會，26-31頁。又收入《中國哲學與文化復興詮論》185-195頁。
50	2007年5月	《彖傳》研究——卦爻理則析述 《大易集釋》，上海古籍出版社，79-87頁。
51	2008年4月	從《道德經》看道家道教的修真 《天臺山暨浙江區域道教國際學術研討會論文集》，杭州：浙江古籍出版社，655-659頁。
52	2008年5月	傳統文化之精神價值與公民意識 《公民意識研究》，鄭州大學公民教育研究中心，388-393頁。

篇數	日期	出版資料
53	2008年5月	**通識科應慎選教材，打下為學做人的基礎** 《公民意識研究》，鄭州大學公民教育研究中心，423-426頁。
54	2009年6月	**以「和而不同」思想為人類文化定位** 《首屆儒釋道文明對話（澳門）對話紀要暨論文集》，澳門：中華文化交流協會，271-281頁。
55	2009年6月	**戴震理學思想析評** 《明清學術研究》，北京：中國社會科學出版社，86-95頁。又收入《中國哲學與文化復興詮論》77-89頁。
56	2009年9月	**從《論語》考察孔子所言「安」與「不安」的意義** 《儒學的當代使命——紀念孔子誕辰2560周年國際學術研討會論文集》第3冊，國際儒學聯合會，927-930頁。
57	2010年10月	**從宗密之《華嚴原人論》探討儒釋道之權實關係** 儒道國際學術研討會：隋唐，國立臺灣師範大學國文系主辦，2010年10月30-31日。
58	2009年11月	**象數與易占** 《第三屆中國經學國際學術研討會論文集》，廈門總商會、清華大學歷史系經學研究中心、福建師範大學文學院易學研究所等合辦，2009年11月7-8日。
59	2011年10月	**儒家人性論探微** 《漢學與東亞文化國際學術研討會論文集》，香港珠海學院中國文學系出版，353-356頁。
60	2011年10月	**爻辭與爻位卦時之關係新探** 早期易學的形成與嬗變國際學術研討會，山東大學易學與中國古代哲學研究中心主辦，2011年10月13-15日。
61	2012年11月	**朱伯崑《易》學思想研究** 新中國六十年的經學研究（1950-2010）第四次學術研討會，臺北：中央研究院中國文哲研究所主辦，2012年11月22-23日。
62	2013年3月	**說香港社會須復興中國傳統文化** 《曾子故里論孝道：曾子思想研討會暨文化論壇文集》，北京：中國文史出版社，154-160頁。
63	2013年7月	**以《論語》對治現代人的價值迷失** 《第五屆世界儒學大會學術論文集》，北京：文化藝術出版社，386-393頁。

篇數	日期	出版資料
64	2013年7月	中華文化在當代的困境與開展 第六屆中華義理經典教育工程研討會，馮燊均國學基金會、榆林市文化廣播新聞出版局主辦，2013年7月19-21日。
65	2013年9月	中西宗教之並存 《中國地域文化通覽．香港卷》，北京：中華書局，330-333頁。 《香港文化導論》，香港：中華書局，2014年7月，113-117頁。
66	2015年5月	香港本地經學教育的思考 「香港經學研究的回顧與前瞻」國際學術研討會，香港浸會大學中文系、新亞研究所合辦，2015年5月6-7日。
67	2015年5月	以《周易》家庭倫理觀重塑當代家庭的價值觀 「儒學齊家之道與當代家庭建設」國際論壇，北京國際儒學聯合會聯合「中華優秀傳統文化教育研究」家庭教育課題組主辦，2015年5月17日。
68	2015年9月	中華文化在當代世界的價值 《「儒通世界．慧聚泉城」2015濟南友城文化對話》，4-5頁。濟南市人民政府外事辦公室、新聞辦公室主辦，2015年9月2日。
69	2015年11月	經學與善書──經學之根本精神及其通俗之教化形態 《經學：知識與價值》，北京：中國人民大學出版社，297-305頁。
70	2017年7月	「五學並舉」：傳承中華優秀傳統文化 《人民教育》2017年第13-14期合訂本，頁30-33。
71	2018年4月	陸王心學的修德意義 《傳統實學與現代新實學文化（五）》，北京：中國言實出版社，128-138頁。
72	2018年7月	牟宗三先生的文化意識 《紀念牟宗三先生逝世二十周年國際學術研討會論文集》，臺北：萬卷樓，29-38頁。 《新亞論叢》第20期，2019年12月，483-487頁。

編者後記：鄧師治學，以《周易》為綱，兼及先秦諸子、宋明理學、道學、佛學、現代新儒學等，於文化、教育、政治事務亦深有體會，涉獵既廣，著述亦豐，境界高遠。本目錄受篇幅所限，僅收錄學術專著及論文，時評及專欄文章則從略。又鄧師之論文，大多僅宣讀於學術會議，從未正式出版，今已散佚難尋。筆者雖盡力補苴，惟見識淺陋，粗心遺漏者，恐怕不少，未能呈現恩師學術全璧，深以為憾。敬祈諸家海涵，並不吝訂正。

受業　謝向榮謹記

附錄五

悼潘秀英學長

楊永漢
香港新亞文商書院

潘秀英學長畢業於新亞文商書院，其後進入新亞研究所，並取得博士學位。驟耳聽來，好像一般學者的學習歷程。可是，潘學長是一邊工作，一邊讀書的學生兼老師。她追求學問的熱誠，可見一斑。秀英學長曾在志蓮淨苑教授不同的課程，包括「宋代理學與書院教育」、「佛教、書院與唐代文化概說」、「史學名家的治史方法論」、「千載文化傳承之所—書院文化的興起與發展」等，都是潘學長專研的範圍。在學術上，她研究書院制度，有獨到之處，並出版專書；在教育上，令當代學子明白史學的傳承及治史精神。她指出書院制度是傳承了傳統的儒家文化精神，而在制度上，卻吸收了佛教的制度形成。潘學長認為書院制度實在是儒佛兩家相融和的制度，確是的見。史學方面，潘學長服膺錢穆先生的主張「先通而後專」，以先學習通史，對整個中國文化史事的發展有概括式的認識，再深入專研其中特別項目。

潘學長和藹可親，令曾跟隨她的學生，容易親近；對學長朋輩，慷慨磊落，能協助的事情，都盡力而為。另一方面，她尊重師長、友愛同學，對發展新亞文商書院及新亞研究所的一切活動，都積極參與。她義務為研究所主理圖書館，自從由她管理以後，館務日上，井井有條，令圖書館漸漸名著，為大眾所認識。她更承諾文商書院，如果有需要，可不收報酬教學。她熱愛學院的情懷，實在令人感動。

我與秀英見面只有三數次的機緣，但印象深刻難忘。最初與秀英電話通訊，我總稱她為學長。有次她回訊說，「叫我秀英吧」，往後我就稱她秀英。

《新亞論叢》第二十期有特刊懷念新亞先賢，秀英寄來了稿件，是有關麥仲貴先生生平的〈隱世的學者〉。這篇文章，是由我親自審稿的。在這篇文章內，我感覺到秀英對懷才不遇，有才華而不能顯達的學者，寄以無限的同情。甚至我覺得文章內的麥仲貴先生是有著秀英的影子在內。我在研究所讀書工作超過二十多年，我與麥先生亦很少交談，但麥先生以「扎克」筆名所寫的散文集《草窗隨筆》，婉轉幽怨，文筆清雅脫俗，我都全看過，更被他深深的情態所繚繞。逯耀東先生曾在課堂內介紹過麥先生的治學過程，往後我也看過他有關明清理學的著作。秀英對麥先生作品的評論是「麥先生在繁華都市中的苦悶，對於世俗人只顧追求個人享樂感到煩厭。他想逃離這令他窒息的城市，想找尋令他寧靜而充滿公義的理想國度。」（見〈隱世的學者〉）這評論與我當日看罷麥先生的作品，有相同的感受。我認為麥先生應受困於男女戀愛的繩索內，並被不公義的社會所糾纏，相信秀英也有這樣的結論。

其次，秀英認為麥先生對明清的理學研究是深入而有獨特見解，惜其後患病，一切好像來去得太虛幻，慧命斷折。秀英覺得麥先生是懷著絕世武功的高人，卻做著卑微的工作。我覺得秀英是有點自況，期待著飛龍在天。

我藏有幾套清代檔案，想送給研究所圖書館，因此，先問秀英有沒有這兩套書存館。她回覆我竟然是道歉，說我是文商院長，應該將圖書館的目錄給我過目，可惜現在還未完成，故先道歉。她不嫌我煩擾，反而覺得自己做得不足，真是律己嚴，待人寬。我總覺她豪爽磊落，有點俠氣，我信她是不拘小節，喜愛大自然的人。

本年初，新亞文商的副學士課程開始評審，我又忙又煩擾，大部份文件都要仔細翻閱。評審委員會曾質疑若學生人數不足，書院如何維持教學？我當時說書院的導師會免費教授。其後，書院跟秀英說起這事，她一口應承就不收報酬教學。此事我感激至今，若書院通過評審，秀英應記一功。秀英學長的突然離世，實在令我們傷感不已。但願潘學長安息，亦默期她所愛護的新亞文商書院及新亞研究所精神，長流不息。

在秀英的喪禮上，看見她的朋友學生來送別，心情格外沉重。一切來得突然，一切的理想，似乎都不到我們自主，要立即終止。當晚寫了兩首詩懷念秀英：

〈悼潘秀英學長二首〉

其一

緣何此熱心　竟被寒霜雪　逆海冀同舟　而今竟永別
百城架上書　新亞名師說　薪火用心傳　誓馳儒佛轍
悃然折盛年　痛惜如雷滅　群星長夜照　隱聽一星咽

其二

培養胸襟思極遠　退藏於密立人叢　尊師持道承薪火　撤首攜經御鶴風
制度叢林融孔釋　編年通史啟愚蒙　圖書寂寞無人理　今日鄰侯也淚窮

註釋　潘學長專研叢林書院制度知理學家以佛家制度行儒家教育讀史則尚先通後專研究所圖書發展蓬勃全賴潘學長義助之功

〈偶感〉

光微風淡招魂曲　海淚隨濤滴素襟　曾陷陰晴迷對錯　也纏愁恨自消沉
乍驚乍夢游魔道　半醒半悲尋放心　漸步耆年翻鬼籙　寒心硃墨滿新臨

《新亞論叢》文章體例

一、每篇論文需包括如下各項：

（一）題目（正副標題）

（二）作者姓名、服務單位、職務簡介

（三）正文

（四）註腳

二、各級標題按「一」、「（一）」、「1.」、「（1）」順序表示，儘量不超過四級標題.

三、標點

1. 書名號用《》，篇名號用〈〉，書名和篇名連用時，省略篇名號，如《莊子·逍遙遊》。

2. 中文引文用「」，引文內引文用『』；英文引文用“ ”，引文內引文用‘ ’。

3. 正文或引文中的內加說明，用全型括弧（）。

例：哥白尼的大體模型與第谷大體模型只是同一現象模型用不同的（動態）坐標系統的表示，兩者之間根本毫無衝突，無須爭執。

四、所有標題為新細明體、黑體、12號；正文新細明體、12號、2倍行高；引文為標楷體、12號。

五、漢譯外國人名、書名、篇名後須附外文名。書名斜體；英文論文篇名加引號“ ”，所有英文字體用 Times New Roman。

例：此一圖式是根據亞伯拉姆斯（M. H. Abrams）在《鏡與燈》（*The Mirror and The Lamps*）一書中所設計的四個要素。

六、註解採腳註（footnote）方式。

1. 如為對整句的引用或說明，註解符號用阿拉伯數字上標標示，寫在標點符號後。如屬獨立引文，整段縮排三個字位；若需特別引用之外文，也依中文方式處理。

七、註腳體例

（一）中文註腳

1. 專書、譯著

例：莫洛亞著，張愛珠、樹君譯：《生活的智慧》北京：西苑出版社，2004年，頁106。

或

莫洛亞著，張愛珠、樹君譯：《生活的智慧》（北京：西苑出版社，2004年），頁106。

2. 期刊論文

例：陳小紅：〈汕頭大學學生通識教育的調查及分析〉，《汕頭大學學報（人文社會科學版）》，2005年第4期，頁20。

3. 論文集論文

例（1）：唐君毅：〈人之學問與人之存在〉，收入《中華人文與當今世界》臺北：學生書局，1975年，頁65-109。

例（2）：黃仁宇：〈從「三言」看晚明商人〉，見氏著《放寬歷史的視界》，頁12。

4，再次引用

（1）緊接上註，用「同上註」，或「同上註，頁4」。

（2）如非緊接上註，則舉作者名、書名或篇名和頁碼，無需再列出版資料。

例：唐君毅：〈人之學問與人之存在〉，頁80。

5. 徵引資料來自網頁者，需加註網址以及所引資料的瀏覽日期。網址用〈 〉括起。

例：取自網址：〈www.cuhk.edu.hk/oge/rcge〉，瀏覽日期：2017年5月14日。

（二）英文註腳

所有英文人名，只需姓氏全拼，其他簡寫為名字 Initial 的大寫字母。如多於一位作者，按代表名字的字母排序。

1. 專書

例（1）：J. S. Stark and L. R. Lattuca, *Shaping the College Curriculum: Academic Plans in Action* (Boston: Allyn and Bacon, 1997), pp.194-195.

例（2）：Helmut Thielicke, *Man in God's World*, trans. and ed. John W. Doberstein (New York: Harper and Row, 1963), p10.

2. 網頁資料

例：R. C. Reardon, J. G. Lenz, J. P. Sampon, J. S. Jonston, and G. L. Kramer, *The "Demand Side" of General Education—A Review of the Literature: Technical Report Number 11* (Education Resources Information Centre, 1990), From www. career.fsu.edu/documents/technicalreports, retrieved 20-10-2011.

3. 會議文章

例：J. M. Petrosko, "Measuring First-Year College Students on Attitudes towards General Education Outcomes," paper presented at the annual meeting of the Mid-South Educational Research Association, Knoxville, TN, 1992.

4. 期刊論文

例：D. A. Nickles, "The Impact of Explicit Instruction about the Nature of Personal Learning Style on First-Year Students' Perceptions 259 of Successful Learning," The Journal of General Education 52.2 (2003): 108-144.

5. 論文集文章

例：G. Gorer, "The Pornography of Death," in *Death: Current Perspective*, 4th ed., eds. J. B. Williamson and E. S. Shneidman (Palo Alto: Mayfield, 1995): 18-22.

6. 再次引用

（1）緊接上註，用"Ibid"，頁數或舉作者名、書名／篇名和頁碼，無需再列出版資料。

（2）非緊接上註，舉作者名、書名／篇名和頁碼，無需再列出版資料。

例1（篇名）：G. Gorer, "The Pornography of Death," 23.

例2（書名）：Helmut Thielicke, *Man in God's World*, p18.

大學叢書・新亞論叢 1703009

新亞論叢　第二十三期

主　　編　《新亞論叢》編輯委員會
責任編輯　林以邠

發 行 人　林慶彰
總 經 理　梁錦興
總 編 輯　張晏瑞
編 輯 所　萬卷樓圖書股份有限公司
地址　臺北市羅斯福路二段 41 號 6 樓之 3
電話　(02)23216565
傳真　(02)23218698

發　　行　萬卷樓圖書股份有限公司
地址　臺北市羅斯福路二段 41 號 6 樓之 3
電話　(02)23216565
傳真　(02)23218698
電郵　SERVICE@WANJUAN.COM.TW
香港經銷　香港聯合書刊物流有限公司
電話　(852)21502100
傳真　(852)23560735

ISBN 978-986-478-816-3（臺灣發行）
ISSN 1682-3494（香港發行）
2022 年 12 月初版一刷
定價：新臺幣 900 元

如何購買本書：
1. 劃撥購書，請透過以下郵政劃撥帳號：
帳號：15624015
戶名：萬卷樓圖書股份有限公司
2. 轉帳購書，請透過以下帳戶
合作金庫銀行　古亭分行
戶名：萬卷樓圖書股份有限公司
帳號：0877717092596
3. 網路購書，請透過萬卷樓網站
網址　WWW.WANJUAN.COM.TW
大量購書，請直接聯繫我們，將有專人為您服務。客服：(02)23216565　分機 610

如有缺頁、破損或裝訂錯誤，請寄回更換

國家圖書館出版品預行編目資料

新亞論叢. 第二十三期/<<新亞論叢>>編輯委員會主編. -- 初版. -- 臺北市 ： 萬卷樓圖書股份有限公司, 2022.12
面 ；　公分. -- (大學叢書. 新亞論叢 ；1703009)
年刊
ISBN 978-986-478-816-3(平裝)
1.CST: 期刊

051　112001201